collection Adonis

PRÉFACE

Ce petit dictionnaire de poche, établi sur le plan des autres dictionnaires bilingues LAROUSSE, est destiné aux besoins de la vie courante.

Pour le lecteur français qui veut parler ou écrire en espagnol, nous donnons, dans la partie « français-espagnol », les traductions de chaque mot avec les explications en français qui lui permettront de choisir parmi les diverses acceptions. Nous indiquons pour chaque mot espagnol : la prononciation figurée, quand elle présente quelque difficulté ; la place de l'accent tonique ; le genre, quand il diffère dans les deux langues ; et, en général, tous les autres éclaircissements utiles.

Les verbes irréguliers sont indiqués par un astérisque (*) qui renvoie à une table en fin de volume. Nous indiquons en outre, dans le texte même, les principales formes irrégulières.

En consultant la partie « espagnol-français », on trouvera la traduction des mots espagnols en français, accompagnée, comme dans l'autre partie, des éclaircissements nécessaires Nous donnons le plus souvent possible les idiotismes curieux.

Nous avons adopté pour la prononciation figurée un système à la fois clair et scien-

PREFACIO

Este diccionario de bolsillo, establecido conforme al plan de los demás diccionarios bilingües LAROUSSE, se destina a las necesidades de la vida corriente.

Para el lector español que quiera hablar o escribir en francés, damos, en la parte « español-francés », las traducciones francesas de cada palabra, con explicaciones en español que le permiten escoger entre las diferentes acepciones. Indicamos, para cada voz francesa : la pronunciación figurada, cuando presenta dificultad ; la colocación del acento tónico, así como el género, cuando difiere en ambos idiomas ; y, en general, todas las demás aclaraciones juzgadas útiles.

Los verbos irregulares van señalados con una estrellita (*) que remite a la tabla añadida al final del libro. Indicamos además, en el texto mismo, sus formas más interesantes.

Al consultar la parte « francés-español », se encontrará la traducción de las palabras francesas en español, acompañadas, como en la otra parte, de aclaraciones semejantes. Damos, siempre que es posible, las expresiones idiomáticas curiosas.

Hemos adoptado para la pronunciación figurada un

tifique, sans employer de signes spéciaux. Notre notation permettra au lecteur d'arriver à une prononciation correcte. Notre prononciation figurée est destinée à être lue d'après les règles de la prononciation française. Les lettres dont la prononciation diffère dans les deux langues sont transcrites en **caractères gras**. Les voyelles toniques sont en *italique*.

Nous avons choisi avec grand soin notre vocabulaire, tâchant d'unir la richesse et l'utilité et donnant une large place aux néologismes, au parler familier et aux américanismes.

sistema a la vez claro y científico, sin empleo de signos especiales. Nuestra notación permitirá al lector llegar a una pronunciación correcta. Nuestra pronunciación figurada está hecha para poderse leer conforme a las **reglas de la pronunciación española**. Las letras cuya pronunciación difiere en ambos idiomas van transcritas en **negrilla**. Las vocales tónicas están en *bastardilla*.

Hemos escogido con esmero nuestro vocabulario, uniendo la riqueza con la utilidad y concedido puesto importante a los neologismos, a la lengua familiar y a los americanismos.

DICTIONNAIRE
FRANÇAIS-ESPAGNOL

A

a *prép.* A, de, en, con, hasta, por. A [direction]: *aller* à Madrid, ir* a Madrid. En [situation]: *être à Paris*, estar* en París. De [usage]: *canne à sucre*, caña de azúcar. Con [usage]: *café au lait*, café con leche. Hasta [jusqu'à]: à demain, hasta mañana. Por [pour, par]: *maison à louer*, casa por alquilar. *Reconnaître au son*, reconocer* por el sonido. En: *travailler à*, trabajar en; *s'amuser à*, entretenerse* en. [Être à se traduit de diverses manières]: *tout est à faire*, todo está por hacer*; *c'est à voir*, hay que ver*.

a V. AVOIR.

abaissement (ma**n**) m Baja f, bajada f. *Fig.* Abatimiento m. Humillación (oumilhazión) f.

abaisser (besé) Bajar (jar). Rebajar (ré). Humillar. *S'abaisser*, rebajarse, humillarse.

abajoue (jú) f Abazón m.

abandon (ba**n**do**n**) Abandono. Descuido m. Negligencia f. *A l'abandon*, descuidado, da.

abandonnement Abandono.

abandonner (né) Abandonar. Descuidar [négliger] Entregar [livrer] *S'abandonner*, abandonarse.

abasourdir Ensordecer* *Fig.* Aturdir, sorprender.

abasourdissement Asombro.

abat (abá) Derribo. *Pl* Menudos (ménoudoss)

abâtardir Bastardear.

abat-jour (jur) m Pantalla f.

abattage (taj) Derribo (**rri**). Matanza f [animaux].

abattement (batema**n**) Rebaja f [rabais] Abatimiento m.

abattis (tí) Derribo (**rri**bo). Menudos *mpl* [animaux].

abattoir (tuar) Matadero m.

abattre (batr) Derribar Matar (jur) Abatir, humillar. Caer* (caèr). *S'abattre*, Caer*.

abbaye (abeí) f Abadía f.

abbé (abé) Abad Abate [étranger] Padre, sacer-

dote (zer). *Monsieur l'abbé*, padre [conversation]; Sr. D.... presb. [correspondance].

abbesse (abés) Abadesa.

abcès (bsè) Abceso.

abdication Abdicación.

abdiquer (ké) Abdicar.

abdomen (mèn) Abdomen.

abécédaire Abecedario.

abeille (èi) Abeja (éja).

aberration Aberración.

abêtir Embrutecer*.

abhorrer Aborrecer*.

abîme (bím) Abismo.

abîmer Hundir, abismar. Estropear. *S'abîmer*, hundirse.

abject (ject) Abyecto (yek).

abjection (xion) Abyección.

abjurer (ré) Abjurar (rar).

ablette f Albur m.

ablution Ablución (zión).

abnégation Abnegación.

aboi (abuá) Ladrido. *Aux abois*, acosado.

aboiement Ladrido.

abolir Abolir*.

abominable Abominable.

abondamment Abundantemente.

abondance (aⁿs) Abundancia.

abondant (daⁿ) Abundante.

abonder (dé) Abundar.

abonné Abonado. Subscriptor.

abonnement m Subscripción f, abono m [théâtre].

abord (abor) Acceso (sso). Pl Cercanías [environs]. *D'abord*, primero.

abordable Accesible (zess)

abordage (daj) Abordaje.

aborder Abordar, acercarse a. *Fig.* Abordar [sujet].

aboucher Abocar. Enchufar [connecter].

aboutir Lindar, confinar. *Fig.* Concluir*, terminar.

aboyer (buaié) Ladrar.

abracadabrant Estupendo.

abrasif (sif) Abrasivo.

abrégé (brejé) Compendio.

abréger (jé) Abreviar.

abreuver (abrœvé) Abrevar. *S'abreuver*, beber (bébér).

abreuvoir (uar) Abrevadero.

abréviation Abreviación.

abri Abrigo. *A l'abri*, al abrigo; resguardado, a.

abricot (co) Albaricoque.

abricotier Albaricoquero.

abriter (té) Abrigar.

abroger* (jé) Abrogar.

abrupt (üp) Abrupto.

abruti (brüti) Embrutecido.

abrutir Embrutecer*

abrutissement (abrütismaⁿ) Embrutecimiento.

absence (absaⁿs) Ausencia. Falta. *En l'absence*, en ausencia.

absent, e (saⁿ) Ausente.

absenter (s') Ausentarse.

absinthe (sⁱⁿt) f Ajenjo (ajènjo) m.

absolu, e Absoluto, ta.

absolution Absolución.

absorbant, e Absorbente.

absorber (bé) Absorber.

absorption Absorción.

absoudre (sudr) Absolver*

absous, **oute** Absuelto, ta.

abstenir (s') Abstenerse*.

abstention Abstención.

abstinence (aⁿs) Abstinencia.

abstraction Abstracción.

abstraire (s') (trer) Abstraerse*.

abstrait, te Abstracto, ta.

absurde (ürd) Absurdo, a.

absurdité f Absurdo m.

abus (bü) Abuso (bousso).

abuser (üsé) Abusar.

abusif, ive (abüsif, ív) Abusivo, va.

acabit (bí) m Calidad f.

acacia (sía) m Acacia f.

académicien (ziⁿ) Académico.

académie (mí) Academia.

acajou (cajú) m Caoba f.

acariâtre (ríatr) Áspero, ra; mal humorado, da.

accablant (blaⁿ) Abrumador.

accablement (maⁿ) m Abatimiento m. Postración f.

accabler (blé) Abrumar.

accalmie f Descanso m.

accaparer Acaparar.

accéder (ksedé) Acceder.

accélérateur Acelerador.

accélérer (ré) Acelerar.

accent (saⁿ) Acento (zèn).

accentuer (tüé) Acentuar.

acception (sioⁿ) Acepción.

accepter (té) Aceptar.

accès (acsé) Acceso (sso).

accessible (síbl) Accesible.

accessit (sít) Accésit.

accessoire (uar) Accesorio.

accident (daⁿ) Accidente.

accidentel Accidental.

accidenter Accidentar.

acclamation Aclamación.

acclamer (mé) Aclamar.

acclimater Aclimatar.

accolade (lad) f Abrazo m. Espaldarazo (chevaliers]. Corchete m [signe typogr.].

accommodant Complaciente.

accommodement Arreglo.

accommoder Acomodar. Arreglar (arranger]. Aderezar (rézar]. Preparar (mets]. Convenir*

accompagnement (conpañe-maⁿ) Acompañamiento.

accompagner (ñé) Acompañar.

accompli Cumplido, acabado.

accomplir Cumplir, ejecutar.

accomplissement (conplise-maⁿ) Cumplimiento.

accord (cor) Acuerdo. Acorde [mus.]. D'accord, conforme, de acuerdo.

accordéon (ⁿ) Acordeón.

accorder Conciliar (réconcilier]. Concordar* [gramm.]. Otorgar, conceder (octroyer]. Afinar [piano].

accorte (ort) Vivaracha.

accoster (té) Atracar [bateau]. Fig. Acercarse a.

accoter Recostar, apoyar.

accouchement (maⁿ) Parto.

accoucher (cuché) Parir.

accoucheur, euse Partero, ra; comadrón, ona.

accouder (s') Acodarse.

accoudoir (uar) Reclinatorio.

accoupler (ku) Acoplar.

accourir (rir) Acudir.

accoutrement (maⁿ) Atavío.

accoutrer (kutré) Ataviar.

accoutumance Costumbre.

accoutumé, e Acostumbrado, da. A l'accoutumée, según costumbre.

accréditer Acreditar.

accroc (acro) Desgarrón. Fig. Estorbo, obstáculo.

accrochage Enganche. Tropiezo (ézo) (véhicules]. Fam. Disputa f.

accroche (och) f Gancho m.

accrocher (ché) Enganchar.

accroire Creer. Faire* accroire, engañar.

accroissement Crecimiento.

accroître (acruatr) Acrecentar*, aumentar (aou).

accroupir (s') Acurrucarse.

accueil (kœi) m Acogida f.

accueillant (iaⁿ) Afable.

accueillir* (œiir) Acoger*.

acculer (cülé) Acorralar.

accumulateur Acumulador.

accumuler (mülé) Acumular.

accusateur (œr) Acusador.

accusation Acusación.

accusé, ée Acusado, da. A *cusé de réception*, acuse de recibo.

accuser (sé) Acusar (ouss). *Fig.* Denotar, indicar.

acerbe (aserb) Acerbo, ba.

acéré Acerado. *Fig.* Punzante.

acétique (ic) Acético, ca.

acétone Acetona.

acétylène (lèn) Acetileno.

achalander Aparroquiar.

acharnement Encarnizamiento. Empeño m [obstinación].

acharner (s') Encarnizarse.

achat (chá) m Compra f.

acheminement Encaminamiento.

acheminer (né) Encaminar, encarrilar.

acheter (achté) Comprar.

acheteur (tœr) Comprador.

achèvement Acabamiento.

achever (vé) Acabar.

achoppement (achopmaⁿ) Tropiezo. *Pierre d'achoppement*, escollo.

acide (sid) Ácido (ázi).

acidité Acidez.

acidulé, ée Acídulo, la.

acier (sié) Acero (zéró).

acné m Acne f.

acolyte (lít) Acólito.

acompte Cantidad a cuenta.

aconit Acónito.

à-coup (acú) m Sacudida f.

acoustique (tic) Acústico, ca.

acquéreur (rœr) Adquiridor.

acquérir (rír) Adquirir*.

acquets Bienes gananciales.

acquiescer Consentir*.

acquis, ise Adquirido, da. M Saber, experiencia f.

acquisition Adquisición.

acquit (akí) Recibo. *Pour acquit*, recibí.

acquittement m Absolución f.

acquitter (akité) Pagar [dette] Absolver* [accusé]. Vr. Desempeñar, cumplir [charge, devoir, etc.].

âcre (acr) Acre: Áspero.

acrobate (bat) Acróbata.

acrobatie (sí) Acrobacia f.

acte (act) Acto. Hecho [action]. Escritura f [notarial].

acteur, trice Actor, triz.

actif, ive Activo, va.

actinique Actínico.

action (sioⁿ) Acción f.

actionnaire (ner) Accionista.

activer (vé) Activar.

activité Actividad (da).

actuaire (tüer) Actuario.

actualité Actualidad (da).

actuel, elle (tüel) Actual.

acuité (küi) *Agudeza* (oudéza.)

adapter Adaptar.

addition Adición. Suma [arit.]. Cuenta [restaurant].

additionner (né) Adicionar.

adepte (adept) Adepto.

adéquat (kuà). Adecuado.

adhérence Adherencia.

adhérent (deraⁿ) Adherente.

adhérer (deré) Adherir*. *Fig.* Adherirse*. [o, onion].

adieu (diœ) Adiós (dioss).

adipeux (pœ) Adiposo.

adjacent (jasaⁿ) Adyacente.

adjectif Adjetivo.
adjoindre Agregar, acompañar.
adjoint (adjuⁿ) Adjunto (jun). Agregado. *Adjoint au maire*, teniente de alcalde.
adjonction (oⁿ) Agregación.
adjudant (daⁿ) Ayudante.
adjudication Adjudicación. Subasta [travaux publics].
adjuger* (jé) Adjudicar.
admettre (metr) Admitir.
administrateur Administrador.
administratif, ive Administrativo, va.
administration Administración.
administrer Administrar.
admirable (rabl) Admirable.
admirateur, trice Admirador, a.
admiration Admiración.
admirer (miré) Admirar.
admission (sioⁿ) Admisión.
admonester (té) Amonestar.
adolescence Adolescencia.
adolescent (saⁿ) Adolescente.
adonner (s') Entregarse.
adopter Adoptar. Aceptar.
adoptif Adoptivo.
adoption (sioⁿ) Adopción.
adorable (rabl) Adorable.
adoration (sioⁿ) Adoración.
adorer (doré) Adorar.
adosser (dosé) Arrimar (rri).
adoucir (dusir) Suavizar.
adoucissement (adusismaⁿ) Suavizamiento.
adrénaline Adrenalina.
adresse (adrès) Habilidad. Señas *pl*, dirección [lettres]. *Tour* [m] *d'adresse*, suerte *f*.
adresser (dresé) Dirigir.

adroit (druá) Diestro.
adulation (sioⁿ) Adulación.
aduler (dùlé) Adular.
adulte (adùlt) Adulto, ta.
adultère Adúltero (doul).
adultérer (ré) Adulterar.
advenir* Advenir*, ocurrir.
adverbe (verb) Adverbio.
adversaire (sèr) Adversario.
adversité Adversidad (da).
aération (sioⁿ) Ventilación.
aérer (aeré) Airear, ventilar.
aérien (rièⁿ) Aéreo.
aérodrome (drom) Aeródromo.
aérodynamique Aerodinámico.
aérolithe (lit) Aerolito.
aéronaute (not) Aeronauta.
aéronautique Aeronáutica.
aéronef *m* Aeronave *f*.
aérophage (faj) Aerófago.
aéroplane Aeroplano.
aéroport Aeropuerto.
aérostat (tà) Aeróstato (rò).
affable (fabl) Afable (blé).
affaiblir Debilitar.
affaiblissement (afeblismaⁿ) *m* Debilitación *f*.
affaire (fèr) *f* Asunto (ssoùn) *m*. Negocio (zio) *m* [commercial]. Pleito (plèi) *m* [procès]. *Fam* Cosa *f*, objeto (objéto) *m*.
affairé, ée Atareado, da.
affaisser (fesé) Hundir.
affaler (s') Dejarse caer.
affamé, ée Hambriento, ta.
affamer (mé) Matar de hambre.
affectation (sioⁿ) Afectación.
affecté, ée Afectado, da.
affecter (té) Afectar [destiner]. Conmover [émouvoir]. *S'affecter*, resentirse* (ressèntirsé).

affection f Afecto m.

affectionner (né) Querer*.

affectueux (üœ) Afectuoso.

affermir Afirmar, dar* firmeza. Fortalecer* [fortifier]. Endurecer* [durcir].

affiche (ich) f Cartel m.

afficher (ché) Fijar anuncios o carteles. Fig. Ostentar.

afficheur (œr) Cartelero.

affilé, ée Afilado, da. D'affilée, seguido, da.

affiler (filé) Afilar.

affilier (filé) Afiliar.

affinité Afinidad.

affirmation Afirmación.

affirmer (mé) Afirmar.

affleurer Aflorar.

affliction (sioⁿ) Aflicción.

affligé, ée Afligido, da. Affligé de, afligido por.

affligeant (jaⁿ) Afligente.

affliger (jé) Afligir (jir).

affluence (üaⁿs) Afluencia.

affluent (flüaⁿ) Afluente.

affluer (flüé) Afluir*.

afflux (oujo) Aflujo (oujo).

affolement Enloquecimiento.

affoler Enloquecer* (ké).

affranchir Librar. Libertar [esclave]. Franquear [lettre].

affranchissement Franqueo m.

affres fpl Angustias.

affréter (frété) Fletar.

affreux (frœ) Horroroso.

affront (oⁿ) m Afrenta f.

affronter (té) Arrostrar.

affubler (blé) Disfrazar.

affût (fü) m Cureña f. A l'affût, en acecho (zé).

affûter Afilar.

afin (afiⁿ) A fin.

africain (kiⁿ) Africano.

agaçant (saⁿ) Provocativo.

agacer (sé) Dar* dentera. Fig. Irritar. Provocar.

agacerie (serí) f Arrumaco m.

agape (agap) f Ágape (pé).

agate (agat) Ágata.

âge (aj) m Edad (da) f. Moyen âge, Edad Media.

âgé (jé) De edad : âgé de six ans, de seis años de edad.

agence (jaⁿs) Agencia (jèn).

agencer Arreglar, disponer*.

agenda (jiⁿdá) Agenda (jèn).

agenouiller (s') Arrodillarse.

agent (jaⁿ) Agente (ajènté).

agglomération Aglomeración.

aggraver (vé) Agravar.

agile (jil) Ágil (ajil).

agilité Agilidad (jil).

agir (jir) Obrar. Il s'agit de, se trata de.

agissement (aⁿ) Acto. Pl Maniobras fpl.

agitateur (œr) Agitador.

agitation (sioⁿ) Agitación.

agiter (jité) Agitar (ji).

agneau (ño) Cordero (déro).

agnostique Agnóstico.

agonie (ní) Agonía.

agoniser Agonizar (zar).

agoraphobie Agorafobia.

agrafe f Corchete, broche m.

agrafer (fé) Abrochar (char).

agrandir Agrandar. Fig. Engrandecer*, ennoblecer.

agrandissement (maⁿ) m Ensanche [ville, edificio]. Agrandamiento. Ampliación [photo].

agréable (abl) Agradable.

agréer (gré) Aceptar, aprobar*. Gustar [plaire].

agrégation Agregación.

agréger* (jé) Agregar.

agrément (ma^n) Consentimiento. Atractivo [qualité agréable]. Encanto [charme].

agrémenter (té) Adornar.

agrès (grè) Aparejo (réjo).

agresseur (œr) Agresor.

agressif, ve Agresivo, a.

agression (sío^n) Agresión.

agricole (col) Agrícola.

agriculture Agricultura.

aguerrir Aguerrir.

aguets mpl Acecho m. Aux aguets, al acecho.

aguicher (guiché) Provocar.

ah! interj. ¡Ah!

ahaner (aané) Jadear.

ahuri (aüri) Aturdido. Atontado, turbado.

ahurir Turbar.

ahurissement Estupefacción.

ai V. AVOIR.

aide (èd) Ayuda (ayou). A l'aide! ¡Socorro! A l'aide de, con socorro de.

aider Ayudar. Socorrer [secourir].

aïe! (aï) ¡Ay! (aï).

aïeul, eule (œl) Abuelo, la.

aïeux (aïœ) Antepasados.

aigle (ègl) m Águila f.

aigre (ègr) Agrio.

aigrefin Estafador.

aigrette (gret) f Penacho m.

aigreur (grœr) Agrura. Fig. Aspereza, acritud [paroles]. Acedía (dia) [estomac].

aigrir Agriar.

aigu, uë (ëgü) Agudo, da.

aiguille (ëgüïe) Aguja.

aiguiller Cambiar de vía.

aiguillon (iïo^n) Aguijón.

aiguiser (guisé) Aguzar (zar).

ail (ai) Ajo (ajo).

aile (èl) Ala. Aspa [moulin].

A tire-d'aile, a todo vuelo.

ailé, ée Alado, da.

aille V. ALLER.

ailleurs (aïœr) En otra parte. *D'ailleurs*, por otra parte.

aimable (èmabl) Amable.

aimant (èma^n) Imán (án).

aimer (èmé) Amar [d'amour]. Querer* [affection]. Gustar [plaire] : *j'aime la musique*, me gusta la música.

aine (èn) Ingle (inglé).

aîné (né) Mayor. M l'primogénito (jé), hijo mayor.

aînesse Primogenitura.

ainsi (i^{n}si) Así (assí). *Ainsi que*, así como. *Ainsi soit-il* (suatil), Amén, así sea.

air (èr) Aire (aï). Tono m, modales mpl [manières]. Aspecto m, apariencia f. Facha, traza f [aspect extérieur]. *En l'air*, al aire. *Le grand air*, el aire libre.

airain (ri^n) Bronce (ònzé).

aire (èr) Área [surface].

aisance (sa^{n}s) Comodidad (da). Soltura [pour parler]. Desahogo m [fortune]. *Cabinets d'aisances*, excusado.

aise (ès) f Gusto m. Comodidad f. A l'aise, a gusto. A votre aise, como usted guste.

aisé (sé) Fácil. Suelto. Acomodado [fortune].

aisselle (esel) f Sobaco m.

ajonc (ajo^n) m Aulaga f.

ajournement Aplazamiento.

ajourner Aplazar (zar).

ajouter (ju) Añadir (gna).

ajuster Ajustar (jus). Concertar* [mettre d'accord].

alambic (la^n) Alambique f.

alarme (larm) Alarma.

alarmer (mé) Alarmar.

albâtre (batr) Alabastro.

album (bom) Álbum (album).

albumine (mín) Albúmina.

alcali (lí) Álcali.

alcalin (lĭⁿ) Alcalino.

alchimie (mí) Alquimia.

alcool (col) Alcohol.

alcoolique (lĭc) Alcohólico.

alcoolisme (ísm) Alcoholismo.

alcôve (cóv) Alcoba.

aléatoire (tuar) Aleatorio.

alène (aln) Lesna.

alentour (tur) Alrededor.

alerte (ert) Despierto, vivo. F Alerta, alarma.

alerter (té) Alertar.

alezan (saⁿ) Alazán (zàn).

alfa (fá) Esparto.

algèbre (jèbr) Álgebra.

algue (alg) Alga.

alibi (bí) m Coartada f.

aliénation Enajenación.

aliéné Enajenado (jèna). Demente, loco [fou].

alignement m Alineación f.

aligner (ñé) Alinear.

aliment (maⁿ) Alimento.

alimentaire Alimenticio.

alimentation Alimentación.

alinéa Párrafo (párra).

aliter (té) Acostar*.

allaiter Lactar. Criar.

alléchant (chaⁿ) Apetitoso. Fig. Atractivo.

allécher (ché) Engolosinar. Fig. Atraer*.

allée (lé) Ida. Allées et venues, idas y venidas. Alameda [d'arbres].

alléger (jé) Aliviar.

allégorie Alegoria (ría).

allégorique Alegórico.

allègre (egr) Alegre.

allégrement Animosamente. Alegremente [joyeusement].

allégresse (és) Alegría.

alléguer (e guer) Alegar.

alléluia (luiá) Aleluya.

allemand, e (aⁿ) Alemán, a.

aller* (alé) Ir*. Andar* (àn), caminar: ce cheval va bien, este caballo anda bien. Andar* [fonctionner]. Sentar* [vêtement]: ton veston te va, tu americana te sienta bien. Pegar, convenir* : ceci ne va pas avec cela: esto no pega con eso. Gustar [plaire] : l'affaire me va, el negocio me gusta. Aller* de mal en pis, ir* cada vez peor. Aller* sur ses vingt ans, acercarse a los veinte años. Allez ! ¡Vaya! Cela va de soi, no hay ni que decirlo. Laisser aller,* desentenderse* de. M Descuido. S'en aller, Irse*, marcharse.

aller m Ida f. Aller et retour, ida y vuelta (billet).

allergie (alerji) Alergia.

alliage m Liga f. Aleación f.

alliance f Alianza (za) f [union]. Anillo m [mariage].

allié (alié) Aliado. Fig. Unido. Deudo (déou) [parenté].

allô! (al-lô) ¡Oiga! ¡Diga!

allocation f Subsidio m.

allocution Alocución.

allonger* (jé) Alargar. Diluir* [liquide]. S'allonger, alargarse.

allouer (lué) Conceder.

allumage (aj) Encendimiento. Chispa f [automobile].

allumer (mé) Encender*.

allumette Cerilla.

allure (lür) f Paso (asso) m.

Traza f, aspecto [aspect].
Marcha f [véhicule]. *Aire* [cheval].

allusion Alusión.

alluvion f Aluvión *m.*

almanach (ná) Almanaque.

aloès Aloe.

aloi (luá) *m* Calidad f.

alors (lor) Entonces (zès). Aun *cuando* [quand bien même].

alouette (luèt) Alondra.

alourdir Entorpecer*.

aloyau (uaio) Solomillo.

alpaga *m* Alpaca f.

alpestre (estr) Alpestre.

alphabet (fabè) Alfabeto.

alphabétique Alfabético.

alpinisme Alpinismo.

altération Alteración.

altercation (sio**n**) f Altercado *m*, contienda f.

altéré (ré) Alterado (rado). Sediento [assoiffé].

altérer Alterar. Dar* sed.

alternatif Alternativo.

alterner (né) Alternar.

altesse Alteza (éza).

altier (tié) Altanero.

altitude (tüd) Altitud.

altruisme (üism) Altruísmo.

aluminium (níom) Aluminio.

alun (lu**n**) Alumbre, jebe.

amabilité Amabilidad.

amadou (dú) *m* Yesca f.

amadouer Halagar, adular.

amaigrissement (amégrise-ma**n**). Enflaquecimiento.

amalgame *m* Amalgama f.

amande (ma**n**d) Almendra

amant (ma**n**) Amante.

amarrer (ré) Amarrar (rrar).

amas (mà) Montón (tòn).

amasser (sé) Amontonar. *Fig.* Atesorar [argent].

amateur (ær) Aficionado.

amazone (zon) Amazona (zo).

ambages (anbaj) Ambages.

ambassade (sad) Embajada.

ambassadeur Embajador.

ambiance f Ambiente *m.*

ambiant f Ambiente *m.*

ambigu, uë (gü) Ambiguo, a.

ambitieux (iœ) Ambicioso.

ambition (sio**n**) Ambición.

ambre (a**n**br) Ámbar (ànbar).

ambroisie (brua) Ambrosía.

ambulance (a**n**s) Ambulancia.

ambulant (la**n**) Ambulante.

âme (am) Alma. *Rendre l'âme*, entregar el alma.

amélioration Mejoramiento.

améliorer (ré) Mejorar (jo).

amen (èn) Amén.

aménagement (jema**n**) Arreglo. Disposición f.

aménager* (jé) Arreglar.

amende (ma**n**d) Multa. *Faire* *amende honorable*, retractarse.

amendement *m* Enmienda f.

amender (dé) Enmendar*.

amener (amné) Traer*. *Mandat d'amener*, orden de comparecer* (rezer).

aménité Amenidad (da)

amer (mèr) Amargo.

américain (ki**n**) Americano.

amerrir (rir) Amerrizar.

amertume (tüm) Amargura

ameublement (a**n**) Mueblaje.

ami (amí) Amigo.

amiable (míabl) Amigable.

amiante (ia**n**t) Amianto.

amical, ale Amistoso, a.

amidon (do**n**) Almidón (do).

amincir (mi**n**) Adelgazar.

amiral (ral) Almirante.

amitié Amistad (ta). Favor *m* [service]. *Pl* Recuerdos *mpl.* Cariños [caresses].

Envoyer* *ses amitiés*, mandar recuerdos.

ammoniaque (lak) Amoníaco.

amnésie (sí) Amnesia.

amnistie (tí) Amnistía.

amoindrir Disminuír*.

amollir (lír) Ablandar. *Fig.* Enervar, debilitar.

amonceler (selé) Amontonar.

amont (en) Río arriba.

amorce (mors) *f* Cebo *m.* Mixto [explosif].

amorc*er* Atraer*, iniciar.

amorphe (morf) Amorfo.

amortir Amortizar [dette]. Amortiguar [coup].

amour (mur) Amor.

amouracher (ché) Enamorar.

amourette *f* Amorcíllo *m.*

amoureux (rœ) Amoroso. Enamorado. *Fam.* Querido.

amour-propre Amor propio.

ampèremètre Amperímetro.

amphibie (bí) Anfibio.

amphithéâtre Anfiteatro.

amphore (for) Ánfora (àn).

ample (aⁿpl) Ámplio, plia.

ampleur (plœr) Amplitud.

amplifier (fié) Amplificar.

amplitude (túd) Amplitud.

ampoule (pul) Ampolla (lha). Bombilla [électrique]

amputer (té) Amputar.

amulette (let) Amuleto.

amusant (saⁿ) Divertído.

amusement (maⁿ) *m* Diversión *f.* Entretenimiento *m.*

amuser (amüsé) Divertír*. Entretener*.

amygdale (dal) Amígdala.

an (aⁿ) Año. *Nouvel an*, año nuevo. *Deux fois l'an*, dos veces por año.

anachronisme Anacronismo.

analogie (jí) Analogía.

analogue (o<u>g</u>) Análogo, a.

analyse (lís) Análisis.

analyser (sé) Analizar.

ananas (nà) Ananás (nass).

anarchie (chí) Anarquía.

anarchiste Anarquista.

anathème (tem) Anatema.

anatomie (mí) Anatomía.

ancestral Ancestral.

ancêtre (setr) *Fam.* Anciano (ànzia) *Pl* Antepasados.

anchois (chuá) *m* Anchoa f.

ancien (siéⁿ) Anciano.

ancienneté Antigüedad.

ancre (aⁿcr) Áncora, ancla.

ancrer Anclar, fondear.

andain (diⁿ) Tranco.

andalou (lú) Andaluz (ouz).

andouille (du<u>i</u>e) Longaniza. *Fam.* Cernícalo *m.*

âne (ane) Asno, burro, borrico, pollino (lhí).

anéantir Anonadar.

anéantissement (tisemaⁿ) Anonadamiento (iènto).

anecdote (ot) Anécdota.

anémie (mí) Anemia (né).

anémone (mon^e) Anemone.

ânerie (aner<u>í</u>) Burrada.

ânesse (anés) Burra (ourra).

anesthésie (sí) Anestesia.

anévrisme Aneurísma.

anfractuosité Anfractuosidad.

ange (aⁿj) Ángel (ànjèl).

angélique (ic) Angélico.

angélus (üs) Ángelus (ous).

angine (jín^e) Angina (ji).

anglais, aise (glè, ès) Inglés, esa. *Fpl* Tirabuzones *mpl* [cheveux].

angle (aⁿgl) Ángulo (àngulo).

anglo-saxon (oⁿ) Anglosajón.

angoisse (guás) Angustia.

angoisser (sé) Angustíar.

anguille (guíe) Anguila.
anicroche f Tropiezo m.
ânier (anié) Burrero (rré).
anjiline (líne) Anilina.
animal Animal.
animation Animación.
animer (mé) Animar.
animosite f Animosidad.
anis (aní) Anís (aníss).
anisette f Anisete m.
ankylose Anquilosis.
annales (nal) Anales.
anneau (ano) Anillo (ílho).
année (né) f Año m.
annexe f Dependencia f. Anejo
    m [édifices]. Sucursal f.
annexer (nèxé) Anexar.
annexion Anexión.
annihiler Aniquilar.
anniversaire   Aniversario.
    Cumpleaños [de la nais-
    sance].
annonce (ons) f Anuncio m.
annoncer (sé) Anunciar.
annonciation Anunciación.
annoter (noté) Anotar.
annuaire (nüer) Anuario.
annuel, elle (nüel) Anual.
annulation Anulación.
annuler (nülé) Anular.
anoblir Ennoblecer*.
anodin, e Anodino, na.
anomalie (lí) Anomalía.
ânonner Leer* torpemente.
anonyme (noním) Anónimo.
anormal, ale Anormal.
anse (ans) Asa [récipients].
    Mar Ensenada (enséna).
antagonisme Antagonismo.
antan (antan) Antaño (gno).
antarctique Antártico.
antécédent Antecedente.
antenne Antena. Mar. Entena.
antérieur Anterior.
anthologie (jí) Antología.

anthracite m Antracita f.
anthrax (trax) Ántrax (ån).
anthropométrie Antropome-
    tría.
anthropophage Antropófago.
antibiotique Antibiótico.
antichambre Antecámara.
anticipation Anticipación.
anticiper (pé) Anticipar.
antidater (té) Antedatar.
antidérapant Antideslizante.
antidote (dot) Antídoto.
antienne (tièn) Antífona.
antilope (lop) Antílope.
antipathie (tí) Antipatía.
antipathique Antipático.
antipode (pod) Antípoda.
antiquaire (kér) Anticuario.
antique (tic) Antiguo, gua.
antiquité Antigüedad.
antiseptique Antiséptico.
antithèse (tès) Antítesis.
antre (antr) Antro.
anus (nüs) Ano.
anxiété Ansiedad (da).
anxieux (xiœ) Ansioso.
aorte (aort) Aorta.
août (aú) Agosto.
apache Apache.
apaiser (apesé) Apaciguar.
aparté Aparte (té).
apercevoir (vuar) Percibir.
    Distinguir. S'apercevoir, ad-
    vertir*, notar, reparar.
aperçu m Ojeada (ojéa) f
    [coup d'œil]. Resumen.
apéritif Aperitivo.
à peu près Aproximadamente.
aphone (fón) Afónico.
aphte (aft) m Afta f.
apiculteur (œr) Apicultor.
apitoyer* (tuaié) Apiadar.
aplanir Allanar (lha).
aplatir Aplastar.
aplatissement Aplastamiento.

aplomb (o^n) *m* Vertical *f.*
Equilíbrio. *Fig.* Aplomo.
apocalypse Apocalipsis.
apogée (jé) Apogeo (jéo).
apologie (jí) Apología.
apologue (log) Apólogo.
apoplectique Apoplético.
apoplexie (xí) Apoplejía.
apostat (stà) Apóstata.
apostolat (là) Apostolado.
apostrophe (trof) Apóstrofe
[rhétor.]. Apóstrofo [orth.].
apostropher Apostrofar.
apothéose (teos) Apoteosis.
apothicaire (ker) Boticario.
apôtre (potr) Apóstol.
apparaître* Aparecer*.
apparat (rà) Aparato.
appareil (reí) Aparato.
appareillage (eiaj) Apareja-
miento. *Mar.* Salida *f.*
apparemment (a^n) Aparente-
mente.
apparence (a^{n}s) Apariencia.
apparent (ra^n) Aparente.
apparenter (té) Emparentar.
apparition Aparición.
appartement (tœma^n) Piso,
apartamento.
appartenance Pertenencia.
appartenant Perteneciente.
appartenir* Pertenecer*.
appas (pa) *mpl* Encantos.
appât (pa) Cebo (zébo). *Fig.*
Aliciente, atractivo.
appâter (paté) Cebar (zé).
appauvrir Empobrecer*.
appauvrissement (vrisema^n)
Empobrecimiento (zimièn).
appel Llamamiento (lha) *m.*
Llamada *f* [militaire].
appeler (lé) Llamar. Pedir*
[secours] Apelar [justice].
S'appeler, llamarse.
appellation *f* Llamamiento *m.*

appendicite Apendicitis.
appesantir Hacer* pesado.
S'appesantir sur, insistir en.
appétissant Apetitoso.
appétit (peti) Apetito.
applaudir Aplaudir.
applaudissement Aplauso.
application Aplicación.
appliquer (s') Aplicarse.
appoint (pui^n) Complemento.
appointements *mpl* Sueldo *m.*
apporter Traer*. Aportar.
appréciable Apreciable.
appréciation Apreciación.
apprécier (cié) Apreciar.
appréhension Aprensión.
apprendre* (a^{n}dr) Aprender.
apprenti (pra^{n}ti) Aprendiz.
apprentissage Aprendizaje.
apprêt Aderezo. *Fig.* Afectación *f.*
apprêté (prèté) Afectado.
apprêter (té) Disponer*.
Preparar. *S'apprêter,* prepa-
rarse.
appris, se Aprendido. Ense-
ñado, educado.
apprivoiser (vuasé) Aman-
sar, domesticar.
approbation Aprobación.
approchant (cha^n) Semejante. Parecido, a.
approcher (ché) Acercar.
S'approcher de, acercarse a.
approfondir Profundizar,
ahondar (aòndar).
approprier (prié) Apropiar.
approuver (ve) Aprobar*.
approvisionnement *m* Provisión *f,* abastecimiento *m.*
approvisionner Proveer(véer),
abastecer* (zèr).
approximatif Aproximativo.
appui (püi) Apoyo (yo).
appuyer (püié) Apoyar.

âpre (apr) Áspero (ro).
après Después de, tras : *courir* après quelqu'un*, correr tras uno. *Adv* Después. *Ci-après*, a continuación. *D'après*, según. *Après quoi*, después de lo cual.
après-demain Pasado mañana.
après-guerre Posguerra.
après-midi m Tarde f.
à présent (saⁿ) Ahora.
âpreté Aspereza (réza).
à propos A propósito.
apte (apt) Apto : *apte à*, apto para.
aptitude Aptitud (tou).
aquarelle (rèl) Acuarela.
aquarium (kua) Acuario.
aquatique Acuático, ca.
aqueduc (acdüc) Acueducto.
aquilin (lⁿ) Aguileño.
arabe (arab) Árabe.
arabesque f Arabesco m.
arable (rabl) Arable.
arachide (chid) f Maní m.
araignée (né) Araña (gna).
arbalète Ballesta (lhès).
arbitrage (traj) Arbitraje.
arbitraire (trèr) m Arbitrario. M Arbitrariedad f.
arbitre Arbitro. Árbitro [juge]. *Libre arbitre*, libre albedrío.
arbousier (sié) Madroño.
arbre (arbr) Árbol (árbol).
arbrisseau (so) Arbolillo.
arbuste (büst) Arbusto.
arc (ar) Arco. *Arc de triomphe*, arco de triunfo.
arcade (cad) f Arco m.
arc-boutant (aⁿ) m Arbotante.
arceau (arsó) Arco.
arc-en-ciel Arco iris.
archaïque (caïc) Arcaico.

archange (kaⁿj) Arcángel.
arche (arch) f Arco m [pont].
archet (arché) Arco.
archevêque (èc) Arzobispo.
archiduc (düc) Archiduque.
archipel Archipiélago.
architecte Arquitecto.
architecture Arquitectura.
archives fpl Archivo m.
archiviste (íst) Archivero.
ardent, e (aⁿ) Ardiente.
ardeur f (dœr) Ardor m.
ardoise (uas) Pizarra.
ardu, ue (dü) Arduo, dua.
arène (rène) Arena. Plaza.
arête (rèt) f Arista [angle]. Raspa [poisson].
argent (jaⁿ) m Plata f [métal]. Dinero m [monnaie].
argenterie Vajilla de plata.
argentin, e Argentino, na.
argile (jíl) Arcilla.
argot (go) m Jerga f. Caló [des bohémiens].
arguer (güé) Argüir*.
argument (ümaⁿ) Argumento.
aride (aríd) Árido, da.
aridité Aridez (dèz).
aristocrate Aristócrata.
aristocratie Aristocracia.
aristocratique Aristocrático.
arithmétique Aritmética.
arlequin (arlekⁿ) Arlequín.
armateur (œr) Armador.
armature (tür) Armadura.
arme (arm) Arma. *Pl* Armas. *Escudo m* [blason]. *Arme à feu*, arma de fuego.
armée (é) Ejército (jèr) m.
armement (maⁿ) Armamento.
arménien (niⁿ) Armenio.
armer (mé) Armar. *Armer de*, armar con.
armistice (is) Armisticio.
armoire (muar) f Armario.

m. Armoire à glace, armario de luna.

armoiries (muarí) Armas.

armure (mür) Armadura.

armurier (mürié) Armero.

arnica Árnica.

aromate (mat) Aroma (**roma**).

aromatique (ic) Aromático.

aromatiser (sé) Aromatizar.

arôme (arom) Aroma (**roma**).

arpège (pèg) Arpegio.

arpenter Medir [mesurer].
Recorrer [parcourir].

arqué (ké) Arqueado (kéa).

arracher (ché) Arrancar.

arracheur (ær) Arranca-
dor. *Arracheur de dents*, sacamuelas.

arrangeant (ranjan) De fácil composición.

arrangement (man) Arreglo.

arranger* (jé) Arreglar.

arrestation Detención.

arrêt (rè) *m* Detención *f.*
Fiador [mécanisme]. Sen-
tencia *f* [loi]. Parada *f*
[autos].

arrêté *m* Decisión *f* (ssión).

arrêter Detener* parar. *Fig.*
Decidir, resolver*. *S'arrêter*, pararse, detenerse*
[autos].

arrhes (**ar**) Arras (arras).

arrière (rièr) Atrás (tras).
En arrière, por detrás,
atrasado [en retard]. *Rester
en arrière*, estar* rezagado.

arriéré (ré) Atrasado (ssa)
Pl Atrasos (assos) [comptes].

arrière-boutique Trastienda.

arrière-garde Retaguardia.

arrière-goût Resabio (ssa).

arrière-grand-mère Bisabuela.

arrière-pensée Segunda intención (zion).

arrière-petit-fils Biznieto.

arrière-plan (plan) Último
término. Lontananza *f.*

arrière-saison (séson) *f* Final [*m*] del otoño.

arrimer Arrumar (arrou).

arrivage (aj) Arribada (bateau). Llegada [marchan-
dises].

arrivée (vé) Llegada.

arriver Llegar (lhégar).

arriviste (ist) Ambicioso.

arrogance (ans) Arrogancia.

arrogant (gan) Arrogante.

arrondir (rondír) Redondear.

arrondissement (man) Distrito.

arroser (sé) Regar* (ré).

arrosoir *m* Regadera *f.*

arsenal Arsenal.

arsenic Arsénico.

art (ar) Arte. OBSERV. S'emploie aussi au fém. dans :
bellas artes, arte poética.

artère (tèr) Arteria.

artériel (riel) Arterial.

arthrite (trit) Artritis.

arthritisme Artritismo.

artichaut *m* Alcachofa *f.*

article (icl) Artículo.

articulation Articulación.

articuler (cülé) Articular.

artifice (fís) Artificio. *Feu
d'artifice, fuegos artificiales pl.*

artificiel Artificial.

artillerie (ie'ie) Artillería.

artilleur (iiœr) Artillero.

artisan (san) Artesano.

artiste (ist) Artista.

artistique Artístico, a.

aryen (riin) Ario.

as As. *Pop.* As.

ascendance Ascendencia.

ascendant Ascendiente.

ascenseur (œr) Ascensor.

ascension (*io*ⁿ) Ascensión.

ascète (*sèt*) Asceta (*zèta*).

ascétique (*tic*) Ascético.

ascétisme (*ism*) Ascetismo.

aseptique (*ic*) Aséptico, ca.

asiatique Asiático.

asile (*sil*) Asilo (*assi*).

aspect (*pec*) Aspecto.

asperge (*rj*) f Espárrago *m*.

asperger! (*èr*) Rociar.

aspérité Aspereza (*éza*).

aspersion (*sio*ⁿ) Aspersión.

asphalte (*falt*) Asfalto.

asphyxie (*fixí*) Asfixia.

aspic Áspid (*aspid*).

aspirateur (*œr*) Aspirador.

aspiration Aspiración.

aspirer (*ré*) Aspirar.

assagir (*jir*) Ajuiciar.

assaillant (*aia*ⁿ) Agresor.

assaillir* (*aiír*) Acometer.

assainir Sanear.

assainissement Saneamiento.

assaisonnement Sazonamiento. Condimento. *Fig.* Sal f.

assaisonner (*né*) Sazonar.

assassin (*si*ⁿ) Asesino. *A l'assassin!* ¡Asesino!

assassinat (*ná*) Asesinato.

assassiner (*né*) Asesinar.

assaut (*so*) Asalto.

assécher (*ché*) Secar.

assemblage (*aj*) *m* Reunión f. *Tec.* Ensambladura f.

assemblée (*blé*) Asamblea.

assembler (*blé*) Reunir.

assener (*sené*) Descargar.

assentiment (*ma*ⁿ) Asentimiento, asenso.

asseoir* (*suar*) Sentar*. *Vr. S'asseoir sur*, sentarse en.

assermenté Juramentado.

assertion f Aserto *m*.

asservir Avasallar.

asservissement (*a*ⁿ) *m* Avasa-

llamiento *m*. Esclavitud f.

assesseur (*sœr*) Asesor.

assez (*asé*) Bastante. *Assez de livres*, bastantes libros.

assidu (*dü*) Asiduo (*douo*).

assiduité Asiduidad.

assidûment Asiduamente.

assiéger* (*jé*) Sitiar.

assiette (*iet*) f Plato *m*.

assiettée (*té*) f Plato *m*.

assignation Asignación.

assimiler (*lé*) Asimilar.

assise (*sís*) f Asiento *m*. *Jur.* Audiencia de lo criminal. *Cour d'assises*, sala del crimen.

assistance (*ta*ⁿs) Asistencia. *Assistance publique*, beneficencia pública.

assister (*té*) Asistir.

association Asociación.

associé (*sié*) Asociado (*zia*). Socio (*sozio*).

associer Asociar.

assombrir Obscurecer*.

assommant (*ma*ⁿ) Fastidioso.

assommer (*mé*) Acogotar [*tuer*]. *Fam.* Fastidiar.

assomption (*sio*ⁿ) Asunción.

assonance (*a*ⁿs) Asonancia.

assorti (*sortí*) Adecuado.

assortiment (*a*ⁿ) Surtido.

assortir Combinar. Ajustar. *Com.* Surtir*.

assoupir Adormecer* (*zer*).

assoupissement (*a*ⁿ) Adormecimiento.

assouplir Suavizar (*zar*). *Fig.* Doblegar, domar.

assourdir Ensordecer*

assourdissant Ensordecedor.

assouvir Saciar (*ziar*).

assouvissement (*sema*ⁿ) *m* Hartura f. Saciedad f.

assujettir Sujetar.

assumer (sümé) Asumir.

assurance (süraⁿs) Seguridad. Firmeza, entereza [esprit]. Palabra [garantie]. Seguro *m* [incendie, etc.].

assuré (ré) Asegurado.

assurément (maⁿ) Seguramente.

assurer (ré) Asegurar (rar).

assureur (œr) Asegurador.

astérisque (risc) Asterisco.

asthme (asm) *m* Asma *f*.

asticot (co) Gusano.

astiquer Alisar (ssar), bruñir. Dar* lustre, hacer* brillar.

astrakan (kaⁿ) Astracán.

astre (astr) Astro.

astreindre* (iⁿ) Astringir*.

astringent (iaⁿ) Astringente.

astrologie Astrología.

astrologue (og) Astrólogo.

astronaute Astronauta.

astronautique Astronáutica.

astronome (nom) Astrónomo.

astronomie Astronomía.

astuce (üs) Astucia (zia).

astucieux (siœ) Astuto.

atavisme (vísm) Atavismo.

ataxie (xí) Ataxia.

atelier (telié) Taller (lher). Estudio [artistes].

atermoiement (maⁿ) *m* Retraso, dilación *f*. Prórroga *f*.

atermoyer (uaié) Diferir*

athée (té) Ateo.

athéisme Ateísmo.

athlète (tlèt) Atleta.

athlétique (ic) Atlético.

atlantique (ic) Atlántico.

atlas Atlas.

atmosphère (èr) Atmósfera.

atmosphérique Atmosférico.

atome (tom) Átomo.

atomique (míc) Atómico.

atour (atur) Atavío, adorno.

atout (tu) Triunfo.

âtre (atr) Hogar (ogar).

atrium (iom) Atrio.

atroce (trós) Atroz.

atrocité Atrocidad (da).

atrophie (fí) Atrofia.

atrophier (fié) Atrofiar.

attabler (s') Sentarse* a la mesa.

attache (tach) *f* Lazo *m*. Anat. Ligamento *m*. Juntura *f* [membre].

attaché Agregado.

attachement (maⁿ) Apego.

attacher (ché) Atar. Pegar. Fig. Fijar [attention, regard]. Dar [importance]. Destinar [emploi]. Vr Fig. Apegarse [personnes]. Aficionarse [personnes et choses].

attaque (tac) *f* Ataque *m*.

attaquer (ké) Atacar.

attard·r (s') Entretenerse*.

atteindre* (iⁿdr) Alcanzar.

atteint (tiⁿ) Alcanzado.

atteinte (tiⁿt) *f* Alcance *m*.

attelage (laj) Enganche [action]. Tiro [chevaux].

atteler (lé) Enganchar.

attenant (naⁿ) Contiguo.

attendant (en) Entretanto.

attendre (aⁿdr) Esperar, aguardar. S'attendre à, prever, contar con.

attendrir Ablandar. Fig. Enternecer* (nézèr).

attendrissant Enternecedor.

attendrissement Enternecimiento.

attendu, ue Esperado, da. Attendu que, puesto que.

attentat (tá) Atentado.

attente (taⁿt) Espera.

attenter (té) Atentar.

attentif Atento (atènto).

attention (sioⁿ) Atención. ¡Cuidado! *Attention à*, cuidado con.

attentionné (sioné) Atento.

atténuer (nüé) Atenuar.

atterrer (teré) Aterrar.

atterrir Aterrizar [avions].

atterrissage Aterrizaje.

attestation Atestación. Testimonio *m*.

attester Atestar.

attifer (té) *Fam.* Ataviar.

attirail (rai) Aparato. *Fam.* Trastos *pl* [objets].

attirance *f* Atractivo *m*.

attirant (raⁿ) Atractivo.

attirer (ré) Atraer*.

attiser (sé) Atizar.

attitude (üd) Actitud (tou).

attouchement (maⁿ) Toque.

attraction Atracción.

attrait (trè) Atractivo.

attrape (trap) *f* Engaño *m*.

attraper Coger* (jer). Tomar. Engañar [tromper].

attrapeur (peur) Engañador.

attrayant (iaⁿ) Atractivo.

attribuer (büé) Atribuír*.

attribut (bü) Atributo (ou).

attribution Atribución.

attristant Entristecedor.

attroupement (maⁿ) Grupo.

au, aux (o) Al, a los, a las.

aubade (ad) Alborada.

aubaine (bèn) *Fam.* Ganga.

aube (ob) *f* Alba *f*, amanecer *m* Álabe *m* [tec.].

aubépine (in) *f* Espino *m*.

auberge (bèrj) Posada.

aubergiste (ist) Posadero.

aucun, une (kiⁿ, üⁿe) Ninguno, na. *Ninguno* perd l'o

devant un subst. : *ningún libro. D'aucuns*, algunos.

aucunement De ningún modo.

audace (odas) Audacia.

audacieux (siœ) Audaz.

au-dedans (daⁿ) Por dentro.

au-dehors (œor) Por fuera.

au-delà (dœlà) Más allá.

au-dessous (su) Por debajo.

au-dessus (sü) Por encima.

au-devant (vaⁿ) Por delante.

audience (odiaⁿs) Audiencia.

auditeur (tœr) Auditor.

auditif, ive Auditivo, va.

audition (sioⁿ) Audición.

auditoire (tuar) Auditorio.

auge (oj) Artesa (téssa).

augmentation Aumento.

augmenter Aumentar (aou).

augure (ür) Agüero (ouèro).

augurer Augurar (gourar).

auguste (ogüst) Augusto.

aujourd'hui (ojurdüi) Hoy.

aumône (omoⁿ) Limosna. *Demander l'aumône*, pedir* limosna.

aumônier Capellán (lhàn).

auparavant (vaⁿ) Antes.

auprès (oprè) Al lado.

auquel, elle, els, elles (okel). Al cual, a la cual, a los cuales, a las cuales.

auréole (oreol) Aureola.

auriculaire (ler) Auricular.

aurifère (fèr) Aurífero.

aurochs (orocs) Uro.

aurore (oror) *f* Aurora (aou).

ausculter (té) Auscultar.

auspice (ospis) Auspicio.

aussi (osí) También (tàn-bièn) Tan. *Aussi savant que*, tan sabio como. Por eso [par suite].

aussitôt (osito) En seguida.

Aussitôt que, tan pronto como.

austère (os) Austero (aous).

austral (ostral) Austral.

australien (iɛⁿ) Australiano.

autant (otɑⁿ) Otro tanto. *S'il fait cela je peux en faire autant,* si él hace eso, yo puedo hacer* otro tanto. Tanto [comparatif]. *Autant que,* tanto como. *D'autant que,* puesto que. *D'autant mieux,* tanto mejor.

autarchie (chí) Autarquía.

autarcie (sí) Autarcia.

autel (otel) Altar.

auteur (otœr) Autor (aou).

authenticité Autenticidad.

authentique Auténtico.

autobus (otobüs) Autobús.

autochtone Autóctono.

autocrate (crat) Autócrata.

autodafé *Auto* de fe (fé).

autogire (jír) Autógiro.

autographe (af) Autógrafo.

automate (mat) Autómata.

automatique Automático.

automne (oton) Otoño (gno).

automobile *f* Automóvil *m*.

automobiliste Automovilista.

autonome (tonom) Autónomo.

autonomie (mí) Autonomía.

autopsie (psí) Autopsia.

autorisation Autorización.

autoriser (sé) Autorizar.

autoritaire Autoritario.

autorité Autoridad (da).

autoroute, autostrade Auto-pista.

autour (otur) Alrededor. *Tout autour,* por todos lados.

autre (otr) Otro, otra. *Les autres,* los demás. *L'un et l'autre,* uno y otro. *D'autre part,* por otra parte.

autrefois En otro tiempo, antiguamente.

autrement (mɑⁿ) De otro modo.

autrichien Austríaco.

autruche (üch) Avestruz.

autrui (otrüi) El prójimo. *D'autrui,* ajeno (ajéno).

auvent (ovɑⁿ) Sobradillo.

auvergnat (ñá) Auvernés.

auxiliaire (lièr) Auxiliar.

avachir (s') Deformarse.

aval Com. Aval.

avalanche (nⁿch) *f* Alud *m.*

avaler (lé) Tragar.

avance (rⁿ) *f* Adelanto *m.* *D'avance, à l'avance,* de antemano. *En avance,* con anticipación.

avancé, ée Adelantado, da. Manido, da [viande]. Pasado, da [fruits].

avancement (seⁿmaⁿ) Ascenso.

avancer (sé) Adelantar. Anticipar [argent]. *Mil.* Avanzar.

avanie (ní) Afrenta (èn).

avant (vɑⁿ) Antes de, antes que. *En avant,* adelante. *En avant de,* delante de.

avant *m* Delantera *f.*

avantage (taj) *m* Ventaja *f.*

avantager (jé) Aventajar.

avantageux (jœ) Ventajoso.

avant-bras Antebrazo.

avant-coureur Precursor.

avant-dernier Penúltimo.

avant-garde Vanguardia.

avant-hier (tier) Anteayer.

avant-poste *m* Avanzada *f.*

avant-propos (pó) Prefacio.

avant-scène (sn) Proscenio.

avant-veille Antevíspera.

avare (ar) Avaro, ra.

avarice (rís) Avaricia.

avarie (rí) Avería.

avarier (rié) Averiar (riar).

avatar *m* Transformación *f*.

avé (é) *m* Avemaría *f*.

avec Con. *Avec moi, toi, lui,* conmigo, contigo, consigo.

avenant (avénan) Afable, agradable. *A l'avenant*, a proporción.

avènement Advenimiento.

avenir (avnír) Porvenir. *A l'avenir*, en lo porvenir.

aventure (ür) Aventura. *A l'aventure*, al azar.

aventurer (türé) Aventurar.

aventureux (rœ) Atrevido. Azaroso [entreprise].

aventurier (rié) Aventurero.

avenue (nü) Avenida.

avérer Probar*, averiguar.

averse (vers) *f* Chaparrón *m*, aguacero (aguazéro) *m*.

aversion (sioⁿ) Aversión.

avertir Avisar, advertir*.

avertissement (sᵉmaⁿ) *m* Aviso *m*, advertencia *f*.

avertisseur (œr) Avisador.

aveu (vœ) *m* Confesión *f*. *De l'aveu de*, según opinión de. *Sans aveu*, vagabundo.

aveuglant (vœglaⁿ) Cegador.

aveugle (vœgl) Ciego (zié).

aveuglement (aⁿ) *m* Ceguera *f*. Ceguedad (da) [esprit].

aveuglément (maⁿ) Ciegamente.

aveugler (vœglé) Cegar*.

aveuglette (à l') A ciegas.

aviateur (œr) Aviador.

aviation (sioⁿ) Aviación.

avide (avid) Ansioso (íosso), ávido, da.

avidité (dité) Avaria, avidez.

avilir Envilecer* (zêr).

avilissement Envilecimiento.

avion (vioⁿ) Avión (ôn).

aviron (roⁿ) Remo (rémo).

avis (ví) Aviso (ísso) [note]. Parecer [opinion].

avisé Prudente (ènte).

aviser (sé) Avisar, advertir*. Observar, reflexionar.

aviso Aviso (ísso).

aviver (vé) Avivar.

avocat (cà) Abogado.

avoine (vuáne) Avena (véna).

avoir* (avuar) Tener* [sens de posséder, éprouver]. Haber* [auxiliaire]. *Impers. Y avoir*, haber* : *il y a*, hay. Hacer* [temps] : *il y a deux mois*, hace dos meses. *Loc. Avoir* à, tener* que : *j'ai à écrire*, tengo que escribir.

avoir *m* (vuar) Haber (abèr).

avoisinant (naⁿ) Vecino (zi).

avoisiner (né) Lindar con.

avortement (tᵉmaⁿ), Aborto.

avorter (né) Abortar.

avorton (oⁿ) Aborto.

avouable (vuabl) Confesable.

avoué (vué) Reconocido (zi). *M* Procurador.

avouer (vué) Confesar*. Aprobar*, ratificar.

avril Abril.

axe (ax) Eje (éjé).

axiome (iom) Axioma.

ayant droit Derechohabiente.

azalée (salé) Azalea (zaléa).

azotate (sotat) Nitrato.

azote (sot) Ázoe, nitrógeno.

azoté Nitrogenado (jéna).

azotique (tic) Nítrico, ca.

aztèque (astec) Azteca (az).

azur (sür) Azul (asoul).

azuré Azulado (azouládo).

azyme (asím) Ácimo (ázimo).

B

baba Bizcocho borracho. *Rester baba*, quedar patidifuso.

babel Babel.

babeurre Suero de manteca.

babillage (iaj) *m* Charla *f*.

babiller (ié) Charlar.

babine (bín·) *f* Hocico *m*.

babiole Baratija *f*.

bâbord (bor) Babor.

babouche (uch) Babucha.

babouin (buiⁿ) Zambo.

bac *m* Barca *f*.

baccalauréat (lorèa) Bachillerato (chilhérato).

baccara (rà) Bacará (ra).

bacchanale (al) Bacanal.

bacchante (caⁿt) Bacante.

bacchus (cüs) Baco.

bâche (bach) Baca.

bachelier (ié) Bachiller.

bachique (chic) Báquico.

bachot *Pop.* Bachillerato.

bacille (sil) Bacilo (zi).

bâcler *Pop.* Frangollar.

bactérie (rí) Bacteria.

badaud (do) Mirón, papanatas.

badauderie (rí) Curiosidad.

badigeon (joⁿ) Enlucido.

badigeonner Enlucir.

badin (diⁿ) Festivo.

badinage (aj) Juego.

badiner Jugar (jougar).

badinerie (dinᵉrí) Broma.

bafouer (fué) Escarnecer⁴.

bafouillage (iaj) Tartajeo.

bafouiller (uié) Tartajear.

bagage (gaj) Equipaje [voyageur]. Bagaje [intellectuel].

bagarre (ar) *f* Tumulto *m*.

Confusión *f*. Disputa *f*. Jaleo *m*.

bagatelle (tel) Bagatela.

bagnard (ñar) Presidiario.

bagne (bañ) Presidio (ssi).

bagnole (ñol) *f* Carricoche *m*.

bagout (gu) *m* Charla *f*.

bague (bag) Sortija (tija).

baguette (et) Varilla (lha). Borra [de pain]. Batuta [mus.].

bah! *interj.* ¡Bah!

bahut (ü) Baúl (aoul), cofre.

baie (bè) Bahía [géographie]. Vano *m* [arch.] Baya [fruit].

baigner (ñé) Bañar.

baigneur, euse (ñær, œs) Bañista [qui se baigne].

baignoire (ñuar) *f* Baño *m*.

bail (bai) Arriendo.

bâillement (iᵉmaⁿ) Bostezo.

bâiller (até) Bostezar.

bailli (baií) Baile (baílé).

bâillon (baioⁿ) *m* Mordaza (daza) *f*.

bâillonner (io) Amordazar.

bain (biⁿ) Baño (bagno).

baïonnette (niⁿ) *f* Bayoneta.

baisemain (miⁿ) Besamanos.

baiser (bèsé) Besar (ssar). *M* Beso (besso).

baisse (bes) Baja (baja).

baisser (bèsé) Bajar (jar).

bajoue (jú) *f* Moflete *m*.

Bakélite (it) Bakelita.

bal (baí) Baile (baïlé).

balade (ad) *f* Paseo *m*.

balader (se) *Pop.* Pasearse.

baladeur (dœr) Móvil.

baladin (iⁿ) Bufón (òn).

balafre (afr) *f* Chirlo *m*.

balafrer Acuchillar.

balai (lè) m Escoba f.

balance (aⁿs) Balanza.

balancement (aⁿ) Balanceo.

balancer (aⁿsé) Mecer. Balancear (équilibrer). Vi. Vacilar, dudar (hésiter).

balancier (sié) m Péndola f.

balançoire (suar) f Columpio (loum) m, mecedor m.

balayage (leiaj) Barrido.

balayer (leié) Barrer.

balayeur (ièœr) Barrendero.

balayures (iür) Barreduras.

balbutiement Balbuceo.

balbutier (sié) Balbucear.

balcon (coⁿ) Balcón.

baldaquin (kiⁿ) Baldaquín.

baleine (len) Ballena.

baleiner (né) Emballenar.

balise (is) Baliza (iza).

baliser (sé) Abalizar (zar).

baliveau (vo) Resalvo.

baliverne (ern) Cuchufleta.

balkanique (ic) Balcánico.

ballade (ad) Balada.

ballast (ast) Balasto.

balle (al) Pelota [pour jeu]. Bala [paquet]. Bala [fusil]. Cascabillo m [des grains].

ballerine (in) Bailarina.

ballet (lè) Baile, ballet.

ballon (oⁿ) m Pelota f, balón. Globo [aérostat].

ballonner Hinchar, inflar.

ballonnet (lonè) Globito.

ballot (lo) Fardo, bulto.

ballottage Empate [vote].

ballotter (té) Bambolearse, tambalearse.

balnéaire (èr) Balneario.

balourd (lur) Palurdo, torpe.

balourdise (urdis) Torpeza. majadería [jadéría].

balustrade Balustrada.

balustre Balaustre.

bambin (baⁿbiⁿ) Niño.

bambou (baⁿbú) Bambú.

ban (ban) Bando, pregón. *Pl* Amonestaciones [mariage]. *Publier les bans, correr las amonestaciones.*

banal Común, vulgar.

banalité Vulgaridad.

banane (ane) Banana. Plátano m.

bananier (ié) Plátano.

banc (baⁿ) Banco (bàn).

bancaire (ker) Bancario.

bancal Patizambo.

bandage (aj) m Venda f [bande]. Braguero [hernies] Goma f [bicyclettes].

bande Faja, tira. Venda [médec.]. Banda [de personnes]. Mar. Banda. Baranda [billard]. *Donner de la bande,* recalcar.

bandeau (do) Bandó [coiff.].

bandelette Cinta (zin).

bander Vendar. Estirar, poner* tirante [arc, etc.].

banderille (iïe) Banderilla.

banderole (rol) Banderola.

bandit (dí) Bandido (bàn), bandolero.

bandoulière (ièr) Bandolera. *Porter en bandoulière,* terciar [fusil].

banlieue (iœ) f Alrededores mpl, afueras fpl.

bannière (nier) Bandera.

bannir Desterrar* (rrar).

bannissemⁿnt Destierro.

banque (baⁿc) Banco [commerce, jeu]. Banco m [établissement].

banqueroute (baⁿkⁿrut) Bancarrota. *Faire banqueroute,* quebrar.

banquet (kè) Banquete (été).
banqueter (kᵉ) Banquetear.
banquette (kèt) Banqueta.
banquier (kiᵉ) Banquero.
banquise Banca de hielo.
baptême (batem) Bautísmo.
baptiser (tisé) Bautizar.
baptismal Bautismal.
baptistere Bautisterio.
baquet m Herrada f, cubeta f.
bar Róbalo [poisson]. Bar,
taberna f [café].
baragouin (guiⁿ) m Jerga f.
baragouiner Chapurrar.
baraque Barraca, casucha.
baraquement (maⁿ) Barraca.
baratte (rat) Mantequera.
barbare (bar) Bárbaro.
barbarie (rí) Barbarie.
barbarisme Barbarísmo.
barbe (barb) Barba.
barbeau (bo) Barbo.
barbelé (bᵉlé) De púas [fil].
barber Fam. Dar* la lata.
barbiche (ích) Perilla.
barbier (bié) Barbero.
barbon (boⁿ) Anciano (zia).
barboter (té) Chapotear.
Fam. Robar (rrobar) [voler].
barbouillage Enbadurna-
miento. Mamarracho [pein-
ture].
barbouiller (ué) Embadur-
nar. Pintarrajear [peindre
mal].
barbu (bü) Barbudo.
barcarolle (rol) Barcarola.
barème (rème) Baremo.
baril (rí) Barril (rríl).
barillet (rièh) Barrilete.
barioler (lé) Abigarrar.
barometre (etr) Barómetro.
baron, onne Barón, nesa.
baroque (rok) Barroco, estrafalario.

barque (bare) Barca.
barrage (aj) m Presa f [ri-
vières]. Barrera f [rue].
barre (bar) Barra. Caña
[mar.] Raya [écriture].
barreau (ro). Foro [avocat].
barrer (ré) Atrancar [porte].
Cerrar [chemin]. Rayar
[chèque]. Barrer le chemin,
atajar el paso.
barrette Alfiler [bijou].
barricade (ad) Barricada.
barricader Atrincherar.
barriere (ièr) Barrera.
barrique (ric) Barrica.
baryton (itoⁿ) Barítono.
bas, asse (ba, as) Bajo, ja.
M Media f [vêtement]. Adv.
bas : A bas, en bas, abajo.
Là-bas, allá. Tout bas, ba-
jito. Mettre bas, parir.
basalte (salt) Basalto.
basane (sanᵉ) Badana.
basaner (né) Curtir, tostar.
bas-bleu (bablᵉ) Literata.
bascule (cül) Báscula.
basculer Voltear. Caer*.
base (bas) Base (bassé).
baser (sé) Basar (ssar).
bas-fond (bafo-) Bajo [jur]
[mer] Hondonada f [ter-
rain].
basilic Basilísco [reptile].
Albahaca f [plante].
basilique (lic) Basílica.
basket-ball Baloncesto.
basque (basc) Vasco, ca, vascongado, da [habitant]. Vascuence [langue]. F Fal-
dón m [vêtement].
basquine (inᵉ) Basquiña.
bas-relief (barᵉlief) Bajo-
rrelieve (jorrᵉliévé).
basse f Bajo (jo) m.
basse-cour f Corral m.

basse-fosse *f* Calabozo *m.*

bassesse Bajeza, vileza.

basset (sè) Perro pachón.

bassin (siⁿ) *m* Fuente *f* [jardín]. Dársena [ports]. Pelvis *f* [anatomie].

bassine (ine) *f* Caldero *m.*

bassiner *Fam.* Fastidiar.

basson (soⁿ) Bajón (jòn).

bastille (tíye) Bastilla.

bastingage Empalletado.

bastion Baluarte, bastión.

bastonnade (nad) Paliza.

bas-ventre Bajo vientre.

bât (ba) *m* Albarda *f.*

bataille (tai) Batalla (lha).

batailler Batallar, pelear.

batailleur (ær) Batallador.

bataillon (lloⁿ) Batallón.

bâtard (ar) Bastardo.

bateau (to) Barco: *bateau à voiles,* barco de velas.

batelier Barquero (ké).

bâti *m* Armazón (zòn) *f.*

bâtiment (maⁿ) Edificio (zio). Barco [navire].

bâtir Edificar.

bâtisse (tís) Obra. Caserón (sé) *m* [grand bâtiment].

bâtisseur (ær) Edificador.

batiste (íst) Batista.

bâton (batoⁿ) *m* Palo. Bastón. *A bâtons rompus,* sin ton ni son. *Mettre des bâtons dans les roues,* poner* estorbos.

bâtonner (né) Apalear.

batracien (iïⁿ) Batracio.

battage (taj) *m* Trilla *f.*

battant (taⁿ) *m* Hoja *f* [porte]. Badajo *m* [cloche].

battement (maⁿ) Latido [cœur].

batterie (terí) Batería.

batteuse (œs) Trilladora.

battoir (tuar) *m* Pala *f.*

battre* (batr) Pegar, golpear

[frapper]. Batir [agiter]. Vencer [l'ennemi]. Tocar [tambour]. Barajar [cartes]. Sacudir [tapis, etc.]. Latir [cœur].

battre (se) Pelear. Batirse.

battu (tü) Batido. Golpeado. Vencido.

baudet (bodè) Borrico.

baudrier (bodrié) Tahalí.

baudruche (bodrüch) Trepa.

bauge Baña [sanglier].

baume (bom) Bálsamo.

bauxite (boxit) Bauxita.

bavard (bavar) Hablador.

bavardage (aj) *m* Charla *f.*

bavarder (dé) Charlar.

bave (bav) Baba.

baver (vé) Babear (béar).

bavette (vet) *f* Babero *m.*

baveux (vœ) Baboso (osso).

bavure (vür) Rebaba (rréba).

bayer (baié) Embobarse. *Bayer aux corneilles,* pensar* en las musarañas.

bazar (basar) Bazar (zar).

bazarder *Pop.* Vender.

beant (beaⁿ) Abierto.

béarnais, aise (nè, ès) Bearnés, esa (èssa).

béat (bea) Beato.

béatement Con beatitud.

béatifier Beatificar.

béatitude (tü) Beatitud.

beau, bel, belle (bo, bèl). Hermoso (oso), sa. Bello [au sens figuré]. *Une belle âme,* un alma bella. *M.* Lo bello. *Un beau jour,* cierto día.

beaucoup (cú) Mucho, cha. *Beaucoup de,* mucho, cha, chos, chas [accord en genre et en nombre].

beau-fils (fís) Hijastro. Yerno [mari de la fille].

beau-frère (frèr) Cuñado (ougna), hermano político.

beau-père (pèr) Padrastro; suegro, padre político.

beauté (boté) Belleza (lhéza), hermosura (ssoura).

beaux-arts mpl (bosar) Bellas artes fpl.

bébé Bebé, nene. na.

bec Pico. Mechero [lampe].

bécasse Chocha, becada.

bec-de-cane (ane) Picaporte.

beche (bèch) Laya.

becquée (beké) f Cebo m.

becqueter (bekté) Picotear.

bedaine (boedène) Barriga.

bedeau (bœdo) Pertiguero.

bedouin (duin) Beduino.

beffroi (fruá) m Atalaya. f.

begayer (begaié) Tartamudear.

bégonia m Begonia f.

begue (beg) Tartamudo, da.

béguin (guin) m Toca f. Gorro [d'enfant]. Fam. Capricho.

beige (bej) Beige.

beignet (beñé) Buñuelo.

bêler (bèlé) Balar.

belette (bœlèt) Comadreja.

belge (belj) Belga.

bélier (ié) Morueco. Ariete (iété) [machine].

belladone (dóne) Belladona.

belle-fille (fîie) Hijastra. Nuera [femme du fils].

belle-mère (mèr) Madrastra. Suegra, madre política [mère d'un des époux].

belle-sœur (œr) Cuñada (gna), hermana política

belligérant (an) Beligerante.

belliqueux (kœ) Belicoso

belvédère (er) Mirador.

bémol Bemol.

bénédicité m Bendición f.

bénédictin, e Benedictino, a.

bénéfice (fís) Beneficio.

bénéficiaire Beneficiario.

benêt (bœnè) Tonto.

bénévole (vol) Benévolo.

béni, e (ní) Bendecido, da.

bénin (nin) Benigno.

bénir Bendecir* (dézir).

bénit, ite Bendito, ta.

bénitier m Pila f [église].

benjamin (binjamin) Benjamín (bènjamin).

benjoin (join) Benjuí.

benzine (binsíne) Bencina.

béotien (siin) Beocio.

béquille (kiie) Muleta.

berbère (bèr) Bereber.

bercail (cai) Redil [rré].

berceau (so) m Cuna f.

bercer (sé) Mecer (zèr).

berceuse Canción de cuna.

béret (rè) m Boina f.

berge (berj) Orilla.

berger (jé) Pastor. Etoile du berger, lucero del alba.

bergerie f Aprisco, redil m.

bergeronnette Aguzanieve.

berline (líne) Berlina.

berlingot (lingo) Caramelo.

berner (né) Fig. Burlar.

besace (bœsas) Alforjas pl.

bésicles (sicl) Gafas.

besogne (soñ) f Trabajo m.

besoin (suin) m Necesidad f.

bestial (al) Bestial.

bestialité Bestialidad.

bestiaux (tio) mpl Ganado.

bestiole (tiol) f Bicho m.

Bestezuela (zouè).

bêta (tá) Fam. Tonto.

bétail (tai) Ganado : gros bétail, ganado mayor.

bête (bèt) f Animal m. Bestia f [de somme]. Bicho m [petite]. Bruto m [personne

sotte]. *Bête de somme*, acémila (azémila). *Bête féroce* (feros), fiera.

bêtise (tís) Tontería (ría).

béton (toⁿ) Hormigón.

betterave (teʀav) Remolacha.

beuglement (maⁿ) Mugido.

beugler (bœglé) Mugir (moujír). *Fam.* Gritar.

beurre (bœʀ) *m* Manteca, mantequilla (kílha) *f.*

beurrer Untar con manteca.

beurrier (ié) Mantequero.

bévue (vü) Equivocación.

biais (biè) Sesgo. *De biais, en biais*, al sesgo.

bibelot (lo) *m* Chuchería *f.* Fruslería *f.* Chirimbolo *m.*

biberon (ʀoⁿ) Biberón (béʀòn). *Am.* Mamadera *f.*

bible (bibl) Biblia.

bibliographie Bibliografía.

bibliophile (il) Bibliófilo.

bibliothécaire Bibliotecario.

bibliothèque (ec) Biblioteca.

biceps (sèps) Bíceps (zeps).

biche (bich) Cierva (zièr).

bicoque (coc) Bicoca.

bicyclette (clèt) Bicicleta : *à bicyclette*, en bicicleta.

bidet (dè) *m* Jaca *f* [cheval]. Bidé [meuble de toilette].

bidon (doⁿ) *m* Lata *f* Cantimplora *f* [de soldat].

bief Tramo [canal].

bielle (bièl) Biela.

bien (biⁿ) Bien (bièn). *Bien que*, aunque. *Si bien que*, de suerte que. *Aussi bien*, de todos modos.

bien-aimé (emé) Querido

bien-être (ètr) Bienestar.

bienfaisance Beneficencia.

bienfaisant (saⁿ) Benéfico.

blenfait (fè) Beneficio.

bienfaiteur Bienhechor.

bienheureux, *euse* Bienaventurado, da.

bienséance Conveniencia.

bienséant (aⁿ) Conveniente.

bientôt (o) Pronto. *A bientôt*, hasta pronto.

bienveillance Benevolencia.

bienveillant (iaⁿ) Benévolo.

bienvenu, nue (nü) Bienvenido, da. *Souhaiter la bienvenue*, dar* la bienvenida.

bière (bier) Cerveza : *bière blonde*, cerveza dorada. Ataúd (aoud) *m* [cercueil].

biffer (fé) Borrar (ʀʀaʀ).

biftech (tec) Biftec (té).

bifurcation Bifurcación.

bigame (gam) Bígamo.

bigarré (ʀé) Abigarrado.

bigot, *ote* Santurrón, ona.

bijou (jú) *m* Joya (joya) *f.* Alhaja (alaja) *f.*

bijouterie (tʀí) Joyería.

bijoutier (tié) Joyero.

bilan (laⁿ) Balance (ànzé).

bile (il) Bilis. *Fam.* Mal humor *m.*

bilieux, *euse* Bilioso, sa.

billard (biaʀ) Billar (bilhaʀ).

bille (biⁱè) Bola. Canica, boléta [enfants].

billet (iⁱè) Billete. *Billet à ordre*, pagaré. *Billet doux*, esquela [f] amorosa.

bimensuel (süel) Bimensual.

bimoteur (tœʀ) Bimotor.

biniou (niú) *m* Gaita *f.*

binocle (ocl) Binóculo.

biographie (tí) Biografía.

biologie (jí) Biología.

bipède (ped) Bípedo (bípé).

bique (bic) Cabra.

bis (bi) Bazo [couleur].

bis (bis) Bis. Repetído [nu-
méro]. ¡Otra! [chanson].

bisaïeul (aiœl) Bisabuelo.

bisaïen (caiïⁿ) Vizcaíno.

biscornu (niü) Raro, extravagante. Torcído [tors].

biscotte (ot) Tostada.

biscuit (cüí) Bizcocho.

bise (bis) f Cierzo m.

biseau (so) Bisel (ssel)

bismuth (müt) Bismuto.

bison (soⁿ) Bisonte (ssòn)

bisque Sopa de cangrejos.

bisser (sé) Repetír* (rrépe).
Hacer* repetir.

bissextil, e Bisiesto, ta.

bistouri (turí) Bisturí.

bistre (istr) Color de humo.

bistré (tré) Ahumado. Tostado, moreno [personnes].

bistrer (tré) Ahumar.

bitume (tüm) Betún (bétoun).

bivouac (vuac) Vivaque.

bivouaquer (ké) Vivaquear.

bizarre (sar) Extraño, ña.
Raro, ra.

bizarrerie (rⁿrí) Rareza.

blafard (far) Blanquecíno.

blague (ag) Petaca [tabac].
Fam. Bola [mensonge]. Fam.
Broma [plaisanterie].

blaguer (gué) Meter bolas
[mentir]. Bromear [plai-
santer].

blagueur (guœr) Bromísta.
Embustero [menteur].

blaireau (ro) Tejón [bête].
Pincel (zel) [barbe].

blâmable (abl) Reprensible.

blâme (blâm) m Censura
(zènsoura) f.

blâmer (amé) Censurar (zèn).

blanc, anche (blaⁿ, aⁿch)
Blanco, ca (blàn). Clara f
[œuf]. Blanc d'Espagne,

yeso mate. Pechuga f [pou-
let].

blanc-bec (èc) Mozalbete.

blanchâtre Blanquecíno.

blancheur (chœr) Blancura.

blanchir (chír) Blanquear.
Lavar [linge].

blanchissage (aj) Lavado.

blanchisserie f Lavadero m.

blanchisseur, euse (œr, œs)
Lavandero, ra.

blanquette Salsa blanca.

blasé, ée (sé) Hastiado, da.

blaser (sé) Hastiar.

blason (soⁿ) Blasón (ssòn).
Armas fpl [armoiries].

blasphème (fèm) Blasfemia.

blasphémer (mé) Blasfemar.

blatte (blat) Cucaracha.

blé Trigo.

blême (blèm) Pálido, da.

blêmir Palidecer*.

blessant (saⁿ) Ofensivo.

blessé, ée Herido, a.

blesser (sé) Herir* (erir).

blessure (sür) Herida.

bleu, eue (blœ) Azul (azou).
M Cardenal [ecchymose].

bleuâtre (atr) Azulado.

bleuet (blœè) Aciano (zia).

blindage (aj) Blindaje.

blinder (dé) Blindar.

bloc Bloque. Montón [tas].
Taco [calendrier]. En bloc,
en montón.

blocknaus (cos) Blocao.

blocus (üs) Bloqueo (kéo).

blond, onde (oⁿ, oⁿd) Ru-
bio, bia.

blondir Enrubiar (rrou).

bloquer (ké) Bloquear.

blottir (se) Acurrucarse.

blouse (us) Blusa (oussa).

blouson (soⁿ) m Cazadora f.

bluet (blüé) Aciano (zia).

bluff (blœf) Bluff, farol.

bluter (blü) Cerner (zer).

boa (boá) *m* Boa *f*.

bobard (ar) *Fam.* Embuste.

bobèche (èch) Arandela.

bobine (in*e*) *f* Carrete *m*.

bobo (bobo) *Fam.* Daño.

bocal Bocal, tarro.

bock Bock [de bière].

bœuf (bœf) *m* Buey (boueí).
Vaca *f* [viande].

bohémien, enne (i*n*, èn*e*)
Bohemio, mia. Gitano, na.

boire (buar) Beber (bébèr).

bois (bua) *m* Madera *f*
[construction, ébénisterie].
Leña *f* [chauffage]. Bosque, monte [forêt]. Palo
[Brésil]. *Sous-bois*, en el
bosque.

boiserie (s*e*rí) Madera.

boisseau (buasó) Celemín.

boisson (buaso*n*) Bebida.

boîte (buat) Caja. *Boîte aux
lettres*, buzón (z*o*n) *m*.

boiter (buaté) Cojear.

boiteux, euse Cojo, ja.

bol Tazón (z*o*n).

bolchevisme Bolcheviquismo.

bolchevique Bolchevique.

bolduc (dük) Balduque.

bolide (ïd) Bólido.

bo.iv.e.n Boliviano.

bombance (a*n*s) Francachela.

bombardement Bombardeo.

bombarder Bombardear.

bombardier Bombardero.

bombe (o*n*b) Bomba.

bon, onne Bueno. Buen [de-
vant un subst.] : *un bon
livre*, un buen libro. Bono
[commercial]. *Bon pour cent
francs*, vale por cien pesetas. *A quoi bon?* ¿para qué?
Pour de bon, de verdad.

C'est bon! ¡Está bien!
Bon! ¡Bueno!

bonasse (nás) Bonachón.

bonbon (o*n*) Caramelo.

bonbonnière Bombonera.

bond (bo*n*) Bote. Salto.

bonder Atestar, llenar.

bondir Saltar.

bonheur (œr) *m* Felicidad *f*.
Par bonheur, por suerte.

bonhomie (nomi) Bondad.

bonhomme Buen hombre.

bonifier (fié) Mejorar.

boniment (ma*n*) *m* Charlatanería *f*.

bonjour (jur) Buenos días.
Souhaiter le bonjour, dar*
los buenos días.

bonne (bon*e*) Criada. *Bonne
d'enfant*, niñera.

bonnet (nè) Gorro. *Bonnet
de police*, gorro de cuartel.

bonneterie (t*e*rí) Bonetería,
género de punto, m.

bonnetier (tié) Bonetero.

bonsoir (uar) Buenas noches.

bonté Bondad (dá).

bord (bor) Borde. *Au bord de*,
a orillas de [rivière, etc.].

bordelais (dé) Bordelés.

border (dé) Ribetear [ha-
bits]. Costear [côte].

bordereau (ro) *m* Memoria *f*.

bordure (dür) *f* Borde *m*.
Ribete *m* [couture]. Orla,
marco *m* [cadres]. Bordillo
m [trottoir].

boréal, ale (al) Boreal.

borgne (born) Tuerto.

borique (rïc) Bórico.

borne (born) *f* Mojón *m*. Límite. *Borne* [électr.].

borné (né) *Fig.* Limitado.

borner (né) Amojonar (jo).
Fig. Limitar.

bosquet (kè) Bosquecillo.

bosse (bos) Jíba, joroba. Abolladura [objets]. Chichón [d'un coup]. *Rouler sa bosse*, correr (**rrèr**) mundo.

bosseler (ostlé) Abollar.

bosselure (lúr) Abolladura.

bossu, ue (ü) Jorobado, a.

bossuer (süé) Abollar (lhar).

bot (bo) [PIED] Patizambo.

botanique (nic) Botánico, a.

botaniste (ist) Botánico.

botte (bot) Bota.

botter (té) Calzar (zar).

bottine (íne) *f* Botín *m*.

bouc (buc) Macho cabrío.

boucan (caⁿ) *Pop.* Jaleo.

boucanier (nié) Pirata, bucanero (néro).

bouche (buch) Boca. *Bouche en cœur*, hociquito.

bouchée (ché) *f* Bocado *m*.

boucher (ché) Tapar. *M* Carnicero (**zéro**).

boucherie (chrí) Carnicería. *Fig.* Matanza [tuerie].

bouchon (choⁿ) Tapón.

boucle (ucl) Hebilla [métal]. Lazada [ruban]. Pendiente, zarcillo *m* [oreilles].

boucler (clé) Abrochar.

bouclier (clié) Escudo.

bouddhisme (bu) Budismo.

bouder (dé) Estar* mohíno, picarse. Hacer* ascos. Estar* reñido [avec quelqu'un].

boudeur, euse (budœr, œs) Mohíno, na.

boudin (díⁿ) *m* Morcilla *f*.

boudoir (duar) Gabinete.

boue (bu) *f* Lodo, barro *m*.

bouée (bué) Boya. *Bouée de sauvetage*, guindola.

boueux (buœ) Lleno de lodo.

bouffant, e Hueco, ca (oué).

bouffée (fé) Bocanada [fumée]. Tufarada [odeur].

bouffer Ahuecarse. *Pop.* Comer [manger].

bouffi Inflado.

bouffon (foⁿ) Bufón.

bouffonnerie Bufonada.

bouge (buj) Tabuco.

bouger (bujé) Moverse*.

bougie (jí) Bujía.

bougon (goⁿ) Gruñón.

bouillabaisse (buiabés) Sopa de pescado.

bouillant (buiaⁿ) Hirviente. *Fig.* Ardiente.

bouilli *m* Carne hervida *f*.

bouillie (buí) Papilla.

bouillir* (buír) Hervir*.

bouillon (buioⁿ) Caldo.

bouillonner (né) Hervir*.

bouillotte (buiot) *f* Escalfador *m*.

boulanger (jé) Panadero.

boulangerie (rí) Panadería.

boule (bul) Bola.

bouleau (lo) Abedul (doul).

bouledogue (buldog) Bulldog (bouldòg).

boulet (bulè) *m* Bala *f* [canon]. Aglomerado [charbon].

boulette (let) Bolita.

boulevard (var) Bulevar.

bouleversement Trastorno.

bouleverser Trastornar.

boulon (loⁿ) Perno.

boulot, otte Regordete, ta.

bouquet (kè) Ramillete [fleurs]. Aroma [vins]

bouquin (kiⁿ) Libraco.

bourbeux (bœ) Cenagoso.

bourdon (oⁿ) Abejorro.

bourdonner (né) Zumbar. Tararear [chantonner]

bourg (bur) Burgo, vílla.
bourgade (gad) Aldea.
bourgeois (juá) Burgués.
bourgeoisie Burguesía.
bourgeon (jo^n) m Yema f.
bourgeonner (joné) Brotar. Llenarse de granos [peau].
bourgogne (go^n) Borgoña.
bourguignon (ño^n) Borgoñón.
bourrache (burach) Borraja.
bourrade (ad) f Golpe m.
bourrasque (asc) Borrasca.
bourreau (ro) Verdugo.
bourrelet (burlè) Burlete.
bourrer (ré) Llenar. Atacar, atiborrar [nourriture].
bourrique (ric) Borrica.
bourru (rü) Brusco.
bourse (burs) Bolsa. Beca [universitaire].
boursier (sié) Bolsísta. Becario [collèges].
boursoufler (flé) Hinchar.
bousculade f Atropello m.
bousculer (busculé) Atropellar (lhar).
bouse (bus) Bosta, boñiga.
bousiller Fam. Chapuzar.
boussole (ol) Brújula.
bout (bu) m Punta f. Cabo. Pop. Trozo, pedazo [bois, papier, etc.]. D'un bout à l'autre, de cabo a rabo. Jusqu'au bout, hasta el fin.
boutade (ad) Humorada.
boute-en-train Jaranero.
bouteille (tei) Botella.
boutique (tic) Tienda.
boutiquier (kié) Tendero.
bouton (to^n) Botón. Tirador [porte]. Grano [peau]. Gemelos pl [de manchette].
boutonner (né) Abotonar. Abrochar [vêtements].

boutonnière f Ojal m.
bouture (butür) f Esqueje (eskéje) m.
bouvreuil (œi) Pardillo.
boxe (box) f Boxeo (éo) m.
boxer (xé) Boxear.
boxeur (œr) Boxeador.
boyau (buaio) m Tripa f.
boycottage (aj) Boycoteo.
boy-scout (skut) Explorador.
bracelet (selè) Brazalete. Pulsera (sséra) f.
braconnier Cazador furtivo.
braguette (guet) Bragueta.
brailler (braié) Chillar.
braire* (brer) Rebuznar.
braise (brès) Brasa, ascua.
bramer (mé) Bramar.
brancard (car) m Camilla f.
brancardier (ié) Camillero.
branchage (aj) Ramaje.
branche (bra^ch) f Rama f.
branchement m (bra^che-ma^n) Ramificación f.
branchies (chí) Branquias.
brandade (bra^dad) f Bacalao (m) a la provenzal.
brandir Blandir.
branlant (la^n) Vacilante.
branle-bas (lëba) Tumulto.
branler Menear. Mover*.
braque (ac) Perro perdiguero. Fig. Chiflado.
braquer (ké) Apuntar [arme]. Dirigir [télescope].
bras (bra) Brazo. A bras, de mano. A bras ouverts, con los brazos abiertos. En bras de chemise, en mangas de camisa.
braser (sé) Soldar.
brasier (sié) Brasero (ssé).
brassard (sar) Brazal.
brassée (sé) Brazada.

brasser (sé) Bracear. *Fig.*
Manejar [affaires].
brasserie (s**r**í) Cervecería.
brasseur (*œr*) Cervecero.
brassière (sier) Almilla.
bravade (vad) Bravata.
brave (brav) Valiente. *Fam.*
Buen : *brave homme,* buen
hombre; *braves gens,* buena
gente *f sing.*
braver (vé) Desafiar.
bravo! *interj.* ¡Bravo!
bravoure (vur) Valentía.
brebis (œbî) Oveja (éja).
brèche (èch) Brecha (cha).
bredouille (rentrer) Vol-
ver* con el morral vacío.
bref, ève (èf, èv) Breve.
brelan (brœla**ⁿ**) *m* Berlanga
f [jeu]. Garito *m* [tripot].
breloque (è) Dije *m*.
brésilien, enne (li**ⁿ**, e*n*)
Brasileño, ña.
bretelle (è) Correa (rréa).
Pl Tirantes *m* [pantalon].
breton, onne (brœtô**ⁿ**) Bretón, ona.
breuvage (œvaj) Brebaje.
brevet (œvé) *m* Patente *f.*
[invention]. Título *m*, diploma *m*.
breveter (té) Privilegiar.
bréviaire (viè**r**) Breviario.
bribe (ib) Migaja (ja).
bric-à-brac *Fam.* Baratillo.
brick Bricbarca, brick.
bricole (col) *f* Petral *m. Fam.*
Chapuza [petit travail].
bride (id) Brida. *Fig.* Rienda
[mors]. *Tourner bride,* volver* riendas. *Lâcher, mettre
o rendre la bride sur le cou,*
soltar* la rienda. *À bride
abattue,* a rienda suelta.
brider (dé) Embridar.
bridger Jugar al bridge.

brie (bri) Queso de Brie.
brief, ève Breve.
brièveté (evté) Brevedad.
brigade (ad) Brigada.
brigadier (ié) Cabo.
brigand (ga**ⁿ**) Bandido.
brigandage (aj) Bandidaje.
brillamment Brillantemente.
brillant, ante (iia**ⁿ**, a**ⁿ**t)
Brillante.
briller (briié) Brillar.
brimade (ad) *Fig.* Broma.
brimborion *m* Baratija *f.*
brimer (mé) Molestar.
brin (i**ⁿ**) *m* Brizna *f* [herbe,
paille]. Hebra *f* [fil]. *Fam.*
Chispa *f* pizca *f.*
brindille (diie) Ramilla.
brio (ió) Brío.
brioche (och) *f* Bollo *m.*
brique (ic) *f* Ladrillo *m.*
briquet (kè) Eslabón [ama-
dou] Encendedor, mechero
[à essence].
bris (bri) *m* Ruptura *f.*
brisant (sa**ⁿ**) Escollo.
brise (bris) Brisa (issa).
brise-glace (as) Tajamar.
briser (sé) Romper. *Fig.*
Quebrantar, destrozar.
britannique (ic) Británico.
broc (bro) Jarro (jarro).
brocanteur (tœr) Ropavejero,
chamarilero.
broche (och) *f* Asador (assa)
m [cuisine]. Alfiler *m* [bi-
jou]. Broca [tisseur].
broché (ché) En rústica.
brocher (ché) Recamar [étof-
fes]. Encuadernar a la rústica (rous) [livres].
brochet (chè) Lucio (zio).
brochette (chet) Broqueta.
brochure (ür) *f* Folleto *m.*
brodequin (ki**ⁿ**) Borceguí.

calicot (kó) Ruán (rouèn). Hortera [commis].
califat (fá) Califato.
calife (íf) Califa.
califourchon (à) [choⁿ] A horcajadas (jadass).
câlin (liⁿ) Zalamero; mimoso.
câliner (né) Mimar, acariciar.
câlinerie Caricia. Mimo m.
calligraphie (fí) Caligrafía.
calligraphier Caligrafiar.
callosité Callosidad.
calmant, ante Calmante.
calmar Calamar.
calme (calm) Tranquilo, la. M Calma f.
calmer Calmar.
calomel Calomelanos pl.
calomniateur Calumniador.
calomnie (ní) Calumnia.
calomnier (nié) Calumniar.
calorie (rí) Caloría.
calorifère (èr) Calorífero.
calorifique (ic) Calorífico.
calotte (ot) f Gorro m. Solideo m [ecclesiastiques].
calque (alc) Calco.
calquer (ké) Calcar.
calvaire (ver) Calvario.
calvinisme (ism) Calvinismo.
calviniste (ist) Calvinista.
calvitie (sí) Calvicie (zié).
cambouis Unto de ruedas.
cambrer (ré) Arquear, combar.
cambriolage (aj) Robo.
cambrioler (lé) Robar.
cambrure (ür) f Arqueo m.
came (cam) Leva (léva).
camée (m) f Camafeo m.
caméléon (oⁿ) Camaleón.
camelot (m^elo) Camelote. Pop. Vendedor ambulante.

camelote (ot) Baratija. Chapucería [chose mal faite].
camembert Queso de Camembert.
cameriste (íst) Camarera.
camion (mioⁿ) Camión.
camionnette (et) Camioneta.
camionneur (ær) Carretero.
camisole (sol) Camisola.
camomille (ïe) Manzanilla.
camoufler (flé) Disfrazar.
camp (caⁿ) Campo.
campagnard (ñar) Campesino.
campagne (añ) f Campo m. Mil. Campaña. Battre la campagne, batir el campo.
campanile (il) Campanil.
campement (caⁿp) Campamento.
camper (pé) Acampar [campement]. Plantar (placer).
camphre (aⁿfr) Alcanfor.
camus, use (ü, üs) Chato, a.
canadien (dïeⁿ) Canadiense.
canaille (ái) Canalla.
canal Canal. Acequia f.
canalisation Canalización.
canaliser (sé) Canalizar.
canapé Canapé.
canard (nar) Pato [oiseau]. Canard sauvage, pato silvestre. Pop. Bola.
canari (rí) Canario.
cancan (aⁿ) Chisme.
cancaner Chismear.
cancanier (nié) Chismoso.
cancer Cáncer.
cancéreux (rœ) Canceroso.
cancre (caⁿcr) Cangrejo de mar. Pop. Mal alumno.
candélabre (abr) Candelabro.
candeur (dœr) Candor.
candi (dí) Cande [sucre].
candidat (da) Candidato.

cache-corset Cubrecorsé.

cachemire (ch^emír) Casimír [tissu]. Cachemíra [pays].

cache-nez (né) *m* Bufanda *f.*

cacher Esconder, ocultar.

cachet (che) Sello [timbre]. Sello [médicinal]. Bono, tarjeta *f* [leçons à domicile].

cacheter Sellar, lacrar.

cachette *f* Escondite *m.*

cachot (cho) Calabozo.

cachotterie (í) *f* Tapujo *m.*

cachottier (tié) Misterioso.

cachou (chú) Cato.

cactus (üs) Cacto.

cadavre (avr) Cadáver.

cadeau (do) Regalo (ré).

cadenas (dná) Candado.

cadenasser (nasé) Cerrar* (zerrar) con candado.

cadence (daⁿs) Cadencia (cadènzia), compás *m.*

cadencer Acompasar.

cadet, ette (è, èt) Menor.

cadran (draⁿ) Cuadrante. Esfera *f* [horloge].

cadre (adr) Marco [tableau]. Nómina *f* [du personnel].

cadrer Cuadrar, convenir*.

caduc, uque (üc) Caduco, a.

caducité Caduquez (kèz).

cafard (far) Cucaracha *f* [insecte]. Soplón [mouchard]. *Fam.* Avoir le cafard, tener morriña. *Fam.* Hipócrita.

café Café.

cafetière (ier) Cafetera.

cafre (afr) Cafre.

cage (caj) Jaula. *Cage à poules,* pollera (lhéra).

cagnard, arde (ñdr) Haragán, ana.

cagneux (nœ) Patizambo.

cagnotte (ñot) *f* Cantidad que reúnen varios jugadores

con las multas que pagan en ciertos casos.

cagot (go) Gazmoño (ogno).

cagoule (gul) Cogulla.

cahier (caié) Cuaderno.

cahin-caha Así, así.

cahot (caó) *m* Sacudida *f.* Traqueteo.

cahute (caüt). Choza (cho).

caille (cai^e) Codorniz.

caillé (caié) Cuajada.

caillot (caió) Cuajarón.

caillou (iú) Guijarro, china.

caillouteux (œ) Guijarroso.

caïman (aⁿ) Caimán.

caisse (kès) Caja. Tambor *m* [musique]. *Caisse d'épargne,* caja de ahorros. *Faire sa caisse,* contar* la caja.

caissier, ère (kès) Cajero, ra.

caisson (kesoⁿ) Arcón.

cajoler (jolé) Mimar.

cajoleur (œr) Zalamero.

calamité Calamidad (da).

calamiteux (tœ) Calamitoso.

calcaire (kér) Calcáreo.

calciner (siné) Calcinar.

calcul (cül) Cálculo.

calculateur (œr) Calculador.

calculer (lé) Calcular.

cale (cal) Bodega [navire].

calebasse (bas) Calabaza.

calèche (ech) Calesa.

caleçon *m* Calzoncillos *pl.*

caléfaction Calefacción.

calembour (ur) Retruécano.

calendrier (ié) Calendario.

calepin (calpiⁿ) Librito.

caler (lé) Calzar [mettre une cale]. Calarse [un moteur].

calfeutrer (tré) Guarnecer* de burletes [personnes]. *Fig.* Encerrar* [personnes].

calibre (libr) Calibre.

calice (ís) Cáliz.

Dictionnaire

FRANÇAIS-ESPAGNOL

par

Miguel de Toro y Gisbert

LAROUSSE

17 RUE DU MONTPARNASSE 75298 PARIS CEDEX 06

Librairie Larousse (Canada) limitée, licencié
quant aux droits d'auteur et usager inscrit des
marques pour le Canada.

ISBN 2-03-402051-0

candidature Candidatura.
candide (íd) Cándido, da.
cane (cane) Pata.
caneton (oⁿ) Anadón.
canevas (nevá) Cañamazo.
caniche Perro de aguas.
canicule (ül) Canícula.
canif Cortaplumas.
canine (íne) f Colmillo m.
caniveau (vo) Badén (èn).
canne, ée De rejilla [siège].
cannelé, ée Acanalado.
cannelle (kanel) Canela.
cannelure Acanaladura.
cannibale (al) Caníbal.
canon (oⁿ) Cañón [arme].
Canon [règle].
canonique (ic) Canónico.
canoniser (sé) Canonizar.
canonnade f Cañoneo m.
canonner (né) Cañonear.
canot (no) Bote, lancha. Canot de sauvetage, bote salvavidas.
canotage Paseo en bote.
canotier (tié) Remero [ra-
meur]. Canotier [chapeau].
cantate (at) Cantata.
cantatrice (ís) Cantatríz.
cantharide Cantárida.
cantilène (ène) Cantilena.
cantine (íne) Cantina.
cantinier, ère Cantinero, ra.
cantique (tíc) Cántico.
canton (toⁿ) Cantón (òn).
cantonal, ale Cantonal.
cantonnement (nemaⁿ) Acan-
tonamiento (iètno).
cantonner (né) Acantonar.
cantonnier Peón caminero.
canule (ül) Cánula.
canuler (lé) Pop. Fastidiar.
caoutchouc (chú) Caucho.
caoutchouter Encauchar.
cap Cabo. Mar. Proa f.

capable (abl) Capaz.
capacité Capacidad.
caparaçon Caparazón.
cape (cap) Capa. Sous cape,
so capa.
capharnaüm (om) Cafar-
naüm.
capillaire (ler) Capilar.
capillarité Capilaridad.
capitaine (ène) Capitán.
capital, ale Capital.
capitaliste Capitalista.
capiteux, euse Espirituoso,
sa. Fig. Embriagador, ra.
capitonner (né) Acolchar.
capitulation Capitulación.
capituler (lé) Capitular.
caporal Cabo.
capot (pó) Capote.
capote Capota [voiture]. Capote m [vêtement].
capoter (té) Volcar.
câpre (capr) Alcaparra.
caprice (ís) Capricho.
capricieux, euse (iœ, œs)
Caprichoso, sa.
capricorne Capricornio.
capsule (ül) Cápsula.
capter (té) Captar.
captieux (siœ) Capcioso.
captif, ive Cautivo, va.
captiver (vé) Cautivar.
captivité f Cautiverio m.
capture (tür) Captura.
capturer (ré) Capturar.
capuchon (choⁿ) Capuchón.
capucin (siⁿ) Capuchíno.
capucine (síne) Capuchina.
caque (kak) f Barril m.
caquet (kè) m. Charla f.
caqueter (té) Charlar.
car Porque, pues. Fam. Autocar [autocar].
carabine (bíne) Carabína.
caracoler (lé) Caracolear.

caractère (er) Carácter.

caractériser Caracterizar.

caractéristique (íc) Característico.

carafe (raf) Garrafa.

caraibe (raïb) Caribe.

caramel Caramelo.

carapace (ás) f Caparazón m, carapacho m. Concha (cha) [tortues].

carat (rá) Quilate (té).

caravane (van) Caravana.

caravelle (el) Carabela.

carbone (ón) Carbono.

carbonique (íc) Carbónico.

carbonisation Carbonización.

carboniser (sé) Carbonizar.

carburant (a) Carburante.

carburateur Carburador.

carbure (ür) Carburo.

carcan (ca) m Argolla f.

carcasse f. Esqueleto m. Caparazón m [poulet]. Pop. Cuerpo [corps].

cardan (a) f Cardán m.

carde Carda.

carder (dé) Cardar.

cardiaque (íac) Cardíaco.

cardinal, ale Cardinal. M Cardenal.

cardon (on) Cardo.

carême (rèm) m Cuaresma f.

carénage (aj) m Carena f.

carence Carencia, falta.

carène (rèn) f Casco m.

caréner (né) Carenar.

caressant (sa) Cariñoso.

caresse (ès) Caricia.

caresser (sé) Acariciar.

cargaison f Cargamento m.

cargo Buque mercante.

cariatide (íd) Cariátide.

caricatural Caricatural.

caricature (ür) Caricatura.

caricaturiste Caricaturista.

carie (rí) Caries (ès).

carier (rié) Cariar.

carillon (ío) Carillón. Repiqueteo [bruit].

carillonner (ioné) Repicar.

carillonneur Campanero.

carlingue (zg) Carlinga.

carmélite (it) Carmelita.

carmin (i) Carmín.

carminé, ée Carmíneo, a.

carnage m Carnicería f.

carnassier (èt) Carnicero.

carnation (sio) Encarnación. Tez (tèz) [teint].

carnaval Carnaval.

carne (carn) Penco [cheval].

carné Encarnado. Cárneo [régime].

carnet (né) Cuadernillo.

carotide (íd) Carótida.

carotte (rot) Zanahoria.

carotter (té) Engañar.

carotteur Tramposo (osso).

caroube (ub) Algarroba.

caroubier (ié) Algarrobo.

carpe (carp) Carpa.

carpette (èt) Carpeta.

carquois (uá) Carcaj (aj).

carré (ré) Cuadrado.

carreau (ro) m Baldosa f. Cristal [fenêtres].

carrefour m Encrucijada f.

carrelage Embaldosado.

carrément Decididamente.

carrière (ié) Carrera. Cantera [de pierre].

carriole (ió) Carreta. Fam. Carricoche m.

carrossable Carretero.

carrosserie (rí) Carrocería.

carrousel m Carrera f.

carrure (ür) Anchura de espaldas (anchura).

cartable (abl) Cartapacio.

carte (cart) Carta, naipe *m* [jeux]. Mapa *m* [atlas]. Tarjeta [de visite, postale]. *Carte d'identité*, documento nacional de identidad. *Tirer les cartes*, echar las cartas.

cartel Cartel. Reloj (rélo) [horloge].

carthaginois Cartaginés.

cartilage (*aj*) Cartílago.

cartilagineux (jinœ) Cartilaginoso (jinosso).

cartomancienne (ma^{n}siènᵉ) Cartomántica.

carton (o^n) Cartón. *Carton à chapeau*, sombrerera *f*.

cartonnage (aj) Cartonaje.

cartonner Encartonar.

cartouche *f* Cartucho *m*.

cartouchière Cartuchera.

cas (ca) Caso (sso). *En tout cas*, en todo caso. *Le cas échéant*, en caso de necesidad (zessida).

casanier (nié) Casero.

casaque (ac) Casaca.

casbah (bá) Alcazaba.

cascade (ad) Cascada.

case (as) Choza [cabane].

casé, ée (sé) Colocado, da.

caséine (seînᵉ) Caseína.

casemate (s°mat) Casamata.

caser (sé) Colocar.

caserne (er) *f* Cuartel *m*.

casier (sié) *m* Papelera *f*.

casino (ssi) Casino (ssi).

casoar (soar) Casuario.

casque (casc) Casco.

casquette (ket) Gorra.

cassant Quebradizo. *Fig.* Agrio, duro.

cassation (sio^n) Casación.

casse (cas) Rotura.

casse-cou (cascú) Resbaladero. *Fig.* Atolondrado.

casse-noisette Rompenueces.

casser (sé) Romper, quebrar*. *Fig.* Quebrantar, cascar [affaiblir]. Casar [annuler].

casserole (ol) Cacerola.

casse-tête Rompecabezas.

cassette (set) Cajita.

cassis (ís) Grosellero negro. Casis [liqueur]. Badén [de route].

cassolette Cazoleta [parfum]. Perfumador [récip.].

cassonade (nad) Azúcar mascabado.

cassure (sür) Rotura.

castagnette Castañuela.

caste (cast) Casta.

castel Castillo.

castillan (íia^n) Castellano.

castor Castor.

castrer Castrar.

casuel, elle (süel) Casual.

casuiste (süist) Casuísta.

cataclysme (ism) Cataclismo.

catacombe Catacumba.

catafalque Catafalco.

catalan (a^n) Catalán.

catalogue (og) Catálogo.

cataplasme *m* Cataplasma *f*.

catapulte Catapulta.

cataracte (act) Catarata.

catarrhe (ar) Catarro.

catastrophe (of) Catástrofe.

catéchisme (ism) Catecismo.

catégorie (rí) Categoría.

catégorique (ic) Categórico.

cathédrale (al) Catedral.

cathode (tod) *f* Cátodo *m*.

catholicisme Catolicismo.

catholique (c) Católico.

catimini (en) A escondidas.

cauchemar *m* Pesadilla *f*.

cause (cos) Causa (aoussa). *Hors de cause*, fuera de

causa. *Pour cause,* con motivo.
causer (osé) Causar [occa-
sionner]. Hablar [bavarder].
causerie (rí) Conversación.
causette (set) Charla.
causeur (œr) Conversador.
caustique (st) Cáustico.
cauteleux (œ) Cauteloso.
cautère (coter) Cauterio.
cautériser (sé) Cauterizar.
caution (sioⁿ) Fianza, caución [garantie]. Fiador, ra
[personne qui garantit].
cautionnement *m* Fianza *f.*
cautionner (né) Fiar.
cavalcade (ad) Cabalgata.
cavalerie (rí) Caballería.
cavalier (lié) Desenvuelto,
libre. M Jinete. Caballero
[gentilhomme]. *Cavalier ser-*
vant (vaⁿ), caballero.
cave (cav) Hueco, ca. Hun-
dido, da [yeux, etc.]. F Bodega. Cueva [souterrain].
caveau (vo) *m.* Bodega *f.*
Panteón [sépulture].
caverne (ri) Caverna.
caverneux, se Cavernoso, sa.
caviar Caviar.
cavité Cavidad (da).

ce, cette, ces (sœ, sét, sè)
Este, esta; estos, estas [ce
qui est ici]. Ese, esa; esos,
esas [ce qui est là]. Aquel,
aquella; aquellos, aquellas
[ce qui est là-bas]. *Ce que*
je dis, lo que digo. *C'est un*
livre, ce sont des livres, es
un libro, son libros. *C'est*
moi, c'est toi, soy yo,
eres tú.
céans (seaⁿ) Aquí (akí).
ceci (sœsí) Esto.
cécité Ceguera, ceguedad.

céder (sedé) Ceder (zédér).
cédille (díe) Cedilla.
cèdre (sedr) Cedro (zé).
cédule (sedül) Cédula.
ceindre* (síⁿdr) Ceñir*.
ceinture (tür) Cintura.
ceinturon (oⁿ) Cinturón.
cela (sœla) Eso (ésso).
célèbre (lébr) Célebre.
célébrer (bré) Celebrar.
célébrité Celebridad.
céleri (selrí) Apio.
célérité Celeridad, prisa.
céleste (est) Celeste. *Relig.*
Celesti*al.*
célibat (bá) Celibato.
célibataire (ter) Soltero, ra.
cellier (lié) *m* Bodega *f.*
Cellophane Celófana.
cellulaire (er) Celular.
cellule (ül) Célula [anato-
mie]. Celda [prison, monas-
tère]. Celdilla [ruche].
celluloïd (oíd) Celuloide.
cellulose (los) Celulosa.
celui, celle, ceux. El, la, los,
las; aquel, lla, llos, llas :
celui qui parle, el que habla; *celle du coin,* la de la
esquina. *Celui-ci,* éste, ta,
tos, tas. [Observ. Éste, ése,
etc., ont un accent pour les
distinguer des adjectifs].
cendre (saⁿdr) Ceniza (zé).
cendrier (ié) Cenicero.
cène (sèn) Cena (zé).
cénobite (bí) Cenobita.
cénotaphe (af) Cenotafio.
cens (saⁿs) Censo (zèn).
censé, ée Reputado, da.
censeur (sœr) Censor.
censure (ür) Censura (zèn).
censurer (ré) Censurar.
cent (saⁿ) Ciento (zièn).
Deux cents, doscientos, dos-

cientas. **Cien** [devant un nom] : *cent hommes,* cien hombres.

centaine (èn) f Centenar m.

centaure (or) Centauro.

centenaire (èn) Centenario.

centième Centésimo, ma.

centigramme (am) Centigramo.

centilitre Centilítro.

centimètre (etr) Centímetro.

central, ale Central.

centralisation Centralización.

centraliser Centralizar.

centre (sa**n**tr) Centro.

centrer (tré) Encentrar.

centrifuge (üj) Centrífugo.

centuple (sa**n**tüpl) Céntuplo.

cep (sep) m Cepa f [vigne].

cèpe (sep) Hongo.

cependant (a**n**) Sin embargo. *Adv.* Mientras tanto.

céphalée (lé) Cefalea.

céramique (ic) Cerámico, ca.

cerbère (ber) Cancerbero.

cerceau (s**o**) Aro.

cercle (cercl) Círculo.

cercler (clé) Poner* aros.

cercueil (kœi) f Ataúd.

céréale (eal) f Cereal m.

cérébral, ale Cerebral.

cérémonie (ní) Ceremonia.

cérémonieux Ceremonioso.

cerf (serf) Ciervo.

cerfeuil (fœi) Perifollo.

cerf-volant (a**n**) Ciervo volante [coléoptère]. Cometa f [jeu d'enfant].

cerise (ís) Cereza (réza).

cerisier (sié) Cerezo.

cerne (sern) m Orla f, cerco m. Ojera f (ojéra) [œil].

cerné, ée Ojeroso, sa [yeux]. Cercado, da [entouré].

cerner (né) Cercar.

certain, aine (ti**n**, èn) Cierto, ta. *Certains,* algunos.

certes (sert) Por cierto.

certificat Certificado. Fe f. [de vie, de baptême].

certifier (fié) Certificar.

certitude (üd) Certidumbre.

cerumen (ümèn) Cerumen (séroumèn). Cera f.

céruse (rüs) Cerusa.

cerveau (v**o**) Cerebro (zé).

cervelas (lá) Chorizo.

cervelet (lè) Cerebelo.

cervelle f Sesos mpl. *Fig.* Seso [intelligence].

césarien, enne Cesáreo, a.

cessation (sio**n**) Cesación.

cesse (sès) f Tregua (oua). *Sans cesse,* sin cesar.

cesser (sé) Cesar (zéss).

cession (sesio**n**) Cesión.

c'est-à-dire (ir) Es decir.

cet, cette (sè, sèt). V. CE.

cétacé (sé) Cetáceo (zéo).

ceux, celles V. CELUI.

chacal Chacal (cha).

chacun, une (ku**n**, ün**e**) Cada uno, cada una. Todos : *chacun le dit,* todos lo dicen.

chagrin, ine (i**n**, ín**e**) Triste M Pena f.

chagriné, ée Afligido, da.

chahut (chaü) Jaleo, ruido.

chahuter (té) Armar jaleo.

chai (chè) m Bodega f.

chaîne (chèn) Cadena. *Chaîne de montagnes,* cordillera, sierra. *A la chaîne,* en cadena.

chaînette (chenet) Cadenilla (lha).

chaînon (o**n**) Eslabón.

chair (cher) Carne.

chaire (cher) Cátedra.

chaise (ches) Silla.

chaland (aⁿ) m Chalana f.

chaldéen, enne Caldeo, a.

châle (lè) Chal (chal).

chalet (lè) Chalet.

chaleur (œr) f Calor m.

chaleureux Caluroso (osso).

châlit (chali) m Tarima f.

chaloupe (up) Chalupa.

chalumeau (lūme) Soplete.

chamailler Reñir, disputar.

chambardement Trastorno.

chambarder (dé) Trastornar.

chambellan (laⁿ) Chambelán.

chambranle (chaⁿbraⁿl) Jambaje [jànbàjè].

chambre (chaⁿbr) f Cuarto m, habitación. Dormitorio, m, alcoba, cuarto [m] de dormir [à coucher]. Cámara [cavité]. Chambre garnie, cuarto amueblado.

chambrée (bré) Cuadra.

chambrer (bré) Encerrar.

chambrière (èr) Camarera.

chameau (mo) Camello (elho).

chamois (chamuá) Gamuza.

champ (aⁿ) m Campo. Champ de foire, real de feria. Prendre la clé des champs, tomar las de Villadiego. Sur le champ, al instante.

champagne (añ) Champaña.

champêtre (etr) Campestre.

champignon (ñoⁿ) m Seta f.

champion (ioⁿ) Campeón.

championnat Campeonato.

chance (aⁿs) f Suerte; Avoir de la chance, tener* suerte. Riesgo m. Posibilidad (da).

chancelant, ante Vacilante.

chancelier (ié) Canciller.

chancellerie Cancillería.

chanceux (sœ) Afortunado.

chancre Med. Chancro.

chandail (chaⁿdai) Jersey.

chandelier (ié) Candelero.

chandelle (el) Candela.

change (aⁿj) Cambio. Donner le change, engañar.

changement (aⁿ) Cambio.

changer (jé) Cambiar. Changer contre, cambiar por.

chanoine (uán) Canónigo.

chanson (oⁿ) Canción.

chansonnier Cancionista.

chant (aⁿ) Canto.

chantage (aj) m Chantaje.

chanter (té) Cantar.

chanteur (œr) Cantor. Maître chanteur, estafador.

chantier (tié) m Obra f.

chantonner (né) Canturrear.

chantre (chaⁿtr) Cantor.

chanvre (aⁿvr) Cáñamo.

chaos (kao) Caos (oss).

chaotique (ic) Caótico.

chape (chap) Capa.

chapeau (po) Sombrero. Ôter son chapeau, quitarse el sombrero.

chapelain (chapliⁿ) Capellán (capélhàn).

chapelet (lè) Rosario.

chapelle (pel) Capilla.

chapelure (chaplūr) Ralladura (ralhadoura).

chaperon m Albardilla f.

chapiteau (to) Capitel.

chapitre (itr) Capítulo.

chapon (chapoⁿ) Capón (ôn).

chaque Cada.

char Carro. Char d'assaut, carro de asalto.

charabia (iá) Algarabía.

charade (rad) Charada.

charbon (oⁿ) Carbón. Med. Carbunco.

charbonnier (ié) Carbonero.

charcutier (*ié*) Salchichero.
chardon (do*n*) Cardo.
chardonneret Jilguero.
charge (charj) Carga [poids].
Cargo *m* [responsabilité].
Cargo [emploi]. Caricatura.
chargé (*jé*) Cargado [de fardeau]. Encargado [mission].
chargement (ma*n*) Cargamento. Carga *f* [voitures].
charger (*jé*) Cargar [fardeau]. Encargar [mission].
chargeur (*œr*) Cargador.
chariot (*rió*) Carro.
charitable Caritativo.
charité Caridad (da).
charivari (*ri*) Jaleo, estruendo [bruit].
charlatan (a*n*) Charlatán.
charmant, ante (ma*n*, a*n*t) Encantador, ra.
charme (charm) Encanto.
charmer (*mé*) Encantar.
charmeur, euse (*œr*, *œs*) Encantador, ra.
charmille (*mîie*) Alameda.
charnel, elle Carnal.
charnier (*nié*) Osario.
charnière (*nièr*) Bisagra.
charnu (*nü*) Carnoso (sso).
charogne (roñ) Carroña.
charpente Armazón *m*. Armadura [toit].
charpentier (*ié*) Carpintero.
charpie (charpí) Hilas *pl*.
charretier (*ié*) Carretero.
charrette (*et*) Carreta.
charron (*on*) Carretero.
charrue (*rü*) *f* Arado *m*.
charte (chart) Carta.
chartreuse (*œs*) Cartuja.
chasse (chas) Caza. *Chasse à course*, ojeo *m*. *Chasse gardée*, vedado *m*. *Qui va à la*

chasse perd sa place, quien fué a Sevilla perdió su silla.
chasser (*sé*) Cazar. Echar, despedir* [expulser].
chasseur (*œr*) Cazador.
chassieux (*iœ*) Legañoso.
châssis (sí) Bastidor. Chasis [autos, photo, etc.].
chaste (chast) Casto, ta.
chasteté Castidad (da).
chasuble (*sübl*) Casulla.
chat, chatte (cha, chat) Gato, ta. *Il n'y a pas un chat*, no hay un alma.
châtaigne (teñ) Castaña.
châtaignier (ñté) Castaño.
châtain Castaño [cheveux].
château (to) Castillo. Palacio. *Arca [f] de agua* [d'eau]. *Châteaux en Espagne*, castillo en el aire.
châtelain (*in*) Castellano.
chat-huant (üa*n*) Autillo.
châtier (*tié*) Castigar.
chatière (tier) Gatera.
châtiment (ma*n*) Castigo.
chatoiement (tuama*n*) Cambiante, viso (vísso).
chaton (chato*n*) Gatito. Engarce [pierres]. Candelilla *f* [fleur].
chatouillement (a*n*) *m* Cosquillas *fpl*.
chatouiller Hacer* cosquillas.
chatouilleux Cosquilloso.
chatoyant Tornasolado.
chatoyer (uaié) Tornasolar.
châtrer (tré) Castrar.
chatterie (rí) Golosina.
chaud, aude (cho, od) Caliente. Ardiente. *Il fait très chaud*, hace mucho calor.
chaudement (a*n*) Con calor.
chaudière (dier) Caldera.

chaudron (droⁿ) Caldero.

chaudronnier Calderero.

chauffage m Calefacción f.

chauffe-bain Calentador.

chauffer (fé) Calentar*.

chaufferette Estufilla.

chauffeur (fœr) Fogonero
[mach.]. Chófer [auto].

chaume (om) m Paja f.

chaumière (ér) Choza.

chausse (chos) Manga (màn)
[filtre]. Pl. Calzas.

chaussée (chosé) Calzada.

chausse-pied (ié) Calzador.

chausser (sé) Calzar.

chausse-trape f Abrojo m.
Trampa f [piège].

chaussette f Calcetín m.

chausson (oⁿ) m Zapatilla f.

chaussure (sür) f Calzado m
[sens génér.]. Zapato m.

chauve (chov) Calvo.

chauve-souris f Murciélago m.

chauvin (iⁿ) Patriotero.

chauvinisme m Patriotería f.

chaux (cho) Cal.

chavirer (ré) Zozobrar [bateau]. Volcar [véhicule].

chef Jefe [jéfé] Cabeza
[tête], Cabeza f [auto].

chef-d'œuvre m Obra maestra f.

chef-lieu m Cabeza f [de
district.]. Capital f [départ
ou prov.].

chemin (chœmiⁿ) Camino.
Chemin de fer, ferrocarril.
Chemin de croix, vía crucis.

cheminée (né) Chimenea.

cheminer (né) Caminar.

chemise (ís) Camisa (ssa).

chemisier, ère Camisero, ra.
M. Blusa [f] ligera.

chenal (chœnal) Canal.

chêne (chen) m Encina f.

Roble m [rouvre]. Alcornoque m [liège].

chenet (chœné) Morillo.

chènevis (chénví) Cañamón.

chenil (chœni) m Perrera f.

chenille (níie) Oruga.

cheptel Ganado [bétail].

chèque (chek) Cheque.

chéquier (kié) Cuadernillo
de cheques (chékés).

cher, ère (cher) Caro, ra
[prix et affection]. Querido,
da [affection].

chercher (ché) Buscar. Aller
chercher, ir* por. Envoyer
chercher, mandar por.

chercheur Investigador.

chère (cher) Comida.

chéri, rie (rí) Querido, a.

chérir (rí) Querer* (ké).

cherté Carestía.

chérubin (iⁿ) Querubín.

chétif, ive Débil, endeble.
Flaco, a. Fig. mesquino, a.

cheval Caballo (lho).

chevaleresque Caballeresco.

chevalerie (rí) Caballería.

chevalet (lè) Caballete.

chevalier (ié) Caballero.

chevalin, e Caballuno, a.

chevauchée (ché) Cabalgata.

chevaucher (ché) Cabalgar.

chevelu (lü) Cabelludo.

chevelure (ür) Cabellera.

chevet (chœvè) m Cabecera f.

cheveu (chœvœ) Cabello,
pelo : cheveux noirs, pelo
negro. Cheveu blanc, cana.

cheville f Tobillo m.

chèvre (chevr) Cabra.

chevreau (vro) Cabrito.

chèvrefeuille Madreselva.

chevreuil (œi) Corzo.

chevrotant Tembloroso.

chevrotine (chœ) Posta.

chez (che) En casa de [sans mouvement]. A casa de [avec mouvement]. Entre [parmi]. En [dans].

chic Bueno, de buen gusto. M Habilidad f, elegancia f.

chicane f Embrollo m. Enredo m Fam. Pleito m.

chicaner Pleitear. Enredar.

chicaneur Enredador.

chiche (ich) Mezquino, na.

chichi Rizo postizo. Faire des chichis, darse* tono.

chicorée (ré) Achicoria.

chicot (co) Raigón [dent].

chicotin Acíbar.

chien, enne (chin, ène) Perro, rra. Avoir du chien, tener* gracia (zia).

chiendent (an) m Grama f.

chienlit (lí) Cagalaolla.

chiffon (fon) Trapo. Parler chiffons, hablar de moños.

chiffonner (né) Arrugar.

chiffonnier (nié) Trapero.

chiffre m Cifra f. Total, importe [montant].

chiffrer (fré) Numerar.

chignon (ñon) Moño.

chilien, enne (liin, ène) Chileno, na.

chimère (er) Quimera.

chimérique (ic) Quimérico.

chimie (mí) Química.

chimique (mic) Químico, ca.

chimpanzé (chin) Chimpancé.

chinois, oise (nuá nuás) Chino, na.

chinoiserie Extravagancia.

chiper Fam. Coger, robar.

chipie Mujer impertinente.

chipolata Salchicha.

chique f Tabaco [m] mascado.

chiquenaude f Capirotazo m.

chiquer (ké) Mascar tabaco.

chiromancie Quiromancia.

chirurgical, e Quirúrgico, a.

chirurgie (jí) Cirugía.

chirurgien (jiin) Cirujano.

chiure (chiür) Cagada.

chloroforme Cloroformo.

chlorophylle Clorofila.

choc Choque (choké).

chocolat (lá) Chocolate. Chocolat au lait, chocolate con leche.

chœur (kœr) Coro.

choir* (chuar) Caer*.

choisir (chuasir) Escoger (jèr), elegir* (jir).

choix (chuá) m Elección f. Selección f. [collection choisie]. Au choix, a escoger.

choléra (ko) Cólera.

chômage (aj) Paro forzoso.

chômer (chomé) Holgar*.

chômeur (œr) Parado.

chope Vaso [m] de cerveza.

chopine (ín) f Cuartillo m.

choquant, ante (kan, ant) Chocante.

choquer (choké) Chocar.

choral, e (ko) Coral.

chorégraphie (fí) Coreografía.

choriste (ko) Corista.

chorus Coro. Faire chorus, aprobar.

chose (chos) Cosa (cossa). Fam. Fulano [personne indéterminée]. Pas grand-chose, poca cosa. Quelque chose, algo.

chou (chu) m Col f. Petisú [à la crème]. Chou-rave, naba f. Chou-fleur, coliflor f. Chou pommé, repollo.

choucroute (ut) Choucroute.

chouette (chuet) Lechuza.

choyer (chuaié) Mimar.

chrétien, enne (tièⁿ, tièn). Cristiano, na.

chrétienté Cristiandad.

christianisme Cristianismo.

chromo Cromo.

chronique (ic) Crónico, ca.

chronologique Cronológico.

chronomètre Cronómetro.

chrysanthème Crisantemo.

chuchotement Cuchicheo.

chuchoter (té) Cuchichear.

chut! [échec]. ¡Chitón! ¡Silencio!

chute (chüt) Caída. Fracaso m [échec]. Chute d'eau, salto [m] de agua.

ci (si) Aquí. V. Celui. Ci-après, a continuación. Ci-dessous, abajo. Ci-dessus, arriba ; susodicho, cha. Ci-inclus, incluso, sa ; adjunto, ta [ci-joint]. Par-ci par-là, aquí y allá. De-ci de-là, de un lado y otro. Comme ci, comme ça, así así.

cible (sibl) f Blanco m.

ciboire (sibuar) Copón.

ciboule (sibul) Cebolla.

cicatrice (is) Cicatriz.

cicatriser (sé) Cicatrizar.

cicerone Cicerone.

cidre (sidr) m Sidra f.

ciel (siel) Cielo (zié).

cierge (sierj) Cirio (zi).

cigale (al) Cigarra (zi).

cigare (ar) Cigarro (zi).

cigarette (et) Cigarrillo.

cigogne (oñ) Cigüeña.

ciguë (gü) Cicuta (zi).

cil (sil) m Pestaña f.

cime (sim) Cima (zi).

ciment (maⁿ) Cemento (zé). Argamasa f. Hormigón (gòn) [mortier]. Ciment armé, hormigón armado.

cimenter Cimentar.

cimetière (èr) Cementerio.

cinéaste (ast) Cineasta.

cinéma (má) Fam. Cine (zi).

cingler Mar. Singlar.

cinq (sⁱⁿc) Cinco.

cinquante (aⁿt) Cincuenta.

cinquième (kièm) Quinto, a.

cintre Arco. Telar [théâtre]. Cimbra [f boiserie]. Percha f.

cirage (siraj) Betún.

circoncision Circuncisión.

circonférence (aⁿs) Circunferencia (zia).

circonflexe Circunflejo.

circonscription Circunscripción.

circonscrire Circunscribir.

circonspect Circunspecto.

circonstance Circunstancia.

circuit (cüi) Circuito.

circulaire (èr) Circular.

circulation Circulación.

cire (sir) Cera (zéra).

cirer (ré) Encerar. Embetunar [chaussures]. Toile cirée (tual siré) Hule m.

cireur (rœr) Limpiabotas.

cireuse (rœs) Enceradora.

cirque (sirc) Circo (zir).

ciseaux mpl Tijeras fpl.

ciseler (lé) Cincelar (zin).

ciseleur (œr) Cincelador.

citadelle (el) Ciudadela.

citadin (diⁿ) Ciudadano.

citation (sioⁿ) Cita.

cité Ciudad (zioudá).

citer (sité) Citar. Llamar [devant un tribunal].

citerne (tern) Cisterna.

cithare (ar) Cítara (zi).

citoyen, enne Ciudadano, na.

citron (troⁿ) Limón.

citronnade Agua de limón.

citronnier (ié) Limonero.

citrouille (ui) Calabaza.

civet Guisado de liebre.

civière (*ier*) Parihuela.

civil, ile Civil. Paisano : *en civil*, de paisano. Cortés [poli].

civilisation Civilización.

civiliser (*sé*) Civilizar.

civilité Cortesía.

civique (*ic*) Cívico (*zi*).

claie (*klè*) f Zarco m.

clair, aire (*clèr*) Claro, a. *Clair de lune*, claro de luna.

claire-voie Clara-boya.

clair-obscur Claroscuro.

clairon (*ro*n) Clarín. Corneta f [military].

clairvoyance Clarividencia.

clairvoyant Clarividente.

clameur (*œr*) f Clamor m.

clan (*a*n) Clan.

clandestin (*i*n) Clandestino.

clapet m Válvula f.

clapier (*pié*) Conejar.

clapotement (*a*n) Chapoteo.

clapoter (*té*) Chapotear.

clapotis (*ti*) Chapoteo.

claque (*clac*) Torta [coup].

claquement (*a*n) Chasquido.

claquer (*ké*) Crujir. Chasquear [fouet]. Abofetear [gifler].

clarifier (*fié*) Clarificar.

clarinette (*et*) Clarinete m.

clarté Claridad (*da*).

classe (*clas*) Clase (*ssé*) : *aller en classe*, ir* a clase. Quinta (soldats).

classement (*ma*n) m Clasificación f.

classer (*sé*) Clasificar.

classeur m Papelera f.

classification Clasificación.

classique Clásico, ca.

clause (*os*) Cláusula (*aou*).

clavecin (*si*n) Clave.

clavicule (*ül*) Clavícula.

clavier (*vié*) Teclado.

clef (*cle*) Llave. *Clef anglaise* (*és*), llave inglesa.

clématite (*tit*) Clemátide.

clémence (*a*ns) Clemencia.

clerc (*er*) Clérigo. Pasante [notaire].

clergé Clero.

clérical, ale Clerical.

cliché (*ché*) Clisé (*ssé*).

client, ente (*clia*n, *clia*nt) Cliente. Parroquiano, na.

clientèle (*el*) Clientela.

cligner (*ñé*) Guiñar (gnar).

clignoter Intermitente.

clignoter (*té*) Pestañear.

climat (*má*) Clima.

clin d'œil (*œi*) Guiño.

clinique (*ic*) Clínica.

clinquant (*kli*nka*n) Oropel.

clique (*clic*) Pandilla.

cliquetis (*ti*) Ruido.

cliver Rajar (*rajar*).

cloaque (*oac*) m Cloaca f.

clochard (*char*) Pordiosero.

cloche (*och*) Campana.

clocher (*ché*) Campanario.

clochette (*èt*) Campanilla.

cloison (*so*n) f Tabique m.

cloisonner (*né*) Tabicar.

cloître (*cluatr*) Claustro.

cloîtrer Enclaustrar.

cloporte m Cochinilla f.

cloque (*cloc*) Vejiguilla.

clore (*or*) Cerrar* (*ze*).

clos, ose (*clo*) Cerrado, da.

clôture (*tür*) Cerca. Fin.

clôturer Cercar. Terminar.

clou (*clu*) Clavo. *Méd.* Divieso (*sso*) [furoncle]. *Fam.* Cacharro [vieille machine].

clouer (*ué*) Clavar.

clouter (*kluté*) Clavetear.

clown (*clun*) Payaso (*sso*).

club (clœb) Club (oub).

clystère (tèr) Clíster.

coadjuteur (tœr) Coadjutor.

coaguler (lé) Coagular.

coalition (sioⁿ) Coalición.

coaltar (tar) Alquitrán.

coasser (sé) Croar.

cobalt Cobalto.

cobaye (bái) Cobayo, cuy, conejillo de Indias (ìn).

coca Coca.

cocagne (káñ) Abundancia. Pays de cocagne, tierra de Jauja. Mât de cocagne, cucaña f.

cocaïne (ìn) Cocaína (ína).

cocarde (ard) Escarapela.

cocasse (as) Ridículo.

coccinelle (el) Mariquita.

coccyx (síx) Cóccix (zix).

coche (coch) Coche.

cochenille Cochinilla.

cocher (ché) Cochero (ché).

cochon (oⁿ) Cochino. Cochon de lait, lechón.

cochonnerie (rí) Porquería.

coco (-có) Coco. Fam. Huevo [œuf]. Agua de regaliz [boisson]. Pop. Cocaína.

cocon (oⁿ) Capullo (lho).

cocorico (có) Quiquiriquí.

cocotier (ié) Cocotero.

cocotte (ot) Gallina. Pajarita [de papier]. Cocota [fille]. Cazuela [casserole].

cocu (kü) Pop. Cornudo.

code (od) Código (codigo). Code de la route, código de la circulación.

codex (ex) m Farmacopea f.

codicille (síl) Codicilo.

codifier (fié) Codificar.

coefficient Coeficiente.

cœur (cœr) Corazón. Copas [aux cartes]. A contrecœur, de mala gana. Avoir mal au

cœur, tener* náuseas. De bon cœur, de buena gana. Par cœur, de memoria. Si le cœur vous en dit, si está usted de humor. Joli cœur, presumido.

coexister (té) Coexistir.

coffre (cofr) Cofre, arca, f.

coffre-fort (for) m Caja [f] de caudales (caou).

coffrer Pop. Meter en chirona.

coffret (frè) Cofrecillo.

cognac (ñac) Coñac.

cognassier (ié) Membrillo.

cognée (ñé) Hacha (acha).

cogner (ñé) Golpear. Pop. Pegar. Se cogner, darse* un golpe.

cohérent (raⁿ) Coherente.

cohésion (sioⁿ) Cohesión.

cohorte (coort) Cohorte.

cohue (coü) Muchedumbre. Barahunda, confusión.

coi, oite (cuá, uat) Quieto, ta. Se tenir coi, callarse.

coiffe (cuaf) Cofia. toca.

coiffer (té) Peinar [peigner] Poner* un sombrero.

coiffeur (œr) Peluquero.

coiffeuse (œs) Peinadora.

coiffure (ür) f Tocado m [de femme]. Sombrero m [homme].

coin (uiⁿ) m Esquina f [angle extérieur]. Rincón m [intérieur]. Cuña [calce]. Au coin du feu, al amor de la lumbre.

coincer (sé) Acuñar.

coïncidence Coincidencia.

coïncider (dé) Coincidir.

coing (uiⁿ) Membrillo.

coke (coc) Coque (ké).

col Cuello (lho). Faux col, cuello postizo (izo).

coléoptère (er) Coleóptero.
colère (ler) Cólera.
colérique (ic) Colérico.
colibacille (síl) Colibacílo.
colibri Colibrí.
colifichet m Baratija f. Perifolle, perejil m.
colimaçon (soⁿ) Caracol.
colin (iⁿ) m Merluza f.
colique (ic) f Cólico m.
colis (colí) Paquete. Colis postal, paquete postal.
colisée (sé) Coliseo.
collaborateur Colaborador.
collaboration Colaboración.
collaborer (ré) Colaborar.
collage (kolaj) m Pegadura f. Encolado m [vinos]. Fam. Enredo (ènrédo) m.
collant (aⁿ) Pegajoso. M Leotardo [pantalón].
collation (oⁿ) Colación.
colle (col) Cola. Fam. Pregunta difícil.
collecte (lect) Colecta.
collectif, ive Colectivo.
collection (oⁿ) Colección.
collectionner Coleccionar.
collectionneur Coleccionista.
collectivisme Colectivismo.
collectivité Colectividad.
collège (ej) Colegio.
collégien (iiⁿ) Colegial.
collègue (èg) Colega.
coller (lé) Encolar, pegar [fixer]. Estar* pegado.
collerette (rèt) f Cuello m.
collet (lè) Lazo [lacet]. Collet monté, afectado.
colleter (se) Agarrarse.
colleur Cartelero [affiche].
collier (lié) Collar.
colline (íne) Colina.
collision (oⁿ) Colisión.
colloïde (íd) Coloide.

collusion (oⁿ) Colusión.
collyre (ir) Colirio.
colmater Colmatar.
colombe (oⁿb) Paloma.
colombier (ié) Palomar.
colon (oⁿ) Colono.
côlon (oloⁿ) Colon.
colonel Coronel.
colonial Colonial.
colonie (ní) Colonia.
colonisation Colonización.
coloniser Colonizar.
colonnade (ad) Columnata.
colonne (óne) Columna.
colophane (fan) Colofonia.
coloquinte Coloquíntida.
colorant, ante Colorante.
coloré (ré) Coloreado.
colorer (ré) Colorear.
colorier (rié) Iluminar.
coloris (rí) Colorido.
coloriste (íst) Colorista.
colossal Colosal.
colosse (os) Coloso.
colporter Llevar a cuestas. Fig. Llevar [raconter].
colporteur (œr) Buhonero.
colza (sá) Colza.
coma (má) Méd. Coma.
combat (bá) Combate. Corrída f [taureaux]. Riña f [coqs].
combatif, ive Combativo.
combattant Combatiente.
combattre (atr) Combatir.
combe f Valle (lhé) m.
combien (biⁿ) Cuánto. Cuán [devant un adj] : Combien il est brave, cuán valiente es. Cuánto, ta : combien de fautes, cuántas faltas.
combinaison Combinación.
combiner (né) Combinar.
comble (oⁿbl) Colmo, ma.
combler (é) Colmar.

combustible Combustible.

combustion Combustión.

comédie (dí) Comedia.

comédien (*ii*n) Cómico.

comestible Comestible.

comète (èt) f. Cometa m.

comice (mís) Comicio.

comique (ic) Cómico, ca.

comité Comité.

commandant (an) Comandante.

commande (and) f Pedido m, encargo m. Méc. Transmisión.

commandement (an) Mandamiento. Mandamiento [de Dieu]. Mil. Mando.

commander (dé) Mandar, ordenar. Com. Pedir*, encargar. Commander à quelqu'un de venir, mandar a uno que venga.

commandeur (œr) Comendador.

commanditaire Comanditario.

commandite (it) Comandita.

comme (com) Como. Cuán, qué: comme il est bon, cuán [ou qué] bueno es. Comme il faut, decente. Comme ci, comme çà, así así. Tout comme, lo mismo que.

commémoration (conrasion) Commemoración (razión).

commémorer (ré) Commemorar.

commençant Principiante.

commencement Principio.

commencer (sé) Empezar*

commensal Comensal.

comment (an) f Cómo.

commentaire (èr) Comentario.

commenter (té) Comentar.

commérage (aj) Chisme.

commerçant (san) Comerciante.

commerce (ers) Comercio.

commercer (sé) Comerciar.

commercial Comercial.

commère (èr) Comadre.

commettre* (èr) Cometer.

commis (mí) Dependiente, empleado. Commis voyageur, viajante de comercio.

commisération (serasion) Conmiseración (sserazión).

commissaire (èr) Comisario.

commissariat Comisaría.

commission (on) Comisión.

commissionnaire (er) Mandadero [qui fait des commissions]. Com. Comisionista.

commissionner Comisionar.

commode (od) Cómodo, da.

commodité Comodidad.

commodore (or) Comodoro.

commotion (on) Conmoción.

commuer (müé) Conmutar.

commun, une (comin, üne) Común.

communal, ale Comunal.

communauté Comunidad.

commune (ün) f Municipio m, ayuntamiento m (youn).

communément (an) Comúnmente.

communiant, ante (nian, an) Comulgante.

communicatif Comunicativo.

communication (casion) Comunicación. Comunicación, llamada [téléphonique].

communier (nié) Comulgar.

communion (on) Comunión.

communiqué Comunicado.

communiquer (ké) Comunicar.

communisme Comunismo.
communiste Comunista.
commutateur Conmutador.
compact, acte Compacto, ta.
compagne (pañ) Compañera.
compagnie (ñí) Compañía.
De bonne compagnie, de buen tono.
compagnon (ño^n) Compañero.
comparable Comparable.
comparaison Comparación.
comparaître* Comparecer*.
comparer (ré) Comparar.
comparse (ars) Comparsa.
compartiment (a^n) Compartimiento. Departamento [wagon]. Casilla *f* [case].
comparution Comparición.
compas (pá) Compás.
compassion Compasión.
compatible Compatible.
compatir Compadecerse*.
compatissant Compasivo.
compatriote Compatriota.
compensation Compensación.
compenser (sé) Compensar.
compère (pèr) Compadre.
Compère-loriot, orzuelo.
compétence Competencia.
compétent (a^n) Competente.
compétition Competición.
compilateur Compilador.
compilation Compilación.
complainte (i^{n}t) Endecha [chanson triste]. Queja, lamento *m*.
complaire* (èr) Complacer*.
complaisance Complacencia.
complaisant Complaciente.
complément Complemento.
complémentaire Complementario.
complet, ète Completo, ta.

complètement (a^n) Completamente.
compléter (té) Completar.
complexe (ex) Complejo (jo).
complication Complicación.
complice (is) Cómplice.
complicité (té) Complicidad (da).
compliment (a^n) Cumplimiento. *Pl.* Cumplidos [politesses].
complimenter (té) Cumplimentar.
compliqué (ké) Complicado.
compliquer (ké) Complicar.
complot (plo) Complot.
comploter Tramar.
comporter (se) Portarse.
composé (sé) Compuesto.
composer (sé) Componer*. *Vi.* Arreglarse, transigir.
composite (sít) Compuesto.
compositeur Compositor.
composition Composición.
compote (ot) Compota.
compotier (tié) Frutero.
compound (und) Compound.
compréhensible Comprensible.
compréhension Comprensión.
comprendre Comprender.
compresse (ès) Compresa.
compresseur Compresor.
comprimé Comprimido.
comprimer (mé) Comprimir.
compris (rí) Comprendido. *Adv.* Y *compris*, incluso, inclusive.
compromettant (prometa^n) Comprometedor.
compromettre Comprometer.
compromis (mí) Compromiso.
comptabilité Contabilidad.
comptable Contador. Tenedor de libros.
comptant Contante. Al con-

tado : *payer comptant,* pagar al contado.

compte (co^{n}t) *m* Cuenta *f.* *Compte courant,* cuenta corriente. *Compte rendu,* informe. *Tenir compte de,* tener* en cuenta. *Rendre compte,* dar* cuenta. *Au bout du compte,* al fin y al cabo.

compte-gouttes Cuentagotas.

ocmpter (té) Contar. *Compter sur,* contar con.

compteur (œr) Contador.

comptoir (tuar) Mostrador. Factoría *f* [à l'étranger].

compulser (sé) Compulsar.

comput (pü) Cómputo.

comte (o^{n}t) Conde.

comté Condado.

comtesse (es) Condesa.

concave (av) Cóncavo.

concavité Concavidad.

concéder. Conceder.

concentration Concentración.

concentrer Concentrar.

concentrique Concéntrico.

conception Concepción.

concernant Concerniente.

concerner (né) Concernir*.

concert (ser) Concierto.

concerter (té) Concertar*.

concession (o^n) Concesión.

concevoir (uar) Concebir*.

concierge (sierj) Portero. Conserje (jé).

concile (sil) Concilio.

conciliabule Conciliábulo.

conciliant Conciliador.

conciliateur Conciliador.

conciliation Conciliación.

concilier (lié) Conciliar*.

concis (sí) Conciso (sso).

concitoyen Conciudadano.

conclave Cónclave.

concluant (a^n) Concluyente.

conclure* Concluír*. Inferir [opinion].

conclusion Conclusión.

concombre (co^{n}br) Pepino, cohombro.

concordance Concordancia.

concordant Concordante.

concordat (dá) Concordato.

concorde (ord) Concordia.

concorder (dé) Concordar.

concourir Concurrir.

concours (ur) Concurso. Certamen [entre candidats].

concret, ète Concreto, ta.

conçu (ko^{n}sü) Concebido.

concubinage Concubinato.

concubine (bín) Concubina.

concupiscence (pisa^{n}s) Concupiscencia (szenzia).

concurremment (ama^n) Concurrentemente (courrèn).

concurrence (a^{n}s) Concurrencia. Competencia [commerce].

concurrencer (ra^{n}sé) Hacer* competencia (ènzia).

concurrent Competidor.

concussion Concusión.

condamnation Condenación.

condamné (ané) Condenado.

condamner (né) Condenar.

condensation Condensación.

condenser (sé) Condensar.

condescendance Condescendencia.

condescendant, ante Condescendiente.

condescendre Condescender.

condiment (a^n) Condimento.

condisciple Condiscípulo.

condition Condición. *A condition que,* con tal que.

conditionnel Condicional.

conditionner Acondicionar.

51

condoléance f Pésame m.
Présenter ses condoléances,
dar* el pésame.
condor Cóndor.
conducteur (œr) Conductor.
conduire* (üir) Conducir*.
conduit Conducto.
conduite (üit) Conducta.
cône (cone) Cono.
confection (sion) Confección.
Ropa hecha [vêtements].
confectionner Confeccionar.
confédération Confederación.
conférence (anc) Conferencia.
conférencier Conferenciante.
conférer Conferir.
confesse (confés) Confesión.
Aller à confesse, ir* a con-
fesarse.
confesser (sé) Confesar*.
confesseur (œr) Confesor.
confession Confesión.
confessionnal Confesonario.
confetti (tí) Confetti.
confiance (ans) Confianza.
confiant, ante Confiado, a.
confidence Confidencia.
confident (an) Confidente.
confidentiel Confidencial.
confier (fié) Confiar. Se confier, fiarse. Se confier à,
fiarse de.
configuration (güra) Configuración (goura).
configurer Configurar.
confiner (né) Confinar.
confins (fin) Confines.
confire* (ir) Confitar [su-
cre]. Encurtir [vinaigre].
confirmation Confirmación.
confirmer (mé) Confirmar.
confiscation Confiscación.
confiserie (rí) Confitería.
confiseur (œr) Confitero.

confisquer (ké) Confiscar,
embargar (èn).
confit, ite (fí, it) Confitado
[sucre]. Encurtido [vinai-
gre]. Lleno [dévotion].
confiture Confitura, dulce.
conflagration (sion) Confla-
gración (zion).
conflit (flí) Conflicto.
confluent (an) Confluente.
confondre (ondr) Confundir.
conformation Conformación.
conforme (orm) Conforme.
conformément (an) Confor-
memente.
conformer (mé) Conformar.
conformité Conformidad.
confort (or) Confort (or), comodidad (da).
confortable (abl) Confortable, cómodo (có).
conforter (té) Confortar.
confraternel Confraternal.
confrère (èr) Colega.
confrérie (rí) Cofradía.
confrontation Confrontación.
confronter (té) Confrontar.
confus, use Confuso, a (ss).
confusément Confusamente.
confusion Confusión (ss).
congé (jé) Permiso. Despido
[renvoi]. Descanso [de re-
pos]. Vacaciones fpl [va-
cances]. Asueto [court].
Prendre congé, despedirse*.
congédier Despedir (pé).
congeler (lé) Congelar.
congénère (èr) Congénere.
congénital Congénito.
congestion (on) Congestión.
congestionner Congestionar.
conglomérat Conglomerado.
congratulation (tülasion)
Congratulación (zión).
congratuler Congratular.

congrégation Congregación.
congrès (grè) Congreso.
congressiste Congresista.
congru, ue Congruo, a.
conifère (èr) Conífero.
conique (ic) Cónico, ca.
conjecturer Conjeturar.
conjoint, ointe (uⁿ, uⁿt) Cónyuge [époux]. Unido, da; junto, ta [adjectif].
conjointement Juntamente.
conjonctif, ive (joⁿk) Conjuntivo, va (kônjoun).
conjonction Conjunción.
conjoncture Coyuntura.
conjugaison Conjugación.
conjugal, ale Conyugal.
conjuguer (gué) Conjugar.
conjuration Conjuración.
conjurer (ré) Conjurar.
connaissance (saⁿs) f Conocimiento m. Conocido, da [personne connue]. A ma connaissance, que yo sepa. En connaissance de cause, con conocimiento de causa.
connaisseur (sœr) Conocedor, inteligente.
connaître* (etr) Conocer*. Se connaître, conocerse. S'y connaître en, entender de.
connétable Condestable.
connexion (oⁿ) Conexión.
connivence Connivencia.
connu, ue (nü) Conocido, da.
conque (coⁿc) Concha (cha). Cuenca (couën) [oreille].
conquérant* Conquistador.
conquérir* Conquistar.
conquête (ket) Conquista.
consacrer (cré) Consagrar.
consanguin Consanguíneo.
conscience Conciencia.
consciencieux Concienzudo.

conscient, ente Consciente.
conscription Quinta (kin).
conscrit (crí) Conscripto. Quinto [soldat].
consécration Consagración.
consécutif, ive (cütif, ív) Consecutivo, iva.
conseil (séi) Consejo.
conseiller (ié) Aconsejar. M Consejero (jéro).
consentant Consentidor.
consentement (temaⁿ) Consentimiento.
consentir Consentir*.
conséquence Consecuencia. En conséquence, por consiguiente.
conséquent Consiguiente.
conservateur Conservador.
conservation Conservación.
conservatoire Conservatorio.
conserve (erv) Conserva.
conserver (vé) Conservar.
considérable Considerable.
considération Consideración.
considérer Considerar.
consigne Consigna. Depósito [m] de equipajes [bagages].
consigner Consignar.
consistance Consistencia.
consistant Consistente.
consister (té) Consistir.
consistoire Consistorio.
consolant Consolador.
consolateur Consolador.
consolation f Consuelo m.
console (ol) Consola.
consoler (lé) Consolar.
consolider (dé) Consolidar.
consommateur Consumidor.
consommation Consumación [fin]. Consumo m [action de consommer]. Bebida (bé). [boisson dans un café].
consommé Consumado.

consommer (mé) Consumir [user]. Consumar [finir].
consomption Consunción.
consonance Consonancia.
consonne (sóne) Consonante.
consort (or) Consorte.
consortium (síom) Consorcio.
conspirateur Conspirador.
conspiration Conspiración.
conspirer (ré) Conspirar.
conspuer (pué) Insultar.
constamment (aⁿ) Constantemente.
constance Constancia.
constant, ante Constante.
constat (tá) m Acta f.
constatation Comprobación.
constater (té) Comprobar*.
constellation (lacioⁿ) Constelación (zioⁿ).
constellé (lé) Constelado.
consternation Consternación.
consterner (né) Consternar.
constipation Estreñimiento.
constiper (pé) Estreñir*.
constituer (ué) Constituir*.
constitution (tüsioⁿ) Constitución (tuzión).
constructeur Constructor.
construction Construcción.
construire* Construír*.
consul (ül) Cónsul.
consulaire (èr) Consular.
consulat (lá) Consulado.
consultatif Consultativo.
consultation Consulta.
consulter (té) Consultar.
consumer (mé) Consumir.
contact (act) Contacto.
contagieux (œ) Contagioso.
contagion f Contagio m.
contaminer (né) Contaminar.
conte (coⁿt) Cuento.
contemplatif, ive Contemplativo, a.

contemplation Contemplación.
contempler Contemplar.
contemporain Contemporáneo.
contenance (aⁿs) Cabida, capacidad. Continente [air]. Perdre contenance, desconcertarse.
contenant (aⁿ) Continente.
contenir Contener*.
content, ente Contento, a.
contentement (aⁿ) Contento.
contenter (té) Contentar. Se contenter de, contentarse con.
contentieux Contencioso.
contenu (nü) Contenido. Cabida f.
conter (té) Contar*.
contestation Discusión.
contester Discutir, negar.
conteur (œr) Contador.
contigu, uë Contiguo, a.
contiguïté Contigüidad.
continence Continencia.
continent Continente.
continental Continental.
contingence Contingencia.
contingent (aⁿ) Contingente.
contingenter Contingentar.
continu (nü) Continuo.
continuation Continuación.
continuel Continuo.
continuer (üé) Continuar.
continuité Continuidad.
contondant Contundente.
contorsion (oⁿ) Contorsión.
contour (ur) Contorno.
contourner (né) Contornear.
contracter (té) Contratar* [faire un contrat]. Contraer* [mariage, amitié].
contraction Contracción.
contradiction Contradicción.

contradict**oire** Contradictorio.

contraindre* Constreñir*. Apremiar [justice]. *Fig.* Obligar, forzar*. Molestar [gêner]. *Contraindre de*, obligar **a.**

contraint (^{n}) Apremiado. *Fig.* Molesto. Obligado.

contrainte *f* Apremio *m* [justice]. *Fig.* Molestia *f*, embarazo (razo) *m*.

contraire (ko**n**trer) Contrario, ria.

contrariant Contrariador.

contrarier (ié) Contrariar.

contrariété Contrariedad.

contraste (ast) Contraste.

contraster (té) Contrastar.

contrat (á) Contrato.

contravention (co**n**-va**n**sio**n**) Contravención (vènzión).

contre (co**n**tr) Contra. Junto [auprès]. *Ci-contre*, al lado. *Par contre*, en cambio.

contre-amiral (tramiral) Contraalmirante (rànté).

contre-attaque (trata**c**) *f* Contraataque (také) *m.*

contrebalancer Contrabalancear, contrapesar.

contrebande (ba**n**d) *f* Contrabando *m.*

contrebandier (dié) Contrabandista.

contrebas (en) Más bajo.

contrebasse *f* Contrabajo *m.*

contrecarrer Contrarrestar.

contrecœur (à) (cœr) De mala gana.

contrecoup (cú) Rechazo. *Fig.* Resulta *f* [rressou]. *Méd.* Contragolpe.

contredire Contradecir*.

contredit (dí) Contradicho.

Sans contredit, sin duda.

contrée (tré) Comarca.

contrefaçon Falsificación.

contrefaire (èr) Contrahacer*. Remedar (ré) [imiter].

contrefait Contrahecho.

contrefort Contrafuerte.

contre-jour *m* Contraluz *f.*

contremaître Contramaestre

contrepartie Contrapartida. Contraparte.

contre-pied Lo contrario.

contreplaqué (plaké) Contrachapeado.

contrepoids Contrapeso.

contre-poil Contrapelo.

contrepoint Contrapunto.

contrepoison Contraveneno.

contresens (a**n**s) Contrasentido. Equivocación *f.*

contretemps Contratiempo.

contrevenir Contravenir*.

contribuable Contribuyente.

contribuer (ué) Contribuir.

contribution Contribución.

contrister Entristecer*.

contrit (trí) Contrito.

contrition Contrición.

contrôle (ol) *m* Registro *m*, inspección *f.* Comprobación, verificación *f. Fig.* Crítica, censura (zenssou) *f.*

contrôler (lé) Registrar, inspeccionar. Comprobar* [vérifier]. *Fig.* Censurar.

contrôleur Inspector, verificador. Revisor (train). Interventor [banque].

contrordre *m* Contraorden *f.*

controuver (ko**n**truvé) Inventar, forjar.

controverse Controversia.

controverser Controvertir*.

contumace Contumacia. *M* Contumaz.

contumax Contumaz.

contusion Contusión (ss).

contusionner Contundir.

convaincant Convincente.

convaincre Convencer.

convaincu (cü) Convencido.

convalescence (lesaⁿs) Convalecencia (zenzia).

convalescent Convaleciente.

convenable Conveniente.

convenance Conveniencia.

convenir* Convenir*. Convenir d'une chose, convenir* una cosa. Convenir de ses torts, reconocer* sus errores.

convention f Convenio m.

conventionnel Convencional.

convergent Convergente.

converger (jé) Convergir*.

conversation Conversación.

converser (sé) Conversar.

conversion Conversión.

convertir Convertir*.

convertisseur Convertidor.

convexe (èx) Convexo.

convict Convicto.

conviction (oⁿ) Convicción.

convier (vié) Convidar.

convive (vív) Convidado.

convocation Convocación [action]. Convocatoria [pli].

convoi (uá) Entierro. Mil. Convoy. Tren [ch. de fer].

convoiter (té) Codiciar.

convoitise (ís) Codicia.

convoler (lé) Contraer* segundas nupcias (ziass).

convoquer (ké) Convocar.

convoyer (vuaié) Convoyar, escoltar.

convoyeur Convoyante, que escolta.

convulsé (sé) Convulso (ss).

convulsif Convulsivo.

convulsion Convulsión.

coopération Cooperación.

coopérer (ré) Cooperar.

coordination Coordinación.

coordonné, ée Coordenado, a.

coordonner (né) Coordenar.

copain (iⁿ) Compañero.

copeau (po) m Viruta f.

copie (pí) Copia.

copier (pié) Copiar.

copieux, ieuse Copioso, a.

copiste (íst) Copista.

coq (coc) Gallo (lho) Coq de bruyère, urogallo.

coq-à-l'âne Despropósito.

coque (coc) f Cascarón m [d'un œuf]. Casco m [navire].

coquelicot m Amapola f.

coqueluche (ü) Tos ferina.

coquemar (kok) Escalfador.

coquet, ette (kè, èt) l'presumido, da. Coqueta [femme]. Lindo, da, bonito, ta [choses].

coquetier (koktié) Huevero (ouévéro).

coquetterie Coquetería.

coquillage (iaj) m Concha f. Marisco m [comestible].

coquille (kíie) Concha. Cáscara [œuf, noix]. Errata [imprim.]. Coquille Saint-Jacques (siⁿjac) Venera.

coquin, ine (in, íne) Pillo, a.

cor Cuerno [chasse]. Corno [orchestre]. Callo [peau].

corail (rái) Coral.

coran (raⁿ) Alcorán.

corbeau (bo) Cuervo.

corbeille (bèi) f Canasta, canasto. Corbeille de mariage, canastilla de boda.

corbillard Coche fúnebre.

cordage (aj) m Jarcia f.

corde (ord) Cuerda. Comba

[jeu]. Hilaza [étoffes].
cordeau (do) Cordel.
cordelette Cuerdecilla.
cordelier (ié) Franciscano.
corder (dé) Encordar.
cordial, iale Cordial.
cordialité Cordialidad (da).
cordon (doⁿ) Cordón.
cordonnerie (rí) Zapatería.
cordonnet (nè) Cordoncillo.
cordonnier (nié) Zapatero.
coriace (riás) Coriáceo.
coricide (sid) Callicida.
corindon (rindoⁿ) Corindón
(rindón).
cormoran (raⁿ) Mergo.
cornaline (in) Cornalina.
corne (corn) f Cuerno m. Calzador [pour chausser].
Corne d'abondance, cornucopia.
cornée (né) f Córnea.
corneille (néi) Corneja.
cornemuse (mûs) Gaita.
corner (né) Acornear. Tocar la bocina, avisar [trompe].
Zumbar [oreilles].
cornet (nè) m Corneta f. Cucurucho [de papier].
corniche (ich) Cornisa (ss).
cornichon (choⁿ) Pepinillo.
cornouiller (nuié) Cornejo.
cornu (nü) Cornudo.
cornue (nü) Retorta.
corollaire (èr) Corolario.
corolle (ol) Corola.
corporation Corporación.
corporel, elle Corpóreo, a.
corps (cor) Cuerpo. A corps perdu, a cuerpo descubierto. A son corps défendant (fandaⁿ), a pesar suyo.
corpulence Corpulencia.
corpulent (aⁿ) Corpulento.
corpuscule Corpúsculo.

correct (rèct) Correcto.
correcteur (œr) Corrector.
correction (oⁿ) Corrección.
correctionnel Correccional.
corrélatif Correlativo.
corrélation Correlación.
correspondance (aⁿs) Correspondencia.
correspondant, ante Correspondiente. M Corresponsal.
correspondre Corresponder.
corridor Corredor, pasillo.
corrigé m Corrección f.
corriger (jé) Corregir.
corroborer Corroborar.
corroder (dé) Corroer.
corrompre (oⁿpr) Corromper.
corrosif, ive Corrosivo, va.
corrosion (sioⁿ) Corrosión.
corroyer (ruaié) Zurrar.
corrupteur, trice (tœr, trís).
Corruptor, ra.
corruption (oⁿ) Corrupción, ra.
corsage (dj) Cuerpo.
corsaire (èr) Corsario.
corsé, ée (sé) Fuerte.
corselet (selè) Coselete.
corset (sè) Corsé.
corsetière Corsetera.
cortège (èj) m Comitiva f.
corvée (vé) Mil. Faena. Fam.
Trabajo (bajo) m.
corvette (èt) Corbeta.
coryphée (ic) Corifeo.
coryza (sá) m Coriza f.
cosaque (sac) Cosaco (ss).
cosinus (üs) Coseno (ss).
cosmétique (ic) Cosmético.
cosmique (ic) Cósmico.
cosmographie Cosmografía.
cosmonaute Cosmonauta.
cosmopolite Cosmopolita.
cosse (cos) Vaina (vaï) Pop.
Pereza, galbana.
cossu, ue (sü) Rico, ca.

costaud (to) Robusto.

costume (üm) Traje.

costumer (tü) Vestir* [disfrazar [déguiser].

cote (cot) Cuota [répartition]. Anotación, nota. Cotización [bourse]. Signatura [bibl.]. Cota [topogr.]. *Cote mal taillée*, cote [m] de cuentas.

côte (cot) Costilla [anatomie]. Costa [mer]. Cuesta [pente]. *Côte à côte*, uno al lado de otro.

côté (coté) Lado. *Bas côté*, Nave [f] lateral. *A côté*, al lado. *De côté*, de lado. *Sur le côté*, de lado, echado. *Côté faible*, flaco. *Mettre de côté*, poner* a un lado.

coteau (to) m Colina f. Ribazo, otero (éro).

côtelette (tlèt) f Chuleta.

coter (té) Acotar. Cotizar [commerce]. Anotar, notar.

coterie (rí) Pandilla [ilha]. *Fam*. Corro (corro) m.

cothurne (ürn) Coturno.

côtier, ière Costanero, a.

cotignac (ñac) m Carne [f] de membrillo.

cotillon (iioⁿ) Refajo [jupon]. Cotillón [danse].

cotisation Cotización.

cotiser (sé) Cotizar. Escotar [payer à plusieurs].

coton (oⁿ) Algodón. *Filer un mauvais coton*, tener* mala conducta.

cotonnade (ad) Cotonada.

cotonneux (æ) Algodonoso.

cotonnier (ié) Algodonero.

cotoyer (ié) Costear *Fig*. Pasar (ssar) junto.

cotre (cotr) Cúter.

cottage (aj) m Quinta f.

cotte (cot) f Zagalejo m [de femme]. Pantalón [m] de trabajo. Cota [d'armes].

cotylédon Cotiledón.

cou (cu) Cuello (cowelho).

couac (uac) Gallo (lho).

couard, arde (cuar, ard) Cobarde.

couardise (ís) Cobardía.

couchage (aj) Acostamiento. *Mil*. Cama f [soldats].

couchant (chaⁿ) Poniente.

couche (cuch) f Lecho m, cama. Capa [géologie, de peinture]. Pañal m [d'enfant]. *Pl*. Parto m [d'une femme]. *Fausse couche* (os cuch), malparto.

coucher (ché) Acostar* [au lit]. Tender* [étendre]. Inscribir, asentar* [inscrire]. Dormír* [passer la nuit]. *Vr. Se coucher*, acostarse*. Tenderse* [s'étendre]. Ponerse* [astre]. M Puesta f [de soleil].

couchette (èt) Camilla.

coucheur *Mauvais coucheur*, hombre de mal carácter.

couci-couça (sá) Así así.

coucou (cucú) Cuclillo.

coude (cud) Codo.

coudé, ée (dé) Acodado, da.

coudée (dé) f Codo m.

cou-de-pied (cudⁿpié) m Garganta [f] del pie.

couder (dé) Acodillar.

coudoyer (uaié) Codear.

coudre (cudr) Coser (ssér).

couenne Corteza de tocino.

couffin (kufiⁿ) m Espuerta f.

coulage (aj) Chorro [liq.].

coulant, ante Corriente. Corredizo, za [nœud].

coulé, ée (lé) Colado, da. Vaciado, da. F Chorro m.

couler (lé) Correr [liq.]. Hundirse [navire].

couleur (œr) f Color m. *Sous couleur de*, so color de.

couleuvre (œvr) Culebra.

coulis m Salsa f. *Vent coulis*, aire colado.

coulisse (ís) f Ranura. Corredera [porte]. Bastidor m [théâtre]. Bolsín m [com.].

coulisser Enjaretar.

coulissier Corredor de Bolsa.

couloir Corredor, pasillo.

coup (cu) m Golpe. Herida f [blessure]. Tiro, disparo [arme à feu]. Jugada f [cartes]. Trago [boisson]. *Coup de maître*, buena jugada. *Coup de pied*, puntapié. *Coup de sang*, derrame cerebral. *Coup de soleil*, insolación f. *Coup de tête*, cabezazo. Fig. Locura f, capricho. *Coup de vent*, ráfaga f. *Coup d'œil*, ojeada f. *Coup de canon, de corne, de couteau, d'épée, de fouet, de marteau, de téléphone*, cañonazo, cornada f, cuchillada f, estocada f, latigazo, martillazo, llamada telefónica ou telefonazo (fam.) *A coup sûr*, con seguridad. *Donner un coup de main*, echar una mano. *Tout à coup*, de pronto.

coupable (abl) Culpable.

coupant, ante Cortante.

coupe (cup) Copa [récipient]. Corte m [coupure].

coupé, ée Cortado, da. M Cupé [véhicule].

coupe-circuit Cortacircuito.

coupe-file (íl) Pase [assé].

coupe-gorge m Ladronera f.

coupelle (kupel) Copela.

coupe-papier m Plegadera f.

couper (pé) Cortar. Fallar [aux cartes].

couperet (rè) m Cuchilla f.

couperose Caparrosa. Med. Barros mpl.

couperosé (sé) Barroso.

coupeur (œr) Cortador.

couple (cupl) m Pareja f [de pers.]. Par m [de choses].

coupler (plé) Acoplar.

couplet (plè) m Copla f.

coupole (cupol) f Cúpula.

coupon (oⁿ) Cupón. Retal (ré), retazo [étoffes].

coupure (ür) Cortadura. Billete [de banque].

cour (cur) f Patio m. Corte [du roi]. Tribunal m. *Cour d'appel*, tribunal de apelación. *Cour d'assises*, audiencia. *Faire la cour*, hacer* la corte.

courage (aj) Valor, ánimo, brío.

courageux (jœ) Animoso.

couramment Corrientemente.

courant, ante (aⁿ) Corriente. Dans le courant de, en el curso de. *Le cinq courant*, el cinco del corriente.

courbatu (tü) Molido.

courbature (ür) f Derrengamiento m [fatigue]. Agujetas fpl [douleur].

courbaturer (ré). Derrengar.

courbe adj. Curvo, va. F Curva.

courber (bé) Encorvar.

courbette (bèt) Cabezada.

courbure (ür) f Curvatura.

coureur (œr) Corredor.

courge (curj) Calabaza.
courlis (kurlí) Chorlito.
courir Correr (**rrer**).
couronne (óne) Corona.
couronnement Coronamiento.
couronner (né) Coronar.
courre (cur) Correr. *Chasse à courre*, caza de ojeo.
courrier (ié) Correo.
courroie (curuá) Correa.
courroucer (sé) Enojar.
courroux (rú) Ira, cólera.
cours (cur) Curso. Paseo (passeo) [promenade]. Corriente *f* [d'eau]. Clase *f*, colegio [école]. *Au long cours*, de altura. *Avoir cours*, tener* curso [monnaies].
course (curs) *f* Carrera. Encargo *m* [commission]. *Faire les courses*, ir* de compras. *Course de taureaux*, corrida.
coursier (sié) Corcel.
court, ourte (u, urt) Corto, ta. *Tout court*, nada más.
courtage (aj) Corretaje.
courtaud (to) Rechoncho.
court-bouillon (kurbuion) *m* Media salsa *f*.
court-circuit (cursircüï) Corto circuito (zircoüi).
courtier (tié) Corredor.
courtine (ín) Cortina.
courtisan (san) Cortesano.
courtiser (sé) Cortejar.
courtois (tuá) Cortés.
courtoisie (sí) Cortesía.
couseuse Cosedora.
cousin, ine (sin, sín) Primo, ma. *Cousin germain*, primo hermano. *M* Zool. Mosquito.
coussin (sin) Cojín.
coussinet (né) Cojinete.
cousu (sü) Cosido (cossi).
coût (cu) Coste.

coûtant De coste. *Prix coûtant*, precio de coste.
couteau (tó) *m* Cuchillo. *Couteau à cran d'arrêt*, navaja [*f*] de muelle. *Couteau de poche*, navajilla [canif].
coutelas (lá) *m* Cuchilla *f*.
coutelier Cuchillero.
coutellerie (rí) Cuchillería.
coûter Costar. *Coûte que coûte*, cueste lo que cueste.
coûteux, euse Costoso, sa.
coutil (kutí) Cotí, dril.
coutume (üm) Costumbre.
coutumier Acostumbrado.
couture (ür) Costura. *A plate couture*, por completo.
couturier (rié) Sastre.
couturière Costurera [qui coud]. Modista [créatrice].
couvée (cuvé) Empolladura [d'œufs]. Pollada [poussins]. Nidada [oiseaux].
couvent (van) Convento.
couver (vé) Empollar [œufs]. *Fig.* Encubrir. Arder lentamente [feu].
couvercle (vercl) *m* Tapadera *f*, cobertera *f*.
couvert, erte Cubierto, ta. *Mettre, ôter le couvert*, poner*, quitar la mesa.
couverture (ür) Cubierta. Manta [lit]. Forro *m* [livre].
couveuse (œs) Incubadora.
couvre-chef (œ) Cubrecabeza.
couvre-feu (œ) *m* Queda *f*.
couvre-lit (li) *m* Colcha *f*.
couvre-pieds (ié) Cubrepiés.
couvreur (œr) Techador.
couvrir Cubrir.
coxalgie (ji) Coxalgia.
crabe (ab) Cangrejo de mar.
crac Chas. Zas.

crachat (chá) Esputo.
cracher (ché) Escupir.
crachoir *m* Escupidera *f*.
crachoter (choté) Escupir con frecuencia (**zla**).
craie (crè) Tiza [pour écrire]. Creta [minéral].
craindre (cri[n]dr) Temer.
crainte (i[n]t) *f* Temor *m*.
craintif, *ive* Tímido, da.
cramoisi (sí) Carmesí (ss).
crampe (a[n]p) *f* Calambre *m*.
crampon (o[n]) Grapa. *Fig.* Latoso, sa.
cramponner (né) Engrapar. *Fig.* Agarrar. Fastidiar.
cran (cra[n]) *m* Muesca *f*. *Avoir du cran*, tener energía.
crâne (a[n]e) Cráneo.
crâner (né) Fanfarronear.
crânerie Fanfarronada.
crânien, *enne* Craniano, na.
crapaud (po) Sapo.
crapaudine Chumacera.
crapouillot (puio) Cañoncito de trinchera.
crapule (pül) *f* Pillo *m*. Bribón *m*.
crapuleux, *euse* (pülœ, œs) Crapuloso, sa.
craqueler (lé) Agrietar.
craquelure (ür) Grieta.
craquement (k[e]ma[n]) Crujido.
craquer (ké) Crujir.
crasse (cras) *f* Mugre *m*.
crasseux (sœ) Mugriento.
cratère (ter) Cráter.
cravache (vach) Látigo *m*.
cravate (vat) Corbata.
crayeux, *euse* Cretáceo, a.
crayon (i[o]n) Lápiz.
crayonner (kreioné) Dibujar con lápiz.

créance (ea[n]s) *f* Crédito *m*.
créancier (sié) Acreedor.
créateur (œr) Creador.
création (sio[n]) Creación.
créature (tür) Criatura.
crèche (ech) *f* Pesebre *m* [animaux]. Asilo [enfants].
crédence *f* Aparador *m*.
crédit (dí) Crédito.
créditer Acreditar.
créditeur (œr) Acreedor.
credo Credo.
crédule (dül) Crédulo.
crédulité Credulidad.
créer (cree) Crear.
crémaillère (maièr) Cremallera (lhéra).
crémation Cremación.
crématoire (uar) Crematorio.
crème (crèm) Crema. Nata [du lait]. *Crème renversée*, flan *m*. *Fig.* Flor y nata.
crémerie (rí) Lechería.
crémeux, *euse* Mantecoso.
crémier, *ière* Lechero, ra.
créneau (no) *m* Almena *f*.
créole (ol) Criollo (lho).
crêpe (èp) *m* Crespón [tissu]. Luto [chapeau, bras]. *F* Hojuela [pâtisserie]. Hoja [caoutchouc].
crépelé (pelé) Rizado.
crêper (pé) Rizar.
crépi (pí) Enlucido.
crépir Enlucir*, enjalbegar.
crépitation Crepitación.
crépiter (té) Crepitar.
crépon (o[n]) Crespón.
crépu (pü) Crespo.
crépusculaire Crepuscular.
crépuscule (ül) Crepúsculo.
cresson (so[n]) Berro (**rro**).
crétacé, *ée* Cretáceo, a.
crête (crèt) Cresta.

crétin (tiⁿ) Cretino.

crétinisme (ism) Cretinismo.

cretonne (tón^e) Cretona.

creuser (œsé) Cavar. *Fig.* Ahondar, profundizar.

creuset (krœsè) Crisol.

creux, euse (œ, œs) *adj* Hueco, ca. Vacío, a [vide]. *M* Hueco.

crevaison *f* Pinchazo *m*.

crevasse (vàs) Grieta.

crevasser (sé) Agrietar.

crevé (vé) Reventado.

crève-cœur (krevkœr) Dolor. Pena *f*.

crever (vé) Reventar*. Morir [animaux]. Pincharse [pneu]. Saltar [yeux].

crevette (vèt) *f* Camarón *m*.

cri Grito. *Pousser des cris, dar* gritos. *Jeter les hauts cris, dar* voces.

criailler (ié) Chillar.

criaillerie *f* Chillido *m*.

criard (ar) Chillón [teinte].

criblage (aj) Cribado.

crible (cribl) *m* Criba *f*.

cribler Cribar. *Fig.* Acribillar [coups].

cric (cri) Gato [machine].

cricri (crí) Grillo.

criée (ié) Almoneda.

crier (ié) Gritar. Pregonar [annoncer]. *Crier au secours, pedir* socorro (corro).

crieur, euse (œ, œs) Gritador, ra. *Crieur public, pregonero.*

crime (crim) Crimen (mèn).

criminel (ml) Criminal.

crin (criⁿ) *m* Crin *f*.

crinière (nièr) *f* Crines *fpl* [cheval]. Melena [lion].

crinoline (ín^e) Crinolina.

crique (cric) Caleta.

criquet (kè) *m* Langosta *f*.

crise (cris) Crisis (issis).

crisper (pé) Crispar.

crisser (sé) Rechinar (rré).

cristal Cristal.

cristallin (iⁿ) Cristalino.

cristallisation (talisasioⁿ) Cristalización (zazión).

cristalliser Cristalizar.

criterium (riom) Criterio.

critique Crítico. *F* Crítica.

critiquer (ké) Criticar.

croasser (sé) Graznar.

croc (cro) Garfio. Colmillo [de loup, etc.].

croc-en-jambe Zancadilla.

croche (och) *Mus.* Corchea.

crochet (ché) *m* Gancho. Ganzúa *f* [serrures]. Crochet (chèt) [ouvrage dames].

crochu, ue (chü) Ganchudo.

crocodile (il) Cocodrilo.

croire (cruar) Creer*. *Se croire, creerse*. *Croire à, creer en. Je crois bien!* ¡Ya lo creo! *Vr.* Creerse.

croisade (sad) Cruzada.

croisé (sé) Cruzado.

croisement Cruzamiento.

croisement (aⁿ) Cruzamiento.

croiser (sé) Cruzar.

croiseur (sœr) Crucero.

croisière *f* Crucero *m*.

croissance *f* Crecimiento *m*.

croissant, ante Creciente. Media luna [objet courbé].

croître (cruatr) Crecer*.

croix (cruá) Cruz (ouz).

croque-mitaine (tèn) Coco.

croque-mort (or) Enterrador.

croquer (ké) Crujir, cascar. Comer, mascar [manger].

croquet (kè) Croquet (kè).

croquette (ket) Croqueta.

croquis (kí) Croquis (iss).

crosse (cros) *f* Cayado *m.* Báculo *m* [épiscopal]. Culata *f* [fusil, etc.].

crotte (crot) *f* Barro *m,* lodo *m* [de la rue]. Cagarruta [excrément]. Bombón [*m*] de chocolate [chocolat].

crotter Enlodar, embarrar.

croulant (la*ⁿ*) Ruinoso.

croulement (lema*ⁿ*) Hundimiento.

crouler (lé) Hundirse.

croup (crup) Garrotillo (lho), crup.

croupe (crup) Grupa. *En croupe,* a ancas.

croupion *m* Rabadilla *f.*

croupir Encharcarse [eaux]. *Fig.* Sumirse [dans l'ignorance, le vice, etc.].

croupissement (pisema*ⁿ*) Encharcamiento.

croustillant Cuscurroso.

croustiller (tiié) Crujir.

croûte (ut) Corteza [pain, fromage]. Costra [peau].

croûton (to*ⁿ*) Mendrugo.

croyable (iabl) Creíble.

croyance (ia*ⁿ*s) Creencia.

croyant (ia*ⁿ*) Creyente.

cru (ü) *m* Terruño, tierra *f.* Caldo [vin].

cru, ue (ü) Crudo, da.

cruauté (oté) Crueldad (*da*).

cruche (üch) *f* Cántaro *m.*

cruchon (o*ⁿ*) Cantarillo.

crucifier (fié) Crucificar.

crucifix (fí) Crucifijo.

crudité Crudeza (*déza*).

crue (crü) Crecida (zi).

cruel, elle (el) Cruel.

crûment (ma*ⁿ*) Crudamente.

crustacé (sé) Crustáceo.

crypte (cript) Cripta.

cubain, aine Cubano, a.

cube (cüb) Cubo. Cúbico.

cubique (ic) Cúbico, ca.

cubitus (tüs) Cúbito.

cueillette (iet) Cosecha.

cueillir (iir) Coger.

cuiller (iier) Cuchara. *Cuiller à bouche,* sopera. *Cuiller à café,* cucharilla (*charilha*).

cuillerée (ieré) Cucharada.

cuir (üir) Cuero. *Cuir de Russie,* piel [*f*] de Rusia.

cuirasse (rás) Coraza.

cuirassé (sé) Acorazado.

cuirasser (sé) Acorazar.

cuirassier (ié) Coracero.

cuire (cüir) Cocer* (zèr).

cuisant (sa*ⁿ*) Agudo [peine].

cuisine (sine) Cocina (zi).

cuisiner (né) Cocinar (zi).

cuisinier (ié) Cocinero.

cuisse (cüis) *f* Muslo *m.*

cuisson (küiso*ⁿ*) Cochura.

cuistre (üistr) Pedante.

cuit, ite (cüi, it) Cocido, da (zi). *F* Cochura. *Pop.* Mona [ivresse].

cuivre (üivr) Cobre.

cuivré Cobrizo (izo).

cuivrer (vré) Encobrar.

cul (cü) Culo. *Cul-de-jatte,* lisiado sin piernas. *Cul-de-lampe,* Viñeta *f. Cul-de-sac,* callejón sin salida.

culasse (as) Culata.

culbute (üt) *f* Voltereta. *Fig.* Vuelco *m.* Tumbo *m.*

culbuter Voltear, volver*. Derribar [renverser]. Caer*.

culée (lé) *f* Estribo *m.*

culinaire (èr) Culinario.

culminant (a*ⁿ*) Culminante.

culot (lo) *Pop.* Tupé.

culotte (ot) *f* Calzón *m.* Bragas *fpl* [de femme].

culotter (té) Poner* calzones. Curar [pipe].
culpabilité Culpabilidad.
culte (cült) Culto.
cultivateur (tœr) Labrador, cultivador.
cultivé Cultivado [sol]. Culto [personnes].
cultiver (té) Cultivar.
culture (ür) f Cultivo m. Cultura f [instruction].
culturel, elle Cultural.
cumin (min) Comino.
cumul (ül) Cúmulo.
cumuler (lé) Cumular.
cupide (id) Ávido, ansioso.
cupidité Ansia, avidez.
cupidon (on) Cupido.
curable (abl) Curable.
curaçao (so) Curasao.
curateur (œr) Curador.
curatif, ive Curativo, va.
cure (cür) Cura [médicale]. Casa del cura [du curé].
curé (ré) Cura, párroco.
cure-dents (cürdan) Mondadientes.
curée (ré) f Encarne m [chasse]. Botín m [partage].
curer (ré) Mondar, limpiar.

curieux, ieuse Curioso, sa.
curiosité Curiosidad.
cursif, ive Cursivo, va.
cutané, ée (né) Cutáneo, a.
cuve (üv) Cuba. Tina [vin].
cuvée (vé) Tina, cuba [contenu].
cuver (vé) Cocer* [moût].
cuvette (vet) f Jofaina, palangana. Hondonada [terrain].
cuvier (vié) Colador.
cybernétique Cibernética.
cyclamen Ciclamen, pamporcino.
cycle (sicl) Ciclo (zi).
cyclisme (ism) Ciclismo.
cycliste (ist) Ciclista.
cyclone (ône) Ciclón (ôn).
cyclopéen (éin) Ciclópeo.
cygne (siñ) Cisne (zis).
cylindre (indr) Cilindro.
cylindrée (dré) Embolada.
cylindrique (ic) Cilíndrico.
cymbale (sin) f Címbalo m.
cynégétique (ic) Cinegético.
cynique (sinic) Cínico.
cynisme (sin) Cinismo.
cyprès (prè) Ciprés (zi).
cystite (sistit) Cistitis.
cytise (sitis) Cítiso.

D

d' V. DE.
da (oul -) Si tal.
dactylographe (af) Dactilógrafa.
dactylographier (fié) Escribir a máquina.
dada Caballo. Fam. Tema f.
dadais (dè) Simple.
dague (dag) Daga. Navaja.
dahlia (liá) Dalia.

daigner (dèñé) Dignarse.
daim (din) Gamo.
dais (dè) Dosel (dossel).
dallage (laj) Enlosado (ssa).
dalle (dal) Losa (ssa).
dalmate (mat) Dálmata.
daltonien (nin) Daltoniano.
daltonisme Daltonismo.
damas Damasco. Tela [f] adamascada.

dame (dam) Señora. Dama [de cour]. Reina [échecs]. *Notre-Dame*, Nuestra Señora. *Interj* ¡Vaya! ¡Toma!

damier (tié) Tablero [jeux].

damnation (danasio^n) Condenación.

damné (dané) Condenado.

dancing (ing) Baile público.

dandiner (se) Contonearse.

dandy (rœ) Dandy.

danger (jé) Peligro.

dangereux (rœ) Peligroso.

danois (nuá) Danés, dinamarqués.

dans (da^n) En. À [avec mouvement]. Dentro de: *dans huit jours*, dentro de ocho días.

danse (da^n) f Baile (baï) m. Danza (dànza) f.

danser (da^n) Bailar (baïlar).

danseur (sœr) Bailarín (rin).

dard (dar) Dardo.

darder Flechar [soleil].

dare-dare (dardar) Deprisa.

dartre (dartr) f Empeine m.

date (dat) f Fecha. *En date de*, con fecha de. *Faire* *date*, hacer época.

dater (té) Fechar.

datif Dativo.

datte (dat) f Dátil m.

dattier (tié) m Datilera f.

daube (dob) f Adobo m.

dauber Desollar [médire].

dauphin (dofi^n) Delfín (in).

davantage (taj) Más.

de (dœ) *Prep* De [origine, matière]: *table de marbre*, mesa de mármol. Con [avec]: *saluer de la main*, saludar con la mano. *Il est difficile de parler*, es difícil hablar. *Je me préoccupe d'acheter ceci*, me preocupo por comprar esto. *Je me demande de venir*, le pido que venga. *Obs. De*, delante de una palabra que empieza por vocal o h muda, se elide en d': *d'une part, d'autre part, d'huile*, etc.

dé Dado Dedal [à coudre].

déambuler (lé) Pasearse.

débâcle (bacl) Ruina (rouí).

déballage (laj) Desembale. Baratillo [commerce].

déballer (lé) Desembalar.

débandade (ad) Desbandada.

débander Desbandar [disperser]. Aflojar [ressort].

débarbouillage (laj) Lavado.

débarbouiller (uié) Lavar.

débarcadère Desembarcadero.

débardeur (œr) Descargador.

débarquement (ma^n) Desembarco.

débarquer Desembarcar.

débarras (rá) Desembarazo.

débarrasser Desembarazar.

débat (bà) Debate (té).

débattre (atr) Debatir. *Se débattre*, luchar, forcejear.

débauche f Desorden m.

débaucher (ché) Despedir* [un ouvrier]. Desarreglar [mœurs]. Corromper, pervertir*.

débile (bíl) Débil.

débilitant (ta^n) Debilitante.

débilité Debilidad (da).

débiliter (té) Debilitar.

débine (bín^e) Descifrar.

débiner (né) Criticar.

débit (bí) Despacho [fi [vente]. Debe [comptabilité]. Caudal [fleuve]. Elocución f. *Débit de tabac* (tabà), estanco. *Débit de vins* m, taberna f.

débitant (taⁿ) Vendedor, estanquero, tabernero.

débiter (té) Vender, despachar. Cortar [bois]. Cargar en cuenta, adeudar [compte].

débiteur (œr) Deudor (éou).

déblai (blè) *m* Escombra *f.*

déblayer (éié) Desembarazar.

déboire (buar) Sinsabor.

déboiser (bua) Desmontar.

déboiter (bua) Desencajar.

débonnaire (er) Bondadoso.

débordant (aⁿ) Desbordante.

débordement Desbordamiento.

déborder Desbordar [rivière]. Rebosar [vase].

débotter (té) Descalzar. *Au débotter*, al llegar.

déboucher (ché) Destapar.

débours (debur) Desembolso.

déboursement Desembolso.

débourser (sé) Desembolsar.

debout (dœbù) De pie; en pie. *Interj* ¡Arriba! (arrí).

débouter Denegar* [jur.].

déboutonner Desabrochar.

débraillé (aié) Despechugado. *Fig.* Desaliñado.

débrayage (iaj) Desembrague.

débrayer (éié) Desembragar.

débris (brí) Pedazo (dazo) [fragment]. Resto.

débrouillard (bruiar) *Fam.* Listo, despabilado.

débrouiller (uié) Desenredar. Desembrollar. *Se débrouiller*, salir* de apuro.

débusquer Desemboscar.

début (bü) Principio (zi). Estreno [acteur].

débutant Principiante.

débuter Principiar.

deçà (dœsa) De este lado. *En deçà*, de este lado.

décacheter (ch'té) Abrir.

décade (cad) Década.

décadence Decadencia.

décadent (aⁿ) Decadente.

décagone (gón) Decágono.

décalage (aj) Descalce. Decalaje (jé) [électricité].

décalitre Decalitro.

décalque (calc) Calco.

décalquer (ké) Calcar.

décamètre Decámetro.

décamper (caⁿpé) Decampar. *Fam.* Largarse, irse*.

décantation Decantación.

décanter (té) Decantar.

décaper (pé) Desoxidar.

décapiter (té) Decapitar.

décatir Deslustrar. *Pop.* *Se décatir*, ajarse.

décavé Desbancado. *Fam.* Arruinado.

décaver (vé) Desbancar.

décédé (sedé) Fallecido.

décéder Fallecer*.

déceler (lé) Descubrir, revelar (révélar).

décembre (aⁿbr) Diciembre.

décemment (samaⁿ) Decentemente.

décence (saⁿs) Decencia.

décennal, ale Decenal.

décent (aⁿ) Decente (zén).

décentraliser Descentralizar.

décentrer Descen:rar.

déception *f* Desengaño *m.*

décerner (né) Otorgar.

décès (sé) Fallecimiento.

décevant (vaⁿ) Engañoso.

décevoir* (vuar) Engañar.

déchaînement (aⁿ) Desencadenamiento.

déchaîner Desencadenar.

déchanter (té) Desistir.

décharge (charj) Descarga.
déchargement *m* Descarga *f*.
décharger (jé) Descargar.
décharné Descarnado.
déchausser (cho) Descalzar.
Descarnar [dents].
dèche *Pop.* Miseria (ssé).
déchéance (chea**n**s) Decadencia. Pérdida [d'un droit].
déchet (chè) *m* Mengua *f*
[diminution]. Residuo.
déchiffrer Descifrar.
déchiqueter Desmenuzar.
déchirant (a**n**) Desgarrador.
déchirement (chirema**n**) *m*
Aflicción *f*. Desgarro *m. Fig.*
Desorden.
déchirer (ré) Desgarrar, rasgar (ras).
déchirure (rür) *f* Rasgón *m.*
Desgarrón (garrŏn) *m.*
déchoir Decaer*.
déchu (dechŭ) Caído. Decaído. Destronado [roi].
décidé Decidido (dézi).
décider (dé) Decidir.
décigramme (*am*) Decigramo.
décimer (dé) Diezmar.
décimètre Decímetro.
décisif, *ive* Decisivo, va.
décision (sio**n**) Decisión.
déclamation Declamación.
déclamer (mé) Declamar.
déclaration Declaración.
déclarer (ré) Declarar.
déclassé Salido de su esfera.
déclasser Cambiar de clase.
déclencher (chĕ) Soltar* un muelle.
déclencheur Disparador.
déclic Trinquete (kété).
déclin (i**n**) *m* Declinación *f.*
Caimiento *m* [fortune, beauté, vigueur]. Ocaso [vie].
déclinaison Declinación.

déclivité *f* Declive *m.*
déclouer (ué) Desclavar.
décocher (chĕ) Disparar.
Fig. Lanzar [regards].
décoction (io**n**) Decocción.
décoiffer (fé) Despeinar.
décoller (lé) Despegar (pé).
Arrancar [avion].
décolletage Escotadura.
décolleté Escotado.
décolleter (té) Escotar.
décolorer (ré) Descolorir.
décombres *mpl* Escombros.
décommander (ĕr) Anular.
décomposer Descomponer.
décomposition Descomposición.
décompte (co**n**t) Descuento.
déconcertant Sorprendente.
déconcerter Desconcertar*.
Fig. Aturdir.
déconfit Confuso, derrotado.
déconfiture (tŭr) Derrota.
déconseiller Desaconsejar.
déconsidérer Desacreditar.
décontenancé (sé) Turbado.
décontenancer (sé) Turbar.
déconvenue (nŭ) *f* Fracaso
m. Percance (cánzé) *m.*
décor *m* Decoración *f.*
décorateur (œr) Decorador.
décoratif, ve Decorativo, a.
décoration (sio**n**) *f* Adorno
m. Condecoración [insigne].
décoré (ré) Decorado, adornado [orné]. Condecorado
[insigne].
décorer (ré) Condecorar.
décortiquer Descortezar.
décorum (rom) Decoro.
découcher Dormir* fuera.
découdre (cudr) Descoser. *En
découdre*, venir* à las manos.

découler Chorrear, manar. *Fig.* Resultar, proceder.

découper Trinchar [rôti].

découpure (ür) *f* Recorte *m*.

découragé (jé) Desalentado.

découragement Desaliento.

décourager* Desalentar*.

décousu (ousú) Descosido.

découvert (er) Descubierto.

découverte (cuvert) *f* Descubrimiento *m*.

découvreur Descubridor.

découvrir* Descubrir.

décrasser Desgrasar. Limpiar. *Fig.* Desbastar.

décrépit (pi) Decrépito.

décrépitude Decrepitud.

décret (crè) Decreto.

décréter* Decretar.

décrier Desacreditar.

décrire (crír) Describir.

décrocher (ché) Descolgar.

décroissance Decrecencia.

décroître (uatr) Decrecer*

décrotter (té) Limpiar.

décrotteur (œr) Limpiabotas.

déçu, ue (sü) Engañado, da.

décupler (plé) Decuplicar.

dédaigner (ñé) Desdeñar.

dédaigneux (ñœ) Desdeñoso.

dédain (diⁿ) Desdén (dèn).

dédale (al) Dédalo.

dedans (dedaⁿ) Dentro.

dédicace (as) Dedicatoria.

dédier (dié) Dedicar.

dédire* (dedir) Desdecir*

dédit (dí) *m* Retractación *f*.

dédommagement (aⁿ) Resarcimiento.

dédommager* (jé) Resarcir, indemnizar.

dédouaner Sacar de aduanas.

dédoublement (aⁿ) Desdoblamiento.

dédoubler (blé) Desdoblar.

déduction (sioⁿ) Deducción.

déduire* (ür) Deducir (zir).

déesse (és) Diosa (diossa).

défaillance (faiaⁿs) *f* Desfallecimiento *m*.

défaillir (aír) Desfallecer*. Desanimarse [courage].

défaire* (fer) Deshacer*.

défait (fè) Deshecho (cho).

défaite (fèt) Derrota (rro).

défalquer (ké) Desfalcar.

défaut (fo) *m* Defecto *m*. Falta *f* [absence]. Flaco [faible]. *Être* en défaut*, caer* en falta. *Par défaut*, en rebeldía.

défaveur (vœr) Desfavor.

défavorable Desfavorable.

défection (ioⁿ) Defección.

défectueux (üœ) Defectuoso.

défendable Defendible.

défendeur (œr) Demandado.

défendre (aⁿdr) Defender*. Prohibir. Proteger. *Se défendre*, defenderse*. Guardarse.

défense (aⁿs) Defensa. Prohibición. Colmillo *m* [dent]. *Défense d'afficher*, prohibido fijar carteles.

défenseur (sœr) Defensor.

défensif, ve Defensivo, a.

déférence (aⁿs) Deferencia.

déférent (raⁿ) Deferente.

déférer* (ré) Deferir*.

déferler Romper* (rom).

défi (fí) Reto, desafío. *Mettre* au défi*, desafiar.

défiance (iaⁿs) Desconfianza.

défiant (fiaⁿ) Desconfiado.

déficeler* (lé) Desatar.

déficit (sit) Déficit (zit).

défiance (iaⁿs) Desconfianza.

défier (fié) Desafiar (dessa).

Se défier, desconfiar. Desafiarse [se menacer].

défigurer (ré) Desfigurar.

défilé Desfiladero [passage]. Desfile [troupes].

défiler (lé) Desfilar.

défini (ní) Definido. *Passé défini*, pretérito simple.

définir Definir.

définitif Definitivo.

définition (ioⁿ) Definición.

déflagration Deflagración.

déflation (sioⁿ) Deflación.

déflorer (ré) Desflorar.

défoncer (foⁿsé) Desfondar. Llenar de baches [chemin].

déformation Deformación.

déformer (mé) Deformar.

défraîchir (èchir) Ajar (jar).

défrayer (freié) Costear, pagar. *Défrayer la conversation*, hacer* el gasto de la conversación.

défricher (ché) Roturar.

défriser (sé) Desrizar (rizar).

défroque f Espolio m.

défunt (fuⁿ) Difunto.

dégagé (jé) Desembarazado.

dégagement (maⁿ) Desempeño.

dégager (jé) Desempeñar. Librar [délivrer].

dégaine (guène) f Desgarbo m. *Fam.* Traza f [ridicule].

dégarnir Desguarnecer*. Desalhajar. Ponerse* calvo [tête].

dégât (ga) Estrago. Daño.

dégel (jel) Deshielo.

dégeler (jelé) Deshelar*.

dégénération Degeneración.

dégénérer (ré) Degenerar.

dégingandé Desgarbado.

déglutition Deglución.

dégoiser (guasé) Soltar*.

dégommer (mé) Desgomar.

dégonfler (flé) Deshinchar.

dégorgement (aⁿ) Desatascamiento. Derrame [humeurs].

dégorger (jé) Desatascar.

dégouliner (né) *Fam.* Rodar*.

dégourdi (di) Listo.

dégourdir Desentumecer*. Despabilar [une personne].

dégoût (gú) Asco.

dégoûtant (taⁿ) Asqueroso.

dégoûté Hastiado, cansado.

dégoûter (té) Dar* asco. Cansar, fatigar.

dégoutter (guté) Gotear.

dégradant (daⁿ) Degradante.

dégradation Degradación.

dégrader (dé) Degradar. *Fig.* Envilecer*. Deteriorar.

dégrafer (fé) Desabrochar.

dégraisser (sé) Desengrasar. Limpiar [vêtements].

degré (dcgré) Grado.

dégrèvement Exoneración.

dégringoler Caer*, rodar*.

dégriser Desembriagar.

dégrossir (sir) Desbastar.

déguenillé (ié) Andrajoso.

déguerpir Huir*, largarse.

déguisement (smaⁿ) Disfraz.

déguiser (guisé) Disfrazar.

dégustation Degustación.

déguster Catar, probar*.

déhancher (se) Descaderarse, derrengarse. *Fam.* Contonearse [se dandiner].

dehors (dœor) Fuera; afuera [avec mouvement]. M Lo exterior. Pl Apariencias fpl. *Mettre dehors*, echar fuera. *En dehors de*, fuera de.

déjà (jà) Ya (ya).

déjection Deyección.

déjeuner (jœné) Almorzar*. Desayunarse [le matin]. M

Almuerzo. *Petit déjeuner,* desayuno.

déjouer (jué) Burlar.

delà (dœlà) Allende. *Au-delà de ses désirs,* más allá de sus deseos. *Au-delà des mers,* allende los mares.

délabré Arruinado.

délabrement m Ruina f.

délacer Desatar (ssa).

délai (lè) Retraso, demora f. Plazo [temps accordé].

délaisser (lèsè) Abandonar.

délassement Abandono.

délateur (tœr) Delator.

délation (sio^n) Delación.

délayer (leié) Desleír.

délectable Deleitoso.

délecter (té) Deleitar.

délégation (io^n) Delegación.

délégué Delegado.

déléguer (gué) Delegar.

délester (té) Deslastrar.

délétère (ér) Deletéreo, a.

délibération Deliberación.

délibéré (ré) Deliberado.

délibérément Resueltamente.

délibérer (ré) Deliberar.

délicat (cá) Delicado.

délicatesse Delicadeza.

délice (lís) m Delicia f.

délicieux (iœ) Delicioso.

délictueux Delictivo.

délié Desatado (ssata). Delgado, fino [mince]. Agudo.

délier (lié) Desligar.

délimiter (té) Limitar.

délinquant (ka^n) Delincuente.

déliquescent Delicuescente.

délire (lír) Delirio.

délirer (ré) Delirar.

delirium (riom) Delirio.

délit (lí) Delito. *En flagrant délit,* en flagrante.

délivrance (a^{n}s) Entrega

(èn) [remise]. Libramiento m [d'un mal]. Liberación [polit.]. Alumbramiento m.

délivrer (vré) Librar [d'un danger]. Entregar [remettre]. Libertar [mettre* en liberté].

déloger (jé) Desalojar.

déloyal (uaïal) Desleal.

déloyauté (io) Deslealtad.

delta Delta.

déluge (lüj) Diluvio.

déluré (ré) Vivo.

démagogie (jí) Demagogia.

démagogue (og) Demagogo.

démailloter (té) Desenvolver*.

demain (dœmi^n) Mañana. *Demain matin,* mañana por la mañana. *Demain soir,* mañana por la noche. *À Demain,* hasta mañana.

démancher (che) Dislocar.

demande (dœma^{n}d) Petición. Pregunta. Pedido m [commande].

demander (dé) Pedir*. Preguntar. *Demander après,* preguntar por.

demandeur Demandador.

démangeaison (jeso^n) f. Comezón m, picazón m *Fig.* Prurito m [désir].

démanger* (ma^{n}jé) Picar.

démanteler Desmantelar.

démantibuler Desquijarar. Descomponer*, desmontar.

démarcation Demarcación.

démarche Gestión. *Faire des démarches,* hacer* gestiones.

démarcheur (œr) Corredor.

démarquer (ké) Plagiar.

démarrage Arranque.

démarrer Arrancar [auto].

démarreur Arranque.

démasquer Desenmascarar.
démêler (lé) Separar, apartar. Desenredar [fils, cheveux]. *Fig.* Desembrollar.
démêloir (luar) Batidor.
démembrement (maⁿbremaⁿ) Desmembración.
démembrer Desmembrar*.
déménagement m Mudanza f.
déménager* (jé) Mudarse.
démence Demencia. locura.
démener (se) Agitarse.
dément (maⁿ) Demente.
démenti m Desmentido f.
démentir Desmentir*.
démériter (té) Desmerecer.
démesuré (sü) Desmedido.
démettre (etr) Dislocar.
demeurant Residente. *Au demeurant,* por lo demás.
demeure (mœr) Morada.
demeurer (ré) Permanecer* [rester]. Residir (ssidir). Quedar (kédar) [rester].
demi, le (dœmi) Medio, ia. *A demi,* a medias.
demi-cercle Semicírculo.
demi-dieu (diœ) Semidiós.
demi-jour m Media luz f.
demi-mesure (sür) Medida insuficiente.
demi-mot Media palabra.
démis (mí) Dislocado.
demi-saison (sésoⁿ) f Entretiempo m.
démission (ioⁿ) Dimisión.
démissionnaire Dimisionario.
démissionner Dimitir.
demi-teinte Media tinta.
demi-tour Media vuelta.
démobiliser Desmovilizar.
démocrate (at) Demócrata.
démocratie (sí) Democracia.
démocratique Democrático.
démodé Fuera de moda.

démoder Pasar de moda.
demoiselle (muasel) Señorita. Soltera [non mariée].
démolir Demoler*. Derribar.
démolition Demolición.
démon (moⁿ) Demonio.
démonétiser Desmonetizar.
démoniaque (iac) Demoníaco.
démonstration (ioⁿ) Demonstración.
démontable Desmontable.
démontage (taj) m Desmontadura f.
démonter Desmontar. Desarmar [une machine]. *Fig.* Desconcertar*, turbar.
démontrer Demostrar*.
démoralisant Desmoralizador.
démoralisation Desmoralización. Desaliento m [découragement].
démoraliser Desmoralizar. Desanimar [décourager].
démordre (ordr) Desistir.
démouler Sacar del molde.
démunir Desproveer*.
dénaturé Desnaturalizado.
dénaturer Desnaturalizar.
dénégation Denegación.
déni (ni) m Denegación f.
déniaiser (sé) Avispar.
dénicher (ché) *Fig.* Descubrir.
dénier (nié) Denegar*, negar*.
denier (dœnié) Denario.
dénigrement Denigración.
dénigrer (gré) Denigrar.
déniveler (velé) Desnivelar.
dénombrer (bré) Enumerar.
dénominateur Denominador.
dénomination Denominación.
dénommer Nombrar, llamar.

dénoncer Denunciar (ziar).

dénonciateur Denunciador.

dénonciation Denuncia.

dénoter (té) Denotar.

dénouement Desenlace.

dénouer (nué) Desatar, desanudar Desenredar [drame].

denrée (ré) f Género m. Mercancía f. Denrées coloniales fpl, ultramarinos mpl.

dense (daⁿs) Denso, sa.

densité Densidad (dá).

dent (daⁿ) f Diente (dièn) m. Agacer les dents. dar* dentera. Sur les dents, sobrecargado. Desserrer les dents, abrir* los labios.

dentaire o dental Dental.

dentelé (tᵉlé) Dentado.

dentelle (tel) f Encaje m.

dentellière Encajera.

denteiure (lür) f Dentadura.

dentier m Dentadura f.

dentifrice (is) Dentífrico.

dentiste (tist) Dentista.

dénuder (nûdé) Desnudar.

dénué Desprovisto, privado.

dénuement (nümaⁿ) m Privación f. Miseria (sséria) f.

dénuer (üé) Despojar.

dénutrition Desnutrición.

dépanner Sacar de apuro.

dépaqueter Desempaquetar.

dépareiller (é) Descabalar.

dépanner Sacar de apuro.

déparer Desadornar [ôter la parure.] Fig. Deslucir*.

départ (par) m Salida f.

départager Desempatar.

département (aⁿ) Departamento.

départir (se) Desistir.

dépasser Dejar atrás. Rebasar [limite]. Aventajar [surpasser]. Vi. Sobresalir*.

dépayser (eisé) Desorientar.

dépecer (sé) Despedazar.

dépêche (pêch) f Despacho m.

dépêcher (se) Apresurarse.

dépeigner (eñé) Despeinar.

dépeindre (piⁿdr) Pintar.

dépenaillé (aié) Andrajoso.

dépendance (aⁿs) Dependencia.

dépendre (paⁿdr) Depender. Descolgar*.

dépens (paⁿ) Gastos. Aux dépens de, a costa de.

dépense (aⁿs) f Gasto m. Despensa [provisions]

dépenser (sé) Gastar.

dépensier (sié) Gastoso (osso). Despensero (énséro).

déperdition (sioⁿ) Pérdida.

dépérir (rir) Desmedrar, debilitarse, perderse*

dépérissement Desmedro.

dépêtrer (se) Salir* de apuro.

dépeuplement (pœplᵉmaⁿ) m. Despoblación f.

dépeupler (plé) Despoblar*

dépiler (lé) Depilar.

dépister (té) Rastrear [découvrir la piste]. Despistar [faire perdre la piste].

dépit (pi) Despecho. En dépit de, a pesar de. En dépit du bon sens, sin sentido común.

dépiter Despechar (char).

déplacé Mudado [changé]. Fig. Impertinente.

déplacement (asᵉmaⁿ) m Traslado. Mudanza (ânza) f.

déplacer Mudar. Cambiar. Trasladar [fonctionnaire].

déplaire* (pler) Disgustar. Se déplaire, disgustarse. No encontrarse* bien [en un endroit]. *Ne vous en déplaise,* sin ofender a usted.

déplaisant Desagradable.

dépilant (pliᵃⁿ) m Hoja [f] plegada.

déplier (plié) Desplegar.

déploiement Desplegamiento.

déplorable (abl) Deplorable.

déplorer (ré) Deplorar.

déployer (uaé) Desplegar*.

déplumer (mé) Desplumar.

dépolir Deslustrar.

dépopulation Despoblación.

déportation Deportación.

déporter (té) Deportar.

déposant (saⁿ) Deponente.

déposer Depositar (ssi).

dépositaire Depositario.

déposition Deposición.

déposséder Desposeer.

dépôt (po) Depósito.

dépotoir (uar) Vertedero.

dépouille (pui) f Despojo [jo] m [reste]. Restos mortales mpl [mortelle].

dépouillement Recuento.

dépouiller (uié) Despojar.

dépourvu (vü) Desprovisto. *Au dépourvu,* descuidado.

dépravé Depravado.

déprécier (sié) Depreciar.

déprédation Depredación.

dépression Depresión.

déprimant (maⁿ) Depresor.

déprimer (mé) Deprimir.

depuis (dœpüi) Desde. Desde hace [avec un numéral] : *depuis cinq minutes,* desde hace cinco minutos. Adv. Después : *Je ne l'ai pas vus depuis,* no le he visto después.

dépuratif Depurativo.

député Diputado.

déraciné Desarraigado. Descentrado. Trasplantado.

déraciner (né) Desarraigar.

déraillement (deraiᵉmaⁿ) Descarrilamiento.

dérailler (raié) Descarrilar.

déraison (soⁿ) f Desatino m.

déraisonner (né) Desatinar.

dérangement (maⁿ) Desarreglo. Molestia f [gène, ennui].

déranger (jé) Desarreglar.

déraper (pé) Patinar.

derechef (rœch) De nuevo.

déréglé Desarreglado.

déréglement Desarreglo.

dérégler (glé) Desarreglar.

dérider Desarrugar. Alegrar.

dérision (sioⁿ) Irrisión.

dérisoire (suar) Irrisorio.

dérivatif Derivativo.

dérivation (sioⁿ) Derivación.

dérive f Abatimiento m. *A la dérive,* al garete. Fig. Abandonado a la corriente.

dérivé Derivado.

derme (derm) Dermis (miss).

dernier, ère (nié, ièr) Último, ma. Pasado, da [mois, semaine, etc.].

dernièrement Últimamente.

dérobade (ad) Huída (ouí).

dérobé, ée Robado, da. *A la dérobée,* a escondidas.

dérober Robar. Ocultar [cacher]. *Se dérober,* librarse, sustraerse* (aérsé).

dérogation (sioⁿ) Derogación.

dérouiller Desenmohecer*.

dérouler (lé) Desarrollar.

déroute (rut) Derrota (rro).

dérouter (té) Descaminar. Confundir, desconcertar*.

derrière (rier) Detrás de. M Trasero (éro).

derviche (ich) Derviche.

des (dè) Art. equivalente a *de los*: *le livre des enfants*, el libro de los niños.

dès (dè) Desde. *Dès lors*, desde entonces. *Dès que*, en *cuanto*, tan luego como.

désabuser (sé) Desengañar.

désaccord (cor) Desacuerdo.

désaccoutumer (tümé) Desacostumbrar.

désaffecter (té) Desafectar.

désagréable Desagradable.

désagréger (jé) Desagregar.

désaltérer (ré) Quitar la sed, refrescar. *Se désaltérer*, saciar la sed.

désappointement (sapuⁿte-maⁿ) m Contrariedad f.

désappointer Contrariar.

désapprobation Desaprobación.

désapprouver Desaprobar*.

désarçonner (né) *Fig.* Turbar.

désarmement (maⁿ) Desarme.

désarmer (mé) Desarmar.

désarroi (rüá) m Desorden (ssordèn) m. Confusión f.

désarticuler Desarticular.

désastre (sastr) Desastre.

désastreux (œ) Desastroso.

désavantage m Desventaja f.

désaveu (savœ) m Desaprobación f.

désavouer (savué) Desaprobar. Negar*. Retractar.

desceller (selé) Desellar.

decendance Descendencia.

descendant Descendiente.

descendre (aⁿdr) Descender*. *Descendre à l'hôtel*, parar en el hotel. *Vt.* Bajar.

descente (saⁿt) f Bajada [acte]. Descenso m [diminution]. Visita, investiga-

ción [police]. *Descente de croix*, descendimiento m. *Descente de lit*, alfombrilla.

descriptif Descriptivo.

description Descripción.

désemparer (ré) Desamparar. *Sans désemparer*, sin parar.

désenfler Deshinchar.

désennuyer* (üié) Distraer*.

déséquilibré Desequilibrado.

désert (ser) Desierto.

déserter (té) Desertar.

déserteur (tœr) Desertor.

désertion (ioⁿ) Deserción.

désespérance Desesperanza.

désespérant Desesperante.

désespéré Desesperado.

désespérer (ré) Desesperar.

désespoir (despuar) m Desesperación f.

déshabiller (bié) Desnudar.

déshériter (té) Desheredar.

déshonnête Deshonesto.

déshonneur m Deshonra f.

déshonorer (ré) Deshonrar.

désiderata Desiderata.

désignation Designación.

désigner (ñé) Designar.

désillusion f Desengaño m.

désillusionner Desengañar.

désinfecter Desinfectar.

désinfection Desinfección.

désintéressé Desinteresado.

désintéressement (resmaⁿ) Desinterés.

désintéresser (resé) Resarcir, indemnizar.

désinvolte Desenvuelto.

désinvolture Desenvoltura.

désir (sir) Deseo (éo).

désirable (abl) Deseable.

désirer (siré) Desear.

désireux (rœ) Deseoso.

désister (té) Desistir.

désobéir (eír) Desobedecer*.
désobéissance Desobediencia.
désobéissant Desobediente.
désobligeant (jaⁿ) Desatento (ssatén), descortés (téss).
désobliger* (jé) Disgustar.
désœuvré Desocupado.
désœuvrement (vrémaⁿ) m Ocio (zio), holganza f.
désolant Triste, doloroso.
désolation (sioⁿ) Desolación.
désoler* (lé) Desolar, asolar [dévaster]. Desconsolar [affliger]. Vr. Desolarse.
désopilant Fam. Divertido.
désordonné Desordenado.
désordre (órdr) Desorden.
désorganiser* Desorganizar.
désorienter Desorientar.
désormais (mè) En adelante.
despote (ot) Déspota.
despotisme Despotismo.
desquels De los cuales.
dessaisir (sír) Desprender.
dessalé Desalado. Fig. Tuno.
dessaler* (lé) Desalar.
desséchement Desecamiento.
dessécher (seché) Desecar.
dessein (desiⁿ) Designio (síghnio). Intento. A dessein, de intento.
desserrer (seré) Aflojar.
dessert (ser) Postre.
desserte f Aparador m.
desservant Cura económo.
desservir Deservir* [nuire]. Servir* [train].
dessiller Abrir los ojos.
dessin (siⁿ) Dibujo (oujo).
dessinateur Dibujante.
dessiner (né) Dibujar.
dessouder (lé) Desoldar.
dessous (dœsú) Debajo. M La parte [f] inferior. Fig. Pl. Secretos. Ropa [f] interior

[linge]. En dessous, por debajo. Avoir* le dessous, ser* inferior.
dessus (dœsú) Encima (zí). M La parte superior. Fig. Ventaja f. Ci-dessus, arriba; susodicho. Là-dessus, sobre esto; dicho esto. Avoir le dessus, llevar ventaja.
destin (tiⁿ) Destino, hado. Suerte (suerte) f.
destinataire Destinatario.
destination (sioⁿ) f Destino m. Destinación f.
destinée (né) f Destino m.
destiner (né) Destinar.
destituer (tüé) Destituir*.
destitution Destitución.
destructeur Destructor.
destruction Destrucción.
désuet (süé) Anticuado.
désuétude (üd) f Desuso m.
désunion (ioⁿ) Desunión.
désunir Desunir (ssou).
détachage (aj) m Limpieza f.
détachement (aⁿ) Despego.
détacher (ché) Desatar [lien]. Desasir [arracher]. Despegar [décoller]. Separar. Desligar [obligation]. Sacar [tache].
détail (tái) Detalle (alhé). Pormenor. Au détail, al por menor. En détail, detalladamente.
détaillant (aiaⁿ) Tendero.
détailler (aié) Cortar, dividir. Fig. Detallar [récit].
détaler (lé) Largarse.
détaxer Desgravar.
détective (tív) Detective.
déteindre (tiⁿdr) Desteñir*.
dételer (lé) Desenganchar.
détendre (aⁿdr) Aflojar [arc]. Fig. Calmar.

détenir Detener*.

détente Distensión [gaz].

détenteur (tœr) Detentor.

détention (sioⁿ) Detención.

détériorer (ré) Deteriorar.

détermination (ioⁿ) Determinación.

déterminer (né) Determinar.

déterrer (ré) Desenterrar.

détestable Detestable.

détester (té) Detestar.

détonation Detonación.

détoner (né) Detonar.

détonner (né) Desentonar [musique]. *Fig.* Desdecir*.

détour (tur) Rodeo (déo).

détournement (turnemaⁿ) *m* Malversación *f*.

détourner (né) Desviar. *Fig.* Distraer* Robar, hurtar.

détracteur (tœr) Detractor.

détraquer (ké) Descomponer*.

détrempe Temple [peint.].

détremper Empapar, mojar.

détresse (ès) *f* Apuro *m*. Miseria *f*. Peligro *m* [danger].

détriment Detrimento.

détritus (tüs) Detrito.

détroit (truá) Estrecho.

détromper (pé) Desengañar.

détrôner (né) Destronar.

détrousser (sé) Robar (ro).

détruire* (trüir) Destruír*.

dette (det) Deuda (déouda).

deuil (dœi) Duelo [douleur]. Luto [vêtements].

deux (dœ) Dos. *Charles Deux*, Carlos segundo. *A deux*, entre dos. *Tous deux*, ambos.

deuxième (sièm) Segundo, da.

dévaler (lé) Bajar (jar).

dévaliser (sé) Desvalijar.

dévaluation Desvaluación.

dévaluer (lüé) Desvaluar.

devancer (sé) Adelantarse. Aventajar (jar) [être supérieur]. Preceder (zedèr).

devancier (sié) Antecesor.

devant (dœvaⁿ) Delante de: *devant le mur*, delante de la pared. Ante [en présence de]. Delantera *f* [partie antérieure]. *Au-devant*, al encuentro. *Ci-devant*, antes. *Par-devant*, por delante; ante [notaire].

devanture (ür) *f* Fachada [de boutique]. Escaparate *m* [vitrine].

dévastateur Devastador.

dévastation Devastación.

dévaster (té) Devastar.

déveine (vène) Mala suerte.

développement Desarrollo.

développer Desarrollar.

devenir (venir) Volverse* [se transformer]. Ponerse* [momentanément] : *devenir triste*, ponerse triste. Ser* : *que devenez-vous?*, ¿qué es de usted?

devergondage (daj) *m* Desvergüenza *f*.

dévergondé Desvergonzado.

déverser (sé) Derramarse

dévêtir Desnudar.

déviation (sioⁿ) Desviación.

dévider (dé) Devanar.

dévidoir *m* Devanadera *f*.

dévier (vié) Desviar.

devin (dœviⁿ) Adivino.

deviner (dœvi) Adivinar.

devinette (è) Adivinanza.

devis (dœvi) Presupuesto.

dévisager (sajé) Mirar de hito en hito (ito èn íto).

devise (dœvís) Divisa (íssa). Efecto [*m*] bancario.

deviser (dœvisé) Platicar.

dévisser (sé) Destornillar.

dévoiement (devuamⁿ) m Desviación f.

dévoiler (lé) Revelar.

devoir* (dœvuar) v Deber (dèbèr). Tener* que [obligation]. M Deber. Tarea (réa) f. Faire* son devoir, cumplir con su deber. Rendre ses devoirs à, cumplir con. Dussé-je, aunque debiera.

dévolu (lü) Atribuído, debido. Jeter son dévolu sur, poner la mira en.

dévorer (ré) Devorar.

dévot (devo) Devoto. Beato.

dévotion (sioⁿ) Devoción.

dévoué (vué) Consagrado (còn). Adicto, fiel [fidèle].

dévouement (maⁿ) m Abnegación f. Sacrificio (zio) m. Fig. Rendimiento [courtoisie].

dévouer (vué) Consagrar.

dextérité Destreza.

diabète (èt) m Diabetes f.

diabétique (tic) Diabético.

diable (abl) Diablo. Comment diable?, ¿cómo demonios? Que diable!, ¡qué demonios!

diablerie (blerí) Diablura.

diabolique (ic) Diabólico.

diaconesse Diaconisa.

diacre (acr) Diácono.

diadème (dem) m Diadema f.

diagnostic (ic) Diagnóstico.

diagonale (nal) Diagonal.

dialecte (lect) Dialecto.

dialogue (log) Diálogo.

dialoguer (gué) Dialogar.

diamant (aⁿ) m Diamante.

diamètre (metr) Diámetro.

diantre (diaⁿtr) Diantre.

diapason (soⁿ) Diapasón.

diaphane (fáne) Diáfano.

diaphragme (fragm) Diafragma.

diatribe (ib) Diatriba.

diarrhée (ré) Diarrea (éa).

dictateur (œr) Dictador.

dictatorial Dictatorial.

dictature (tür) Dictadura.

dictée (té) f Dictado m.

dicter (té) Dictar.

diction (sioⁿ) Dicción.

dictionnaire Diccionario.

dicton (toⁿ) Refrán.

didactique Didáctico.

dièse (diès) Sostenido.

diète (dièt) Dieta.

Dieu (diœ) Dios. Bon Dieu! ¡Dios mío! Dieu merci, a Dios gracias. Dieu vous bénisse, Dios os asista. Jesús, María y José [à celui qui éternue]. Mon Dieu!, ¡Dios mío!

diffamation Difamación.

diffamer (famé) Difamar.

différemment (aⁿ) Diferentemente.

différence (aⁿs) Diferencia.

différend m Diferencia f.

différent (raⁿ) Diferente.

différentiel Diferencial.

différer (ré) Diferir*.

difficile (síl) Difícil.

difficulté Dificultad.

difforme (orm) Deforme.

difformité Deformidad.

diffus (fü) Difuso (ousso).

diffuser (sé) Difundir.

diffusion (sioⁿ) Difusión.

digérer* (jeré) Digerir*.

digestif (m) Digestivo.

digestion (ioⁿ) Digestión.

digitale Digital, dedalera.

digne (diñ) Digno, na (dígh).

dignitaire (ter) Dignatario.
dignité Dignidad (dà).
digression Digresión.
digue (dig) f Dique m.
dilapider (dé) Dilapidar.
dilatation Dilatación.
dilater (té). Dilatar.
dilatoire (tuar) Dilatorio.
dilemme (lem) Dilema.
dilettante (aⁿt) Diletante.
dilettantisme Diletantismo.
diligence (jaⁿs) Diligencia.
diligent (jaⁿ) Diligente.
diluer (lüé) Diluir*.
diluvien (viⁿ) Diluviano.
dimanche (aⁿch) Domingo.
dîme f Diezmo (dièz) m.
dimension Dimensión.
diminuer (nüé) Disminuír*
diminutif Diminutivo.
diminution Disminución.
dinde (diⁿd) Pava.
dindon (oⁿ) Pavo.
dîner Comer. M Comida f.
diocèse (cès) m Diócesis f.
diorama (má) Diorama.
diphtérie (rí) Difteria.
diphtongue f Diptongo m.
diplomate (at) Diplomático.
diplomatie (sí) Diplomacia.
diplomatique Diplomático.
diplôme (om) Diploma.
diplômé Diplomado.
dire* (dir) Decir* (zir). Se
dire, decirse*. Darse* por
[vouloir paraître]. M Pa-
recer [opinion]. Aussitôt
dit, aussitôt fait, dicho y
hecho. A vrai dire, a decir
verdad. Cela va sans dire,
dicho se está. C'est-à-dire,
es decir. C'est tout dire,
con lo dicho basta. Le qu'en-
dira-t-on, el qué dirán. Les
on-dit, las murmuraciones.

direct (ec) Directo (rec).
directeur (œr) Director.
direction (sioⁿ) Dirección.
dirigeable (jabl) Dirigible.
dirigeant (jaⁿ) Director.
diriger* (jé) Dirigir (rijír).
discernement Discernimiento.
discerner (né) Discernír*.
disciple (sípl) Discípulo.
disciplinaire Disciplinario.
discipline (íne) Disciplína.
discipliner Disci-plinar.
discontinu Discontínuo.
discordance Discordancia.
discorde (ord) Discordia.
discourir (cur) m Discurso m.
Plática f [conversation].
discourtois Descortés.
discrédit (dí) Descrédito.
discréditer Desacreditar.
discret (crè) Discreto.
discrétion (sioⁿ) Discreción.
disculper (pé) Disculpar.
discussion (ioⁿ) Discusión.
discutable Discutible.
discuter (té) Discutir.
disert (sèr) Diserto.
disette (set) Escasez (èz).
diseur Decidor. Beau diseur,
hablista, purista.
disgrâce (as) Desgracia.
disgracié Caído (caï) en desgracia. Desgraciado.
disgracier (sié) Privar del
favor.
disgracieux Desgraciado.
disjoindre (juⁿdr) Desunir.
dislocation Dislocación.
disloquer (ké) Dislocar.
disparaître Desaparecer*.
disparate (rat) Extraño, raro. F Disparidad (dà).
disparition Desaparición.

DIS — DIX78

dispensaire Consultorio.
dispense (pans) Dispensa.
dispenser (sé) Dispensar.
disperser (sé) Dispersar.
dispersion Dispersión.
disponibilité Disponibilidad.
disponible (ibl) Disponible.
dispos (dispo) Dispuesto.
disposer (sé) Disponer*.
dispositif Dispositivo.
(ossi). Articulado [loi].
Plan, disposición (zión) f.
disposition Disposición.
disproportion Desproporción.
disproportionné (sioné) Desproporcionado (zionado).
dispute (püt) Disputa.
disputer (té) Disputar.
disqualifier Deshonrar.
disque (disc) Disco.
dissection Disección.
dissemblable Desemejante.
disséminer (né) Diseminar.
dissension (san) Disensión.
dissentiment Disentimiento.
disséquer (ké) Disecar.
dissertation Disertación.
disserter (té) Disertar.
dissident (dan) Disidente.
dissimulateur Disimulador.
dissimulation Disimulación.
dissimuler (lé) Disimular.
dissipation Disipación.
dissipé Disipado (ssi).
dissiper Disipar (ssi).
dissocier (sié) Disociar.
dissolu (lü) Disoluto.
dissolution Disolución.
dissolvant (an) Disolvente.
d.ssonance (an) Disonancia.
dissoudre* (sudr) Disolver*.
dissous (sú) Disuelto (ouèl).
dissuader (süadé) Disuadir.
distance (tans) Distancia.
distant (tan) Distante (àn).

distillation Destilación.
distiller (lé) Destilar.
distinct (tin) Distinto.
distinctif Distintivo.
distinction Distinción.
distingué Distinguido.
distinguer (gué) Distinguir.
distraction Distracción.
distraire* (trèr) Distraer*.
distrait (trè) Distraído.
distrayant (ian) Distraído.
distribuer (üé) Distribuir*.
distribution Distribución.
district (tri) Distrito.
dit, dite (di, dit) Dicho, a.
Llamado [surnommé]. Autrement dit, en otras palabras.
dithyrambe Ditirambo.
diurétique Diurético.
diurne (diürn) Diurno.
divagation Divagación.
divaguer (gué) Divagar.
divan (van) Diván.
divergence Divergencia.
divergent (jan) Divergente.
diverger (jé) Divergir (jír).
divers (vèr) Diverso (erso).
diversion (sion) Diversión.
diversité Diversidad.
divertir Divertir*.
divertissant (an) Divertido.
divertissement Diversión.
dividende (dand) Dividendo.
divin (vin) Divino.
divination Adivinación.
divinité Divinidad (da).
diviser (sé) Dividir.
divisible (sibl) Divisible.
division (sion) División.
divorce (ors) Divorcio (zio).
divorcer (sé) Divorciar.
divulguer (gué) Divulgar.
dix (dis) Diez (dièz).
dix-huit (üit) Dieciocho.

dix-neuf (œf) Diecinueve.

dix-sept (set) Diecisiete.

dizaine (sène) Decena.

do (do) *Mus.* Do.

docile Dócil.

docilité Docilidad.

dock (doc) Dock.

docker (dokèr) Dócker.

docte (doct) Docto.

docteur (tœr) Doctor.

doctoresse (rés) Doctora.

doctrine (trine) Doctrina.

document (man) Documento.

documentaire Documental.

documentation (sion) Documentación.

documenter Documentar.

dodeliner Dar cabezadas.

dodo m *Fam.* Cama f. *Faire dodo,* dormir*.

dodu (dü) Rechoncho (chon).

doge (doj) Dux.

dogme (dogm) Dogma.

dogue (dog) Dogo.

doigt (dua) Dedo. *Petit doigt,* meñique. *Montrer du doigt,* señalar con el dedo. *Se mettre* le *doigt dans l'œil.* *Pop.* Equivocarse.

doigté (duaté) Dedeo.

doit (dua) Debe (débé).

dol Dolo.

doléance (ans) Queja (kéja).

dolent (lan) Doliente.

dollar (lar) Dólar.

dolman (an) Dormán (àn).

domaine (mène) Dominio [possession]. Finca f. Hacienda f [ferme]. Campo m [d'une science].

dôme (dom) m Cúpula f. Bóveda f.

domesticité Servidumbre.

domestique (tíc) Criado, a.

domestiquer Domesticar.

domicile (síl) Domicilio.

dominant (nan) Dominante.

dominateur Dominador.

domination Dominación.

dominer (né) Dominar.

dominicain Dominicano.

dominical Dominical.

domino (nó) Dominó.

dommage (maj) Daño, perjuicio (jouizio). *C'est dommage!,* ¡qué lástima! *Dommages et intérêts,* daños y perjuicios.

dompter (té) Domar.

dompteur (tœr) Domador.

don (don) Don, ofrenda f.

donation (sion) Donación.

donc (donc) Pues. Así pues.

donjon (jon) Torreón (rréon).

donnée (né) f Base (ssé), noción. Dato m [problèmes].

donner (doné) Dar*. *Donner à penser,* dar en qué pensar. *Donner à boire,* dar de beber.

donneur (nœr) Dador.

Don Quichotte (chot) Don Quijote.

dont (don) De quien, de que; del cual, de la cual: *la chose dont je parle,* la cosa de que hablo. Cuyo, a, os, as [avec idée de possession] : *la personne dont le frère est venu,* la persona cuyo hermano ha venido.

dopper Drogar, dopar.

dorade (rad) f Dorado m.

doré (ré) Dorado.

dorénavant En adelante.

dorer Dorar.

doreur (rœr) Dorador.

dorloter (té) Mimar.

dormant, ante (an, ant) Durmiente. Estancada [eau].

dormeur (mœr) Dormilón.

dormir* Dormir*.

dorsal Dorsal.

dortoir (tuar) Dormitorio.

dorure (ür) f Dorado m.

dos (do) m Espalda f [homme]. Lomo [animaux]. Dorso [documents]. En avoir plein le dos, estar* harto. A dos d'âne, en burro. Avoir bon dos, aguantar. Sur le dos, a cuestas; boca arriba [allongé]. Se mettre à dos, enemistarse con uno.

dose (dos) Dosis (dossiss).

doser (sé) Dosificar (ssi).

dossier (sié) Espaldar [sièges]. Legajo [liasse]. Expediente [d'une affaire].

dot f Dote (doté) m.

dotation (sioⁿ) Dotación.

doter (té) Dotar.

douairière Fam. Señora viuda. Pop. Vieja.

douane (duanᵉ) Aduana.

douanier (nié) Aduanero.

double (dubl) Doble.

doubler (blé) Duplicar. Redoblar. Forrar [vêtements]. Adelantar [voiture].

doublure (ür) f Forro m.

douce-amère Dulcamara.

douceâtre (sœtr) Dulzón.

doucement Dulcemente. Suavemente. Bajo [voix].

doucereux (rœ) Dulzarrón.

douceur (sœr) Dulzura f [au goût]. Suavidad f [toucher]. Templanza [climat].

douche (uch) Ducha.

doucher (ché) Duchar.

doué, ée (dué) Dotado, da.

douille (duiᵉ) f Cubo m [lance]. Cartucho m [projectile]. Portalámparas m,

casquillo m [lampe électr.].

douillet (duié) Blando, delicado, sensible. Muelle.

douleur (lœr) f Dolor m.

douloureux (rœ) Doloroso.

doute (dut) m Duda f. Sans doute, sin duda.

douter (duté) Dudar. Se douter, sospechar.

douteux (tœ) Dudoso (osso).

douve (duv) f Foso m.

doux (du) Dulce (zé) [goût]. Suave [toucher, caractère]. Manso [animaux].

douzaine (dusènᵉ) Docena (zé). A la douzaine, por docenas.

douze (dus) Doce.

douzième Duodécimo.

doyen (duaiⁿ) Decano. Deán.

draconien Draconiano.

dragée (jé) Peladilla.

dragon (goⁿ) Dragón (gòn).

drague (drag) Draga.

draguer (gué) Dragar.

drain (driⁿ) m Azarbeta (bé) f [champs]. Med. Dren.

drainer Avenar. Med. Drenar.

dramatique (ic) Dramático.

dramatiser Dramatizar.

dramaturge Dramaturgo.

drame (dram) Drama.

drap (dra) m Paño (pagno) [tissu]. Sábana f [lit].

drapeau (po) m Bandera f.

draper (pé) Envolver.

draperie (rí) f Ropaje m.

drapier Pañero (gnéro).

dressage (aj) m Doma f.

dresser (sé) Enderezar (zar). Levantar [élever]. Disponer* [arranger]. Domar [animaux]. Se dresser, levantarse. Erizarse [cheveux].

drogue (drog) Droga.

droguer (gué) Jaropear.

droguerie (rí) Droguería.

droguiste (íst) Droguista.

droit (druá) Derecho (echo).
Fig. Recto. M Derecho. *A bon droit*, con derecho. *A qui de droit*, a quien corresponda. *A droite*, a la derecha.

droiture (tür) Derechura.
Fig. Rectitud (rectitud).

drôle (ol) Gracioso (ziosso). *Drôle de chose*, cosa extraña. *Ce n'est pas drôle*, no tiene gracia (zia).

drôlerie (lᵉri) Chuscada.

drôlesse (és) Bribona.

dromadaire (èr) Dromedario.

dru (drü) Tupido, espeso.

du (dü) Del.

dû (dü) Debido. *M* Lo debido.

dualisme (lísm) Dualismo.

duc (dük) Duque (douké).

ducat (cà) Ducado.

duché (ché) Ducado.

duchesse (chés) Duquesa.

ductile (til) Dúctil (douc).

duègne (düèñ) Dueña (douégna).

duel (düel) Desafío, duelo.

duelliste (líst) Duelista.

dûment (maⁿ) Debidamente.

dune (dün) Duna (douna).

dunette (net) Toldilla.

duo (düo) Dúo (douo).

dupe (düp) Persona engañada. *Etre dupe*, dejarse engañar.

duper (pé) Engañar (gagnar).

duperie (pᵉri) *f* Engaño m.

duplicata (tà) Duplicado.

duplicité (sité) Doblez.

duquel (kel) Del cual.

dur (dür) Duro. *Fig.* Difícil.

durable (rabl) Duradero, a.

durant (raⁿ) Durante.

durcir Endurecer* (zer).

durée (ré) Duración (ziòn).

durer (düré) Durar (dourar).

dureté (reté) Dureza (réza).

durillon (ioⁿ) Callo (lho).

duvet (vè) Plumón [oiseaux]. Bozo [personnes]

duveté (veté) Velloso (osso).

dynamite (mít) Dinamita.

dynamo Dínamo.

dynastie (tí) Dinastía.

dysenterie (disaⁿtᵉri) Disentería.

dyspepsie (sí) Dispepsia.

E

eau (o)' Agua (agoua). *Eau de Javel*, hipoclorito de sosa. *Eau de source*, agua de manantial. *Aller aux eaux*, ir* a los baños. *Il n'y a pire eau que l'eau qui dort*, del agua mansa me libre Dios. *Eau-de-vie* (dᵉvi) *f* Aguardiente m.

eau-forte (ofort) Agua fuerte.

ébahi (ebaí) Admirado.

ébahir (s') Admirarse.

ebahissement *m* Admiración *f*. Sorpresa (pressa) *f*.

ébats (ebá) *mpl* Retozos. (ré). *Fam.* Diversión *f*, entretenimiento *m*. *Prendre ses ébats*, retozar (rétozar).

ébauche (*och*) *f* Bosquejo *m*.

ébaucher (*ché*) Desbastar. Bosquejar. Dibujar [geste].

ébène (*ebèn*) Ébano.

ébéniste (*ist*) Ebanista.

ébénisterie (*rí*) Ebanistería.

éberluer Asombrar.

éblouir (*bluir*) Deslumbrar.

éblouissant (*a*ⁿ) Deslumbrador.

éblouissement (*a*ⁿ) Deslumbramiento.

éborgner (*ñé*) Entortar*.

ébouillanter (*té*) Escaldar.

éboulement (*a*ⁿ) Desmoronamiento.

ébouler (*bulé*) Desmoronar.

éboulis Derrumbamiento.

ébouriffer (*fé*) Desgreñar.

ébranlement *m* Estremecimiento *m*. Sacudida *f*. Conmoción *f*. Fig. Emoción *f*.

ébranler Estremecer*. Mover*. Debilitar [affaiblir].

ébrécher (*ché*) Mellar (lhar). Fig. Mermar, disminuír*.

ébriété Ebriedad (*da*).

ébrouer (*s'*) Resoplar.

ébruiter (*té*) Divulgar.

ébullition (*ion*) Ebullición.

écaille (*cai*) Concha. Escama.

écailler (*ié*) Escamar. Desbullar [huîtres].

écarlate (*lat*) Escarlata.

écarquiller (*kié*) Abrir desmedidamente.

écart (*ar*) Esguince (*zé*). Quite [mouvement brusque]. Diferencia *f* [comparaison].

écarteler Descuartizar.

écartement Separación.

écarter Apartar. Descartar.

ecchymose (*mós*) Equimosis.

ecclésiastique Eclesiástico.

écervelé Loco.

échafaud (*fo*) Andamio. Cadalso, patíbulo [supplice].

échafaudage Andamiaje.

échafauder (*dé*) Levantar un andamio. Fig. Fundar.

échalas (*la*) Rodrigón.

échalote (*lot*) *f* Chalote *m*.

échancrer (*cré*) Escotar.

échancrure (*ür*) *f* Escote *m*.

échange (*cha*ⁿj) Cambio. Libre échange, libre cambio.

échanger (*jé*) Cambiar (càn).

échantillon *m* Muestra *f*.

échantillonnage (*iionaj*) Muestrario.

échantillonner (*tioné*) Preparar muestras (moues).

échappatoire Escapatoria.

échappée (*pé*) Escapada. Lontananza (nànza) [peintures].

échapper (*pé*) Acuchillar.

écharde (*ard*) Espina.

écharpe (*arp*) Faja. Fajín *m* [de général]. Chal *m* [de dame]. Cabestrillo *m* [bras].

écharper (*pé*) Acuchillar.

échasse (*ás*) *f* Zanco (zàn) *m*.

échassier *m* Zancuda *f*.

échauder (*chodé*) Escaldar.

échauffement (*fe*ma*ⁿ*) Calentamiento. Ardimiento [sang].

échauffer (*té*) Calentar*.

échauffourée Refriega.

échéance (*chea*ⁿs) *f* Vencimiento (vènzimién) *m*. Plazo *m* [délai].

échéant Que vence. Le cas échéant, si llega el caso.

échec (*chek*) Jaque [aux échecs]. Fracaso [insuccès]. Pl Ajedrez (drèz) [jeu].

échelle (*chel*) Escala. Sur une grande échelle, en

grande escala. *Faire la courte échelle*, tomar en hombros.

échelon (echlⁿ) Escalón.

échelonner (né) Escalonar.

écheveau (vo) m Madeja f.

échevelé (velé) Desgreñado.

échevin (vⁱⁿ) Regidor.

échine f Espinazo m.

échiquier (kié) Tablero.

écho (eco) *Eco.*

échoir* (chuar) Tocar [corresponder]. Vencer [délai].

échoppe (op) f Tenducho m.

échopper (pé) Burilar.

échouer (ué) Varar, encallar [marine]. *Fig.* Fracasar.

éclabousser (sé) Salpicar.

éclaboussure (ü) Salpicadura.

éclair (cler) Relámpago.

éclairage (raj) Alumbrado.

éclaircie (si) Clara.

éclaircir (sir) Aclarar.

éclaircissement (sismaⁿ) m Aclaración f.

éclairer Alumbrar. Iluminar. *Fig.* Ilustrar [instruire].

éclaireur (rœr) Explorador.

éclat (clá) m Casco [fragment, d'obus]. Resplandor, brillo [soleil]. Estrépito [bruit]. Magnificencia f, esplendor [gloire, etc.]. *Eclat de rire*, carcajada f.

éclatant (taⁿ) Brillante.

éclatement (aⁿ) Estallído.

éclater Estallar [obus]. Reventar [pneu, ballon]. *Fig.* Manifestarse. *Eclater de rire*, soltar* la rísa.

éclipse (ips) f Eclípse m.

éclipser (sé) Eclipsar.

éclopé Cojo.

éclore (clor) Nacer* [œufs]. Abrírse* [fleurs] Aparecer*.

produirse [événement].

éclosion f Nacimiento m.

écluse (üs) Esclusa (ssa).

écœurant (rœⁿ) Repugnante.

écœurer (ré) Dar* asco.

école (col) Escuela.

écolier (lié) Escolar.

éconduire (düir) Despedir*.

économe (nom) Económico, ca. *M* Económo.

économie (mí) Economía.

économique Económico.

économiser (sé) Economizar.

écoper (pé) Achicar.

écorce (cors) Corteza (éza).

écorcer (sé) Descortezar.

écorcher (ché) Desollar*.

écorchure (ür) Desolladura f.

écorner (né) Descantillar.

écornifleur (œr) Gorrón.

écossais (sè) Escocés (zès).

écot (co) Escote (té).

écoulement (maⁿ) Derrame. evacuación f. Venta [denrées].

écouler (s') Correr [fluide]. Derramarse [s'épancher].

écourter (té) Acortar.

écoute (té) f Escucha. *Aux écoutes*, en acecho.

écouter Escuchar. Ceder.

écoutille (tíe) Escotílla.

écran (craⁿ) m Pantalla (talha) f [ciné, télév.].

écrasant (saⁿ) Abrumador.

écrasement f Aplastamiento.

écraser (sé) Aplastar. Atropellar [voitures]. Abrumar [accabler]. Pisar [raisin].

écrémer (mé) Desnatar.

écrevisse (ís) f Cangrejo m.

écrier (s') Exclamar.

écrin (criⁿ) Estuche.

écrire* (ír) Escribír.

écriteau (to) Letrero.

écrivain (vin) Escritor.

écrou (cru) m Tuerca f. Fig. Lever l'écrou, poner* en libertad.

écrouelles Lamparones mpl.

écrouer (crué) Registrar.

écrouir Martillar.

écroulement Hundimiento.

écrouler (s') Hundirse.

écru (crü) Crudo.

écu (ecü) Escudo.

écueil (kœi) Escollo (lho).

écuelle (cüel) Escudilla.

éculer (ülé) Destalonar.

écumant (man) Espumante.

écume (ecüm) Espuma (pou).

écumer (mé) Espumar. Fig. Echar espumarajos [colère].

écumoire (uar) Espumadera.

écureuil (rœi) m Ardilla f.

écurie (cüri) Cuadra.

écusson Escudete. Escudo.

écuyer (ecüie) Escudero. Caballerizo [titre honorif.].

eczéma (xemá) Eczema.

éden (dèn) Edén (dèn).

édenté (danté) Desdentado.

édicter (té) Dictar.

édicule (cül) Edículo (dí).

édifiant (fian) Edificante.

édifice (fís) Edificio (zio).

édifier (fié) Edificar.

édile (díl) Edil.

édit (dí) Edicto.

éditer (té) Editar.

éditeur (tœr) Editor.

édition (sion) Edición (zión).

édredon (drœdon) Edredón.

éducateur (œr) Educador.

éducation (sion) Educación, enseñanza.

éduquer (ké) Educar (dou).

effacé (sé) Borrado. Fig. Obscurecido. Apartado.

effacement (man) Borradura.

effacer (sé) Borrar. Fig. Ocultar, obscurecer (zèr).

effarer (ré) Espantar.

effaroucher (ché) Asustar.

effectif, ive Efectivo, va.

effectuer (üé) Efectuar.

efféminé Afeminado.

effervescence Efervescencia.

effet (efè) Efecto. A l'effet de, con el fin de.

effeuiller (fœié) Deshojar.

efficace (cas) Eficaz (caz).

efficacité Eficacia.

effigie (jí) Efigie (jié).

effilé Deshilachado. Delgado. Deshilado.

effiler (lé) Deshilachar.

effilocher (ché) Deshilachar.

efflanqué (ké) Trasijado. Fig. Chupado.

effleurer (flœré) Desflorar. Fig. Tocar [un sujet].

effluve (üv) Efluvio.

effondrement Hundimiento.

effondrer (s') Hundirse.

efforcer (s') Esforzarse: s'efforcer à ou de, esforzarse en.

effort (or) Esfuerzo.

effraction (sion) Fractura.

effraie (frè) Lechuza.

effrayant (eian) Espantoso.

effrayer (éié) Espantar.

effréné Desenfrenado.

effriter (té) Desmoronar.

effroi (frué) Terror.

effronté Descarado.

effronterie (terí) Descaro.

effroyable (iabl) Espantoso.

effusion (üsion) Efusión.

égal Igual. Cela m'est égal, lo mismo me da.

égaler (lé) Igualar (goualar).

égaliser (sé) Igualar.

égalité Igualdad (dà).

égard (égar) m Atención

(zión) f, miramiento m. A l'égard de, con respecto a. A tous égards, por todos conceptos.

égaré (ré) Extraviado.

égarement (man) Extravío.

égarer (ré) Extraviar.

égayer (ié) Alegrar.

égide (ejid) Égida.

eglantier Escaramujo.

églantine (tín) Gavanza.

église (glís) Iglesia.

egoïsme (oism) Egoísmo.

egoïste (íst) Egoísta (oïs).

égorgement Degollamiento.

égorger (jé) Degollar*.

égorgeur (œr) Degollador.

égout (gú) m Alcantarilla f.

égoutter (uté) Escurrir.

égratigner (ñé) Arañar.

égratignure (ñür) Arañazo.

égrener (né) Desgranar.

égrillard (griiar) Alegre.

égyptien (siin) Egipcio (zio).

eh! ¡Ah! Eh bien! ¡Cómo!

éhonté (eon) Desvergonzado.

éjaculer (lé) Eyacular.

élaborer (ré) Elaborar.

élaguer (gué) Podar [arbre]. Limpiar, mondar.

élan (lan) Esfuerzo. Arrojo. Prendre de l'élan, tomar carrera (carréra).

élancé Lanzado. Esbelto.

élancement (man) m ímpetu (in). Arranque. Punzada f [douleur].

élancer Punzar [douleur].

élargir (jir) Ensanchar.

élargissement (man) Ensanche. Fig. Desarrollo.

élasticité Elasticidad.

élastique (tíc) Elástico, ca.

électeur, trice Elector, ra.

électif, ive Electivo, a.

élection (sion) Elección.

électoral, ale Electoral.

électricien Electricista.

électricité Electricidad.

électrifier Electrificar.

électrique (tric) Eléctrico.

électriser Electrizar.

électrocuter Electrocutar.

électrode (od) Eléctrodo.

élégance (gans) Elegancia.

élégant (gan) Elegante.

élégiaque (jiac) Elegíaco.

élégie (jí) Elegía (jía).

élément (leman) Elemento.

élémentaire (ter) Elemental.

éléphant (fan) Elefante.

élevage (el•vaj) m Cría f.

élévateur (œr) Elevador.

élévation (sion) Elevación.

élève (lèv) Alumno, discípulo.

élevé Elevado. Criado [formé, éduqué]. Bien élevé, bien educado.

élever Elevar. Alzar [voix]. Criar [bête]. Educar.

éleveur (vœr) Ganadero.

élimer (lé) Raer (raèr).

éliminer (né) Eliminar.

élire* (elír) Elegir (jir).

élision (sion) Elisión.

élite (lít) f Lo escogido, lo selecto, élite.

élixir Elíxir.

elle (el) Ella (elha).

elliptique (tíc) Elíptico.

élocution (sion) Elocución.

éloge (loj) Elogio (jio).

élogieux (jiœ) Elogioso.

éloigné (luañé) Alejado.

éloignement Alejamiento.

éloigner (luañé) Alejar.

éloquence (kans) Elocuencia.

éloquent (kan) Elocuente.

élu (elü) Elegido (jido).

élucider (sidé) Elucidar.

élucubration Lucubración.
éluder (lüdé) Eludir.
élysée (sé) Elíseo (isséo).
émacié (sé) Demacrado.
émail (mai) Esmalte.
émailler (maié) Esmaltar.
émanation (sio^n) Emanación.
émancipation Emancipación.
émaner (mané) Emanar.
émarger (jé) Marginar. Cobrar [traitement].
emballage (laj) Embalaje.
emballement Arrebato.
emballer (s') Arrebatarse.
embarcadère (er) Embarcadero.
embarcation Embarcación.
embardée Despiste [auto].
embargo (go) Embargo.
embarquement (ma^n) Embarco [personnes]. Embarque [marchandises].
embarquer Embarcar.
embarras (bará) Embarazo, estorbo. *Faire de l'embarras*, echarlas de persona.
embarrassant (a^n) Embarazoso.
embarrassé Embarazado.
embarrasser (sé) Embarazar.
embauchage Enganche.
embaucher (ché) Enganchar.
embaumer Embalsamar.
embellir (bélir) Embellecer*.
embellissement (lisema^n) Embellecimiento (ximién).
embêtant (bèta^n) Fastidioso.
embêtement (ma^n) Fastidio.
embêter (bèté) Fastidiar.
emblée (d') (blé) De golpe.
emblème (blèm) Emblema.
emboîtement (ma^n) Encaje.
emboîter (té) Encaje. *Emboîter le pas à quelqu'un*,

seguirle los pasos, pisarle los talones.
embolie (bolí) Embolia.
embonpoint (a^nbo^npui^n) *m* Gordura (doura) *f*.
emboucher (ché) Embocar.
embouchure (chür) Embocadura. Boquilla [instrument de musique].
embouteillage (teiaj) Embotellamiento.
emboutir Ahuecar.
embranchement Ramal[voie].
embraser (sé) Abrasar (ssar).
embrassade *f* Abrazo *m*.
embrasser (sé) Abrazar (zar). Besar (bessar) [baiser].
embrayage (iaj) Embrague.
embrayer (ié) Embragar.
embrocher (broché) Espetar, ensartar.
embrouiller (ié) Embrollar.
embrumer (mé) Nublar.
embrun Rocío del mar.
embryon (brio^n) Embrión.
embûche (büch) Trampa. *Fig.* Asechanza (chànza).
embuscade (cad) Emboscada.
embusquer (ké) Emboscar.
émeraude (rod) Esmeralda.
émerger (jé) Emerger (jer).
émeri (rí) Esmeril.
émérite (rit) Emérito. *Fig.* Consumado, da (souma).
émerveiller (ié) Maravillar.
émétique (tic) Emético.
émetteur *m* Emisora *f* (radio).
émettre (metr) Emitir*.
émeute (mœt) *f* Motín *m*.
émietter (té) Desmigajar.
émigrant (gra^n) Emigrante.
émigration Emigración.
émigré Emigrado.
émigrer (gré) Emigrar.
éminemment Eminentemente.

éminence (a^ns) Eminencia.
éminent (na^n) Eminente.
émissaire (ser) Emisario.
émission (sio^n) Emisión.
emmagasiner Almacenar.
emmailloter (ioté) Fajar.
emmancher (ché) Enmangar.
emmêler (melé) Emmarañar.
emménager (jé) Instalarse.
emmener (né) Llevarse (lhé).
emmitoufler (flé) Arropar.
emmurer (ré) Emparedar.
émoi (mué) m Emoción f.
émollient (lia^n) Emoliente.
émolument Emolumento.
émotion (sio^n) Emoción f.
émoulu (mulu) Amolado.
  Frais émoulu, recién salido.
émousser (sé) Embotar.
émoustiller (ié) Alegrar.
émouvant Conmovedor.
émouvoir (vuar) Conmover*.
empailler (paié) Disecar.
empaqueter Empaquetar.
emparer (s') Apoderarse.
empâter (té) Empastar.
empêchement Impedimento.
empêcher (ché) Impedir*.
empeigne m Cabezada f.
empereur (rœr) Emperador.
empeser (sé) Almidonar.
empester (té) Apestar.
empêtrer (tré) Trabar.
emphase (fas) Énfasis (èn).
emphatique (tic) Enfático.
emphysème (sem) Enfisema.
empierrer (ré) Empedrar.
empiétement m Usurpación f.
empiéter (té) Usurpar.
empiffrer (s') Atracarse.
empilement m Apilamiento.
empiler (lé) Apilar. Pop.
  Engañar.
empire (pir) Imperio.

empirer (ré) Empeorar.
empirique (ric) Empírico.
emplacement (a^n) Sitio.
emplâtre (platr) Emplasto.
emplette (plèt) Compra.
emplir (a^n) Llenar (lhé).
emploi (a^npluá) Empleo.
employé (pluaié) Empleado.
employer (pluaié) Emplear.
employeur El que emplea.
empocher Embolsar.
empoigner (a^npuañé). Agarrar. Fig. Conmover*.
empois (puá) Engrudo.
empoisonnement (puasone-
  ma^n). Envenenamiento.
empoisonner Envenenar.
emporté Colérico.
emportement Arrebato.
emporter   (té)   Llevarse.
  Arrancar [par force].
empreinte (pri^nt) Impresión.
  Fig. Sello (lho), molde m.
empressé (a^npresé) Solícito.
  Diligente. Oficioso (osso).
empressement m Diligencia f.
empresser (s') Apresurarse.
emprisonnement m Prisión f.
emprisonner Aprisionar.
emprunt empréstito.
emprunter Tomar prestado.
emprunteur Fam. Tramposo.
ému (emü) Conmovido.
émulation (sio^n) Emulación.
émule (ül) Émulo.
émulsion (sio^n) Emulsión.
en (a^n) En. A [mouvement] :
  aller en Espagne, ir* a España. De [matière] : objet
  en bois, objeto de madera.
  OBSERV. Ne se traduit pas
  devant un gér. : en courant,
  corriendo; ou se traduit par
  al suivi de l'inf. pour indiquer la simultanéité.

en *pron. rel.* De él; de ella, de ello: *ne m'en parlez pas,* no me hable de él, ello, etc.

encadrer Poner* marco.

encaisse (kès) Existencias.

encaissement (a^n) Encajonamiento.

encaisser (sé) Encajonar.

encan (ca^n) *m.* Subasta *f.*

en-cas (a^ncà) *m* Reserva *f.*

encaustique Encáustico.

enceinte (si^nt) Encinta.

encens (sa^ns) Incienso.

encenser (sé) Incensar*.

encensoir (uar) Incensario.

encéphale (fal) Encéfalo.

encercler (clé) Cercar.

enchaînement (a^n) Encadenamiento.

enchaîner (né) Encadenar.

enchanté Encantado.

enchantement (ma^n) Encanto.

enchanter (té) Encantar.

enchanteur (œr) Encantador.

enchère (cher) Puja. *Mettre aux enchères,* poner* a subasta.

enchérir Pujar. Encarecer.

enchevêtrer (tré) Enredar.

enclave *Fig.* Dependencia.

enclin (a^ncli^n) Propenso.

enclore (clor) Encerrar*.

enclos (clo) Cercado.

enclume (clüm) *f* Yunque *m.*

encoche (coch) Muesca (*ouès*).

encoignure (ñür) *f* Rincón *m.*

encolure (lür) *f* Cuello *m.*

encombrant (a^n) Embarazoso.

encombrer (a^nco^nbré) Estorbar, embarazar (*razar*).

encontre (à l') En contra.

encore (a^ncor) Todavía, aún. De nuevo [de nouveau]. A lo menos [au moins]. *Mais*

encore, sino también. *Encore que,* aunque.

encourageant Animador.

encouragement Estímulo.

encourager (rajé) Alentar*. Animar. Fomentar, estimular*.

encourir Incurrir en.

encrasser (sé) Engrasar.

encre (a^ncr) Tinta.

encrer (ancré) Entintar.

encrier (crié) Tintero.

encroûter (crué) Encostrar.

encyclopédie Enciclopedia.

endetter (s') Llenarse de deudas, endeudarse.

endeuiller (dœié) Enlutar.

endiablé Endiablado.

endiguer Poner* dique.

endimancher (s') Endomingar.

endive (div) Endibia.

endolorir (rír) Lastimar.

endommager (a^ndomajé) Dañar, perjudicar (joudicar).

endormir Dormir*. Adormecer*. *S'endormir,* dormirse.

endosser (dosé) Endosar. Ponerse [vêtement].

endroit (a^ndrué) Sitio, lugar. Derecho [d'une étoffe, d'un papier].

enduire (dür) Untar.

enduit (düi) Untado. Baño.

endurance (a^ns) Resistencia.

endurant (a^ndura^n) Sufrido, resistente (réssisstènté).

endurcir (sir) Endurecer*.

endurer (a^nduré) Soportar.

énergie (jí) Energía.

énergique (jic) Enérgico, ca.

énergumène (mèn) Energúmeno.

énervant (va^n) Enervador. *Fig.* Insufrible, irritante.

énervement (a^n) Nerviosidad.

énerver (vé) Enervar.
enfance (aⁿs) Infancia.
enfant (faⁿ) Niño, ña. Hijo.
  Enfant de chœur, mona-
  guillo. *Enfant trouvé*, expósito. *Petits-enfants*, nietos.
enfantement (temaⁿ) *f* Parto.
enfanter (faⁿté) Parir.
enfantillage *m* Niñada *f*.
enfantin, *ine* Infantil.
enfariner (né) Enharinar.
enfer (aⁿfèr) Infierno.
enfermer (mé) Encerrar*.
enfilade Sarta [série]. *En
  enfilade*, en fila.
enfiler (lé) Ensartar.
enfin (aⁿfiⁿ) En fin.
enflammer (flamé) Inflamar.
enfler (flé) Inflar, hinchar.
enflure (flür) Hinchazón.
enfoncement Hundimiento.
enfoncer (sé) Hundir (oun).
  Derrotar [adversaire].
enfouir (fuir) Enterrar*.
enfourcher (ché) Montar.
enfreindre (aⁿfriⁿdr) Infrin-
  gir (infrinjir).
enfuir (s') Huír (ouir). *Fig.*
  Desvanecerse.
enfumer (fümé) Ahumar (ou).
engagé (jé) Empeñado. En-
  ganchado [enrôlé]. Contra-
  tado [artiste]. *Fig.* Com-
  prometido.
engageant (jaⁿ) Insinuante.
engagement (jemaⁿ) Em-
  peño. Enganche [soldats].
  Contrata [artistes].
engager (jé) Empeñar [ob-
  jet, parole]. Enganchar [mi-
  lit.]. Contratar [artistes].
  Convidar [inviter]. Comprometer.
engeance (jaⁿs) Raza, casta.
engelure (ür) *f* Sabañón *m*.

engendrer (dré) Engendrar.
engin (jiⁿ) *m* Máquina *f*.
  Aparato. *Mpl* Artes *fpl* [pê-
  che].
englober Reunir, comprender.
engloutir Engullir (lhir).
  Fig. Tragar [mer, etc.].
engluer Untar con liga.
engoncer (goⁿsé) Envarar.
engorger (jé) Atascar.
engouement (maⁿ) Atragan-
  tamiento. *Fig.* Capricho.
engouer Atragantar. *Fig.* Encaprichar.
engouffrer (s') Hundirse.
engourdir Entorpecer*.
engourdissement (dismaⁿ)
  Entorpecimiento (pézi).
engrais (grè) Abono.
engraisser Engordar.
engrenage (naj) Engranaje.
engueuler (lé) *Pop.* Regañar.
énigmatique Enigmático.
énigme (nigm) *f* Enigma *m*.
enivrant Embriagador.
enivrement Embriaguez.
enivrer (aⁿni) Embriagar.
enjambée (aⁿbé) *f* Tranco *m*.
enjamber (bé) Saltar, pasar.
enjeu (aⁿjœ) *m* Puesta *f*.
enjoindre* (juiⁿdr) Mandar.
enjôler (lé) Engatusar.
enjôleur (œr) Zalamero.
enjoliver Adornar.
enjoué (jué) Alegre (alégré).
enlacer (sé) Enlazar. Abrazar [avec les bras].
enlaidir (aⁿledir) Afear.
enlèvement Levantamiento.
enlever (aⁿlevé) Levantar.
  Quitar [ôter]. Arrebatar
  [entraîner]. Llevarse [em-
  porter]. Robar [ravir].
enliser (aⁿlisé) Hundir.
enluminure Iluminación.

ennemi (en⁻mí) Enemigo.
ennoblir (aⁿ) Ennoblecer*.
ennui (aⁿnüí) Fastidio.
ennuyer (nüé) Fastidiar
aburrir.
ennuyeux (üœ) Fastidioso.
énoncé (sé) Enunciado.
enorgueillir Enorgullecer*
énorme (enᵒrm) Enorme.
énormité Enormidad.
enquérir (s') Enterarse.
enquête (ket) Información.
Sumaria [crimes]. Investigación (zïòn) [justice].
enraciner (né) Arraigar.
enragé (jé) Rabioso.
enrayer Fig. Refrenar.
enregistrement (jistrᵉmaⁿ)
Registro. Empadronamiento.
enregistrer (tré) Registrar.
Empadronar. Facturar.
enrhumer (rümé) Constipar,
resfriar.
enrichir (ch) Enriquecer.
enrober (bé) Envolver*.
enrôlement Alistamiento.
enrôler (rolé) Alistar.
enrouement m Ronquera f.
enrouer (rué) Enronquecer*.
enroulement Enrollamiento.
enrouler (rulé) Arrollar.
ensanglanter Ensangrentar*.
enseignant Enseñana.
enseigne (señ) Muestra.
enseignement (aⁿseñmaⁿ) m
Enseñanza (ènségnánza) f.
enseigner Enseñar (gnar).
ensemble (saⁿbl) Conjunto.
Adv. Juntos, as. A un tiempo.
ensemencer (sé) Sembrar*.
enserrer (ré) Apretar*.
ensevelir Amortajar.
ensoleiller (léié) Asolear.
ensorceler (lé) Hechizar.
ensorceleur (œr) Hechicero.

ensuite (süit) Después.
ensuivre (s') Resultar.
entacher (ché) Tachar.
entaille f Corte m.
entailler (taié) Cortar.
entamer (mé) Decentar [co-
mestible]. Empezar [débu-
ter]. Atacar [réputation].
entasser (sé) Amontonar.
entendement Entendimiento.
entendre (taⁿdr) Entender*
[comprendre]. Oír* [ouïr].
entendu (taⁿdü) Entendido.
Bien entendu, por supuesto.
entente Armonía. Alianza
[politique]. A double en-
tente, de doble sentido.
enterrement (aⁿ) Entierro.
enterrer (ré) Enterrar*.
en-tête (tèt) Encabeza-
miento. Membrete [papier à
lettre].
entêté (aⁿtèté) Testarudo.
entêtement Obstinación.
enthousiasme Entusiasmo.
enthousiasmer Entusiasmar.
enthousiaste Entusiasta.
entiché (ché) Encaprichado.
enticher (ché) Encaprichar.
entier (tié) Entero. En entier, por entero.
entièrement Enteramente.
entité Entidad.
entonner (né) Entonar.
entonnoir (nuar) Embudo.
entorse (rs) Esguince m.
entortiller (ié) Envolver*.
entour (à l') Alrededor.
entourage Cerco. Fig. Sociedad f.
entourer (ré) Rodear (ro).
entournure Sisa (ssa).
entracte (act) Entreacto.
entraider (s')   (aⁿtrèdé)
Ayudarse mutuamente.

entrailles *fpl* Entrañas.

entrain *m* Animación *f.*

entraînant Arrebatador.

entraînement (*a*ⁿ) Arrastramiento.

entraîner (né) Arrastrar. Acarrear [conséquences].

entraîneur Entrenador.

entrave (aⁿtrav) Traba.

entraver (vé) Trabar.

entre (aⁿtr) Entre. *Mutuamente:* s'entre-détruire, destruirse mutuamente.

entrebâiller (baié) Entornar.

entrechat (chá) Trenzado.

entrechoquer (ché) Chocarse.

entrecôte (cot) Solomillo.

entrecroiser Entrecruzar.

entre-deux (œ) Intermedio.

entrée (tré) Entrada. Ingreso [d'argent].

entrefaites (sur ces) En esto, mientras tanto.

entrefilet (lè) Suelto.

entrelacer (sé) Entrelazar.

entrelacs (lá) Almocárabes.

entremêler Entremezclar.

entremets (mè) Entremés. Plato dulce.

entremetteur Mediador.

entremetteuse Alcahueta.

entremise (tre^mis) Mediación (zióⁿ), intermedio *m.*

entreposer (sé) Almacenar.

entrepôt (po) Depósito.

entreprenant Emprendedor.

entreprendre Emprender.

entrepreneur Empresario. Maestro de obras [maisons].

entreprise (pris) Empresa.

entrer (tre) Entrar.

entresol Entresuelo.

entre-temps (taⁿ) Entretanto.

entretenir* Mantener*. *Vr.* Mantenerse*, conversar.

entretien *m* Conversación *f.*

entrevoir* (vuar) Entrever*.

entrevue (vü) Entrevista.

entrouvrir* Entreabrir.

énumération Enumeración.

énumérer (ré) Enumerar.

envahir (aⁿvaír) Invadir.

envahissement *m* Invasión *f.*

envahisseur (œr) Invasor.

enveloppe (op) Envoltura. Sobre *m* [de lettre].

envelopper (pé) Envolver*.

envenimer (mé) Envenenar. Enconar [blessure].

envergure (gür) Envergadura. *Fig.* Vuelo.

envers (aⁿver) Envés, revés. *Con :* bon envers tous, bueno con todos. A l'envers, al revés. Envers et contre tous, contra todos.

envie (aⁿvi) Envidia. Gana (ou ganas) [désir] : envie de sortir, gana de salir. Antojo *m* [caprice]. Faire envie, dar* envidia, dar* gana.

envier (vié) Envidiar (èn).

envieux (vé) Envidioso.

environ (roⁿ) Cerca de, unos : environ 20, unos 20.

environner (né) Rodear.

environs (roⁿ) Alrededores.

envisager (jé) Considerar.

envoi (vuá) Envío.

envolée *f* Vuelo *m.*

envoler (s') (lé) Volar*.

envoûtement (maⁿ) Hechizo.

envoyé (aⁿvuaié) Enviado.

envoyer (aⁿvuaié) Enviar (ènviar). Envoyer chercher, mandar a buscar, enviar por.

envoyeur (iœr) Remitente.

épagneul (ñœl) Podenco.

épais, aisse (epè, epès) Espeso, sa. *Fig.* Grosero.

épaisseur (ór) f Espesor m.

épaissir Espesar.

épanchement (ch•ma•) Derramamiento. Fig. Efusión f.

épancher (ché) Derramar, desahogar [le cœur].

épandage (epa•daj) Derramamiento.

épanouir (epanuír) Abrír [fleurs]. Dilatar [cœur]. V. r. Alegrarse [visage].

épanouissement (a•) m Abertura f [fleurs]. Fig. Dilatación f [esprit].

épargne (parñe) f Ahorro m.

épargner (ñé) Ahorrar.

éparpillement (a•) m Esparcimiento.

éparpiller (ié) Desparramar.

épars Esparcido, disperso.

épatant (ta•) Asombroso.

épater (té) Achatar (cha). Fig. Asombrar.

épaule (pol) f Hombro m. Hausser les épaules, encogerse de hombros.

épauler (polé) Fig. Apoyar.

épaulette (et) Charretera.

épave f Pecio m. Fig. Ruina.

épée (epé) Espada.

épeler (epelé) Deletrear.

éperdu (dú) Perdido.

éperon (pero•n) m Espuela f.

éperonner (né) Espolear.

épervier (vié) Gavilán (làn).

éphèbe (efeb) Efebo.

éphémère (mer) Efímero.

éphémérides Efemérides.

épi (epí) m Espiga f.

épice (pís) Especia.

épicé (sé) Picante.

épicer (sé) Sazonar.

épicerie (rí) Tienda de ultramarinos. Amer. Abarrote.

épicier (sié) Tendero de Comestibles o ultramarinos.

épidémie (mí) Epidemia.

épiderme (erm) m Epidermis f.

épier (epié) Espiar.

épieu (piœ) Chozo.

épigramme f Epigrama m.

épigraphe (af) Epígrafe.

épilatoire (uar) Depilatorio.

épilepsie (epsí) Epilepsia.

épileptique (íc) Epiléptico.

épiler (epilé) Depilar.

épilogue (log) Epílogo.

épinard (nar) m Espinaca f.

épine (pín) Espina.

épineux (pinœ) Espinoso.

épingle (pí•gl) f Alfiler m. Epingle à cheveux, horquilla. Epingle de nourrice, imperdible m.

épingler (i•glé) Fijar con alfileres.

Epiphanie (né) Epifanía

épique (epíc) Épico.

épiscopal, ale Episcopal.

épisode (sod) Episodio.

épisodique (íc) Episódico.

épistolaire Epistolar.

épitaphe (af) f Epitafio m.

épithète (tet) f Epíteto m.

épître (pítr) Epístola.

éploré Afligido.

éplucher Mondar, limpiar.

épluchure (ü) Mondadura.

éponge (po•j) Esponja.

éponger (po•jé) Enjugar.

épopée (pé) Epopeya.

époque (poc) Epoca.

époumoner (s') Desgañitarse.

épouse (epús) Esposa.

épouser (sé) Casarse con...

épousseter Limpiar el polvo.

épouvantable Espantoso.

épouvantail Espantajo.

épouvante (aⁿ) f Espanto m.

épouvanter (aⁿté) Espantar.

époux, ouse (epú, ús) Esposo, esposa.

éprendre (s') Prendarse.

épreuve (prœv) Prueba (oué).

épris, ise Enamorado, da.

éprouver (epruvé) Probar*.

épuisant (saⁿ) Agotador.

épuisement (maⁿ) Agotamiento. Achicamiento [eau, etc.].

épuiser Agotar, achicar.

épuration (sioⁿ) Depuración.

épure (ür) Diseño, dibujo.

épurer (üré) Depurar.

équarrir (rír) Escuadrar. Descuartizar [animaux].

équateur (kuatœr) Ecuador.

équation (sioⁿ) Ecuación.

équatorial, ale Ecuatorial.

équatorien Ecuatoriano.

équerre Escuadra. D'équerre, a escuadra.

équestre (ekestr) Ecuestre.

équilibre (líbr) Equilibrio.

équilibrer (bré) Equilibrar.

équinoxe (nox) Equinoccio.

équipage (paj) m Tripulación f [bateau, avion]. Tren [suite].

équipe (kíp) Cuadrilla [ouvriers]. Equipo m [sport].

équipée (pé) Calaverada.

équipement (maⁿ) Equipo.

équiper Equipar. Armar.

équitable Equitativo.

équitation Equitación.

équité (ekité) Equidad.

équivalent Equivalente.

équivoque f Equívoco m.

érable (erabl) Arce (arzé).

érafler (raflé) Rasguñar.

éraflure (flür) Rasguño.

éraillé, e (raié) Rasgado, da ;

rajado, da. Cascada f [voix].

ere (èr) Era (éra).

érection (sioⁿ) Erección.

éreintant (taⁿ) Reventador.

éreinter (eriⁿté) Deslomar, derrengar. Fig. Reventar.

ergot (ergo) Espolón (polón). Cornezuelo (zoué) [seigle].

ergoter (té) Porfiar.

ériger (jé) Erigir.

ermitage (taj) m Ermita f.

ermite (mít)   Ermitaño (agno).

érosion (sioⁿ) Erosión.

érotique (íc) Erótico, ca.

errant (raⁿ) Errante.

errer (ré) Errar*.

erreur (erœr) f Error m.

erroné Erróneo, equivocado.

érudit (rüdí) Erudito.

érudition (sioⁿ) Erudición.

éruption (sioⁿ) Erupción.

érysipèle m Erisipela f.

es (è) V. ÊTRE.

ès En. Docteur ès lettres, doctor en letras.

escabeau (bo) Escabel.

escadre (cadr) Escuadra.

escadrille (ií) Escuadrilla.

escadron (droⁿ) Escuadrón.

escalade (lad) Escalada.

escalader (dé) Escalar.

escale (cal) Escala.

escalier (lié) Escalera.

escalope Lonja de ternera.

escamoter (té) Escamotear.

escapade (pad) Escapatoria.

escarbille f Carboncillo m.

escarcelle (sel) Escarcela.

escargot (go) Caracol.

escarmouche (uch) Escaramuza.

escarpé, ée Escarpado, da.

escarpin (iⁿ) Escarpín.

escarpolette f Columpio m.

escarre (car) Escara (cara).

escient Conocimiento. *A bon escient*, a sabiendas.

esclaffer (s') Echarse a reír.

esclandre (aⁿdr) Escándalo.

esclavage m Esclavitud f.

esclave (clav) Esclavo.

escogriffe Tagarote.

escompte (oⁿt) Descuento.

escompter (té) Descontar*.

escorte (ort) Escolta.

escorter (té) Escoltar.

escouade (cuad) Escuadra.

escrime (ime) Esgrima.

escroc (cro) Estafador.

escroquer (ke) Estafar.

escroquerie (rí) Estafa.

espace (espâs) Espacio.

espacer (sé) Espaciar.

espadrille (îe) Alpargata.

espagnol, ole Español, ola.

espagnolette (et) Falleba.

espalier m Espaldera f.

espèce (pès) Especie (cie). *Pl* Metálico *msing.* [argent].

espérance (aⁿs) Esperanza.

espérer (peré) Esperar.

espiegle (piegl) Travieso.

espièglerie Travesura.

espion (pioⁿ) Espía.

espionnage (naj) Espionaje.

espionner (oné) Espiar.

esplanade (nad) Esplanada.

espoir (puar) m Esperanza f.

esprit (prí) Espíritu. *Fig.* Ingenio [ingéniosité]. *Bel esprit*, hombre *ingenioso. Saint-Esprit*, Espíritu Santo. *Faire de l'esprit*, decir* agudezas.

esquif Esquife.

esquille (îe) Esquírla.

esquinter (kiⁿ) Reventar*.

esquisse (ís) f Bosquejo m.

esquisser (sé) Bosquejar.

esquiver (kivé) Esquivar.

essai (esè) Ensayo.

essaim (esîⁿ) Enjambre.

essayage (esèïaj) Ensayo.

essayer (éié) Ensayar. *Vi Essayer de*, tratar de.

essence (saⁿs) Esencia. Gasolina [carburant].

essentiel (siel) Esencial.

essieu (éïé) Eje (éjé).

essor (or) Vuelo (voué). *Fig.* Desarrollo [progrès].

essouffler (flé) Ahogar.

essuie-mains (mìⁿ) Toalla f.

essuyer (süié) Enjugar.

est Este. V. ÊTRE.

estafette (tet) Estafeta.

estafilade Cuchillada.

estaminet (né) Fumadero.

estampe (estaⁿp) Estampa.

estamper (pé) Estampar.

estampille (píe) Estampilla.

esthète (èt) Esteta.

esthétique (tìk) Estético, a.

estimable (mabl) Estimable.

estimation Estimación.

estime (tìm) Estima.

estimer (mé) Estimar.

estivant (vaⁿ) Veraneante.

estocade (cad) Estocada.

estomac (tomá) Estómago.

estompe (oⁿp) f Esfumino m.

estomper (pé) Esfumar.

estrade (ad) f Estrado m.

estragon (goⁿ) Estragón.

estrapade (ad) Estrapada.

estropié, ée Estropeado, a.

estuaire (tüer) Estuario.

esturgeon (ȷoⁿ) Esturión.

et Y, E [devant un mot commençant par *i, hi :* lana e hilo].

étable (etabl) f Establo m.

établi (blí) Banco.

établir Establecer*.

établissement (aⁿ) Establecimiento.

étage (etaj) Piso (písso).

étagère (jer) f Estante m.

étain (tiⁿ) Estaño.

étal m Tabla f [boucherie].

étalage (aj) m Muestra f.
Escaparate [boutique].

étaler (lé) Poner* de mues-
tra. Exponer*. Fig. Ostentar, hacer alarde. S'étaler,
extenderse*.

étalon (loⁿ) Semental [cheval]. Garañón [âne]. Patrón [monnaies]. Marco
[poids et mesures].

étamer (mé) Estañar (gnar).

étamine Estameña [tissu].

étanche (taⁿch) Estanco.

étancher (ché) Estancar.
Apagar [la soif].

étang (taⁿ) Estanque (ànké).

étape (tap). Etapa.

état (tá) Estado. État civil,
estado civil. En bon état, en
buen estado. Hors d'état de,
imposibilitado para.

état-major Estado Mayor.

étau (eto) Torno.

étayer (teié) Apuntalar. Fig.
Apoyar.

été (eté) Verano. V. ÊTRE.

éteignoir (ñuar) Apagador.

éteindre* (tiⁿdr) Apagar.

éteint, einte Apagado, a.

étendard (ar) Estandarte.

étendre (aⁿdr) Extender*.

étendu, ue Extendido, a.
Tendido [allongé]. Extenso.

étendue (taⁿdü) f Extensión.

éternel, elle Eterno, na.

éterniser (sé) Eternizar.

éternité Eternidad.

éternuement Estornudo.

éternuer (nüé) Estornudar.

éther (eter) Éter.

éthéré, ée Etéreo, ea.

éthique (tic) Ético, ca.

ethnique (etnic) Étnico, ca.

ethnographie Etnografía.

étincelant (leⁿ) Chispeante.
Fig. Brillante (lhanté).

étinceler (lé) Chispear.

étincelle (sel) Chispa.

étioler (lé) Ahilar [plantes].
Fig. Debilitar.

étique (tic) Ético, ca.

étiqueter (kⁿté) Rotular.

étiquette (ket) f Etiqueta.
Rótulo m, marbete m. Etiqueta [cérémonial].

étirer (ré) Estirar.

étoffe (tof) Tela.

étoffer (tofé) Vestir*.

étoile (tual) Estrella. Lucero
m [grande étoile]. Étoile
de mer, estrellamar. Étoile
filante, estrella fugaz. Étoile
du berger, lucero del alba.
A la belle étoile, al raso.

étoilé (tualé) Estrellado.

étoiler (lé) Estrellar.

étole (ol) Estola.

étonnant (naⁿ) Asombroso.

étonnement (maⁿ) Asombro.

étonner (toné) Asombrar.

étouffée (fé) f Estofado m.

étouffement (maⁿ) Ahogo.

étouffer (fé) Ahogar. Fig.
Tapar [une affaire].

étoupe (tup) Estopa.

étourderie Atolondramiento.

étourdi (turdí) Atolondrado.

étourdir Aturdir, atolondrar.

étourdissant (aⁿ) Aturdidor.

étourdissement (maⁿ) Aturdimiento.

étourneau (no) Estornino.

étrange (traⁿj) Extraño.

étranger (*jé*) Extraño. Extranjero [d'un autre pays]. Forastero [d'une autre province].

étrangeté Estrañeza.

étranglé Estrangulado. *Fig.* Angostado, estrechado.

étranglement Estrangulación. *Fig.* Angostura, estrechez.

étrangler (*glé*) Estrangular.

étrangleur Estrangulador.

étrave (etrav) *Mar.* Roda.

être* (ètr) Ser*, estar*. *Obs.* Le verbe *être* se rend par ser : 1º avec un substantif : *être un homme*, ser un hombre ; 2º avec un adj. exprimant une qualité essentielle du sujet : *être bon*, ser bueno ; 3º avec un p. p. indiquant une action : *le sucre brut doit être raffiné*, el azúcar bruto debe ser refinado ; 4º avec un nombre : *nous sommes cinq*, somos cínco ; 5º pour indiquer la matière : *la table est en bois*, la mesa es de madera ; 6º pour indiquer la propriété : *le livre est à moi*, el libro es mío. On traduit *être* par *estar* : 1º pour indiquer le lieu : *nous sommes à Paris*, estamos en París ; 2º avec un adj. indiquant un état : *je suis malade*, estoy enfermo ; 3º avec un p. p. indiquant un état : *la porte est fermée*, la puerta está cerrada. Aux. des v. pron. ou de mouvement, *être* se traduit par *haber** : *il est arrivé*, ha llegado. *Locs.* Etre à même de, ser capaz de. C'est à moi, a mí me toca.

étreindre (*i*ⁿdr) Apretar*. Abrazar [dans ses bras].

étreinte (trĩⁿt) *f* Abrazo *m. Fig.* Opresión.

étrenne (trène) *f* Estreno *m.* Pl Aguinaldo *m*, regalo *m.*

étrenner (né) Estrenar.

étrier (trié) Estribo.

étriller (ié) Almohazar.

étriqué Estrecho. Mezquino.

étroit (truá) Estrecho. A l'étroit, con estrechez.

étroitesse (ès) Estrechez.

étude (tüd) *f* Estudio *m.*

étudiant (dia*ⁿ*) Estudiante.

étudier (ié) Estudiar.

étui (etüĩ) Estuche.

étuve (etüv) *f* Estufa.

étuvée (ve) *f* Estofado *m.*

étymologie (ji) Etimología.

eu (ü) V. AVOIR.

eucalyptus (liptüs) Eucalípto.

eucharistie (ka, tí) Eucaristía.

eunuque (enük) Eunuco.

euphémisme Eufemismo.

européen (peĩⁿ) Europeo.

eux (œ) Ellos (èlhoss).

évacuation Evacuación.

évacuer (cüé) Evacuar.

évader (s') Evadirse.

évaluation (sioⁿ) Valuación.

évaluer (lüé) Valuar, evaluar. *Evaluer à*, valuar en.

évangélique (ic) Evangélico.

évangéliser Evangelizar.

évangéliste Evangelista.

évangile (va*ⁿ*jíl) Evangelio.

évanouir (s') Desvanecerse.

évanouissement Desvanecimiento.

évaporation Evaporación.

évaporer (ré) Evaporar.

évasé, ée Ensanchado, da.

évasif, ive Evasivo, va.

évasion (sioⁿ) Evasión.

évêché (ché) Obispado.

éveil (vei) Despertar. Aviso, alerta f. Donner l'éveil, alertar.

éveillé (veié) Despierto.

éveiller (eveié) Despertar*.

événement Acontecimiento.

éventail (taï) Abanico.

éventaire (ter) Azafate.

éventer Ventilar. Abanicar. S'éventer, abanicarse.

éventrer (tré) Destripar.

éventualité Eventualidad.

éventuel (tüel) Eventual.

évêque (evek) Obispo.

évertuer (s') Esforzarse por.

évidemment Evidentemente.

évidence (dan̄s) Evidencia.

évident (dan) Evidente.

évider (dé) Vaciar.

évier (vié) Fregadero.

évincer Fig. Suplantar.

éviter (té) Evitar.

évocateur (tœr) Evocador.

évocation (sion) Evocación.

évoluer (üé) Evolucionar. Fig. Pasar, transformarse.

évolution (sion) Evolución.

évoquer (ké) Evocar.

exacerber (bé) Exacerbar.

exact, acte Exacto, ta.

exaction (sion) Exacción.

exactitude (tüd) Exactitud.

exagération Exageración.

exagéré (jeré) Exagerado.

exagérer (jeré) Exagerar.

exaltation (sion) Exaltación.

exalter (té) Exaltar.

examen (min) Examen (èn).

examinateur Examinador.

examiner (né) Examinar.

exaspération Exasperación.

exaspérer (ré) Exasperar.

exaucer (xosé) Atender*. Escuchar (coucher).

excavation Excavación.

excédent (dan) Excedente.

excéder (dé) Exceder. Fig. Cansar.

excellence Excelencia.

excellent (lan) Excelente.

exceller (lé) Sobresalir*.

excentricité Excentricidad.

excentrique (ic) Excéntrico.

excepté (septé) Excepto.

excepter (té) Exceptuar.

exception (sion) Excepción.

exceptionnel Excepcional.

excès (sè) Exceso (zesso).

excessif, ive Excessivo, va.

excitant (tan) Excitante.

excitation Excitación.

exciter (té) Excitar.

exclamation Exclamación.

exclamer (mé) Exclamar.

exclure (clür) Excluir*.

exclusif, ive Exclusivo, va.

exclusion (sion) Exclusión.

exclusivité Exclusiva.

excommunication Excomunión.

excommunier Excomulgar.

excoriation Excoriación.

excrément (man) Excremento.

excroissance Excrecencia.

excursion (sion) Excursión.

excursionniste Excursionista.

excusable (sabl) Excusable.

excuse (üs) Excusa. Faire des excuses, excusarse. Excusez-moi, dispense.

excuser (cüsé) Excusar.

exécrable (abl) Execrable.

exécrer (cré) Execrar.

exécutant Ejecutante.

exécuter (cüté) Ejecutar. S'exécuter, resolverse.

exécutif, ive Ejecutivo, va.

exécution (sion) Ejecución.

exemplaire (pler) Ejemplar.

exemple (aⁿpl) Ejemplo. *Par exemple*, por ejemplo.
exempt, empte Exento, ta.
exempter (té) Exentar.
exemption (sioⁿ) Exención.
exercer (sé) Ejercer. Ejercitar [muscles, soldats].
exercice (sís) Ejercicio.
exhalaison Exhalación.
exhaler (xalé) Exhalar.
exhausser (osé) Levantar.
exhiber (ibé) Exhibir.
exhibition (oⁿ) Exhibición.
exhortation Exhortación.
exhorter (orté) Exhortar.
exhumer (ümé) Exhumar.
exigeant, ante Exigente.
exigence (jaⁿs) Exigencia.
exiger (jé) Exigir.
exigu, guë (gü) Exiguo, gua.
exiguité (güité) Exigüidad.
exil Destierro.
exilé, ée Desterrado, da.
exiler Desterrar*.
existant, ante Existente.
existence (taⁿs) Existencia.
exister (té) Existir.
exode (od) Éxodo.
exonérer (ré) Exonerar.
exorbitant (taⁿ) Exorbitante.
exorciser (sisé) Exorcizar.
exotique (tic) Exótico, ca.
expansif Expansivo.
expansion (sioⁿ) Expansión.
expatrier (ié) Expatriar.
expectative (iv) Expectativa.
expectorer (ré) Expectorar.
expédient, ente Expediente.
expédier (dié) Expedir*.
expéditeur (ter) Expedidor.
expéditif, ive Expeditivo, va.
expédition (oⁿ) Expedición.
expéditionnaire (ner) Expedicionario. Escribiente.
expérience Experiencia.

expérimenter Experimentar.
expert (per) Experto, perito.
expertise (ís) f Informe [m] pericial.
expertiser Tasar [évaluer].
expiation (sioⁿ) Expiación.
expier (pié) Expiar.
expirer (piré) Expirar.
explication Explicación.
explicite (sit) Explícito.
expliquer (ké) Explicar.
exploit (pluá) m Hazaña f.
exploitation Explotación.
exploiter (pluaté) Explotar.
exploiteur (œr) Explotador.
exploration Exploración.
explorer (ré) Explorar.
exposer (sé) Estallar.
explosif Explosivo.
explosion (sioⁿ) Explosión.
exportation Exportación.
exporter (té) Exportar.
exposant (saⁿ) Expositor.
exposé m Exposición f.
exposer (sé) Exponer*.
exposition Exposición.
exprès, esse (prè) Expreso, sa. *Adv.* Adrede.
express (ès) Expreso (esso).
expressément Expresamente.
expressif Expresivo.
expression (sioⁿ) Expresión.
exprimer (mé) Exprimir [liquide]. Expresar [idée, etc.].
expropriation Expropiación.
exproprier (ié) Expropiar.
expulser (pülsé) Expulsar.
expulsion (sioⁿ) Expulsión.
exquis, ise (kí, ís) Exquisito.
extase (tás) f. Éxtasis m.
extatique (tic) Extático, ca.
extensif, ive Extensivo.
extension (sioⁿ) Extensión.
exténuer (nüé) Extenuar.

extérieur (riœr) Exterior.
extérioriser Exteriorizar.
extermination f Exterminio.
exterminer (né) Exterminar.
externat (ná) Externado.
externe (tern) Externo, na.
extincteur (œr) Apagador.
extirper (pé) Extirpar.
extorquer (ké) Sacar.
extorsion (oⁿ) Extorsión.
extra (trá) Extra.
extraction Extracción.
extradition Extradición.
extraire* (trer) Extraer*.

extrait (trè) Extracto.
extraordinaire Extraordinario.
extravagance Extravagancia.
extravagant Extravagante.
extrême (trèm) Extremo, ma.
extrémité Extremidad.
extrinsèque Extrínseco, ca.
exubérance (aⁿs) Exuberancia.
exubérant, ante Exuberante.
exulter (té) Alegrarse.
ex-voto (tó) Exvoto.

F

fa Fa [musique].
fable (fablᵉ) Fábula (fabou).
fabricant (caⁿ) Fabricante.
fabrication Fabricación.
fabrique (bric) Fábrica.
fabriquer (ké) Fabricar.
fabuleux (lœ) Fabuloso.
façade (sad) Fachada (cha-da).
face (fas) Faz, cara. Frente m. Fig. Aspecto m. Face à face, cara a cara. Faire* face, hacer* frente. En face, enfrente.
face-à-main Impertinente.
facétie (sí) f Chiste m.
facétieux (siœ) Chistoso.
facette (set) Faceta (zèta).
fâcher (faché) Enfadar.
fâcherie (rí) f Disgusto m.
fâcheux (fœ) Enfadoso.
facial (sial) Facial.
facile (síl) Fácil (fazil).
facilité Facilidad (da).
faciliter (té) Facilitar.
façon (soⁿ) f Manera f, modo

m. Hechura [forme]. Pl Maneras, modales mpl. Melindres mpl. Faire des façons, andar* con melindres. Sans façon, sin ceremonia, campechano, na.
faconde (oⁿd) Facundia.
façonner (soné) Formar.
fac-similé Facsímile.
facteur (œr) Factor. Cartero [postes].
factice (zio) Ficticio.
factieux (siœ) Faccioso.
faction (ksioⁿ) Facción.
facture (tür) Factura.
facturer (türé) Facturar.
facultatif Facultativo.
faculté (cülté) Facultad.
fadaise (dès) Simpleza.
fade (fad) Soso (sosso).
fadeur (dœr) Sosería (ría).
fagot (go) Haz.
fagoter (té) Hacinar. Fig. Ataviar.
faible (fèbl) Débil. M Flaco [d'une personne ou chose].

faiblesse (blès) Debilidad.

faiblir Aflojar. *Fig.* Debilitarse.

faïence (faiaⁿs) Loza.

faille (faiᵉ) Falla (lha).

failli (aïi) Quebrado (ké).

faillible (faïbl) Falible.

faillir (faïr) Faltar. Errar [se tromper]. Hacer* quiebra [com.]. Estar* a punto de: *il a failli venir*, ha estado a punto de venir.

faillite (faït) Quiebra.

faim (fiⁿ) Hambre (ànbré).

fainéant, ante Holgazán, na.

fainéantise Holgazanería.

faire* (fèr*) Hacer* (azer). *Il fait froid*, hace frío. *Obs. Faire* se traduit par *hacer* quand il s'agit d'un travail matériel. Autres cas: *faire plaisir, pitié, dar* gusto, lástima. *Faire attention, poner* cuidado. *Faire faire, mandar* hacer. *Je n'en ferai rien*, me guardaré de ello.

faisable (sàbl) Hacedero.

faisan (fèsaⁿ) Faisán (aïss).

faisander (saⁿdé) Manir.

faisceau (so) Haz. Pabellón [arbre].

fait, aite (fè, fèt) Hecho, cha. *Voilà qui est fait*, ya está. *Etre au fait de*, estar enterado de. *Sur le fait*, infraganti.

faite (fèt) *m* Techo *m*. Copa *f* [arbre]. Cumbre *f*, auge *m* [honneurs].

faits divers Sucesos.

faix (fè) *m* Carga *f*.

falaise (lès) *f* Acantilado *m*.

falbala (lá) Faralá.

falloir* (lwar) Ser* preciso, ser* necesario, ser* menes-

ter [avec subj.]. *Il faut lire*, hay que leer. *Il faut que tu viennes*, tienes que venir. *Il s'en faut de peu*, poco falta para.

falot (lo) Estrafalario.

falsification Falsificación.

falsifier (fié) Falsificar.

famé, ée Reputado, da.

fameux, euse Famoso, a.

familial Familiar.

familiariser Familiarizar.

familiarité Familiaridad.

familier (lié) Familiar.

famille (mìe) Familia.

famine Hambre, carestía.

fanal Fanal, farol.

fanatique (ic) Fanático, ca.

fanatiser (sé) Fanatizar.

fanatisme (tísm) Fanatismo.

faner (né) Marchitar.

fanfare (far) Charanga, banda [musiciens]. Marcha militar [air].

fanfaron (roⁿ) Fanfarrón.

fanfreluche Perendengue.

fange (faⁿj) *f* Fango *m*.

fangeux (jœ) Fangoso.

fanion (ioⁿ) Banderín.

fantaisie (sí) *f* Capricho *m*. Fantasía [imagination].

fantaisiste Caprichoso.

fantasmagorie (rí) Fantasmagoría.

fantasque (tasc) Antojadizo.

fantassin (siⁿ) Infante.

fantastique Fantástico.

fantoche (toch) Fantoche. Títere.

fantôme (tom) Fantasma.

faon (faⁿ) Cervato (zèr).

faquin (kiⁿ) Faquín.

farandole (dol) Farándula.

faraud, aude Majo, ja. Fachendoso, sa.

farce (fars) Farsa [comédie]. Broma [plaisanterie]. *Faire* une farce, dar* una broma. Relleno m [culin.].

farceur (sœr) Bromista.

farci (sér) Rellenar.

fard (far) Afeite (afeïté).

fardeau (do) m Carga f.

farder (dé) Afeitar (feï).

faribole (ol) Paparrucha.

farine (rín) Harína.

farouche (ruch) Arisco, huraño [animal, caractère].

fascicule (cül) Hacecillo. Entrega f [publication].

fascination Fascinación.

fasciner (siné) Fascinar.

fascisme (sísm) Fascismo.

fasciste (íst) Fascista.

faste (fast) Fasto. M Fausto.

fastidieux (tïdïœ) Fastidioso.

fastueux (tüœ) Fastuoso.

fat (fat) Fatuo (tou).

fatal Fatal.

fatalisme (ísm) Fatalísmo.

fataliste (íst) Fatalista.

fatalité Fatalidad.

fatidique (ic) Fatídico, ca.

fatigant (ga[n]) Fatigoso. *Fig.* Fastidioso (íosso) [long].

fatigue Fatiga, cansancio.

fatiguer Cansar, fatigar.

fatras (frà) Fárrago. Mezcla f.

fatuité (tüïté) Fatuidad.

faubourg (rí[n]) Arrabal, barrio.

faubourien (rí[n]) Arrabalero. Popularchero [accent, façon].

faucher (ché) Segar.

faucheur (œr) Segador.

faucille (fosïïe) Hoz (oz).

faucon (co[n]) Halcón (còn).

faufiler (lé) Hilvanar. *Fig.* Deslizar, colar.

faune (fon) Fauno. F Fauna.

faussaire (ser) Falsario.

faussement (a[n]) Falsamente.

fausser (sé) Doblar, torcer*. *Fausser* compagnie, marcharse.

fausset (sè) Falsete [mus.].

fausseté (seté) Falsedad.

faute (ot) Falta. Culpa [responsabilité]. *Faire* faute, faltar. *Sans* faute, sin falta.

fauteuil (œi) Sillón (lhòn). Butaca f [rembourré].

fautif, ive (ít, ív). Falíble. Defectuoso (tousso).

fauve (fov) Leonado [teinte]. Salvaje, montés [animal]. M Fíera f.

fauvette (vet) Curruca.

faux (fo) Guadaña (agna).

faux, ausse (fo, os) Falso, sa. *Mus.* Desafinado. M Falsificación [écriture].

faux filet (filè) Solomillo.

faux-fuyant (ía[n]) Efugio.

faveur (vœr) f Favor m.

favorable (rábl) Favorable.

favori, ite (œi) Favorito, ta.

favoriser (sé) Favorecer.

fébrile (bríl) Febril.

fécal Fecal.

fécond, onde Fecundo, da.

fécondation Fecundación.

féconder (dé) Fecundar.

fécondité Fecundidad.

fécule (cül) Fécula.

féculent, ente Feculento.

fédéral, ale Federal.

fédération (sio[n]) Federación.

fédérer (ré) Federar.

fée (fé) Hada (ada).

féerie (rí) f Hechizo m.

feindre* (fí[n]dr) Fingir.

feinte (í[n]t) f Fingimiento m.

fêlé Cascado, rajado.

fêler (lé) Rajar, cascar.

félicitation Felicitación.

félicité Felicidad (da).

féliciter (sité) Felicitar.

félin (liⁿ) Felino.

félon (loⁿ) Felón (lòn).

félonie (ni) Felonía.

fêlure (lür) Cascadura.

femelle (mel) Hembra (èn).

féminin, nine Femenino, na.

femme (fam) Mujer (moujèr).
Femme de chambre, cama-
rera, doncella (lha). *Femme
de ménage* (aj) Asistenta.

fémur (mür) Fémur (fèmour).

fenaison Siega del heno.

fendiller (se) Resquebrajarse.

fendre Rajar, hender.

fendu (dü) Hendido, rajado.

fenêtre (nètr) Ventana.

fenouil (nuí) Hinojo (nojo).

fente (faⁿt) Hendidura.

féodal Feudal (féoudal).

fer (fèr) Hierro. *Fer à repasser*, plancha f. *Fer à friser*,
tenacillas (zilhas) fpl.

fer-blanc (aⁿ) m Hojalata f.

ferblantier (ié) Hojalatero.

férié, ée Feriado, da.

férir Herir. *Sans coup férir*,
sin peligro, sin lucha.

fermage (maj) Arrendamiento.

ferme adj. Firme. *Acheter
ferme*, comprar en firme.

ferme f Granja, alquería.
Cortijo m [Andalousie].

fermement Firmemente.

fermentation Fermentación.

fermenter (té) Fermentar.

fermer (mé) Cerrar (zèrrar).

fermeté (m^eté) Firmeza.

fermeture (tür) f Cierre m.
Cremallera [à glissière].
Veda [chasse].

fermier (mié) Arrendatario.

fermoir (muar) Cierre.

Boquilla [porte-monnaie].

féroce (ros) Feroz (roz).

férocité (sité) Ferocidad.

ferraille Chatarra.

ferrer (ré) Herrar.

ferronnerie (rí) Ferretería.

ferrugineux Ferruginoso.

ferrure f Herraje m.

fertile (til) Fértil.

fertiliser (lisé) Fertilizar.

fertilité Fertilidad.

féru, ue (rü) Herido, da.
Féru d'amour, enamorado.

fervent, ente Ferviente.

ferveur (vœr) f Fervor m.

fesse (fes) Nalga.

fessée (sé) Azotaina (taï).

festin (tiⁿ) Festín.

festival Festival.

feston (toⁿ) Festón.

festoyer (uaé) Festejar.

fêtard (tar) Juerguista, jaranero (jaranéro).

fête (fèt) Fiesta. Día m,
santo [de quelqu'un] : *souhaiter la fête*, felicitar el
santo. *Fête foraine*, feria.

fêter (fété) Festejar [une
personne]. Celebrar [fête].

fétiche (tích) Fetiche.

fétide (tíd) Fétido.

fétu (tü) m Paja f. Ardite.

feu (fœ) Fuego. Lumbre [feu
pour se chauffer]. *À petit
feu*, a fuego lento. *Feux
arrières*, pilotos. *Feux de
signalisation*, semáforo sing
disco sing. *Feu d'artifice*,
fuegos artificiales. *Faire
du feu*, encender* lumbre.

feu, eue (fœ) Difunto, ta.
Feu mon..., mon feu..., mi
difunto.

feuillage (iaj) Follaje.

feuille (fœi) Hoja (oja).

Feuille morte, hoja seca.
Feuille volante, hoja suelta.
feuillet (ié) m Hoja f.
feuilleté Hojaldrado.
feuilleter Hojear [livre].
feuilleton (toⁿ) Folletín.
feuillu, ue (œü) Hojoso, sa.
feutre (fœtr) Fieltro.
feutrer (tré) Enfurtir.
fève (fev) Haba (aba).
février (vrié) Febrero.
fez (fes) Fez.
fi *Interj.* ¡Vaya! *Faire fi*, no hacer* caso.
fiacre (fiacr) Simón (mòn).
fiançailles (sai) Esponsales.
fiancé, ée (sé) Novio, via.
fiancer (sé) Desposar.
fiasco (fiascó) Fracaso. *Faire fiasco*, fracasar.
fibranne Fibrana.
fibre (ibr) Fibra.
fibreux (brœ) Fibroso.
fibrome (brom) Fibroma.
ficeler (fise¹é) Atar.
ficelle (sel) Guita, bramante f. *Fam. Listo. Laisser voir la ficelle*, descubrir la hilaza.
fiche (fich) Papeleta.
ficher (ché) Hincar, clavar. *Pop.* Echar [jeter]. *Se ficher*, burlarse.
fichtre *Interj.* ¡Caramba!
fichu, ue (chü) Echado, da. Burlado, da. *Pop.* Dichoso, sa. *Un fichu métier*, un dichoso oficio.
fichu m Pañoleta f.
fictif, ive Ficticio, cia.
fiction (sioⁿ) Ficción.
fidèle (del) Fiel.
fidélité Fidelidad.
fiduciaire (düsièr) Fiduciario, ria.
fief Feudo.

fieffé *Fig.* Rematado.
fiel m Hiel f.
fiente (fiaⁿt) f Estiércol m.
fier (fié) Fiar. *Se fier à*, fiarse de.
fier, ère Soberbio, bia; arrogante. *Fam.* Orgulloso, sa.
fièrement (re^maⁿ) Soberbiamente.
fierté Soberbia, arrogancia.
fièvre Fiebre, calentura.
fiévreux, euse Febril, calenturiento, ta.
fifre (fifr) Pífano.
figer (jé) Coagular, congelar.
fignoler (ié) Esmerarse en.
figue (fig) f Higo m.
figuier (guié) m Higuera f.
figurant, ante Figurante.
figuration Figuración.
figure (gür) Figura. Cara, rostro (ros) m [visage].
figurer (güré) Figurar.
figurine (rine) Figurilla.
fil Hilo. Alambre [de métal]. *Fil à plomb*, plomada m.
filament (maⁿ) Filamento.
filandreux, euse (œ, œs) Hebroso, sa.
filasse Hilaza, estopa.
filature (tür) Fábrica de hilados. *Pop.* Seguimiento m.
file (fil) Fila. *A la file*, en fila.
filer (lé) Hilar. *Pop.* Seguir.
filet (lè) Hilo [de liquide]. Red f [à mailles].
fileur, euse Hilandero, ra.
filial, ale Filial.
filière (lier) Hilera. *Suivre la filière*, tramitar. *Ir* ascendiendo.
filigrane (gráne) Filigrana.
fille (fiie) Hija [parenté].

Soltera [non mariée]. *Moza, muchacha* [jeune fille].

fille mère Soltera madre.

fillette (fiet) *Niña*.

filleul, le (œl) *Ahijado, da*.

film *m* Pelicula *f*. Cinta *f*.

filon *m* Filón. *Pop. Ganga f*.

filou (lú) *Ratero, fullero*.

filouterie (tʳí) *Ratería*.

fils (fis) Hijo (ijo).

filtre (filtr) *Filtro*.

filtrer (tré) *Filtrar*.

fin (fiⁿ) *f* Fin *m*. *En fin de compte*, al fin y al cabo.

fin, ine (iⁿ, íne) *Fino, na*.

final Final.

finance (naⁿs). Banca. *Pl* Hacienda *sing*, dinero, na.

financer (sé) *Pagar*.

financier (sié) *Financiero. Hacendista. Banquero*.

finasser (sé) *Trapacear*.

finaud (no) *Marrullero*.

fine (fine) *f* Aguardiente *m*.

finesse (nés) *Finura. Sutileza. Delicadeza, agudeza*.

fini, ie Acabado, da. *M* Perfección *f*.

finir Acabar.

fiole (iol) *f* Frasco *m*.

fioriture (úr) *f* Floreo *m. Fam. Ringorrango*.

firmament (aⁿ) *Firmamento*.

firme (firm) *Firma*.

fisc Fisco.

fiscal, ale Fiscal.

fissure *Hendedura, grieta*.

fistule (túl) *Fístula*.

fixe Fijo. *Mil.* ¡Firmes!

fixer (xé) *Fijar* (jar).

flacon (coⁿ) *Frasco*.

flageller (jèlè) *f* Flagelar.

flageolet (jolè) *Caramillo*.

flagorner (né) *Adular*.

flagornerie (rí) *Adulación*.

flagrant, ante *Flagrante. En flagrant délit*, en flagrante.

flair (flèr) *Olfato. Nariz f*.

flairer (fléré) *Olfatear*.

flamand (maⁿ) *Flamenco*.

flamant (aⁿ) *Flamenco*.

flambeau (bo) *m* Antorcha *f*, hacha *f*. Candelero (léro) *m*.

flambée (bé) *Fogata*.

flamber (bé) *Arder* (dèr).

flamboyant, ante *Resplandeciente. Flameante* [goth.].

flamboyer (buaié) *Llamear*.

flamme (flam) *Llama. Fuego*.

flammèche *Pavesa* (essa).

flan (aⁿ) *Flan* (àn).

flanc (aⁿ) *Ijar, costado. Fig. Seno* [de la mère]. *Prêter le flanc, exponerse* a.

flancher (ché) *Vacilar*.

flanelle (nel) *Franela*.

flâner *Vagar, callejear*.

flâneur *Vago, callejero. Gandul* [paresseux].

flanquer (ké) *Flanquear. Pop. Soltar** [un coup]. *Fam. Echar* [dehors].

flaque (flac) *Charca* (char).

flasque (flasc) *Flojo, ja*.

flatter *Halagar, lisonjear*.

flatterie (rí) *Lisonja* (ssòn-ja), *adulación* (zión).

flatteur (œr) *Halagüeño*.

flatulence *Flatulencia*.

fléau (o) *Mayal. Fig. Azote*.

flèche (flech) *Flecha. Aguja* [tour]. *Géom. Sagita*.

fléchir (chir) *Doblar*.

fléchissement *Doblegamiento*.

fléchisseur (œr) *Flexor*.

flegmatique (tic) *Flemático*.

flemme (flem) *Pop. Pereza*.

flétrir *Marchitar. Fig. Manchar* (char) [réputation].

flétrissure *Marchitez*.

fleur (œr) Flor. *Fleur d'oranger*, azahar m. *La fine fleur*, la flor y nata.

fleuret (rè) Florete

fleurette (ret) Florecilla. *Conter fleurette*, requebrar*.

fleuri (flœri) Florido.

fleurir Florecer*.

fleurissant, ante Floreciente.

fleuriste (ríst) Florero, ra.

fleuron (ro*ⁿ*) Florón.

fleuve (flœv) Río.

flexibilité Flexibilidad.

flexible (xíbl) Flexible.

flexion (o*ⁿ*) Flexión (xiôn).

flibustier Filibustero.

flic *Pop.* Guindilla.

flingot (go) Chopo.

flirt (flœrt) Flirteo (téo).

flirter (flœrté) Flirtear.

floche (floch) Flojo, ja.

flocon (co*ⁿ*) Copo.

floconneux (nœ) Coposo.

flonflon (o*ⁿ*) Estribillo.

floraison (so*ⁿ*) Florescencia.

florentin Florentino.

florin (ri*ⁿ*) Florín (rín).

florissant, ante Floreciente.

flot (flo) m Ola f. Marea f.

flottant, ante Flotante.

flotte (flot) Flota. Armada [guerre].

flottement m Fluctuación f.

flotter (té) Flotar, fluctuar.

flotteur (tœr) Flotador.

flottille (tíe) Flotilla.

flou (flu) Borroso [pas net]. Ligero [tissu].

fluctuation (o*ⁿ*) Fluctuación.

fluet, ette (ùè, èt) Delgado.

fluide (ùid) Flúido, da.

fluidité Fluidez.

fluor (üor) Flúor (ouor).

flûte (üt) Flauta (aouta).

flûtiste (üt) Flautista.

fluvial Fluvial.

flux (flü) Flujo (oujo).

fluxion (xio*ⁿ*) Fluxión.

foc Foque (oké).

fœtus (fetüs) Feto.

foi (fua) Fe (fé) *Bonne foi*, buena fe. *Digne de foi*, fidedigna. *Foi de*, a fe de.

foie (fua) Hígado.

foin (fui*ⁿ*) Heno (éno).

foire (fuar) Feria.

fois (fua) Vez. *A la fois*, à la vez. *Bien des fois*, muchas veces. *Une fois pour toutes*, de una vez. *Il était une fois*, érase una vez.

foison (so*ⁿ*) Copia, abundancia.

foisonner (né) Abundar.

fol, folle (fol) Loco, ca.

folâtre (atr) Juguetón (tòn).

folâtrer Juguetear, retozar.

folichon (cho*ⁿ*) Alegre.

folie (lí) Locura (coura).

folklore (lor) Folklore.

fomenter (té) Fomentar.

foncé, ée (sé) Obscuro, ra.

foncer Cavar. Cargar [couleur].

foncier (sié) *Fig.* Profundo. *Crédit foncier*, crédito hipotecario.

fonction (sio*ⁿ*) Función.

fonctionnaire Funcionario.

fonctionnement (onma*ⁿ*). Funcionamiento.

fonctionner (né) Funcionar.

fond (fo*ⁿ*) Fondo. *De fond en comble*, de arriba abajo. *Le fin fond*, lo más profundo.

fondamental Fundamental.

fondant (da*ⁿ*) Fundente.

fondateur (œr) Fundador.

fondation (sio*ⁿ*) Fundación.

Pl Cimientos *mpl* [édifices].

fondé, ée Fundado, a. *Fondé de pouvoir*, apoderado.

fondement (*a*n) Fundamento.

fonder (fo*n*dé) Fundar.

fonderie (de*r*í) Fundición.

fondeur (œr) Fundidor.

fondre Fundir, derretir.

fondrière (*er*) *f.* Bache *m.*

fonds (fo*n*) Fondo [de terre]. Fondo [de commerce, etc.].

fontaine (tèn) Fuente.

fonte (fo*n*t) Fundición. Hierro colado *m* [métal].

fonts baptismaux *mpl* Pila *f.*

football Fútbol.

for Fuero. *For intérieur*, fuero interno.

forage (raj) Horadamiento.

forain, aine Feriante.

forban (ba*n*) Pirata.

forçat (sá) Forzado (zado).

force (ors) Fuerza. *De force*, por fuerza.

forcé Forzado.

forcené, ée (sœné) Loco, ca.

forceps (seps) Fórceps.

forcer (sé) Forzar*. Obligar. Falsear [serrure].

forer (ré) Horadar.

forestier, ère Forestal. *Garde forestier*, guardabosque.

foret (rè) Taladro.

forêt (rè) Selva.

forfait (fè) Crímen, fechoría. *F* Destajo (ajo) *m* [commerce]. *Déclarer forfait*, renunciar.

forfaiture Prevaricato.

forfanterie Farfantonería.

forge (orj) Fragua (goua).

forger (jé) Fraguar, forjar.

forgeron (jero*n*) Herrero.

formaliser (sé) Formalizar.

formaliste (íst) Formalista.

formalité Formalidad.

format Tamaño. Forma *f.*

formation (sio*n*) Formación.

forme (orm) Forma. Horma (or) [chaussures]. *Pl* Modales *mpl.*

formel, elle (mel) Formal.

former (mé) Formar.

formidable (dabl) Tremendo.

formol Formol.

formulaire (er) Formulario.

formule (múl) Fórmula.

formuler (mülé) Formular.

forniquer (ké) Fornicar.

fors (for) Fuera de.

fort, orte (for, ort) Fuerte. Grande. *Au fort de*, en lo más recio de. *C'est trop fort*, es demasiado. *De plus en plus fort*, cada vez más.

forteresse (rés) Fortaleza.

fortification Fortificación.

fortifier (fié) Fortificar.

fortin (i*n*) Fortín.

fortuit (túi) Fortuito.

fortune (tün) Fortuna. *Bonne fortune*, buena suerte.

fortuné Afortunado.

forum (rom) Foro.

fosse (fos) *f* Hoyo *m* [cavité]. Hoya *f* [sépulture].

fossé *m* Zanja *f* [champs]. Foso *m* [fortification]. Cuneta *f* [routes].

fossette (set) *f* Hoyuelo *m.*

fossile (síl) Fósil (foss).

fossoyeur (œr) Sepulturero.

fou, folle (fu, fol) Loco, ca. *Fig.* Excesivo, va. *Un travail fou*, un trabajo enorme. Bufón [bouffon]. Alfil [échec].

foudre (fudr) *f* Rayo (ra) *m.*

foudroyant (druaia*n*) Fulminante. *Fig.* Aterrador.

foudroyer Fulminar. Aterrar.

fouet (fuè) Látigo.

fouetté, ée Azotado, da. Batida [crème].

fougasse f (fugás) Fogata.

fouetter (té) Azotar. Batir.

fougère (jèr) f Helecho m.

fougue (fug) f Arrebato m. ímpetu (lnpétou) m.

fougueux, euse (gœ, œs) Fugoso, sa.

fouille (fuí) f Registro m.

fouiller Registrar [colis]. *Fouiller dans ses poches,* registrarse los bolsillos.

fouillis (fuí) m Maraña (vagna) f, enredo (enrrédo).

fouine (fuíne) Garduña.

foulard (lar) Pañuelo. Fular.

foule (ful) Multitud, muchedumbre. *En foule,* en tropel.

foulée (lé) Pisada.

fouler (lé) Pisar [aux pieds]. *Se fouler,* torcerse [pied, main]. *Pop.* Cansarse.

foulon (oⁿ) Batán [mach.].

foulure (lür) f Esguince m.

four (fur) Horno. *Pop.* Fracaso [échec]. *Petits fours,* pastas.

fourbe (furb) Bribón (bòn).

fourberie (berí) Picardía.

fourbir (furbir) Acicalar.

fourbu Despeado. Reventado.

fourche (furch) Horca, horquilla.

fourcher Trabarse [lang.].

fourchette (è) f Tenedor m.

fourchu, ue Hendido, da.

fourgon (goⁿ) Furgón (gòn).

fourgonner *Fig.* Revolver.

fourmi (furmí) Hormiga.

fourmilière f Hormiguero m.

fourmiller (ié) Hormiguear.

fournaise (nés) f Hoguera.

fourneau (no) Hornillo. *Haut fourneau,* alto horno.

fournée (ne) Hornada.

fournir (turnír) Suministrar, facilitar. Abastecer* [approvisionner].

fournisseur (sœr) Proveedor.

fourniture (tür) f Suministro m. Guarnición f [vêtements].

fourrage (raj) Forraje.

fourrager (jé) Forrajear.

fourragère (jèr) f Forrajera.

fourré, ée (ré) Forrado, da [peaux]. Metido, da. Relleno, na [comestible]. M Espesura f.

fourreau (ro) m Vaina f.

fourrer (ré) Forrar [peaux]. Meter [mettre]. Rellenar.

fourreur (rœr) Peletero.

fourrière (rièr) Depósito de animales y objetos perdidos.

fourrure (furûr) Piel.

fourvoyer (vuaé) Descarriar. *Se fourvoyer,* equivocarse.

foyer (ié) Hogar [maison]. Salón de descanso [théâtre].

frac Frac (fra).

fracas (cá) Estrépito.

fracasser (sé) Estrellar.

fraction (sioⁿ) Fracción f.

fractionnaire Fraccionario.

fractionner Fraccionar.

fracture (tür) Fractura.

fracturer (ré) Fracturar.

fragile (jil) Frágil.

fragilité Fragilidad.

fragment (maⁿ) Fragmento.

frai (frè) Desove (dessové).

fraîchement Frescamente.

fraîcheur (chœr) Frescura.

frais, aîche (frè) Fresco, ca. Recién (rézièn) : *fleur fraîche*

cueillie, fior recién cogida.
M Fresco: *prendre le frais*,
tomar el fresco. Pl Gastos:
frais de voyage, gastos de
viaje. *Faux frais*, gastos
extraordinarios.

fraise (frès) Fresa (fressa).

fraisier (sié) *m* Fresa *f*.

framboise (buás) Frambuesa.

franc, anche Franco, ca.

français, aise (aⁿsè, ès)
Francés, esa [franzés, èssa).

franchement (maⁿ) Francamente.

franchir (chir) Saltar, salvar.
Atravesar. *Fig.* Traspasar.

franchise (chís) Franquicia
[exemption]. Franqueza
(kéza) [sincérité]. *En franchise*, franco de porte.

franciscain Franciscano.

franciser (sé) Afrancesar.

franc-maçon (soⁿ) Masón.

franc-maçonnerie Masonería.

franco (có) Franco.

francophile (fíl) Francófilo.

franc-parler *m* Franqueza *f*.

franc-tireur Guerrillero.

frange (aⁿj) Franja.

franger (jé) Franjar.

frappant, ante Sorprendente.

frappe (frap) Acuñación.

frapper (pé) Golpear. Tocar
[à la porte]. Herir* [blesser]. Impresionar [faire
impression].

frasque (frasc) Calaverada.

fraternel, elle Fraternal.

fraterniser (sé) Fraternizar.

fraternité Fraternidad.

fratricide Fratricida.

fraude (frod) *f* Fraude *m*.

frauder (dé) Defraudar.

fraudeur (œr) Defraudador.

frauduleux, euse (lœ, œs)
Fraudulento, ta.

frayer (fréié) Abrir [chemin].
Fam. Hacer* buenas migas.

frayeur (iœr) *f* Miedo m.

fredaine (dèn) Calaverada.

fredonner (né) Tararear.

frégate (gat) Fragata.

frein (friⁿ) Freno.

freiner (frèné) Frenar.

frelater (té) Adulterar.

frêle (frèl) Endeble.

frelon (loⁿ) Abejón (abélòn).

freluquet (kè) Chisgaravís.

frémir Estremecerse*.

frémissement (aⁿ) Estremecimiento.

frêne (frène) Fresno.

frénésie (sí) *f* Frenesí m.

frénétique (ic) Frenético.

fréquemment Frecuentemente.

fréquence (kaⁿs) Frecuencia.

fréquent, ente Frecuente.

fréquentation Frecuentación.

fréquenter (kaⁿté) Frecuentar [endroit]. Tratar [personne].

frère (frèr) Hermano. *Frère
Jean*, fray Juan.

fresque (esc) *f* Fresco *m*.

fressure (súr) Asadura.

fret (frè) Flete.

fréter (té) Fletar.

fréteur (œr) Fletador.

frétiller (ié) Bullir*.

fretin (tiⁿ) *m* Morralla *f*.

friable (friabl) Friable.

friand, ande (aⁿ, aⁿd) Apetitoso, sa. Goloso, sa [gourmand]. *Friand de*, aficionado, da.

friandise (ís) Golosina.

fricassée *f*. Fricasé *m*.

friche (ich) *f* Baldío (dío)
m. En friche, erial (érial)

fricot (co) Guiso (ísso).

fricotér (té) Guisotear.

friction (io^n) Fricción, friega [friéga].

frictionner (né) Estregar.

frigidité Frigidez.

frigo Carne helada.

frigorifique Frigorífico.

frileux, euse Friolento, ta.

frimas (má) m Escarcha f.

frime (frïm) Pop. Pamema.

frimousse (mús) Fam. Cara.

fringale (gal) Hambre.

fringant (a^n) Vivo, fogoso.

friper (pé) Arrugar, ajar.

fripier (pié) Prendero.

fripon (po^n) Bribón.

friponnerie (rí) Bribonada.

fripouille (ui) f Pillo m.

frire* (frïr) Freír (frito).

frise (frïs) f Friso m. Bambalina f [théâtre].

frisé, ée (sé) Rizado, da.

friser (sé) Rizar. Rozar.

frisette (set) f Rizo m.

frisotter (té) Rizar.

frisquet, ette (kè) Fresco, ca.

frisson (so^n) Escalofrío [de froid]. Estremecimiento.

frissonnement (a^n) Estremecimiento.

frissonner Estremecerse*.

frisure (sür) f Rizado m.

frit, ite (í, it) Frito, ta.

friture (tür) Fritura.

frivole (vol) Frívolo, la.

frivolité Frivolidad.

froc Hábito [religieux].

frocard (ar) Frailuco.

froid, oide (uá, uad) Frío, a. A froid, en frío. Prendre froid, resfriarse.

froideur (dœr) Frialdad.

froidure (dür) f Frío m.

froissement m Estregadura f.

froissure [chiffonnement]. Herida f [amour-propre].

froisser (uasé) Estregar. Arrugar [chiffonner]. Herir* [moralement]. Se froisser, resentirse*.

frôlement (tema^n) Roce.

frôler (lé) Rozar.

fromage (maj) Queso (késso). Fromage blanc, requesón (rekessón).

fromagerie (rí) Quesería.

froment (ma^n) Trigo candeal.

fronce (o^{n}s) f Frunce m (frounzé), fruncido m.

froncer (sé) Fruncir.

frondaison Frondosidad.

fronde (o^{n}d) Honda [arme].

fronder (dé) Fig. Criticar.

frondeur (œr) Hondero. Fig. Revoltoso.

front (fro^n) m Frente f [tête]. Frente m [partie antérieure].

frontal, ale Frontal.

frontière (ier) Frontera.

frontispice Frontispicio.

fronton (to^n) Frontón (tòn).

frottement (tema^n) Frotamiento. Fig. Roce, trato.

frotter (té) Frotar. Se frotter, frotarse, rozarse.

frotteur (tœr) Lustrador de suelos.

froufrou (frufrú) Frufrú.

froufrouter Crujir.

froussard (ar) Cobardón.

frousse f Pop. Miedo m.

fructifier (fié) Fructificar.

fructueux, euse (tüœ, œs) Fructuoso, sa.

frugal, ale (ügal) Frugal.

frugalité Frugalidad.

fruit (früi) m Fruto. Fruta f [fruits pour dessert]. Fruit défendu, fruto prohibido.

fruitier, ère (tié, èr) Frutero, ra. Frutal.

frusques (üsc) fpl. Trapos mpl.

fruste (früst) Gastado, da. Fig. Rudo, da [caractère].

frustrer (tré) Frustrar.

fugace (gas) Fugaz.

fugitif, ive Fugitivo, va.

fugue (füg) Fuga.

fuir* (üir) Huir (ouir). Salírse [liquide]. Escaparse [gaz]. Fuir quelqu'un, huir de alguien.

fuite (füit) Fuga, huída. Fig. Indiscreción (crezión).

fulgurant, ante Fulgurante.

fuligineux Fuliginoso.

fulminant, ante Fulminante.

fulminer (né) Fulminar.

fumé, ée Ahumado, da.

fume-cigarettes m Boquilla f.

fumée (mé) f Humo m.

fumer (mé) Humear (oumméar). Fumar (foumar) [tabac].

fumerie (rí) f Fumadero m.

fumeron Tízo, humeón.

fumet (mè) Husmo. Aroma f.

fumeur (mœr) Fumador.

fumeux (mœ) Humoso.

fumier (mié) Estiércol.

fumigation Fumigación.

fumiger (fümijé) Fumigar.

fumiste (ist) Estufista. Deshollinador. Fig. Camelista.

fumisterie (rí) Fig. Broma.

fumoir (muar) Fumadero.

funambule (bül) Funámbulo.

funèbre (èbr) Fúnebre (fou).

funérailles fpl Funerales mpl.

funéraire (rer) Funerario, a.

funeste (èst) Funesto, aciago.

funiculaire (ler) Funicular.

fur (ür) Au fur et à mesure, a medida (mé).

furet (rè) Hurón [zool.].

fureter (rété) Huronear.

fureur (rœr) f Furor m.

furibond, de Furibundo, da.

furie (fürí) Furia (fou).

furieux, euse (fürïœ, œs) Furioso, sa.

furoncle (oncl) Divieso.

furtif, ive Furtivo, va.

fusain (sìn) Carboncillo.

fuseau (füso) Huso (ousso).

fusée (sé) f Cohete m [feu d'artifice, spatiale]. Espoleta [de projectile].

fuselage (selaj) Fuselaje.

fuser (sé) Deflagrar.

fusible (síbl) Fusible.

fusil (füsi) Fusil [arme]. Escopeta f [chasse].

fusilier (siié) Fusilero.

fusillade (iad) f Tiroteo m.

fusiller (siié) Fusilar.

fusion (sion) Fusión (ssïón).

fusionner (sioné) Fusionar.

fustigation Fustigación.

fustiger (jé) Fustigar.

fût (fü) Tonel. Pipa f. Fût de colonne, fuste (ousté).

futaie (tè) f Monte alto m, oquedal (kédal) m.

futaille (taï) f Tonel m.

futaine (tène) f Fustán m.

futé, ée (füté) Astuto, ta.

futile (íl) Fútil.

futilité Futilidad.

futur, ure (tür) Futuro, ra.

fuyant, ante Que huye. Falso, sa [regard]. Deprimida [front].

fuyard, e (füiar) Fugitivo.

G

gabardine (dín) Gabardina.

gabarit (rí) m Plantilla f.

gabegie (beჟí) f Engaño m.

gabelou (lú) Pop. Aduanero.

gâche (gach) f Cerradero m.

gâcher (ché) Amasar [plâtre]. Fig. Echar a perder.

gâchette (et) f Gatillo m.

gâchis (chí) Lodazal. Fig. Atolladero (lhadéro).

gadoue (dú) Agr. Basura.

gaffe (gaf) f Bichero m. Fam. Torpeza. Faire une gaffe, meter la pata.

gaffer (fé) Meter la pata.

gaffeur (fœr) Torpe (pé).

gaga (gá) Pop. Chocho.

gage (gaj) m Prenda f.

gager (jé) Apostar*.

gageure (jür) Apuesta.

gagnant (ñaⁿ) Ganancioso. Premiado [loterie].

gagné, ée (ñé) Ganado, da.

gagne-pain (píⁿ) m Medio de subsistencia (tènzia).

gagner (ñé) Ganar. Gagner sa vie, ganarse la vida.

gai, gaie (guè) Alegre (égré).

gaiement (guemaⁿ) Alegremente.

gaieté (guèté) Alegría.

gaillard Fam. Buen mozo. Mar. Castillo, alcázar.

gaillardise Desvergüenza.

gain (guiⁿ) m Ganancia.

gaine (guèn) Vaina (vaïna).

gala m. Gala f. Fiesta f.

galamment (maⁿ) Galantemente. Elegantemente (gantéménte).

galant, ante Galante. Ga-

lano, na [élégant]. Fig. Caballeroso, sa.

galanterie (terí) f Galantería. Galanteo [envers les dames].

galantine (tínᵉ) Galantina.

galbe (alb) Perfil. Garbo.

gale (gal) Sarna.

galéjade (ჟad) Broma.

galène (lènᵉ) Galena (léna).

galère (ler) Galera (léra).

galerie (lᵉrí) Galería.

galérien (riⁿ) Galeote.

galet (lè) Guijarro (jarro).

galetas (letá) Desván [mansarde]. Chiribitil [taudis].

galette Torta. Pop. Guita.

galeux, euse Sarnoso, sa.

galimatias Galimatías.

galle (gal) Agalla.

gallicisme (ism) Galicismo.

gallo-romain, aine (iⁿ, énᵉ) Galorromano, na.

galoche (loch) Galocha.

galon (loⁿ) Galón (lòn).

galonner (né) Galonear.

galop (lo) Galope (pé).

galoper (pé) Galopar. Correr.

galopin (píⁿ) Mandadero. Fam. Galopín, pillo.

galvaniser (sé) Galvanizar.

galvanoplastie (tí) Galvanoplastia.

galvauder (dé) Frangollar.

gambade (gaⁿ) f Brinco m.

gambader (dé) Brincar.

gamelle (mel) Escudilla.

gamin Chiquillo. Travieso.

gaminerie (nᵉri) Travesura.

gamme (gam) Escala.

ganache (nach) Barbada.

gandin (dín) Pisaverde (vèr).

ganglion (glión) Ganglio.

gangrene (grèn) Gangrena.

gangrener (ne) Gangrenar.

gangue (aⁿg) Ganga.

ganse (gaⁿs) Presilla (illa).

gant (gaⁿ) Guante (gouanté). Manopla f [de toilette]. *Comme un gant*, clavado.

gantelet (lé) m Manopla f.

ganter (té) Enguantar.

ganterie (rí) Guantería.

garage (raj) Garaje m [auto]. *Voie de garage*, apartadero.

garance (raⁿs) Rubia (rou).

garant, ante Fiador, ra. *Se porter garant*, salir fiador.

garantie (tí) Garantía.

garantir Garantizar.

garce Zorra [injure]. *Fam. Garce de vie*, perra vida.

garçon (soⁿ) Mozo. Muchacho. Chico. Soltero [célibataire]. *Beau garçon*, buen mozo. *Bon garçon*, buen muchacho.

garçonnet (nè) Niño.

garçonnière f Cuarto [m] de soltero.

garde (gard) Guardia (gonar). Guarda [gardien]. *Garde champêtre*, guarda de campo. *Sur ses gardes*, sobre aviso. *Se mettre en garde*, afirmarse, precaverse.

garde-boue Guardalodos.

garde-chasse (chás) Guarda de caza.

garde-chiourme (chiurm) Cómitre. Cabo de leva [prisons].

garde-côte Guardacostas.

garde-fou (fú) Antepecho.

garde-malade Enfermero.

garde-manger m Fresquera f.

garde-meubles (œbl) Guardamuebles.

gardénia m Gardenia f.

garder (dé) Guardar.

garderie (rí) Escuela, asilo.

garde-robe (ob) Guardarropa.

gardien Guardián. Guardia [d'un jardin, de la paix].

gare Estación. ¡Cuidado! *Sans crier gare*, sin avisar.

garenne (ren) f Vivar m.

garer Guarecer*. *Aparcar* [auto].

gargariser (sé) Gargarizar.

gargarisme (ism) Gárgarismo.

gargote (ot) f Figón (gón) m.

gargotier (tié) Bodegonero.

gargouille (guie) Gárgola.

gargouillement Gorgoteo.

garnement Píllo, bribón.

garni (ní) Guarnecido. Lleno [plein]. *M. Posada f*.

garnir Guarnecer*. Adornar. Alhajar [meubler].

garnison (soⁿ) Guarnición.

garniture (tür) Guarnición. *Fig. Aderezo m*.

garrot (ro) Garrote.

garrotter (té) Agarrotar.

gars (gar) Mozo.

gascon (coⁿ) Gascón.

gaspillage (piiaj) Derroche.

gaspiller (piié) Malgastar.

gastralgie (jí) Gastralgia.

gastrique (tric) Gástrico.

gastronome (om) Gastrónomo.

gastronomie (mí) Gastronomía.

gâteau (to) Pastel. Panal.

gâter (gaté) Echar a perder.

gâterie (terí) f Mimo m.

gâteux, euse (tœ, œs) Chocho, cha.

gâtisme (ism) m Chochez f.

gauche (goch) Izquierdo, da.
Torcido, da. Torpe [gestes].
À gauche, a la izquierda.

gauchement Torpemente.

gaucher, ère (ché, èr) Zurdo,
da (zourdo).

gaucherie (cherí) Torpeza.

gauchir (chír) Torcer*.

gaudriole (ol) Chocarrería.

gaufre (gofr) f Panal m [de
miel]. Barquillo m [pâtis-
serie].

gaufrer (fré) Estampar.

gaufrette (gofrèt) Especie de
barquillo (kilho).

gaule (gol) Vara.

gauler (golé) Varear (réar).

gaulois, oise Galo, la. Fig.
Libre.

gauloiserie (rí) Broma libre.

gausser (se) (gosé) Burlarse.

gave (gav) Torrente.

gaver (vé) Cebar [animaux].
Fig. Atracar [personnes].

gavotte (vot) Gavota.

gavroche (och) Pilluelo.

gaz (gas) Gas (gass).

gaze (gas) Gasa (gassa).

gazelle (sel) Gacela (zéla).

gazer (sé) Cubrir con gasa.
Fam. Andar bien [auto].

gazette (set) Gaceta (zéta).

gazeux, euse (sœ, œs) Ga-
seoso, sa (oss).

gazogène (sojen) Gasógeno.

gazomètre (etr) Gasómetro.

gazon (son) Césped [pers.].

gazonner (né) Encespedar.

gazouillement Gorjeo.

gazouiller (suié) Gorjear.

geai (jè) Arrendajo (rrèn).

géant, ante Gigante (jigàn).

geindre (jindr) Quejarse.

gel (jel) m Helada f.

gélatine (tín) Gelatina (jé).

gelée (jelé) Helada (élada).
Jaletina [viande]. Jalea
[de fruits]. Gelée blanche,
escarcha.

geler (jelé) Helar.

gémeaux (jemo) Géminis.

gémir Gemir* (jémir).

gémissant, ante Gimiente.

gémissement (man) Gemido.

gênant (jénan) Molesto.

gencive (jansiv) Encía.

gendarme (darm) Gendarme.

gendarmerie (rí) Gendarmería.

gendre (jandr) Yerno (iérno).

gêne (jen) Molestia. Apuro
m [d'argent]. Sans gêne,
sin consideración (ziòn).

gêné (jené) Molesto, apurado.

généalogie (jí) Genealogía.

gêner (jené) Molestar. Si ça
ne vous gêne pas, si no le
molesta. Ne pas se gêner,
tener* frescura.

général General.

généraliser (sé) Generalizar.

généralissime Generalísimo.

généralité Generalidad.

générateur, trice (œr, trís)
Generador, ra.

generation Generación.

généreux, euse (rœ, œs) Generoso, sa. Dadivoso, sa.

générosité Generosidad. Liberalidad.

genese (jenes). Génesis.

genêt m Retama f. Genêt
d'Espagne, retama de olor.

gêneur, euse (nœr, œs) Importuno, na.

genevois, oise (nevuá, uás)
Ginebrino, na.

genévrier (vrié) Enebro.

génial Genial (jé).

génie (jení) Genio (jé). *Mil.*
Cuerpo de ingenieros. *Génie
civil*, ingeniería.

génisse (jenís) Ternera.

génital, tale Genital.

génitif Genitivo.

génois, oise (jenuá, uás) Ge-
novés, sa.

genou (jœnú) m Rodilla (lh)
f. *A genoux*, de rodillas.

genouillère Rodillera.

genre (jaⁿr) Género (jéné).
Faire du genre, darse tono.

gens (jaⁿ) fpl Gente f. *Gens
de lettres*, literatos. *Braves
gens*, buena gente.

gent (jaⁿ) Gente.

gentiane (jⁿs) Genciana.

gentil, ille (tí, íie) Gentil.
Gracioso, sa, amable. *Iron.*
Lindo, da, gracioso, sa.

gentilhomme (tíiom) Hi-
dalgo. Gentilhombre [charge
ancienne].

gentillesse (íes) Gentileza.

génuflexion Genuflexión.

géographe (graf) Geógrafo.

géographie (fí) Geografía.

géographique Geográfico.

geôle (jol) f Calabozo m.

geôlier (lié) Carcelero.

géologie (jí) Geología.

géologue (log) Geólogo (géo).

géomètre (mⁿr)* Geómetra.

géométrie (trí) Geometría.

gérance (aⁿs) Gerencia (èn).

géranium (níom) Geranio.

gérant, ante Gerente (rèn).

gerbe (jerb) Gavilla (vílha).
Ramo m [de fleurs].

gercer (jersé) Agrietar.

gerçure (sür) Grieta.

gérer (jeré) Administrar.

germain, aine (miⁿ, ène)
Germano, na.

germanique Germánico, ca.

germaniser (sé) Germanizar.

germanisme (ísm) Germa-
nismo.

germe (jerm) Germen (jer-
mén).

germer (mé) Germinar.

germination Germinación.

gérondif, ive Gerundio.

gésier (sié) m Molleja f.

gésir* Yacer*. *Ci-gît*, aquí
yace.

gestation (sioⁿ) Gestación.

geste (jest) Ademán, gesto.

gesticulation Gesticulación.

gesticuler (cülé) Accionar,
gesticular [jesticular].

gestion (jestioⁿ) Gestión.

ghetto (guéto) Ghetto.

gibelotte (sier) Morral m.

gibelotte (lot) f Guiso [m]
de conejo.

giberne (jibern) Cartuchera.

gibet (bè) m Horca f.

gibier (bié) m Caza f.

giboulée (lé) f Aguacero m.

giboyeux, euse (iœ, œs)
Abundante en caza.

gicler (clé) Salpicar.

gicleur (clœr) Inyector.

gifle (jifl) Bofetada.

gifler (jiflé) Abofetear.

gigantesque (esc) Gigantesco.

gigot (jigo) m Pierna [f]
de carnero.

gigoter (té) Patalear.

gilet (jilè) Chaleco (léco).

gingembre (jaⁿbr) Jengibre.

girafe (raf) Jirafa (jira).

girandole (dol) f Girándula.

giratoire (tuar) Giratorio.

girofle (ofl) Clavo.

giroflée (flé) f Alhelí m.

giron Regazo. *Fig.* Seno.

girouette (uet) Veleta.

gisement Yacimiento.

gitane (tan) Gitano, na.

gite (jit) Albergue. Cama f.

givre (jivr) m Escarcha f.

glabre (glabr) Lampiño, ña.

glace (as) f Hielo (télo) m. Luna f [verre]. *Armoire à glace*, armario de luna. Espejo m [miroir]. Helado m [crème glacée].

glaçage (saj) Glaseado.

glacer (sé) Helar*. Glasear [lustrer]. Escarchar [fruit].

glacial, ale Glacial.

glacier (sié) Helero [geog.]. Horchatero [marchand].

glacière (sier) Nevera.

glacis (sí) Glacis (ziss).

glaçon (son) Témpano.

gladiateur Gladiador.

glaïeul (ïœl) Estoque (ké).

glaire (gler) Flema (flé) [humeur]. Clara [œufs].

glaise (glès) f Barro m.

glaive (glev) m Espada f.

gland (glan) m Bellota f.

glande (nd) Glándula.

glaner (né) Rebuscar.

glapir Chillar (lhar).

glas (gla) Clamor. *Sonner le glas*, doblar las campanas.

glauque (oc) Glauco (aouco).

glèbe (gleb) Gleba.

glissade (sad) f Resbalón m. Desliz (deslíz) m.

glissant, ante Resbaladizo

glissement Resbalamiento.

glisser (sé) Resbalar (res), deslizar. *Fig.* Escabullirse. *Se glisser*, escurrirse. Meterse.

glissière (sier) Corredera.

glissoire (iswar) f Resbaladero m, deslizadero m.

global, ale Global.

globe (glob) Globo.

gloire (gluar) Gloria.

glorieux, euse (riœ, œs) Glorioso, sa.

glorifier (fié) Glorificar.

gloriole (iol) Vanagloria.

glossaire (ser) Glosario.

glotte (glot) Glotis.

glouglou (gluglú) Glogló.

gloussement Cloqueo.

glousser (glusé) Claquear.

glouton, onne Glotón, na.

glu (glü) Liga.

gluant (üan) Viscoso (osso).

glucose (cós) m Glucosa f.

gluten* (glütèn) Gluten.

glycérine (serín) Glicerína.

glycine (glisín) Glicina.

gnocchi (ñoki) Ñoqui (gno).

gnome (gnom) Gnomo (ghno).

go (tout de) De rondón.

gobelet (belé) Cubilete.

gober (bé) Tragar, sorber.

godelureau (godelüro) Pisaverde.

godet Cubilete. Cangilón [de noria].

godille (ïe) Espadilla.

godillot Pop. Borceguí.

goéland (lan) m Gaviota f.

goélette (let) Goleta.

goémon (mon) Fuco [algue].

gogo (go) Bobo, tonto. *A gogo*, a gusto.

goguenard (ar) Guasón.

goguette (en) De buen humor.

goinfre (guinfr) Glotón.

goitre iguatr) m Papera f.

golfe (golf) Golfo.

gomme (gom) Goma.

gommer (mé) Engomar.

gommeux, se (œ, œs) Gomoso, sa.

gond (gon) Gozne. *Sortir de*

ses gonds, salir de sus casillas.
gondole (dol) Góndola.
gondoler (lé) Alabear.
gondolier (lié) Gondolero.
gonflé, ée Hinchado, da.
gonfler (flé) Hinchar*.
gong (go°g) Batintín.
goret (rè) Gorrino.
gorge (gj) Garganta. Pecho *m* [de femme]. *A gorge déployée*, a voz en cuello.
gorgée (jé) *f* Trago *m*.
gorger Cebar. *Fig.* Hartar.
gorille (rie) Gorila.
gosier (sié) Gaznate.
gosse (gos) Chiquillo, lla.
gothique (tic) Gótico.
gouache (guach) Pintura a la aguada (agouada).
gouailler (guaié) Burlarse.
goudron (dro°) Alquitrán. Brea *f*.
goudronner Alquitranar.
gouffre Abismo. Sima *f*.
goujat (gujá) Sinvergüenza.
goujon (gujo°) Gobio [poisson].
goulet (lè) Boquete (kété).
goulot (lo) Gollete.
goulu, ue (lü) Tragón, na.
goupille (pie) *f* Pasador *m*.
goupillon (pio°) Hisopo.
gourd, ourde (gur, urd) Torpe, entumido, da.
gourde (gurd) Cantimplora.
gourdin (di°) Garrote.
gourmand, ande Goloso, sa.
gourmander (dé) Regañar.
gourmandise (ís) Golosina.
gourme (urm) *f*. Usagre *m*.
gourmet (mè) Gastrónomo.
gourmette (et) Barbada.
gousse (gus) Vaina (vaïna).
Gousse d'ail, diente de ajo.
gousset (sè) Bolsillo (lho).

goût (gu) Gusto (gousto).
Avoir le goût de, saber* a.
goûter (té) Probar*. *Fig.* Aprobar* [approuver]. Gustar. Merendar. *M* Merienda *f*.
goutte (gut) Gota. *N'y voir goutte*, no ver* una jota.
goutter (té) Gotear.
goutteux, euse Gotoso, sa.
gouttière Canal *m* [toits].
gouvernail (naï) Timón (o°).
gouvernant (a°t) Gobernante.
gouvernante (a°t) Aya [d'enfants]. Ama de llaves.
gouvernement (a°) Gobierno.
gouvernemental, ale Gubernamental.
gouverner (né) Gobernar*.
gouverneur Gobernador.
grabat (bá) Camastro.
grâce (gras) Gracia. Indulto [d'un condamné]. *Rendre grâces*, dar* las gracias. *Grâce à*, gracias a.
gracier (sié) Indultar.
gracieuseté *f* Agasajo *m*.
gracieux, euse Gracioso, sa.
gradation (sio°) Gradación.
grade (grad) Grado.
gradé de Cabo. Sargento.
gradin (di°) *m* Grada *f*.
graduel, elle (üel) Gradual.
graduer (üé) Graduar.
gracile (sil) Grácil.
graillon Olor a grasa.
grain (gri°) Grano. Cuenta *f* [rosaire]. *Grain de beauté*, lunar.
graine (ène) Semilla. Pepita [melon, etc.]. *Mauvaise graine*, mala ralea (léa).
graissage (saj) Engrase.
graisse (es) Grasa. *Prendre de la graisse*, engordar.

graisser (sé) Engrasar.
graisseur (œr) Engrasador.
graisseux, euse (sœ, œs) Grasiento, ta.
graminée (né) Gramínea.
grammaire (er) Gramática.
grammairien (iin) Gramático.
gramme (gram) Gramo.
grand, ande Grande. Alto, a [de taille]. Mayor [dignités]. [Devant un substantif : gran : gran casa].
grand-chose Gran cosa.
grandeur (dœr) f Tamaño m. Fig. Grandeza (déza) f.
grandiose Grandioso, sa.
grandir Crecer*. Agrandar.
grand-mère (granmer) Abuela (abouéla).
grand-père (granper) Abuelo.
grands-parents (an) Abuelos.
grange (anj) f Troje m. Hórreo m [grenier]. Pajar m.
granit Granito.
granule (ül) Gránulo.
granuler (lé) Granular.
grapnique (fic) Gráfico.
graphite (fit) Grafito.
graphologie (ji) Grafología.
grapiller Rebuscar.
grappe (grap) f Racimo m.
grappin (pin) Garfio.
gras, asse (gra, gras) Graso, sa [corps, substance]. Gordo, da [ayant de la graisse]. Grasiento, ta. [graisseux].
Jour gras, día de carne.
Faire gras, comer carne.
Parler gras, tartajear.
gras-double m Callos mpl.
grasseyer (séié) Tartajear.
grassouillet (iè) Regordete.
gratification Gratificación.
gratifier (fié) Gratificar.

gratin (tin) Gratín.
gratiner Gratinar, tostar*.
gratiole Graciola.
gratitude (üd) Gratitud.
grattage (taj) Raspadura.
gratte-ciel Rascacielos.
gratte-papier Cagatintas.
gratter (té) Raspar. Rascar [la peau].
grattoir (tuar) Raspador.
gratuit, uite (tüi, üit) Gratuito, ta.
gratuité Gratuidad.
gravats mpl Cascajo m.
grave (grav) Grave (vé).
graveleux (œ) Guijoso.
gravelle (vel) Mal de piedra.
graver (vé) Grabar.
graveur (vœr) Grabador.
gravier (vié) Guijo.
gravir Trepar.
gravité Gravedad.
gravure (vür) f Grabado m.
gré Grado. *Au gré de*, a gusto de. *Contre mon gré*, mal de mi grado. *De gré ou de force*, por grado o por fuerza. *De plein gré*, de buena gana. *Savoir gré à quelqu'un*, agradecer* a uno.
grec, ecque (ec) Griego, ga.
gredin (gredin) Pillo.
gréement (man) Aparejo.
gréer (greé) Aparejar.
greffe (gref) f Injerto m.
greffer (fé) Injertar.
greffier (fié) Escribano.
grêle Delgado, da. Agudo, de [voix]. F. Granizo m.
grêler (lé) Granizar.
grelon (lon) Granizo.
grelot (grœlo) Cascabel.
grelotter (té) Tiritar.
grenache (nach) Garnacha.

grenade (ad) Granada.

grenadier Granado. *Mil.* Granadero.

grenadine (íne) Granadina.

grenat (cná) Granate.

grenier (œnié) Granero. Desván [débarras].

grenouille (œnúe) Rana.

grenu, ue Graneado, da.

grès Asperón. Arenisca *f.*

grésil (sí) Granizo.

grésiller (ié) Granizar.

grève Playa. Arenal *m* [rivières]. Huelga [ouvriers].

grever (œvé) Gravar.

gréviste (ist) Huelguista.

gribouillage (aj) Garabatos.

gribouiller (ié) Garabatear.

grief (iéf) *m* Queja (kéja) *f* [plainte].

grièvement (a^n) Gravemente.

griffe (if) Garra. Uña [des chats]. Firma [signature].

griffer (ié) Arañar (gnar).

griffon (o^n) Grifo [hérald].

griffonnage *m* Garabatos *mpl.*

griffonner (né) Garabatear.

grignoter (ñoté) Roer*.

grigou (gú) Tacaño (gno).

gril (gri) *m* Parrillas *fpl.*

grillade (iiad) Carne asada.

grillage (iiaj) *m* Alambrera *f.* [Treillis].

grille (gríie) Reja.

griller (iié) Tostar*.

grillon (iio^n) Grillo.

grimaçant Que hace muecas.

grimace (às) Mueca, gesto *m. Faire la grimace*, poner* mala cara.

grimacer Hacer muecas.

grimer (se) Pintarse.

grimoire *Libro mágico.*

grimper (pé) Trepar, subir.

grincement (sa^n) Rechinamiento.

grincer (insé) Rechinar.

grincheux, euse (chœ, œs) Arisco, ca.

gringalet Mequetrefe.

griotte Guinda garrafal.

grippage (aj) Rozamiento.

grippe Gripe, trancazo *m.*

grippé, ée Agarrado, da. Con gripe, griposo, a [malade].

gripper (pé) Agarrar. Engerse [étoffe]. Rozar [fer].

gris, se (gri, is) Gris, pardo. da. Canoso, sa [cheveux]. *Fam.* Chispo, pa [ivre].

grisaille *f* Claroscuro *m.*

grisâtre Pardusco.

griser Achispar, alumbrar.

griserie (sœrí) Embriaguez.

grisette (set) Modistilla.

grisonner (né) Encanecer*.

grisou (sú) Grisú (issou).

grive (griv) *f* Tordo *m.*

grivèlerie (velrí) Estafa de alimentos.

grivois, oise (vuá, uás) Picaresco, ca. Libre.

grivoiserie (rí) Picardía.

grog Grog.

grognement (ñe) Gruñido.

grogner (groñé) Gruñir.

grognon (no^n) Gruñón) (ón).

groin (gruí^n) *m* Jeta *f.*

grommeler (mêlé) Gruñir*.

grondement (ma^n) Gruñido.

gronder (dé) Gruñir [bêtes]. Rugir (roujir) [éléments]. Regañar [réprimander].

gronderie (rí) *f* Regaño *m.*

groom (grum) Botones *m sing.*

gros, osse (gro, os) Grueso, sa. Gordo, a [corpulent]. Embarazada [femme]. Gro [tissu]. Comercio al por mayor. *En gros*, en todo.

groselle (seí) Grosella.

groseillier (eié) Grosellero.

grossesse (es) f Embarazo m.

grosseur (œr) f Grueso m.

grossier, ère (sié, er) Grosero, ra.

grossièreté Grosería.

grossir Abultar. *Fig.* Amplificar. Engordar [poids].

grossissant, ante Creciente. De aumento [lentille].

grossissement (sisemⁿ) Engorde. Aumento [opt.].

grossiste (ist) Mayorista.

grosso modo Someramente.

grotesque (esc) Grotesco, ca.

grotte (grot) Gruta.

grouillement (gruiemⁿ) Hormigueo, hervidero (ervidé).

grouiller (uié) Bullir* [remuer]. Hormiguear.

groupe (grup) Grupo.

groupement Agrupamiento.

grouper (pé) Agrupar.

gruau (grüo) Farro. *Pain de gruau*, pan de flor.

grue (grü) Grulla (oulha). Grúa [machine].

gruger (üjé) Roer* [manger]. *Fam.* Arruinar.

grumeau (üjé) Grumo.

gruyère Queso de Gruyère.

guano (güano) Guano.

gué Vado. *Passer à gué*, vadear.

guelte f Interés m.

guenille f Guiñapo m.

guenon (gœnⁿ) Mona.

guêpe (güèp) Avispa.

guêpier (pié) Avispero.

guère (güèr) Casi, apenas. *Il n'est guère appliqué*, no es muy aplicado.

guéridon (doⁿ) Velador.

guerilla (la) Guerrilla.

guérir Sanar, curar.

guérison (soⁿ) Curación.

guérisseur (œr) Curandero.

guérite (rít) Garita.

guerre (güèr) Guerra. *De bonne guerre*, en buena lid.

guerrier, ère (rié, èr) Guerrero, ra.

guerroyer (ruaié) Guerrear.

guet (güè) Acecho. Ronda f.

guet-apens m Asechanza f.

guêtre (güètr) Polaina.

guetter (gueté) Acechar.

guetteur (tœr) m Atalaya f.

gueule (œl) Boca.

gueuler (gœlé) Gritar.

gueuleton m Comilona f.

gueux, euse (gœ, œs) Pordiosero, ra. Pícaro, ra. Bribón, na.

gui Muérdago.

guichet Portillo, postigo. Taquilla f [de billets].

guide (guid) m Guía m [personne]. Guía f [livre].

guider (guidé) Guiar.

guidon m Guía f [vélo].

guigne (guiñ) Guinda [cerise]. *Pop.* Mala suerte.

guigner (né) Guiñar. *Pop.* Desear.

guignol (ñol) Guiñol (gnol).

guignon (ñoⁿ) Mala suerte.

guillemet (mè) m Comilla f.

guilleret, ette Alegre.

guillocher Labrar a torno.

guillotine (tíne) Guillotina.

guillotiner Guillotinar.

guimauve f Malvavisco m.

guimbarde f Carricoche m.

guimpe (ñp) Toca.

guindé, ée Afectado, da.

guinder (se) Engreírse*.

guingois (de) Tuerto, ta.

guinguette f Ventorríllo m.
guipure (pür) Blonda.
guirlande (laⁿd) Guirnálda.
guise (guis) Guisa (íssa).
guitare (tar) Guitárra.
guitariste (íst) Guitarrísta.

gutta-percha Gutapercha.
guttural, ale Gutural.
gymnase (jimnas) Gimnasio.
gymnaste (ast) Gimnasta.
gymnastique (íc) Gimnasia.
gypse (jips) Yeso (yesso).

H

h (ach) Esta letra puede ser
en francés muda o aspirada.
La aspirada no se pronuncia
tampoco, pero no permite la
elisión. En la pronuncia-
ción figurada la indicamos
con el signo (').
ha! ('a) ¡Ah! ¡Ay!
habile (abíl) Hábil.
habileté (leté) Habilidad.
habillage (iaj) Vestido.
habillé, ée (iié) Vestido, da.
Habillé en marquis, vestido
de marqués (kès).
habillement (iaⁿ) Vestido.
habiller (iié) Vestír.
habit (bí) Vestido, traje.
habitable (abl) Habitable.
habitant (taⁿ) Habitante.
habitation Habitación.
habiter (té) Habitar.
habitude (tüd) Costumbre.
habituel Acostumbrado.
habituer (tüé) Acostumbrar.
hâblerie (rí) Habladuría.
hâbleur (œr) Hablador.
hache (ach) Hacha (acha).
hacher Picar [viande].
hachette Destral, azuela.
hachis (chí) Picadillo.
hachure (ür) f Plumeado m.
hagard (gar) Huraño.
haie ('è) f Seto m. Faire la
haie, hacer* calle

haillon Andrajo, harapo.
haine ('ène) f Ódio m.
haineux (nœ) Que tiene
odio; rencoroso (rèncorosso).
haïr Odiar, aborrecer*.
halage (laj) m Sirga f.
hâle ('al) Solana, resol.
hâlé ('alé) Curtido.
haleine (alène) f Aliento m.
Reprendre haleine, recobrar
la respiración (ziòn).
haler ('alé) Halar (alar).
hâler ('alé) Curtir.
haletant (letaⁿ) Jadeante.
halètement (maⁿ) Jadeo.
haleter ('alté) Jadear.
hall ('ol) Hall.
halle ('al) f Mercado m.
hallebarde (bard) Alabarda.
hallucination Alucinación.
halluciner (siné) Alucinar.
halo ('alo) Halo (alo).
halte ('alt) f Alto m. Interj.
¡Alto! Halte-là!   ¡Alto
ahí!
haltère (tèr) f Balancín m.
hamac ('amac) m Hamaca f.
hameau ('amo) m Aldea f.
hameçon (mesoⁿ) Anzuelo.
hampe ('anp) Asta [de lance].
hanche ('aⁿch) Cadera.
handicap ('aⁿ) Handicap.
handicaper Desaventajar.
hangar ('aⁿgar) Cobertizo.

121   HAN — HEC

hanneton ('an*to*ⁿ) Abejorro.

hanté, ée ('aⁿté) Frecuentado, da. Encantado, da [maison].

hantise ('aⁿtís) Obsesión.

happer ('apé) Agarrar.

harangue ('araⁿg) Arenga.

haranguer (gué) Arengar.

haras ('ará) Acaballadero.

harasser (arasé) Cansar.

harceler Acosar, hostigar.

hardes fpl Trapos mpl.

hardi ('ardí) Atrevido.

hardiesse f Atrevimiento m.

hardiment Atrevidamente.

harem ('arem) Harén (arèn).

hareng (araⁿ) Arenque.

hargneux ('ñœ) Huraño.

haricot ('aricó) m Judía f. Amer. Frijol, poroto. Haricot vert m, habichuela f.

haridelle (aridèl) f Penco, jamelgo (jamelgo) m.

harmonica (cá) Armónica.

harmonie (ní) Armonía.

harmonieux Armonioso.

harmoniser (sé) Armonizar.

harmonium (iom) Armonio.

harnachement Enjaezamiento [action] Arreos [harnais] mpl. Fam. Atavío [ridicule].

harnacher (ché) Enjaezar. Fig. Ataviar [ridiculement].

harnais ('arnè) mpl Arreos.

haro! ¡Favor! ¡Justicia!

harpe ('arp) Arpa [musique].

harpie ('arpí) Arpía.

harpiste (íst) Arpista.

harpon (arpoⁿ) Arpón.

harponner (né) Arponear.

hasard ('asar) m Casualidad f. Azar (azar) m. Au hasard,

al azar. Par hasard, por casualidad.

hasarder (dé) Arriesgar.

hasardeux (dœ) Arriesgado.

haschisch Haxix.

hâte ('at) Prisa. En hâte, de prisa.

hâter ('até) Apresurar.

hâtif ('atif) Prematuro.

hauban ('oباⁿ) Obenque.

hausse ('os) Alza (alza).

haussement ('osmaⁿ) Alzamiento.

hausser (osé) Alzar. Subir [valeurs]. Hausser les épaules, encogerse de hombros.

haut, te ('o, 'ot) Alto, ta. M Alto. Très haut, Altísimo. De haut en bas, de arriba abajo. En haut, arriba.

hautain ('otⁿ) Altivo.

hautbois ('obuá) Oboe.

haut-de-chausses (odⁿchos) Calzones.

hauteur ('otœr) Altura. Altanería (éria) [fierté].

haut-le-cœur ('olⁿcœr) m Náusea (naousséa) f.

haut-le-corps (olⁿcor) Estremecimiento.

haut-parleur Altavoz.

haut-relief Altorrelieve.

havane (aváⁿ) Habano [cigare].

hâve ('av) Pálido, macilento.

havre m Abra f [mar.].

havresac m Mochila f.

hé! ('é) ¡Eh!

heaume ('om) Yelmo.

hebdomadaire (er) Semanal.

héberger (jé) Albergar.

hébéter (té) Embrutecer*.

hébreu (œ) Hebreo.

hécatombe (toⁿb) Hecatombe.

hectare (ar) m Hectárea f.

hectogramme Hectogramo.
hectolitre Hectolitro.
hectomètre (etr) Hectómetro.
hectowatt (uat) Hectovatio.
hégémonie (ní) Hegemonía.
hein! ('iⁿ) ¡Eh! ¡He!
hélas (elás) ¡Ay! (aí).
héler ('elé) Llamar (lha).
hélice (elís) Hélice (zé).
hélicoptère Helicóptero.
héliogravure Heliograbado.
héliotrope (op) Heliotropo.
hellène (elènᵉ) Heleno, na.
hellénique (ic) Helénico, ca.
helvétique (ic) Helvético, ca.
hématite Hematites.
hématurie (rí) Hematuria.
hémicycle (icl) Hemiciclo.
hémiplégie (jí) Hemiplejía.
hémiplégique Hemipléjico.
hémisphère (fèr) Hemisferio.
hémorragie (jí) Hemorragia.
hémorroïdes Hemorroides.
hennir (ennír) Relinchar.
hennissement (aⁿ) Relincho.
hépatique (ic) Hepático.
heptagone (óⁿ) Heptágono.
héraldique (ic) Heráldico.
héraut ('ero) Heraldo.
herbage (erbaj) Herbaje.
herbe (erb) Hierba. Mauvaise herbe, maleza. En herbe, en cierne.
herbier (erbié) Herbario.
herboriser Herborizar.
herboriste (ist) Herbolario.
herculéen (leⁱⁿ) Hercúleo.
hère (pauvre) Pobre diablo.
héréditaire Hereditario.
hérédité (eredité) Herencia.
hérésie (eresí) Herejía.
hérétique (tíc) Herético. Un hérétique, un hereje (éjé).
hérisser ('erisé) Erizar.

hérisson ('erisoⁿ) Erizo.
héritage (taj) m Herencia f.
hériter (erité) Heredar. Hériter d'une maison, heredar una casa. Hériter d'un cousin, heredar a un primo (ou: de un primo).
héritier, ière Heredero, ra.
hermétique (tíc) Hermético.
hermine (mínᵉ) f Armiño m.
hernie Hernia, quebradura.
héroïne (eroïⁿᵉ) Heroína.
héroïque (eroíc) Heroico.
héroïsme (oísm) Heroísmo.
héron ('eroⁿ) m Garza f.
héros ('ero) Héroe (éroé).
herpès ('erpés) m Herpes f.
herse ('ers) Grada.
herser (sé) Rastrillar.
hésitant (sitaⁿ) Vacilante.
hésitation (oⁿ) Vacilación.
hésiter (esité) Vacilar. Hésiter à, vacilar en.
hétéroclite Heteróclito.
hétérodoxe Heterodoxo.
hétérogène Heterogéneo.
hêtre ('etr) m Haya f.
heur (œr) Suerte.
heure (œr) Hora. Une heure, la una. Il est trois heures, son las tres. Six heures et demie, et quart, moins le quart, vingt : las seis y media, y cuarto, menos cuarto, y veinte. De bonne heure, temprano. Tout à l'heure, hace poco [avant] ; pronto [après]. Mettre à l'heure, poner* en hora.
heureux (œrœ) Feliz.
heurt ('œr) Choque, golpe.
heurter (té) Chocar. Fig. Contrariar, herir* (erír).
heurtoir (tuar) m Aldaba f.
hexagone Hexágono.

hiatus ('iatŭs) Híato.

hibou ('ibú) Buho (bouo).

hic ('ic) Hito, busilis.

hideux ('idœ) Horroroso.

hier (ier) Ayer (ayèr).

hiérarchie Jerarquía.

hiérarchique Jerárquico.

hiéroglyphe Jeroglífico.

hilarant (raⁿ) Hilarante.

hilarité Hilaridad.

hindou (iⁿdú) Indio (ìn).

hippique (ipíc) Hípico.

hippodrome (dróm) Hipó-
dromo.

hippopotame (dróm) Hipopótamo.

hirondelle Golondrina.

hirsute (irsŭt) Hirsuto.

hispanique (íc) Hispánico.

hispano-américain (rikiⁿ)
Hispanoamericano.

hisser ('isé) Izar. Fig. Subir.

histoire (istuar) Historia.
Fam. Cuento m. Histoire
sainte, historia sagrada.
Faire des histoires, andar*
con cumplidos, poner* difi-
cultades.

historien (riiⁿ) Historiador.

historier (ié) Historiar.

historique (ríc) Histórico.

histrion (oⁿ) Histrión.

hiver (iver) Invierno.

hobereau ('obero) Tagarote.

hochement ('ochmaⁿ) Meneo.

hocher ('oché) Menear.

hochet sonajero. Chupador.

hola! (¡Hola! ¡Eа!

hollandais (aⁿdè) Holandés.

holocauste Holocausto.

homard Cabrajo; bogavante.

homélie (lí) Homilía.

homéopathie (tí) Homeopa-
tía.

homéopathique (tíc) Homeo-
pático.

homérique (ríc) Homérico.

homicide (sid) Homicidio
[assassinat].   Homicida
[homme].

hommage (omaȝ) Homenaje.

homme (om) Hombre (on-
bré). Homme de lettres, literato. Homme de loi, le-
gista. Homme du monde,
hombre de mundo. Honnête
homme, hombre honrado.

homogène Homogéneo, a.

homologuer Homologar.

homonyme (ím) Homónimo.

hongrois (gruá) Húngaro.

honnête (onèt) Honrado, da
[probe].   Honesto,   ta
[chaste].   Decente,   bien
criado [bien élevé].

honnêteté (tété) Honradez
[probité]. Honestidad [mo-
destie]. Decencia [éducat.].

honneur (onœr) Honor.
Honra f [réputation]. Af-
faire d'honneur,   desafío
(dèssa).

honnir ('onír) Envilecer*.

honorable (rabl) Honorable.

honoraire (rer) Honorario.

honorer (ré) Honrar (rar).

honorifique (íc) Honorífico.

honte ('oⁿt)   Vergüenza.
Avoir honte, faire honte,
tener*, dar* vergüenza.

honteux (tœ)   Vergonzoso
[qui fait honte]. Avergon-
zado [qui a honte]. Je suis
honteux de, me da ver-
güenza.

hop! ('op) ¡Hala!

hôpital (opital) Hospital.

hoquet Hipo. Avoir le ho-
quet, tener hipo.

horaire (orer) Horario.

horde ('ord) Horda.

horion ('orioⁿ) Golpe.

horizon (orizoⁿ) Horizonte.

horizontal Horizontal.

horloge (orloj) f Reloj (ré-
ló) m.

horloger (jé) Relojero.

horlogerie (rí) Relojería.

hormis (mí) Excepto (czep).

horoscope (p) Horóscopo.

horreur (orœr) f Horror m.

horrible (ibl) Horrible (blé).

horrifier (ŏriŏŏé) Aterrar.

horripilant Horripilante.

horripiler Horripilar.

hors ('or) Fuera de. Hors
d'ici, fuera de aquí.

hors-d'œuvre Entremés.

hortensia (taⁿsiá) m Hortensia (tèn) f.

horticulteur Horticultor.

horticulture Horticultura.

hospice (ospís) Hospicio.

hospitalier (ié) Hospitalario.

hospitaliser Hospitalizar.

hospitalité Hospitalidad.

hostie (ostí) Hostia.

hostile (ostil) Hostil.

hostilité Hostilidad.

hôte, esse ('ot, tes) Huésped
(ouèspèd). Table d'hôte,
mesa redonda. Hôtesse de
l'air, azafata.

hôtel (otel) Hotel. Hôtel de
ville, casa consistorial, ayuntamiento. Hôtel garni, fonda
f, posada f. Maître d'hôtel,
maestresala.

hôtelier (t^elié) Hotelero.

hôtellerie (rí) Posada (ssa).

hotte ('ot) f Capacho (cha).

houblon ('ubloⁿ) Lúpulo.

houe ('u) Azada (azada).

houille ('uie) Hulla (oulha).

houiller (ié) Hullero (lhé).

houillère Mina de hulla.

houle ('ul) Marejada (réja).

houleux Agitado [mer].

houppe ('up) Borla.

houppelande Hopalanda.

houppette (pèt) Borlita.

hourrah! (rá) ¡Hurra! ¡Viva!

houspiller (pié) Sacudir.

housse ('us) Funda (foun).

houx ('u) Acebo (azé).

hoyau ('oio) Almocafre.

hublot m Portilla f.

huche ('üch) Artesa (essa).

hue! ('ü) ¡Arre! (arré).

huée ('üé) f Grito m.

huer ('üé) Gritar. Silbar,
dar* vaya [contre quel-
qu'un].

huguenot (güené) Hugonote.

huile (üil) f Aceite (zéïté)
m. A l'huile, con aceite, al
óleo [peinture].

huiler (üilé) Aceitar (zéï).

huileux (lœ) Aceitoso (ss).

huilier (ilié) m Aceitera f.

huis (üé) m Puerta f. A huis
clos, a puerta cerrada.

huissier (sié) Ujier, portero
de estrados [tribunal]. Escribano [officier ministér.].

huit ('üit) Ocho (ocho).

huitième (ïem) Octavo.

huître (üïtr) Ostra.

hum! ('om) ¡Hum! (oum).

humain, aine (ümiⁿ, ène)
Humano, na (oumano).

humaniser (nisé) Humani-
zar.

humanisme (ism) Huma-
nismo.

humaniste (ist) Humanista.

humanitaire (er) Humani-
tario.

humanité Humanidad (da).

humble (uⁿbl) Humilde.

humecter ('ümecté) Humede-
cer*.
humer ('ümé) Sorber. *Fig.*
Aspirar.
humérus (rüs) Húmero.
humeur (ünœr) f Humor *m.*
Fig. Capricho (pricho) *m.*
humide (ümíd) Húmedo, da.
humidité (ümíd) Humedad (da).
humiliant (liaⁿ) Humillante.
humiliation (lié) Humillación.
humilier (lié) Humillar.
humilité (lié) Humildad (da).
humorisme Humorismo.
humoriste (ríst) Humorista.
humoristique (íc) Humorís-
tico.
humus (ümüs) Humus.
hune ('ün') Cofa, gavia.
hunier m Gavia f [voile].
huppe Abubilla.
huppé Moñudo. *Fig.* Encopetado.
hure ('ür) Cabeza (béza).
hurlement ('ürlemaⁿ) Au-
llido. Alarido [de perso-
nes].
hurler (lé) Aullar. Gritar.
hurluberlu (ürlüberlü) Atolondrado.
huron ('üroⁿ) Hurón.
hussard ('usar) Húsar (ouss).
hutte ('üt) Choza (choza).
hyacinthe (iasíⁿt) Jacinto.
hybride (ibríd) Híbrido, da.

hydrate (idrat) Hidrato.
hydraulique (ic) Hidráulico.
hydravion (ioⁿ) Hidroavión.
hydre (idr) Hidra (idra).
hydrogène (jèn) Hidrógeno.
hydromel Hidromiel.
hydrophile (fil) Hidrófilo.
hydropique (ic) Hidrópico.
hydropisie (pisí) Hidropesía.
hydrothérapie Hidroterapia.
hyène (ièn) Hiena (ié).
hygiène (ijièn) Higiene.
hygiénique (ic) Higiénico.
hymen (imèn) Himen (imèn).
hyménée (né) Himeneo.
hymne (imn) Himno.
hyperbole (ol) Hipérbole.
hyperbolique Hiperbólico.
hypertrophie (fí) Hipertrofia.
hypnose (ipnos) Hipnosis.
hypnotique Hipnótico.
hypnotiser (sé) Hipnotizar.
hypnotisme (ism) Hipno-
tismo.
hypocondre (oⁿdr) Hipocon-
drio.
hypocondrie Hipocondría.
hypocrisie (sí) Hipocresía.
hypocrite (it) Hipócrita.
hypoténuse (üs) Hipotenusa.
hypothèque (tec) Hipoteca.
hypothéquer (ké) Hipotecar.
hypothèse (tés) Hipótesis.
hystérie (terí) Histeria.
hystérique (ic) Histérico.

I

Ibères (er) mpl Iberos (bé).
ibérique (ríc) Ibérico, ca.
ibis (ís) Ibis (ibiss).
iceberg (isberg) Iceberg (zé).
ichtyologie (jí) Ictiología.

ici (isí) Aquí. *Ici-bas* (isi-
ba), aquí abajo.
icône (icóne) f Icón *m.*
iconoclaste (ast) Iconoclasta.
iconographie (fí) Iconografía.

ictère (ter) Icterícia.
idéal Ideal.
idéaliser (sé) Idealizar.
idéalisme (ism) Idealísmo.
idéaliste (ñst) Idealista.
idée (idé) Idea (déa).
idem /dem.
identification Identificación.
identifier (fié) Identificar.
identique (ic) Idéntico, ca.
identité Identidad (té).
idéologique (ic) Ideológico.
idéologue (log) Ideólogo.
idiomatique (ic) Idiomático.
idiome (om) Idioma.
idiot, ote (dió, ot) Idiota.
idiotie (sí) Idiotez (téz).
idiotisme (ism) Idiotismo.
idoine (duàne) Idóneo (do-
  néo).
idolâtre (atr) Idólatra (do).
idolâtrer (tré) Idolatrar.
idolâtrie (trí) Idolatría.
idole (dol) f Ídolo (ido) m.
idylle (íl) f Idílio m.
idyllique (líc) Idílico (dí).
if Tejo (téjo).
ignare (iñar) Ignorante (gh).
igné (igné) Ígneo (ighnéo).
ignifuge (füj) Ignífugo.
ignition (sioⁿ) Ignición (z).
ignoble (ñobl) Innoble.
ignominie (ní) Ignominia.
ignomineux (niœ) Ignomi-
  nioso.
ignorance (raⁿs) Ignorancia.
ignorant (raⁿ) Ignorante.
ignorer (noré) Ignorar (igh).
  Fig Desconocer* (zér).
il pron. pers. Él.
ile (ile) Isla (iss).
illégal (il'légal) Ilegal.
illégalité Ilegalidad.
illégitime (tím) Ilegítimo.
illégitimité Ilegitimidad.

illettré (il'letré) Analfabeto.
  Iliterato, iletrado.
illicite (lisít) Ilícito.
illimité Ilimitado. Sin lí-
  mites.
illisibe (sibl) Ilegible.
illogique (jic) Ilógico.
illogisme (jism) Ilogismo.
illumination Iluminación.
illuminer (né) Iluminar.
illusion (sioⁿ) Ilusión (ss).
illusionner (né) Engañar.
illusionniste Ilusionista.
illusoire (suar) Ilusorio.
illustrateur (œr) Ilustrador.
illustration Ilustración.
illustre (üstr) Ilustre.
illustrer (tré) Ilustrar.
ilot (ilo) f Islote. Manzana [f]
  [de maisons].
image (maj) Imagen. Es-
  tampa [pour les enfants].
imagé (jé) Lleno de imáge-
  nes.
imagerie (jerí) Estampería.
imaginaire Imaginario.
imaginatif Imaginativo.
imagination (oⁿ) Imagina-
  ción.
imaginer (jiné) Imaginar.
imbécile (síl) Imbécil.
imbécillité Imbecilidad.
imberbe Imberbe, lampiño.
imbiber Empapar : imbiber
  d'eau, empapar en agua.
imbroglio (ioⁿ) Em-
  brollo.
imbu, ue (iⁿbü) Embebido,
  da. Fig. Imbuído, da.
imbuvable (vabl) Imbebible.
imitateur (œr) Imitador.
imitation (oⁿ) Imitación.
imiter (té) Imitar.
immaculé (cülé) Inmaculado.
immanent (naⁿ) Inmanente.

immangeable (*abl*) Incomible.
immanquable Infalible.
immatériel (*riel*) Inmaterial.
immatriculer (*lé*) Matricular.
immédiat (*diá*) Inmediato.
immédiatement (*aⁿ*) Inmediatamente.
immémorial Inmemorial.
immense (*aⁿs*) Inmenso, sa.
immensément Inmensamente.
immensité Inmensidad.
immerger (*jé*) Sumergir.
immérité Inmerecido.
immersion (*sioⁿ*) Inmersión.
immeuble (*mœbl*) Inmueble.
immigrant (*graⁿ*) Inmigrante.
immigration Inmigración.
immigrer (*gré*) Inmigrar.
imminence (*aⁿs*) Inminencia.
imminent (*naⁿ*) Inminente.
immiscer (*misé*) Inmiscuir*.
immixtion (*xioⁿ*) Mezcla.
immobile (*bil*) Inmóvil (mó).
immobilier (*ié*) Inmobiliario.
immobilisation Inmovilización.
immobiliser Immovilizar.
immobilité Inmovilidad.
immodéré (*ré*) Inmoderado.
immodeste (*est*) Inmodesto.
immoler (*lé*) Inmolar.
immonde Inmundo, da.
immondice (*dís*) Inmundicia.
immoral (*ral*) Inmoral.
immoralité Inmoralidad.
immortaliser Inmortalizar.
immortalité Inmortalidad.
immortel Inmortal.
immuable (*üabl*) Inmutable.
immuniser (*sé*) Inmunizar.
immunité Inmunidad (*da*).
impair Impar. *M Fam.* Torpeza *f*.

impalpable (*abl*) Impalpable.
impardonnable Imperdonable.
imparfait (*tè*) Imperfecto.
impartial (*sial*) Imparcial.
impartialité Imparcialidad.
impasse (*pás*) *f* Callejón (calhéjon) [*m*] sin salida.
impassibilité Impasibilidad.
impassible (*ibl*) Impasible.
impatiemment Impacientemente.
impatience (*iaⁿs*) Impaciencia.
impatient (*siaⁿ*) Impaciente.
impatienter (*té*) Impacientar.
impayable (*iabl*) Impagable. *Fam.* Cómico, a. Gracioso, a.
impayé (*peié*) No pagado.
impeccable (*abl*) Impecable.
impénétrable Impenetrable.
impénitent (*taⁿ*) Impenitente.
impératif Imperativo.
impératrice (*ís*) Emperatriz.
imperceptible Imperceptible.
imperfection Imperfección.
impérial, ale (*al*) Imperial.
impérialisme Imperialismo.
impérialiste Imperialista.
impérieux (*riœ*) Imperioso, a.
impérissable Imperecedero.
impéritie (*sí*) Impericia.
imperméable (*abl*) Impermeable.
impersonnel Impersonal.
impertinence Impertinencia.
impertinent (*naⁿ*) Impertinente.
imperturbable Imperturbable.
impétueux (*tüœ*) Impetuoso, a.
impétuosité Impetuosidad. *ímpetu m*.
impie (*iⁿpí*) Impío, a.

impiété Impiedad (da).
impitoyable Despiadado.
implacable (abl) Implacable.
implanter (té) Implantar.
implicite (sit) Implícito.
impliquer (ké) Implicar.
implorer (ré) Implorar.
impoli (lí) Descortés (èss).
impolitesse (és) Descortesía.
impondérable Imponderable.
impopulaire (èr) Impopular.
impopularité Impopularidad.
importance Importancia.
important (taⁿ) Importante.
importateur (œr) Importador.
importation Importación.
importer (té) Importar.
importun (taⁿ) Importuno.
importuner (né) Importunar.
importunité Importunidad.
imposant (saⁿ) Imponente.
imposer (sé) Imponer*. Cargar [impôt]. En imposer, imponer respeto. Fam. Engañar [duper].
imposition Imposición.
impossibilité Imposibilidad.
impossible (ibl) Imposible. L'impossible, lo imposible.
imposteur (œr) Impostor.
imposture (tür) Impostura.
impôt (iⁿpo) Impuesto.
impotence (aⁿs) Impotencia.
impotent (taⁿ) Impotente.
impraticable Impracticable.
imprécation Imprecación.
imprégner (ñé) Impregnar.
imprenable Inexpugnable.
impresario Empresario.
impression (sioⁿ) Impresión.
impressionnable Impresionable.
impressionner Impresionar.
impressionnisme Impresionismo.

imprévoyant (iaⁿ) Imprevisor.
imprévu (vü) Imprevisto.
imprimé Impreso (esso).
imprimer (mé) Imprimir.
imprimerie (mⁿrí) Imprenta.
imprimeur (œr) Impresor.
improbable (abl) Improbable.
impromptu (tü) m Improvisación f.
impropre (opr) Impropio, ia.
impropriété Impropiedad.
improvisateur (œr) Improvisador.
improvisation (sioⁿ) Improvisación.
improviser (sé) Improvisar.
improviste (à l') [vist] De improviso (dé improvisso).
imprudemment Imprudentemente.
imprudence (aⁿs) Imprudencia.
imprudent Imprudente.
impudence Impudencia.
impudent (daⁿ) Impudente.
impudeur (dœr) Impudor.
impudique Impúdico, ca.
impuissance Impotencia.
impuissant (aⁿ) Impotente.
impulsif Impulsivo.
impulsion (sioⁿ) Impulsión.
impunément (maⁿ) Impunemente.
impuni (ní) Impune.
impunité Impunidad (da).
impur, ure (ür) Impuro, ra.
impureté Impureza.
imputable (abl) Imputable.
imputer (püté) Imputar.
imputrescible Imputrescible.
inabordable Inaccesible.
inacceptable Inaceptable.
inaccessible Inaccesible.
inaccoutumé Desusado.
inachevé (chⁿvé Inacabado.

inactif Inactivo.
inaction (sioⁿ) Inacción.
inadmissible Inadmisible.
inadvertance Inadvertencia.
inaliénable Inalienable.
inaltérable Inalterable.
inamovible Inamovible.
inanimé Inanimado.
inanition (sioⁿ) Inanición.
inaperçu (sü) Inadvertido.
inapplicable Inaplicable.
inappréciable Inapreciable.
inapte (apt) Incapaz. Inapte
  à, incapaz para.
inarticulé Inarticulado.
inassouvi (vi) No saciado.
inattaquable Inatacable.
inattendu (dü) Inesperado.
inattentif Descuidado.
inauguration Inauguración.
inaugurer (güré) Inaugurar.
inavouable (vuabl) Inconfesable. Fig. Vergonzoso.
incalculable Incalculable.
incandescence Incandescencia.
incandescent Incandescente.
incantation (sioⁿ) Hechizo.
incapable (abl) Incapaz.
incapacité Incapacidad.
incarcérer (ré) Encarcelar.
incarnat (na) Encarnado.
incarnation Encarnación.
incarner (né) Encarnar.
incartade f Despropósito m.
  Locura, extravagancia.
incassable (abl) Irrompible.
incendiaire (ier) Incendiario.
incendie (di) Incendio (zèn).
incendier (dié) Incendiar.
incertain (tiⁿ) Incierto.
incertitude Incertidumbre.
incessamment (aⁿ) Incesan-
  temente.
incessant (saⁿ) Incesante.

inceste (sest) Incesto.
incestueux (üœ) Incestuoso.
incidemment Incidentemente.
incidence (aⁿs) Incidencia.
incident (daⁿ) Incidente.
incinération Incineración.
incinérer (ré) Incinerar.
inciser (sisé) Cortar.
incisif, ive Incisivo, va.
inciter (sité) Incitar (zi).
inclinaison Inclinación.
incliner (cliné) Inclinar.
inclure (clür) Incluir* (ouir).
inclus, use (clü, üs) Incluso,
  sa. Ci-inclus, adjunto, ta.
incognito (ñi) De incógnito.
incohérence (aⁿs) Incoherencia.
incohérent (raⁿ) Incoherente.
incolore (lor) Incoloro, ra.
incomber (coⁿbé) Incumbir.
incombustible Incombustible.
incommensurable (maⁿsüra-
  ble) Inconmensurable.
incommode (mod) Incómodo.
incommoder (dé) Incomodar.
incommodité Incomodidad.
incomparable Incomparable.
incompatibilité (inⁿcoⁿpati-
  bilité) Incompatibilidad.
incompatible Incompatible.
incompétence Incompetencia.
incompétent Incompetente.
incomplet (plè) Incompleto.
incompréhensible   (preaⁿ-
  sibl) Incomprensible.
incompris No comprendido.
inconcevable Inconcebible.
inconciliable Inconciliable.
inconduite Mala conducta.
incongru (grü) Incongruo.
incongruité Incongruencia.
inconnu (nü) Desconocido.
inconscience Inconsciencia.
inconscient Inconsciente.

Inconséquence (seka**n**s) In-
consecuencia.
inconsidéré Inconsiderado.
inconsistant Inconsistente.
inconsolable Inconsolable.
inconstance (a**n**s) Inconstancia.
incontestable Incontestable.
incontesté Incontestado.
incontinence Incontinencia.
incontinent (na**n**) Inconti-
nente.
inconvenance Inconveniencia.
inconvenant (na**n**) Inconveniente. Indecoroso (**rosso**)
[impoli]
inconvénient Inconveniente.
incorporer (ré) Incorporar.
incorrect (ect) Incorrecto.
incorrection Incorrección.
incorrigible Incorregible.
incorruptible Incorruptible.
incrédule (dül) Incrédulo.
incrédulité Incredulidad.
incriminer (né) Incriminar.
incroyable (iabl) Increíble.
incroyant (ia**n**) Descreído.
incrustation Incrustación.
incruster (té) Incrustrar.
incubation (o**n**) Incubación.
inculpation Inculpación.
inculper (pé) Inculpar.
inculquer (ké) Inculcar.
inculte (cült) Inculto.
incurable (abl) Incurable.
incurie (cü) Incuria, desidia.
incursion (sio**n**) Incursión.
indécence (sa**n**s) Indecencia.
indécent (sa**n**) Indecente.
indéchiffrable Indescifrable.
indécis (sí) Indeciso (**zisso**).
indécision (sio**n**) Indecisión.
indéfini (ní) Indefinido.
indéfinissable Indefinible.
indélébile (íl) Indeleble.

indélicat Sin delicadeza.
indélicatesse (tés) Falta de
delicadeza.
indemne (demn) Indemne.
indemniser (sé) Indemnizar.
indemnité Indemnización.
indéniable (niabl) Innegable.
indépendance Independencia.
indépendant Independiente.
indescriptible (ptibl) Indescriptible.
indestructible (tibl) Indestructible.
indéterminé Indeterminado.
index índice (indizé).
indicateur (œr) Indicador.
indication (sio**n**) Indicación.
indice (dís) Indicio.
indicible (sibl) Indecible.
indien, ienne (di**n**, diène)
Indio, dia (indio).
indifférence Indiferencia.
indifférent (a**n**) Indiferente.
indigence (ja**n**s) Indigencia.
indigent (ja**n**) Indigente.
indigeste (est) Ind'gesto.
indigestion Indigestión.
indignation Indignación.
indigne (di**n**) Indigno (ghn).
indigner (ñé) Indignar (gh).
indignité Indignidad.
indigo (gó) Añil, índigo.
indiquer (ké) Indicar.
indirect (rect) Indirecto.
indiscipline Indisciplina.
indiscret (cré) Indiscreto.
indiscrétion Indiscreción.
indiscutable Indiscutible.
indispensable Indispensable.
indisposer (sé) Indisponer*.
indisposition Indisposición.
indissoluble Indisoluble.
indistinct (ti**n**) Indistinto.
individu (dü) Individuo.

Individualisme (*ísm*) Individualísmo.

individualité Individualidad.

individuel (*üel*) Individual.

Indivis (*ví*) Indiviso.

indocile (*síl*) Indócil (*ox*).

indo-européen Indoeuropeo.

indolence (*a*ⁿs) Indolencia.

indolent (*la*ⁿ) Indolente.

indolore (*lor*) Indoloro, ra.

indomptable Indomable.

indu, due (*dü*) Indebido.

indubitable (*abl*) Indudable.

induction (*sio*ⁿ) Inducción.

induire* (*düir*) Inducir*.

indulgence (*a*ⁿs) Indulgencia (*jèn*).

indulgent (*ja*ⁿ) Indulgente.

indûment Indebidamente.

industrie (*trí*) Industria.

industriel Industrial.

industrieux Industrioso.

inébranlable Incommovible.

inédit (*dí*) Inédito.

ineffable (*abl*) Inefable.

ineffaçable Imborrable (*rra*).

inefficace (*cás*) Ineficaz.

inégal Desigual (*goual*).

inégalité Desigualdad.

inéluctable Ineluctable.

inénarrable Inenarrable.

inepte (*ept*) Inepto, ta.

ineptie (*psí*) Inepcia (*zia*).

inépuisable (*abl*) Inagotable.

inerte (*nert*) Inerte.

inertie (*sí*) Inercia (*erzia*).

inespéré Inesperado.

inestimable Inestimable.

inévitable (*abl*) Inevitable.

inexact (*xá*) Inexacto.

inexcusable Inexcusable.

inexistant (*a*ⁿ) Inexistente.

inexorable (*abl*) Inexorable.

inexpérience Inexperiencia.

inexpérimenté Inexperto.

inexplicable Inexplicable.

inexploité Inexplotado.

inexploré Inexplorado.

inexpressif Inexpresivo.

inexprimable Indecible.

inexpugnable (*abl*) Inexpugnable (*poughnablé*).

inextricable Inextricable.

infaillibilité Infalibilidad.

infaillible (*ibl*) Infalible.

infamant (*ma*ⁿ) Infamante.

infâme (*ìⁿfam*) Infame.

infamie (*fami*) Infamia.

infant, ante Infante, ta.

infanterie (*rí*) Infantería.

infanticide Infanticidio.

infantile (*tíl*) Infantil.

infatigable Infatigable.

infatuer (*tüé*) Infatuar.

infécond (*co*ⁿ) Infecundo.

infect, ecte Infecto, ta.

infecter (*té*) Infectar.

infectieux (*siœ*) Infeccioso.

infection (*sio*ⁿ) Infección.

inférer (*ré*) Inferir*.

inférieur (*iœr*) Inferior.

infériorité Inferioridad.

infernal Infernal.

infester (*té*) Infestar.

infidèle (*del*) Infiel.

infidélité Infidelidad.

infiltration Infiltración.

infime (*fim*) ínfimo, ma (*in*).

infini (*ní*) Infinito.

infinité Infinidad (*da*).

infirme (*firm*) Tullido, da. Lisiado, da; baldado, da [qui a perdu l'usage d'un membre].

infirmerie (*rí*) Enfermería.

infirmier (*mié*) Enfermero.

infirmité Dolencia. Achaque m [maladie]. Tullimiento m, lisiadura [paralysie].

inflammable Inflamable.

inflammation Inflamación.
inflammatoire Inflamatorio.
inflation (sio^n) Inflación.
inflexible (ibl) Inflexible.
inflexion (sio^n) Inflexión.
infliger (jé) Infligir (jir).
influence (a^{n}s) Influencia.
influencer (sé) Influír* Dominar [une idée, personne].
influent (flüa^n) Influyente.
influenza (sá) f Trancazo m.
influer (üé) Influír*.
in-folio (i^{n}foljô) En folio.
information Información. Pl Informaciones, noticias.
informe (orm) Informe (mé).
informer (mé) Informar.
infortuné Infortunio m.
infortuné Desdichado.
infraction Infracción.
infranchissable (chisabl) Infranqueable.
infructueux (æ) Infructuoso.
infusion (sio^n) Infusión.
ingambe (a^{n}b) Vivo, ágil.
ingénier (s') Ingeniarse.
ingénieur (iœr) Ingeniero.
ingénieux (iœ) Ingenioso.
ingéniosité Ingeniosidad.
ingénu, ue (jenü) Ingenuo, nua. F Dama joven [rôle de théâtre].
ingénuité Ingenuidad.
ingénument (ma^n) Ingenuamente.
ingérence (a^{n}s) Ingerencia.
ingérer (s') (ré) Ingerirse*.
  Fig. Meterse [intrus].
ingrat (gra) Ingrato.
ingratitude Ingratitud (ou).
ingrédient (ia^n) Ingrediente.
inguérissable Incurable.
ingurgiter (té) Ingurgitar.
inhabile (inabil) Inhábil.
inhabité Deshabitado.

inhalation (sio^n) Inhalación.
inhérent (nera^n) Inherente.
inhibition Inhibición.
inhospitalier (lié) Inhospitalario.
inhumain (mi^n) Inhumano.
inhumation (sio^n) Inhumación.
inimaginable Inimaginable.
inimitable (abl) Inimitable.
inimitié Enemistad.
ininterrompu (pü) Ininterrumpido.
inique (nic) Inicuo, cua.
iniquité Iniquidad.
initial (sial) Inicial (zia).
initiation (sio^n) Iniciación.
initiative (ív) Iniciativa.
initier (sié) Iniciar (ziar).
injecté Inyectado [yeux].
  Encendido (zèn) [visage].
injecter Inyectar.
injection Inyección (zión).
injonction f Mandato m.
injure (jür) Injuria.
injurier (rié) Injuriar.
injurieux (iœ) Injurioso.
injuste (jüst) Injusto, ta.
injustice (is) Injusticia.
injustifié Injustificado.
inné, ée Innato, ta.
innocence (sa^{n}s) Inocencia.
innocent (sa^n) Inocente.
innombrable Innumerable.
innommable (abl) Indecible.
innovation (sio^n) Innovación.
inoccupé Desocupado.
inoculer (cülé) Inocular.
inodore (or) Inodoro.
inoffensif Inofensivo.
inondation (sio^n) Inundación.
inonder (o^{n}dé) Inundar.
inopérant (ra^n) Inactivo.

Inopiné Inopinado.

Inopportun (tin) Inoportuno.

inoubliable (abl) Inolvidable.

inouï (uí) Inaudito.

inquiet (kiè) Inquieto (kiè).

inquiétant (tan) Inquietador.

inquiéter (té) Inquietar.

inquiétude (üd) Inquietud.

inquisiteur (œr) Inquisidor.

inquisition Inquisición.

insaisissable (sesisabl) Que no se puede coger (cojèr).

insalubre (übr) Insalubre.

insanité (té) Insania, insensatez.

insatiable (siabl) Insaciable.

Inscription Inscripción. Matrícula [lycée, faculté].

inscrire (ír) Inscribír*. Matricular [lycée, faculté].

insecte (sect) Insecto.

insecticide Insecticida.

insensé (sansé) Insensato.

insensibiliser (sé) Insensibilizar.

insensible Insensible.

inséparable Inseparable.

insérer (ré) Insertar.

insertion (sion) Inserción.

insidieux (diœ) Insidioso.

insigne (siñ) m Insignia f.

insignifiant Insignificante.

insinuant (nüan) Insinuante.

insinuation Insinuación.

insinuer (nüé) Insinuar.

insipide (píd) Insípido.

insistance (ans) Insistencia.

insister (té) Insistír.

insolation (sion) Insolación.

insolence (lans) Insolencia.

insolent (lan) Insolente.

insolite (lít) Insólito.

insoluble (lübl) Insoluble.

insolvable Insolvente.

insomnie (ní) f Insomnio m.

insouciance (sians) f Des-

cuido m. Indiferencia (zia) f.

insouciant Descuidado.

insoumis (mí) Insumiso.

inspecter (té) Inspeccionar.

inspecteur (tœr) Inspector.

inspection (sion) Inspección.

inspirateur (œr) Inspirador.

inspiration Inspiración.

inspirer (ré) Inspirar.

instable (abl) Inestable.

installation Instalación.

installer (lé) Instalar.

instamment Instantemente.

instance (ans) Instancia.

instant (an) Instante.

instantané Instantáneo.

instar (à l') A ejemplo.

instaurer (ré) Instaurar.

instigateur (œr) Instigador.

instigation Instigación.

instinct (in) Instinto.

instinctif, ive (tif, ív) Instintivo, va.

instituer (tüé) Instituír*.

institut (tü) Instituto.

instituteur Institutor.

institution Institución.

instructeur Instructor.

instructif Instructivo.

instruction (sion) Instrucción. Sumaria [jurispr.].

instruire (ür) Instruír*.

instruit, uite Instruído, da.

instrument (man) Instrumento.

insu Ignorancia. A l'insu de, sin saberlo*. A mon insu, sin saberlo yo.

insubordination (sion) Insubordinación.

insuccès (ksè) Fracaso (ss).

insuffisance Insuficiencia.

insuffisant Insuficiente.

insuffler (flé) Insuflar.

insulaire (ler) Insular.

insuline (íne) Insulína.

insultant (aⁿ) Insultante.

insulte (últ) f Insulto m.

insulter (té) Insultar.

insupportable Insoportable.

insurgé (jé) Insurrecto.

insurger (s') Sublevarse.

insurmontable Insuperable.

insurrection Insurrección.

intact Intacto.

intarissable Inagotable.

intégral Integral. íntegro.

intègre íntegro, gra.

intégrer (gré) Integrar.

intégrité Integridad.

intellect (lect) Intelecto.

intellectuel Intelectual.

intelligence Inteligencia.

intelligent (aⁿ) Inteligente.

intelligible Inteligible.

intempérance Intemperancia.

intempérant Intemperante.

intempérie (rí) Intemperie.

intempestif Intempestivo.

intenable Insostenible.

intendance (aⁿs) Intendencia.

intendant (aⁿ) Intendente.

intense (aⁿs) Intenso, sá.

intensif, ive Intensivo.

intensifier Intensificar.

intensité Intensidad.

intenter (té) Intentar.

intention (sioⁿ) Intención.
    Intento m [dessein].

intercaler (lé) Intercalar.

intercéder (dé) Interceder.

intercepter Interceptar.

intercession Intercesión.

interdiction Interdicción.

interdire* (dir) Prohibir*.
    Entredecir* [prêtres].

interdit (dí) Entredicho.

intéressant Interesante.

intéressé Interesado.

intérêt (rè) Interés.

intérieur (iær) Interior.

intérim Interinidad. Par in-
    térim, interinamente.

interjection Interjección.

interlocuteur Interlocutor.

interlope (lop) Interlope.

interloquer (ké) Aturdir.

intermède Intermedio. En-
    tremés [théâtre].

intermédiaire Intermediario.

interminable Interminable.

intermittence (taⁿs) Inter-
    mitencia.

intermittent Intermitente.

internat (ná) Colegio de in-
    ternos, internado.

international Internacional.

interne Pasante [méd.].

internement m Internación f.

interner (né) Internar.

interpeller (lé) Interpelar.

interposer (sé) Interponer.

interprétation (sioⁿ) Inter-
    pretación.

interprète Intérprete.

interpréter (té) Interpretar.

interrogatif Interrogativo.

interrogation Interrogación.

interrogatoire (tuar) Interro-
    gatorio.

interroger (jé) Interrogar.

interrompre Interrumpir.

interruption Interrupción.

interstice (tís) Intersticio.

intervalle (al) Intervalo.

intervenir Intervenir*.

intervention Intervención.

intervertir Invertir*.

interview (íu) Interviú.

interviewer Entrevistar.

intestin Intestino. Intestin
    grêle, intestino delgado.
    Gros intestin, intestino
    grueso (esso).

intime (im) Íntimo, ma.
intimer (mé) Intimar.
intimider (dé) Intimidar.
intimité Intimidad.
intituler (lé) Intitular.
intolérable Intolerable.
intolérance Intolerancia.
Intonation Entonación.
intoxiquer (ké) Intoxicar.
intraitable Intratable.
intransigeant Intransigente.
intrépide (id) Intrépido.
intrigant (gaⁿ) Intrigante.
intrigue (trig) Intriga.
intriguer (gué) Intrigar.
intrinsèque Intrínseco.
introduction Introducción.
introduire* Introducir*.
introuvable (vabl) Que no se
  puede hallar.
intrus, use Intruso, sa.
intrusion (oⁿ) Intrusión.
intuitif, ive Intuitivo, a.
intuition (sioⁿ) Intuición.
inusable (üsabl) Que no se
  puede gastar.
inusité Inusitado.
inutile (til) Inútil.
inutilité Inutilidad.
invalide (id) Inválido.
invariable Invariable.
invasion (sioⁿ) Invasión.
invective (iv) Invectiva.
inventaire (ter) Inventario.
inventeur (œr) Inventor.
invention (sioⁿ) Invención.
  Invento m [chose inventée].
inverse (ers) Inverso, sa.
inversion (sioⁿ) Inversión.
invertir Invertir*.
investigation Investigación.
investir Investir* [dignité].
  Emplear [fonds].
investissement (aⁿ) Cerco.
investiture Investidura.

invétéré Inveterado.
invincible (sibl) Invencible.
invisible (sibl) Invisible.
invitation Invitación.
inviter Invitar, convidar.
invocation Invocación.
involontaire Involuntario.
invoquer (ké) Invocar.
invraisemblable Inverosímil.
invulnérable Invulnerable.
iode (iod) Yodo.
ion (oⁿ) Ion.
ipéca (cá) Ipecacuana.
irascible (sibl) Irascible.
iris (ris) Iris.
iriser (sé) Irisar.
ironie (ní) Ironía.
ironique (ic) Irónico, ca.
irréalisable Irrealizable.
irréel, elle Irreal.
irréfléchi Irreflexivo, va.
irréfutable Irrefutable.
irrégularité Irregularidad.
irrégulier, ère Irregular.
irrémédiable Irremediable.
irremplaçable Insustituible.
irréparable Irreparable.
irréprochable Irreprochable.
irrésistible Irresistible.
irrésolu (lü) Irresoluto.
irrespirable Irrespirable.
irrespectueux Irrespetuoso.
irresponsable Irresponsable
irrévocable Irrevocable.
irrigation Irrigación. Riego
  m [agriculture].
irriguer (gué) Irrigar.
irritant, ante Irritante.
irritation Irritación.
irriter (té) Irritar.
irruption (sioⁿ) Irrupción.
islamisme (ism) Islamismo.
isochrone (óⁿ) Isócrono.
isolant (aⁿ) Aislador.
isolateur (œr) Aislador.

isolement Aislamiento.
isoler (lé) Aislar.
israélite (it) Israelita.
issu (sü) Salido. Nacido.
issue (sü) Salida. Fin.
isthme (ism) Istmo.
italien (li^n) Italiano.
italique Itálico, a. F Bastardilla [caractère].

itinéraire (rèr) Itinerario.
ivoire (vuar) Marfil.
ivraie (vrè) Cizaña (zizaña).
ivre (ivr) Ebrio, a. Borracho, cha [pop.]. Ivre mort, borracho perdido.
ivresse (és) Embriaguez.
ivrogne (oñ) Borracho, cha.
ivrognerie (rí) Borrachera.

J

jabot (bo) m Chorrera f.
jacasser (sé) Charlar.
jachère (cher) f Barbecho m.
jacinthe (si^nt) f Jacinto m.
jacobin (bi^n) Jacobino.
jacquerie (rí) Rebelión.
jacquet (kè) Chaquete.
jactance (a^ns) Jactancia.
jade (jad) Jade (jadé).
jadis Antiguamente.
jaguar (güar) Jaguar (oua).
jaillir (aír) Brotar, salir.
jais (jè) Azabache (ché).
jalon (lo^n) Jalón.
jalonner (né) Jalonar.
jalouser (sé) Envidiar.
jalousie (sí) Envidia [envie] Celos mpl [en amour]. Celosía [persienne].
jaloux, ouse (lú, ús) Celoso, sa (zé) [en amour]. Envidioso, sa [envieux].
jamais (mè) Nunca, jamás.
jambage (a^nbaj) m. Jamba f [porte, fenêtre]. Palc [écrit.].
jambe (ja^nb) Pierna. A toutes jambes, a todo correr.
jambon (bo^n) Jamón.
jambonneau (no) Codillo.
janséniste Jansenista.

jante (ja^nt) Llanta.
janvier (vié) Enero.
japonnais (nè) Japonés.
jappement (ma^n) Ladrido.
japper (pé) Ladrar.
jaquette (ket) Chaqueta [de dame]. Chaqué m [d'homme].
jardin (di^n) Jardín [agrément]. Huerto [potager].
jardinage m Jardinería f.
jardiner Trabajar en el jardín.
jardinier (ié) Jardinero.
jargon (o^n) m Jerga f.
jarre (jar) Tinaja.
jarret (rè) m Corva f. Jarrete [homme]. Corvejón [animaux].
jarretelle (jartel) Liga.
jarretière (tier) Liga.
jars (jar) Ganso.
jaser (zé) Charlar.
jasmin (i^n) Jazmín.
jaspe (jasp) Jaspe (jaspé).
jasper (pé) Jaspear.
jatte (jat) f Cuenco m.
jauge (joj) Cabida [capacité]. Vara [graduée]. Arqueo (kéo) m [navire]. Medición (ziòn) [mesure].

jauger (jé) Medir*.

jaunâtre (atr) Amarillento.

jaune (tonⁿ) Amarillo (lho). *Jaune d'œuf*, yema [f] de huevo. *Rire jaune*, reír* a la mala gana.

jaunir Amarillear.

jaunisse (jonís) Ictericia.

javanais, e Javanés, a.

javelle (vel) Gavilla.

javelot (javlo) Venablo.

je Pron. pers. Yo.

Jérémiade Jeremíada.

jésuite (süit) Jesuíta (ss).

Jésus (sü) Jesús (ssouss).

jet (jè) Tiro. Chorro. *Jet d'eau*, surtidor. *Du premier jet*, de la primera vez.

jetée (té) Escollera (lhé).

jeter (té) Echar. Tirar.

jeton (tonⁿ) Tanto. Ficha f [téléphone].

jeu (jœ) Juego. *Jeu de cartes*, juego de naipes, baraja f [paquet]. *Jeu de mots*, juego de palabras. *Jeu d'esprit*, acertijo.

jeudi (jœdí) Jueves.

jeun (à) En ayunas.

jeune (jœne) Joven.

jeûne (jœne) Ayuno.

jeûner (né) Ayunar.

jeunesse (nès) Juventud (tou).

joaillerie (joaïeri) Joyería.

joaillier (joaïé) Joyero.

jocrisse Fam. Bragazas.

joie (juá) Alegría, gozo m. *Feu de joie*, fogata f.

joindre* (juinⁿdr) Juntar. Alcanzar [atteindre].

joint (juinⁿ) Junto. M Juntura f.

jointif, ive Unido, da.

jointure (tür) Juntura f.

joli, ie Bonito, ta; lindo, da.

jonc (jonⁿ) Junco.

joncher Sembrar*, cubrir.

jonchets (chè) Palillos.

jonction (sionⁿ) Junción f.

jongler (glé) Hacer juegos de manos. *Fig.* Manejar.

jonglerie (rí) f Juego [m] de manos.

jongleur (lœr) f Titiritero.

jonque (jonⁿc) f Junco m.

jonquille f Junquillo m.

joue (ju) Mejilla (jílha). *En joue!* ¡Apunten!

jouer (jué) Jugar*. Tocar [musique]. Representar (ss) [rôle]. Andar* [se mouvoir]. *Jouer du violon*, tocar el violín. *Se jouer*, divertirse.

jouet (juè) Juguete.

joueur (juœr) Jugador.

joufflu (flü) Mofletudo.

joug (ju) Yugo.

jouir (juír) Gozar.

jouissance f Goce m. Posesión (ssión) [usage].

jouisseur Gozador, egoísta.

joujou (jujú) Juguete.

jour (jur) Día. Luz [clarté]. *Faux jour*, vislumbre. *De nos jours*, en nuestro tiempo. *Un beau jour*, cierto día, cualquier día. *Faire* jour*, ser* de día.

journal Periódico, diario.

journalier (lié) Diario.

journalisme Periodismo.

journaliste (íst) Periodista.

journée (né) Día m. *Une belle journée*, un hermoso día, Jornada [de marche].

journellement Diariamente.

joute (jut) Justa.

jouvence (aⁿs) Juventud.

jouvenceau (so) Jovencillo.

jouvencelle (sel) Jovencílla.

jovial Jovial.

joyau (juaio) m Joya f.

joyeux, euse (juaiœ) Alegre.

jubilation (sioⁿ) f Júbilo m.

jubilé Jubileo.

jubiler (lé) Mostrar* júbilo.

jucher (se) Encaramarse.

judaïque (daic) Judaico, ca.

judas m Mirílla f.

judiciaire (sier) Judicial.

judicieux (siœ) Juicioso.

juge (jüj) Juez.

jugement (maⁿ) Juicio. Sentencia (zia) f. Jugement dernier, juicio final.

jugeote (jot) Caletre.

juger (jüjé) Juzgar.

jugulaire (ler) Yugular. F Carrillera [képi, casque].

juguler (lé) Fig. Cortar.

juif, ive Judío, judía.

juillet (jüïé) Julio (jou).

juin (jüïⁿ) Junio.

juiverie (ri) Judería.

jujube (jüb) m Azufaifa f.

julienne (éne) Sopa de legumbres.

jumeau (mo) **jumelle** Gemelo, a.

jumeler (jümlé) Acoplar.

jumelle (mel) Jimelga [mar.]. Gemelos mpl [lunettes].

jument (maⁿ) Yegua (goua).

jungle (jiⁿgl) Selva.

jupe (jüp) Falda.

jupon (poⁿ) Refajo (réfajo) [de couleur]. Enaguas fpl (gouass) [de lingerie].

juré (ré) Jurado (joura).

jurement (aⁿ) Juramento.

jurer (ré) Jurar. Il ne faut jurer de rien, nadie diga de este agua no beberé.

juridiction (oⁿ) Jurisdicción.

juridique (dic) Jurídico, ca.

jurisprudence (daⁿs) Jurisprudencia.

juriste (rist) Jurista.

juron (oⁿ) Juramento, reniego.

jury (ri) Jurado.

jus (jü) Jugo. Zumo [fruit].

jusque (jüsc) Hasta. Jusqu'à ce que, hasta que.

justaucorps (cor) Jubón.

juste (jüst) Justo. Justamente. Au juste, a punto fijo.

justement (maⁿ) Justamente.

justesse (tes) Exactitud.

justice (ís) Justicia (zia).

justicier (sié) Justiciero.

justifier (fié) Justificar.

jute (jüt) Yute.

juteux, euse Jugoso, sa.

juvénile (nil) Juvenil.

juxtaposer (sé) Yuxtaponer*.

juxtaposition Yuxtaposisión.

K

kabyle (cabil) Cabila.

kaiser (caiser) Kaiser (aïss).

kakatoès (oés) m Cacatúa f.

kaki (ki) Kaki.

kaléidoscope Caleidoscopio.

kangourou (gurú) Canguro.

kaolin (iⁿ) Kaolín.

képi (pí) Quepis (képiss).

kermès Quermes.

kermesse (és) Kermesse.

kilo (ló) Kilo.
kilogramme Kilogramo.
kilomètre (etr) Kilómetro.
kilométrique Kilométrico.
kimono Kimono.
kiosque (osc) Quiosco.

kirsch (kirch). Kirsch.
knout (knut). Suplicio ruso.
krach (crac) Krach.
kyrie (kirié) Kirie.
kyrielle (kiriél) Sarta.
kyste (kist) Quiste (kis).

L

la *art.* La. M La [musique].
là *adv* Ahí, allí (alhí). *Là-bas*, allá, allá abajo. *Là-haut*, allá arriba.
labeur (bœr) Trabajo (bajo).
laboratoire Laboratorio.
laborieux (riœ) Laborioso.
labour (bur) m Labor f.
labourage m Labranza f.
labourer (buré) Arar (arar).
labyrinthe (riⁿt) Laberinto.
lac Lago.
lacer (sé) Atar, apretar.
lacet (sé) Cordón [soulier] Lazo [piège]. Zig-zag [route].
lâche (lach) Flojo. Cobarde.
lâcher (laché) Soltar*.
lâcheté (lacheté) Cobardía.
laconique (nic) Lacónico, ca.
lacté Lácteo.
lacune (cün) Laguna (gou).
ladre (ladr) Roñoso.
ladrerie (rí) Avaricia.
lagune (gün) Laguna.
lai (lè) Lego.
laïcité (laisité) Laicidad.
laid (lè) Feo.
laideur (dœr) Fealdad (da).
lainage m Lana f. Tela [f] de lana.
laine (lèn) Lana.
laïque (laíc) Laico. M Lego.
laisse (les) Traílla (traílha). *En laisse*, atado.

laisser (lèsé) Dejar (déjar). *M Laisser-aller*, abandono. *Laissez-passer* (pasé). Pase.
lait (lè) m Leche f.
laitage (taj) Lacticinio (zi).
laiterie (letⁿrí) Lechería.
laiteux (œ) Lechoso (osso).
laitier (tié) Lechero.
laiton (toⁿ) Latón (tòn).
laitue (letü) Lechuga.
laïus (aiüs) *Fam.* Discurso.
lama (ma) Lama. Llama [zool.].
lambeau (bò) Jirón.
lambin (laⁿbiⁿ) Remolón.
lambiner (biné) Remolonear.
lambris (brí) Revestimiento.
lame Lámina. Hoja [épée].
lamelle (mel) Lámina.
lamentable Lamentable (blé).
lamentation f Lamento m.
lamenter (maⁿté) Lamentar.
laminage (naj) Laminado.
laminoir (nuar) Laminador.
lampadaire Lamparín (rin).
lampe Lámpara (làn).
lampée (laⁿpé) f Trago m.
lampion (pioⁿ) Farol.
lampiste (pist) Lamparista.
lamproie (uá) Lamprea.
lance (laⁿs) Lanza.
lancement (semaⁿ) Lanzamiento.
lancer Lanzar. Tirar (jeter).

lancette (lanset) Lanceta.

lancier (sié) Lancero.

lancinant Lancinante.

landau (lando) Landó.

lande (laud) f Arenal m.

langage (langaj) Lenguaje.

lange (lanj) m Mantilla f.

langoureux, euse (œ, œs) Lánguido, da.

langouste (gust) Langosta.

langue Lengua. Langue verte, caló. Langue vivante, idioma, lengua viva.

languette (guet) Lengüeta.

langueur (gœr) Languidez.

languir Languidecer*.

languissant Lánguido.

lanière (nier) Tira.

lansquenet Lansquenete.

lanterne Linterna.

lanterner Perder* el tiempo.

lapalissade Perogrullada.

laper Beber a lametadas.

lapereau (lapéro) Gazapo.

lapidaire Lapidario.

lapider Lapidar, apedrear.

lapin (pin) Conejo. Lapin de garenne, conejo de campo.

lapis-lazuli (süli) Lapislázuli.

lapon Lapón.

laps Lapso. M Espacio de tiempo.

lapsus (süs) Lapsus (sous).

laquais (kè) Lacayo.

laque (lac) Laca [vernis]. Maque (ké) m [chinois].

laquer Maquear (kéar).

larbin (in) Pop. Criado.

larcin (sin) Robo.

lard (lar) Tocino.

lardon m Mecha (cha) f.

large Ancho, grande. Fig. Liberal, generoso. M Ancho.

largesse Liberalidad (da).

largeur (jœr) Anchura.

larme (larm) Lágrima.

larmoyant (mualan) Lloroso.

larmoyer (muaié) Lloriquear.

larron (ron) Ladrón (òn).

larve Larva.

laryngite (jit) Laringitis.

larynx (rinx) m Laringe f.

las, se (la, las) Cansado, da; rendido, da.

lascif, ive (sif, iv) Lascivo, a.

lasser (sé) Cansar.

lassitude Lasitud (tou).

lasso (lasó) Lazo.

latent (tan) Latente.

latéral, ale Lateral.

latin, ine Latino, na. M Latín.

latitude (tüd) Latitud (tou).

latrines (trin) Letrinas.

latte Lata.

laudanum (om) Láudano.

laudatif, ive Laudativo, va.

lauréat (réa) Laureado (aou).

laurier (rié) Laurel (aou).

lavabo (bo) Lavabo.

lavage (vaj) Lavado.

lavande f Espliego m.

lave Lava.

lavement Lavamiento. Lavativa f [clystère].

laver Lavar.

lavette f. Estropajo m.

laveur, euse Lavador, ra.

lavis (vi) Lavado.

lavoir (vuar) Lavadero.

laxatif Laxante.

layette (lèiet) Canastilla.

lazaret (rè) Lazareto.

lazzi (tsi) mpl. Bromas fpl.

le, la, les (lœ, le) El, la, los. las. ‖ Pron. Lo, la, los, las: je le vois, lo veo; je les vois, los o las veo.

leader (líder). Leader, líder.

lécher Lamer.

leçon (lœsoⁿ) Lección.

lecteur, trice (tœr, trís) Lector, ra.

lecture (tür) Lectura.

légal Legal.

légaliser (sé) Legalizar.

légalité Legalidad.

légat (gá) Legado.

légataire (ter) Legatario.

légation (sioⁿ) Legación.

légendaire Legendario.

légende (jaⁿ) Leyenda (yèn).

léger, ère (jé, èr) Ligero, ra (jéro, ra).

légèreté (jereté) Ligereza.

légiférer Legiferar.

légion Legión.

légionnaire Legionario.

législateur Legislador.

législatif Legislativo.

législation Legislación.

législature Legislatura.

légitime (mé) Legítimo.

légitimer (mé) Legitimar.

légitimiste Legitimista.

legs (lè) Legado. Manda f.

léguer Legar.

légume (güm) m Legumbre (goün) f.

lendemain El día siguiente.

lénitif, ive Lenitivo, va.

lent (laⁿ) Lento; liendre.

lenteur (œr) Lentitud (tou).

lentille (tíïe) Lenteja. Lente (té) [optique].

léonin (niⁿ) Leonino.

léopard Leopardo.

lèpre Lepra.

lépreux (præ) Leproso.

lequel, laquelle, lesquels, lesquelles El cual, la cual, los cuales, las cuales. [Interrog.] ¿cuál, cuáles?

les V. LE.

léser Perjudiciar, dañar.

lésiner Tacañear.

lésion (sioⁿ) Lesión.

lessive Lejía.

lessiver Colar.

lessiveuse (vœs) Coladera.

lest Lastre.

leste Ligero.

léthargie (jí) f Letargo m.

léthargique (jíc) Letárgico.

lettre Letra. Carta [épître]. *Lettre de change*, letra de cambio. *Lettres de noblesse*, ejecutorias. *Lettre recommandée*, carta certificada.

lettré Letrado.

leur (lœr) *pron. pers.* Les.

leur, s *adj. poss.* Su, sus.

leurre Engaño.

leurrer Engañar (gnar).

levain (lœviⁿ) m Levadura f.

levant (aⁿ) Naciente. M Levante.

levantin Levantino.

levé, ée (lœvé) Levantado, da. Percepción [impôts]. F Baza [jeux]. Recogida [poste].

lever (vé) Levantar. Alzar [yeux]. Recoger [lettres] Leudar (léou) [pâte]. M Levantamiento m. Salida f [astre].

levier (lœvié) m Palanca f.

levis (ví) Levadizo.

lévite m Levita f. Levitón m.

levraut (lœvro) Lebrato.

lèvre (lèvr) f Labio m.

lévrier (ié) Galgo.

levure (lœvür) Levadura f.

lexique (xíc) Léxico.

lézard (sar) Lagarto.

lézarde (sard) Grieta.

lézarder (dé) Agrietar.

liaison f Enlace m. Pl Relaciones (rélazionès) [amis].

liane (liáne) f Bejuco m.

liant, ante Flexible. *Fig.*
Sociable. M Flexibilidad f.
Sociabilidad f.

liard (ar) Ochavo (cha).

liasse (lias) f Legajo m. Fajo
m [billets].

libation (sioⁿ) Libación.

libelle (bel) Libelo.

libellé m Redacción f.

libeller Redactar.

libellule (belül) Libélula.

libéral, ale Liberal.

libéralité Liberalidad (da).

libérateur, trice (tœr) Libertador, ra.

libération (oⁿ) Liberación.

libérer Libertar. Licenciar
[soldat].

libertaire (tèr) Libertario.

liberté Libertad.

libertin, ine (tin, inᵉ) Licencioso, sa.

libertinage (naj) Licencia.

libidineux, euse Libidinoso,
sa.

libraire (brèr) Librero.

librairie (brerí) Librería.

libre (libr) Libre.

lice (lis) Liza [tournois].

licence (saⁿs) Licencia.

licencié, ée Licenciado, da.

licenciement Licenciamiento.

licencier Licenciar.

licencieux, se Licencioso, sa.

lichen (kèn) Liquen (kèn).

licitation Licitación.

licite (sít) Lícito.

licol, licou Cabestro.

lie (lí) Heces pl. *Fig.* Hez.

liège (liej) Corcho (cho).

liégeois, oise (joa, oise) sa.

lien (liin) m Ligadura f.
Atadura f. *Fig.* Lazo, vínculo, unión.

lier (lié) Atar, ligar. *Fig.*
Ligar. Trabar [amitié, etc.].

lierre (lièr) m Hiedra f.

liesse (liés) Alegría.

lieu (liœ) Lugar. Casa (ssa)
[maison]. *Au lieu de*, en
lugar de. *Avoir lieu*, ocurrir.
En dernier lieu, por último.

lieue (liœ) Legua (goua).

lieutenant (lœetenaⁿ). Teniente (niénte).

lièvre (lievr) m Liebre f.

ligament Ligamento.

ligature Ligadura.

ligaturer Ligar.

lignage (ñaj) Linaje.

ligne (liñ) Línea. Raya
[trait]. Sedal m [pêche].
Caña [canne à pêche]. *Hors
ligne*, superior.

lignée Raza.

lignite (ñít) Lignito (ligh).

ligoter (té) Atar.

ligue (lig) Liga.

liguer (gué) Ligar.

lilas (lá) m Lila f.

lilliputien Liliputiense.

limace (más) Babosa (bossa).

limaçon (soⁿ) Caracol.

limaille (máie) f Limalla, li-
maduras.

limande (aⁿd) Platija (ja).

limbe (liⁿb) Limbo. *Pl.*
Limbo.

lime (lim) Lima.

limer Limar.

limier Perro rastrero (pèrro
ras). *Fig.* Polizonte.

limitation Limitación.

limite (mít) f Límite m.

limiter (té) Limitar.

limitrophe (of) Limítrofe.

limon (oⁿ) Barro (rro).

limonade Agua de limón.

limousine Limousine (sín).

limpide (linpíd) Límpido.
limpidité Límpidez (lin).
lin (lin) Lino.
linceul (sœl) m Mortaja f.
linéaire (eèr) Lineal.
linge m Ropa blanca (ro) (.
lingère Lencera. ~
lingerie (rí) Lencería [boutique]. Ropa blanca (ro).
lingot (lingo) Lingote (té).
linguiste (güíst) Lingüista (goui).
linguistique Lingüística.
liniment (an) Linimento.
linoléum (leom) Linóleo.
linon (non) Linón (òn).
linotte f Pardillo (lho) m. *Tête de linotte*, cabeza de chorlito.
linteau (to) Dintel (dìn).
lion, onne León, leona.
lionceau (so) Leoncillo.
lippe (lip) f Bezo m.
lippu, ue (pü) Bezudo, da.
liquéfaction Licuefacción.
liquéfier (fié) Liquidar. Licuar [métaux].
liqueur f Licor m.
liquidation Liquidación.
liquide (id) Líquido.
liquider (dé) Liquidar.
liquoreux (ko) Licoroso.
lire* (lir) Leer*. F Lira [monnaie].
lis m Azucena f.
liséré Ribete (ri).
liseron (ron) m Correhuela f.
liseur, euse Lector, ra.
lisible (sibl) Legible.
lisière f Orilla [étoffe]. Orillo m [drap]. Lindero m [bois]. *Pl.* Andadores [enfant].
lisse Liso, sa.
lisser (sé) Alisar.

liste (list) Lista.
lit (li) m Cama f, lecho m. Madre f [rivière]. *Fig.* Matrimonio [ménage].
litanie (ní) Letanía (lé).
literie (terí) Ropa de cama.
lithographie (fí) Litografía.
litière (tier) Litera [véhicule]. Cama [des animaux].
litige (tij) Litigio.
litigieux, euse (jiœ, œs) Litigioso, sa.
litre (litr) Litro [mesure].
littéraire (rer) Literario.
littéral Literal.
littérateur Literato.
littérature Literatura.
littoral (ral) Litoral.
liturgie (türji) Liturgia.
liturgique (jic) Litúrgico, ca.
livide (vid) Lívido, da.
livraison (vrèson) Entrega. Reparto, m.
livre (livr) Libro f. F Libra.
livrée (vré) Librea.
livrer (vré) Entregar.
livret (vré) Libreto [ópera].
livreur (œr) Repartidor.
lobe (lob) Lóbulo.
local Local.
localiser Localizar.
localité Localidad (da).
locataire (ter) Inquilino, na.
location Locación. Alquiler m [maison]. Contaduría m [théâtre]. *En location*, de alquiler.
locomobile (bíl) Locomóvil.
locomoteur Locomotor.
locomotive (tiv) Locomotora.
locution (cüsion) Locución. Modo m [grammaire].
logarithme (ritm) Logaritmo.
loge (loj) Choza [hutte]. Portería [concierge]. Palco

m [théâtre]. Camarín *m*
[acteur]. Logia (jia) [maçonnique].

logement (je*ma*ⁿ) *m* Vivienda *f.* Cuarto [appartement]. Alojamiento [troupes].

loger Vivir [demeurer]. Alojar [donner logement]. Meter [mettre].

logeur euse Huésped, da.

logique (jíc) Lógico. ca.

logis (jí) *m* Casa (kassa) *f.*

loi (luá) Ley (léí).

loin (luiⁿ) Lejos. *Au loin,* a lo lejos. *De loin en loin,* de tarde en tarde.

lointain, aine (tiⁿ,ènⁿ). Lejano, na. *M* Lontananza *f.*

loir (luar) Lirón *m.*

loisir Ocio. *A loisir,* despacio.

lombaire (loⁿber) Lumbar.

lombes (loⁿb) Lomos.

lombric (bríⁿ) *m* Lombríz *f.*

londonien (niⁿ) Londinense.

long, ongue (loⁿ, oⁿg) Largo, ga. *Le long de,* a lo largo de. *M* Largo.

longe (loⁿj) *f* Ronzal *m* [cheval]. Lomo *m* [veau].

longer (jé) Costear.

longévité Longevidad.

longitude longitud (tou).

longtemps (loⁿtaⁿ) Mucho tiempo (tiènpo).

longueur (loⁿgœr) Longitud (tou). Largo *m.* Lentitud [lenteur].

longue-vue (loⁿgvü) *f* Anteojo [*m*] de larga vista.

lopin (piⁿ) Pedazo.

loquace (uás) Locuaz (ouaz).

loque (loc) *f* Jirón *m.*

loquet (ké) Picaporte (té).

loqueteux, euse (loctœ, œs) Haraposo, sa (araposo).

lord Lor (Plur. *lores*).

lorgner (ñé) Echar una ojeada. Mirar con anteojo. *Fig.* Codiciar [convoiter].

lorgnette (ñèt) *f* Anteojo *m.* Gemelos *mpl* [théâtre].

lorgnon (ñoⁿ) Anteojos *pl.*

loriot (rió) *m* Oropéndola *f.*

lors (lor) Entonces. *Lors de,* cuando.

lorsque (lorsq) Cuando.

losange (saⁿj) Losanje.

lot (lo) Lote. Premio [loterie] : *gros lot,* premio gordo.

loterie (tⁿrí) Lotería.

lotion (sioⁿ) Loción (zioⁿ).

lotir Repartir (re).

lotissement (ismaⁿ) Reparto.

loto (tó) *m* Lotería *f.*

lotus (tüs) Loto.

louable (luabl) Loable.

louage (aj) Alquiler (èr).

louange (luaⁿj) Alabanza.

louche (luch) Bízco, ca [yeux]. *Fig.* Turbio, bia [trouble]. *Fig.* Sospechoso, sa [suspect]. *F* Cazo *m.* Cucharón *m* [soupe].

loucher (ché) Bizquear.

louer (lué) Alquilar [location] : *à louer,* se alquila. Alabar [vanter].

loufoque *Pop.* Chiflado.

loup (lu) Lobo. Mascarilla *f.* [masque]. *Loup de mer,* marinero viejo.

loupe (lup) Lente [verre]. Lobanillo *m* [tumeur].

louper (pé) *Pop.* Hacer* mal.

loup-garou (lu garú) Duende.

lourd, e (lur, d) Pesado, da.

lourdeur (dœr) Pesadez.

loustic (lustíc) Gracioso.

loutre (lutr) Nutria.

louve (luv) Loba.

louveteau (luvetó) Lobezno.

louvoyer (luvuaié) Bordear. *Fig.* Andar* con rodeos.

loyal, ale (luaiál) Leal (té) *f.*

loyalisme *m* Lealtad (ta) *f.*

loyauté (ioté) Lealtad.

loyer (luaié) Alquiler.

lubie (lubí) *f* Capricho *m.*

lubricité Lubricidad.

lubrifiant (*a*n) Lubricante.

lubrifier Lubricar (lou).

lubrique (íc) Lúbrico.

lucarne (lúcarn) Buharda.

lucide (lüsíd) Lúcido, da.

lucidité Lucidez.

lucratif, ive Lucrativo, va.

lucre (lücr) Lucro.

luette (lüet) *f* Galillo *m.*

lueur (lüœr) Claridad, luz. *Fig.* Vislumbre (loun).

lugubre (lügübr) Lúgubre.

lui Él. Sí [réfléchi]. *Compl. Je lui donne,* le doy; *dis-lui,* dile.

luire* (lüir) Lucir.

luisant (*s*an) Luciente. *Ver luisant,* luciérnaga *f. M* Brillo.

lumbago (lo^n^bago) Lumbago.

lumière (mièr) Luz. *Mettre en lumière,* poner en claro.

lumignon (ño^n^) Pabilo [mèche].

lumineux (nœ) Luminoso.

lunaire (ner) Lun*a*rio, ria.

lunaison (neso^n^) Lunación.

lunatique (tíc) Lunático.

lunch (lu^n^ch) Lunch (lounch).

lundi (lu^n^dí) Lunes.

lune (lün^e^) Luna. *Nouvelle lune,* luna nueva. *Pleine lune,* luna llena.

luné, ée Lunado, da. *Bien, ou mal, luné,* de buen, o mal, talante.

lunette (net) *f* Anteojo *m.* Agujero [chaise percée]. *Lunette d'approche,* anteojo de larga vista. *Pl.* Gafas.

lupin (pi^n^) Altramuz.

lupus (püs) Lupus.

lurette (ret) *Loc. Il y a belle lurette,* mucho tiempo ha.

luron (ro^n^) Mozo alegre.

lustrage (traj) Lustrado.

lustre (lüstr) Lustre. Araña *f* [lumière].

lustrer (té) Lustrar.

lustrine (íne) Lustrina.

luth (lüt) Laúd (aoud).

lutherie (t^e^rí) Guitarrería.

luthérien (ri^e^n) Luterano.

luthier (tié) Guitarrero.

lutin, ine (ti^n^, íne) Tra-víeso, sa (sso). *M* Duende.

lutiner Trasguear. *Fig.* Tra-vesear [espièglerie].

lutrin (tri^n^) Facistol (zi).

lutte (lüt) Lucha.

lutter (té) Luchar.

lutteur (œr) Luchador.

luxe (lüx) Lujo (ouj^o^).

luxer (lüxé) Dislocar.

luxueux (xüœ) Lujoso (sso).

luxure (xür) Lujuria.

luxuriant Frondoso.

luxurieux Lujurioso.

luzerne (sern) Alfalfa.

lycée (sé) Liceo.

lycéen, enne Discípulo, la.

lymphatique (tíc) Linfático.

lymphe (li^n^f) Linfa.

lynchage (li^n^ch) Linchamiento.

lynx (li^n^cs) Lince.

lyre (lir) Lira.

lyrique (ríc) Lírico, ca.

lyrisme (rísm) Lirismo.

M

ma Mi.

maboul (bul) *Pop.* Chiflado.

macabre Macabro, bra.

macadam Macadam.

macaque (*cac*) Macaco.

macaron (*ro*ⁿ) Mostachón.

macaroni Macarrones *pl.*

macaronique (*nic*) Macarrónico, ca.

macédoine *f* Revoltillo *m.*

macération Maceración.

macérer (*ré*) Macerar.

mâche (*mach*) *f* Milamores *pl.*

mâchefer (*ch*efer) Cagafierro.

mâcher (*ché*) Mascar, masticar. Mascullar.

machiavélique (*k*iavélic) Maquiavélico, ca.

machiavélisme (*ism*) Maquiavelismo.

mâchicoulis (*li*) Matacán.

machin (*chi*ⁿ) *Pop.* Fulano. Chisme (*chism*é) [objet].

machinal, ale (*li*) Maquinal.

machination Maquinación.

machine (*chi*ne) Máquina. *Fam.* Chisme *m* [objet].

machiner (*né*) Maquinar.

machinerie (*rí*) Maquinaria.

machiniste Maquinista.

mâchoire (*ch*uar) Quijada.

mâchonner (*cho*né) Mascullar.

maçon (*so*ⁿ) Albañil.

maçonner (*né*) Construir*.

maçonnerie (*ne*rí) Albañilería. Fábrica [ouvrage en maçonnerie]. Masonería [franc-maçonnerie].

maçonnique Masónico, ca.

maculer (*lé*) Macular.

madame (*dam*) Señora : *madame X est sortie*, la señora de X ha salido. Doña [avec prénom]. Madama [avec nom franç.].

mademoiselle Señorita.

madone (*dó*ne) Madona.

madré, *ée* Astuto, ta [rusé].

madrier (*ié*) Madero.

madrigal Madrigal.

madrilène Madrileño, ña.

maestria (*iá*) Maestría.

maestro Maestro.

magasin (*si*ⁿ) Almacén.

magasinage Almacenaje.

magasinier (*nié*) Almacenero.

magazine (*sí*ne) Magazine.

mage (maj) Mago.

magicien, enne (*jisi*ⁿ, *ié*ne) Hechicero, ra.

magie (*jí*) Magia, hechicería.

magique (*jic*) Mágico, ca.

magistral, ale Magistral.

magistrat (*trá*) Magistrado.

magistrature (*tür*) Magistratura.

magnanime (ñanim) Magnánimo, ma (magh).

magnanimité Magnanimidad.

magnat (*ñá*) Magnate.

magnésie (*ñesí*) Magnesia.

magnésium (*sio*m) Magnesio.

magnétique Magnético, ca.

magnétiser (*sé*) Magnetizar.

magnétiseur Magnetizador.

magnétisme Magnetismo.

magnéto (*né*to) Magneto.

magnétophone Magnetófono.

magnificence (*sa*ⁿs) Magnificencia.

magnifique Magnífico.

magnolia (ñoliá) Magnolia.

magot (go) m Mona f [singe] Fam. Gato [trésor].

mahométan, ane (taⁿ, tane) Mahometano, na.

mai (mè) Mayo.

maigre (mègr) Flaco, ca. Delgado, a. De vigilia [repas]. Seco, ca [aride].

maigrelet Delgaducho.

maigreur (grœr) Flacura. Sequedad (da) [sécheresse].

maigrir Enflaquecer*. Adelgazar [amincir].

mail (mai) Paseo [promenade].

maille (mai^e) Malla.

maillechort (maichor) Metal blanco.

maillet (mai^é) Mazo.

mailloche (ioch) Mazo.

maillon (ioⁿ) Eslabón.

maillot (maio) m Mantillas fpl [enfant]. Traje de baño, bañador [de bain]. Traje de malla [danseuse].

main (miⁿ) Mano. Sous la main, a mano. En main, entre manos. En mains propres, en propia mano. A pleines mains, a manos llenas.

main-d'œuvre (œvr) Mano de obra.

main-forte f Auxilio m.

mainlevée f Desembargo m.

mainmise (ís) f Embargo m.

maint, ainte (miⁿ, miⁿt) Muchos, chas.

maintenant (miⁿtenaⁿ) Ahora.

maintenir* Mantener*.

maintien (tiⁿ) Mantenimiento. Actitud [tenue].

maire (mer) Alcalde.

mairie (rí) Alcaldía.

mais (mè) Pero.

maïs (maís) Maíz.

maison (mesoⁿ) Casa (ssa). Maison d'arrêt, cárcel. Maison de rapport, casa de renta. Maison garnie, casa amueblada. A la maison, en casa.

maisonnée Casa (ssa)

maisonnette (sonet). Casita.

maître (mètr) Amo. Dueño [propriétaire]. Maestro [professeur]. Maître d'hôtel, maestresala.

maîtresse (ès) Ama. Dueña. Maestra [professeur]. Querida [amante].

maîtrise (ís) f Dominio m. Maestría [art].

maîtriser (sé) Dominar.

majesté Majestad (ta).

majestueux, euse (tüœ, œs) Majestuoso, sa.

majeur, eure (jœr) Mayor.

majolique (lic) Mayólica.

major Mayor.

majoration (sioⁿ) f Aumento [m] de valor [aoumén].

majordome (m) Mayordomo.

majorer Aumentar el precio.

majorité (plupart]. Mayor edad (da) [âge].

majuscule (jüscül) Mayúsculo, la.

mal Mal. Dolor. Mal au cœur, náuseas fpl. Mal de mer, mareo. Avoir mal à, doler : j'ai mal au doigt, me duele el dedo. Faire mal, hacer* daño. Se trouver mal, desmayarse.

malade (lad) Enfermo : être malade, estar* enfermo.

maladie (dí) Enfermedad.

MAL — MAN 148

Faire une maladie, enfermar.
maladif, ive Enfermizo, za.
maladresse (és) Torpeza.
maladroit, oite (druá, uat).
Torpe.
malais, se (lè, ès) Malayo, ya.
malaise (lés) Malestar.
malaisé, ée (èsé) Difícil.
malandrin (aⁿdriⁿ) Bandido.
malaria (riá) Malaria.
malaxer (xé) Amasar (assar).
malchance (chaⁿs) *Mala
suerte.*
malchanceux, euse (sœ, œs)
Desdichado, da.
maldonne (dón) *f* Error *m*.
mâle (mal) Macho (macho).
malédiction (sioⁿ) Maldición.
maléfice (ís) Maleficio.
malencontreux, euse (œ, œs)
Desgraciado, da.
malentendu (dü) *m* Equivocación *f*.
malfaçon (soⁿ) *f* Desperfecto *m*.
malfaisant (saⁿ) Maléfico.
Dañino [nuisible].
malfaiteur Malhechor.
malfamé, ée (mé) De mala
fama.
malgré A pesar de.
malhabile (bil) Torpe.
malheur (lœr) *m* Desgracia
f. Malheur à, ay de. *Par
malheur*, por desgracia.
malheureux (rœ) Desgraciado.
malhonnête (net) Sin honradez (radéz). Grosero [gros-
sier].
malhonnêteté (neteté) Falta
de honradez. Grosería.
malice (lís) Malicia. Travesura [espièglerie].

malicieux (siœ) Malicioso.
Travieso [espiègle].
malignité (ñité) Malignidad.
malin, igne (liⁿ, iñ) Maligno, na (igh). Travieso, sa
[espiègle]. Listo, ta [fin,
rusé]. *Le malin*, el demonio.
malingre (liⁿgr) Enclenque.
malintentionné (sioné) Mal
intencionado.
malle (mal) *f* Baúl *m.*
malléable (leabl) Maleable.
malmener (mené) Maltratar.
malpropre (opr) Sucio, cia.
malpropreté (preté) Suciedad, desaseo.
malsain, aine (siⁿ, éne)
Malsano, na.
malséant, e (aⁿ) Inoportuno,
descortés.
maisonnant Malsonante.
malt Malta.
maltraiter (treté) Maltratar.
malveillance (veiaⁿs) Malevolencia.
malveillant Malévolo.
maman (maⁿ) Mamá. *Bonne
maman*, abuelita.
mamelle (mel) Mama, teta.
mamelon (meloⁿ) Pezón.
Cerro [monticule].
mammifère (fér) Mamífero.
manant (aⁿ) Fam. Rústico.
manche (maⁿch) *m* Mango.
F Manga. Mano *m*, partida
[jeu]. *Manche à balai*, palo
de escoba; palanca [f] de
mando [avion].
manchette (chet) *f* Puño *m.*
Título [journal].
manchon (choⁿ) Manguito.
manchot Manco. *Fam.* Torpe
[maladroit].
mandant Mandante.

mandarin (rin) Mandarín.

mandarine (ríne) Mandarína.

mandat (da) Mandato. Poder [procuration]. *Mandat-poste*, giro postal.

mandataire (ter) Mandatario. Apoderado [fondé de pouvoir].

mandater (té) Remitir un giro.

mandchou Manchú.

mander Mandar. Hacer* saber [faire savoir]. Enviar a buscar [envoyer chercher].

mandibule Mandíbula.

mandoline (líne) Mandolína.

mandrin (drin) Mandril.

manège (nej) Manejo [équitation]. *Fam.* Manejo [des personnes]. Tío vivo [foire].

manette Manecilla, manilla.

mangeable (jabl) Comestible.

mangeoire *f* Comedero *m.*

manger* (jé) Comer.

mangue (mang) *f* Mango *m.*

maniable (iabl) Manejable.

maniaque (niac) Maniático.

manicure Manicuro, ra.

manie (ní) Manía.

maniement (man) Manejo.

manier (nié) Manejar.

manière (nier) Manera, modo *m. Pl.* Modales *mpl* : *bonnes manières*, modales distinguidos. Cumplidos *mpl* : *faire des manières*, andar* con cumplidos.

manière, ée Amanerado, da.

manifestant (tan) Manifestante.

manifestation Manifestación.

manifeste (fest) Manifiesto.

manifester (té) Manifestar.

manigance (gans) Treta.

manigancer (sé) Intrigar.

manille (níe) Malilla (lha).

manioc *m* Mandioca f.

manipulation Manipulación.

manipuler (pilé) Manipular.

manitou (tú) *Fam.* Personaje.

manivelle (vel) *f* Manubrio *m.* Cigüeña (zigouégna). Manivela [cycles, autos].

manne (mane) *f* Maná *m* [aliments].

mannequin (nekin) Maniquí.

manœuvre (nœvr) Maniobra. *M* Peón [ouvrier].

manœuvrer Maniobrar.

manœuvrier (ié) Maniobrero [mil.].

manoir (nuar) *m* Casa [*f*] solariega.

manomètre Manómetro.

manquant (can) Que falta. *M* Ausente (aoussènté).

manque (manc) *m* Falta *f.*

manqué, ée Malogrado, da.

manquement (an) *m* Falta *f.*

manquer Faltar. Fallar [rater]. *Manquer de*, carecer de [avec un subst.], estar a punto de [avec un verbe]. *Manquer le train*, perder el tren.

mansarde (mansard) Buhardilla.

mansuétude (süetüd) Mansedumbre.

mante (mant) *f* Manto *m.*

manteau (to) Manto. Capa *f.* Abrigo, gabán [pardessus]. *Sous le manteau*, bajo mano.

mantille (tíe) Mantilla.

manucure Manicuro, ra.

manuel (nüel) Manual.

manufacture (tür) Manufactura.

manufacturer (ré) Manufacturar.

manuscrit (üscrí) Manuscrito.

manutention (sioⁿ) Manutención. Almacén [magasin].

manutentionnaire (sioner) Almacenista f.

mappemonde (moⁿd) f Mapamundi m.

maquereau (ro) m Caballa f [poisson].

maquette (ket) f Boceto m.

maquignon (ñoⁿ) Chalán.

maquignonnage m Treta f, astucia f.

maquillage (íaj) Afeite.

maquiller (ié) Afeitar (féí), pintar. Fig. Disfrazar [déguiser].

maquis (kí) Monte [en Córcega].

marabout (rabú) Morabito [musulmán]. Marabú [oiseau].

maraîcher, ère Hortense. M Hortelano.

marais (rè) Pantano. Huerta f [cult.]. Marais salant, m salina f.

marasme (rasm) Marasmo.

marâtre (ratr) Madrastra.

maraud (ro) Tunante.

maraudage (daj) Merodeo f.

maraude (rod) f Merodeo m.

marauder (dé) Merodear.

maraudeur Merodeador.

marbre (arbr) Mármol.

marbrer (bré) Jaspear. Amoratar [peau].

marbrure (ür) f Jaspeado m.

marc (mar) m Poso, madre f [café]. Orujo [raisin, olive]. Aguardiente de orujo [li-

queur]. Marco [monnaie].

marcassin (síⁿ) Jabato.

marchand, ande (chaⁿ, aⁿd) Comerciante, Comprador [acheteur].

marchandage (daj) Regateo f.

marchander (dé) Regatear.

marchandise Mercancía.

marche (march) Marcha. Peldaño m, escalón m [degré].

marché Mercado [lieu]. Trato [négociation]. Bon marché, barato. Marché noir, estraperlo. Par-dessus le marché, además.

marchepied (ié) Estribo.

marcher (ché) Andar*, ir*. Marchar, andar, ir [machine, affaire].

marcheur (œr) Andador.

marcottage (taj) m Acodadura f.

mardi (dí) Martes. Mardi gras, Martes de carnaval.

mare (mar) Charca (char).

marécage (caj) Pantano.

marécageux Pantanoso.

maréchal (chal) Mariscal. Maréchal des logis, sargento de caballería. Maréchal-ferrant, herrador.

marée (ré) Marea. Pescado m [poisson]. Marée montante, flujo m, marea entrante. Marée descendante, reflujo m, marea saliente.

mareyeur (iœr) Pescadero.

margarine (ríne) Margarina.

marge (marj) f Margen m. En marge, al margen.

margelle (jel) f Brocal m.

marginal Marginal.

marguerite Margarita.

marguillier (guié) Mayordomo de iglesia (éssia).

151 MAR — MAS

marl (rí) Marido.

mariage (aj) Casamiento [cérémonie, noce]. Matrimonio [union légale]. *Fig.* Enlace.

marier (ié) Casar.

marin, ine (rin, íne) Marino, na. *M* Marinero.

marinade f Escabeche *m.*

mariner (né) Escabechar.

marinier (nié) Marinero.

marionnette (net) f Títere *m.*

maritime (tìm) Marítimo.

maritorne (torn) Maritornes.

marivaudage (vodaj) Discreteo.

marivauder (dé) Discretear.

mark (marc) Marco.

marmaille (mái) Chiquillería.

marmelade (mᵉlad) Mermelada.

marmite Marmíta, olla.

marmiton (toⁿ) Pinche.

marmonner (né) Rezongar (ré), murmurar (mourmou).

marmoréen (reⁿ) Marmóreo.

marmot (mó) Chiquillo.

marmotte (mot) Marmota.

marmotter (té) Barbotar.

marmouset (sè) Monigote.

marne (marn) Marga.

marocain (rokiⁿ) Marroquí.

maronner (né) Murmurar.

maroquin (kiⁿ) Cordobán, tafilete.

maroquinerie Tafiletería.

marotte (rot) f Cetro [*m*] de locura. *Fig.* Tema.

maroufle (rufl) Pícaro.

marquant (kaⁿ) Notable.

marque (marc) Señal, marca.

marquer (ké) Marcar, señalar. *Fig.* Demostrar*.

marqueterie (tᵉrí) Taracea.

marquis (kí) Marqués.

marquise (kís) Marquesa (kèssa).

marraine (rène) Madrina.

marri (rí) Pesaroso (osso).

marron (roⁿ) *m* Castaña *f.* Marrón *m* [glacé]. *Adj.* Castaño, a [couleur]. Cimarrón [sauvage]. *Marron d'Inde*, castaña de Indias. *Courtier marron*, zurupeto.

marronnier (nié) Castaño.

mars (mars) Marzo (zo).

marseillais, aise (iè, ès) Marsellés, sa.

marsouin (uiⁿ) *m* Marsopla *f.*

marteau (to) Martillo. *Marteau-pilon*, martillo pilón.

marteler (tᵉlé) Martillar. *Fig.* Machacar. Inquietar.

martial (sial) Marcial (sal).

martinet (nè) Martinete [machine]. Vencejo [oiseau]. Zorros *pl.* [pour épousseter]. Disciplinas *fpl* [pour punir].

martingale (gal) Gamarra (ra) [harnais] Martingala [jeu].

martre (martr) Marta.

martyr, re (tír) Mártir.

martyre (ír) Martirio.

martyriser (sé) Martirizar.

mascarade (rad) Mascarada.

mascotte (cot) Mascota.

masculin, ine (liⁿ, íne) Masculino, na (cou).

masque (masc) *m* Máscara *f.* Careta [escrime].

masquer (ké) Enmascarar. Ocultar [cacher].

massacrant, te Insoportable. *Humeur massacrante*, mal humor.

massacre (sacr) *m* Matanza *f.* Pin, pan, pon [jeu].

massacrer (ré) Matar. *Fig.* Destrozar.

massage (saj) Masaje.

masse (mas) Masa. Caudal [somme].

massepain (spiⁿ) Mazapán.

masser Amontonar. Agrupar [grouper]. Masar [massage].

masseur, euse (sœr, œs) Masajista.

massif, ive (sif, iv) Macizo, a.

massue (sü) Porra (ra).

mastic (tic) m Almáciga f. Masilla f [vitrier].

mastication Masticación.

mastiquer (ké) Masticar [mâcher]. Pegar con masilla [vitre, etc.].

mastoc (toc) *Pop.* Pesado, da.

mastroquet (ké) *Pop.* Tabernero.

masure (sür) Casucha, choza.

mat, ate (ma, mat). Mate (té). M Mate [échecs].

mât (ma) m Palo [mar.]. *Mât de cocagne*, cucaña.

matamore (mor) Matamoros.

match (mach) Match.

matelas (tlá) Colchón.

matelasser (sé) Acolchar.

matelot (tlo) Marinero.

mater (té) Domar [dompter].

matérialiser Materializar.

matérialisme Materialismo.

matérialiste Materialista.

matériaux (rio) Materiales.

matériel, elle Material.

maternel, elle Materno, na.

maternité Maternidad.

mathématicien (siⁿ) Matemático, ca.

mathématique (ic) Matemático, ca.

matière (er) Materia. Ma-

tière première, materia primera.

matin (tiⁿ) m Mañana f. *De bon matin*, muy temprano.

mâtin Tunante [personnes].

matinal, ale Matutino, na.

mâtiné, ée Cruzado, da.

matinée (né) Mañana. Función de tarde [théâtre].

matines fpl Maitines mpl.

matois, oise Zorro, rra.

matraque (trac) f Garrote m.

matrice (tris) Matriz.

matricule (ül) Matrícula. M Número de inscripción.

matrimonial Matrimonial.

maturation Maduración.

mâture (tür) Arboladura.

maturité Madurez.

maudire* (odír) Maldecir*.

maudit, e (di, it) Maldito, a.

maugréer (mo) Renegar*.

maure (mor) Moro, ra.

mauresque (resc) Morisco, ca.

mausolée (mosolé) Mausoleo.

maussade (sad) Áspero; desabrido. Pesado, desagradable.

mauvais, aise (vè, és) Malo, la. Mal [devant un m] *Adv.* Mal. *Sentir mauvais*, oler* mal.

mauve (mov) Malva.

maxillaire (ler) Maxilar.

maxime (xím) Máxima.

maximum (mom) Máximum (oum). *Adj.* Máximo, a.

mayonnaise (ionès) Mayonesa.

mazout (masú) Mazut (out).

mazurka (sürcá) Mazurca.

me Me (mé).

méandre (aⁿdr) Meandro.

mécanicien (siⁿ) Mecánico.

mécanique (níc) Mecánico,
ca (mé).

mécanisme Mecanismo.

mécène (sène) Mecenas (sé).

méchamment (man) Mala-
mente.

méchanceté (seté) Maldad.

méchant, ante (chan, an1)
Malo, la.

mèche (mech) Mecha (cha).
Pabilo m [bougie]. Mechón
m [cheveu]. Barrena [ta-
rière]. *Vendre la mèche*,
vender un secreto.

mécompte (cont) m Equivo-
cación f [erreur]. Desen-
gaño m [désillusion].

méconnaissable (sabl) Desconocido.

méconnaître* Desconocer*.

mécontent (tan) Descontento.

mécontentement (téman)
Descontento.

mécontenter (té) Descontentar.

mécréant (an) Descreído (éy).

médaille (dáï) Medalla (lla).

médaillon (daïon) Medallón.

médecin (medesin) Médico.

médecine (síne) Medicina.

médian, ane (dian, ane) Mediano, na.

médiateur, trice (tœr, trís)
Mediador, ra.

médiation Mediación.

médical, ale Medical.

médicament (man) m Medi-
cina f.

médication Medicación.

médicinal Medicinal.

médiéval (val) Medioeval.

médiocre (ocr) Mediocre.

médiocrité Medianía.

médire* (dìr) Murmurar.

médisance Murmuración.

médisant (san) Murmurador.

méditatif Meditativo.

méditation (sion) Medita-
ción.

méditer (té) Meditar.

méditerrané, ée (né) Mediterráneo, nea.

médium (diom) Medio. Me-
dium [spir.].

médius (üs) Dedo medio.

méduse (düs) Medusa.

méduser (düsé) Sobrecoger
(jer) [de espanto].

meeting (miting) Mitin (tin).

méfait (fè) m Fechoría f
[crime]. Picardía f [action
blâmable].

méfiance (ans) Desconfianza.

méfiant (fian) Desconfiado.

méfier (se) (fié) Desconfiar.

mégalomanie (ní) Megalo-
manía.

mégarde (gard) f Descuido m.

mégère (jer) Furia, fiera.

mégir (jir) Curtir en blanco.

mégissier (jisié) Curtidor.

mégot (gó) m Colilla (lha) f.

meilleur, eure (meiœr) Mejor (méjor).

méjuger (jé) Juzgar mal.

mélancolie (lé) Melancolía.

mélancolique (líc) Melancólico, ca.

mélange (lanj) m Mezcla f.

mélanger (jé) Mezclar.

mélasse (lás) Melaza.

mêlée (lé) Refriega, pelea.

mêler (lé) Mezclar. *Se mêler
de*, meterse en (ersé èn).

mélèze (lés) Alerce (zé).

méli-mélo Baturrillo, lío.

mélinite (nít) Melinita (né).

mélisse (lís) Toronjil.

mélodie (dí) Melodía.

mélodieux (diœ) Melodioso.

mélodique (íc) Melódico.

mélodrame Melodrama.

mélomane (mán∘) Melómano.

melon (mœlon) Melón (mélòn).

mélopée (pé) Melopeya.

membrane Membrana.

membre (mɑⁿbr) Miembro.

même (mem) Mismo, ma, mos, mas [identique] : *le même nom*, el mismo nombre. *Adv.* Aun, hasta incluso [avant adj., subst. ou pr. explétif, *aun, hasta* précèdent le subst. ou adj.] : *les plus savants même*, aun, hasta, los más sabios. *A même de*, en estado de. *De même que*, lo mismo que, del mismo módo que. *Pas même*, ni siquiera. *Quand même*, aun cuando [suivi d'un verbe]. *A pesar de todo* [non suivi d'un verbe]. *Tout de même*, sin embargo.

mémento (miⁿto) Memento (mèn). Agenda (jen) *f* [livre].

mémoire (muar) Memoria. *M* Memoria *f.* Cuenta *f* [facture].

mémorable Memorable.

mémorandum (dom) Memorándum.

menaçant (mœnasɑⁿ) Amenazador.

menace (nás) Amenaza.

menacer (sé) Amenazar.

ménage (naj) Matrimonio [mari et femme] Menaje, ajuar [mobilier]. *Faire*∘ *le ménage*, hacer∘ la limpieza de la casa. *Femme de ménage*, asistenta.

ménagement Miramiento.

ménager (jé). Ahorrar. *Fig.* Tratar con miramientos. *Se ménager*, cuidarse.

ménager, ère (jé, er) Casero, ra. *F* Mujer de gobierno, mujer de su casa.

ménagerie (rí) Casa de fieras.

mendiant (diaⁿ) Mendigo. Mendicante [ordre rel.].

mendicité Mendicidad (da).

mendier (dié) Mendigar.

menée (mœné) Intriga. Ardid *m.*

mener (né) Llevar (lhé). *Mener à bien*, llevar a cabo.

ménestrel Trovador.

meneur (œr) Acompañante. Cabecílla [insurrection].

méninge (niⁿj) Meninge (jé).

méningite (jit) Meningitis.

menotte (mœnot) Manecíta. *Pl* Manillas, esposas.

mensonge (o) *m* Mentira *f.*

mensonger, ere (jé. er) Falso, sa.

mensualité Mensualidad.

mensuel, elle (süel) Mensual.

mental, ale (maⁿtal) Mental.

mentalité Mentalidad (da).

menterie (maⁿterí) *f* Embuste (en) *m,* mentira *f.*

menteur, euse (tœr, œs) Mentiroso, sa.

menthe (maⁿt) Menta.

mention (sioⁿ) Mención.

mentionner (sio) Mencionar.

mentir* (maⁿtír) Mentír*.

menton (toⁿ) *m* Barbílla *f.*

menu, ue (mœnü) Menudo, da. *M* Lista *f,* minuta *f,* menú [d'un repas] Detalle *m.*

menuet (nüé) Minué (noué).

menuisier (sié) Carpintero.

mépnitique (fi) Mefítico, ca.

méplat, ate Chato, ta. M Plano.

méprendre (se) (a^ndr) Equivocarse.

mépris (prí) Desprecio.

méprisant (sa^n) Despreciativo.

méprise (ís) f Engaño m.

mépriser (sé) Despreciar.

mer f Mar m y f. Mal de mer, mareo.

mercantile (tíl) Mercantil.

mercenaire (sœner) Mercenario.

mercerie (serí) Mercería.

merci (sí) Merced [grâce]. M Gracias f [remerciement] : merci bien, beaucoup, muchas gracias. Dieu merci, gracias a Dios.

mercier (sié) Mercero.

mercredi (œdí) Miércoles.

mercure (cür) Mercurio.

mercuriale Lista de precios oficial.

mère (mer) Madre. Fam. Tía: la mère Machin, la tía Fulana.

méridien (diî^n) Meridiano.

méridional, ale Meridional.

méringue (î^{n}g) f Merengue m.

mérinos (rinós) Merino, na.

méritant (ta^n) Benemérito.

mérite (rit) Mérito.

mériter (té) Merecer*. Mériter d'être, merecer ser.

méritoire (tuar) Meritorio.

merlan (la^n) m Pescadilla f.

merle (merl) Mirlo.

merveille (mervéé) Maravilla.

merveilleux (éu) Maravilloso.

mes (me) Mis [avant un subst.] : mes amis, mis amigos. Mío, mía, míos, mías [après un subst.] : un

de mes amis, un amigo mío; deux de mes amis, dos amigos míos.

mésalliance (ia^{n}s) f Casamiento desigual m.

mésange (sa^{n}j) f Paro m.

mésaventure (vantür) f Contratiempo m.

mésestimer Menospreciar.

mésintelligence Mala inteligencia.

mesquin, ine (ki^n, ín) Mezquino, na.

mesquinerie (kinerí) Mezquindad.

mess (mes) m Mesa (messa) f.

message (mesaj) Mensaje.

messager, ère (jé, jer) Mensajero, ra.

messagerie (jerí) Mensajería.

messe (mes) Misa. Aller à la messe, ir* a misa.

messie (sí) Mesías (ssíass).

messieurs (siœ) Señores.

mesurable Medible.

mesure (sür) Medida. Compás m [mus.]. Outre mesure, demasiado. Sur mesure, a la medida.

mesuré, ée (ré) Medido, da. Mesurado, da [circonspect].

mesurer (ré) Medir*.

métairie (terí) Alquería.

métal Metal.

métallique (íc) Metálico.

métallurgie (ürjí) Metalurgia.

métallurgiste Metalúrgico.

métamorphose (fós) Metamorfosis.

métamorphoser (sé) Metamorfosear.

métaphore (for) Metáfora.

métaphysique (fisíc) Metafísica.

métayer (teié) Aparcero.

métempsycose (ós) Metempsicosis.

météore (teor) Meteoro (oro).

météorologie (jí) Meteorología.

météque (tec) Meteco.

méthode (tod) Método.

méthodique Metódico, ca.

méticuleux (lœ) Meticuloso.

métier (tié) Oficio. Telar [à tisser]. Fig. Trabajo (ajo).

métis, isse (tisé, ís) Mestizo, za.

métisser (tisé) Cruzar.

métrage (aj) m Medición f.

mètre (metr) Metro; mètre carré, cubique, metro cuadrado, cúbico.

métrique (ic) Métrico, ca.

métro Pop. Metropolitano.

métronome Metrónomo.

métropole (pol) Metrópoli.

mets (mè) Plato.

mettable (tabl) Que puede llevarse [vêtement].

metteur (œr) Ponedor. Metteur en pages, compaginador, confeccionador. Metteur en scène, director de escena.

mettre* (metr) Poner [placer]. Meter [introduire]. Ponerse* [habits]. Mettre aux voix, votar. Mettre à jour, poner al día.

meuble (mœbl) Mueble (oué).

meubler (blé) Amueblar.

meule (mœl) f Almiar m [paille]. Muela [moulin].

meulière Moleña [pierre].

meunerie (ri) Molinería.

meunier, ère (nié, er) Molinero, ra.

meurtre (mœrtr) m Muerte f.

meurtri (trí) Magullado. Fig. Afligido.

meurtrier (ié) Matador. Adj Mortal, mortífero. Fig. Sangriento.

meurtrir Magullar. Fig. Afligir.

meurtrissure (sür) Magulladura (lhadoura).

meute (mœt) Jauría (jaou).

mévente (va^{n}t) Mala venta.

mexicain, aine (ki^n, éne) Mejicano, na, mexicano, na.

mi Medio. Mi-suie, mi-coton, mitad seda, mitad algodón. A mi-chemin, a la mitad del camino. La mi-carême, la media cuaresma.

miasme (asm) Miasma.

miaulement Maullido.

miauler (lé) Maullar.

mica (cá) Mica.

miche (mich) Hogaza.

micmac (mac) Enredo.

microbe (crob) Microbio.

micron (cro^n) Micrón.

microphone Micrófono.

microscope Microscopio.

microsillon Microsurco.

midi (dí) Mediodía. Il est midi, son las doce. Chercher midi à quatorze heures, buscar tres pies al gato.

midinette (net) Modistilla.

mie (mí) Miga [pain].

miel m Miel f.

mielleux, euse Meloso, sa.

mien, enne (i^n, éne) Mío, a.

miette (miet) Migaja.

mieux (miœ) Mejor (méjor). Más [avec les v. vouloir, aimer] ; j'aime mieux, me gusta más. Le mieux, lo mejor. Au mieux, lo mejor posible. Il vaut mieux, más vale.

mièvre Delicado, afectado.

mièvrerie (vᵣᵉrí) Delicadeza.

mignard Melindroso.

mignon, onne (ñoⁿ, óⁿᵉ) Lindo, da; bonito, ta. M y f Querido, da [mot d'amitié]. *Péché mignon*, vicio favorito.

migraine (grènᵉ) Jaqueca.

migrateur (tœr) Migrador.

migration (sioⁿ) Migración.

mijaurée (joré) Remilgada.

mijoter (joté) Cocer* lentamente. *Fig.* Preparar.

mikado (kado) Micado.

mil Mil [en fechas inferiores a 2 000]. M Mijo (jo).

milan (aⁿ) Milano.

milice (lís) Milicia.

milicien, enne (siⁿ, énᵉ) Miliciano, na.

milieu (liœ) Medio. *Au milieu, en plein milieu*, en medio.

militaire (ter) Militar.

militant (taⁿ) Militante.

militariser (sé) Militarizar.

militarisme (rísm) Militarismo.

militer (té) Militar.

mille (mil) Mil. M Mil, millar. *Milla* f [mesure].

mille-feuille Milenrama.

millénaire (ner) Milenario.

mille-pattes Cienpiés.

millésime (miéz) Milésimo. Fecha f.

millet (mié) Mijo (jo).

milliard (liar) Mil millones.

milliardaire Millonario.

millier (lié) Millar.

milligramme Miligramo.

millimètre (etr) Milímetro.

million (lioⁿ) Millón.

millionnaire Millonario.

mime (mim) Mimo.

mimer (mé) Remedar.

mimique (mík) Mímico, ca.

mimosa (sá) Mimosa (ossa).

minable (nabl) Miserable.

minaret (rè) Alminar.

minauder (dé) Hacer* carantoñas.

mince (miⁿs) Delgado, da.

minceur (sœr) Delgadez.

mine (minᵉ) Mina [excavation]. Cara [visage]. *Faire mine de*, hacer* ademán de.

miner (né) Minar.

minerai Mineral. Mena f.

minéral, ale Mineral.

minéralogie (lojí) Mineralogía (jía).

minet, ette Gatito, ta.

mineur, eure (nœr) Menor [âge]. M Minero [ouvrier].

miniature (tür) Miniatura.

minier, ère (minié, er) Minero, ra.

minima (nuá) Mínima.

minime Mínimo, ma.

minimum (mom) Mínimum.

ministère (ter) Ministerio.

ministre (nistr) Ministro.

minium (niom) Minio.

minois (nuá) m Cara f.

minorité (rité) Minoría [assemblée]. Menor edad.

minoterie (trí) f Molino m.

minotier (tié) Harinero.

minuit (nüí) Medianoche. *Il est minuit*, son la doce de la noche.

minuscule (üscül) Minúsculo f

minute (nüt) f Minuto m. Minuta f [notaire]. ¡Espere! [interj.].

minuterie (rí) f Minutero m.

minutie (sí) Minucia.

minutieux, euse (siœ, œs) Minucioso, sa.

mioche (och) *Pop.* Chico.

mirabelle Especie de ciruela.

miracle (racl) Milagro.

miraculeux, euse (cülœ, œs) Milagroso, sa.

mirage (raj) Espejismo (jís).

mire (mir) Míra.

mirer (ré). Mirar.

mirifique (fíc) Mirífico, ca.

mirliton (toⁿ) m Flauta [f] de caña.

mirobolant Maravilloso.

miroir (ruar) Espejo.

miroitement Espejeo.

miroiter (té) Espejear.

mis, ise (mi, is) Puesto, ta.

misaine (sèn) f Trinquete m.

misanthrope Misántropo.

misanthropie Misantropía.

mise (mís) Puesta [jeu]. Puja [enchère]. Capital m. Porte m [manière de se vêtir]. Mise à jour, revisión. Mise au point, preparación; enfoque m [photo]. Mise en œuvre, empleo m. Mise en scène, dirección de escena. Mise en valeur, valoración.

miser (sé) Hacer* puesta.

misérable (serabl) Miserable.

misère (ser) Miseria.

miséreux, euse (rœ, œs) Pordiosero, sa.

miséricorde (sericord) Misericordia.

miséricordieux, ieuse (œ, œs) Misericordioso, sa.

missel (sel) Misal (miss).

mission (sioⁿ) Misión.

missionnaire (ner) Misionero.

missive Misiva.

mitaine (tèn) f Mitón m.

mite (mit) Polilla (lha) [teigne].

mitiger (jé) Mitigar.

mitonner Cocerse* a fuego lento.

mitoyen (tuaiⁿ) Medianero.

mitraille (trái•) Metralla.

mitrailler (aié) Ametrallar.

mitrailleur Ametrallador.

mitrailleuse (œs) Ametralladora.

mitre (mitr) Mítra.

mitron (oⁿ) Mozo de pastelero.

mixte (mixt) Míxto, ta.

mixture (tür) Mixtura (oura).

mobile (bíl) Móvil.

mobilier, ère (lié, er) Mobiliario, ria. M Ajuar.

mobilisation (sioⁿ) Movilización.

mobiliser (sé) Movilizar.

mobilité Movilidad.

moche (moch) Pop. Feo, a.

modalité Modalidad.

mode (mod) Modo. F Moda. A la mode, de moda.

modelage (d•laj) Modelado.

modele (del) Modelo.

modeler (d•lé) Modelar.

modeleur (lœr) Escultor.

modération Moderación.

modéré Moderado.

modérer (ré) Moderar.

moderne (ern) Moderno.

moderniser Modernizar.

modernisme Modernismo.

modeste (dest) Modesto, ta.

modestie (tí) Modestia.

modicité Modicidad.

modification Modificación.

modifier (fié) Modificar.

modique (dic) Módico, ca.

modiste (díst) Sombrerera.

modulation Modulación.

module (dül) Módulo.

moduler Modular.

moelle (moal) Medula. Tuétano m (os de boucherie).

Fig. Meollo *m* [substance].
Moelle épinière, medula espinal.

moelleux, euse (lœ, œs) Meduloso, sa. *Fig.* Suave. Blando, da [lit.].

moellon (loⁿ) Morrillo.

mœurs (mœr) Costumbres.

moi (mua) Yo [sujet] *c'est moi*, soy yo. Mí [compl.] : *par moi-même*, por mí mismo. Me [après impér.] : *dismoi*, dime. *A moi, mío* : *des amis à moi*, amigos míos. *Chez moi*, en mi casa, en casa.

moignon (muañoⁿ) Muñón.

moindre (muiⁿdr) Menor.

moine (muán^e) Fraile (aï). Monje [religieux cloîtré].

moins (muiⁿ) Menos. *M* Menos. *Au moins*, al menos. *Du moins*, por lo menos. *Le moins*, el menos [devant un subst.] : *le moins savant*, el menos sabio. Lo menos [devant un verbe ou un adj.] : *le moins que je ferais*, lo menos que haré. *De moins en moins*, cada vez menos.

moire (muar) *f* Muaré *m.*

moirer (ré) Dar* visos.

mois (mua) Mes (mès).

moisi, e (muasí) Enmohecido, da.

moisir Enmohecer*. *Fam.* Echar raíces.

moisissure (sür) *f* Moho *m.*

moisson (soⁿ) Cosecha (cha).

moissonner (né) Cosechar.

moissonneur, euse (œr, œs) Segador, ra.

moite (muat) Húmedo, da.

moiteur (œr) Humedad.

moitié Mitad. *Fam.* Mujer. *A moitié*, à la mitad. A me-

días [avec un adj.] : *à moitié plein*, medio lleno. *De moitié*, a medias.

moka Moka [café].

mol Blando.

molaire (ler) Molar. *F* Muela.

moléculaire (üler) Molecular.

molécule (cül) Molécula.

moleskine (kín^e) *f* Hule *m.*

molester (té) Molestar.

molette (let) Moleta.

mollesse (lès) Blandura. Flojedad [paresse].

mollet, ette Blando, da. Tierno, na. *M* Pantorrilla *f.*

molletière (letiér) Polaina.

molleton (letoⁿ) Muletón.

mollusque (lüsc) Molusco.

molosse (lós) Moloso (osso).

môme (mom) Chico, ca (chi).

moment (maⁿ) Momento. *Au moment de*, en el momento de. *Du moment que*, desde el momento que.

momentané, ée Momentáneo, a.

momie (mí) Momia.

momifier (fié) Momificar.

mon, ma, mes (moⁿ, ma, me) Mi, mis [avant un subst.] : *ma chemise*, mi camisa. Mío, mía, míos, mías [après un subst.] : *mon Dieu!*, ¡Dios mío!

monacal, ale (cal) Monacal.

monarchie (chí) Monarquía.

monarchique (chíc) Monárquico.

monarque (narc) Monarca.

monastère (ter) Monasterio.

monastique Monástico, ca.

monceau (moⁿso) Montón.

mondain, aine (diⁿ, én^e) Mundano, a.

monde (oⁿd) Mundo. Gente *f:
beaucoup de gens, mucha
gente.
mondial, ale Mundial.
monétaire (ter) Monetario.
mongol, ole (moⁿ) Mongol.
moniteur (tœr) Monitor.
monnaie (nè) Moneda. Vuelta
[rendre la monnaie]. Suelto
m [petite monnaie]. Cambio *m* [l'équivalent] : *la
monnaie de cinq francs,* el
cambio de un duro.
monnayer (neié) Amonedar.
monnayeur (œr) Monedero.
monocle (ocl) Monóculo.
monogramme Monograma.
monographie Monografía.
monolithe (lít) Monolito.
monologue (log) Monólogo.
monomane (teism) Monomaníaco.
monôme (nom) Monomio.
monoplan (aⁿ) Monoplano.
monopole Monopolio.
monopoliser Monopolizar.
monothéisme (teism) Monoteísmo.

monotone (one) Monótono.
monotonie (ní) Monotonía.
monseigneur (señœr) Monseñor [prince ou évêque français].   [Pl *Messeigneurs,*
Monséñores].   Illustrísimo
señor (oustri) [pour un évêque espagnol].
monsieur (mœsiœ) Señor
[sans prénom]. *Señor don*
[avec prénom, ou son initiale]. Caballero (lhé) [pour
s'adresser à quelqu'un].
Faire le monsieur, echarla
de caballero.
monstre (oⁿstr) Monstruo.
monstrueux, euse (üœ, œs)
Monstruoso, sa.

monstruosité Monstruosidad.
mont (moⁿ) Monte.
montage Montaje [machine].
montagnard (ñar) Montañés.
montagne (tañ) Montaña.
montagneux, euse (ñœ, œs)
Montañoso, sa.
montant (taⁿ) Subiente [qui
monte]. Creciente [marée].
M Montante. Importe [d'un
compte].
mont-de-piété Monte de piedad.
monte-charge (arj) Montacargas.
montée (té) Subida.
monter (té) Subir. Montar
[à cheval; une machine, une
affaire]. *Monter en grade,*
ascender*.
monteur (œr) Montador.
monticule (cül) Montículo.
montre (oⁿtr) Muestra. Reloj (rélo) *m.* Montre-bracelet, reloj de pulsera. *Faire
montre de,* dar* muestra de.
montrer (tré) Mostrar*.
monture (tür) Cabalgadura.
Montadura [pierre].
monument Monumento.
monumental, e Monumental.
moquer (se) (moké) Burlarse.
moquerie (kerí) Burla (bour).
moquette (ket) Moqueta (ké).
moqueur, euse (kœr, œs)
Burlón, na.
moraine (rène) Morena (ré).
moral, ale Moral. *F* Moral
f. M Ánimo *m* [courage].
moraliser (sé) Moralizar.
moraliste (líst) Moralista.
moralité Moralidad.
moratoire (tuar) Moratorio, a.
morbide (bid) Mórbido, da.

morbleu! ¡Voto a bríos!

morceau (*so*) Pedazo. Trozo. Fragmento [musique]. Bocado [comestible].

morceler (*selé*) Dividir.

mordant (*da*ⁿ) Mordiente. *Fig.* Mordaz (*az*).

mordiller (*diié*) Mordiscar.

mordoré Doradillo.

mordre (*mordr*) Morder*.

moresque (*resc*) Morisco, ca.

morfondre (se) (*morfo*ⁿdr) Aburrirse.

morgue (*morg*) *f* Orgullo (lho) *m* [mépris]. Depósito de cadáveres.

moribond (*bo*ⁿ) Moribundo.

moricaud, aude (*co, cod*) Negrillo, lla.

morigéner (*jené*) Morigerar.

morille (*rii*ᵉ) Cagarria (*rri*).

mormon, onne (*mo*ⁿ, *ón*ᵉ) Mormón, na.

morne (*orn*) Sombrío, a. Triste.

morose (*rós*) Taciturno.

morphine (*fín*ᵉ) Morfina.

mors (*mor*) Bocado. *Prendre le mors aux dents*, desbocarse.

morse (*mors*) *m* Morsa *f*.

morsure (*súr*) Mordedura.

mort Muerte. *Blessé à mort*, herido de muerie.

mort, orte (*mor, orte*) Muerto, ta. Seco, ca [végétal].

mortaise (*tès*) Mortaja (ja).

mortalser (*sé*) Escoplear.

mortalité Mortalidad (*da*).

mortel, elle (*tel, el*) Mortal.

mortier (*tié*) Mortero [canon]. Hormigón [maçonnerie].

mortification (*sio*ⁿ) Mortificación.

mortifier (*ié*) Mortificar.

mort-né (*orné*) Nacido muerto.

mortuaire (*mortüer*) Mortuorio, ria.

morue (*rü*) *f* Bacalao *m*.

morve (*morv*) *f* Moco *m* [d'homme].

morveux, euse (*vœ, œs*) Mocoso, sa.

mosaïque (*saïc*) *f* Mosaico *m*.

mosquée (*moské*) Mezquita (*mezki*).

mot (*mo*) *m* Palabra *f*. *Mot de passe*, santo y seña. *Mot pour rire*, chiste. *Gros mot*, palabrota *f*. *Au bas mot*, a lo menos. *Prendre au mot*, coger la palabra. *Mot à mot*, literalmente.

moteur, trice (*œr, trís*) Motor, ra.

motif Motivo.

motion (*sio*ⁿ) Moción.

motiver (*vé*) Motivar.

motocyclette Motocicleta.

motte (*mot*) *f* Terrón *m*.

motus (*tüs*) *interj.* ¡Silencio!

mou, molle (*mu, mol*) Blando, a. *Fig.* Flojo, a.

mouchard (*char*) Soplón.

moucharder (*dé*) Soplonear.

mouche (*mouch*) Mosca. *Faire mouche*, dar* en el blanco. *Prendre la mouche*, amoscarse.

moucher (*ché*) Sonar.

moucheron (*ro*ⁿ) Mosquito.

moucheter (*té*) Motear.

mouchettes Despabiladeras.

mouchoir (*chuar*) Pañuelo.

moudre (*mudr*) Moler*.

moue (*mu*) *f* Gesto *m*.

mouette (*muet*) Gaviota.

moufle (*mufl*) Manopla [gant]. Aparejo *m* [poulie].

moulllage (iaj) Fondeadero.

mouiller (ué) Mojar. Aguar [couper d'eau]. Fondear [mar.].

moujik (jic) Mujic.

moulage (mulaj) Vaciado.

moule (mul) Molde. F Mejillón m.

moulé Vaciado.

mouler (lé) Vaciar. Fig. Amoldar.

moulin (mulin) Molino.

moulinet (muliné) Molinete.

moulu (lü) Molido.

moulure (mulür) Moldura (moldoura).

mourant (ran) Moribundo.

mourir* (rir) Morir*. Mourir de rire, morirse de rísa.

mousquetaire (ter) Mosquetero.

mousqueton Mosquetón.

mousse (mus) Grumete. F Musgo m [plante]. Espuma f [liquide].

mousseline (lín) Muselina.

mousser (musé) Espumear.

mousseux, euse (sœ, œs) Espumoso, sa.

mousson (son) Monzón (zòn).

moussu, ue (sü) Musgoso, sa.

moustache (tach) f Bigote m.

moustachu (chü) Bigotudo.

moustiquaire (ker) Mosquitero.

moustique (tic) Mosquito.

moût (mu) Mosto.

moutard (mutar) Pop. Chiquillo.

moutarde (mutard) Mostaza (aza).

moutardier (ié) Mostacero.

mouton (ton) Carnero. Fig. Cordero.

moutonner (né) Cabrillear [mer].

moutonnier (ié) Ovejuno.

mouture (mutür) Molienda.

mouvant (van) Moviente [qui meut]. Movedizo [qui se meut].

mouvement (muvman) Movimiento.

mouvementé, ée (anté) Animado, da.

mouvoir (uar) Mover.

moyen, enne (muaïn, éne) Medio, dia. M Medio. F Promedio m. En moyenne, por término medio. Moyen âge m, Edad Media f.

moyennant (muaienan) Mediante.

moyeu (muaiœ) Cubo.

mucilage (aj) Mucílago.

mucosité (mü) Mucosidad.

mucus (küs) Mucus.

mue (mü) Muda.

muer (üé) Mudar.

muet, ette (muè, et) Mudo, da.

muezzin (sin) Almuédano.

mufle Hocico. Fam. Grosero.

mugir (müjir) Mugir.

mugissement (isman) Mugido.

muguet (mügué) Muguete.

mulâtre, esse (atr, ès) Mulato, ta.

mule (mül) Mula. Chinela [pantoufle].

mulet (mülè) Mulo.

muletier (mületié) Arriero (arriéro).

mulot (lo) Ratón de campo.

multicolore (lor) Multicolor.

multiple (tipl) Múltiple.

multiplicateur (œr) Multiplicador.

multiplication (casioⁿ) Multiplicación.

multiplier (plié) Multiplicar.

multitude (mûltitüd) Multitud (moultitou).

municipal, ale Municipal.

municipalité Municipalidad.

munificence Munificencia.

munir (mûnir) Proveer* (véér).

munition (sioⁿ) Munición.

muqueux, euse (cœ, œs) Mucoso, sa.

mur (mûr) m Pared (ré) [maison]. Muro (mouro) [d'une ville]. Tapia f [de clôture]. Mur mitoyen (tua_iⁿ), medianería f.

mûr, re (mûr) Maduro, ra.

muraille (ra_i) Muralla.

mural, ale (ral) Mural.

mûre (mûr) Mora [fruit].

murer (ré) Murar [clore]. Tapiar [boucher].

mûrier (mûrié) m Morera f.

mûrir (mûrir) Madurar.

murmure (mûrmûr) Murmullo (mourmoulho).

murmurer (mûré) Murmurar.

musarder (sardé) Gandulear.

musc (mûsc) Almizcle.

muscade (cad) Moscada.

muscadin (diⁿ) Petimetre.

muscat (ca) Moscatel.

muscle (ûscl) Músculo.

musclé Musculoso.

musculaire (er) Muscular.

musculeux, euse (œ) Musculoso.

muse (mûs) Musa (oussa).

museau (mûso) Hocico (ozi-co).

musée (ûsé) Museo (moussée).

museler (selé) Abozalar. Fig. Amordazar [faire taire].

muselière (selier) f Bozal m.

musette (set) Gaita (ga_ita) [mus.]. Morral (rral) m [sac].

muséum (mûseom) Museo.

musical, ale Músico, ca.

musicien, enne (sisiⁿ, iên^e) Músico, ca.

musique (sic) Música.

musquer (mûsqué) Almizclar.

musulman (mûsülmaⁿ) Musulmán.

mutation (sioⁿ) Mutación.

mutilation (sioⁿ) Mutilación.

mutiler (mûtilé) Mutilar.

mutin, ine (tiⁿ, ín^e) Revoltoso, sa. Fam. Vivaracho, cha [éveillé].

mutiner (né) Amotinar.

mutinerie (rí) f Motín m. Fig. Terquedad.

mutisme (tism) Mutismo.

mutualité Mutualidad.

mutuel, elle (tüel) Mutuo, a.

myope (miop) Míope.

myopie (pí) Miopía.

myosotis (tis) m Raspilla f.

myriade (miriad) Miríada.

myriamètre Miriámetro.

myrrhe (mir) Mirra.

myrte (mirt) Mirto.

mystère (mister) Misterio. Auto sacramental [théâtre].

mystérieux, euse (riœ, œs) Misterioso, sa.

mysticisme Misticismo.

mystification Burla.

mystifier (fié) Burlar.

mystique Místico, ca.

mythe (mit) Mito.

mythologie (jí) Mitología.

N

nabab Nabab.
nabot (bo) Arrapiezo.
nacelle (sel) Navecilla (zi).
  Barquilla (kílha) [ballon].
nacre (nacr) f Nácar (na) m.
nacrer (cré) Nacarar (rar).
nage (naj) f Nado m.
nageoire (najuar) Aleta.
nager (najé) Nadar.
nageur (jœr) Nadador.
naguère (guer) Poco ha.
naïade (iad) Náyade.
naïf, ïve (if, ïv) Sencillo. na.
nain, aine (nin, éne) Enano,
  na.
naissance (nesans) f Nacimiento (miénto) m.
naître (netr) Nacer* (zèr).
naïveté (veté) Sencillez.
nanan (nan) m Fam. Canela f.
nantir (antir) Asegurar. Proveer* [pourvoir].
nantissement (tisman) Fianza (fiânza).   )
naphtaline (líne) Naftalina.
naphte (naft) m Nafta f.
napoléonien (niin) Napoleó-
  nico.
napolitain Napolitano.
nappe f Mantel m. Capa
  [couche].
narcotique (tic) Narcótico.
nard (nar) Nardo.
narguer (gué) Burlarse de.
narguilé Narguile (lé).
narine (ríne) Nariz (ríz).
narquois, oise (cuá, uás)
  Burlón, na.
narration (sion) Narración.
narrer (ré) Narrar (rrar).
nasal, ale (sal) Nasal.

naseau (so) m Ventana f,
  nariz f.
nasillard (siïar) Gangoso.
nasse (nas) Nasa (nassa).
natal, ale Natal.
natalité Natalidad (da).
natation (sion) Natación.
natif, ive (if, ïv) Nativo, va.
nation (sion) Nación.
national, ale Nacional.
nationalisme Nacionalismo.
nationaliste Nacionalista.
nationalité Nacionalidad.
nativité Navidad (da).
natte (nat) Estera [tapis].
  Trenza [cheveux].
natter (té) Trenzar.
naturalisation Naturaliza-
  ción.
naturaliser (sé) Naturalizar.
naturaliste Naturalista.
nature (tür) Naturaleza. Natural m [d'une personne].
  Adj. Al natural. D'après
  nature, del natural.
naturel, elle (rel) Natural.
naufrage (aj) Naufragio.
naufragé, ée Naufragado, da.
  M y f Náufrago, ga.
naufrager (jé) Naufragar.
nauséabond (on) Nausea-
  bundo.
nausée (sé) Náusea (naou-
  séa).
nautique (tic) Náutico, ca.
naval, ale (al) Naval.
navet (vè) Nabo.
navette (vet) Lanzadera.
  Faire la navette, ir* y venir.
navigable (gabl) Navegable.
navigateur (tœr) Navegante.

navigation (sioⁿ) Navegación.
naviguer (gué) Navegar.
navire (vír) Navío, Buque.
navrant (raⁿ) Desconsolador, triste.
navrer (vré) Afligir.
ne (nœ) No. *Je ne vois rien*, no veo nada.
né, ée (ne) Nacido, da. Nato, ta: *criminel-né*, *criminal nato*. De nacimiento. *Mᵐᵉ Legris, née Leduc*, Sra. Le-duc de Legris.
néanmoins (aⁿmuiⁿ) Sin embargo.
néant (neaⁿ) *m* Nada *f.*
nébuleux, euse (būlœ, œs) Nebuloso, sa.
nécessaire (seser) Necesario.
nécessité Necesidad.
nécessiter (té) Necesitar.
nécessiteux, euse (tœ, œs) Necesitado, da.
nécropole Necrópolis.
nectar (nèc) Néctar.
néerlandais (dè) Neerlandés.
nef Nave (vé).
néfaste (fast) Nefasto, ta.
nèfle (nefl) *f* Níspero *m.*
négatif, ive Negativo, va.
négation (sioⁿ) Negación.
négligé, ée (jé) Descuidado, da. *Être en négligé*, estar* de trapillo.
négligeable (jabl) Despreciable.
négligemment (jamaⁿ) Descuidadamente.
négligence (jaⁿs) Negligencia.
négligent, ente (jaⁿ, aⁿt) Negligente, descuidado, da.
négliger (jé) Descuidar.
négoce (gós) Negocio.

négociant (siaⁿ) Negociante.
négociateur Negociador.
négociation (sioⁿ) Negociación.
négocier (sié) Negociar.
nègre, esse (negr, és) Negro, gra, *Petit nègre*, algarabía.
neige (nèj) Nieve.
neiger (jé) Nevar*.
neigeux, euse (jœ, œs) Nevoso, sa.
nenni (naní) Nones.
nénuphar (nenüfar) Nenúfar (nou).
néologisme (jism) Neologismo (jismo).
néon (eoⁿ) Neón, néo.
néophyte (fit) Neófito (néo).
néphrite (frit) Nefritis.
nerf (ner) Nervio. *Fig.* Energía.
nerveux, euse (vœ, œs) Nervioso, sa.
nervosité Nervosidad.
nervure (vür) Nervadura.
net, ette (net) Neto, ta [somme]. Límpio, pia (propre]. Claro, ra [pensée, voix, vue]. Rotundamente [refuser]. *S'arrêter net*, detenerse* de pronto, en seco. *Mettre au net*, poner en limpio. *En avoir le cœur net*, saber* a qué atenerse.
nettement Claramente.
netteté Limpieza. Claridad.
nettoiement (netuamaⁿ) *m.* Limpieza *f.*
nettoyage (iaj) *m* Limpieza *f.*
nettoyer (netuaié) Limpiar.
neuf (nœf) Nueve, noveno, na [rois, papes] : *Henri neuf*, Enrique noveno.
neuf, neuve (nœf, œv) Nuevo, va. *M* Lo nuevo.

neurasthénie Neurastenia.
neutraliser (sé) Neutralizar.
neutralité Neutralidad.
heutre (œtr) Neutro, tra.
neuvième (ièm) Noveno. M Novena parte f.
névé m Nevero.
neveu (nᵉvœ) Sobrino.
névralgie (ji) Neuralgia.
névrite (it) Neuritis.
névrose (ós) Neurosis.
nez (ne) m Nariz f. Nez à nez, cara a cara. Avoir quelqu'un dans le nez, no poder* con uno.
ni Ni.
niais, aise (niè, ès) Bobo, ba.
niaiserie (sᵉrí) Bobería.
niche (nich) f Nicho m [dans un mur]. Perrera f [chien]. Fam. Broma.
nichée Nidada [oiseaux].
nicher (ché) Anidar. Fam. Meter [fourrer].
nickel (kel) Níquel m.
nickeler (kᵉlé) Niquelar.
nicotine (tíne) Nicotina.
nid (ni) Nido.
nielle Neguilla [plante].
nièce (niés) Sobrina.
nier (nié) Negar*.
nigaud, aude (go, od) Símple.
nihiliste (íst) Nihilista.
nimbe (nᵉnb) Nimbo m.
nimbus (üs) Nimbo.
nippe (nip) f Trapo m.
nipper (pé) Ataviar.
nique (nic) Burla [bour].
nitouche (sainte) (sintᵉ-uch) Fam. Mosquita (ki) muerta.
nitrate (at) Nitrato.
nitrique (tric) Nítrico.
nitroglycérine (serine) Nitroglicerina (zé).

niveau (vo) Nivel.
niveler (vᵉlé) Nivelar.
nivellement m Nivelación.
noble (nobl) Noble.
noblesse (blés) Nobleza (éza).
noce (nos) Boda. Noces d'or, bodas de oro. Pl Nupcias Fam. Faire la noce, ir* de juerga.
noceur (sœr) Juerguista.
nocif, ive (if, iv) Nocivo, va.
nocivité Nocividad (da).
noctambule Noctámbulo.
nocturne (türn) Nocturno.
noël (noel) m Navidad (da) f. Nuit de Noël, Nochebuena. Villancico [chant].
nœud (nœ) m Nudo : nœud coulant, nudo corredizo (rredi).
noir, oire (nuar) Negro, gra. sombrío, bría [triste]. M Negro. F Negra, semínima [mus.].
noirâtre (atr) Negruzco, ca.
noiraud, aude (ro, od) Moreno, na.
noirceur (sœr) Negrura. Fig. Maldad.
noircir (sír) Ennegrecer.
noise (nuas) Disputa.
noix (nua) Nuez f. (nouèz).
nom (nᵒn) Nombre. Nom de baptême (batem) [sic], nombre de pila. Nom de famille (miᵉ), apellido. Au nom de, en nombre de. Nom de nom, etc., ¡Caramba!
nomade (mad) Nómada (no).
nombre (nᵒnbr) Número.
nombreux, euse (œ, œs) Numeroso, sa.
nombril (nᵒnbrí) Ombligo.
nomenclature Nomenclatura.
nominal, ale Nominal.

nominatif Nominativo.

nomination Nombramiento.

nommé, ée Nombrado, da. Llamado, da [appelé].

nommément (maⁿ) Especialmente.

nommer (mé) Nombrar. Llamar (lha) [appeler].

non (noⁿ) No plus, tampoco. *Ne pas dire non,* no decir* que no. *Non pas,* no.

non-activité Cesantía. Reemplazo *m* [militaire].

nonante (naⁿt) Noventa.

nonce (noⁿs) Nuncio (nounzio).

nonchalance (laⁿs) *f* Abandono *m,* dejadez.

nonchalant, ante (laⁿ, aⁿt) Abandonado, da; dejado, da. **nonciature** (tür) Nunciatura.

non-intervention No intervención.

non-jouissance Privación del goce.

non-lieu (liœ) Sobreseimiento.

nonne (nonⁿ) Monja (ja).

nonobstant (taⁿ) No obstante.

non-payement (peimaⁿ) *m* Falta [f] de pago.

non-sens (saⁿs) Contrasentido.

non-valeur (lœr) Cosa sin valor. Persona inútil.

nord (nor) Norte.

nord-est (est) Nordeste.

nordique (ic) Nórdico, ca.

nord-ouest (uest) Noroeste.

normal, ale (al) Normal.

normand, ande (maⁿ, aⁿd) Normando, da.

norme (norm) Norma.

norvégien (jiⁿ) Noruego.

nos (no) V. NOTRE.

nostalgie (jí) Nostalgia.

nostalgique (jic) Nostálgico.

nota (tá) *m* Nota *f.*

notabilité Notabilidad.

notable (abl) Notable.

notaire (ter) Notario, escribano.

notamment (maⁿ) En particular.

notarié Hecho ante notario.

notation (sioⁿ) Notación.

note (not) Nota. Cuenta [facture].

noter (té) Notar. Apuntar [sur un carnet].

notice (tís) Noticia.

notifier (fié) Notificar.

notion (sioⁿ) Noción (zioⁿ).

notoire (tuar) Notorio, ria.

notoriété Notoriedad.

notre (notr) *adj* Nuestro, tra.

nôtre (notr) *pron. pos.* Nuestro, tra.

nouer (nué) Anudar. *Fig.* Trabar [relations, intrigue].

noueux, euse Nudoso, sa.

nougat (nugá) Turrón.

nouilles (nui) *fpl* Tallarines (lharinès) *mpl.*

nourri (nurí) Alimentado. Criado [élevé]. Nutrido [vigoureux].

nourrice (ís) Nodriza.

nourricier, ère (sié, er) Nutricio, cia.

nourrir Alimentar. *Fig.* Nutrir. Criar [élever].

nourrissant (saⁿ) Nutritivo.

nourrisson (oⁿ) *m* Criatura *f.*

nourriture *f* Alimento *m,* comida, *f.*

nous (nu) Nosotros, tras [sujet]. Nos [complément] : *nous nous sommes souvenues,* nosotras nos hemos acordado.

nouveau, vel, velle (*vo, el*) Nuevo, va. Recién: *nouveau marié*, recién casado; *nouveau-né*, recién nacido. *De nouveau*, de nuevo.

nouveauté (*voté*) Novedad.

nouvelle Noticia. Novela corta [*récit*].

novateur, trice Novador, ra.

novembre (*a*ⁿbr) Noviembre.

novice (*vís*) Novicio, cia.

noviciat (*siá*) Noviciado.

noyade (*nuaíad*) *f* Ahogamiento, *m.*

noyau (*nuaio*) Hueso [*fruits*]. *Fig.* y *Anat.* Núcleo (*nou*).

noyé (*nuaié*) Ahogado, da.

noyer (*ié*) Ahogar. *M* Nogal [*arbre*].

nu, ue (*nü*) Desnudo, da. *A nu*, al desnudo. *Tête nue*, sin sombrero. *Tout nu*, en cueros.

nuage (*nüaj*) *m* Nube *f.*

nuageux, euse (*jœ, œs*) Nublado, da.

nuance (*nüa*ⁿs) *f* Matiz *m.*

nuancer (*sé*) Matizar (*zar*).

nubile (*nübíl*) Núbil (*nou*).

nudité (*nüdité*) Desnudez.

nue y **nuée** (*nü, nüé*) Nube.

nuire (*nüír*) Perjudicar.

nuisible (*síbl*) Nocivo, va.

nuit (*nüí*) Noche. *Nuit blanche*, noche toledana. *Il fait nuit*, es de noche.

nul, ulle (*nül*) Nulo, la. Nadie : *nul ne sait*, nadie sabe.

nullement (*a*ⁿ) De ningún modo.

nullité (*lité*) Nulidad (*da*).

numéraire (*rer*) Numerario.

numéral, ale Numeral.

numérateur (*œr*) Numerador.

numération Numeración.

numérique (*ric*) Numérico.

numéro Número.

numéroter (*té*) Numerar.

numide (*nümíd*) Númida.

numismate Numismático.

nuptial, ale (*síal*) Nupcial.

nuque (*nüc*) Nuca. Cogote *m.*

nutritif, ive Nutritivo, va.

nutrition (*sio*ⁿ) Nutrición.

nymphe (*ni*ⁿf) Ninfa (*nin*).

O

o! *interj.* ¡Oh!

oasis (*sis*) *f* Oasis (*ssiss*) *m.*

obédience (*dia*ⁿs) Obediencia.

obéir Obedecer* (*ezer*).

obéissance Obediencia.

obéissant (*sa*ⁿ) Obediente.

obélisque (*lisc*) Obelisco.

obèse (*ès*) Obeso, sa (*esso*).

obésité (*sité*) Obesidad (*da*).

objecter (*té*) Objetar.

objecteur Objetante.

objectif, ive Objetivo.

objection (*sio*ⁿ) Objeción (*zio*ⁿ).

objectivité Objetividad.

objet (*jè*) Objeto (*jé*).

obligation (*sio*ⁿ) Obligación.

obligatoire (*tuar*) Obligatorio.

obligé (*jé*) Obligado. Agradecido [*reconnaissant*].

obligeance Complacencia ; cortesía.

obligeant (**ja**ⁿ) Servicial. Obsequioso, cortés [poli].

obliger (**jé**) Obligar. Favorecer* (**rézér**) [servir].

oblique (**blíc**) Oblícuo, cua.

obliquer (**ké**) Oblicuar (**ouar**).

oblitération Obliteración.

oblitérer (**ré**) Obliterar. Matasellar (**lhar**) [timbres].

oblong, ongue (**o**ⁿ, **o**ⁿg) Oblongo, a.

obole (**obol**) f Óbolo (**obo**) m.

obscène (**sène**) Obsceno (**zé**).

obscénité Obscenidad (**da**).

obscur, re (**cür**) Obscuro, ra.

obscurcir Obscurecer*.

obscurcissement (**ma**ⁿ) Obscurecimiento.

obscurément (**ma**ⁿ) Obscuramente.

obscurité Obscuridad.

obsédé, ée (**dé**) Dominado, da. Obseso, sa [par les esprits]. Perseguido, da [poursuivi].

obséder (**dé**) Causar obsesión. Atormentar (**èn**) [tourmenter].

obsèques (**sec**) Exequias.

obséquieux (**obsékiœ**) Obsequioso (**kiosso**).

observance Observancia.

observateur, trice (**œr, tris**) Observador, ra.

observation (**sio**ⁿ) Observación.

observatoire (**tuar**) Observatorio.

observer (**vé**) Observar.

obsession (**sio**ⁿ) Obsesión.

obstacle (**tacl**) Obstáculo.

obstétrique (**tric**) Obstetricia.

obstination (**sio**ⁿ) Obstinación, porfía, pertinacia, terquedad.

obstiné, ée (**né**) Obstinado, da. Vr. S'obstiner à, obstinarse en, empeñarse en.

obstruction (**sio**ⁿ) Obstrucción.

obstruer (**trüé**) Obstruír*.

obtenir (**tœnir**) Obtener*.

obtention (**sio**ⁿ) Obtención.

obturateur Obturador.

obturation (**sio**ⁿ) Obturación.

obturer (**ré**) Obturar (**ourar**).

obtus, use (**tü, üs**) Obtuso, sa (**ousso**).

obus (**obü**) m Granada f. Obús m.

obusier (**sié**) Obús (**bouss**).

occasion (**sio**ⁿ) Ocasión. Motivo m [prétexte]. Ganga [marché avantageux]. D'occasion, de lance, de ocasión.

occasionnel Ocasional.

occasionner (**né**) Ocasionar.

occident (**sida**ⁿ) Occidente.

occidental, ale Occidental.

occiput (**püt**) Occipucio.

occire (**ocsír**) P. us. Matar.

occis, ise (**si, ís**) Occiso, sa.

occlusion (**sio**ⁿ) Oclusión.

occulte (**cült**) Oculto, ta.

occultisme (**tism**) Ocultismo.

occupant, ante (**pa**ⁿ, **a**ⁿt) Ocupador, ra. Ocupante [premier].

occupation (**sio**ⁿ) Ocupación.

occuper (**cüpé**) Ocupar (**our**). S'occuper de, ocuparse en.

occurrence (**cüra**ⁿs) Ocurrencia.

océan (**sea**ⁿ). Océano (**zéa**).

ocre (**ocr**) f Ocre (**ocré**) m.

octave (**tav**) Octava.

octobre (**tobr**) Octubre.

octogénaire (ner) Octogenario, ria. *Fam.* Ochentón, na (chèn).

octroi (truá) *m* Concesión f [d'un droit]. Consumos *mpl* [d'une ville]. Fielato [bureau].

octroyer (ié) Conceder.

oculaire (üler) Ocular.

oculiste (list) Oculista.

odalisque (isc) Odalisca.

ode (od) Oda.

odeur (odœr) f Olor m.

odieux, euse Odioso, sa.

odorant (ran) Oloroso.

odorat (rá) Olfato.

odoriférant (ran) Odorífero.

odyssée (disé) Odisea.

œdème (edem) m Edema f.

œil (œi) Ojo. *A l'œil*, de balde, gratis. *A l'œil nu*, a simple vista. *A vue d'œil*, a ojos vistas. *Avoir quelqu'un à l'œil*, vigilar a uno. *Mauvais œil*, mal de ojo. *D'un bon œil*, con gusto.

œillade (œiad) Ojeada.

œillère (œier) Anteojera.

œillet (ié) Clavel [fleur].

œsophage (esofaj) Esófago.

œuf (œf) Huevo (œof). *Œuf à la coque, dur, sur le plat*, huevo pasado por agua, duro, al plato.

œuvre Obra. Fábrica [églises]. *Mettre en œuvre*, emplear.

offensant (an) Ofensivo.

offense (ans) Ofensa.

offenser (sé) Ofender.

offenseur (œr) Ofensor.

offensif, ive Ofensivo, va.

offertoire Ofertorio.

office (ís) Oficio. F Oficio m. *Office des morts*, oficio de difuntos.

officiel, elle (siel) Oficial.

officier (sié) Oficiar. M Oficial.

officieux, euse (sicœ, œs) Oficioso, sa.

officine (sine) Oficina.

offrande (and) Ofrenda.

offre (ofr) f Ofrecimiento m. Oferta : *l'offre et la demande*, la oferta y la demanda.

offrir* Ofrecer*.

offusquer (fiské) Ofuscar.

ogival, ale Ojival.

ogive (jiv) Ojiva.

ogre, esse (ogr, ès) Ogro.

oh! *interj.* ¡Oh!

oie (uá) f Ganso (gàn) m.

oignon (oñon) m Cebolla f. Juanete [pied].

oindre (uindr) Untar (oùn).

oiseau (uaso) m Ave f. Pájaro [petit oiseau]. *A vol d'oiseau*, a vista de pájaro.

oiseux, euse (uasœ, œs) Ocioso, sa (ozíosso).

oisiveté (uasiveté) Ociosidad.

oléagineux (jinœ) Oleaginoso.

olfactif, ive Olfativo, va.

oligarchie (chí) Oligarquía.

olivâtre (atr) Aceitunado, da.

olive (liv) Aceituna (zéi).

olivier (vié) Aceituno, olivo.

olympe (lìnp) Olimpo.

olympien, enne (pìn, éne) Olímpico, ca.

olympique (pic) Olímpico, ca.

ombilic (onbilic) Ombligo.

ombrage (onbraj) m Enramada f. *Fig.* Desconfianza [méfiance].

ombrageux (jœ) Espantadizo [chevaux]. *Fig.* Desconfiado.

ombre (o^{n}br) *f* Sombra. *Ombre portée*, esbatimento *m*. *Ombre chinoise*, sombra chinesca.

ombrelle (brel) Sombrilla.

ombreux, euse Umbroso, sa.

omelette (om'lèt) Tortilla.

omettre (etr) Omitir.

omission (sio^n) Omisión.

omnibus (bús) ómnibus.

omnipotent Omnipotente.

omoplate *f* Omoplato *m*.

on (o^n) Se: *on lit des livres*, se leen libros. *On dit*, se dice (ou dicen). Uno, una [avec des verbes réfléchis]: *on se souvient*, se acuerda uno.

once (o^{n}s) Onza [monnaie].

oncle (o^{n}cl) Tío.

onction (o^{n}sio^n) Unción.

onctueux (üœ) Γntuoso (sso). *Fig.* Que tiene unción (zió^n).

onde (o^{n}d) Onda.

ondée (dé) *f* Aguacero *m*.

ondoiement (ma^n) Ondeo. Agua [*f*] de socorro [baptême].

ondoyant (uaia^n) Ondulante. *Fig.* Voluble.

ondoyer (duaié) Ondear.

ondulation Ondulación.

onduler (lé) Ondular.

onduleux, euse Undoso, sa.

onéreux (rœ) Oneroso.

ongle (o^{n}gl) *m* Uña (gna) *f*.

onguent (o^{n}ga^n) Ungüento.

onyx (ix) *m* ónix, ónice.

onze (o^{n}s) Once (onze).

opale (pal) *f* ópalo *m*.

opalin, ine Opalino, na.

opaque (pac) Opaco, ca.

opéra (rá) *m* ópera *f*.

opérateur (tœr) Operador.

opération Operación.

opérer (ré) Obrar. Operar [médicaments, chirurgie].

opérette (ret) Opereta (éré).

ophtalmie (mí) Oftalmía.

opiner (né) Opinar.

opiniâtre (atr) Porfiado.

opinion (io^n) Opinión (iò^n).

opium (piom) Opio.

opossum (om) *m* Zarigüeya *f*.

opportun (tu^n) Oportuno.

opportunément Oportunamente.

opportunisme Oportunismo.

opportunité Oportunidad.

opposer (sé) Oponer*.

opposite (sít) Lo contrario. *A l'opposite*, Enfrente.

opposition (sisio^n) Oposición.

oppresser (sé) Oprimir.

oppresseur (œr) Opresor.

oppression (sio^n) Opresión.

opprimer (mé) Oprimir.

opprobre (obr) Oprobio.

opter (té) Optar.

opticien (sii^n) óptico (op).

optimisme (mísm) Optimismo.

optimiste (míst) Optimista.

option (sio^n) Opción (zió^n).

optique (tíc) óptico, ca.

opulence (la^{n}s) Opulencia.

opulent (la^n) Opulento.

or Oro. *Cousu d'or*, riquísimo.

or *conj.* Ahora bien (ra bièn).

oracle (oracl) Oráculo (ora).

orage (raj) *m* Tormenta *f*.

orageux, euse (jœ, œs) Tempestuoso, sa. *Fig.* Borrascoso, sa.

oraison (oreso^n) Oración.

oral, ale (oral) Oral.

orange (ora^{n}j). Naranja.

orangé, ée Anaranjado, da.

orangeade (jad) Naranjada.

oranger (jé) Naranjo. *Fleur d'oranger*, Azahar (azaar).

orang-outan (ora^n uta^n) Orangután.

orateur (œr) Orador.

oratoire Oratorio, ria.

orbite (ít) *orbita.

orchestre (kestr) *m* Orquesta (kesta) *f*.

orchidée (kidé) Orquídea.

ordinaire (er) Ordinario, ria.

ordinairement De costumbre.

ordinal, ale Ordinal.

ordinateur Ordenador, computador, computadora *f*.

ordination Ordenación.

ordonnance (na^{n}s) Ordenación, disposición. Ordenanza [décret]. Receta [médecine]. Asistente *m* [d'un officier].

ordonnateur, trice (œr, trís) Ordenador, ra.

ordonner (né) Ordenar.

ordre (ordr) Orden [disposition, harmonie, administration]. Orden *f* [commandement]. *Billet à ordre*, pagaré. *Mot d'ordre*, consigna *f*, santo y seña. *Ordre du jour*, orden del día.

ordure (dür) Basura [sing.]. *Fig.* Porquería, indecencia.

ordurier, ère (té) Indecente.

orée (ré) Orilla (orilha).

oreille (réi) Oreja. *Prêter l'oreille*, prestar oídos. *Dur d'oreille*, duro de oído.

oreiller (reié) *m* Almohada *f*.

oreillons (oreio^n) *mpl* Parotiditis *f*.

orfèvre (fevr) Platero.

orfèvrerie (vrerí) Platería *f*.

organe (gáne) *órgano.

organique (níc) *Orgánico.

organisateur, trice Organizador, ra.

organisation Organización.

organiser (sé) Organizar.

organisme (ísm) Organismo.

orge (orj) Cebada.

orgeat (já) *m* Horchata *f*.

orgelet (jœlè) Orzuelo.

orgie (ji) Orgía (jía).

orgue (org) *órgano. *Orgue de Barbarie*, organillo. *Point d'orgue*, calderón. Observ. Es *m* en sing. y *f* en pl.: *de belles orgues*.

orgueil (gœi) Orgullo (lho).

orgueilleux, euse (œiœ, œs) Orgulloso, sa.

orient (ria^n) Oriente.

oriental, ale Oriental.

orientation (sio^n) Orientación.

orienter (té) Orientar.

orifice (orifís) Orificio.

originaire (ner) Originario, oriundo.

original, ale Original.

origine (jíne) *f* Origen *m*.

originel, elle Original.

oripeau (oripo) Oropel.

orme (orm) Olmo.

ornement (néma^n) Adorno.

ornementation Ornamentación.

ornementer Ornamentar.

orner (né) Adornar.

ornière (nier) *f* Carril *m*. Rodada. *Fig.* Camino [*m*] trillado.

orphelin, ine (fœli^n, ne) Huérfano, na.

orteil (orteí) Dedo del pie.

orthodoxe Ortodoxo.

orthographe (graf) Ortografía.

orthopédie Ortopedia.
ortie (tí) Ortiga.
ortolan (la^n) Hortelano.
os Hueso (ouesso).
oscillation (ossilasio^n) Oscilación.
osciller (silé) Oscilar (zi).
osé, ée (osé) Atrevido, da.
oseille (oséi) Acedera (zé).
oser (osé) Atreverse.
osier (osié) Mimbre (minbré).
osmose (mos) ósmosis (ssis).
ossature f Esqueleto m. Fig. Armazón.
osselets (lè) mpl Taba f [jeu].
ossements (ma^n) Huesos.
osseux (sœ) Huesoso.
ossifier (fié) Osificar.
ossuaire Osario.
ostensible (sibl) Ostensible.
ostensoir (suar) m Custodia.
ostentation (sio^n) Ostentación.
ostracisme (sism) Ostracismo.
ostrogoth o got (go) Ostrogodo. Fam. Bárbaro.
otage (taj) Rehén (reèn).
otarie (rí) f León marino m. Otaria.
oter (oté) Quitar.
otite (tít) Otitis (tiss).
ou (u) O [u, devant un mot commençant par o : uno u otro].
où Donde; adonde [mouvement] (accentués à l'interrogatif).
ouaille (uáie) f Ant. Oveja. Fig. Feligrés m.
ouate (uat) f Algodón m.
ouater (té) Acolchar; enguatar.
oubli Olvido.

oublier (ié) Olvidar.
oublieux, euse (iœ, œs) Olvidadizo, za.
ouest (uest) Oeste (oèsté).
ouf! interj. ¡Uf! (ùuf).
oui Sí. Oui-da, por cierto. Mais oui!, ¡Claro que sí!
ouï-dire (dir) Rumores fpl. Par ouï-dire, de oídas.
ouïe (uí) f Oído (oï) m [sens]. Agalla. (alha) f [poissons].
ouïr (uír) Oír (oïr).
ouistiti (uistití) Tití (ti).
ouragan (uraga^n) Huracán.
ourdir (urdír) Urdir.
ourler (urlé) Repulgar (ré).
ourlet (urlè) Dobladillo, repulgo.
ours (urs) Oso (osso).
oursin Erizo de mar.
ourson (so^n) Osezno.
outil (util) m Herramienta f, útil.
outillage (utiíaj) m Herramientas fpl.
outiller (tiié) Proveer* de herramientas o máquinas.
outrage (utraj) Ultraje (jé).
outrageant (ja^n) Ultrajante.
outrager (jé) Ultrajar (jar).
outrageux, euse (jœ, œs) Ultrajoso, sa.
outrance (utra^{n}s) Exageración. A outrance, con exceso, a muerte (mouèrté).
outre (utr) f Odre m.
outre prep. Allende, más allá [au delà]. Adv. Además : outre cela, además de eso. Por encima : passer outre, pasar por encima.
outré Exagerado. Fig. Irritado.
outrecuidance (utrécùida^{n}s) Presunción (ssoun).

outrecuidant, ante Presuntuoso, sa.
outremer Ultramar [cou-
leur].
outre-mer Ultramar [géogr.].
outrepasser (sé) Exceder.
outrer (utré) Exagerar.
outre-tombe Ultratumba.
ouvert, erte (ver, ert) Abierto, ta.
ouverture (vertür) Abertura.
ouvrable (vrabl) De trabajo.
ouvrage (aj) m Obra f.
ouvrager Labrar.

ouvreuse Acomodadora.
ouvrier, ère (ié, er) Obrero,
ra.
ouvrir* (uvrir) Abrir*. S'ouvrir, abrirse.
ovaire (over) Ovario.
ovale (al) Oval.
ovation (ovasión) Ovación
(zión).
oxyde (xid) óxido.
oxyder (dé) Oxidar.
oxygène (jéne) Oxígeno.
oxygéner (né) Oxigenar.
ozone (osóne) Ozono.

P

pacha (chá) Bajá (ja).
pachyderme (ki) Paquidermo.
pacification Pacificación.
pacifier (tié) Pacificar.
pacifique (fic) Pacífico.
pacifiste (fist) Pacifista.
pacotille (tíe) Pacotilla.
pacte (pact) Pacto.
pactiser (sé) Pactar.
pagaie (guè) f Zagual m.
pagaïe f Pop. Desorden m.
paganisme (ism) Paganismo.
page (paj) Página. M Paje.
pagination Paginación.
pagne (pañe) Taparrabo.
pagode (od) Pagoda.
paiement (pemán) Pago.
païen, enne (païn, éne) Pagano, na.
paillard Vicioso, disoluto.
paillasse (aïás) f Jergón m.
M Payaso.
paillasson m Estera·f.
paille (païe) Paja. Quebraza
[métaux]. Homme de paille,

testaferro. Feu de paille,
llamarada. Brin de paille,
pajuela.
paillette (iet) Arena [d'or].
Lentejuela [ornement].
pailleté Sembrado de lente-
juelas.
pain (pin) Pan. Petit pain,
bollo. Pain de sucre, pilón.
Pain d'épice, alajú. Au pain
sec, a pan y agua.
pair (per) Par. De pair,
igual. Au pair, a la par.
Alojado y comido, sin sueldo
[employé].
paire (per) f Par m.
paisible Apacible. Tranquilo.
paître* (petr) Pacer*. Envoyer paître, mandar a paseo.
paix Paz. interj. ¡Quieto!
pal Palo.
palabre (labr) Plática.
palace (lās) Hotel de lujo.
palais (lè) Palacio. Cielo
[bouche]. Curia f [tribu-
nal].

palan (laⁿ) *m* Palanca *f*.

pale (pal) *P*ala [rame] Compuerta (cònpouer) [moulin].

pâle (pal) Pálido, da.

palefrenier (ié) Palafrenero.

palet (lè) Tejo (téjo).

paletot (letó) Gabán (bàn).

palette (let) Paleta (éta).

pâleur (palœr) Palidez.

palinodie (dí) Palinodia.

pâlir Palidecer* (zèr).

palissade (sad) Empalizada.

palissandre (saⁿdr) Palisandro, jacarandá (dá).

palladium Paladio [métal].

palliatif Paliativo.

pallier (lié) Paliar.

palmarès *m* Lista [*f*] de premios.

palme (palm) Palma.

palmier (ié) *m* Palmera *f*.

palombe Paloma torcaz.

pâlot (che (paló, ot) Palíducho, cha.

palpable (abl) Palpable.

palper Palpar. *Pop.* Cobrar.

palpitation Palpitación.

palpiter (té) Palpitar.

paludéen (üdéⁿ) Palúdico.

paludisme (ism) Paludismo.

pâmer (se) (sœ pamé) Pasmarse, desmayarse.

pâmoison (muasoⁿ) *f* Pasmo *m*, desmayo *m*.

pamphlet (aⁿflè) *m* Sátira [*f*]; panfleto.

pamphlétaire (ter) Libelista, satírico.

pampre (paⁿpr) Pámpano.

pan (paⁿ) Faldón [vêtements]. *L*ienzo [mur]. Pañal [chemise]. Lado, cara *f* [menuiserie]. *Pan coupé*, ochava *f*, chaflán *m*.

panacée (sé) Panacea (zéa).

panache (nach) Penacho.

panacher Mezclar [mêler].

panade (nad) Sopa de pan.

panama (má) Jipijapa (jipijapa) [chapeau].

panaris (rí) Panadizo.

pancarte (cart) *f* Cartel *m*.

pancréas Páncreas.

pandore (dor) *Fam.* Civil.

pané, ée Empanado, da.

panégyrique (ric) Panegírico.

pangermanisme (ism) Pangermanismo.

panier (nié) Cesto. Cesta *f*. *Panier percé*, saco roto.

panique (nic) *f* Pánico *m*.

panne (pan^e) Felpa [étoffe]. Grasa [porc]. Avería [auto]; *en panne*, parado.

panneau (no) Tablero. Red *f*. *Tomber dans le panneau*, caer* en el garlito.

panonceau (so) Escudo.

panoplie (plí) Panoplia.

panorama (má) Panorama.

pansage (saj) *m* Limpieza *f*.

panse (paⁿs) Panza (pànza).

pansement (semaⁿ) *m* Cura *f*.

panser (paⁿsé) Curar (rar).

pansu, ue (sü) Panzudo, da.

pantalon Pantalón.

pantelant (tèlaⁿ) Jadeante [haletant]. Palpitante.

panthéon (teoⁿ) Panteón.

panthère (ter) Pantera (éra).

pantin (tiⁿ) Títere (éré).

pantomime (mim^e) Pantomíma.

pantoufle (tufl) Zapatilla.

paon (paⁿ) Pavo real (ré).

papa (papá) Papá.

papauté (poté) Papado.

pape (pap) Papa.

paperasse (ás) Papeleo *m*.

paperasserie f Papeleo m.
papeterie (petér*í*) Papelería.
papier (pié) Papel. *Papier à cigarettes,* papel de fumar. *Papier buvard,* papel secante. *Papier collant,* papel engomado. *Papier-monnaie,* papel moneda. *Papier timbré,* papel sellado. *Papiers d'affaires,* papeles de negocios.
papillon (io*n*) m Mariposa f.
papillonner Mariposear.
papilloter (oté) Pestañear.
papillotte (iot) f Papelillo m.
paprika (a) Pimentón.
paquebot (bo) Paquebote, barco de pasajeros.
pâquerette (ret) Margarita.
Pâques (pâ) fpl Pascua fsing. *Faire ses Pâques,* cumplir con la Iglesia.
paquet (ké) Paquete (kété).
paquetage (ketaj) Empaque. Efectos pl [soldat].
par Por. *De par,* en nombre de.
parabole (rabol) Parábola.
parachever Rematar, acabar.
parachute (chüt) Paracaídas.
parachutiste Paracaidista.
parade (rad) f Alarde m [ostentation]. Parada [troupes]. Quite m [d'un coup].
parader (dé) Alardear.
paradis (radí) Paraíso (isso).
paradoxal Paradójico.
paradoxe (dox) m Paradoja f.
parafe (af) m Rúbrica (ou) f.
paraffine (rafíne) Parafina.
parage (raj) Paraje [endroit].
paragraphe (graf) Párrafo.
paraître (rètr) Parecer* [sembler, briller]. Apare-

cer* [apparaître, se manifester].
parallèle (lel) Paralelo. F Paralela (raléla) f.
paralyser (isé) Paralizar.
paralysie (sí) Parálisis.
paralytique (tic) Paralítico.
parapet (rapè) Parapeto (ra). Pretil [prétil] [pont].
paraphrase (frás) Paráfrasis.
parapluie (plui) Paraguas.
parasite (parasít) Parásito.
parasol (rasol) Quitasol.
paratonnerre (er) Pararrayos.
paravent (rava*n*) Biombo.
parbleu (blœ) ¡Pardiez!
parc (par) m Parque. Majada (ja) f [troupeaux]. Aparcamiento [à autos].
parcelle (sel) Parcela (zé) [de terre]. Partícula (tícu).
parce que (pars*k*œ) Porque.
parchemin (chemi*n*) Pergamino.
parcimonie (ní) Parsimonia.
parcourir* (curir) Recorrer.
parcours (cur) Recorrido.
pardessus (sü) Abrigo, gabán.
par-devant (dœva*n*) Por delante. Ante [notaire, etc.].
pardi! ¡Pardiez!
pardon (do*n*) Perdón. Romería f [pèlerinage]. *Je vous demande pardon,* dispense usted.
pardonner (ne) Perdonar.
pare-brise Parabrisa.
pare-chocs Parachoques.
pareil, eille (rèy, èi*e*) Igual, semejante. *Sans pareil,* sin igual, sin par.
parent (ra*n*) Pariente. Pl. Padres [père et mère].
parenthèse (tès) Paréntesis.

parer (ré) Adornar [orner]. Parar [un coup]. Remediar.

paresse (rés) Pereza (réza).

paresser (sé) Holgazanear.

paresseux, euse (sœ, œs) Perezoso, sa.

parfait (fé) Perfecto.

parfois (fuá) A veces (zés).

parfum (fin) Perfume (fou).

parfumer (ümé) Perfumar.

parfumeur, euse (œr, œs) Perfumista.

pari (rí) m Apuesta (ouès) f.

paria (riá) Paria.

parier (rié) Apostar*.

parisien, ienne (sin, éne) Parisiense (rissiènsé).

parité (rité) Paridad (da).

parjure (jür) Perjurio [faux serment]. Perjuro [personne].

parking Aparcamiento.

parlement (œman) Parlamento.

parlementaire Parlamentario.

parlementer Parlamentar.

parler (lé) Hablar. M Hablа f, lenguaje. Dialecto [patois].

parleur (œr) Hablador.

parmi (mí) Entre (èntré).

parodie (rodí) Parodia (ro).

paroi (ruá) Pared (réd).

paroisse (ruás) Parroquia.

paroissien (uasiⁿ) Feligrés. Devocionario (zio) [livre].

parole (rol) Palabra. Pl. Letra [d'une chanson]. Sur parole, bajo palabra. Tenir sa parole, cumplir su palabra.

parotide (tíd) Parótida.

paroxysme (xísm) Paroxismo.

parquer Acorralar [animaux].

parquet (ké) Suelo, entarimado [plancher]. Estrado [tribunal]. Ministerio público.

parqueter (té) Entarimar.

parrain (rin) Padrino.

parrainage (renaj) Padrinazgo (az).

parricide Parricidio.

parsemer (sœmé) Sembrar*.

part (par) Parte. Prendre, o avoir part, tomar parte. Faire part, comunicar. Lettre de faire-part, esquela. De part et d'autre, de una y otra parte. A part, aparte. De part en part, de parte a parte. De la part de, de parte de.

partage (taj) m Reparto (ré). Partición f. Parte f [lot].

partager (jé) Repartir (ré), partir [diviser]. Compartir [prendre part]. Partager une opinion, seguir* una opinión.

partance (aⁿs) Partida, leva. En partance, dispuesto a partir.

partenaire Compañero [au jeu].

parterre (ter) Cuadro (coua) [fleurs]. Patio [théâtre].

parti (tí) Partido. Parti pris, cosa resuelta. Prendre son parti, resignarse.

partial (sial) Parcial (zial).

partialité Parcialidad (da).

participation Participación.

participer (sipé) Participar. Participer à, participar en.

particularité Particularidad.

particule (cül) l'artícula (tí).

particulier (lié) Particular.

partie (tí) Parte. Partida [commerce, jeu]. Parte [musique, jurisprudence].

En partie, en parte. *C'est partie remise*, queda para otra vez (vèz).

partir* Partir, salír,* marcharse.

partisan (sa^n) Partidario. Guerrillero (guérrihéro).

partition (sio^n) Partitura.

partout (tú) Por todas partes.

parure (rür) f Adorno m. Aderezo (ézo) m [bijou].

parvenir* (venír) Llegar.

parvenu (venü) Advenedizo (dizo) m.

parvis (ví) Atrio [église].

pas (pa) Paso (asso). Umbral [seuil]. *Pas de course*, paso de carga. *Pas de vis*, rosca [f] de tornillo. *Faux pas*, tropiezo, desliz. *Faire un pas*, dar* un paso. *Mauvais pas*, apuro, trance. *Retourner sur ses pas*, volver* atrás.

pas adv No. *Pas moi*, yo no. *Pas de travail, pas d'argent*, sin trabajo no hay dinero.

pascal, ale Pascual (coual).

passable (sabl) Pasadero, ra.

passablement (blema^n) Medianamente. Bastante [assez].

passage (sad) Pasada (ssa).

passage (aj) Paso (passo). Pasaje [traversée, texte].

passager (aj) Pasajero (ssa).

passant (sa^n) Transeúnte.

passe (pas) f Paso (passo) m.

passé Pasado. *Dix heures passées*, las diez dadas. *Passé dix heures*, después de las diez. *Quarante ans passés*, cuarenta años cumplidos.

passe-droit (druá) m Injusticia f.

passementerie Pasamanería.

passe-partout (tú) Llavín.

passe-passe (pás) Pasapasa.

passeport (por) Pasaporte.

passer (sé) Pasar. *En passant*, de paso. *Passer en revue*, pasar revista. *Passer outre*, no hacer caso de. *Se passer*, pasar, ocurrir : *Que se passe-t-il?* ¿Qué pasa? *Se passer de*, pasar sin. *Passer sous silence*, pasar en silencio. *Passer dans une ville*, pasar por una ciudad.

passereau (sero) Pájaro (pa).

passerelle f Puentecillo m.

passe-temps Pasatiempo.

passeur (œr) Barquero (ké).

passible (sibl) Pasible (ssí).

passif, ive Pasivo, va.

passion (io^n) Pasión (ssión).

passionnant (a^n) Apasionador.

passionné, ée Apasionado, da.

passionnel, elle Pasional.

passionner (né) Apasionar.

passivité Pasividad f.

passoire (suar) f Colador m.

pastel Pastel [crayon].

pastèque (tek) Sandía (ía).

pasteur (tœr) Pastor.

pasteuriser Pasteurizar.

pastiche (tích) m Imitación (zión) f, plagio (jio).

pastille (tíe) Pastilla (lha).

pastoral, ale Pastoral.

patagon (go^n) Patagón (gòn).

patate (tat) Batata.

patatras (trá) ¡Zas! (zass).

pataud (to) Palurdo (lour).

patauger (tojé) Chapotear. *Fig*. Enredarse (ènrèdarse).

pâte (pat) Pasta [papier, dentifrice]. Masa [pain].

pâté Pastel. Manzana *f* [maisons] Borrón [encre].

pâtée (té) Comida [animaux].

patelin (teliⁿ) Insinuante.

patène (tén°) Patena (éna).

patenôtre *f* Padrenuestro *m*.

patent, ente (téⁿ, aⁿt) Patente. F Contribución comercial. Patente [marine].

patenter (té) Patentar.

pater Padrenuestro.

patère (ter) *f* Alzapaño *m*.

paternel, elle Paternal.

paternité Paternidad.

pâteux (tœ) Pastoso (osso).

pathétique (tic) Patético.

pathogène Patógeno, na.

pathologie (jí) Patología.

patibulaire (ler) Patibulario, ria.

patience (siaⁿs) Paciencia.

patient (siaⁿ) Paciente (zié).

patienter Esperar, aguardar.

patin (patiⁿ) Patín (patin).

patinage (naj) Patinaje (jé).

patine (tine) Pátina (pati).

patiner (né) Patinar.

patineur Patinador.

pâtir (patir) Padecer (ézer).

pâtisserie (rí) Pastelería.

pâtissier (sié) Pastelero.

patois, oise (tuá, ás) Dialectal. M Dialecto.

pâtre (patr) Pastor.

patriarcal Patriarcal.

patriarcat (cá) Patriarcado.

patriarche (arch) Patriarca.

patricien (siiⁿ) Patricio.

patrie (trí) Patria.

patrimoine (muáne) Patrimonio.

patriote (ot) Patriota.

patriotique (tíc) Patriótico.

patron, onne (oⁿ, one) Patrón, na. Patrono, na [saint,

protecteur]. *M* Patrón [modèle].

patronage (naj) Patrocinio.

patronat (nà) Patronato.

patronner (né) Patrocinar.

patrouille (truí) Patrulla.

patrouiller (ié) Patrullar.

patte (pat) Pata. *Pattes de mouches*, garabatos *m*. *Graisser la patte*, untar la mano. *Montrer patte blanche*, darse* a conocer.

pâturage (türaj) Pasto.

paume (pom) Palma [main]. Pelota (pé) [jeu basque].

paupérisme Pauperismo.

paupière (pier) *f* Párpado *m*.

pause (póz) Pausa (paoussa).

pauvre (povr) Pobre.

pauvresse (vrés) Mendiga.

pauvreté (vrté) Pobreza.

pavane (váne) Pavana (ana).

pavaner (se) (né) Pavonearse.

pavé Adoquín [pierre]. Empedrado (ènpé) [sol pavé].

paver (pavé) Empedrar* (ènpédrar), adoquinar.

pavillon (víoⁿ) Pabellón.

pavoiser (sé) Empavesar.

pavot (vo) *m* Adormidera *f*.

payable (peíabl) Pagadero, ra.

paye (pei) Paga.

payement (pemaⁿ) Pago.

payer (peé) Pagar. *Payer de retour*, corresponder (dèr).

pays (peí) País. Tierra *f*. *Pays de Cocagne*, tierra de Jauja. *Mal du pays*, nostalgia.

pays, yse (ei, is) Fam. Paisano, na.

paysage (peisaj) Paisaje (aï).

paysan, anne Campesino, a.

peau (po) Piel. Pellejo *m*

[d'animal]. Cutis m [visage]. Faire peau neuve, mudar de piel. Fig. Mudar de vida.

peausserie (rí) Pellejería.

peccadille f Pecadillo (lho) m.

pechblende (iᵈd) Pechblenda.

pêche (pech) f Melocotón m [fruit]. Pesca [poissons].

péché (ché) Pecado (péca).

pêcher (ché) Pescar. M Melocotonero.

pécher (ché) Pecar.

pêcherie (cheᵣí) Pesquería.

pêcheur (chœr) Pescador.

pécheur, cheresse (chœrs, cheᵣès) Pecador, ra.

pectoral, ale, aux Pectoral.

pécule (cül) Peculio (cou).

pécuniaire (nier) Pecuniario.

pédagogie (jí) Pedagogía.

pédagogue (og) Pedagogo.

pédale (dal) f Pedal m.

pédaler (lé) Pedalear (éar).

pédant, ante Pedante.

pédestre (estr) Pedestre.

pédicure (cür) Pedicuro.

pegase (gás) Pegaso (sso).

pègre (pègr) Hampa (ànpa).

peigne (peñ) Peine (péïné).

peigner (peñé) Peinar (péï).

peignoir (peñuar) Peinador (péï). Albornoz [de bain].

peindre (piᵐdr) Pintar.

peine (pèné) Pena. A peine, apenas. Se donner la peine, tomarse la molestia. Sous peine de, so pena de.

peiner (né) Afligir (jir).

peintre (piᵐtr) Pintor (pìn).

peinture (tür) Pintura.

péjoratif, ive Despectivo, va.

pékin Fam. Paisano [civil].

pelade (lad) Peladera.

pelage (œlaj) Pelaje (éla).

pelé, ée (œlé) Pelado, da.

pêle-mêle (pelmel) m Mezcla (mez) f; confusión (ssiòn) f. Adv Confusamente (oussa).

peler (pœlé) Pelar (pélar). Mondar (mòn) [fruits].

pèlerin (pelrìⁿ) Peregrino.

pèlerinage (aj) Peregrinación.

pèlerine (ríné) Esclavina.

pélican (caⁿ) Pelícano (éli).

pelisse (plís) Pelliza (lhìz).

pelle (pel) Pala [outil].

pelletée (pelté) Paletada.

pelleterie (œrí) Peletería.

pellicule (pelicül) Película [photo]. Pl Caspa [crâne].

pelote (pœlot) Pelota (pé) [balle]. Ovillo (lho) m [de fil]. Acerico m [épingles].

peloton (toⁿ) Ovillo [de fil]. Pelotón (tòn) [soldats].

pelotonner (né) Ovillar (lhar). Se pelotonner, encogerse (jersé), arrebujarse.

pelouse (pœlús) f Césped m.

peluche (lüch) Felpa larga.

pelure (lür) Cáscara, mondadura. Tela [oignon] Fam. Ropa.

pénal, ale Penal (pé).

pénalité Penalidad (pé).

pénates (nat) Penates.

penaud (pœno) Corrido.

penchant (chaⁿ) Inclinación.

pencher (ché) Inclinar. Incliner : pencher à droite, inclinarse a la derecha. Se pencher, inclinarse. Asomarse [a la fenêtre].

pendaison (desoⁿ) Horca.

pendant (aⁿ) Colgante. Pendiente [inachevé]. Faire pendant, hacer* juego. Prep. Durante [avec un subst.] :

pendant l'été, durante el verano. Mientras [sans subst.] : *pendant qu'il lit*, mientras lee.

pendeloque (loc) Colgante.

pendentif Colgante [bijou].

Pechina [architect.].

pendre (pa^ndr) Colgar*. Ahorcar [supplice].

pendu (pa^dü) Ahorcado.

pendule (dül) Péndulo. F Reloj (relo) m.

pêne (pen^e) Pestillo (lho).

pénétrant (tra^n) Penetrante.

pénétration Penetración (zión).

pénétrer (tré) Penetrar.

pénible (nibl) Penoso (oso).

péniche (nich) Chalana (cha).

péninsule (sül) Península.

pénitence (ta^ns) Penitencia.

pénitent (ta^n) Penitente.

pénitentiaire (sier) Penitenciario.

pénombre (o^nbr) Penumbra.

pensée (a^sé) f Pensamiento m. Trinitaria [fleur].

penser (sé) Pensar*. *Penser à*, pensar en. M Pensamiento.

penseur (sœr) Pensador.

pensif, ive Pensativo, va.

pension (o^n) Pensión. Colegio [m] de internos [collège] *Pension de famille*, casa de huéspedes.

pensionnaire (er) Pensionista.

pensionnat (ná) Colegio (jio).

pensionner (né) Pensionar.

pensum (pi^nsom) Castigo.

pente (pa^nt) Pendiente.

pentecôte f Pentecostés m.

pénultième Penúltimo, ma.

pénurie (rí) Penuria, escasez.

pépie (pí) Pepita. *Fam. Avoir la pépie*, tener* sed.

pépier (pié) Piar (piar).

pepin (pi^n) m Pipa f. *Pop.* Paraguas [parapluie].

pépinière Vivero m. Almáciga. *Fig.* Semillero m, cantera.

pépiniériste (rist) Arbolista.

pépite (pit) Pepita.

perçage (saj) m Horadación f.

percale (cal) f Percal m.

percaline (lín^e) Percalina.

perçant (sa^n) Penetrante [cri, froid]. Agudo [vue, voix, esprit].

percement (se^ma^n) m Horadación f. Abertura f [isthme, etc.].

perce-neige Campanilla f.

perce-oreille m Tijereta f.

percepteur (œr) Recaudador.

perceptible (ibl) Perceptible.

perception Percepción (zión).

percer Taladrar, horadar. *Fig.* Penetrar [mystère]. Atravesar [le cœur]. Vi Manifestarse.

percevoir* (se^vuar) Percibir.

perche (perch) Perca [poisson]. Pértiga.

percher Posarse. *Fam. Vivir.*

percheron (cro^n) Percherón.

perchoir (chuar) m Percha f.

perclus, use Baldado, da.

percolateur (œr) Filtro de cafetera.

percussion Percusión.

percuter (té) Percutir.

perdition Perdición (zión).

perdre (perdr) Perder*.

perdreau (dro) Perdigón (ôn).

perdrix (drí) Perdiz (diz).

père Padre. *Fam.* Tío : *le père Marcel*, el tío Marcelo. *Saint-Père*, el Padre Santo. *Le père et la mère*, los padres.

pérégrination Peregrinación.

péremptoire (tuar) Perentorio.

perfection Perfección (zión).

perfectionnement (aⁿ) Perfeccionamiento.

perfectionner Perfeccionar.

perfide (fíd) Pérfido, da.

perfidie (dí) Perfidia.

perforation Perforación.

perforer (ré) Perforar (rar).

péricliter (té) Periclitar.

péril (períl) Peligro.

périlleux (ríœ) Peligroso.

périmer (mé) Caducar.

périmètre (metr) Perímetro.

période (ríod) f Período m.

périodique (díc) Periódico.

périostite Periostitis.

péripétie (pesí) Peripecia.

périphérie (ferí) Periferia.

périphrase (fràs) Perífrasis.

périple (rípl) Periplo (rí).

périr (rír) Perecer* (zèr).

périscope (scop) Periscopio.

périssable (abl) Perecedero.

périssoire (suar) Canoa.

péritoine (tuane) Peritoneo.

péritonite (ít) Peritonitis.

perle (perl) Perla.

perler (lé) Brotar [larmes].

permanence Permanencia.

permanent (naⁿ) Permanente.

perméable (abl) Permeable.

permettre (etr) Permitir.

permis (mí) Permiso (ísso).

permission f Permiso m. Demander la permission, pedir* permiso.

permuter (üté) Permutar.

pernicieux (nicïœ) Pernicioso.

péroraison (soⁿ) Peroración.

pérorer (ré) Perorar (rorar).

perpendiculaire Perpendicular.

perpétrer (tré) Perpetrar.

perpétuel (tüel) Perpetuo.

perpétuer (tüé) Perpetuar.

perpétuité Perpetuidad (da).

perplexe (ex) Perplejo (éjo).

perquisition (sisioⁿ) Pesquisa.

perquisitionner (né) Perquirir, indagar.

perron (roⁿ) m Escalinata f.

perroquet (ké) Loro, papagayo.

perruche (perüch) Cotorra.

perruque (perük) Peluca.

perruquier (kié) Peluquero.

pers, erse (per, pers) Garzo, za.

persan, anne (saⁿ, ane) Persa.

persécuter (té) Perseguir*.

persécuteur (œr) Perseguidor.

persécution (sioⁿ) Persecución (zión).

persévérance Perseverancia.

persévérer (ré) Perseverar.

persienne (siéne) Persiana.

persiflage (aj) m Zumba f.

persifler Zumbar, dar* vaya.

persil (sí) Perejil (réjil).

persistance Persistencia.

persistant (taⁿ) Persistente.

persister (té) Persistir.

personnage (naj) Personaje.

personnalité Personalidad.

personne (sóne) Persona. Pron. Nadie : il n'est venu personne, no ha venido nadie. Grande personne, persona mayor. En personne, en persona.

personnel, elle (nel) Personal.

personnifier Personificar.

perspective (iv) Perspectiva.

perspicace (cás) Perspicaz.

perspicacité Perspicacia.

persuader (süadé) Persuadir.

persuasif *ive* Persuasivo, va.

persuasion (sioⁿ) Persuasión.

perte (pert) Pérdida. Perdición (ziòn) [ruine]. *A perte de vue,* hasta perderse de vista. *Profits et pertes,* ganancias y pérdidas.

pertinemment Pertinentemente.

perturbateur (œr) Perturbador.

perturbation Perturbación.

péruvien (üviⁿ) Peruano.

pervenche (vaⁿch) Hierba doncella.

pervers *erse* Perverso, sa.

perversion Perversión (siòn).

perversité Perversidad.

pervertir Pervertir*.

pesage (saj) Peso (sso).

pesant (saⁿ) Pesado.

pesanteur (œr) Pesadez (essadez). Gravedad (véda) [attraction].

pèse-lettre Pesacartas.

peser (pœsé) Pesar (pessar).

pessimiste (mist) Pesimista.

peste Peste. *Interj.* ¡Cáspita!

pester (té) Echar pestes.

pestiféré Apestado.

pestilentiel Pestilencial.

pet (pè) Pedo (pédo).

pétale (tal) Pétalo.

pétarade (rad) Pedorrera. *Fig.* Explosiones [moteur].

pétard (tar) Cohete (coété).

péter (té) Peer (péér). *Fig.* Estallar, crujir.

pétillant (tíaⁿ) Chispeante. Espumoso (mosso) [vins, etc.].

pétiller (tié) Chispear.

petit, ite (pœtí, ít) Pequeño, ña (ké). *Petit jardin,* jar-

dincito. *Petit livre,* librito. *Fam.* Chico, chiquito. M Cría *f* [d'animal].

petite-fille (pœtitfíie) Nieta.

petitesse (tés) Pequeñez (ké).

petit-fils (pœtifís) Nieto.

pétition Petición (ziòn).

petit-lait (pœtilè) Suero.

pétrifier (fié) Petrificar.

pétrin (triⁿ) m Artesa (ssa) *f.* *Dans le pétrin,* en un apuro.

pétrir Amasar (assar).

pétrissage Amasamiento.

pétrole (trol) Petróleo.

pétrolier (lié) Petrolero.

pétulance (aⁿs) Petulancia.

pétulant (laⁿ) Petulente.

pétunia (niá) m Petunia *f.*

peu (pœ) Poco, poco. *Peu de monde,* poca gente. *Le peu que je dis,* lo poco que digo. *Sous peu,* dentro de poco. *Depuis peu,* desde hace poco. *A peu près,* aproximadamente, poco más o menos.

peuplade (plad) *f* Pueblo m.

peuple (pœpl) Pueblo.

peupler (plé) Poblar*.

peuplier (pœplié) Álamo.

peur (pœr) *f* Miedo m. *De peur,* por miedo. *Faire peur,* dar* miedo. *Peur bleue,* miedo cerval. *Avoir peur,* tener miedo.

peureux, euse Miedoso, sa.

peut-être (pœtetr) Acaso, quizás (kizàss), tal vez.

phalange (falaⁿj) Falange.

phalène (falèn) Falena *f.*

pharaon (aoⁿ) Faraón.

phare (far) Faro (faro). *Phare code,* luz [f] de cruce.

pharisien (siⁿ) Fariseo.

pharmaceutique (farmasœtic) Farmacéutico, ca (*zéoutico*).

pharmacopée (pé) Farmacopea.

pharmacie (sí) Farmacia.

pharmacien (síⁿ) Farmacéutico (*zéoutico*), boticario.

pharyngite (riⁿjít) Faringítis.

pharynx (riⁿcs) Faringe (je).

phase (fas) Fase (fassé).

phénicien (síⁿ) Fenicio (zio).

phénique (fenic) Fénico, ca.

phénix (fenix) Fénix.

phénol (fenol) Fenol (fénol).

phénoménal, ale Fenomenal.

phénomène (méne) Fenómeno.

philanthrope (op) Filántropo.

philanthropie (pí) Filantropía.

philanthropique Filantrópico.

philatélie (téli) Filatelia.

philatéliste (íst) Filatélico.

philologie (jí) Filología (jía).

philologue (log) Filólogo.

philosophal Filosofal.

philosophe (sof) Filósofo.

philosophie (sofí) Filosofía.

philtre (filtr) Filtro.

phlébite (flebít) Flebitis.

phlegmon (oⁿ) Flemón (flemôn).

phobie (fobí) Fobia.

phonétique (tíc) Fonético, ca.

phonographe (graf) Fonógrafo.

phoque (foc) **m** Foca **f**.

phosphate (fosfat) Fosfato.

phosphore (fosfor) **m** Fósforo.

phosphorescence Fosforescencia.

photographe (graf) Fotógrafo.

photographie (fí) Fotografía.

photographier (ié) Fotografiar.

photographique (fíc) Fotográfico, ca.

phrase (fras) Frase (assé).

phraseur (œr) Hablador.

phrygien (jíⁿ) Frigio.

phtisie (sí) Tisis (íssiss).

phtisique (sic) Tísico (tiss).

phylloxera (filoxerá) Filoxera.

physicien (sicíⁿ) Físico (fí).

physiologie (jí) Fisiología.

physionomie (mí) Fisonomía.

physionomiste (íst) Fisonomista.

physique (fisíc) Físico, ca.

piaffer (piafé) Piafar.

piailler (piaié) Chillar.

piaillerie (aíeri) **f** Chillido **m**.

pianiste (íst) Pianista.

piano Piano.

piastre (piastr) **f** Duro **m**. Peso **m** [en Amérique]. Piastra [orient].

pic Pico [outil, oiseau].

picaresque(resc) Picaresco,ca.

piccolo (ló) Vinillo (ílho).

pichenette (pichnet) **f** Papirote **m**.

pichet (chè) Pichel (chel).

pickles (picl) Encurtidos.

pickpocket (ket) Ratero (ra).

picorer (ré) Pecorear [marauder]. Buscar su sustento [oiseau]. *Fam.* Pellizcar [manger par ci-par-là].

picot (có) **m** Puntilla **f** [dentelle].

picotement (otmaⁿ) Comezón.

picoter (té) Escocer. *Fig.* Picar.

picotin Pienso [du cheval].

picrique (cric) Pícrico.

pictural Pictórico.

pie (pi) Pío, a [pieux, couleur]. **F** Urraca (rra).

pièce (pies) f Pieza. Pieza, moneda [monnaie]. Pieza, cuarto m [local]. Pedazo m [morceau]. Remiendo (re) m [pour raccommodage]. A cinq francs pièce, a cinco pesetas cada uno. De toutes pièces, por completo.

pied (pie) Pie. Pied de nez, palmo de narices. A pied sec, a pie enjuto. A pieds joints, a pies juntillas. De pied ferme, a pie firme. Lâcher pied, retroceder, cejar. Sur pied, levantado. Prendre pied, tocar fondo. Establecerse*, arraigar [s'établir]. Sur un pied d'égalité, como igual.

pied-à-terre (tater) Apeadero.

piédestal (piej) m Trampa f.

pierraille (rái) f Cascote m.

pierre (pier) f Piedra. Pierre d'achoppement, escollo m. Pierre de taille, sillar m. Pierre de touche, piedra de toque.

pierreries (reri) Pedrerías.

pierreux (rœ) Pedregoso.

piété Piedad (piéa).

piétiner (né) Pisotear (sso).

piéton (ton) Peón, peatón. Transeúnte (éoun) [passant].

piètre (piètr) Ruin (rouin).

pieu (piœ) m Estaca f.

pieuvre (piœvr) f Pulpo m.

pieux, euse (piœ, œs) Piadoso, sa.

pigeon (jon) Palomo. ma. Pigeon voyageur, paloma mensajera f.

pigeonnier (onié) Palomar.

pigment (pigman) Pigmento.

pignon (piñon) Aguilón [toits]. Piñón (gnòn) [roue, graine].

pilastre (astr) m Pilastra f.

pile Píla. Macho m [pont]. Pile ou face, cara o cruz.

piler (lé) Moler*.

pileux (lœ) Velloso (osso).

pilier (lié) Pilar.

pillage (piáj) Pillaje (aje). Mettre au pillage, saquear.

pillard (piár) Ladrón.

piller (pié) Robar. Saquear.

pilon (on) m Mano f [mortier]. Pisón [pour tasser pierres ou terre]. Mazo [fouloir]. Mettre au pilon, destruir [papiers].

pilonner (oné) Moler* (ér).

pilori (rí) m Picota f.

pilotage (taj) Pilotaje (jé).

pilote (lot) Piloto.

piloter (té) Pilotar [avion, bateau, auto]. Fig. Guiar.

pilotis (tí) Zampeado (zàn).

pilule (lül) Píldora.

pimbêche (pinbech) Impertinente.

piment (man) Pimiento.

pimenté Picante. Fig. Verde.

pimpant (pinpan) Elegante.

pin (pin) Pino.

pinard Pop. Morapio. Vino.

pince (ins) Pinza [outil] Boca [crustacés].

pincé (sé) Fig. Reservado.

pinceau (so) Pincel (zel).

pincement (sman) Pellizco.

pince-nez (séné) Quevedos.

pincer (sé) Pellizcar [avec les doigts]. Coger [avec des pinces, etc.]. Picar [froid].

pincette (pinset) Tenacilla (zilha). Tenaza.

pingouin (güin) Pingüino.

pingre (piⁿgr) Tacaño (gno).

pinson (piⁿsoⁿ) Pinzón (zón).

pintade (piⁿtad) Pintada.

pinte (piⁿt) Pinta.

pinter (té) Pop. Beber.

pioche (pioch) f Pico m.

piocher (ché) Cavar.

piolet (lè) m Piqueta (ké) f.

pion Peón. Pasante [écoles].

pionnier Mil. Zapador. Fig.
Precursor, pionero.

pipe (pip) Pipa : fumer la
pipe, fumar en pipa.

pipelet Fam. Portero.

pipi Pipi. Faire pipi, hacer*
pipí.

piquant (caⁿ) Picante. Fig.
Chistoso. M Espina, f pin-
cho.

pique (pic) Pica. Espadas
[cartes].

pique-assiette (siet) Gorrón.

pique-nique (k^enic) m Comida [f] campestre.

piquer (ké) Picar. Pespuntear [étoffes]. Mechar
[viande]. Se piquer, picarse,
jactarse [se vanter]. Se piquer de, empeñarse en. Piquer la curiosité, mover* la
curiosidad.

piquet (ké) Poste. Cientos
mpl [jeu]. Piquete [sol-
dats].

piquette (ket) f Aguapié m.

piqûre (cür) Picadura. Inyección [méd.]. Pespunte m
[tissu].

pirate (rat) Pirata.

piraterie (t^erí) Piratería.

pire (pir) Peor.

pirogue (rog) Piragua (goua).

pirouette (piruet) Pirueta.

pirouetter (té) Hacer* pi-
ruetas.

pis (pi) m Teta f, ubre f.

pis (pi) Peor. Au pis aller,
en el peor de los casos.
Qui pis est, lo peor es que.

piscine (sine) Piscina (zí).

pissenlit (sanli) Diente de
león. Fam. Meón [enfant].

pistache (ach) f Pistacho, m.

piste (pist) Pista.

pistil Pistilo.

pistolet (lè) m Pistola f.

piston (toⁿ) Émbolo [enbo]
[machine]. Cornetín [mu-
sique]. Fam. Enchufe.

pistonner (né) Fam. Proteger (éjer), recomendar*.

pitance (taⁿs) Pitanza.

piteux, euse (œ, œs) Triste.

pitchpin Pino de Virginia.

pitié Lástima : faire pitié,
dar* lástima (lastima).

pitoyable (uaiabl) Lastimoso.

piton (oⁿ) m Armella (lha) f.

pitre (pitr) Payaso (yasso).

pitrerie (t^erí) Payasada.

pittoresque (esc) Pintoresco.

pivert (ver) Pico verde.

pivoine (vuan^e) Peonía (pé).

pivot (vo) Eje (éjé), gorrón.

pivoter (té) Girar (jirar).

placard (car) m Alacena f.
Cartel [affiche] m.

placarder Fijar carteles.

place (plas) f Sitio m ; lugar m. Plaza [lieu public,
ville]. Puesto m, cargo m
[emploi]. Puesto m [rang].
Colocación [domestique, etc.].
Localidad [théâtre]. A la
place, en lugar. Sur place,
en el mismo lugar. Place!
¡Paso!

placement (aⁿ) m Colocación f.

placer (sé) Colocar.

placide (sid) Plácido (plazi).

placidité Placidez (zidez).

placier (sié) Corredor (rré).

plafond Techo. *Fig.* Límite.

plage (plaj) Playa (ya).

plagiaire (jièr) Plagiario.

plagiat (jiá) Plagio (jio).

plagier (jié) Plagiar (jiar).

plaider Litigar. Abogar [défendre une cause]. Defender.

plaideur (dœr) Pleitista.

plaidoirie, plaidoyer Alegato.

plaie (ple) Llaga. Herida [blessure]. Plaga [fléau].

plaignant Demandante.

plaindre (pliⁿdr) Compadecer*. *Se plaindre,* quejarse (kéjar).

plaine (plen⁻) f Llano m, llanura.

plainte (pliⁿt) Queja (kéja). Demanda [en justice].

plaintif, ive Lastimero, ra.

plaire* (pler). Gustar. *Se plaire,* complacerse*. *Plaît-il?* ¿Decía Ud? ¿Manda Ud? *S'il vous plaît,* por favor; haga Ud. el favor.

plaisance Recreo.

plaisant (plésaⁿ) Agradable. Gracioso [amusant]. Ridículo. *Mauvais plaisant,* chusco.

plaisanter (saⁿté) Bromear, chancearse (chànzearsé).

plaisanterie (rí) Chanza, broma.

plaisantin Bromista.

plaisir (sir) Placer (zer). *Faire plaisir,* dar* gusto.

plan, ane Plano, na. M Plano [surface]. Plan [projet].

planche (plaⁿch) Tabla [bois]. Lámina [gravure].

Plancha [métal]. *Pl.* Las tablas [théâtre].

plancher (ché) Suelo, piso.

planer (né) Cernerse* [oiseaux]. Planear [avion].

planète (net) f Planeta *m.*

planeur Planeador [aviation].

plant (plaⁿ) Plantío [arbres].

plantain (tiⁿ) Llantén (lh).

plantation (sioⁿ) Plantación.

plante (plaⁿt) Planta.

planter (plaⁿté) Plantar.

planteur Plantador. Colono.

planton (toⁿ) Plantón (tòn).

plantureux (ürœ) Copioso.

plaque (plac) Plancha [métal]. Placa [photo, insigne].

plaqué Chapeado. Plaqué.

plaquer Chapear. *Pop.* Plantar.

plaquette (ket) f Folleto *m.*

plastique (ic) Plástico, ca.

plastron m Pechera f [chemise]. Peto [cuirasse, escrime].

plastronner *Fig.* Fachendear.

plat, ate (pla, at) Llano, na (lha) [uni]. Chato, ta [bas, sans relief]. M Plano [partie plane]. Fuente (fouèntè) f [vaisselle]. *A plat ventre,* boca abajo, de bruces. *Œufs sur le plat,* huevos estrellados.

platane (tan⁻) Plátano.

plateau (to) Platillo (lh) [balance]. Bandeja (éja) f [plat]. Meseta f [sol].

plate-bande f Arriate *m.*

plate-forme Plataforma.

platine (tin⁻) Platino.

platitude (tüd) Vulgaridad.

platonique (*ic*) Platónico.

plâtras (trá) Cascote.

plâtre (platr) Yeso.

plâtrer (tré) Enyesar.

plausible (síbl) Plausible.

plèbe (pleb) Plebe (*ébé*).

plébéien (*beíⁿ*) Plebeyo.

plébiscite (*sít*) Plebiscito.

pléiade (*ad*) Pléyade.

plein, eine (pliⁿ, enⁿ) Lleno, na (lhé). Pleno, na [au milieu] ; *en plein jour*, en pleno día.

plénière (*nier*) Plenaria.

plénipotentiaire (*sier*) Plenipotenciario.

plénitude (tüd) Plenitud.

pléonasme (*nasm*) Pleonasmo.

pléthore (tor*) Plétora.

pleur Llanto. *Pl* Lágrimas.

pleurard (rar) Llorón (lho).

pleurer (*oeré*) Llorar (lho).

pleureur, euse Llorón, na.

pleurésie (*rési*) Pleuresía.

pleurnicher (ché) Lloriquear.

pleutre (plœtr) Cobarde.

pleuvoir (plœvuar) Llover*.

plèvre (evr) Pleura (pléou).

pli Pliegue [linge, etc.]. Arruga (*rrou*) *f* [ride]. *Fig.* Costumbre *f* [habitude].

pliant (*aⁿ*) Plegable. *Fig.* Flexible. *M* Silla de tijera.

plie (pli) Platija (tija).

plier (plié) Doblar. *Vi.* Doblarse. *Fig.* Ceder (zédér).

plinthe (plⁱⁿt) *f* Plinto *m* Citarilla (*rilha*) [mur].

plissage (*saj*) Doblado.

plissement (*aⁿ*) Plegadura. Pliegue [du sol].

plisser (*sé*) Plegar* (plé).

plomb (ploⁿ) Plomo. Pila *f* [évier]. Perdigón [chasse]. *Fil à plomb*, plomada *f*.

plombage (*aj*) Emplomado. Empaste [dent].

plomber (bé) Emplomar. Sellar [sceller]. Empastar [dents].

plombier (*oⁿbié*) Plomero.

plongeant (*jaⁿ*) De alto abajo. Fijante [tir].

plongée (jé) Submersión.

plongeon *m* Zambullida *f*.

plonger (jé) *Vi.* Sumergirse. Zambullirse [nageur]. Dominar [vue, etc.]. *Vt. Fig.* Sumir [sommeil, tristesse]. *Vr.* Hundirse.

ploutocratie (sí) Plutocracia.

ployer (ié) Doblar. Doblarse.

pluie (plüí) Lluvia (lhou).

plumage (plümaj) Plumaje.

plumassier (ié) Plumajero.

plume (plüm*) Pluma (plou).

plumeau (*mo*) Plumero (mé).

plumer (plümé) Desplumar.

plumet (plümè) Plumero.

plumier (plümié) Plumero.

plumitif Plumista.

plupart (par) Mayor parte.

pluralité Pluralidad (*da*).

pluriel, elle (*iel*) Plural.

plus (plüs) Más (mass). *Au plus*, cuando más. *Au plus tôt*, cuanto antes. *De plus en plus*, cada vez más. *Non plus*, tampoco. *Tout au plus*, cuando más.

plusieurs (plüsiœr) Varios, rias.

plus-que-parfait (plüs-kœparfè) Pluscuamperfecto.

plus-value (lü) *f* Aumento [m] de valor (*aumènto*).

plutôt (plutó) Más bien (mass bièn), antes (*ántes*).

pluvial (plü) Pluvial (plou).

pluvier (té) Chorlito real.

pluvieux (viœ) Lluvioso.

pneu Neumático.

pneumatique (tíc) Neumático (néou).

pneumonie (ní) Pulmonía (nía).

poche (poch) f Bolsillo m. Saco m [sac]. Bolsa [minerais, pli].

pocher (ché) Magullar (lhar) [meurtrir]. Escalfar [œufs].

pochette (chet) f Bolsillo m.

pochoir (chuar) Estarcido.

poêle (poal) m Estufa f.

poêle (poal) f Sartén (tèn) f.

poêlon (loⁿ) Cazo.

poème (oem) Poema.

poésie (sí) Poesía (essía).

poète, esse (et, és) Poeta, poetisa.

poétique (tíc) Poético.

poids (puá) Peso. Pesa f [pour pèser, d'horloge]. Poids lourd, camión.

poignant (uañaⁿ) Punzante.

poignard (puañar) Puñal.

poignarder (dé) Acuchillar.

poigne (puañ) f Puño m.

poignée (ñé) f Puñado m. Poignée de main, apretón [m] de manos.

poignet (ñè) m Muñeca f.

poil (pual) Pelo. A poil, en cueros [nu]. Avoir un poil dans la main, ser* un holgazán.

poilu (lü) Velludo. Fig. Valiente, soldado.

poinçon (puiⁿsoⁿ) Punzón.

poinçonner (né) Contrastar.

poindre* (uiⁿdr) Despuntar.

poing (puiⁿ) Puño (pougno). Coup de poing, puñetazo.

point (puiⁿ) Punto. Puntada f [couture]. Point à la ligne,

punto y aparte. Point de côté, dolor de costado. Point de repère, señal f. Fig. Point de vue, punto de vista. Point d'exclamation, d'interrogation, signo de admiración, de interrogación. Point virgule, punto y coma. De point en point, punto por punto. Au dernier point, sumamente. En tout point, de todo punto. Mettre au point, acabar; enfocar [photo].

pointage (taj) m Puntería f. Tanteo [compte].

pointe (puiⁿt) Punta. Chiste m [plaisanterie]. Sur la pointe des pieds, De puntillas (tilhas).

pointilleux, euse (œ, œs) Quisquilloso, sa.

pointu (puiⁿtü) Puntiagudo.

pointure (tür) f Puntos mpl.

poire (puar) Pera. Pop. Primo m [naïf, crédule].

poireau (ro) Puerro (uerro). Pop. Plantón [attente].

poirier (puarié) Peral (ral).

pois (puá) Guisante (ssànte). Pois chiche, garbanzo.

poison (puasoⁿ) Veneno.

poissarde (sarde) Verdulera.

poisse (puás) Mala suerte.

poisser (sé) Empegar. Ensuciar.

poisseux, euse Pegajoso, sa.

poisson (puasoⁿ) Pez [vivant]. Pescado [poisson pêché].

poissonnerie (rí) Pescadería f.

poissonnier (nié) Pescadero.

poitrail (trâl) Pecho (cho).

poitrinaire Tísico (tíssico).

poitrine (trine) f Pecho m.

poivre (uavr) m Pimienta f

poivrer Sazonar con pimienta
poivrot (vró) *Pop*. Borracho
poix (puá) Pez.
poker Poker (pokèr).
polaire (poler) Polar.
polariser (sé) Polarizar.
pôle (pol) Polo.
polémique (ic) Polémica.
polémiste (ist) Polemista.
poli Pulido. Cortés (tès), político (courtois, aimable].
police (lís) Policía (zía). Póliza (poliza) [assurances].
policer (sé) Civilizar (zar).
polichinelle (nel) Polichinela.
policier (sié) Policial. *M* Policía.
poliment (ma^n) Cortésmente.
polir Pulir (pou).
polissage (saj) Pulimento.
polisseur (œr) Pulidor.
polisson (o^n) Tunante. Pillo [fripon]. *Fig*. Libre, licencioso. Polizón [tournure].
polissonnerie (rí) Tunantada. Indecencia [propos libre].
politesse (tés) Cortesía (essía).
politicien (si^n) Político (li).
politique (tíc) Político (lí).
polka (cá) Polca.
pollen (polen^n) Polen (lèn).
polluer (lüé) Manchar (char).
pollution (lüsio^n) Polución (cio^n).
polonais, aise (nè, ès) Polaco, ca.
poltron (o^n) Cobarde (var).
poltronnerie (n^erí) Cobardía.
polychrome (crom) Policromo.
polygame Polígamo, ma.
polyglotte Poligloto, ta.
polygone (gone) Polígono.
polype (líp) Pólipo (polipo).

polyphasé (fasé) Polifásico.
polypier (pié) Polipero.
polytechnicien (si^n) Politécnico.
polythéisme (ism) Politeísmo.
pommade (mad) Pomada.
pommader Untar con pomada.
p o m m e (pom) Manzana. *Pomme de terre*, patata. *Pomme de pin*, piña. *Pomme d'Adam*, nuez de Adán.
pommé Repolludo (lhudo).
pommeau (pomo) Pomo.
pommelé (pomlé) Aborregado.
pommette (met) *f* Pómulo *m*.
pommier (mié) Manzano.
pompe (po^np) Pompa [apparat, grandeur] Bomba [machines]. *Pompes funèbres* fpl, funerales mpl ; funeraria *f* [entreprise]. *Pompe foulante*, bomba impelente. Surtidor *m* [à essence].
pomper (pé) Sacar *agua* (oua) Aspirar (pirar) [aspirer].
pompeux (po^npœ) Pomposo.
pompier (po^npié) Bombero.
pompon *m* Borla *f* [insigne]. Pompón [ornement du képi]
pomponner (poné) Adornar.
ponçage (po^nsaj) Pulido.
ponce (po^ns) Piedra pómez.
ponceau (po^nso) Puentecillo.
poncer (po^nsé) Apomazar Estarcir [dessins].
poncif Estarcido. *Fig*. Vulgaridad (da).
ponction (po^ncsio^n) Punción.
ponctualité Puntualidad (da).
ponctuation (sio^n) Puntuación.
ponctué, ée (üé) Puntuado, da.

ponctuel, elle (üel) Puntual.
pondération Ponderación.
pondéré, ée (ré) Ponderado, da.
pondeuse (œs) Ponedora.
pondre (po^{n}dr) Poner*.
poney (ponè) Poney (poné).
pont (po^n) Puente. Cubierta f [d'un bateau]. Pont-levis, puente levadizo. Ponts et Chaussées, Caminos canales y puentes.
ponte (po^{n}t) Postura [poules]. M Punto [casino, jeu].
pontife Pontífice (tífize).
pontifical (cá) Pontificado.
pontifier (tié) Pontificar.
ponton (po^{n}to^n) Pontón.
pontonnier (nié) Pontonero.
pope (pop) Pope.
popeline (popeline) Papalina.
popote Pop. Pitanza.
populace (lás) Populacho.
populacier (sié) Populachero.
populaire (ler) Popular.
populariser (sé) Popularizar.
popularité Popularidad (dá).
population (sio^n) Población.
populeux (lœ) Populoso (sso).
porc (por) Puerco, cerdo (zerdo). Cerdo [viande de boucherie].
porcelaine (sœlène) Porcelana.
porcelet (sœlè) Puercecillo.
porc-épic (sé) Puerco espín.
porche (porch) Pórtico. Portal [maisons].
porcher, ère (ché, er) Porquero, ra (ké).
porcherie (rí) Porqueriza.
pore (por) Poro.
poreux, se (œ, œs) Poroso, sa.
pornographie (fí) Pornografía.

pornographique (fic) Pornográfico, ca.
porosité Porosidad (dá).
porphyre (fir) Pórfido (por).
port (por) Puerto [mer]. Porte [action de porter, prix, maintien].
portail (tái) m Portalada f.
portant, ante (a^n, a^{n}t) Que lleva. M Bastidor [théâtre]. Bien portant, en buena salud.
portatif, ive Portátil.
porte (port) Puerta. Porte vitrée, puerta vidriera. La Sublime Porte, la Sublime Puerta. Fausse porte, postigo m. Mettre à la porte, despedir*. Enfoncer une porte, derribar una puerta.
porté Llevado. Inclinado : porté à boire, inclinado a beber.
porte-avions Portaviones.
porte-bagages Portaequipaje.
porte-bonheur Amuleto.
porte-cartes (art) Tarjetero.
porte-cigarettes m Petaca f.
porte-clefs (clé) Llavero.
portée (té) Camada [animaux]. Alcance m [armes, lumière]. Fig. Alcance : à portée de la voix, al alcance de la voz.
portefaix (fè) Ganapán (án).
portefeuille (œi) m Cartera f.
portemanteau (to) m Percha f. Portamantas [voyage].
porte-mine Lapicero (zero).
porte-monnaie (né) Portamonedas.
porte-parapluies (raplüi) Paragüero.
porte-plume (üm) Portaplumas.
porter (té) Llevar (lhévar).

Producir* : *porter intérêt*,
Producir interés. Poner* :
porter en compte, poner en
cuenta. *Porter à faux*, descansar en falso. *Porter
plainte*, quejarse. *Porter
malheur*, ser* de mal agüero.
Porter bonheur, traer suerte.
Se porter, llevarse; dirigirse; entregarse [se livrer].
Se porter fort pour, responder de. *Se porter bien*, *ou
mal*, estar bueno, o malo.

porteur (œr) Portador. Mandadero [commissionnaire].
Mozo [bagages]. *Chaise à
porteur*, silla de manos.

porte-voix (vuá) m Bocina f.

portier, **ère** (ié, er) Portero,
ra. F Portezuela [voiture].

portillon (ioⁿ) Portillo (lho).

portion (sioⁿ) Porción (zión).

portique (ic) Pórtico (por).

portrait (trè) Retrato (ré).
Portrait en buste, en pied,
retrato de medio cuerpo, de
cuerpo entero.

portraitiste (íst) Retratista.

portugais, **aise** (tüguè, ès)
Portugués, sa (gués, essa).

pose (pos) Colocación (zión)
[action]. Postura [geste].
Fig. Afectación (tazión).
Exposición [photographie].

posement Pausadamente.

poser (posé) Colocar, poner*.
Enunciar (ziar) [théorème].
Poser une question, hacer*
una pregunta. Plantear [problème, etc.] *Vi.* Servir* de
modelo, posar [peinture].
Fig. Presumir. *Vr.* Ponerse.

poseur (sœr) Presumido.

positif, **ive** Positivo, va.

position (sioⁿ) Posición.

positivisme (ísm) Positivismo.

possédé, **ée** (dé) Poseído, da.
Poseso, sa [démon].

posséder (dé) Poseer*.

possesseur (esœr) Posesor.

possession (sioⁿ) Posesión.

possibilité Posibilidad (da).

possible (síbl) Posible (ssí).

postal, **ale** Postal.

poste (post) f Correo (rré)
m [courrier]. *Mettre à la
poste*, echar al correo. *Poste
restante*, lista de correos. M
Puesto [emploi, endroit, soldats, etc.]. Aparato [radio].
Estación f [d'émission].
Surtidor [à essence]. *Poste
[m] de police*, prevención f.

poster (té) Apostar*. Echar
al correo [lettre].

postérieur (iœr) Posterior.

postérité Posteridad (da).

posthume (tüm) Póstumo (os).

postiche (tích) Postizo, za.

postillon (ioⁿ) Postillón
(lhòn). *Fam.* Cura [salive].

post-scriptum (om) Postdata.

postulant (laⁿ) Postulante.

postuler (lé) Postular.

posture (stüre) Postura.

pot (po) m Olla (lha) f [en
terre à 2 anses]. Puchero
[en terre à 1 anse]. Tarro
[de verre, faïence, etc., cylindrique]. Bote [petit pot
de pharmacie, cuisine]. Orza
f [de grès, etc.]. Jarro
[à bec et anse]. *Pot à lait*,
tarro de leche. *Pot de
chambre*, orinal. *Pot à fleurs*,
maceta f.

potable (tabl) Potable.

potage (aj) m Sopa f.

potager, ere (jé, er) Hortense. M Huerta f.

potasse (tas) Potasa (assa).

pot-au-feu (tofœ) Puchero. Cocido [mets].

pot-de-vin (vɪⁿ) m Adehala f. Manos puercas fpl [bénéfice illicite].

poteau (tó) Poste.

potée (té) Olla (olha), tarro m. Menestra [soupe].

potelé (tᵉlé) Rollizo (lhi).

potence (taⁿs) Horca (or). Pescante m [pour accrocher].

potentat (taⁿtá) Potentado.

potentiel (siel) Potencial.

poterie (tᵉri) Alfarería [industrie] Loza [vaisselle de faïence]. Vasija de barro. Vasija de estaño [étain].

poterne (tern) f Portillo m.

potiche f Jarrón (jarrón) m.

potier (tié) Alfarero.

potin (tɪⁿ) Chisme [caquet].

potiner Andar con chismes.

potion (sioⁿ) Poción (ziòn).

potiron (roⁿ) m Calabaza f.

pou (pu) Piojo (piojo).

pouah! (puá) ¡Qué asco! (ké).

poubelle Cubo de la basura.

pouce (pus) Pulgar [doigt]. Pulgada f [mesure].

pouding (pudiṅg) Pudín.

poudre (pudr) f Polvo m. Pólvora [canon, etc.]. Polvos mpl [de riz]. *Prendre la poudre d'escampette,* tomar las de Villadiego.

poudrer (dré) Empolvar.

poudrerie (drœri) Fábrica de pólvora.

poudreux (drœ) Polvoriento.

poudrière (er) f Polvorín m.

pouf (puf) Almohadón [coussin]. Petardo [escroquerie].

pouffer Reventar* de risa.

pouille (puiᵉ) Pulla (poulha).

pouilleux (iœ) Piojoso (sso).

poulailler (laié) Gallinero. Paraíso (raísso) [théâtre].

poulain (pulɛⁿ) Potro.

poularde Gallina cebada.

poule (pul) Gallina (lhina). *Poule d'eau,* polla. *Poule mouillée,* cobarde.

poulet (pulè) Pollo (polho).

poulette (let) Pollita (lhi). Salsa blanca [sauce].

pouliche (pulích) Potranca.

poulie (pulí) Polea (polea).

poulpe (pulp) Pulpo (poul).

pouls (pu) Pulso.

poumon (pumoⁿ) Pulmón.

poupard Nene [enfant]. Pepona f [poupée].

poupe (pup) Popa.

poupée (pupé) Muñeca (gné).

poupin (pɪⁿ) Lindo, aniñado.

poupon, onne (oⁿ, onᵉ) Rollizo, za. M Rorro [bébé]. *Fam.* Angelote.

pouponnière (nier) f Asilo [m] para niños de pecho.

pour (pur) Para [afin de] : *travailler pour s'instruire,* trabajar para instruirse. Por [au lieu de] : *prendre une chose pour une autre,* tomar una cosa por otra. Por [en faveur de, en considération de] : *pour Dieu,* por Dios. Para [eu égard à] : *grand pour son âge,* grande para su edad. Por [moyennant, durée] : *laisser pour vingt francs,* dejar por veinte pesetas; *pour un an,* por un año. Para [contre] : *pour la fièvre,* para la calentura. Por [à cause de] : *pour*

avoir volé, por haber robado.
Le pour et le contre, el pro
y el contra.
pourboire (buar) m Propina *f.*
pourceau (purso) Cerdo (zer).
pourcentage (sa^ntaj) Porcentaje.
pourchasser (sé) Perseguir*.
pourfendre (fa^ndr) Tajar,
partir.
pourlécher (se) Relamerse.
pourparlers (lé) Tratos.
pourpoint (purpui^n) Jubón.
pourpre (purpr) Púrpura.
pourpré Purpúreo (pouréo).
pourquoi (purcuá) Por qué.
C'est pourquoi, por eso.
pourri, ie (purí) Podrido, da.
pourrir Podrir*. Podrirse*.
pourriture (tür) Podredumbre.
poursuite (üit) Persecución.
Solicitud [recherche]. Diligencia [judiciaire].
poursuivre (üivr) Perseguir*.
Proseguir* [continuer] Demandar (démàn) [justice].
pourtant (ta^n) Sin embargo.
pourtour (tur) Contorno.
pourvoi (purvuá) m Apelación *f. Pourvoi en cassation,*
escrito de agravios. *Pourvoi
en grâce,* petición de indulto.
pourvoir* (vuar) Proveer.
Subvenir* a. *Se pourvoir,*
Proveerse (véér) Apelar
[justice].
pourvoyeur (iar) Proveedor*.
pourvu, ue (vü) Provisto, ta.
Pourvu que, con tal que,
siempre que.
poussah (pusá) Dominguillo.
pousse (pus) *f* Retoño *m*
[plantes].
poussée (sé) *f* Empujón *m.*
Esfuerzo *m.*

pousse-pousse (puspús) Carrito anamita.
pousser (sé) Empujar. *Fig.*
Incitar (zi), impulsar (in).
Dar* [cri, soupir]. Crecer* (zer) [plantes, personnes]. Salir* [cheveux].
poussier (sié) Cisco (zis).
poussière (sièr) *f* Polvo *m.*
poussiéreux (œ) Polvoriento.
poussif *Fig.* Asmático (ma).
poussin (si^n) Pollo (lho).
poussoir (suar) Botón (tòn).
poutre (putr) Viga.
poutrelle (trel) Vigueta.
pouvoir* (vuar) Poder (dèr).
M Poder.
prairie (rí) Pradera (déra).
praline Almendra garañada.
praliner (né) Garaññar.
praticable (abl) Practicable
(blé). Transitable [chemin].
praticien (sie^n) Práctico.
pratiquant (ca^n) Practicante.
pratique (tic) Práctico, ca.
F Práctica. Costumbre [habitude].
pratiquer (ké) Practicar.
pré Prado. *Fig. Aller sur le
pré,* tener* un desafío.
préalable (abl) Previo, via.
Au préalable, previamente.
préambule (a^nbül) Preámbulo.
préau (preo) Patio cubierto.
prébende (ba^nd) Prebenda.
précaire (ker) Precario, ria.
précaution (sio^n) Precaución.
précédemment (a^n) Anteriormente.
précédent (seda^n) Precedente.
précéder (dé) Preceder.
précepte (sept) Precepto.
précepteur (œr) Preceptor.

prêche (prech) *m* Prédica *f.*

prêcher (éché) Predicar.

prêcheur (chœr) Predicador.

précieux, ieuse (siœ, iœs) Precioso, sa (ziosso). *Fig.* Amanerado, da [maniéré].

préciosité *f* Amaneramiento *m.* Cultismo *m* [littérature].

précipice (sipís) Precipicio (zipizio).

précipitamment (*a*n) Precipitadamente.

précipitation Precipitación.

précipité Precipitado (zi).

précipiter (té) Precipitar.

précis, ise (sí, ís) Preciso, sa (zisso). En punto [heure]. Fijo [jour]. *M* Compendio.

précisément (*a*n) Precisamente.

préciser (sé) Precisar.

précision (sision) Precisión.

précoce (kós) Precoz (écoz).

précocité Precocidad (zida).

préconçu (sü) Preconcebido.

préconiser (sé) Preconizar.

précurseur (ürsœr) Precursor.

prédécesseur Predecesor.

prédestiner Predestinar.

prédicateur (œr) Predicador.

prédication Predicación.

prédiction (sion) Predicción.

prédilection Predilección.

prédire * Predecir* (dézir).

prédisposer (sé) Predisponer*.

prédisposition (sion) Predisposición.

prédominance (*a*ns) Predominio.

prédominant (*a*n) Predominante.

prédominer (né) Predominar.

prééminence Preeminencia.

prééminent (n*a*n) Preeminente.

préétabli Preestablecido.

préface (fás) *f* Prefacio *m.*

préfecture (tür) Prefectura.

préférable (abl) Preferible.

préféré, ée (ré) Preferido, da.

préférence (*a*ns) Preferencia.

préférer (ré) Preferir* (rír).

préfet (fè) Prefecto.

préfixe (fix) Prefijo (fix).

préhistoire Prehistoria.

préhistorique Prehistórico.

préjudice (jüdís) Perjuicio.

préjugé (jé) Prejuicio (zio).

prélasser (se) Arrellanarse [dans un fauteuil].

prélat (lá) Prelado.

prélèvement (levma*n*) *m* Porción *f : faire un prélèvement,* tomar una porción.

prélever (levé) Tomar, sacar.

préliminaire (ner) Preliminar.

prélude (lüd) Preludio.

préluder (lüdé) Preludiar.

prématuré (türé) Prematuro.

préméditation Premeditación.

préméditer (té) Premeditar.

prémices (mís) Primicias.

premier (premié), **ère** Primero, ra [primer devant un s. m. : *premier homme,* primer hombre]. Primo [nombres].

premier-né (né) Primogénito.

prémunir Premunir*, precaver.

prenant (n*a*n) Que toma (ké). Prensil [histoire naturelle].

prendre* (pra*n*dr) Tomar. Coger* (jer) [saisir]. *Prendre la fuite,* fugarse. *Prendre* *feu*, arder. *Prendre garde*, tener* cuidado. *Prendre congé*, despedirse*. *Prendre plaisir à*, tomar gusto en. *Prendre en pitié*, compadecerse*.

preneur (œnœr) Tomador. Arrendador (**rren**) [bails].

prénom (noⁿ) Nombre.

préoccupation Preocupación.

préoccuper (cüpé) Preocupar.

préparateur Preparador.

préparatif Preparativo.

préparation (sioⁿ) Preparación.

préparatoire (tuar) Preparatorio, ria.

préparer (ré) Preparar.

prépondérance Preponderancia.

prépondérant Preponderante.

préposé (sé) Encargado.

préposition Preposición.

prérogative Prerrogativa.

près (prè) Cerca. Junto a. *A cela près*, fuera de esto. *A peu près*, sobre poco más o menos. *Tout près*, cerquita.

présage (saj) Presagio.

présager (jé) Presagiar.

presbyte (presbít) Présbita.

presbytère (ter) *m* Casa [*f*] del cura.

prescience Presciencia.

prescription Prescripción.

prescrire* (ír) Prescribir*.

préséance (saⁿs) Precedencia.

présence (saⁿs) Presencia.

présent (saⁿ) Presente.

présentable Presentable.

présentation Presentación.

présenter (saⁿté) Presentar.

préservatif Preservativo.

préservation Preservación.

préserver (vé) Preservar.

présidence (aⁿs) Presidencia.

président (daⁿ) Presidente.

présidentiel Presidencial.

présider Presidir.

présomptif Presunto (ssoun).

présomption (sioⁿ) Presunción (zióⁿ).

présomptueux (üœ) Presuntuoso.

presque (presc) Casi.

presqu'île (kíl) Península.

pressant (saⁿ) Urgente (jèⁿ).

presse (prés) Prensa (ènssa). Prisa (príssa) [urgence].

pressé (sé) Prensado. Apretado [serré]. Acosado (ssa). [poursuivi]. Urgente (jèⁿ).

pressentiment (maⁿ) Presentimiento.

pressentir Presentir*.

presser (sé) Apretar* [serrer]. Prensar [machines]. Acosar [harceler]. Apresurar [hâter]. *Cela presse*, eso corre prisa. *Se presser*, apretarse*, apresurarse.

pression (sioⁿ) Presión.

pressoir (suar) *m* Prensa *f*. Lagar [à vin].

pressurer (ré) *Fig.* Oprimir.

prestance Buena presencia.

prestation (sioⁿ) Prestación.

preste (prest) Pronto, ta. *Interj. ¡*Presto!

prestidigitateur (jitatœr) Prestidigitador [jitador].

prestige (tíj) Prestigio.

prestigieux (œ) Prestigioso.

présumer (sümé) Presumir.

présure (sür) *f* Cuajo *m*.

pret (prè) Listo, dispuesto. *M* Préstamo.

prétendant Pretendiente.

prétendre (taⁿdr) Pretender.

prétendu (dü) Supuesto [supposé].

prête-nom Testaferro.

prétentieux, euse (siœ, œs) Vanidoso, sa. Presumido, da.

prétention Pretensión.

prêter (té) Prestar.

prêteur (pretœr) Prestador. Prestamista [de profession].

prétexte (text) Pretexto.

prétexter (té) Pretextar.

prêtre (pretr) Sacerdote.

preuve (prœv) Prueba (oué). Faire preuve, dar* prueba.

preux (prœ) Valiente.

prévaloir* (uar) Prevalecer.

prévaricateur Prevaricador.

prévenance (naⁿs) Obsequio.

prévenant (venaⁿ) Atento.

prévenir* Prevenir* Adelantarse [devancer]. Precaver [éviter].

préventif Preventivo.

prévenu Prevenido. Acusado.

prévision (sioⁿ) Previsión.

prévoir* (vuar) Prever*.

prévoyance (vuaiaⁿs) Previsión.

prévoyant (vuaiaⁿ) Previsor.

prie-Dieu (diœ) Reclinatorio.

prier (ié) Rogar. Vi. Orar, rezar [dire des prières]. Se faire prier, hacerse* de rogar.

prière (er) f Oración [à Dieu]. Ruego m.

prieur (priœr) Prior.

prieuré (œré) Priorato.

primaire (mer) Primario, ria. Instruction primaire, primera instrucción (cxiòn).

primauté (moté) Primacía.

prime (prim) f Prima. Primero, ra: prime jeunesse, primera juventud.

primer (mé) Aventajarse (sé). Premiar [récompenser].

primesautier, ère (m^esotié, èr) Espontáneo, nea.

primeur (œr) Primicia (zia). Fruta temprana (tènpra).

primevère (ver) Primavera f.

primitif, ive Primitivo, va.

primo (mo) Primero.

primordial, ale Primordial.

prince (priⁿs) Príncipe.

princesse (sés) Princesa.

princier (sié) De príncipe.

principal, ale Principal.

principauté Principado.

principe (cip) Principio.

printanier (nie) Primaveral.

printemps (priⁿtaⁿ) m Primavera (vera) f.

priorité Prioridad (rida).

pris Tomado. Cogido [saisi] Engañado [dupé]. Pris de vin, borracho.

prise (pris) Presa [butin]. Agarradero m [facilité de saisir]. Polvo m [tabac]. Prise de courant, enchufe m. Donner prise, dar motivo. Lâcher prise, soltar. Prise directe, directa.

priser (sé) Tasar [évaluer]. Fig. Celebrar [vanter]. Tomar tabaco [tabac].

priseur Tasador [enchères].

prisme (prism) Prisma.

prison (oⁿ) Cárcel, prisión.

prisonnier, ère (sonié, er) Preso, sa. Prisionero, era.

privation (sioⁿ) Privación.

privauté (voté) Familiaridad.

priver (vé) Privar.

privilège (lej) Privilegio.

privilégier Privilegiar.

prix (pri) Precio. Premio.

[récompense]. *Prix courant,* precio corriente. *Prix de revient,* precio de coste. *A tout prix,* a toda costa. *Pour prix de,* en premio de. *Au prix de,* a costa de. *Hors de prix,* carísimo.

probabilité Probabilidad.
probable (*abl*) Probable.
probant (*bañ*) Probante.
probe (*prob*) Probo, ba.
probité Probidad (*da*).
problématique Problemático.
problème (*blem*) Problema.
procédé Procedimiento (*zé*).
procéder (*dé*) Proceder (*zé*).
procédure (*dür*) *f* Procedimiento *m.* Actuación [justice].
proces (*sé*) Pleito (*pléito*).
Proces-verbal *m* Acta *f* [d'une séance]. Atestado [jurid.].
procession (*sion*) Procesión.
prochain, aine (*chiⁿ, enᵉ*). Próximo, ma. *M* El prójimo.
prochainement (*chenemaⁿ*) Pronto.
proche (*och*) Próximo, ma. *M* Pariente. *Adv.* Cerca [près].
proclamation Proclamación.
proclamer (*mé*) Proclamar.
proconsul Procónsul.
procréer (*créé*) Procrear.
procuration Procuración.
procurer (*ré*) Proporcionar.
procureur (*rœr*) Procurador.
prodigalité Prodigalidad.
prodige (*dij*) Prodigio (*jio*).
prodigieux (*jiœ*) Prodigioso.
prodigue (*dig*) Pródigo. *Enfant prodigue,* hijo pródigo.
prodiguer (*gué*) Prodigar.
prodrome Pródromo.

producteur (*tœr*) Productor.
productif, ve Productivo, va.
production Producción.
produire (*üir*) Producir*.
produit (*düi*) Producto (*ouc*).
proéminence Prominencia.
profanation Profanación.
profane (*fanᵉ*) Profano, na.
profaner (*né*) Profanar.
proférer (*ré*) Proferir*.
professer (*sé*) Profesar.
professeur (*sœr*) Profesor.
profession (*sioⁿ*) Profesión.
professionnel Profesional.
professorat (*ra*) Profesorado.
profil Perfil.
profiler (*lé*) Perfilar.
profit (*tí*) Provecho. *Mettre à profit,* aprovechar. *Profits et pertes,* ganancias y pérdidas. *Au profit de,* en provecho de.
profitable (*abl*) Provechoso.
profiter (*té*) Aprovechar.
profiteur (*œr*) Aprovechador.
profond, onde Profundo, da.
profondément (*aⁿ*) Profundamente.
profondeur Profundidad.
profusion (*sioⁿ*) Profusión.
progéniture (*tür*) Progenitura.
programme (*gram*) Programa.
progrès (*grè*) Progreso (*sso*).
progresser (*sé*) Progresar.
progressif, ive Progresivo, va.
progression (*sioⁿ*) Progresión.
prohiber (*bé*) Prohibir.
prohibition Prohibición.
proie (*pruá*) Presa (*pressa*)'. *Etre en proie,* ser presa*.
projecteur (*tœr*) Proyector.
projectile (*til*) Proyectil.
projection (*sioⁿ*) Proyección.

projet (jè) Proyecto.

projeter (jeté) Proyectar.

prolétaire (ter) Proletario.

prolétariat (iá) Proletariado.

prolifique (fic) Prolífico.

prolixe (líx) Prolijo, ja.

prologue (log) Prólogo (pro).

prolongation Prolongación.

prolonge (onj) Prolonga.

prolongement Prolongación.

prolonger (jé) Prolongar.

promenade (nad) f Paseo m. *Faire une promenade*, Dar* un paseo.

promener (mené) Pasear. *Se promener*, pasearse (sé).

promeneur, euse (m'nœr, œs) Paseante.

promenoir (m'nuar) Paseo, galería f.

promesse (més) Promesa.

prometteur (œr) Prometedor.

promettre (metr) Prometer.

promiscuité Promiscuidad.

promontoire Promontorio.

promoteur (tœr) Promotor.

promotion (sion) Promoción.

promouvoir (uar) Promover*.

prompt, ompte (pron, ont) Pronto, ta.

promptement Prontamente.

promptitude (tüd) Prontitud.

promulguer Promulgar.

prône (pron°) Sermón.

prôner (né) Predicar. Encomiar [vanter].

pronom (non) Pronombre.

prononcé (sé) Pronunciado.

prononcer (sé) Pronunciar.

prononciation Pronunciación.

pronostic (tic) Pronóstico.

pronostiquer Pronosticar.

propagande (gand) Propaganda.

propagation Propagación.

propager (jé) Propagar.

propension (sion) Propensión.

prophète (fet) Profeta.

prophétie (sí) Profecía.

prophétique (tic) Profético.

prophétiser (sé) Profetizar.

prophylaxie (xí) Profilaxis.

propice (pís) Propicio.

proportion (sion) Proporción.

proportionnel Proporcional.

proportionner Proporcionar.

propos (pó) Propósito [résolution]. Conversación f. Habladuría f [médisance]. *A propos*, a propósito. *De propos délibéré*, de intento.

proposer (sé) Proponer*.

proposition Proposición.

propre (propr) Propio, pia [exclusif, naturel]. Limpio, pia [pas sale].

propret, ette Limpito, ta.

propreté (preté) Limpieza.

propriétaire (eter) Propietario, ria, dueño, ña. Casero, ra [d'immeuble].

propriété Propiedad [droit, caractère]. Finca, hacienda (zien) [immeubles, terres].

propulseur (sœr) Propulsor.

prorata (tá) Prorrata.

proroger* (jé) Prorrogar.

prosaïque (saic) Prosaico, ca.

prosateur (œr) Prosista.

proscrire Proscribir.

proscrit (scrí) Proscrito.

prose (pros) Prosa (ossa).

prosélyte (selít) Prosélito.

prosodie (sodí) Prosodia.

prospection (sion) Prospección (cxión).

prospectus (tüs) Prospecto.

prospère (sper) Próspero.

prospérer (ré) Prosperar.

prospérité Prosperidad (*da*).

prostate (*tat*) Próstata.

prosterner (*né*) Prosternar.

prostituée (*tüé*) Prostituta.

prostitution Prostitución.

prote (prot) Regente de imprenta.

protecteur, trice (*tœr*, *tris*) Protector, ra.

protection Protección.

protectionniste (*ist*) Proteccionista.

protectorat (*torá*) Protectorado.

protée (*té*) Proteo.

protégé (*jé*) Protegido (*ji*).

protéger (*jé*) Proteger (*jer*).

protestant Protestante.

protestataire Protestatario.

protestation (*sion*) Protesta.

protester (*tés*) Protestar.

protêt (*tè*) Protesto.

prothèse (*tés*) Prótesis.

protocolaire (*ler*) Formal.

protocole Protocolo [*procès-verbal*]. Ceremonial (*zéré*).

prototype (*tip*) Prototipo.

protubérance Protuberancia.

proue (pru) Proa.

prouesse (*prués*) Proeza.

prouver (*pruvé*) Probar.

provenance Procedencia.

provenir (*venir*) Proceder*.

proverbe (*verb*) Proverbio.

proverbial, ale Proverbial.

providence Providencia.

providentiel Providencial.

province (*vins*) Provincia.

provincial Provincial.

proviseur (*sœr*) Provisor.

provisoire (*suar*) Provisional. Amer. Provisorio.

provocant (*can*) Provocante.

provocation Provocación.

provoquer (*ké*) Provocar.

proximité Proximidad (*da*).

prude (*üd*) Gazmoña (*ogna*).

prudemment Prudentemente.

prudence (*an*s) Prudencia.

prudent (*dan*) Prudente (*èn*).

pruderie (*rí*) Gazmoñería.

prud'homme (dom) Prohombre [droit].

prune (*prün*) Ciruela (*la*).

pruneau (*prüno*) *m* Ciruela pasa *f*.

prunelle (*prünel*) Endrina [fruit]. Niña (*nigna*) [de l'œil].

prunier (*nié*) Ciruelo (zi).

prurit (*prüri*) Prurito.

prussien (*sin*) Prusiano.

psalmodier (*dié*) Salmodiar.

psaume (*som*) Salmo.

pseudo (*psœdo*) Seudo (*éou*): *pseudo-savant*, seudosabio.

pseudonyme (*nim*) Seudónimo.

psychanalyse (psikanalís) Psicoanálisis (*alisiss*).

psychologie (*jí*) Psicología.

psychologique Psicológico.

psychologue (log) Psicólogo.

psychose (*cos*) Psicosis.

puant, ante (*püan*, *an*t) Hediondo, da (*édión*).

puanteur (*tœr*) Hediondez.

puberté Pubertad (*ta*).

pubis (*pübis*) Pubis (*oubiss*).

public, ique Público, ca.

publication Publicación.

publiciste (*sist*) Publicista.

publicité Publicidad (*zida*).

publier (*blié*) Publicar.

puce (*püs*) Pulga [insecte]. *Robe puce*, vestido pardo.

pucelle (*sel*) Doncella (lha).

puceron (*püsron*) Pulgón.

puddler (*püdlé*) Pudelar.

pudeur (*püdœr*) Pudor.

pudibond (boⁿ) Pudibundo.
pudique (díc) Púdico (pou).
puer (púé) Heder* (eder).
puériculture Puericultura.
puéril, ile (ríl) Pueril.
puérilité Puerilidad.
puerpéral, ale Puerperal.
pugilat (jilá) Pugilato.
puiné, ée Segundo, da.
puis (púi) Y después (ouès);
y luego. *Et puis*, además.
puisard Pozanco, sumidero.
puisatier (satié) Pocero.
puiser (sé) Sacar [eau].
puisque (púisc) Puesto que.
puissamment Poderosamente.
puissance Potencia. Poder *m*.
puissant Poderoso, potente.
Tout-puissant, todopoderoso.
puits (púi) Pozo.
pull-over Jersey.
pulluler (lülé) Pulular.
pulmonaire (nèr) Pulmonar.
pulpe (pülp) Pulpa.
pulsation (sioⁿ) Pulsación.
pulvérisateur Pulverizador.
pulvériser (sé) Pulverizar.
pulvérulent Pulverulento.
puma (pümá) *m* Puma *f*.
punaise (nèz) Chinche.
punch (poⁿch) Ponche.
punir Castigar.
punissable (sabl) Castigable.
punition (sioⁿ) *f* Castigo *m*.
pupille (püpíl) Pupilo, la.

pupitre (püpítr) Pupitre.
pur, ure (pür) Puro, ra.
purée (püré) *f* Puré *m*.
purement Puramente. *Purement et simplement*, pura y simplemente.
pureté Pureza.
purgatif, ive Purgante.
purgatoire (uar) Purgatorio.
purge (pürj) Purga (ourga).
purger (jé) Purgar (ourgar).
purification Purificación.
purifier (fié) Purificar.
purin (iⁿ) Estiércol líquido.
puriste (ríst) Purista.
puritain (tiⁿ) Puritano.
purulent (rüloⁿ) Purulento.
pus (pü) Pus. Materia *f*.
pusillanime Pusilánime.
pustule (püstül) Pústula.
putois (pütuá) Turón (ròⁿ).
putréfaction Putrefacción.
putréfier (fié) Podrir*.
putride (pütríd) Pútrido.
pygmée (pigmé) Pigmeo.
pyjama (pijamá) Pijama.
pylône (pilôn) Pilón (lòⁿ).
pylore (pilor) Píloro (pí).
pyramide (míd) Pirámide.
pyrèthre (retr) Pelitre.
pyrite (pirít) Pirita (rí).
pyrogravure Pirograbado.
pyrotechnie (ní) Pirotecnia.
python (pitoⁿ) Pitón (tòⁿ).
pythonisse (ís) Pitonisa.

Q

quadragénaire Cuadragenario.
quadrangulaire Cuadrangular.
quadrilatère Cuadrilátero.
quadrille (dríie) Cuadrilla.
quadrumane Cuadrúmano.
quadrupède (ped) Cuadrúpedo.
quadruple (üpl) Cuádruplo.

quadrupler Cuadruplicar.
quai (kè) Muelle (mouelhé) [port]. Andén [gare].
qualificatif Calificativo.
qualifier (tié) Calificar.
qualité (ka) Cualidad (da) [propriétés particulières]. Calidad [ensemble des qualités] : *étoffe de bonne qualité*, tela de buena calidad.
quand (ca\(^n\)) Cuando (couàn). *Quand bien même*, aun cuando.
quant (ca\(^n\)) Cuanto. *Quant à*, en cuanto a. *Quant-à-moi*, quant-à-soi, reserva *f.*
quantième Día. Fecha *f.*
quantité Cantidad (da).
quarantaine Cuarentena.
quarante (ra\(^n\)t) Cuarenta.
quart (car) Cuarto. *Quart d'heure*, cuarto de hora.
quarteron (tro\(^n\)) Cuarterón.
quartier (cartié) Cuarto [d'un objet]. Barrio [villes]. Pedazo [morceau]. *Premier, dernier quartier*, cuarto creciente, cuarto menguante. Cuartel [écu, caserne]. Perdón, gracia *f.*
quartier-maître (cartiémètr) Cuartel maestre.
quartz (cuarts) Cuarzo (zo).
quasi o **quasiment** Casi.
quasimodo *f* Cuasimodo *m.*
quaternaire Cuaternario.
quatorze (cators) Catorce.
quatrain (catri\(^n\)) Cuarteto [sonnet]. Cuarteta *f.*
quatre (car) Cuatro (coua).
quatre-temps (ta\(^n\)) Témporas.
quatre-vingts (vi\(^n\)) Ochenta.
quatrième Cuarto, ta (couar).
quatuor (cuàtůor) Cuarteto.

que (kœ) Que (ké). *Le livre que je lis*, el libro que leo. *Que lisez-vous?* ¿qué lee Ud? *Conj. Je veux que vous veniez*, quiero que Ud venga. *Adv.* Cuán, qué [avec un adjectif] : *que cela est beau!* ¡Cuán hermoso, qué hermoso, es eso! Cuánto, ta, tos, tas [avec un substantif] : *que de fleurs!* ¡Cuántas flores!
quel, quelle (kel) Qué (ké) [devant un subst.] : *quel livre?* ¿Qué libro? Cuál [devant un verbe] : *quel est ce livre?* ¿Cuál es ese libro? *Quel que, quelle que*, cualquiera que : *quelles que soient vos intentions*, cualesquiera que sean sus intenciones.
quelconque (kelco\(^n\)c) Cualquiera : *un livre quelconque*, un libro cualquiera.
quelque (kelc) Alguno, na : *quelques jours*, algunos días. Unos, unas [environ] : *quelque cinquante ans*, unos cincuenta años. Por : *quelque savant qu'il soit*, por sabio que sea.
quelquefois (kelkefuá) Algunas veces.
quelqu'un, une (ku\(^n\), ün\(^e\)) Alguno, na : *quelqu'un de vos amis*, alguno de sus amigos. Alguien [une personne] : *quelqu'un est-il venu?* ¿Ha venido alguien?
quémander (dé) Solicitar.
quémandeur (dœr) Pedigüeño.
qu'en-dira-t-on (ka\(^n\)dirato\(^n\)) El qué dirán.

quenelle (kœnel) Albóndiga.

quenotte (ot) f Dientecillo m.

quenouille (kœnúie) Rueca. Copo m [filasse, laine].

querelle Querella, disputa.

quereller (lé) Reñir* (regn).

querelleur (œr) Pendenciero.

quérir* (kérir) Buscar.

questeur (cuestœr) Cuestor.

question (kestioⁿ) Pregunta [interrogation]: *Poser des questions,* hacer preguntas. Cuestión [proposition]. Tormento m.

questionnaire Cuestionario.

questionner (né) Interrogar.

quête (ket) Busca [recherche]. Colecta [d'argent].

quêter (keté) Buscar. Pedir*.

queue (kœ) Cola. Rabo m [ne se dit que des quadrupèdes]. *Rabo m* cabo m [fruits]. *Mango m* [casseroles, etc.]. Cola [d'habit, de comète]. Coleta [cheveux]. *A la queue,* a la cola. *A la queue leu leu,* en fila. *Sans queue ni tête,* sin pies ni cabeza.

qui (ke) Que: *celui qui vient,* el que viene. Quien [avec une prép. ou interr.]: *dans ce cas accentué :* quién] : *A qui ai-je parlé?* ¿A quién he hablado?

quiconque (kicoⁿc) Quienquiera que.

quidam (kidäm) Quídam.

quiétude (kietüd) Quietud.

quignon (kiñoⁿ) Zoquete.

quille (kíie) Quilla (lha).

quincaillerie (caiⁿrí) Quincallería.

quinconce (kiⁿ) Tresbolillo.

quinine (kiníne) Quinina.

quinquagénaire (ner) Quincuagenario.

quinquet (kè) Quinqué.

quinquina (kiⁿ) m Quina f.

quintal (kiⁿ) Quintal (kìn).

quinte (kiⁿt) Quinta [musique]. Acceso m (acz) [toux].

quintessence Quintaesencia.

quintessencier Sutilizar.

quintette (tet) Quinteto.

quinzaine (kiⁿsene) Quincena.

quinze (kiⁿs) Quince (kinzé).

quinzième (siem) Décimoquinto.

quiproquo m Confusión f.

quittance (kitaⁿs) f Recibo m (rézibo).

quitte (kit) Libre, corriente, en paz. *Quitte à,* a reserva de. *Quitte d'embarras,* libre de estorbos.

quitter (té) Dejar. Quitarse [habit].

qui vive? (kiviv) ¿Quien vive?

quoi (cuá) Que, qué [interr.]. *Avoir* de quoi vivre, tener* con qué vivir. *Quoi que je fasse,* por más que haga.

quoique (cuake) Aunque (ké).

quolibet (kolibé) m Broma f.

quorum (corom) Quórum.

quote-part Cuota (couo).

quotient (kosiaⁿ) Cociente.

quotité Cuota (couota).

R

rabâchage (rabachaj) Machaqueo (kéo).

rabâcher (ché) Machacar.

rabâcheur (chœr) Machacón.

rabais (bè) m Rebaja f.

rabaisser (besé) Rebajar.

rabat (bá) Alzacuello (zacouelho) [clergé]. Golilla (ílha) f [magistrature].

rabat-joie (juá) Aguafiestas.

rabatteur (tœr) Ojeador.

rabattre (atr) Bajar. Rebajar. En rabattre, quitar. Se rabattre, doblarse [se replier].

rabbin (rabín) Rabino (ra).

rabiot (bió) Pop. Sobrante.

râble (rabl) Lomo.

râblé (blé) Robusto (ro).

rabot (bo) Cepillo (zépí).

raboteux (œ) Áspero (as).

rabougri Achaparrado (rra).

rabrouer (rabrué) Sacudir, maltratar.

racaille (cái) Canalla (lha).

raccommodage m Compostura f, remiendo m.

raccommoder (dé) Componer*, arreglar remendar.

raccommodeur (œr) Reparador.

raccord (cor) Enlace. Enchufe [tuyaux].

raccordement Enlace.

raccorder Enlazar. Empalmar [ch. fer]. Enchufar [tuyaux].

raccourci (cursí) Acortado. En raccourci, escorzado, da [beaux-arts]. En compendio [résumé].

raccourcissement (maⁿ) Acortamiento.

raccroc (racro) m Chiripa f [jeux]. Casualidad (ssoua).

raccrocher (ché) Colgar de nuevo. Detener* [arrêter]. Se raccrocher, agarrarse de.

race (ras) Raza (raza).

rachat (chá) Rescate.

racheter (rachté) Rescatar.

rachitique Raquítico (raki).

racine (síne) Raíz (raíz).

raclée (clé) Paliza (liza).

racler (clé) Raer* (raèr).

raclette y racloir Raedera.

raclure (clür) Raedura.

racoler (colé) Enganchar. Fig. Reclutar [recruter].

racoleur (lœr) Enganchador.

raconter Cuento, chisme.

raconter (coⁿté) Contar*.

racornir Endurecer* (rézér).

radar Radar.

rade (rad) Rada (rada).

radeau (do) m Balsa (ssa) f.

radiateur (œr) Radiador.

radiation (sioⁿ) Radiación.

radical Radical.

radier (dié) Radiar.

radieux, euse Radiante.

radio Radio.

radio-actif Radioactivo.

radiographie Radiografía.

radiologue (log) Radiólogo.

radiophonie (foní) Radiofonía.

radiothérapie (terapí) Radioterapia.

radis (dí) Rábano (raba).

radium (diom) Radio.

radoter (té) Chochear (cho).

radoteur, euse Chocho, cha.

radoub (dú) m Carena f.

radoucir (dusír) Suavizar.

rafale (fal) Ráfaga (ra).

raffermir Afirmar, asegurar.

raffermissement (misⁿmaⁿ) m Firmeza f. Seguridad f.

raffinage m Refinación f.

raffiné Refinado.

raffinement (nⁿmaⁿ) m Refinación f. Fig. Refinamiento.

raffiner (né) Refinar.

raffoler (lé) Estar* loco. Raffoler de musique, estar loco por la música.

rafistoler (lé) Componer*.

rafle (rafl) f Saqueo (kéo) m. Redada [coup de filet].

rafler (flé) Saquear. Llevarse todo.

rafraîchir Refrescar.

rafraîchissant Refrescante.

rafraîchissement (chismaⁿ) Enfriamiento (iento). Refresco [boire].

ragaillardir (gaia) Reanimar.

rage (raj) Rabia. Dolor m.

rager (jé) Rabiar.

rageur (jœr) Rabioso (iosso).

ragot (gó) Chisme (chismé).

ragoût (gú) Guisado (guissa).

ragoûtant (taⁿ) Apetitoso.

raid (red) Raid.

raide (red) Tieso (sso). Empinado [côte]. Fig. Rígido.

raideur (dœr) Tiesura (ssu).

raidillon m Cuestecilla f.

raidir Atiesar. Fig. Resistir.

raie (rè) Raya (raya).

raifort Rábano silvestre.

rail (rai) Riel, carril.

railler (raié) Burlarse de.

raillerie (raiœrí) Burla.

railleur (raiœr) Burlón.

rainette (renèt) Rubeta.

rainure (renúr) Ranura.

raisin (resíⁿ) m Uva f. Uvas fpl [grappe]. Raisins secs pasas (passas) fpl.

raison (resoⁿ) Razón (razòn). A plus forte raison, con mayor razón. Avoir raison, tener* razón. Avoir raison de, vencer. Entendre raison, avenirse* a razones.

raisonnable (abl) Razonable.

raisonnement Razonamiento.

raisonner (né) Razonar.

rajeunir (jœnír) Rejuvenecer*. Remozar.

rajeunissement (aⁿ) Remozamiento.

rajouter (juté) Agregar.

rajuster (jüsté) Componer*.

râle (ral) Estertor [moribond].

ralentir Detener*, moderar.

ralentissement Aflojamiento.

râler (ralé) Agonizar (zar).

ralliement (limaⁿ) Reunión.

rallier (lié) Reunir. Volver* [retourner].

rallonge (loⁿj) f Añadido m. Larguero m [table].

rallonger (loⁿjé) Alargar.

rallumer (ralümé) Encender* de nuevo. Fig. Reanimar.

ramage (maj) Ramaje (ramajé) [branches]. Gorgeo [chant].

ramasser (sé) Recoger (ré).

ramassis (sí) Montón (tòn).

rame (ram) f Remo m [barque]. Resma [papier]. Tren m [train].

rameau (mo) m Ramo (ramo), rama, f.

ramener (mené) Volver* a traer ou a llevar [rapporter].

ramer (mé) Remar (rémar).

rameur (œr) Remero.

ramier m Paloma [f] torcaz.

ramification Ramificación.

ramifier (tié) Ramificar.

ramollir (molír) Ablandar.

ramollissement (lisemaⁿ) Reblandecimiento.

ramonage Deshollinamiento.

ramoner (né) Deshollinar.

ramoneur Deshollinador.

rampant (raⁿpaⁿ) Rastrero.

rampe (raⁿp) f Tramo m [escalier]. Rampa [plan incliné]. Candilejas pl [théâtre].

ramper (pé) Arrastrarse.

ramure (mür) Enramada. Cornamenta [cornes].

rance (raⁿs) Rancio, cia.

rancir Enranciarse.

rancœur (cœr) f Rencor m.

rançon (raⁿsoⁿ) f Rescate m.

rançonner Desollar*, robar.

rancune (raⁿcün) f Rencor (rènkor) m.

rancunier (nié) Rencoroso.

randonnée (doné) Revuelta.

rang (raⁿ) m Fila f. Puesto. Rango, clase f [classe].

rangé, ée (jé) Ordenado, da.

ranger (jé) Ordenar, arreglar. Colocar [placer]. Apartar.

ranimer (ranimé) Reanimar.

rapace (pás) Rapaz (rapaz).

rapacité Rapacidad (zida).

rapatrier (trié) Repatriar.

râpe (rap) f Rallo m, rallador m. Escofina [lime].

râpé Rallado. Raído [habits].

râper (rapé) Rallar (ralhar).

rapetisser (sé) Achicar.

rapide (rapíd) Rápido, da.

rapidité Rapidez (dez).

rapiécer (piésé) Remendar*.

rapin (piⁿ) Fam. Pintor.

rapine (pín) Rapiña.

rappel (rapel) Llamamiento.

rappeler (lé) Volver* a llamar. Recordar [faire se souvenir]. Se rappeler, recordar, acordarse de.

rapport (por) m Relación f [entre personnes ou choses]. Relato [récit]. Informe [sur un sujet donné]. Par rapport à, respecto a.

rapporter (té) Volver* a traer. Traer*, llevar. Producir* [terres; etc.]. Referir* [conter]. Anular [décret]. Informar. Vi. Acusar. Se rapporter, relacionarse con.

rapporteur (tœr) Soplón [mouchard]. Transportador [géom.]. Ponente [auprès d'une assemblée].

rapprochement m Aproximación f. Reconciliación f.

rapprocher (ché) Aproximar. Fig. Reconciliar. Comparar.

rapt (rapt) Rapto.

raquette (raket) Raqueta.

rare (rar) Raro, ra. Escaso, sa.

raréfier Enrarecer*, rarificar.

rarement (rⁿmaⁿ) Rara vez.

rareté Rareza, escasez.

ras, ase (ra, ras) Raso, sa. Au ras de, al nivel de, a flor de.

rasade f Vaso [m] lleno.

raser Afeitar (féi) [barbe]. Arrasar [abattre]. Rozar [frôler]. Pop. Dar* la lata.

raseur (sœr) Pop. Latoso.

rasoir (suar) m Navaja [f]
de afeitar. Máquina [f] de
afeitar [de sureté, etc.].

rassasier Saciar, hartar.

rassemblement (sa°bl°ma°)
m Reunión f. Tropel [foule].
Asamblea f [troupe].

rassembler (sa°blé) Juntar.

rasseoir (rasuar) Sentar. Se
rasseoir, sentarse* de nuevo.

rasséréner (rené) Serenar.

rassis (rasí) Sentado (sèn).

rassortiment (ma°) Surtido.

rassurant Tranquilizador.

rassurer (ré) Tranquilizar.

rastaquouère (rastacuèr) Ras-
tacuero.

rat (ra) m Rata f.

rata Pop. Rancho [milit.].

ratafia m Ratafia f.

ratatiner (né) Arrugar [ri-
der]. Encoger [aplatir].

rate (rat) f Bazo m.

râteau (rato) m Rastrillo.

râtelier (lié) Pesebre [man-
geoire]. Armero [fusil].
Dentadura f [dents].

rater (té) Marrar [fusil].
Fig. Fracasar [échouer].

ratier (tié) Ratonero.

ratière (tièr) Ratonera.

ratification Ratificación.

ratifier (fié) Ratificar.

ration (sio°) Ración (zió°).

rationalisme Rationalismo.

rationnel, elle Racional.

rationnement Racionamiento.

rationner (sioné) Racionar.

ratisser (sé) Rastrillar.

raton (to°) Ratón (tó°).

rattachement m Relación f.

rattacher (ché) Atar. Atar
de nuevo. Apegar [à la vie].
Fig. Relacionar [rapporter].

rattraper (trapé) Coger de

nuevo. Alcanzar [rejoindre].

rature (tür) f Borrón m.

raturer (türé) Tachar (char).

rauque (roc) Ronco, ca (rò°).

ravage (rava∫) Estrago.

ravager (jé) Estragar, asolar.

ravageur Devastador.

ravalement (val°ma°) Revoque (révóké).

ravaler Tragar [avaler]. Rebajar [abaisser].

ravaudage (vodaʒ) Zurcido.

ravauder Zurcir (zourzir).

rave (rav) Naba.

ravi, ie Fig. Encantado, da.

ravier (vié) Platillo (ílho).

ravigoter (goté) Reanimar.

ravin (ravi°) Barranco.

ravine (vín°) Barranca.

raviner (né) Arroyar (arro).

ravir Arrebatar (arréba). Encantar [charmer]. A ravir,
a las mil maravillas.

raviser (se) (sœ-ravisé)
Cambiar de parecer (rèzèr).

ravissant (sa°) Encantador.

ravissement (vis°ma°) Arrobamiento. Encanto [charme].
Rapto [rapt].

ravisseur (sœr) Robador.

ravitaillement (a°) Abastecimiento.

raviver (vé) Avivar.

ravoir* (vuar) Recobrar.

rayé, ée (reié) Rayado, da.

rayer (ié) Rayar.

rayon (reió°) m Rayo [lumière,
roue]. Radio [géométrie].
Tabla f, anaquel [armoire].
Panal [miel] Sección (zió°)
f [magasins; etc.].

rayonnant (iona°) Radiante.

rayonne Seda artificial, rayón.

rayonnement (ione°ma°) Resplandor. Irradiación f.

rayonner (ioné) Radiar (ra).

rayure (reiür) Rayadura.

raz de marée Maremoto.

razzia Correría, saqueo m.

réaction (sioⁿ) Reacción (ré).

réagir (jir) Reaccionar (ré).

réalisation Realización.

réaliser (sé) Realizar (ré).

réaliste (líst) Realista (ré).

réalité Realidad (da).

reapparaître Reaparecer*.

rebarbatif Áspero (aspero).

rabattre Machacar: rabattre les oreilles, machacar los oídos.

rebelle (ræbel) Rebelde.

rebeller (se) Rebelarse.

rébellion (lioⁿ) Rebelión.

rebiffer Resistir. Se rebiffer, resistírse.

rebondir Rebotar.

rebondissement Rebote.

rebord (ræbor) Borde. Resalto [saillant] Ribete [tissu].

rebours (bur) Contrapelo. A rebours, a contrapelo.

rebouteux (tœ) Curandero.

rebrousser Repelar. Rebrousser chemin, volver* atrás. A rebrousse-poil, a redopelo.

rebuffade (el) f Sofión m.

rébus Jeroglífico (jérogli).

rebut (ræbü) Desecho (sse).

rebutant (taⁿ) Ingrato, desagradable. Chocante (cho).

rebuter Desechar [rejeter]. Disgustar, chocar. Desanimar (dessa) [décourager].

récalcitrant Recalcitrante.

récapitulation Recapitulación.

recel (ræsel) m Ocultación f, encubrimiento.

receler Ocultar, encubrir.

receleur (œr) Encubridor.

récemment (resamaⁿ) Recientemente.

recensement (aⁿ) Empadronamiénto [action]. Censo [statistique].

recenser (saⁿsé) Empadronar. Recontar* (ré) [faits].

récent (saⁿ) Reciente (zièn).

récépissé Resguardo, recibo.

réceptacle Receptáculo (ré).

réception (sioⁿ) Recepción.

recette (ræset) f Ingreso m. Receta [procédé].

receveur (œr) Recaudador. Cobrador [omnibus].

recevoir (vuar) Recibír. Aprobar [à un examen].

rechange (chaⁿj) Repuesto.

réchapper (pé) Escapar.

recharger (jé) Recargar.

réchaud (recho) m Estufilla f. Braserillo. Infiernillo.

réchauffer (ofé) Recalentar*.

rêche (rech) Áspero, ra (as).

recherche Averiguación. Pesquisa [enquête].

recherché (recherché) Esmerado, rebuscado.

rechercher (ché) Averiguar.

rechigner (ñé) Poner* ceño.

rechute (ræchüt) Recaída.

récidive (sidiv) Reincidencia.

récidiver (vé) Reincidir.

récif (resif) Arrecife.

récipient (piaⁿ) Recipiente.

réciproque (oc) Recíproco.

récit (resí) Relato m (ré).

récitation (sioⁿ) Recitación.

réciter (té) Recitar (rezi).

réclamation Reclamación.

réclamer Reclamar (ré).

reclus (clü) Recluso (ousso).

réclusion Reclusión (ssiòn).

recoin (cuiⁿ) Rincón.

récolte Cosecha (ssecha).
récolter (té) Cosechar.
recommandable Recomendable.
recommandation Recomendación.
recommander (dé) Recomendar* (ré). Certificar [poste].
recommencer (sé) Volver* a empezar. Repetir.
récompense (a^{n}s) Recompensa.
récompenser Recompensar.
réconciliation Reconciliación.
réconcilier Reconciliar.
reconduire* (düir) Despedir*.
réconfort (for) Consuelo.
réconforter Confortar.
reconnaissance (conesa^{n}s) f. Reconocimiento m [examen]. Agradecimiento m [gratitude].
reconnaissant Agradecido.
reconnaître* (netr) Reconocer*. Agradecer [gratitude].
reconquérir Reconquistar.
reconquête Reconquista.
reconstituant (üa^n) Reconstituyente.
reconstituer Reconstituir.
reconstruire Reconstruir.
recopier (rœcopié) Recopiar.
record (rœcor) Record (cor).
recoudre (cudr) Recoser.
recourber (curbé) Encorvar.
recourir* (curir) Recurrir.
recours (rœcur) Recurso.
recouvrement Recaudación.
recouvrer Recaudar [impôts].
recouvrir* Cubrir de nuevo.
récréatif Recreativo.
récréation (sio^n) f Recreo m.
récréer (cré) Recrear.
récrier (crié) Exclamar.
récrimination Recriminación.

récriminer (né) Recriminar.
récrire Escribir de nuevo.
recroqueviller (vié) Encoger.
recrudescence Recrudescencia.
recrue (crü) f Recluta m [soldat].
recrutement Reclutamiento.
recruter Reclutar (ré).
rectangle Rectángulo.
rectangulaire Rectangular.
recteur (tœr) Rector.
rectification Rectificación.
rectifier (fié) Rectificar.
rectiligne Rectilíneo, ea.
rectitude (üd) Rectitud.
recto (tó) m Cara f [papier]. Anverso [document].
rectum (rectom) Recto.
reçu (rœsü) Recibo (ré).
recueil (kœi) m Colección f.
recueillement Recogimiento.
recueillir* (kœïr) Recoger.
recul (cül) Retroceso [arme]. Alejamiento [perspective].
reculade (ad) f Retroceso m.
reculé, ée Lejano, na (léja).
reculer Alejar [éloigner].
reculons (à) (rœkülo^n) A reculones.
récupération Recuperación.
récupérer (ré) Recuperar.
récurer (üré) Fregar (fré).
récuser (sé) Recusar (ssar).
rédacteur (tœr) Redactor.
rédaction (sio^n) Redacción.
reddition (sio^n) Rendición.
rédempteur (tœr) Redentor.
rédemption (sio^n) Redención.
redevable (rœdevabl) Deudor.
redevance (va^{n}s) Renta.
rédiger (jé) Redactar.
redingote (ot) Levita.
redire* (ir) Repetir* (répé).

redite (dít) Repetición.

redonner (né) Volver* a dar.

redoublement Redoblamiento.

redoubler Redoblar (ré).

redoutable (abl) Temible.

redouter (té) Temer. *Redouter de parler*, temer hablar.

redressement Enderezamiento.

redresser Enderezar (rézar).

réduction (sion) Reducción.

réduire* (düir) Reducir*.

réduit Reducto, retiro.

rééducation Reeducación.

réel, elle (reel) Real.

refaire* Rehacer* (réazer).

réfection (csion) Refección.

réfectoire (tuar) Refectorio.

référé Recurso de urgencia.

référence (rans) Referencia.

référendum Referéndum.

référer Referir*. Informar.

réfléchi Reflejado [image].
Reflexivo [verbe, esprit].
Reflexionado [pensée].

réfléchir Reflejar [image].
Reflexionar (ré) [penser].

réflecteur (tœr) Reflector.

reflet (rœflè) Reflejo.

refléter (té) Reflejar (ré).

réflexe Reflejo (réfléjo).

réflexion Reflexión (ré).

refluer (üé) Refluír*.

reflux (rœflü) Reflujo.

refondre (rœfondr) Refundir.

refonte (font) Refundición.

réformateur Reformador.

réforme (orm) Reforma (ré).

réformer (mé) Reformar (ré).

refouler (fulé) Rechazar.

réfractaire (tèr) Refractario.

refrain (frin) Estribillo.

réfréner (né) Refrenar.

réfrigérant Refrigerante.

réfringent (jan) Refringente.

refroidir Enfriar. Enfriarse.

refroidissement Enfriamiento.

refuge (rœfüj) Refugio (ré).

réfugier (se) Refugiarse.

refus (rœfü) *m* Negativa *f.*

refuser (füsé) Negar*. Rehusar. Suspender [à un examen]. *Vr.* Negarse.

réfuter (refüté).

regagner (né) Recuperar.

regain (guin) Retoño (ré).

regal Regalo (ré).

régalade Regalo. *A la régalade*, a chorro.

régaler (lé) Regalar.

regard (rœgar) *m* Mirada *f.* *Au regard de*, en comparación de.

regarder (dé) Mirar. *Cela me regarde*, eso me toca a mí.

régate (regat) Regata.

régence (jans) Regencia.

régénérer (né) Regenerar.

régent (jan) Regente (jén).

régenter (janté) Regentar.

régicide (sid) Regicida.

régie (jí) Administración.

regimber (jinbé) Respingar.

régime (jim) Régimen (ré).
Racimo (razi) [fruits].

régiment (jiman) Regimiento.

région (jilon) Región (ré).

régional, ale Regional.

régir (jir) Regir (réjir).

régisseur Administrador.

registre Registro (jis).

réglage Arreglo [arrangement]. Rectificación [tir]. Regulación *f* [mécanique].

règle (regl) Regla (ré).

reglement Reglamento (ré).
Arreglo (arré) [comptes].

réglementer Reglamentar.

régler Arreglar [disposer]. Regular [mécanisme]. Pagar [payer].

réglisse (ís) *f* Regaliz *m*.

règne (reñ) Reinado [rois].

régner (reñé) Reinar (réí).

regorger (rœgorjé) Rebosar.

régression Regresión.

regret Pesar (ssar) *A regret*, a disgusto. *Pl* Aflicción.

regrettable Deplorable (blé).

regretter (té) Sentir* : *regretter un acte*, sentir un acto. Echar de menos : *regretter sa jeunesse*, echar de menos su juventud.

régulariser (sé) Regularizar.

régularité Regularidad (da).

régulateur (tœr) Regulador.

régulier (lié) Regular (ré).

réhabiliter Rehabilitar.

rehausser (rœosé) Realzar.

réimprimer Reimprimir.

rein (rin) Riñón. *Pl* Lomo [région lombaire].

reine (rène) Reina (réí).

reine-claude Ciruela claudia.

reinette (nèt) Reineta.

réinstaller (lé) Reinstalar.

réintégrer (gré) Reintegrar.

réitérer (ré) Reiterar.

reitre (rètr) Reítre. *Pop.* Soldadote.

rejaillir Brotar de nuevo. Rebotar [rebondir]. Recaer*.

rejaillissement Rebote (ré).

rejet (rœjé) Rechazo (ré).

rejeter (jeté) Rechazar.

rejeton (jetoⁿ) Retoño.

rejoindre* (juiⁿdr) Reunir. Juntarse con [retrouver].

réjoui, ouie (réjuí) Alegre.

réjouir Alegrar, regocijar.

réjouissance *f* Regocijo *m*.

réjouissant (saⁿ) Divertido.

relâche *f* Descanso *m*. Vacación (zioⁿ) [théâtre].

relâché Flojo. *Fig.* Relajado.

relâchement Aflojamiento.

relâcher Aflojar. *Fig.* Relajar.

relais (rœlè) *m* Parada *f*. Relevo [sports].

relancer (laⁿsé) Rempujar [chasse]. *Fig.* Acosar [poursuivre].

relater (rœlaté) Relatar.

relatif, ive Relativo, va.

relation (sioⁿ) Relación.

relayer (leié) Relevar [chevaux]. Remudar [remplacer].

reléguer (gué) Relegar (ré).

relent (rœlaⁿ) Mal olor.

relevailles Misa de parida.

relève (ev) *f* Relevo *m*.

relevé Elevado. Sazonado [aliments]. Extracto [comptes].

relever Levantar. Relevar.

relief (rœlièf) Relieve. *En relief*, de relieve. *Haut-relief*, alto relieve; *bas-relief*, bajo relieve.

relier (rœlié) Reunir.

relieur (œr) Encuadernador.

religieux (jiœ) Religioso.

religion (jioⁿ) Religión.

reliquaire (ker) Relicario.

reliquat (ká) Alcance.

relique (lík) Reliquia.

relire* Leer* de nuevo.

reliure (liür) Encuadernación.

reluire* (liür) Relucir (zír).

reluisant (saⁿ) Reluciente.

remaniement (nimaⁿ) Arreglo. Recorrido [imprimerie].

remanier Arreglar. Recorrer.

remarier (rié) Casar de nuevo.

remarquable (cabl) Notable.

remarque (rœmarc) Nota.

remarquer (ké) Notar. Observar.

rembarquer (ké) Reembarcar.

remblai (ra^nblé) Terraplén.

remblayer (bleié) Terraplenar.

rembourrer (buré) Rellenar.

remboursement (a^n) Reembolso.

rembourser (sé) Reembolsar.

remede (med) Remedio (ré).

remédier (dié) Remediar.

remémorer (ré) Rememorar. *Se remémorer*, recordar*.

remerciement m Gracias *fpl*.

remercier (sié) Dar* las gracias. Despedir* [renvoyer]. *Je vous remercie de votre offre*, le agradezco su oferta.

remettre* (rœmetr) Reponer*. Volver* a poner. Entregar: *remettre une lettre*, entregar una carta. Dejar para: *remettre à demain*, dejar para mañana. *Vr.* Restablecer [santé].

réminiscence Reminiscencia.

remise (mís) Entrega. Remesa [de marchandises]. Rebaja [rabais]. Retraso m [retard].

remiser Meter en la cochera.

rémission (sio^n) Remisión.

remonter Volver* a subir. Remontarse [à l'origine]. Dar* cuerda a [montre].

remontoir (tuar) Corona f.

remontrance (a^ns) Exhortación.

remontrer (mo^ntré) Representar. *En remontrer à*, dar una lección a.

remordre (mordr) Remorder*.

remords Remordimiento.

remorque (rœmorc) f Remolque (rémolké) m.

remorquer Remolcar.

remorqueur (kœr) Remolcador.

remoulade Salsa picante.

rémouleur (lœr) Amolador.

remous (rœmú) Remolino.

rempailler (ié) Echar asiento.

rempart (par) m Muralla f.

remplaçant Reemplazante.

remplacement (ma^n) Reemplazo.

remplacer (sé) Reemplazar.

remplir (ra^n) Llenar (lhé). Cumplir [un devoir].

remplissage Relleno. *Fig.* Ripio [littérature].

remporter (té) Conseguir [prix]. Llevarse (lhévar).

remuant (ra^n) Inquieto.

remue-ménage (mümenaj) Trastorno. Jaleo [agitation].

remuer Mover. *Fig.* Conmover.

rémunération Remuneración.

rémunérer (ré) Remunerar.

renâcler (naclé) Resoplar (resso). *Fig.* Rezongar m.

renaissance Renacimiento m.

renaître* (netr) Renacer*.

renard (rœnar) Zorro.

renchérir Encarecer*.

renchérissement (cherisema^n) Encarecimiento.

rencontre f Encuentro m. Casualidad (ssoua) [hasard].

rencontrer (tré) Encontrar*.

rendement (ma^n) Rendimiento. Producto [rapport].

rendez-vous (devú) m Cita f.

rendormir Volver* a dormir.

rendre* Devolver* [restituer]. Echar [vomir]. *Fig.* Expresar [exprimer]. Entregar. Hacer* (zer) : *rendre odieux*, hacer odioso. Producir (**zir**) : *ce blé renâ beau-coup*, este trigo produce mucho. *Rendre service*, prestar servicio. *Se rendre*, rendirse*.

rendu Rendido [fatigué]. Devuelto [restitué]. Expresado [exprimé]. Llegado [arrivée].

rêne (**rene**) Rienda (**rièn**).

renégat (**rœnegá**) Renegado.

renfermer (**mé**) Encerrar*. *Sentir le renfermé*, *oler* a encerrado (**zerra**).

renflement (**ma**ⁿ) Dilatación.

renfler Hinchar. Dilatar.

renfoncement (**a**ⁿ) Hundimiento. Rincón (**òn**) [coin].

renforcement (**a**ⁿ) m Refuerzo.

renforcer (**sé**) Reforzar.

renfort (**or**) Refuerzo.

renfrogner (**se**) Poner* ceño.

rengager (**se**) (**ra**ⁿ**gajé**) Reengancharse.

rengaine (**èn**) f Estribillo m.

rengainer (**né**) *Fig.* Tragarse.

rengorger (**se**) Pavonearse.

reniement (**a**ⁿ) m Negación f.

renier (**nié**) Negar*. Renegar*.

renifler (**flé**) Sorber* con la nariz. *Fig.* Husmear.

renne (**ren**) Reno (**ré**).

renom (**rœno**ⁿ) Renombre.

renommé (**mé**) Famoso (**oso**).

renommée (**mé**) f Fama.

renonce f Fallo m.

renoncement m Renuncia f.

renoncer (**sé**) Renunciar.

renoncule (**rœno**ⁿ**kül**) f Ranúnculo m.

renouer (**nué**) Reanudar.

renouveau (**vo**) m Primavera f. *Fig.* Renovación.

renouveler (**lé**) Renovar*.

renouvellement (**velma**ⁿ) m Renovación (**zìòn**) f.

renovateur (**œr**) Renovador.

rénover (**vé**) Renovar* (**ré**).

renseignement Informe.

renseigner (**ñé**) Informar.

rentable (**abl**) Lucrativo.

rente (**ra**ⁿ**t**) Renta.

renter (**té**) Rentar (**rén**).

rentier (**tié**) Rentista.

rentrée (**tré**) Entrada. Ingreso m [fonds]. Apertura f [classes, parlement].

rentrer Entrar. Volver* [revenir]. Abrirse* [écoles]. Comprimir [colère].

renversant Sorprendente.

renverse (**à la**) Boca arriba.

renversement (**a**ⁿ) m Inversión f. Trastorno [bouleversement]. *Fig.* Ruina f.

renverser (**ra**ⁿ**sé**) Derribar. Trastornar [bouleverser]. Volcar* [liquide]. Invertir* [la direction].

renvoi (**vuá**) m Devolución f. Despedida f [congé]. Aplazamiento [ajournement].

renvoyer (**vuaié**) Devolver*. Despedir* [congédier].

repaire (**per**) m Guarida f.

repaître (**se**) Saciarse.

répandre (**a**ⁿ**dr**) Derramar [liquide]. Esparcir [lumière, bienfaits, etc.].

réparable (**abl**) Reparable.

reparaître (**etr**) Reaparecer*.

réparateur (**œr**) Reparador.

réparation (**sio**ⁿ) Reparación.

réparer (**ré**) Reparar (**ré**).

repartie (**tí**) Réplica.

repartir Replicar.

répartir Repartir.

répartition f Reparto m.

repas (**rœpá**) m Comida f.

repasser (sé) Repasar. Afilar [aiguiser]. Planchar [linge, vêtements].

repasseuse Planchadora.

repêcher Sacar del agua. *Fig.* Sacar de apuro.

repeindre (*i*ⁿdr) Pintar de nuevo.

repentant Arrepentido.

repentir Arrepentimiento.

repentir (se) Arrepentirse.

repérage Señalamiento.

répercussion Repercusión.

répercuter (té) Repercutir.

repère (per) Señal.

repérer (ré) Señalar.

répertoire (uar) Repertorio.

répéter (té) Repetir*. Ensayar (ssayar) [rôles].

répétiteur (œr) Pasante.

répétition Repetición. Ensayo [théâtre].

repeupler (plé) Repoblar*.

repiquer (ké) Repicar. Trasplantar.

répit (pí) m Tregua f.

replacer Colocar de nuevo.

replâtrage Revoque (ré). *Fig.* Arreglo (arré).

replâtrer (tré) Revocar (ré). *Fig.* Arreglar.

replet (plé) Repleto (ré).

repli (plé) Pliegue, repliegue.

replier (plié) Replegar*.

réplique (ic) Réplica.

répliquer (ké) Replicar.

répondant (da*ⁿ*) Fiador.

répondre (o*ⁿ*dr) Responder. Contestar.

réponse (po*ⁿ*s) Respuesta.

repopulation Repoblación.

report m Suma anterior f.

reportage m Información f.

reporter Volver* a llevar. M Repórter.

repos (pó) Descanso. Pausa (aoussa) f [pause].

reposant, e Descansado, da.

reposé (sé) Descansado.

reposer (sé) Descansar.

reposoir (suar) Altar.

repoussant Repugnante.

repousser (sé) Rechazar (ré). Crecer de nuevo.

repoussoir (uar) Contraste.

répréhensible Reprensible.

reprendre* (a*ⁿ*dr) Volver* a tomar. Proseguir [continuer]. *On ne m'y reprendra plus:* no volverá a sucederme. *Se reprendre*, corregirse.

représailles (aie) Represalias.

représentant Representante.

représentation (tasio*ⁿ*) Representación (répressèn).

représenter (té) Representar.

répression (io*ⁿ*) Represión.

réprimande (a*ⁿ*d) Reprensión.

réprimander (dé) Reprender.

réprimer (mé) Reprimir.

reprise (is) Continuación. Zurcido (zi) [linge]. Acelerada [auto].

repriser (sé) Zurcir (zir).

réprobation Reprobación.

reproche (och) Reproche.

reprocher (ché) Reprochar (ré), echar en cara.

reproducteur Reproductor.

reproduction Reproducción.

reproduire* Reproducir*.

réprouver (ré) Reprobar.

reptile (il) Reptil.

repu, **pue** (pü) Harto, ta.

républicain Republicano.

république (ic) República.

répudier (dié) Repudiar.

répugnance (ña*ⁿ*s) Repugnancia (répoughnânzia).

répugnant (ñaⁿ) Repugnante.

répugner (ñé) Repugnar.

répulsion (sioⁿ) Repulsión.

réputation Reputación.

requérir * Demandar.

requête (ket) Demanda.

requin (kiⁿ) Tiburón.

requis (kí) Requerido.

réquisition Requisición.

réquisitionner (né) Requisar.

réquisitoire *m* Pedimento, fiscal. Requisitoria, *f*.

rescinder Rescindir.

rescousse *f* Ataque *m. A la rescousse,* en auxilio.

réseau (so) *m* Red *f*.

réséda (sedá) *m* Reseda *f*.

réserve (serv) Reserva. Coto *m* [de chasse]. *Sans réserve,* sin excepción. *Sous toutes réserves,* sin garantía.

réservé Reservado.

réserver (vé) Reservar.

réserviste (íst) Reservista.

réservoir (uar) Depósito.

résidence Residencia.

résident (daⁿ) Residente.

résider (dé) Residir (ress).

résidu (sidú) Residuo (ress).

résignation Resignación.

résigner (ñé) Resignar.

résiliation Anulación.

résilier (lié) Anular.

résille (síie) Redecilla.

résine (síne) Resina (ressí).

résineux (nœ). Resinoso.

résistance (aⁿs) Resistencia.

résistant (aⁿ) Resistente.

résister (té) Resistir.

résolu (solú) Resuelto.

résonance (aⁿs) Resonancia.

résonnement *m* Resonancia *f*.

résonner (né) Resonar.

résorber (sorbé) Resorber.

résoudre * (udr) Resolver *.

respect (pè) Respeto (rés).

respectable (abl) Respetable.

respecter (té) Respetar

respectif, ive Respectivo, va.

respectueux (œ) Respetuoso.

respiration (oⁿ) Respiración.

respiratoire Respiratorio

respirer (ré) Respirar.

resplendir Resplandecer *

resplendissant (disaⁿ) Resplandeciente (ziènté).

responsabilité Responsabilidad.

responsable Responsable.

resquilleur *Fam.* Gorrón.

ressac (resac) *m* Resaca *f*.

ressaisir (sesír) Recobrar.

ressasser (sé) Repetir *

ressaut (rœso) Resalto.

ressemblance (aⁿs) Semejanza, parecido (zido) *m.*

ressemblant (aⁿ) Parecido.

ressembler (blé) Parecerse *

ressemelage *m* Remonta *f*.

ressemeler (melé) Remontar (ré), echar suelas.

ressentiment *m* Resentimiento.

ressentir (saⁿtír) Sentir.

resserrer (ré) Apretar. *Fig.* Estrechar.

ressort (or) Resorte, muelle. *Fig.* Fuerza *f.* Cargo: *c'est de mon ressort,* es de mi cargo.

ressortir Salír * de nuevo. Resaltar [relief].

ressortissant (saⁿ) De la jurisdicción de.

ressource (urs) *f* Recurso *m.*

ressusciter (té) Resucitar.

restant (aⁿ) Restante. Resto.

restaurant (aⁿ) Restaurante. *M* Restaurant. Fonda *f*.

restaurateur Restaurador.

restauration Restauración.

restaurer (ré) Restaurar.

reste (rest) Resto. Sobra f [résidu]. *Du reste*, por lo demás. *De reste*, de sobra.

rester (té) Quedar.

restituer (tüé) Restituír*.

restitution Restitución.

restreindre* (restrindr) Restringir.

restriction Restricción.

résultat (tá) Resultado.

résulter (té) Resultar.

résumé (mé) Resumido.

résumer (mé) Resumir (ress).

résurrection Resurrección.

retable (abl) Retablo (ré).

rétablir Restablecer*.

rétablissement (isemaⁿ) Restablecimiento.

rétamer (mé) Restañar.

retaper (pé) *Fam.* Arreglar.

retard (tar) Retraso (ss). *En retard*, retrasado (ssa).

retardataire (er) Retrasado*.

retarder (dé) Retrasar.

retenir* (rœ) Retener. Llevar [addition]. *Se retenir*, contenerse*.

retentir Resonar* (sso).

retentissant Ruidoso (sso).

retentissement (aⁿ) Ruido.

retenu, ue Retenido, da. Moderado, da. F Moderación. Castigo m [collèges].

réticence (aⁿs) Reticencia.

réticule m Retícula f.

rétif, ive Reacio, cia.

rétine (tín*) Retina (ré).

retirer (ré) Retirar. Sacar [sortir]. *Se retirer*, retirarse. Apartarse [se séparer].

retomber (bé) Recaer* (ré).

retordre Retorcer*.

rétorquer (ké) Redargüir.

retors, orse (rœtor, ors) Torcido, da. *Fig.* Astuto, ta.

retouche (uch) f Retoque m.

retoucher (ché) Retocar (ré).

retour (ur) m Vuelta f. *En retour*, en cambio. *Sans retour*, para siempre.

retourner (né) Volver*. Devolver* [renvoyer].

retracer Referir [conter].

rétractation Retractación.

rétracter (té) Retractar.

rétractile (til) Retráctil.

retrait (trè) m Retiración f. *En retrait*, entrante.

retraite (è) f Retiro m. Retirada [armée]. Jubilación [fonctionnaire].

retraité Jubilado.

retranchement (aⁿchemaⁿ) Atrincheramiento [fortification].

retrancher (ché) Suprimir*. Sustraer*. Atrincherar. *Se retrancher*, atrincherarse. *Fig.* Escudarse, abrigarse.

rétréci (sí) Estrecho.

rétrécir (sir) Estrechar.

rétrécissement (sisemaⁿ) Estrechamiento.

retremper Remojar. Retemplar. *Fig.* Fortalecer*.

rétribuer (bué) Retribuír*.

rétribution Retribución.

rétroactif Retroactivo.

rétrograde (ad) Retrógrado.

rétrograder Retroceder.

rétrospectif Retrospectivo.

retrousser (é) Arremangar.

retrouver (vé) Volver* a encontrar. *Se retrouver*, dar* con su camino [route perdue].

réuni (üní) Reunido (ré).

réunion (nioⁿ) Reunión.

réunir Reunir (**ré**).

réussi (üsí) Acertado.

réussir Acertar*. Conseguir* : *réussir à sortir*, conseguir salir. Tener éxito.

réussite (sít) *f* Acierto *m*; éxito *m*.

revanche (*a*nch) *f* Desquite *m. En revanche*, en cambio.

rêvasser (sé) Soñar.

rêve (rev) Sueño, ensueño.

revêche (ech) Áspero, rudo.

réveil (vé) Despertar. Despertador [pendule]. Diana *f*.

réveiller (vé) Despertar*.

réveillon (io*n*) *m* Cena [*f*] de Nochebuena (**ché**).

révélateur (œr) Revelador.

révélation (sio*n*) revelación.

révéler (lé) Revelar.

revenant (*a*n) Aparecido.

revendication (kasio*n*) Reivindicación (**zìòn**).

revendiquer (ké) Reivindicar.

revenir* (rœv'nír) Volver*. Regresar [de voyage]. Recordar* [se souvenir]. Salir : *cela revient cher*, eso sale caro. *Revenons au sujet*, volvamos al asunto. *Cela revient au même*, lo mismo da.

revente (*a*nt) Segunda venta.

revenu (nü) *m* Renta *f*.

rêver (vé) Soñar. *Rêver à, de*, soñar con.

réverbération (sio*n*) Reverberación (**zìòn**).

réverbère (er) Reverbero. Farola *f* [éclairage].

reverdir Reverdecer*.

révérence (*a*ns) Reverencia.

révérend (ra*n*) Reverendo.

révérer (ré) Reverenciar.

rêverie (ver í) *f* Ensueño *m*.

revers (er) Revés (**ré**). Reverso [médaille]. Solapa *f* [vêtement].

revêtement Revestimiento.

revêtir* Revestir*.

rêveur (vœr) Soñador.

revirement (ma*n*) Cambio.

réviser o **reviser** Revisar.

révision (sio*n*) Revisión.

revivre* (ívr) Revivir.

révocation (sio*n*) Revocación.

revoir* (uar) Volver* a ver. Revisar. *Au revoir*, hasta la vista, adiós.

révoltant (ta*n*) Escandaloso.

révolte (olt) Rebelión.

révolté (té) Rebelde.

révolter (se) Sublevarse.

révolu (lü) Cumplido.

révolution Revolución.

révolutionnaire Revolucionario.

révolutionner Revolucionar.

revolver Revólver.

révoquer Revocar. Despedir*.

revue (vü) Revista (**ré**).

révulsif Revulsivo.

rez-de-chaussée Piso bajo.

rhéostat (tá) Reóstato.

rhétorique (ic) Retórica.

rhinocéros Rinoceronte.

rhubarbe *f* Ruibarbo *m*.

rhum (rom) Ron (**rum**).

rhumatisant Reumático.

rhumatisme Reumatismo.

rhume (rüm) Catarro, constipado [gorge]. Romadizo [cerveau]. *Rhume des foins*, catarro pradial.

riant, ante Risueño, ña.

ribambelle (el) Retahíla.

ricanement (néma*n*) *m* Risilla (**riss**) burlona *f*.

ricaner Reír burlonamente.

riche (rich) Rico, ca.

richesse (chés) Riqueza.

ricin (*si*ⁿ) m Ricino (**rizí**).

ricocher (*ché*) Rebotar.

ricochet Rebote. *Par ricochet, de rechazo.*

rictus (*tüs*) Rictus (**ri**).

ride (*rid*) Arruga.

rideau (*dó*) m Cortina f. Telón [théâtre]. *Rideau de fer*, Telón de acero [frontière politique].

rider (*dé*) Arrugar.

ridicule (*cül*) Ridículo, m.

ridiculiser (*sé*) Ridiculizar.

rien (*ri*ⁿ) m Nada f. Rien *de bon*, nada bueno. *Rien du tout*, absolutamente nada. *Un propre à rien*, un inútil.

rieur, euse Reidor, ra.

rigide (*jíd*) Rígido, da.

rigidité Rigidez.

rigole Reguera. Arroyuelo.

rigoler (*lé*) Pop. Reírse.

rigoriste (*ist*) Rigorista.

rigoureux (*œ*) Rigoroso.

rigueur (*œr*) f Rigor m.

rillettes (*ríiet*) fpl. Chicharrones mpl.

rime (*rim*) Rima. *Sans rime ni raison*, sin motivo.

rinçage (*saj*) Enjuague.

rincer (*sé*) Enjuagar.

ripaille (*pái*) Francachela.

riposte (*ost*) Réplica.

riposter (*té*) Replicar.

rire* (*rír*) Reír*. M Risa f. Rire de*, reírse de. *Pour rire*, de broma. *Rire jaune*, reír sin gana.

risée (*sé*) Burla. *Être la risée de*, ser* el hazmerreír de.

risette (*set*) Risita.

risible (*síbl*) Risible.

risque (*risc*) Riesgo. *A ses risques et périls*, de su cuenta y riesgo.

risquer (*ké*) Arriesgar.

rissoler (*lé*) Tostar.

ristourne f Retorno m.

rite (*rit*) Rito (**ri**).

ritournelle f Ritornelo m.

rituel, elle Ritual (**ri**).

rivage m Orilla f, borde.

rival, ale (*al*) Rival (**ri**).

rivaliser (*sé*) Rivalizar.

rivalité Rivalidad.

rive (*riv*) Orilla (**rílha**).

river (*vé*) Remachar (**ré**).

riverain (*ri*ⁿ) Ribereño.

rivet (*vè*) Roblón.

rivière (*vier*) f Río (**rio**) m.

rixe (*rix*) Riña (**rigna**).

riz (*ri*) Arroz.

rizière (*sier*) f Arrozal m.

robe (*rob*) f Vestido m. Hábito m [religieux].

robinet (*nè*) Grifo. Llave f.

robot (*bo*) Autómata.

robuste (*üst*) Robusto, ta.

roc (*roc*) m Roca f.

rocaille (*ái*) Rocalla.

rocailleux (*aiœ*) Pedregoso.

roche (*roch*) Roca.

rocher (*ché*) Peñasco.

rocheux (*chœ*) Rocoso (*sso*).

rococo (*có*) Charro [orné].

rodage Rodaje.

rôder (*rodé*) Vagar.

rôdeur (*œr*) Vagabundo.

rodomontade Fanfarronada.

rogner (*ñé*) Recortar.

rognon (*ño*ⁿ) Riñón (**ri**).

rognure (*ñür*) f Recorte m.

rogue (*rog*) Arrogante.

roi (*ruá*) Rey (**reï**).

roide (*ruad*). V. RAIDE.

rôle (*rol*) m Nómina f, lista f. Papel [théâtre]. *A tour de rôle*, por turno.

romain, aine Romano, na. Fª Romana, balanza.

roman, ane (aⁿ, aneⁿ) Románico, ca [style]. M Novela f.

romance (aⁿs) Romanza.

romancier (esc) Novelista.

romanesque (esc) Novelesco.

romanichel Gitano.

romantique (ic) Romántico.

romantisme Romanticismo.

romarin (iⁿ) Romero.

rompre* (roⁿpr) Romper*. Cansar, fatigar. Fig. Deshacer* [contrat, etc.]. Faltar [une promesse, un serment].

rompu, ue (pü) Roto, ta. Reventado, cansado [fourbu]. Fig. Acostumbrado [habitué]. A bâtons rompus, sin ton ni son.

ronce (roⁿs) Zarza.

ronchonner (né) Refunfuñar.

rond, onde (roⁿ, roⁿd) Redondo, da. M Fam. Perra f [sou]. Rond-de-cuir, Chupatintas.

ronde (oⁿd) Ronda. Redonda [écrit]. Mus. Semibreve.

rondeau (do) m Redondilla f.

rondelle (del) Rodaja.

rondement (aⁿ) Vivamente.

rondeur (œr) Redondez.

rondin (iⁿ) Leño.

rond-point m Plazoleta f.

ronflement (aⁿ) Ronquido.

ronfler (flé) Roncar.

ronger (jé) Roer (roèr).

rongeur (œr) Roedor.

ronron (roⁿ) Runrún.

ronronner (né) Runrunear.

roquet (kè) Gozque.

rosace (sás) f Rosetón m.

rosaire (ser) Rosario (ssa).

rosbif Rosbif.

rose (ros) Rosa (rossa).

rosé (sé) Rosado (ossa).

roseau (so) m Caña f.

rosée (sé) f Rocío (zio) m.

roseraie (serè) Rosaleda.

rosette (set) Roseta (ssé). Botón m [décoration].

rosier (sié) Rosal (ross).

rosse (ros) f Matalón m. Adj Malo; sarcástico.

rosser (sé) Fam. Apalear.

rossignol (ñol) Ruiseñor.

rossinante (sinaⁿt) f Rocinante m, matalón m.

rot (ro) Regüeldo (régoué).

rôt (ro) Asado (assa).

rotatif Rotativo.

rotation (sioⁿ) Rotación.

roter (té) Pop. Regoldar*.

rôti (rotí) Asado (assa).

rôtir Asar.

rôtisserie (rí) Pollería.

rôtisseur (œr) Pollero.

rôtissoire (suar) Asador.

rotonde (oⁿd) Rotonda.

rotondité Redondez.

rotule (ül) Rótula.

roturier, ière Plebeyo, ya.

rouage (ruaj) m Rueda f.

roublard (ar) Fam. Astuto.

roublardise (is) Astucia.

rouble (rubl) Rublo.

roucouler (lé) Arrullar.

roue (ru) Rueda (roué).

roué, ée (rué) Taimado, da.

rouer (rué) Apalear.

rouerie Tunantada, astucia.

rouet (rué) Torno [fileuse].

rouge (ruj) Rojo, ja. Encarnado, da; colorado, da. Colorete [fard]. Se fâcher tout rouge, enfadarse mucho.

rougeâtre (atr) Rojizo, za.

rougeaud (jo) Coloradote.

rouge-gorge (orj) Petirrojo.

rougeole (ol) f Sarampión m.

rouget (jè) Salmonete.

rougeur Bochorno [honte].

rougir (**jir**) Enrojecer*. *Fig.* Sonrojarse [de honte].

rouille (**rué**) f Orín m.

rouillé (**ué**) Herrumbroso.

rouiller (**ié**) Enmohecer*, herrumbrar. *Fig.* Embotar.

rouleau (**lo**) Rodillo. Rollo [cylindre de papier].

roulement (**a**[n]) m Rodadura f. *Roulement à billes*, rodamiento de bolas.

rouler (**lé**) Rodar. *Fam.* Engañar [tromper]. Balancear (navire). Retumbar [tonnerre]. *Se rouler*, dar vueltas.

roulette (**et**) f Ruleta [jeu].

roulier (**lié**) Carretero.

roulis (**lí**) Balance.

roulotte (**rulot**) f Coche [m] de feriante.

roupiller (**ié**) *Fam.* Dormir*.

rousseur (**sœr**) f Color rojo m. *Tache de rousseur*, peca.

roussi (**sí**) Quemado (**kéma**).

route (**rut**) f Camino m. Carretera [grand chemin]. Derrota [navires]. *Faire fausse route*, extraviarse, errar*.

routier, ière De camino.

routine (**ín**[e]) Rutina (rou).

routinier (**ié**) Rutinario.

rouvrir* (**ruvrír**) Reabrir.

roux, ousse (**ru, us**) Rojo, ja. Bermejo, ja. Pelirrojo [cheveux].

royal (**ruaiál**) Real (réal).

royaliste (**ist**) Realista.

royaume (**ruaióm**) Reino.

royauté (**loté**) Monarquía.

ruade (**rüad**) Coz.

ruban (**rüba**[n]) m Cinta f.

rubis (**rübí**) Rubí (roubí).

rubrique (**ic**) Rúbrica.

ruche (**rüch**) Colmena.

rucher (**ché**) Colmenar.

rude (**rüd**) Rudo, da. *Fig.* Duro, ra. Áspero, ra [âpre].

rudement Rudamente. *Pop.* Enormemente.

rudesse (**dés**) Rudeza.

rudiment (**ma**[n]) Rudimento.

rudimentaire Rudimental.

rudoyer (**duaié**) Maltratar.

rue (**rü**) Calle. *Grand-rue*, calle mayor.

ruée (**é**) Precipitación, ataque (ké) m.

ruelle (**rüél**) Callejuela.

ruer (**rué**) Cocear (**zéar**). *Se ruer*, precipitarse.

rugir (**rüjir**) Rugir (**jir**).

rugissement (**ma**[n]) Rugido.

rugosité Rugosidad.

rugueux, euse Rugoso, sa.

ruine (**üine**) Ruina (roui).

ruiner (**né**) Arruinar.

ruineux (**nœ**) Ruinoso.

ruisseau (**so**) Arroyo (royo).

ruisselant (**la**[n]) Chorreando.

ruisseler (**lé**) Chorrear.

ruissellement Chorreo.

rumeur (**mœr**) f Rumor m.

ruminant (**na**[n]) Rumiante.

ruminer (**né**) Rumiar.

rupture (**ür**) Ruptura.

rural Rural. Campesino.

ruse (**rüs**) Astucia (**zia**).

rusé, ée (**sé**) Astuto, ta.

ruser Obrar con astucia.

russe (**rüs**) Ruso, sa.

rustique (**ic**) Rústico, ca.

rustre Palurdo, rústico.

rutilant (**la**[n]) Rutilante.

rythme (**ritm**) Ritmo (**rít**).

rythmer (**ritmé**) Ritmar, acompasar.

rythmique (**ic**) Rítmico, ca.

S

sa Su (sou).

sabbat (bá) Sábado [jour de la semaine juive]. *Fam.* Jaleo [tapage]. Aquelarre [sorcières].

sable (sabl) m Arena f.

sabler (blé) Enarenar.

sablier (ié) m Ampolleta f.

sablière (ier) f Arenal m.

sablonneux (œ) Arenoso.

sabord (or) m Porta f.

saborder (dé) Dar* barreno.

sabot (bo) Zueco. Casco.

sabotage Sabotaje.

saboter *Fam.* Chapucear.

sabre (sabr) Sable.

sac m Saco. Costal [à blé]. Bolsa f [de papier]. Bolso [de dame]. Mochila f [soldat]. Saqueo [pillage].

saccade (cad) Sacudida.

saccadé Brusco. Cortado.

saccager (jé) Saquear.

saccharine (ín) Sacarina.

sacerdoce (os) Sacerdocio.

sacerdotal Sacerdotal.

sachet (ché) Saquito (ki). Sobre [soupe].

sacoche (coch) Talega (lé). Cartera [bicyclette].

sacre m Consagración f.

sacré Sagrado.

sacrement (a^n) Sacramento.

sacrer (cre) Consagrar.

sacrifice (ís) Sacrificio.

sacrifier (fié) Sacrificar.

sacrilège *adj* Sacrílego, ga. M Sacrilegio (léjio).

sacripant (pa^n) Bribón.

sacristain (i^n) Sacristán.

sacristie (tí) Sacristía.

safran (a^n) Azafrán.

sagace (gas) Sagaz (az).

sagacité Sagacidad.

sage (aj) Prudente. Modesto, ta. Tranquilo, la [enfant]. *Un sage,* un sabio.

sage-femme (am) Partera.

sagesse (jes) Prudencia (zia). Sabiduría [science].

sagittaire (ter) Sagitario.

saignant (seña^n) Sangriento.

saignée (señe) Sangría.

saigner (né) Sangrar. *Saigner du nez,* echar sangre por las narices.

saillant (saia^n) Saliente.

saillie (saiíe) f Bulto m [proéminence]. Agudeza [d'esprit]. Ímpetu [élan].

saillir (iír) Hacer* bulto.

sain, aine (si^n, éne) Sano, na.

saindoux (né^d) Manteca de cerdo.

sainfoin m Esparceta f.

saint, ainte (i^n, i^{n}t) Santo, ta. San [devant n. de Saint sauf Tomás, Tomé, Toribio, Domingo] : *saint Jean,* san Juan. *Saint-Esprit,* Espíritu Santo. *Saint-Siège* m Santa Sede f.

sainteté Santidad.

saisi (sí) Agarrado. Sobrecogido [d'effroi, douleur].

saisie (sí) f Embargo m.

saisir (sir) Agarrar. Fig. Comprender, entender*.

saisissant (sa^n) Sorprendente. Vivo [froid].

saisissement (isma^n) Pasmo [froid]. *Fig.* Sobrecogimiento. *Fig.* Sorpresa f.

saison (so^n) Estación m. *Hors de saison,* fuera de tiempo.

salade (ad) Ensalada.
saladier m Ensaladera f.
salaire (ler) Salario.
salaison Salazón, cecina.
salamandre Salamandra.
salarié Asalariado.
salaud Indecente, puerco.
sale (sal) Sucio, cia. Fig. Dichoso, sa, malo, la. Une sale affaire, un mal negocio.
salé, ée (lé) Salado, da.
saler (lé) Salar.
saleté (salté) Suciedad.
salière (ier) f Salero m.
saligaud (go) Pop. Cochino.
salin, ine Salino, na.
salir Ensuciar (ziar).
salissant (saⁿ) Sucio (xio).
salive (iv) Saliva.
saliver (vé) Salivar.
salle (sal) Sala. Salón m [grande salle] : salle des conférences, salón de conferencias. Salle à manger, comedor m.
salmis (mí) m Pepitoria f.
saloir (luar) Saladero.
salon (oⁿ) m Salón.
salopette (pet) f Pantalón [m] de trabajo.
salpêtre (etr) Salitre.
salsifis (fí) Salsifí.
saltimbanque (baⁿc) Saltimbanqui.
salubre (übr) Salubre.
salubrité Salubridad.
saluer (lüé) Saludar.
salut (lü) Saludo [salutation]. Salvación [de l'âme].
salutaire (ter) Saludable.
salutation Salutación.
salve (alv) Salva [artill.]
samedi (samdí) Sábado.
sanatorium (om) Sanatorio.
sanctifier Santificar.

sanction (csioⁿ) Sanción.
sanctionner (né) Sancionar.
sanctuaire (üer) Santuario.
sandale (dal) Sandalia.
sandwich (duich) Sándwich, emparedado, bocadillo.
sang (saⁿ) m Sangre f. Pur sang, de pura sangre. Sang-froid (saⁿfruá), Sangre fría.
sanglant (aⁿ) Sangriento.
sangle (aⁿgl) Cincha.
sangler (glé) Cinchar.
sanglier (glié) Jabalí.
sanglot (glo) Sollozo (lho).
sangloter (té) Sollozar.
sangsue (sü) Sanguijuela.
sanguin, ine (guiⁿ, ine) Sanguíneo, ea. F Sanguina.
sanguinaire Sanguinario.
sanguinolent Sanguinolento.
sanitaire (er) Sanitario.
sans (saⁿ) Sin. Sans-cœur, desalmado, da. Sans-gêne, desenfado. Sans-façon (soⁿ) m, familiaridad f. Sans quoi, sin lo cual.
sanscrit (crí) Sánscrito.
santal Sándalo.
santé Salud (lou). Boire à la santé de, brindar por. A votre santé, a su salud.
saoul, oule (su, ul) Borracho, cha.
saouler (lé) Emborrachar.
saper (pé) Zapar.
sapeur (pœr) Zapador. Sapeur-pompier, bombero.
saphir (piⁿ) Zafiro (za).
sapin (piⁿ) Abeto.
sarabande (aⁿd) Zarabanda.
sarbacane (ane) Cerbatana.
sarcasme (asm) Sarcasmo.
sarcastique Sarcástico, ca.
sarcler (clé) Escardar.
sarcophage (aj) Sarcófago.

sardine (díne) Sardina.
sardinier (nié) Sardinero.
sardonique (ic) Sardónico.
sarment (maⁿ) Sarmiento.
sarrasin, ine (siⁿ, íne) Sarraceno, na. M Alforfón [plante].
sarrau (saro) m Blusa f.
satanique (ic) Satánico, ca.
satellite (lít) Satélite.
satiété Saciedad (da).
satin (tiⁿ) Raso (rasso).
satire (ír) Sátira.
satirique (ic) Satírico.
satisfaction Satisfacción.
satisfaire* (er) Satisfacer*.
satisfaisant (fesaⁿ) Satisfactorio.
satisfait, aite (fè, et) Satisfecho, cha.
satrape (trap) Sátrapa.
saturation (sioⁿ) Saturación.
saturer (ré) Saturar.
satyre (ir) Sátiro.
sauce (sos) Salsa.
saucer Mojar en la salsa.
saucisse (ís) Salchicha.
saucisson (oⁿ) Salchichón.
sauf, auve (of, ov) Salvo, va. Prep. Salvo. A reserva de : *sauf à recommencer*, a reserva de volver a empezar.
sauf-conduit (sofcoⁿdüi) Salvoconducto.
sauge (oj) Salvia.
saugrenu (nü) Ridículo.
saule (sol) Sauce (aouzé). *Saule pleureur*, sauce llorón.
saumâtre (omatr) Salobre.
saumon (omoⁿ) Salmón.
saumure (ür) Salmuera.
saupoudrer Espolvorear.
saut (so) Salto. *Au saut du lit*, al saltar de la cama.
saute-mouton Fil derecho.

sauter (soté) Saltar. Saltear [cuisine].
sauterelle Saltamontes.
sauterie (rí) f Baile m.
sauteur (tœr) Saltador.
sautillant (iaⁿ) Saltador, brinco.
sautillement (maⁿ) Saltito, brinco.
sautiller (vetié) Brincar.
sautoir (tuar) m Aspa f. En *sautoir*, en bandolera.
sauvage (sovaj) Salvaje.
sauvagerie (rí) Salvajería.
sauvegarde Salvaguardia
sauvegarder (dé) Salvar.
sauver (vé) Salvar. *Se sauver*, salvarse. escaparse [fuir].
sauvetage (aj) Salvamento. *Bouée de sauvetage*, guindola.
sauveteur (œr) Salvador
sauveur (vœr) Salvador
savane (ane) Sabana.
savant, ante Sabio, bia.
savate (at) Chancleta.
savetier (vetié) Zapatero.
saveur (œr) f Sabor m.
savoir* (uar) Saber*. A *savoir*, a saber. *Savoir par cœur*, saber de memoria.
savoir-faire m Habilidad f.
savoir-vivre Saber vivir.
savon (oⁿ) Jabón (jabòn).
savonnage m Jabonadura f.
savonnette f Jaboncillo m.
savonneux (œ) Jabonoso.
savourer (ré) Saborear.
savoureux, euse (vurœ, œs) Sabroso, sa (osso, ssa).
savoyard Saboyano.
saxophone (tóⁿ) Saxófono.
saynète (senèt) Sainete.
sbire (sbir) Esbirro.
scabreux (brœ) Escabroso.

scalpel (skalpέl) Escalpelo.

scalper (pé) Escalpar.

scandale (al) Escándalo.

scandaleux (œ) Escandaloso.

scandaliser Escandalizar.

scander (dé) Escandir.

scandinave (av) Escandinavo.

scaphandrier (ié) Buzo.

scapulaire (ler) Escapulario.

scarabée (bé) Escarabajo.

scarifier (fié) Escarificar.

scarlatine (ínε) Escarlatina.

scarole (rol) Escarola.

sceau (so) Sello (lho).

scélérat (seléra) Perverso.

scellé (selé) Sello (lho).

sceller (selé) Sellar.

scénario (sé) Escenario. Guión [cinéma].

scene (senε) Escena.

scénique (senic) Escénico.

scepticisme (septisism) Escepticismo.

sceptique Escéptico, ca.

sceptre (septr) Cetro.

schéma (chemá) Esquema.

schématique Esquemático, ca.

schématiser Esquematizar.

schismatique Cismático, ca.

schisme (chism) Císma.

schiste (chist) Esquisto.

sciage (siaj) Aserradura.

sciatique (siatic) Ciática.

scie (si) Sierra.

sciemment (a^n) A sabiendas.

science (sia^{n}s) Ciencia.

scientifique Científico.

scier (sié) Aserrar.

scierie f Aserradero m.

scinder (si^{n}dé) Dividir.

scintiller (si^{n}tié) Centellear (zèntelhéar).

scission (sisio^n) Escisión.

sciure (siür) f Aserrín m.

sclérose (rós) Esclerosis.

scolaire (ler) Escolar.

scolastique Escolástico, ca.

scoliose (liós) Escoliosis.

scolopendre Escolopendra.

scorbut (büt) Escorbuto.

scorie (rí) Escoria.

scorpion (io^n) Escorpión.

scribe (scrib) Escriba.

scrofule (fül) Escrófula.

scrofuleux Escrofuloso.

scrupule (ül) Escrúpulo.

scrupuleux (œ) Escrupuloso.

scruter (té) Escudriñar.

scrutin (i^n) Escrutinio.

sculpter (ülté) Esculpir.

sculpteur (tœr) Escultor.

sculpture (tür) Escultura.

se (sœ) Pron. pers. Se (sé).

séance (sea^{n}s) Sesión.

séant (ea^n) Decente [décent]. M Asiento [sur son séant].

seau (so) Cubo.

sébacé (sé) Sebáceo.

sébile (il) Escudilla.

sec, èche (sec, sech) Seco, ca. A pied sec, a pie enjuto. Raisins secs, uvas pasas. A sec, en seco. Pop. Sin un cuarto [sans argent].

sécateur (tœr) m Podadera f.

sécher (cnε) Secar. Enjugar [larmes].

sécheresse (rès) Sequedad. Sequía [manque de pluie].

second, onde (sœgo^n, o^{n}d) Segundo, da.

secondaire (er) Secundario.

seconde (go^{n}d) f Segundo m.

seconder (dé) Secundar.

secouer (cué) Sacudir.

secourable (abl) Compasivo.

secourir Socorrer.

secours (cur) Socorro. Au secours! ¡Socorro! Appeler au secours, pedir* socorro.

secousse (ús) Sacudida.

secret, ète (crè) Secreto, ta.

secrétaire (ter) Secretario. Escritorio [meuble].

secrétariat (iá) Secretaría.

sécréter (é) Segregar.

sécrétion (sioⁿ) Secreción.

sectaire (ter) Sectario.

secteur (tœr) Sector.

section (sioⁿ) Sección.

sectionner Cortar, dividir.

séculaire (ler) Secular.

séculier (lié) Secular. Seglar [laïque].

sécurité Seguridad.

sédatif, ive (tif) Sedativo, va; sedante.

sédentaire (er) Sedentario.

sédiment (maⁿ) Sedimento.

séditieux (siœ) Sedicioso.

sédition (sioⁿ) Sedición.

séducteur, trice (tœr, ís) Seductor. ra.

séduction (sioⁿ) Seducción.

séduire* (üir) Seducir*.

séduisant (saⁿ) Seductor.

segment (gmaⁿ) Segmento.

séguedille (ïe) Seguidilla.

seiche (ech) f Calamar m.

seigle (segl) Centeno.

seigneur (ñœr) Señor.

seigneurial Señoril.

sein (iⁿ) Seno. Pecho [femmes]. Donner le sein, dar* el pecho.

seing (siⁿ) Sello.

seize (ses) Dieciséis.

séjour (ur) m Permanencia f. Estancia f [résidence].

séjourner (né) Permanecer*.

sel m Sal f.

sélection (sioⁿ) Selección.

sélectionner (né) Elegir*.

selle (sel) Silla [cheval].

Sillín m [bicyclette]. Cámara [intestinale].

seller (lé) Ensillar.

sellette (let) f Banquillo m. Mettre sur la sellette, poner* en un brete.

selon Según. C'est selon, depende de las circunstancias.

semaille (mái) Siembra.

semaine (éne) Semana.

sémaphore (for) Semáforo.

semblable Semejante.

semblant m Apariencia f. Faire semblant, fingir.

sembler (blé) Parecer*. Si bon vous semble, si le parece (rézé) bien.

semelle (el) Suela.

semence (aⁿs) Simiente.

semer (mé) Sembrar.

semestre (estr) Semestre.

semestriel Semestral.

semeur, euse Sembrador, ra.

semi (mí) Medio.

sémillant (iiaⁿ) Vivaracho.

séminaire (ner) Seminario.

séminariste Seminarista.

semis (mí) m Siembra f.

semoir (uar) Sembrador.

semonce (oⁿs) Amonestación.

semoule (ul) Sémola.

sénat (sená) Senado.

sénateur (œr) Senador.

sénile (nil) Senil.

sénilité Senilidad.

sens Sentido. Sens commun, sentido común. Dirección f: Sens unique, interdit, dirección, única, prohibida.

sensation (sioⁿ) Sensación.

sensationnel Sensacional.

sensé, ée Sensato, ta.

sensibilité Sensibilidad.

sensible (ibl) Sensible.

sensiblerie (rí) Sensiblería.

sensitif, *ive* Sensitívo, va.

sensualité Sensualidad.

sensuel, *elle* Sensual.

sentence (*a*ⁿs) Sentencia.

sentencieux Sentencioso.

senteur (*œr*) *f* Olor *m*.

sentier (santié) Sendero, *senda f.*

sentiment (*a*ⁿ) Sentimiento.

sentimental Sentimental.

sentimentalité Sentimentalidad (mèntalida).

sentinelle (nel) Centinela.

sentir* Sentir*. Oler* [à l'odorat]. *Sentir bon, oler bien. Sentir le tabac, oler a tabaco.*

sépale (pal) Sépalo.

séparation (sioⁿ) Separación.

séparer (ré) Separar.

sept (set) Siete.

septembre (*a*ⁿbr) Septiembre.

septentrional Septentrional.

septième (tiem) Séptimo.

septique (tic) Séptico, ca.

septuagénaire (jener) Septuagenario (jéna).

sépulcral Sepulcral.

sépulcre (ülcr) Sepulcro.

sépulture (tür) Sepultura.

séquestre (estr) Secuestro.

séquestrer (tré) Secuestrar.

sérail (rái) Serrallo.

séraphin (fiⁿ) Serafín.

séraphique (íc) Seráfico.

serein (riⁿ) Sereno.

sérénade (nad) Serenata.

sérénité Serenidad.

serf, ve (serf, serv) Siervo, va.

serge (serj) Sarga.

sergent (*a*ⁿ) Sargento.

série (rí) Serie.

sérier (rié) Ordenar.

sérieux, *euse* (*riœ, œs*) Serio, ria. *M* Seriedad *f.*

serin (riⁿ) Canario. Tonto.

seringue (riⁿg) Jeringa.

serment (maⁿ) Juramento.

sermon (moⁿ) Sermón.

sermonner (né) Sermonear.

sérosité Serosidad.

serpent (*a*ⁿ) *m* Serpiente *f.*

serpenter (té) Serpentear.

serpentin (íⁿ) Serpentín.

serrage (aj) *m* Presión *f.*

serre (ser) *f* Invernadero *m.*

serrement *m* Presión *f.*

serrer (seré) Apretar*. *Fig.* Estrechar [relations, etc.].

serrure (rür) Cerradura.

serrurier (rié) Cerrajero.

sertir Engastar.

sérum (rom) Suero.

servage *m* Servidumbre *f.*

servante (*a*ⁿt) Sirvienta.

serveur, *euse* Camarero, ra.

serviable Servicial [à zial).

service (ís) Servicio.

serviette (iet) Servilleta. Toalla [de toilette]. Cartera [portefeuille].

servile (íl) Servil.

servilité Servilidad.

servir* Servir* : *servir à, servir para. Se servir, servírse. Valerse* [utiliser].

serviteur (tœr) Servidor. *Fig.* Siervo.

servitude (üd) Servidumbre.

ses (se) Adj. pos. pl. Sus.

sésame (*s*) Sésamo. Alegría *f.*

session (sioⁿ) Sesión.

seuil (sœi) Umbral.

seul, *eule* (sœl) Solo, la.

seulement (maⁿ) Solamente, sólo *Pas seulement, ni siquiera. Non seulement, no sólo.*

sève (sev) Savia.

sévère (ver) Severo, ra.

sévérité Severidad.
sévices (vís) *m* Sevicias *f*.
sévir (ír) Castigar [punir].
  Reinar (reï) : *l'épidémie
  sévit*, la epidemia reina.
sevrage (*aj*) Destete.
sevrer (vré). *Fig.* Privar.
sexagénaire Sexagenario.
sexe (sex) Sexo.
sexuel (xüel) Sexual.
seyant, ante (seia*n*, *a*n*t) Que
  sienta bien.
shampooing Champú.
si Si. Tan [comparaisons]. Si
  [note]. *Si bien que*, tanto
  que. *Que si*, ya lo creo.
sibylle (bil) Sibila.
siccatif Secante.
sidéral Sideral.
sidérurgie (jé) Siderurgia.
siècle (ecl) Siglo. *Le XXe
  siècle*, el siglo XX.
siège (*ej*) Asiento. Sede *f*
  [évêché]. Sitio [milit.].
siéger (jé) Residir.
sien, enne (siï*n*, *ié*n*e) Suyo,
  ya. *Les siens*, los suyos.
sieste (iest) Siesta.
sieur (siœr) Señor.
sifflement (m*a*n) Silbido.
siffler (flé) Silbar.
sifflet (flè) Silbato. Pito.
siffloter (té) Silbotear.
signal (ñal) Señal.
signaler (lé) Señalar.
signalement (*a*n) Filiación.
signalisation Señalamiento.
signataire (ter) Firmante.
signature (tür) Firma.
signe (siñ) Signo (ghno).
  Seña *f* [geste]. Señal [mar-
  que]. *Signe de croix*, señal
  de la cruz.
signer (ñé) Firmar. *Se signer*,
  persignarse (sigh).

signet (ñè) Registro.
significatif Significativo.
signification Significado.
signifier (ié) Significar.
silence (*a*ns) Silencio.
silencieux (*iœ*) Silencioso.
silex (ex) Pedernal.
silhouette (*uet*) Silueta.
silice (lís) Sílice.
sillage (iiaj) *m* Estela *f*.
sillon (ion*) Surco.
sillonner (né) Surcar.
silo (lo) Silo.
simagrée (gré) Carantoña.
simiesque (esk) Simiesco.
similaire (er) Similar.
similitude (üd) Similitud.
simonie (ní) Simonía.
simoun (mún) Simún.
simple (si*n*pl) Simple. Sencillo [pas compliqué].
simplet (plè) Simplón.
simplicité Sencillez.
simplifier (ié) Simplificar.
simulacre (acr) Simulacro.
simulation Simulación.
simuler (lé) Simular.
simultané Simultáneo.
simultanément (néma*n) Si-
  multáneamente.
sinapisme (ism) Sinapismo.
sincère (ser) Sincero.
sincérité Sinceridad.
sinécure (cür) Sinecura.
singe (si*n*j) Mono.
singer (jé) Imitar.
singerie (jœrí) Monería.
singulariser Singularizar.
singularité Singularidad.
singulier (lié) Singular.
sinistre (istr) Siniestro.
sinon (no*n) Sino.
sinueux (nü*œ*) Sinuoso.
siphon (fo*n) Sifón.
sire (sir) Señor.

sirène (**rène**) Sirena.

sirop (**ro**) Jarabe.

siroter (**té**) Paladear.

sismique (**ic**) Sísmico, ca.

site (**sit**) Paisaje. Sitio.

sitôt (**to**) Tan pronto.

situation (**sio**ⁿ) Situación.

situer (**tüé**) Situar.

six (**sis**) Seis (**séïss**).

sixième (**siem**) Sexto, ta.

ski Ski, esquí.

slave (**av**) Eslavo, va.

slovaque (**ac**) Eslovaco.

smoking Smoking.

snobisme (**ism**) Esnobismo.

sobre (**sobr**) Sobrio, ia.

sobriété Sobriedad.

sobriquet (**ké**) Apodo.

soc m Reja f [agric.].

sociable (**abl**) Sociable.

social, ale (**al**) Social.

socialiste (**ist**) Socialista.

socle (**socl**) Zócalo.

société Sociedad (**da**).

soda (**dá**) m Soda f.

sodium (**diom**) Sodio.

sœur (**sœr**) Hermana. *Belle sœur*, cuñada.

sofa (**fá**) Sofá.

soi (**suá**) Sí. *Chez soi*, en casa.

soi-disant Supuesto.

soie (**suá**) Seda (**sséda**).

soierie (**suarí**) Sedería.

soif (**suaf**) Sed (**sé**).

soigner (**ñé**) Cuidar. Esmerarse [**tâche**].

soigneux (**ñœ**) Cuidadoso.

soin (**suï**ⁿ) Cuidado. Esmero [zèle]. *Aux bons soins de*, al cuidado de.

soir (**suar**) m Tarde f.

soirée (**suaré**) Noche (**ché**). Velada [réunion]. Función de gala [théâtre].

soit (**sua**) Ya: *soit l'un soit l'autre*, ya uno, ya otro. Sea [supposition]. *Ainsi soit-il*, así sea.

soixante (**sa**ⁿt) Sesenta.

soja (**ja**) o **soya** Soya.

sol Suelo. Sol [mus.].

solaire (**er**) Solar.

soldat (**dá**) Soldado.

solde (**sold**) Saldo [compte].

solder (**dé**) Saldar.

sole (**sol**) f Lenguado m.

solécisme (**ism**) Solecismo.

soleil (**léi**) Sol. *Coup* [m] *de soleil*, insolación f.

solennel (**anel**) Solemne.

solennité Solemnidad.

solfège (**fej**) Solfeo.

solfier (**fié**) Solfear.

solidaire (**dèr**) Solidario.

solidarité Solidaridad.

solide (**id**) Sólido, da.

solidité Solidez (**dèz**).

soliste (**ist**) Solista.

solitaire (**ter**) Solitario.

solitude (**tüd**) Soledad.

solive (**liv**) Viga.

solliciter (**té**) Solicitar.

sollicitude Solicitud (**tou**).

solo (**lo**) Solo.

solstice (**tís**) Solsticio.

solubilité Solubilidad.

soluble (**lübl**) Soluble.

solution (**sio**ⁿ) Solución.

solvabilité Solvencia.

solvable (**vabl**) Solvente.

sombre (**so**ⁿbr) Sombrío, a. Obscuro, ra [teinte].

sombrer (**bré**) Zozobrar.

sommaire (**er**) Sumario.

sommation (**sio**ⁿ) Intimación. Requerimiento m [judic.].

somme (**som**) Suma. M Sueño. *En somme*, en suma.

sommeil (méi) Sueño.

sommeiller (eié) Dormitar.

sommelier (ié) Bodeguero.

sommer (mé) Intimar.

sommet (mè) *m* Cima *f.*

sommier (mé) Colchón.

sommité *Fig.* Notabilidad.

somnambule Sonámbulo, la.

somnifère (fer) Somnífero.

somnolence Somnolencia.

somnolent (aⁿ) Soñoliento.

somptueux (tüœ) Suntuoso.

son, sa, ses (soⁿ, sa, se) Su, sus.

son (soⁿ) Sonido [bruit]. Salvado [des céréales].

sonate (nat) Sonata.

sondage (daj) Sondeo.

sonde (soⁿd) Sonda.

sonder (dé) Sondear.

songe (soⁿj) Sueño.

songer (jé) Soñar. *Songer à, pensar** en.

songeur (jœr) Soñador.

sonner (né) Sonar*. Tocar [instrument]. Dar* [heure]. Llamar [domestique].

sonnerie (rí) Campaneo *m.*

sonnette (net) Campanilla.

sonneur (nœr) Campanero.

sonore (nor) Sonoro, ra.

sonorité Sonoridad.

sophiste (físt) Sofista.

soporifique (ic) Soporífico.

sorbet (bè) Sorbete [bété].

sorbier (bié) Serbal.

sorcellerie (rí) Brujería.

sorcier, ière Brujo, ja.

sordide (id) Sórdido, da.

sorgho (gó) Sorgo, zahína.

sornette (net) Tontería.

sort (sor) *m.* Suerte *f. Jeter un sort,* hechizar.

sortable (abl) Conveniente.

sorte (sort) Clase, especie.

suerte : *une sorte de,* una especie de. Manera, modo *m. De sorte que,* de modo que.

sortie (tí) Salida.

sortilège (ej) Sortilegio.

sortir* *Vi.* Salir*. *Vt.* Sacar [quelque chose].

sosie (sí) Vera efigie, sosia.

sot, otte (so, sot) Tonto, ta.

sottise (tís) Tontería.

sou (su) Sueldo. *P. us.,* perra chica, *f;* centavo [en Amérique]. *N'avoir pas le sou,* no tener* un *cuarto.*

soubassement Basamento.

soubresaut (so) Sobresalto.

soubrette (et) Criada.

souche (such) *f* Tocón *m. Fig.* Tronco *m* [famille]. Talón *m* [livre à souche].

souci (sí) Cuidado, inquietud *f.* Maravilla *f* [fleur].

soucier, (se) Inquietarse.

soucieux, ieuse (susiœ, iœs) Preocupado, da.

soucoupe (up) *f* Platillo *m.*

soudain (diⁿ) Súbito. *Adv.* De repente.

soude (sud) Sosa (sossa).

souder (sudé) Soldar*.

soudoyer (sudaié) Pagar.

soudure (sudür) Soldadura.

souffle (sufl) Aliento, respiración *f.* Soplo.

souffler (flé) Soplar. Apagar [éteindre]. Respirar.

soufflerie (rí) Fuelle.

soufflet (flè) *Fuelle* (lhé). *Fig.* Bofetada *f.*

souffleter (té) Abofetear.

souffleur (flœr) Soplador. Apuntador [théâtre].

souffrance (aⁿs) *f* Padecimiento *m. En souffrance,* en suspenso.

souffrant (aⁿ) Enfermo, doliente.

souffreteux Necesitado, doliente.

souffrir* Padecer*, sufrir. *Fig.* Languidecer* [languir]. Sufrir [tolérer].

soufre (sufr) Azufre.

souhait (suè) m Deseo (sséo). Felicitación f. *Souhait de bonne année*, felicitaciones de año nuevo.

souhaitable (abl) Deseable.

souhaiter (té) Desear. *Souhaiter la bonne année, la fête à*, felicitar el año nuevo, felicitarle el santo a.

souiller (suié) Ensuciar.

souillon (iioⁿ) Puerco, ca. *M Fam.* Fregona *f* [laveuse].

souillure (iür) Mancha.

soûl, oûle (su, ul) Harto, ta. *Pop.* Borracho, cha [ivre].

soulagement (aⁿ) Alivio.

soulager (jé) Aliviar.

soûler (lé) Hartar. Emborrachar [enivrer].

soulèvement Levantamiento. *Soulèvement de cœur*, náuseas *fpl.*

soulever (vé) Levantar.

soulier (suié) Zapato.

souligner (ñé) Subrayar.

soumettre* (etr) Someter.

soumis, ise Sometido, da.

soumission Sumisión.

soupape (supap) Válvula.

soupçon (soⁿ) *m* Sospecha *f.*

soupçonner (né) Sospechar.

soupçonneux (nø) Suspicaz, receloso.

soupe (sup) Sopa.

soupente (aⁿt) *f* Desván *m.*

souper Cenar. Cena *f.*

soupeser Tomar en peso.

soupière (er) Sopera.

soupir (supír) Suspiro.

soupirail (ra_i) Tragaluz, respiradero.

soupirant (aⁿ) Adorador.

soupirer (ré) Suspirar. *Soupirer après*, suspirar por.

souple (supl) Flexible.

souplesse (es) Flexibilidad.

source (surs) Fuente, manantial *m. De source certaine*, a ciencia cierta.

sourcier (sié) Zahorí.

sourcil (si) *m* Ceja (zé) *f.*

sourciller Pestañear.

sourd, ourde Sordo, da.

sourdine (in^e) Sordina.

sourd-muet (muè) Sordomudo.

sourdre* Brotar, manar.

souriant, ante Risueño, ña.

souricière (er) Ratonera.

sourire (surír) Sonreír*. *M* Sonrisa *f.*

souris (suri) *f* Ratón *m.*

sournois, e Taimado, da.

sournoiserie *f* Disimulo *m.*

sous (su) Debajo. Bajo : *sous une condition*, bajo una condición. So: *sous prétexte*, so pretexto. Dentro de : *sous peu*, dentro de poco.

sous-bois m Maleza *f.*

souscription Subscripción.

souscrire Subscribir.

sous-entendre Sobrentender.

sous-lieutenant (liœtnaⁿ) Segundo teniente.

sous-locataire Subinquilino.

sous-location Subarriendo.

sous-marin (iⁿ) Submarino.

sous-officier Suboficial.

sous-ordre Subalterno.

sous-secrétaire (creter) Subsecretario.

soussigné (ñé) Infrascrito.

sous-sol (susol) Subsuelo.
soustraction Sustracción.
soustraire* (er) Sustraer*.
soutache (tach) Trencilla.
soutane (sutáne) Sotana.
soute (sut) f Pañol m.
soutènement (aⁿ) Sostén.
souteneur (œr) Chulo, rufián.
soutenir* (nír) Sostener*.
soutenu (nü) Sostenido.
souterrain (riⁿ) Subterráneo.
soutien (tiⁿ) Sostén.
soutier (tié) Pañolero.
soutirer Fig. Sonsacar.
souvenance f Recuerdo m.
souvenir Recuerdo.
souvenir* (se) Recordar*
[une chose]. Acordarse*
[d'une chose].
souvent (vaⁿ) A menudo.
souverain (riⁿ) Soberano.
souveraineté Soberanía.
soviétique (ic) Soviético.
soyeux (uaiœ) Sedoso (sso).
spacieux (siœ) Espacioso.
spadassin Espadachín.
spahi (spaí) Espahí.
sparadrap (drá) Esparadrapo.
sparterie (rí) Espartería.
spartiate (at) Espartano.
spasme (asm) Espasmo.
spasmodique (ic) Espasmó-
dico.
spatule (tül) Espátula.
speaker (ikœr) Locutor.
spécial (sial) Especial.
spécialiser Especializar.
spécialiste Especialista.
spécialité Especialidad.
spécieux (siœ) Especioso.
spécifier (tié) Especificar.
spécifique Específico.
spécimen (mèn) Espécimen.
spectacle (acl) Espectáculo.
spectaculaire Espectacular.

spectateur, trice (œr, ís) Espectador, ora.
spectre (ectr) Espectro.
spéculateur Especulador.
spéculation Especulación.
spéculer (lé) Especular.
spéculum (lom) Espéculo.
speech (ich) Discurso.
sphère (sfer) Esfera.
sphérique (ic) Esférico, ca.
sphincter (ter) Esfínter.
sphinx (sfiⁿx) Esfinge.
spinal Espinal.
spiral, ale Espiral.
spire (spir) Espira.
spirite (rít) Espírita.
spiritisme Espiritismo.
spirituel (üel) Espiritual. Ingenioso (jéniosso).
spiritueux (üœ) Licor.
spleen (in) Esplín.
splendeur (œr) Esplendor.
splendide (id) Espléndido.
spoliation f Despojo m.
spolier (lié) Despojar.
spongieux (jiœ) Esponjoso.
spontané Espontáneo.
spontanéité Espontaneidad.
spontanément (nemaⁿ) Es-
pontáneamente.
sporadique (ic) Esporádico.
spore (spor) f Espora m.
sport (spor) Deporte.
sportif, ive Deportista.
squale (scual) Escualo.
square (scuar) Square, jardín.
squelette (lèt) Esqueleto.
squelettique Esquelético.
stabilité Estabilidad.
stable (stabl) Estable.
stade (stad) Estadio.
stage (staj) m Pasantía f.
stagiaire (jíer) Pasante.
stagnant Estancado.
stalactite Estalactita.

stalle (stal) Silla de coro.
Luneta [théâtre].

stance (staⁿs) Estancia.

stand Stand.

standard (dar) Standard.
Norma f.

standardiser (sé) Uniformar.

station (sioⁿ) Estación.

stationnaire Estacionario.

stationnement (maⁿ) Estacionamiento.

stationner Estacionarse.

statique (ic) Estático, ca.

statistique Estadística.

statuaire (tüer) Escultor.

statue (tü) Estatua.

statuer (tüé) Estatuir*.

stature (tür) Estatura.

statut (tü) Estatuto.

steamer Vapor.

stéarine (rine) Estearina.

steeple-chase Carrera de obstáculos.

stèle (stel) Estela.

stellaire (ler) Estelar.

stencil (síl) Estarcido.

sténodactylo Taquimeca.

sténographie Estenografía.

sténographier Estenografiar.

steppe (step) Estepa.

stère (ster) Estéreo.

stéréoscope Estereoscopio.

stéréotype Estereotipo.

stérile (il) Estéril.

stériliser (sé) Esterilizar.

stérilité Esterilidad.

sterling (líng) Esterlina.

sternum (nom) Esternón.

stigmate (at) Estigma.

stigmatiser Estigmatizar.

stimulant (aⁿ) Estimulante.

stimuler (lé) Estimular.

stipuler (lé) Estipular.

stock (stoc) Stock.

stocker (ké) Almacenar.

stoïcisme (sism) Estoicísmo.

stoïque (oïc) Estoico.

stomacal Estomacal.

stoppage (aj) Zurcido.

stopper (pé) Detenerse* [arrêter]. Zurcir [tissu].

store (stor) m Cortina f.

strabisme (ism) Estrabísmo.

strangulation (sioⁿ) Estrangulación (zioⁿ).

strapontin m Bigotera f.

strass (stras) Estrás.

stratagème Estratagema.

stratège (ej) Estratega.

stratégique Estratégico, ca.

stratosphère Estratoesfera.

stratus (tüs) Estrato.

strict, icte Estricto, ta.

strident (aⁿ) Estridente.

strie (stri) Estría.

strié Estriado.

strophe (of) Estrofa.

structure (tür) Estructura.

stuc (stüc) Estuco.

studieux, ieuse (iœ, iœs) Estudioso, sa (ioss).

studio (dió) Estudio.

stupéfaction Estupefacción.

stupéfait (fè) Estupefacto.

stupéfiant Estupefactivo.

stupéfier (fié) Pasmar. Med. Entorpecer*; pasmar.

stupeur (œr) Estupor m.

stupide (id) Estúpido, da.

stupidité Estupidez.

stupre (stüpr) Estupro.

style (stil) Estilo.

styliser (sé) Estilizar.

stylo (lo) Estilógrafo. *Stylo à bille,* bolígrafo.

suaire (er) Sudario.

suant (süaⁿ) Sudoso (osso).

suave (süav) Suave.

suavité Suavidad (da).

subalterne (ern) Subalterno.

subir Sufrir.
subit, ite (bí, it) Súbito, ta.
subitement Súbitamente.
subjectif, ive Subjetivo, va.
subjonctif Subjuntivo.
subjuguer (gué) Subyugar.
sublime (im) Sublime.
submerger (jé) Sumergir.
submersible Sumergible.
subordonné Subordinado.
subordonner Subordinar.
suborneur (œr) Sobornador.
subreptice Subrepticio.
subséquemment   (kaman)
  Subsecuentemente.
subside (síd) Subsidio.
subsidiaire Subsidiario.
subsistance Subsistencia.
subsister (té) Subsistir.
substance (ans) Substancia.
substantiel Substancial.
substantif Substantivo.
substituer (üé) Substituír*
substitut (tü) Substituto.
substitution Substitución.
subterfuge (üj) Subterfugio.
subtil (sübtil) Sutil.
subtiliser Sutilizar.
subtilité Sutileza.
suburbain (in) Suburbano.
subvenir* Subvenir*.
subvention Subvención.
subventionner (sioné) Sub-
  vencionar (zionar).
subversif Subversivo.
suc (süc) Jugo (jou). Zumo
  (zou) [plantes].
succédané, ée (sücsedané)
  Sucedáneo, a.
succéder (dé) Suceder.
succès (sücsè) Éxito.
successeur (œr) Sucesor.
successif, ive Sucesivo, va.
succession Sucesión.
succinct (sücsin) Sucinto.

succion (csion) Succión.
succomber (bé) Sucumbir.
succulent (an) Suculento.
succursale (al) Sucursal.
sucer (sé) Chupar.
sucette (set) f Chupador m.
suçon (son) Chupón.
sucre Azúcar. Pain de sucre,
  pilón.
sucré Azucarado.
sucrer (cré) Azucarar.
sucrerie (rí) f Dulce m.
sucrier (ié) Azucarero.
sud (süd) Sur.
sud-est (est) Sudeste.
sudorifique Sudorífico.
sud-ouest (uest) Sudoeste.
suédois, oise Sueco, ca.
suée (süé) Sudada.
suer (süé) Sudar.
suette (süet) Fiebre miliar.
sueur (üœr) f Sudor m.
suffire* (ir) Bastar.
suffisamment (saman) Su-
  ficientemente (zièn).
suffisance Fig. Presunción.
  En suffisance, bastante.
suffisant, ante (san, ant)
  Suficiente, bastante.
suffixe (ix) Sufijo.
suffocant, ante Sofocante.
suffoquer (ké) Sofocar.
suffrage (aj) Sufragio.
suggérer (gjeré) Sugerir*.
suggestif, ive Sugestivo, va.
suggestion Sugestión.
suicide (síd) Suicidio.
suicider (se) Suicidarse.
suie (süi) f Hollín m.
suif (süif) Sebo.
suint (süin) m Churre f.
suintement m Rezumadura f.
suinter (té) Rezumarse.
suisse (süis) Suizo, za. M
  Pertiguero [églises].

suite (süit) Séquito. Serie.
Continuación [ce qui suit] :
à la suite, a continuación.
Tout de suite, en seguida.
Consecuencia : par suite, por
consecuencia.
suivant, ante (aⁿ, aⁿt) Siguiente. Prep. Según.
suivre* (süivr) Seguir*.
sujet (süjè) Motivo, causa.
Asunto [d'une lettre, etc.].
Sujeto [personne].
sujet, ette (jè, et) Sujeto, ta.
Propenso, sa [enclin]. Súbdito, ta [d'un roi].
sujétion (sü) Sujeción.
sulfate (fat) Sulfato.
sulfure (für) Sulfuro.
sulfurique (ic) Sulfúrico.
sultan, ane Sultán, na.
superbe (erb) Soberbio.
supercherie Superchería.
superficie (sí) Superficie.
superficiel (sièl) Superficial.
superflu (flü) Superfluo.
supérieur (œr) Superior.
supériorité Superioridad.
superlatif Superlativo.
superposer Sobreponer*.
superstitieux, euse (sičœ,
œs) Supersticioso, sa.
superstition Superstición.
supplanter (té) Suplantar.
suppléance Suplencia.
suppléant, ante Suplente.
suppléer (pleé) Suplir.
supplément (aⁿ) Suplemento.
supplémentaire (ter) Suplementario.
suppliant, ante Suplicante.
supplication Suplicación.
supplice (ís) Suplicio.
supplicier (sié) Ajusticiar.
supplier Suplicar.

supplique (ic) Súplica.
support (süpor) Soporte.
supportable Soportable.
supporter (té) Soportar.
supposé, ée (sé) Supuesto.
Prep. Suponiendo.
supposer (sé) Suponer*.
supposition Suposición.
suppositoire Supositorio.
suppôt Agente. Satélite.
suppression Supresión.
supprimer (mé) Suprimir.
suppurer (ré) Supurar.
supputer (te) Suputar.
suprématie (sí) Supremacía.
suprême (em) Supremo, ma.
sur (sür) Sobre. Por [rela-
tion] : deux mètres sur
trois, dos metros por tres.
Con : compter sur, contar
con. De [parmi] : deux jours
sur trois, dos días de tres.
En : s'asseoir sur, sentarse en.
sur, ure (sür) Ácido, da.
sûr, e (sür) Seguro, ra. A
coup sûr, de seguro.
surabondance (boⁿdaⁿs) Su-
perabundancia (aⁿzia).
surabondant (aⁿ) Superabun-
dante.
suraigu, uë (süregü) Sobreagudo, da.
surajouter Sobreañadir.
suralimentation (sioⁿ) So-
brealimentación.
suralimenter (té) Sobreali-
mentar.
suranné, ée Anticuado, da.
surbaisser (sé) Rebajar.
surcharge (arj) Sobrecarga.
surcharger (jé) Sobrecargar.
surchauffer Sobrecalentar.
surclasser Dejar atrás.
surcroît Aumento. Par surcroît, además.

surdité Sordera.
sureau (ro) Saúco.
surélever (vé) Sobrealzar.
sûrement (aⁿ) Seguramente.
surenchère (cher) Puja.
sûreté Seguridad (da).
surexciter (té) Sobreexcitar.
surface (fás) Superficie.
surfaire* (fer) Encarecer*.
surhomme (sürom) super-
hombre.
surgir (jir) Surgir.
surhausser Sobrealzar.
surhumain Sobrehumano.
surintendant (aⁿ) Superin-
tendente.
surjet Punto por encima.
surlendemain (sürlaⁿdemⁱⁿ)
Dos días después.
surmenage (aj) Exceso de
trabajo, de cansancio.
surmener (mené) Cansar demasiado.
surmonter (oⁿté) Pasar por
encima. Dominar. Vencer.
surnager (jé) Sobrenadar.
surnaturel Sobrenatural.
surnom (noⁿ) Apodo.
surnommer Apodar.
surnuméraire (merèr) Su-
pernumerario.
surpasser (sé) Sobrepujar.
Exceder, vencer.
surpeupler Superpoblar.
surplis m Sobrepelliz f.
surplomber (bé) Desplomarse.
Dominar.
surplus (lü) Exceso. Au surplus, por lo demás.
surprenant Sorprendente.
surprendre* Sorprender.
surprise (ís) Sorpresa. Surprise-partie f, asalto m.
surproduction (csioⁿ) Producción excesiva (èkz).

surrénal Suprarrenal.
sursaturer Sobresaturar.
sursaut (so) Sobresalto. En
sursaut, sobresaltado.
sursauter* Sobresaltarse.
surseoir* (uar) Sobreseer.
sursis (sí) Plazo (zo).
surtaxe (tax) Sobretasa.
surtout (tú) Sobre todo.
surveillance Vigilancia.
surveillant, ante (aⁿ, aⁿt)
Vigilante.
surveiller (eié) Vigilar.
survenir* Sobrevenir.
survie Supervivencia.
survivance Supervivencia.
survivant Superviviente.
survivre* (ivr) Sobrevivir.
survoler Volar por encima.
susceptibilité Susceptibili-
dad.
susceptible Susceptible.
susciter (sité) Suscitar.
susdit (dí) Susodicho.
susnommé Susodicho.
suspect, ecte (pè, ect) Sospechoso.
suspecter Sospechar.
suspendre (aⁿdr) Suspender.
suspens Suspenso. En sus-
pens, en suspenso.
suspension (ioⁿ) Suspensión.
suspicion (sioⁿ) Sospecha
sustenter (té) Sustentar.
susurrer (ré) Susurrar.
suture (ür) Sutura.
suzerain (srⁱⁿ) Soberano.
svelte (elt) Esbelto, ta.
sveltesse (è) Esbeltez.
sybarite (it) Sibarita.
syllabe (sil'lab) Sílaba.
syllogisme Silogismo.
sylphe (silf) Sílfo.
sylvestre (estr) Silvestre.
symbole (ol) Símbolo.

symbolique (íc) Simbólico.
symboliser (sé). Simbolizar.
symétrie (trí) Simetría.
symétrique (íc) Simétrico.
sympathie (tí) Simpatía.
sympathique Simpático, ca.
sympathiser Simpatizar.
symphonie (ní) Sinfonía.
symphonique Sinfónico, ca.
symptomatique Sintomático.
symptôme (om) Síntoma.
synagogue (og) Sinagoga.
synchrone (cróne) Sincrónico, ca.
synchronisme Sincronismo.
syncope (op) f Síncopa [grammaire]. Síncope m [med.].
syncoper (pé) Sincopar.

syndic (sindíc) Síndico.
syndical, ale Sindical.
syndicalisme Sindicalismo.
syndicat (cá) Sindicato.
syndiquer (ké) Sindicar.
synode (od) Sínodo.
synonyme (im) Sinónimo.
synoptique (íc) Sinóptico.
synovie (ví) Sinovia.
syntaxe (ax) Sintaxis.
synthèse (tés) Síntesis.
synthétique (íc) Sintético.
synthétiser Sintetizar.
syphilis Sífilis.
syrien (riën) Sirio.
systématique Sistemático.
systématiser Sistematizar.
système (sistem) Sistema.

T

ta adj poss Tu (tou).
tabac (bá) Tabaco.
tabatière (tier) Tabaquera.
tabellion (lioⁿ) Tabelión.
tabernacle Tabernáculo (na).
tabès Tabes.
table (tabl) Mesa (messa). Tabla [tableau]. Sainte Table, mesa de comunión. Table d'hôte, mesa redonda.
tableau (blo) Cuadro (coua) [peinture, liste]. Pizarra f [écoles, tableau noir].
tabler (blé) Contar* : tabler sur, contar con.
tablette (et) Tablilla. Anaquel (kel) m [rayon]. Pastilla (lha) [chocolat].
tablier (blié) Delantal.
tabou (bú) Tabú (boun).
tabouret (buré) Taburete.
tac Tac. Répondre du tac au

tac, contestar immediatamente.
tache (tach) Mancha (cha).
tâche (tach) Tarea (réa).
tacher (ché) Manchar (char).
tâcher (taché) Procurar.
tacheter (tachté) Salpicar.
tacite (cit) Tácito, n.
taciturne Taciturno (zi).
tacot (cá) Cacharro.
tact Tacto.
tactique (tíc) Táctico, ca.
taffetas (fetá) Tafetán.
taie (te) Funda [oreiller]. Nube (noubé) [dans l'œil].
taillader (taié) Cortar.
taille (tai) f Corte (té) m. Estatura [stature]. Talle m [ceinture]. Talla (lha) [gravure].
tailler (taié) Cortar. Tallar [pierres, diamants].

tailleur (taiœr) Sastre.
taillis (taií) Monte bajo.
tain (tiⁿ) Alínde.
taire* (ter) Callar (lhar).
talc Talco.
talent (laⁿ) Talento (ènto).
talion (lioⁿ) Talión.
talisman (maⁿ) Talismán.
taloche f Pescozón (zòn) m.
talon (loⁿ) Talón. Tacón [chaussure].
talonner (né) Perseguir*.
talus (talü) Talud (loud).
tamarin (riⁿ) Tamarindo.
tambour (taⁿbur) Tambor. *Tambour de basque*, pandero.
tambourin (riⁿ) m Pandereta f. Tamboril (tànboríl).
tambouriner (né) Tamborilear.
tamis (mí) Tamiz (míz).
tamiser Tamizar, cerner*.
tampon (taⁿpoⁿ) Tapon (pòn). Tope (pé) [chemins de fer].
tamponnement (aⁿ) Taponamiento.
tamponner Taponar. Chocar [chemins de fer].
tam-tam *Fig.* Jaleo.
tancer (taⁿsé) Reprender.
tanche (tanch) Tenca.
tandem (taⁿdem) Tándem.
tandis que Mientras que.
tangage (gaj) Cabeceo (zéo).
tangent (taⁿjaⁿ) Tangente.
tango (gó) Tango.
tanguer (taⁿgué) Cabecear.
tanière (er) Madriguera.
tanin (niⁿ) Tanino.
tank (taⁿk) Tanque (tànké).
tanner (né) Curtir.
tanneur (nœr) Curtidor.
tant (taⁿ) Tanto *Tant de,*

tanto, a, os, as : *tant de choses*, tantas cosas. *Tant mieux*, tanto mejor. *Tant pis*, tanto peor. *Tant que*, mientras. *Tant s'en faut*, ni con mucho. *Un tant soit peu*, un poquito.
tante (taⁿt) Tía.
tantôt (taⁿtó) Pronto [bientôt]. Hace poco [il n'y a pas longtemps]. Ora, ya : *tantôt l'un, tantôt l'autre*, ora uno, ora otro : ya uno, ya otro.
taon (taⁿ) Tábano (taba).
tapage Alboroto, escándalo.
tapageur Alborotador.
tape (tap) Palmada.
taper Golpear, pegar. *Fam.* Dar* un sablazo [emprunter].
tapinois (en) A escondidas.
tapioca (cá) m Tapioca f.
tapir Tapir.
tapir (se) Agacharse (char).
tapis (pí) Tapiz. Tapete [table]. Alfombra f [parquet].
tapisser (sé) Tapizar (zar). Empapelar [papier peint].
tapisserie (rí) f Tapíz m. Colgadura. Empapelado m [papier peint]. Bordado en cañamazo [broderie].
tapissier Tapicero.
tapoter (té) Golpetear (été).
taquet (kè) Tarugo (rougo).
taquin (kiⁿ) Díscolo (dis).
taquiner Contrariar, hacer* rabiar.
taquinerie (rí) Contrariedad.
tarabuster (te) Molestar.
tarare (rar) Aventador.
tarauder (ðe) Aterrajar.
tard (tar) Tarde (dé).
tarder (dé) Tardar.

tardif, ive Tardío, a.
tare (tar) f Defecto m. Tara
  [poids].
taré Viciado, da. Corrompido,
  da (corrón-).
tarentule (tül) Tarántula.
targette (jet) f Pestillo m.
targuer (se) Prevalerse.
tarière (rier) f Taladro m.
tarif (rif) m Tarifa (ri) f.
tarir (rir) Secar. Agotarse.
tarot (ró) Naipe (naïpé).
tarse (tars) Tarso.
tarte (tart) Tarta.
tartelette (let) Tartita.
tartine Rebanada (ré) [de
  pan con mantequilla o
  dulce].
tartre (tartr) Tártaro.
tartufe Hipócrita, gazmoño.
tas (ta) Montón (montón).
  Un tas de, una porción de.
tasse (tas) Taza (za).
tassement Sentamiento.
tasser (sé) Amontonar. Sentarse* [édifices, terre, etc.].
tâter (taté) Tentar. Fig. Probar*, ensayar.
tatillon (tíon) Reparón.
tâtonnement Tanteo.
tâtonner Tentar*, tantear.
tâtons (à) A tientas (tass).
tatouage (tuaj) Tatuaje (jé).
tatouer (tué) Tatuar.
taudis (todí) Zaquizamí.
taupe (top) f Topo m.
taureau (toro) Toro (ro).
taurillon (rión) Torillo.
tauromachie   (toromachí)
  Tauromaquia.
taux (to) m Tasa f. Interés.
taverne (vern) Taberna.
taxe (tax) Tasa (tassa).
taxer (xé) Tasar. Acusar.
taxi Taxi.

tchèque (chec) Checo, ca.
te (tœ) Prom. Te (té).
technicien (tecnisién) Técnico.
technique (níc) Técnica.
technologie (jí) Tecnología.
teigne (teñ) Palomilla (lha)
  [insecte]. Tiña [maladie].
teigneux (ñœ) Tiñoso (osso).
teindre* (tindr) Teñir* (gn).
teint (tin) Tinte (tin) [cou-
  leur]. Tez f [peau].
teinte (tint) f Tinta.
teinter Teñir*, tintar.
teinture (tintür) f Tintura.
teinturerie (türerí) Tintorería.
teinturier (rié) Tintorero.
tel, telle (tel) Tal.
télégramme f Telegrama.
télégraphe (graf) Telégrafo.
télégraphier Telegrafiar.
télégraphique Telegráfico.
télégraphiste Telegrafista.
téléguider Teledirigir.
télépathie (tí) Telepatía.
télépnerique Teléférico.
téléphone (fone) Teléfono.
téléphoner Telefonear.
téléphoniste Telefonista.
télescope (cop) Telescopio.
télescoper (se) Telescoparse.
téléviseur Televisor.
télévision (sion) Televisión.
tellement (telmœn) De tal
  modo, de tal suerte.
téméraire (merer) Temerario.
témérité Temeridad (rida).
témoignage (ñaj) Testimo-
  nio.
témoigner (muañé) Atesti-
  guar. Fig. Manifestar*, demostrar*.
témoin (muin) Testigo. Padrino [duel, mariage].

Prendre à témoin, tomar por testigo.

tempe (ta^{n}p) Sien (sièn).

tempérament (ma^n) Temperamento. *Fig.* Moderación. *Vendre à tempérament,* vender a plazos.

tempérance Templanza.

tempérant Temperante.

température Temperatura.

tempérer (péré) Templar.

tempête (ta^{n}pet) Tempestad.

temple (ta^{n}pl) Templo.

temporaire (rer) Temporal.

temporel, elle (rel) Temporal.

temporiser Contemporizar.

temps (ta^n) Tiempo. *Beau temps,* buen tiempo. *Quatre temps,* témporas (tem). *De temps en temps,* de vez en cuando. *En même temps,* al mismo tiempo.

tenace (tenás) Tenaz (naz).

ténacité Tenacidad (nazida).

tenaille (tenái) Tenaza.

tenailler (naié) Atenacear.

tenancier (sié) Amo, patrón.

tenant, ante Partidario [opinión]. *D'un seul tenant,* de una sola pieza. *Séance (sea^{n}s) tenante,* inmediatamente.

tendance (da^{n}s) Tendencia.

tendancieux, euse (siœ, œs) Tendencioso, sa.

tendant (ta^{n}da^n) Tendiente.

tender (ta^{n}der) Ténder (tèn).

tendeur (ta^{n}dœr) Tensor.

tendon (do^n) Tendón (dòn).

tendre (ta^{n}dr) Tierno, na.

tendre (ta^{n}dr) Tender*.

tendresse (drès) Ternura.

tendu, ue (ta^{n}dü) Tenso, sa.

ténèbres (nebr) Tinieblas.

ténébreux (brœ) Tenebroso.

teneur (tœnœr) *f* Tenor *m* [contenu].

ténia (niá) *m* Tenia *f.*

tenir* (tenir) Tener*. Guardar. Cumplir [promesses]. Contener* [contenir]. Caber* [être contenu]. Sostener* [pari, conversation]. Resistir [résister]. Depender : *ça ne tient qu'à vous,* esto no depende sino de Ud. *Tiens! ¡Toma! Tenez! ¡Mire usted! Tiens, tiens! ¡Anda! ¡Vaya!*

tennis (nís) Tennis.

ténon (tœno^n) *m* Espiga *f.*

ténor Tenor.

tension (ta^{n}sio^n) Tensión.

tentacule (cül) Tentáculo.

tentant (ta^n) Tentador.

tentateur, trice Tentador, a.

tentation Tentación (ziòn).

tentative (tív) Tentativa.

tente (ta^{n}t) Tienda (tièn).

tenter (ta^{n}té) Tentar* [tentation]. Intentar [essayer].

tenture (tür) Colgadura.

ténu, nue (nü) Tenue (noué).

tenue (tenü) *f* Modales *mpl.* Porte *m* [maintien]. Uniforme m.

térébenthine (tíne) Trementina.

tergiverser Tergiversar.

terme (term) Término. Plazo [délai]. Trimestre. Casa *f: payer son terme,* pagar la casa.

terminaison Terminación.

terminal (né) Terminal.

terminer (né) Terminar.

terminus (nüs) Término.

termite (mit) Comején (jèn).

ternaire (ner) Ternario.

terne Apagado, da [éteint].

ternir Apagar.

terrain (terⁱⁿ) Terreno.

terrasse (rás) Terraza. Azotea [toiture plane].

terrassement (asᵉmaⁿ) Desmonte [terrain]. Cava f [travail du terrassier].

terrasser Desmontar [terrain]. Derribar [renverser].

terrassier (sié) Cavador.

terre (ter) Tierra (rra). Barro (rro) m [à modeler, terre glaise]. Terre cuite, barro cocido, terracota f. A terre, por tierra.

terreau (ro) Mantillo (lho).

terre-plein Terraplén.

terrer (ré) Soterrar.

terrestre Terrestre (rres).

terreur (rœr) f Terror m.

terreux (rœ) Terroso (osso).

terrible (ríbl) Terrible.

terrien (riⁿ) Terrateniente.

terrier (rié) m Madriguera f. Zarcero (zarzé) [chien].

terrifier (fié) Aterrar.

terrine (rín) Tartera.

territoire (uar) Territorio.

terroir (tèrwar) Terruño.

terroriser (sé) Aterrorizar.

terroriste (rist) Terrorista.

tertiaire (sier) Terciario.

tertre Montecillo (zilho).

tesson (tesoⁿ) Casco [verre].

test Prueba f [essai].

testament (maⁿ) Testamento.

testateur (tœr) Testador.

tester (testé) Testar.

tétanos (nós) Tétanos.

têtard (tar) Renacuajo (ré).

tête (tèt) Cabeza. Cabecera [du lit]. Tête de mort, calavera. A sa tête, a su capricho. A tête reposée, con

sosiego. Se payer la tête de, tomarle el pelo a. Tenir tête, resistir (ré).

tête-à-tête (tatèt) m Entrevista f. Servicio para dos personas [tasses].

tétée (té) Mamada.

téter Mamar.

tétine Tetina. Pezón, m.

téton (toⁿ) m. Teta f.

têtu, ue (tü) Testarudo, da.

teutonique Teutónico (téou).

texte (xxt) Texto.

textile (tíl) Textil.

textuel (üel) Textual.

texture (tür) Textura.

thé (te) Te (té).

théâtral (téatral) Teatral.

théâtre (téatr) Teatro.

théière (teier) Tetera (éra).

thème (tem) Tema.

théologie (jí) Teología.

théologien (jiⁿ) Teólogo.

théoricien (siⁿ) Teórico.

théorie (rí) Teoría.

théorique Teórico.

thérapeutique (terapœtic) Terapéutico, ca.

thermal, ale Termal.

thermes (term) mpl Termas fpl.

thermomètre Termómetro.

thésauriser (sé) Atesorar.

thèse (tés) Tesis (tessiss).

thon (toⁿ) Atún (toun).

thoracique (sic) Torácico.

thorax (rax) Tórax (rax).

thuriféraire Turiferario.

thym (tiⁿ) Tomillo (lho).

thyroïde (tiroïd) Tiroides (oï).

tiare (tiar) Tiara.

tibia (biá) m Tibia f.

tic Tic [geste machinal].

tic-tac Tictac.

ticket (ké) Billete (lhété).

tiède (tied) Tibio, bia.

tiédeur (dœr) Tibieza (iéza).

tiédir Entibiar.

tien, enne (tiᵉⁿ, ène) Tuyo, a.

tierce (tiers) Tercera [jeu, escrime, musique].

tiers, erce (tier, ers) Tercero, ra (zé). Tercio [fraction].

tige (tij) f Tallo m [plantes]. Vara, varilla [baguette]. Caña [botte]. Vástago m [piston].

tignasse (ñás) Peluca (pélouca). Greña.

tigre, esse (tigr, ès) Tigre.

tigré Atigrado.

tilleul (tiœl) Tilo [arbre]. Tila f [infusion, tisane].

timbale (tiⁿbal) f Timbal m [musique]. Cubilete m [gobelet].

timbre (tiⁿbr) Timbre. Sello [postal, sceau].

timbré Fam. Chiflado (chif).

timbre-poste (brᵉpost) Sello de correos.

timbrer (bré) Sellar.

timide (id) Tímido, da.

timidité Timidez (dez).

timon (moⁿ) Pértigo [voiture]. Timón [bateaux].

timonier (nié) Timonel.

timoré Timorato.

tintamarre Jaleo. Algazara f.

tintement (tiⁿtᵉmaⁿ) Tañido. Zumbido [oreilles].

tinter (té) Tocar. Zumbar.

tintouin (tuⁱⁿ) m Inquietud f.

tique (tic) Garrapata (rra).

tiquer (ké) Padecer* tiro [animaux]. Fig. Pestañear.

tir (tir) Tiro.

tirade Tirada. Trozo m.

tirage Tiro. Sorteo [loterie]. f. Tirada f [impression].

tiraillement (raimaⁿ) Tirón. Fig. Tirantez f.

tirailler (raié) Dar* tirones. Fig. Acosar, molestar.

tirailleur (iœr) Tirador.

tirant (raⁿ) m Oreja f [soulier]. Calado [bateau].

tire-bouchon Sacacorchos.

tire-bouton Abrochador.

tire-d'aile m Aletada f. A tire-d'aile, a todo vuelo.

tire-fond (foⁿ) Tirafondo.

tire-larigot (à) Mucho.

tire-ligne (liñ) Tiralíneas.

tirelire Hucha, alcancía.

tire-point (puⁱⁿ) m Lezna f.

tirer (ré) Tirar [lignes, imprimés, coup de feu]. Tirar de: tirer une ficelle, tirar de una cuerda. Sacar: tirer l'épée, sacar la espada. Quitar: quitter ses bas, quitarse las medias. Sortear [loterie]. Echar [cartes]. Correr [verrou, rideaux].

tiret (ré) Guión (guión).

tireur, euse (rœr, œs) Tirador, ra. Tireuse de cartes, adivinadora.

tiroir (ruar) Cajón.

tisane (sáne) Tisana (tissa).

tison (soⁿ) Tizón (zón).

tisonner (soné) Atizar (zar).

tisonnier Atizador, hurgón.

tissage (saj) Tejido (ji).

tisser (sé) Tejer (téjér).

tisserand (sᵉraⁿ) Tejedor.

tissu (sü) Tejido (jido).

titan (taⁿ) Titán.

titre (titr) Título (titou).

titré Titulado.

titrer (tré) Titular.

tituber (tübé) Titubear.

titulaire (tüler) Titular.

titulariser (sé) Titularisar.

toast (tost) Brindis. *Porter un toast*, brindar. Tostada *f* [rôtie].

toboggan (gaⁿ) Tobogán.

tocsin (ksiⁿ) Rebato (reba).

toge (toj) Toga.

tohu-bohu (toŭ-boŭ) Barullo.

toi (tua) *pron.* Tu (tou). Ti [avec préposition].

toile (tual) *f* Lienzo *m. Toile d'araignée*, telaraña (gna).

toilette (tualet) *f* Traje *m* [vêtement]. Aseo *m* [action].

toise (tuas) Toesa [mesure]. Marca [pour les personnes].

toiser (sé) Medir*. Mirar.

toison (soⁿ) Vellón (lhòn).

toit (tua) Tejado. Techo.

toiture (tür) Techumbre.

tôle (tol) *f* Palastro *m.*

tolérance (aⁿc) Tolerancia.

tolérant (raⁿ) Tolerante.

tolérer (lere) Tolerar.

tollé Tole.

tomate (mat) *f* Tomate *m.*

tombal (toⁿbal) Tumbal.

tombe (toⁿb) Tumba.

tombeau (bo) Sepulcro.

tombée (toⁿbé) Caída (caï).

tomber (to-bé). Caer*. *Tomber de sommeil*, caerse* de sueño. *Cela tombe bien*, esto viene bien. *Tomber en poussière*, hacerse* polvo.

tombereau (ro) Volquete.

tombola (toⁿbolá) *f* Rifa.

tome (toⁿ) Tomo.

ton, ta, tes *adj.* Tu, tus.

ton (toⁿ) Tono.

tonalité Tonalidad (da).

tondeur, euse (dœr, œs) Esquilador, ra. *F* Tundidora.

tondre Esquilar (ki) [bêtes].

Pelar [tête]. Cortar [gazon].

tonifier (tíe) Tonificar.

tonique (níc) Tónico, ca.

tonitruant Estruendoso.

tonnage (naj) Arqueo (keo).

tonne (tone) Cuba. Tonelada *f.*

tonneau (no) Tonel. Cuba *f.*

tonnelier (ne^lié) Tonelero.

tonnelle (nel) *f* Cenador *m.*

tonner (né) Tronar*.*

tonnerre (ner) Trueno.

tonsure (sür) Tonsura.

tonte (toⁿt) *f* Esquileo *m.*

topaze (pás) *f* Topacio *m.*

topinambour (bur) *m* Aguaturma *f* [plante].

topographie (fí) Topografía.

toquade (cad) Chifladura.

toquante (toⁿt) *f Pop.* Reloj *m.*

toque (toc) *f* Birrete *m.*

toqué (ké) Chiflado (chi).

torche (torch) Tea. Antorcha [flambeau].

torcher (ché) Limpiar.

torchis (chi) *m* Adobe.

torchon Trapo, rodilla *f.*

tordre (tordr) Torcer*. Se tordre de rire*, desternillarse de risa.

toréador Torero.

torpeur *f* Entorpecimiento *m.*

torpillage (laj) Torpedeo.

torpille (píe) *f* Torpedo *m.*

torpiller (pié) Torpedear.

torpilleur (lœr) Torpedero.

torréfier (fié) Tostar*.*

torrent (raⁿ) Torrente.

torride (ríd) Tórrido.

tors, orse (tor, tors) Torcido, da (zi).

torsade (sad) Franja. Canalón (lòn) [passementerie].

torse (tors) Torso.

torsion (sioⁿ) Torsión.

tort (tor) *m* Culpa *f* [faute].

Error [erreur]. Daño (gno), perjuicio (jouizio).

torticolis (coli) Torticolis.

tortionnaire Verdugo.

tortue (tü) Tortuga.

tortueux (tüœ) Tortuoso.

torture (tür) *f* Tormento *m*.

torturer (ré) Atormentar.

tôt (to) Pronto. Temprano [de bonne heure]. *Au plus tôt*, cuanto antes. *Tôt ou tard*, tarde o temprano.

total, ale Total.

totaliser (sé) Totalizar.

totalité Totalidad (da).

touchant (cha^n) Conmovedor. *Prep.* Tocante a [relatif à].

touche (tuch) *f* Toque (ké) *m*.

touche-à-tout Métomentodo.

toucher (ché) Tocar. Cobrar [argent]. Conmover* [émouvoir]. *M* Tacto [le toucher].

touffe (tuf) Mata [herbes]. Mechón *m* [cheveux].

touffu (fü) Espeso (sso).

toujours (jur) Siempre.

toupet (pé) Tupé.

toupie (tupí) *f* Peón (péon) *m*, trompo *m*.

tour (tur) Torre. *M* Vuelta *f* : *faire un tour*, dar* una vuelta. Contorno *m* [contour]. Giro *m* [tournure]. Vez *f* : *à son tour*, a su vez. Torno *m* [machine]. *Un bon tour*, un buen chasco.

tourbe (turb) Turba.

tourbière (bier) Turbera.

tourbillon (io^n) Torbellino.

tourbillonner Remolinar.

tourelle (rel) Torrecilla.

tourisme (rísm) Turismo.

touriste (ríst) Turista.

tourment (ma^n) Tormento.

tourmente (ma^n) Tormenta.

tourmenter (té) Atormentar.

tournant, ante Giratorio, ria. *M* Vuelta *f*.

tournebroche Asador.

tournedos (turnedo) Filete en tajadas.

tournée Vuelta. Visita de inspección. Rueda [buveurs].

tourner (né) Dar* vueltas : *tourner une manivelle*, dar vueltas a un manubrio. Girar (jirar) [mouvement de rotation] : *la porte tourne sur ses gonds*, la puerta gira sobre sus goznes. Volver* [changer de direction] : *tourner la tête*, volver la cabeza. Tornear [techn.]. Rodar [un film].

tournesol Girasol.

tourneur (nœr) Tornero.

tournevis Destornillador.

tourniquet (ke) Torniquete.

tournoi (turnuá) Torneo.

tournoyer (uaié) Remolinar.

tourteau (turto) Orujo.

tourterelle (rel) Tórtola.

tous (tus) Todos.

tousser (tusé) Toser (sser).

tout, oute (tu, ut) Todo, da. Enteramente. *Tout petit*, *tout près*, chiquitito, cerquita. *Tout aimable qu'il soit*, por amable que sea. *Tout au moins*, por lo menos. *Tout au plus*, todo lo más. *Tout autant*, otro tanto. *Tout de même*, después de todo. *Tout de bon*, de veras.

toutefois (tuá) Sin embargo.

toute-puissance (püisa^ns) Omnipotencia.

toutou (tutú) *Fam.* Perro.

tout-puissant Todopoderoso.

toux (tu) Tos (toss).

toxique (xíc) Tóxico, ca.

trac Miedo, canguelo [pop.].

tracas (cá) m Inquietud f.

tracasser (casé) Inquietar.

tracasserie (rí) f Enredo m.

tracassier (sié) Enredador.

trace (tras) Huella. Traza.

tracer (sé) Trazar (zar).

trachée (ché) Tráquea.

tract Folleto.

tracteur (tœr) Tractor.

traction (sioⁿ) Tracción.

tradition Tradición (ziòn).

traducteur (œr) Traductor.

traduction Traducción.

traduire* (üir) Traducir*. *Traduire en espagnol*, traducir al español.

trafic (fic) Tráfico.

trafiquant (aⁿ) Traficante.

trafiquer (ké) Traficar.

tragédie (jedí) Tragedia.

tragédien Trágico.

tragique (jic) Trágico.

trahir (aír) Vender. Traicionar (aïzio). Engañar. *Se trahir*, venderse. Descubrir [secret].

trahison (soⁿ) Traición (aï).

train (triⁿ) Tren. Paso (ss): *aller bon train*, andar con buen paso. *Être en train de lire*, estar leyendo.

trainant (naⁿ) Rastrero. *Fig.* Monótono (notono).

trainard (nar) Rezagado.

traine (trène) f Arrastre m.

traineau (no) Trineo.

trainée (né) f Reguero m.

trainer (trèné) Arrastrar.

train-train (tⁿ) Trotecillo.

traire* (trer) Ordeñar.

trait (trè) Tiro. Trago [à boire]. Rasgo [du visage].

Trazo [ligne]. *Trait d'union*, guión. *Avoir trait à*, tener relación (ziòn) con.

traitable (tabl) Tratable.

traite (tret) Letra de cambio [com.]. Trata [esclaves].

traité Tratado.

traitement Tratamiento. Sueldo [appointements].

traiter Tratar. Dar de comer.

traiteur (tœr) Fondista.

traitre, esse Traidor, ora.

traitrise (trís) Traición.

trajectoire Trayectoria.

trajet (jè) Trayecto (tray).

trame (tram) Trama.

tramer (mé) Tramar.

tramway (tramuè) Tranvía.

tranchant (chaⁿ) Corte. Rebanada (ré) [pain]. Canto m [épaisseur livre].

tranche (aⁿch) Tajada (ja).

tranchée (ché) Trinchera.

trancher (ché) Cortar. Zanjar [difficulté].

tranchet (ché) m Chaira f.

tranquille (kil) Tranquilo.

tranquilliser Tranquilizar.

tranquillité Tranquilidad.

transaction Transacción.

transalpin, ine Transalpino.

transatlantique Transatlántico.

transbordement Transbordo.

transbordeur (dé) Transbordar.

transbordeur Transbordador.

transcendant (saⁿdaⁿ) Transcendental.

transcrire Transcribir.

transe Ansia. Hipnosis.

transept (ept) Crucero.

transférer (ré) Transferir*.

transfert (fer) Traspaso.

transfiguration (gürasioⁿ) Transfiguración (raziòn).

transfigurer Transfigurar.
transformation Transformación.
transformer Transformar.
transfuge (füj) Tránsfuga.
transfusion Transfusión.
transgresser Transgredir.
transi (transí) Transido.
transiger (sijé) Transigir.
transir (sír) Helar (élar).
transit (sit) Tránsito (àn).
transition (sion) Transición.
transitoire (uar) Transitorio.
translation Translación.
translucide (sid) Translúcido.
transmettre Transmitir.
transmission Transmisión.
transparence Transparencia.
transparent Transparente.
transpercer (persé) Atravesar* (ssar), traspasar (assar).
transpiration Transpiración.
transpirer (ré) Transpirar.
transplanter Trasplantar.
transport (por) Transporte.
transporter (té) Transportar.
transvaser (vasé) Trasegar*.
transversal Trasversal.
trapèze (pés) Trapecio.
trappe Trampa. Trapa [ordre].
trappiste Trapense.
trapu (pü) Rechoncho (ch).
traquenard (nar) m Trampa f.
traquer (ké) Acosar (ossar).
traumatisme Traumatismo.
travail (vái) Trabajo (bajo).
Travaux forcés, presidio.
travailler Trabajar.
travailleur (œr) Trabajador.
travée (vé) f Tramo m.
travers (ver) Través [biais].
Ancho [largeur]. _Fig._ Defecto. _A travers de_, a través de. _A tort et à travers_, a

tontas y a locas. _De (en) travers_, de través. _Regarder de travers_, mirar de reojo.
traverse (vers) Traviesa.
traversée (sé) Travesía.
traverser (sé) Atravesar*.
traversin m Almohada f.
travesti (tí) Disfraz (az).
travestir Disfrazar.
travestissement Disfraz.
trébucher (ché) Tropezar.
tréfilerie (lérí) Fábrica de alambre.
tréfonds _Fig._ El fondo.
trèfle (trefl) Trébol.
treillage (iaj) Emparrado.
treille (trei) f Emparrado m.
treillis (eií) Emparrado.
treize (tres) Trece (trézé).
tréma (mà) Diéresis (ssis).
tremblant (blan) Tembloroso.
tremble (trambl) Álamo (ala).
tremblement Temblor.
trembler (blé) Temblar.
tremblotant Tembloroso.
trembloter (té) Temblequear.
trémie (tremí) Tolva.
trémousser (sé) Zarandear.
tremper (pé) Mojar. Remojar. Templar [acier]. Empararse [s'imbiber].
tremplin (plin) Trampolín.
trentaine (tèn) Treintena.
trente (trant) Treinta (éi).
trépaner (né) Trepanar.
trépas (pé) m Muerte f.
trépasser (sé) Morir*.
trépidation Trepidación.
trépied (pié) Trípode.
trépigner (piñé) Patalear.
très (trè) Muy (moui).
trésor (sor) Tesoro (ssoro).
trésorerie (orérí) Tesorería.
trésorier (sorié) Tesorero.
tressage (saj) Trenzado.

tressaillement (*a*ⁿ) Estremecimiento.

tressaillir* Estremecerse*.

tressauter (té) Sobresaltarse.

tresse (tres) Trenza (za).

tresser (sé) Trenzar (zar).

tréteau (to) Caballete. Tablado : *monter sur les tré-
teaux*, subir al tablado.

treuil (trœi) Torno.

trêve (trev) Tregua (goua).

tri Apartado.

triage (aj) Apartado, selección f.

triangle Triángulo.

triangulaire Triangular.

tribord (bor) Estribor.

tribu (bü) Tribu.

tribulation Tribulación.

tribun (biⁿ) Tribuno.

tribunal (bünal) Tribunal.

tribune (bün⁰) Tribuna.

tribut (bü) Tributo.

tributaire (ter) Tributario.

tricher (ché) Hacer* trampa.

tricherie (cheri) Trampa.

tricheur (chœr) Tramposo.

tricolore (lor) Tricolor.

tricorne (corn) Tricornio.

tricot (có) Punto (pounto).
Abrigo de punto.

tricoter (té) Hacer* punto.

tricycle (sicl) Triciclo.

trident (daⁿ) Tridente.

trier (trié) Apartar.

trieur, *euse* Escogedor, ora.

trigonométrie (trí) Trigono-
metría.

trille (trié) Trino.

trillon (triⁱⁿ) Trillón.

trimbaler (le) Arrastrar.

trimer (mé) Pop. Trabajar.

trimestre (estr) Trimestre.

trimestriel (triel) Trimestral.

tringle (iⁿgl) Varilla.

trinité Trinidad (da).

trinquer (ké) Trincar.

trio (trio) Trío.

triomphal (oⁿfal) Triunfal.

triomphateur (œr) Triunfador.

triomphe (trioⁿf) Triunfo.

triompher (fé) Triunfar.

tripe (ip) Tripa [intestin].
Callos *mpl* [comestibles].

triperie (perí) Tripería.

tripier (pié) Tripicallero.

triple (ipl) Triple.

tripler (plé) Triplicar.

tripot (po) Garito.

tripotage (taj) Enredo (ré).

trique (ic) f Garrote m.

triste (ist) Triste.

tristesse (tés) Tristeza.

triturer (ré) Triturar.

trivial Trivial.

trivialité Trivialidad.

troc Trueque (ouéké).

trogne (troñ) Cara.

trognon (ñoⁿ) Troncho.

trois (truá) Tres (trèss).

troisième (siem) Tercero.

trois-mâts (truamá) Barco de
tres palos.

trolley (trolè) Trole.

trombe (troⁿb)   Tromba,
manga.

trombone (bóne) Trombón.

trompe (troⁿp) Trompa.

trompe-l'œil m Engañifa f.

tromper (pé) Engañar. Vr.
Equivocarse.

tromperie (perí) Engaño.

trompette (pet) Trompeta.

trompeur (œr) Engañoso (ss),
engañador.

tronc (troⁿ) Tronco. Cepo
(zé) [église]. *Tronc de cône*,
cono truncado.

tronçon (soⁿ) Trozo (zo).

tronçonner Cortar, dividir.

trône (trone) Trono.

trôner (né) Tronar.

tronquer (ké) Truncar.

trop (tro) Demasiado. *Trop de livres*, demasiados libros. *De trop, en trop*, de más

trophée (fé) Trofeo.

tropical Tropical.

tropique (píc) Trópico.

trop-plein (pliⁿ) Exceso.

troquer (ké) Trocar.

trot (tro) Trote.

trotter (té) Trotar.

trottin m Modistilla f.

trottiner (né) Trotar corto [cheval]. *Fam.* Corretear.

trottoir (tuar) m Acera f.

trou (tru) Agujero (jéro). *Bache* [d'air].

troubadour (dur) Trovador.

troublant (blaⁿ) Turbador.

trouble (ubl) m Turbación f. Desorden. *Adj.* Turbio, ia.

trouble-fête (fét) Aguafiestas.

troubler (blé) Turbar Enturbiar [liquides].

trouée (trué) Abertura. Brecha.

trouer (trué) Agujerear

troupe (trup) Tropa.

troupeau (po) Rebaño (gno).

troupier (pié) Soldado.

trousse (trus) f Estuche m [chirurgie]. Maleta.

trousseau (so) Manojo (jo) [clefs]. Ajuar [mariée, pensionnaire].

trousser (sé) Arremangar. Recoger [vêtement].

trouvaille (ái) f Hallazgo m.

trouver (vé) Encontrar*. hallar. *Bien trouvé*, oportuno, feliz. *Il se trouve que*, ocurre que.

truand (üaⁿ) Truhán.

truc Truco [jeu, moyen]. *Fam.* Chisme [objet].

trucage m Falsificación f.

truchement (chmaⁿ) Trujamán.

truculent (laⁿ) Truculento.

truelle (üel) Llana (lhana).

truffe (üf) Trufa.

truie (trüi) Cerda (zerda).

truite (trüit) Trucha (cha).

trumeau (mo) m Entreventana f.

truquer (ké) Falsificar.

trust (trœst) Trust (oust).

tsar (tsar) Zar (zar).

tu, toi, te (tü, tuá, tœ). Tú, te, ti. *C'est toi*, eres tú. *Regarde-toi*, mírate. *A toi*, tuyo. *Pour toi*, para ti.

tuant (tüaⁿ) Penoso (osso).

tub (tœb) Tub, baño (gno).

tube (tüb) Tubo.

tubercule (cül) Tubérculo.

tuberculeux (lœ) Tuberculoso.

tuberculose (ós) Tuberculosis.

tubéreuse (œs) f Nardo m.

tubulure (lür) Tubuladura.

tudesque (desc) Tudesco, ca.

tuer (tué) Matar.

tuerie (türi) Matanza (za).

tueur (œr) Matador.

tue-tête (à) A voz en cuello.

tuile (tüil) Teja.

tulipe (líp) f Tulipán m.

tulle (tül) Tul.

tuméfaction Tumefacción f.

tuméfier (fé) Tumefacer*.

tumeur (mœr) f Tumor m.

tumulte (mült) Tumulto.

tumultueux (tüœ) Tumultuoso.

tumulus (mülüs) Túmulo.

tunique (nic) Túnica (nou).

tunisien (síiⁿ) Tunecino (zi).

tunnel (tünel) Túnel (tou).
turban (ban) Turbante.
turbine (türbíne) Turbina.
turbiner (né) *Pop.* Trabajar.
turbot (bo) Rodaballo (lho).
turbulence (ans) Turbulencia.
turbulent (lan) Turbulento.
turc, que (türc) Turco, ca.
turf (türf) Turf (tourf).
turpitude (tüd) Torpeza.
turquoise (cuás) Turquesa.
tutélaire (teler) Tutelar.
tutelle (tel) Tutela.
tuteur, trice Tutor, ra.
tutoiement (tuaman) Tuteo.
tutoyer (tuaié) Tutear.
tuyau (tüio) **T**ubo. Cañón [cheminée]. Manga *f* [d'arrosage]. *Fam.* Informe.

tuyauter (tüioté) Rizar, encañonar. *Fig.* Informar.
tuyauterie (ioterí) Tubería.
tympan (tinpan) Tímpano.
type (tip) Tipo.
typhoïde (foíd) Tifoideo.
typhon (tifón) Tifón (fón).
typhus (tifüs) Tifus (fouss).
typique (tipíc) Típico, ca.
typographe (graf) Tipógrafo.
typographie (fí) Tipografía.
typographique Tipográfico.
tyran (tiran) Tirano.
tyrannie (ní) Tiranía (ía).
tyrannique (níc) Tiránico, ca.
tyranniser (sé) Tiranizar.
tyrolien, enne Tirolés, sa.
tzigane (tsigáne) Gitano, na.

U

uhlan (ülan) Ulano.
ulcère (ser) Úlcera *f.*
ulcérer (seré) Ulcerar (zér).
ultérieur (œr) Ulterior.
ultimatum (tom) Ultimátum.
ultime *Ú*ltimo, ma.
un, une (un, üne) *U*no, una. [Uno perd *l'o* devant un mot masc. singulier: un día, *un* jour.] *L'un et l'autre*, uno y otro. *L'un l'autre*, uno a otro. *L'un par un*, uno por uno. *Pas un*, ni uno.
unanime (ünaním) *U*nánime.
unanimité *U*nanimidad.
uni, ie (üni) Unido, da. Liso, sa (líss) [surface, tissu] ; igual (igoual).
unification (sion) Unificación.
unifier (fié) Unificar.

uniforme (form) *U*niforme (mé).
uniformément (an) *U*niformemente.
uniformité *U*niformidad.
unilatéral (ral) *U*nilateral.
union (nion) *U*nión (ounión).
unique (ünic) *Ú*nico, ca (ou).
uniquement (icman) *Ú*nicamente.
unir (ünir) *U*nir.
unisson (son) *U*nísono.
unitaire (ter) *U*nitario.
unité *U*nidad.
univers (ver) *U*niverso (sso).
universel *U*niversal.
université *U*niversidad.
uranium (niom) *U*ranio (ra).
urbain (ürbin) *U*rbano.
urbanité *U*rbanidad.
urée (üré) *U*rea.

urémie (remí) Uremia.
urgence (jaⁿs) Urgencia (jèn).
urgent (jaⁿ) Urgente (jènté).
urine (rín) Orina.
uriner (né) Orinar.
urinoir (nuar) Urinario.
urne (ürn) Urna (owrna).
urticaire (ker) Urticaria.
us (üs) Usos (oussous).
usage (saj) Uso (ousso).
usagé (jé) Usado.
usager (jé) Usuario (oussoua).
usé (üsé) Usos. *Vêtements usés*, ropa gastada.
user (üsé) Usar (ss). Gastar.
usine (síné) Fábrica.
usiner (siné) Fabricar.
usité (üsité) Usado.

ustensile (síl) Utensilio.
usuel (süel) Usual (oussoual).
usufruit (früi) Usufructo.
usure (üsür) Usura (oussou).
usurier (rié) Usurero.
usurpateur (œr) Usurpador.
usurpation (sioⁿ) Usurpación.
usurper (üsürpé) Usurpar.
utérus (rüs) Útero (outero).
utile (útil) Útil (outil).
utilisation (sioⁿ) Utilización.
utiliser (lisé) Utilizar.
utilitaire (liter) Utilitario.
utilité Utilidad (da).
utopie (pí) Utopia.
utopique (pic) Utópico, a.
utopiste (píst) Utopista.

V

va V. ALLER.
vacances (caⁿs) Vacaciones : *en vacances*, de vacaciones.
vacant (caⁿ) Vacante.
vacations (sioⁿ) Vacaciones.
vacarme (carm) Jaleo (jaléo).
vaccin (csíⁿ) *m* Vacuna f.
vaccination (sioⁿ) Vacunación (zión).
vacciner (csíné) Vacunar.
vache (vach) Vaca.
vacher (ché) Vaquero (kéro).
vacillant (síaⁿ) Vacilante.
vaciller (sué) Vacilar (zi).
vadrouille (drui) Pop. *En vadrouille*, de pícos pardos.
vadrouiller (uié) Callejear
va-et-vient (vaeviⁿ) Vaivén.
vagabond (boⁿ) Vagabundo.
vagabondage (daj) Vagancia.
vagabonder Vagabundear.
vagir (jír) Dar* vagidos (ji).

vague (vag) Vago. F. Ola.
vaguemestre Vaguemaestre.
vaillamment Valientemente.
vaillance f Valor m.
vaillant, ante Valiente.
vain, aine (viⁿ, éné) Vano, a.
vaincre* (viⁿcr) Vencer (zer).
vaincu (viⁿcü) Vencido.
vainqueur (kœr) Vencedor.
vais V. ALLER.
vaisseau (so) m Buque, barco, navío [mar.]. Nave f [édifice]. Vaso [anatomie]. Vasija f [vase].
vaisselle (sel) Vajilla (lh). *Faire la vaisselle*, fregar* los platos.
val Valle (valhé).
valable (labl) Valedero (éro).
valériane Valeriana.
valet (lè) Criado. Sota f [jeu].
valétudinaire Valetudinario.

valeur (lœr) f Valor m. *Mettre en valeur,* dar* valor. Beneficiar [une terre].

valeureux (rœ) Valeroso.

validation (sion) Validación.

valide (líd) Válido (vali).

valider (dé) Validar.

validité Validez (dèz).

valise (lís) Valija, maleta.

vallée (lé) Valle (lhé).

vallon (on) Valle (lhé).

valoir* (luar) Valer*. *Rien qui vaille,* nada bueno. *Vaille que vaille,* mal que bien. *Autant vaut,* lo mismo da.

valoriser (sé) Valorizar.

valse (vals) f Vals m.

valser (sé) Valsar.

value (lü) Valía.

valve (valv) Válvula (valvou).

valvule (vül) Válvula.

vampire (vanpír) Vampiro.

van (van) Harnero (arnéro).

vandale (dal) Vándalo (vàn).

vandalisme (lísm) Vandalismo.

vanille (níle) Vainilla.

vanité Vanidad (da).

vaniteux, euse (œ, œs) Vanidoso, sa.

vanne (vane) Compuerta.

vanneau (no) m Avefría f.

vanner (né) Aechar.

vannier (nié) Cestero (téro).

vantard (tar) Jactancioso.

vantardise (dís) Jactancia.

vanter (té) Alabar, celebrar.

va-nu-pieds (pié) Descamisado.

vapeur (pœr) f Vapor m.

vaporeux (rœ) Vaporoso (sso).

vaporisateur (œr) Vaporizador.

vaporiser (sé) Vaporizar.

vaquer (ké) Vacar.

varech (rec) Varec (rec).

vareuse (rœs) Blusa (oussa).

variable (riabl) Variable.

variante (riant) Variante.

variation (sion) Variación.

varice (rís) Várice (varizé).

varicelle (sel) Varicela (zé).

varier (rié) Variar.

variété Variedad (da).

variole (riol) Viruela.

variqueux (kœ) Varicoso.

varlope (lop) Garlopa.

vas V. ALLER.

vase (vas) f Cieno (ziéno) m. M Vaso (vasso) [récipient].

vaseline (vaselín) Vaselina.

vaseux (sœ) Cenagoso (zé).

vasistas (sistás) Cuarterón.

vasque (vask) f Taza. Pilón m.

vassal (sal) Vasallo (salho).

vaste (vast) Vasto, ta.

va-tout (vatú) Resto. *Jouer son va-tout,* echar el resto.

vaudeville (víl) Zarzuela.

vau-l'eau (à) En derrota.

vaurien (vorién) Pillo (lho).

vautour (votur) Buitre.

vautrer (se) Revolcarse*.

vaux V. VALOIR.

veau (vo) Ternero. Ternera f [viande]. Becerro m [peau].

vécu (vecü) V. VIVRE.

vedette (vœdet) Centinela. Falúa [marine]. Estrella [cinéma].

végétal Vegetal (jétal).

végétarien (riin) Vegetariano.

végétatif Vegetativo.

végétation (sion) Vegetación.

végéter (jeté) Vegetar (jé).

véhémence (mans) Vehemencia.

véhément (man) Vehemente.

véhicule (cül) Vehículo.

véhiculer (lé) Transportar.

veille (véi) Vigilia [action].
Víspera [jour précédent].

veillée (véié) Velada.

veiller (veié) Velar. Cuidar.

veilleur Velador. Vigilante.
Veilleur de nuit, sereno.

veilleuse Mariposa, lamparilla.

veinard *Fam.* Afortunado.

veine (vène) Vena. Veta
[d'une mine]. *Fam.* Suerte.

veineux (nœ) Venoso (noso).

vélin (li⁼) *m* Vitela *f*.

velléité (leité) Veleidad.

vélo *m* Bici *f*.

vélocipède (ped) Velocípedo.

vélocité Velocidad (da).

vélodrome (drom) Velódromo.

vélomoteur Velomotor.

velours (vœlur) Terciopelo.
Pana *f* [à côte].

velouter (té) Aterciopelar.

velu (vœlü) Velludo.

vénal, **ale** Venal.

vénalité Venalidad.

venant, **ante** Viniente. *À
tout venant*, a todos.

vendange (da⁼j) Vendimia.

vendangeur Vendimiador.

vendeur (dœr) Vendedor.

vendre (vandr) Vender.

vendredi (va⁼drédí) Viernes.

vénéneux (nœ) Venenoso (ss).

vénérable (rabl) Venerable.

vénération (sio⁼) Veneración.

vénérer (neré) Venerar.

vénerie (rí) Montería, caza.

veneur (nœr) Montero.

vengeance (ja⁼s) Venganza.

venger (jé) Vengar.

vengeur, **eresse** Vengador, ra.

véniel (niél) Venial.

venimeux, **euse** (vœnimœ,
œs). Venenoso, a.

venin (ni⁼) Veneno.

venir* Venir*. *Venir à* [avec
inf.], llegar a. *Venir de*
[avec inf.], acabar de. *Il
vient de sortir*, acaba de
salir. *A venir*, venidero.

vénitien (siɛ⁼) Veneciano.

vent (va⁼) Viento.

vente (va⁼t) Venta.

venter (té) Ventear.

venteux (tœ) Ventoso.

ventilateur (œr) Ventilador.

ventilation Ventilación.

ventiler (lé) Ventilar.

ventouse (tús) Ventosa (ossa).

ventre (va⁼tr) Vientre. *A plat
ventre*, de bruces; boca
abajo.

ventriloque (loc) Ventrílocuo.

ventru, **ue** (trü) Barrigudo, a.

venu (vœnü) Venido. *Bien
venu*, bien venido. *Nouveau
venu*, recién llegado. *Le premier venu*, cualquiera.

vêpres (vepr) Vísperas.

ver Gusano (goussa).

véracité Veracidad (da).

verbal, **ale** Verbal.

verbaliser (sé) Informar.

verbe (verb) Verbo. *Avoir le
verbe haut*, tener* voz alta.

verbeux (bœ) Verboso (osso).

verbiage (biaj) *m* Charla *f*,
palabrería (**ría**) *f*.

verbosité Verbosidad.

verdâtre (da⁼tr) Verdoso.

verdeur (dœr) Verdor.

verdict Veredicto.

verdir Verdear.

verdoyant, **ante** Que verdea.

verdure (dür) Verdura.

véreux, **euse** Agusanado, da.
Fig. Dudoso, sa. *Affaire vé-
reuse*, negocio sucio.

verge (verj) Vara.

verger (jé) Vergel (jèl).

verglas (glá) *m* Helada, *f.*

vergogne (goñ) Vergüenza.

vergue (verg) Verga.

véridique (díc) Verídico.

vérification Comprobación.

vérifier (fié) Comprobar*.

véritable (tabl) Verdadero.

vérité Verdad (verdá).

verjus (jü) Agraz.

vermeil (méi) Bermejo (méjo).

vermicelle (sel) *m* Fideos (déoss) *mpl.*

vermifuge (füj) Vermífugo.

vermillon (miíon) Bermellón.

vermine (míne) Miseria. *Fig.* Canalla, gentuza.

vermoulure (úr) Apolilladura.

vermouth (mut) Vermut.

vernir Barnizar.

vernis (ní) Barniz (níz).

vernissage (saj) Barnizado.

vernisser (nisé) Vidriar.

vérole (petite) (rol) Viruela.

verre (ver) Vidrio [matière]. Vaso [pour boire]. Copa *f* [à pied].

verrerie (ver-rí) Vidriería.

verrier (rié) Vidriero.

verrière (rier) Vidriera.

verrou (verú) Cerrojo (zé-rrojo).

verrouiller (ruié) Cerrar*, echar el cerrojo (zérrojo).

verrue (verú) Verruga (rrou).

vers (ver) Verso. *Prep.* Hacia.

versant (saⁿ) Vertiente (té).

versatile (tíl) Versátil (tíl).

verse (à) A cántaros.

versement (maⁿ) *m* Entrega *f*, depósito (dépósi).

verser (sé) Verter [liquide]. Derramar [sang, larmes]. Entregar [argent].

versification Versificación.

versifier (fié) Versificar.

version (sioⁿ) Versión.

verso (so) *m* Vuelta (oué) *f.*

vert, e (ver, vert) Verde.

vert-de-gris (grí) Cardenillo.

vertèbre (tebr) Vértebra.

vertébré (bré) Vertebrado.

vertement (toemaⁿ) Ásperamente.

vertical Vertical.

vertige (tíj) Vértigo (vèr).

vertigineux (nœ) Vertiginoso.

vertu (tü) Virtud (tou).

vertueux (tüœ) Virtuoso.

verve (verv) Inspiración.

verveine (véne) Verbena.

vésicatoire Vejigatorio.

vésicule (ül) Vejiguilla.

vespasienne Urinario *m.*

vessie (vesí) Vejiga (jíga).

vestale (tal) Vestal.

veste (vest) Chaqueta (cha).

vestiaire (tier) Vestuario.

vestibule (bül) Vestíbulo.

vestige (tij) Vestigio.

veston (toⁿ) *m* Americana *f.*

vêtement (tèmaⁿ) *m* Vestido. *Pl.* Ropa *f. sing.*

vétéran (raⁿ) Veterano.

vétérinaire (er) Veterinario.

vétille (tíé) Fruslería.

vêtir* (vètír) Vestir*.

véto (veto) Veto.

vétusté (tüsté) Vetustez.

veuf, euve (œf, œv) Viudo, da (víou).

veuil... V. VOULOIR.

veule (vœl) Débil, flojo.

veulerie (œlrí) Debilidad.

veuvage (vaj) *m* Viudez *f.*

vexant (xaⁿ) Molesto.

vexation (sioⁿ) Vejación.

vexatoire (tuar) Vejatorio.

vexer (xé) Vejar, molestar.

viable (viabl) Viable (blé).

viaduc (düc) Viaducto.

viager (jé) Vitalicio (zio).

viande (vⁱaⁿd) Carne.

viatique (tic) Viático.

vibrant (braⁿ) Vibrante.

vibration (sⁱoⁿ) Vibración.

vibratoire (uar) Vibratorio.

vibrer (bré) Vibrar.

vicaire (ker) Vicario.

vice (vis) Vicio (zio).

vice (vis) Vice: *vice-amiral*, vicealmirante.

vice-roi (viseⁱuá) Virrey.

vicier (sié) Viciar (ziar).

vicieux (sⁱœ) Vicioso (zio).

vicinal Vecinal (zi).

vicissitude (tüd) Vicisitud.

vicomte, **esse** Vizconde, esa.

victime (tim) Víctima (vic).

victoire (tuar) Victoria.

victorieux (rⁱœ) Victorioso.

victuaille (tüöi) Vitualla.

vidanger (jé) Vaciar (ziar).

vide (vid) Vacío, a. Desocupado, a [local]. *A vide*, de vacío. *Faire* un vide*, dejar un vacío.

vider (dé) Desocupar [maison]. Vaciar. Terminar [dispute].

vie (vi) Vida. *A vie*, vitalicio, a [président, pension]. De por vida. *Faire* la vie*, divertirse.

vieil, **vieux**, **vieille** (vie̊i, vⁱœ, vie̊i) Viejo, ja. [OB-SERV. *Vieil* se usa delante de las palabras que empiezan por vocal o *h* muda].

vieillard (vie̊iar) Anciano.

vieillerie (rí) Antigualla.

vieillesse (vie̊iès) Vejez.

vielle (vie̊l) Gaita (gaïta).

vien... V. VENIR.

viennois (vie̊nuá) Vienés.

vierge (vie̊rj) Virgen.

vieux V. VIEIL.

vif, **vive** (vif, iv) Vivo, va. *Sur le vif*, del natural.

vigie (jí) Vigía (jía).

vigilance (laⁿs) Vigilancia.

vigilant (laⁿ) Vigilante.

vigne (viñ) Viña (gna). *Vigne vierge*, uvayema.

vigneron (viñe̊roⁿ) Viñador.

vignette (ñet) Viñeta.

vignoble (ñobl) Viñedo.

vigoureux (rœ) Vigoroso.

vil, **vile** (vil) Vil.

vilain (lⁿ) Feo [laid]. Malo.

vilebrequin (œkⁱⁿ) Berbiquí.

vilenie (vile̊ni) Villanía.

villa (vil'la) Quinta (kⁱn).

village (laj) Pueblo.

villageois (juá) Aldeano.

ville (vil) Ciudad (ziouda).

villégiature (vilejiatür) *f* Veraneo *m*; vacaciones *fpl*.

vin (vⁱⁿ) Vino. *Vin de table*, vino de mesa. *Vin rouge*, vino tinto. *Pris de vin*, borracho.

vinaigre (nègr) Vinagre (gré).

vinaigrette (gret) Vinagreta.

vindicatif Vindicativo.

vindicte (dict) Vindicta.

vingt (vⁱⁿ) Veinte (vé̊inté).

vingtaine (tèⁿc) Veintena.

vinicole (col) Vinícola (ní).

vinification Vinificación.

viol *m* Violación (zⁱoⁿ) *f.*

violation (sⁱoⁿ) Violación.

viole (vⁱol) Viola.

violence (laⁿs) Violencia.

violent (laⁿ) Violento.

violer (lé) Violar.

violet (lè) Violado, morado.

violette (let) Violeta.

violon (loⁿ) Violín (lⁱn).

violoncelle (sel) Violoncelo.

violoniste (níst) Violinista.

vipère (per) Víbora (víbo).

virage (raj) m Curva f : *virage dangereux*, curva peligrosa. Viraje.

virago Marimacho, virote.

virement (virmaⁿ) Viraje. Traspaso. Giro [banque].

virer Girar. Virar [mar.].

virevolte (volt) f Torno m.

virginal Virginal (ji).

virginité Virginidad.

virgule (gül) Coma.

viril (ríl) Viril, varonil.

virilité Virilidad (da).

virole (rol) f Casquillo m.

virtuel (tüel) Virtual.

virtuose (ós) Músico notable.

virulence (laⁿs) Virulencia.

virulent (laⁿ) Virulento.

virus (rüs) Vírus (rouss).

vis (vis) f Tornillo (lho) m.

visa (sà) Vísto bueno (boué).

visage (saj) Rostro (ros).

vis-à-vis (visaví) Enfrente.

viscère (ssèr) m Víscera f.

viscosité Viscosidad.

visée (sé) Mira [intention].

viser (visé) Apuntar. Tender* [tendre]. Visar [documents]. Enfocar [photo].

viseur (sœr) Enfocador.

visibilité Visibilidad.

visible (sibl) Visible (blé).

visière (sièr) Visera (ssé).

vision (sioⁿ) Visión (ssión).

visitation (sioⁿ) Visitación f.

visite (sit) Visita (ssita).

visiter (sité) Visitar.

visiteur (tœr) Visitador.

vison (soⁿ) Visón (vissòn).

visqueux (kœ) Viscoso (osso).

visser (sé) Atornillar (lhar).

visuel, elle Visual.

vital, ale Vital.

vitalité Vitalidad (da).

vitamine Vitamina.

vite (vit) Rápido. *Adv.* Pronto.

vitesse (tès) Velocidad (zida).

viticole (col) Vitícola (ti).

viticulteur Viticultor.

vitrage (traj) m Vidriera f.

vitrail (trái) m Vidriera f.

vitre (vitr) f Vidrio m.

vitré, ée Vítreo, ea. *Porte vitrée*, puerta vidriera.

vitreux (trœ) Vidrioso (sso).

vitrier (trié) Vidriero (éro).

vitrifier (fié) Vitrificar.

vitrine (ine) f Escaparate m.

vitriol Vitriolo.

vivace (vàs) Vivaz (vaz).

vivacité Vivacidad (da).

vivant, ante Vivo, va.

vivat (vivá) ¡Viva!

vivier (vivié) Vivero (véro).

vivifiant (fiaⁿ) Vivificante.

vivifier (fié) Vivificar.

vivre* (vivr) Vivir. *Qui vive?* ¿Quién vive? *Savoir-vivre*, saber vivir. *M* Alimento : *le vivre et le couvert*, casa y comida. *Pl.* Víveres (vivèrès).

vizir (sir) Visir (vissír).

vocable (cabl) Vocablo.

vocabulaire (ler) Vocabulario.

vocal, ale (cal) Vocal.

vocalise (lís) Vocalización f.

vocation (sioⁿ) Vocación f.

vocifération Vociferación.

vociférer (ré) Vociferar (zi).

vœu Voto m Felicitación f [Noël, nouvel an].

vogue (vog) Boga.

voici (vüasí) He aquí. *Me voici*, heme aquí.

voie (vá) f Vía. Camino m. *Voies de fait*, vías de hecho.

voilà (vualá) He ahí. *Vous voilà*, heos ahí. (éos aï).

voile (vua) Velo. *F.* Vela.

voiler (lé) Velar.

voilette (let) *f* Velillo m.

voilier (lié) Velero (léro).

voilure (vualür) *f* Velamen m.

voir* (vuar) Ver* (vèr). *Ni vu ni connu*, ni visto ni oído.

voire (vuar) Hasta [même].

voirie (vuari) Vialidad (da). *Muladar m* [ordures].

voisin (síⁿ) Vecino (zino).

voisinage (naj) *m* Vecindad f.

voiture (tür) *f* Coche m.

voiturer (re) Acarrear.

voix (vuá) *f* Voz : *à haute voix*, en voz alta. *Voto m.*

vol (vol) Vuelo [oiseaux, etc.]. Robo (ro) [voleurs].

volage (laj) Voluble.

volaille (lái) Ave de corral. *Ave* [poulet, etc.] : *une volaille rôtie*, un ave asada.

volant (laⁿ) Volante (ànté).

volatil, ile (til) Volátil.

volatiliser (sé) Volatilizar.

vol-au-vent (aⁿ) Pastel hojaldrado.

volcan (caⁿ) Volcán.

volcanique Volcánico.

volée (lé) Paliza [coups].

voler (lé) Volar* [oiseau, avion]. Robar [voleur].

voleter (té) Revolotear.

voleur (lœr) Ladrón (òn). *Au voleur!* ¡Ladrones!

volière (lier) Pajarera, jaula.

volontaire (tèr) Voluntario.

volonté Voluntad (ta).

volontiers De buena gana.

volt (volt) Voltio.

voltage (taj) Voltaje.

volte-face (fas) Media vuelta.

voltige (tij) *f* Volteo (éo) *m* [équilibre].

voltiger (jé) Revolotear.

voltigeur (tijœr) Soldado de caballería ligera.

volubilis *m* Correhuela f.

volubilité Volubilidad.

volume Volumen (loumèn).

volumineux Voluminoso.

volupté (üpté) Voluptuosidad.

voluptueux (tüœ) Voluptuoso.

volute (lüt) Voluta.

vomir Vomitar.

vomissement (maⁿ) *f* Vómito.

vomitif Vomitivo.

vorace (rás) Voraz (raz).

voracité (sité) Voracidad.

vos (vo) Vuestros, vuestras.

vote (vot) Voto.

voter (té) Votar.

votif, ive (tif) Votivo, va.

votre (votr) Vuestro, vuestra.

vôtre (votr) Vuestro, vuestra. *Le vôtre*, el vuestro, la vuestra.

voudr... V. VOULOIR.

vouer (vué) Consagrar (còn). *Encomendar* [à un saint].

vouloir* (vulwar) Querer* (ké). *Veuillez* (ie), sírvase usted. *Vouloir du bien à*, querer* bien a. *M.* Voluntad f.

voulu (lü) Querido (ké). Ordenado, deseado (désséado).

vous (vu) Vosotros, tras [sujet]. Usted, ustedes [sujet, forme polie]. Os [complément] : *je vous parle*, os hablo. Le [complément, avec usted] : *je vous parle, Monsieur*, yo le hablo, señor. [OBSER. Usted, ustedes s'écrivent en forme abrégée Ud., Uds., V., VV.]

voûte (vut) Bóveda (véda).

voûté Abovedado. Encorvado.

voy... V. VOIR.

voyage (vuaia*j*) Viaje (jé).

voyager (iajé) Viajar (jar).

voyageur (jo*z*r) Viajero (éro).
Viajante [de commerce].

voyant (ia*n*) Vidente, profeta.

voyelle (vuaiel) Vocal.

voyou (vuaiú) Granuja, gamberro. Golfo [à Madrid].

vrac (en) A granel.

vrai (vrè) Verdadero.

vraiment (ma*n*) Verdaderamente.

vraisemblable (abl) Verosímil.

vraisemblance Verosimilitud.

vrille (vríle) Barrena (rré).

vu, vue (vü) Visto, ta. Prep. En vista de: *vue cette difficulté*, en vista de esa dificultad. Vu que, en vista de que. F Vista. Mira. Objeto m [but]. *En vue de*, con objeto de. *En vue*, a la vista.

vulcaniser (sé) Vulcanizar.

vulgaire (guer) Vulgar.

vulgarisation Vulgarización.

vulgarité Vulgaridad (da).

vulnérable (rabl) Vulnerable.

W X Y

wagon (vago*n*) Vagón (gón).
Coche (ché) : *wagon de première*, coche de primera.

wagon-lit (go*n*lí) Coche cama.

wagonnet (nè) m Vagoneta f.

wallon (lo*n*) Valón.

warrant Warrant (varr.)

warranter té) Depositar mercancías en un almacén de depósito.

water-closet (uater-closet) Excusado (oussa), retrete.

watt (uat) Vatio.

wattman (ma*n*) Watman.

xénophobe (fob). Xenófobo.

xérophagie (jí) Xerofagia.

xylographie (jí) Xilografía.

y (i) Ahí, allí: *allez-y*, vaya usted allí. De él, a él, etc.: *je m'y fie*, me fío de él. *Vas-y, allons-y, allez-y*, anda, vamos, vaya, vayan.

yacht (iac) Yate (yaté).

yankee (ia*n*kí) Yanqui (yàn-ki).

yard (iard) m Yarda (yar) f.

yeux (iœ) Ojos (ojoss).

yoghourt Yogurt.

yole (iol) Yola.

yougoslave (iugoslav) Yugoeslavo.

youyou (iuiú) m Canoa f.

ypérite (iperit) Yperita.

Z

zagaie (saguè) Azagaya (aza).

zèbre (sebr) m Cebra (zé) f.

zébrer (bré) Cebrar (zébrar).

zébrure (brür) Raya.

zèle (sel) Celo (zélo)

zélé (lé) Celoso (zélosso).

zénith (senit) Cenit (zénit).

zéphir (sefír) Céfiro (zéfi).

zéro (sero) Cero (zéro).

zeste (sest) m Binza f [noix]. Cáscara (ra) f [orange].

zézaiement (sesemaⁿ) Ceceo.

zézayer (séie) Cecear (zézéar).

zibeline (sibeline) Cebellína.

zigouiller Pop. Matar.

zigzag (sigsag) Zigzag.

zigzaguer Ir* haciendo eses.

zinc (ziⁿc) Cinc (zinc).

zingueur (gœr) Cinquero.

zizanie (sisaní) Cizaña (ziz).

zodiaque (sodiac) Zodíaco.

zone (sonè) Zona (zona).

zone (sonè) Zona (zo)

zoologie (jí) Zoología.

zoologiste (jist) Zoólogo.

zouave (suav) Zuavo (zouavo).

zoulou (sulú) Zulú (zoulou).

zut! (süt) ¡Basta!

zygomatique (ic) Cigomático.

VERBOS IRREGULARES FRANCESES

Se forman generalmente con el gerundio las tres pers. del pl. del presente de indicativo, todo el imperfecto, todo el presente de subjuntivo. Por ej. : *peindre, peignant*; nous *peignons*, vous *peignez*, etc. ; je *peignais*, etc. ; que je *peigne*, etc. Se indican a continuación estas formas cuando difieren del infinitivo.

El imperativo se conjuga en general como el presente de indicativo : *courir, je cours;* imper. *cours.*

El potencial se forma como en la conjugación regular, con el futuro de indicativo ; el pretérito de subjuntivo como el de indicativo : *devoir, je devrai*; pot. je *devrais*; pret. je *dus*; pret. de subj. je *dusse.*

Indicamos las formas verbales en el orden siguiente : 1º Tiempos principales : infinitivo, gerundio, part. pasado, indicativo presente, pretérito; 2º Las otras formas, con indicaciones más precisas, cuando son irregulares.

Los verbos en **cer** toman ç delante de a y o. Ej. : *percer*, je *perçai*, nous *perçons.* Los verbos en **ger** agregan e a la g delante de a y o. Ej. : *changer*, je *changeai*, nous *changeons.* Los verbos en **eler, eter** duplican la l o la t delante de una e muda. Ej. : *appeler*, j'*appelle; jeter*, je *jette* (*acheter, celer, modeler*, etc.), hacen, sin embargo : j'*achète*, je *cèle*, je *modèle*, etc.). Los verbos en **yer** cambian la y en i delante de una e muda. Ej. : *noyer*, je *noie.* Los en **ayer** conservan la y.

Los números 1, 2, 3, 4 se refieren a la 1ª (*Aimer*), 2ª (*Finir*), 3ª (*Recevoir*), 4ª (*Rendre*) conjugaciones, según cuyo modelo se conjugan las formas irregulares indicadas.

Para los verbos compuestos que empiezan con las sílabas abs, ac, ad, ap, com, con, d[é], des, dis, é, en, mé, per, pour, pro, re, ré, se, sou, sub, sur, véanse los verbos primitivos. Ej. : *apparaître*, v. *paraître.*

CONJUGACIÓN

Absoudre. *Absolvant.* Absous, oute. J'absous, etc. (sing.). Pretérito, falta. **Accroître.** V. *Croître.* Pret. : accru. **Acquérir.** *Acquérant.* Acquis. J'acquiers, etc. (sing.). Pl. 3ª pers. : acquièrent. J'acquis, etc. Fut. : j'acquerrai, etc. Pr. subj. : que j'acquière, etc. (sing.). Pl. 3ª pers. : qu'ils acquièrent. **Aller.** Pr. ind. : je vais, tu vas, il va. Pl. 3ª pers. : ils vont. Fut. : j'irai, etc. Imper. : va. Pr. subj. : que j'aille, etc. (sing.). Pl. 3ª pers. : qu'ils aillent. **Assaillir.** *Assaillant.*

J'assaille, etc. (1). **Asseoir.** *Asseyant.* Assis o j'assois, etc. (sing.). J'assis, etc. (2). Fut. : j'assiérai o j'assoirai, etc. **Astreindre, atteindre.** V. *Peindre.* **Battre.** Pr. ind. : je bats, etc. (sing.). **Boire.** *Buvant.* Bu. Je bois, etc. Pl. 3ª pers. : ils-boivent. Je bus, etc. (3). Pr. subj. : que je boive (sing.). Pl. 3ª pers. : qu'ils boivent. **Bouillir.** *Bouillant.* Bouilli. Je bous, etc. (sing.). **Braire.** Imperf. 3ª pers. (sing.) : brayait. P. p. y pret. faltan. **Ceindre.** V. *Peindre.* **Circoncire.** V. *Dire.* **Clore.** Ger. falta. Clos. Je clos, etc. (sing.). Pl. falta. Imperf., pret. y subj. faltan. **Conclure.** *Concluant.* Conclu. Pret. Je conclus, etc. (3). **Conduire.** V. *Cuire.* **Confire.** V. *Dire.* **Connaître.** *Connaissant.* Connu. Je connais, etc. (sing.). Je connus, etc. **Conquérir.** V. *Acquérir.* **Construire.** V. *Cuire.* **Contraindre.** V. *Craindre.* **Contredire.** V. *Interdire.* **Coudre.** *Cousant.* Cousu. Pret. Je cousis, etc. **Courir.** *Courant.* Couru. Je cours, etc. (sing.). Je courus, etc. (3). Fut. Je courrai, etc. **Couvrir.** V. *Ouvrir.* **Craindre.** *Craignant.* Craint. Je crains, etc. (sing.). Je craignis, etc. **Croire.** *Croyant.* Cru. Je crois, etc. (sing.). Pl. 3ª pers. : croient. Je crus, etc. **Croître.** *Croissant.* Crû. Je crois, etc. (sing.). Je crûs, etc. (3). **Cueillir.** *Cueillant.* Pr. ind. Je cueille, etc. (1). Fut. : Je cueillerai (1). **Cuire.** *Cuisant.* Cuit. Pret. : je cuisis, etc. **Déchoir.** Ger. falta. Déchu. Je déchois, etc. (sing.). Pl. Déchoyons, déchoyez, déchoient. Je déchus, etc. Faltan las demás formas. **Décroître.** V. *Accroître.* **Dédire.** V. *Dire.* Pr. ind. 2ª pers. Pl. : dédisez. **Déduire.** V. *Cuire.* **Défaillir.** *Défaillant.* **Détruire.** V. *Cuire.* **Devoir.** *Devant.* Dû. Je dois, etc. (sing.). Je dus, etc. Fut. : je devrai. Pr. subj. : que je doive, etc. (sing.). Pl. 3ª pers. : qu'ils doivent. **Dire.** *Disant.* Dit. Pr. ind. 2ª pers. Pl. : dites. **Dissoudre.** V. *Absoudre.* **Dormir.** *Dormant.* Dormi. Je dors, etc. (sing.). **Échoir.** *Échéant.* Echu. Il échoit. Il échut. Fut. : il écherra. Imperf. y pr. subj. faltan. **Éclore.** V. *Clore.* Pr. subj. : que j'éclose, etc. **Écrire.** *Écrivant.* Écrit. J'écris, etc. J'écrivis, etc. **Élire.** V. *Lire.* **Émouvoir.** V. *Mouvoir.* P. p. : ému. **Empreindre.** V. *Peindre.* **Enquérir.** V. *Acquérir.* **Envoyer.** *Envoyant.* Ind. y pr. subj. : que j'envoie, etc. (sing.). Pl. 3ª pers. : qu'ils envoient. Fut. : j'enverrai, etc. **Équivaloir.** V. *Valoir.* **Éteindre.** V. *Peindre.* **Être.** *Étant.* Été. Je suis, tu es, il est, n. sommes, v. êtes, ils sont. Je fus, etc. (3). Fut. : je serai. Imper. : sois, soyons, soyez. Pr. subj. : que je sois, etc. (sing.). Pl. : soyons, soyez, soient. **Étreindre.** V. *Peindre.* **Exclure.** V. *Conclure.* **Faillir.** Ú. sólo en p. p., pretérito y fut. (todos regulares). **Faire.** *Faisant.* Fait.

Pr. ind. e imper. 2ª pers. Pl. : faites. Pret. : je fis, etc.
Fut : *je ferai*, etc. Pr. subj. : que je fasse, etc. **Falloir**
(impersonal). Ger. falta. P. p. : fallu. Pr. ind. : il faut.
Imperf. : il fallait. Pret. : il fallut. Fut : il faudra. Pr.
subj. : qu'il faille. **Feindre**. V. *Peindre*. **Fleurir**. Regular
en sent. propio. En sent. fig. sólo ger. : florissant, e
imperf. : florissais. **Forfaire**. V. *Faire*. Ú. sólo en p. p.
Frire. P. p. : frit. Pr. ind. : je fris, etc. (sólo en sing.).
Fut : je frirai, etc. Faltan las demás formas. **Fuir**. *Fuyant*.
Pr. ind. 3ª pers. Pl. : fuient. Pr. subj. : que je fuie, etc.
(sing.). 3ª pers. : qu'ils fuient. **Geindre**. V. *Peindre*.
Gésir (no us. en infinitivo). Gisant. Pr. ind. 3ª pers. sing. :
gît. Fut. e imperf. faltan. **Haïr**. Pr. ind. : je hais, etc.
(sing.). **Induire**, **instruire**. V. *Cuire*. **Interdire**. V. *Dire*.
Pr. ind. 2ª pers. Pl. : interdisez. **Joindre**. V. *Craindre*.
Lire. *Lisant*. Lu. Je lis, etc. Je lus, etc. (3). **Luire**.
V. *Cuire*. **Maudire**. *Maudissant*. Otras formas (salvo pr.
ind. pl.) como *Dire*. **Médire**. V. *Interdire*. **Mentir**. V. *Partir*.
Mettre. P. p. : mis. Pr. ind. : je mets, etc. (sing.). Pl.
Mettons. Je mis, etc. **Moudre**. *Moulant*. Moulu. Je moulus,
etc. **Mourir**. *Mourant*. Mort. Je meurs, etc. (sing.).
Pl. 3ª pers. : meurent. Je mourus, etc. (3). Pr. subj. : que
je meure, etc. (sing.). Pl. 3ª pers. : qu'ils meurent. **Mouvoir**. P. p. : mû. Pr. ind. Je meus, etc. Pret. : je mus, etc.
Fut. : je mouvrai, etc. Pr. subj. : que je meuve, etc. (sing.).
Pl. 3ª pers. : qu'ils meuvent. **Naître**. *Naissant*. Né. Je nais,
tu nais, il naît (sing.). Je naquis. **Nuire**. V. *Cuire*. P. p. :
nui. **Offrir**. V. *Ouvrir*. **Oindre**. V. *Craindre*. **Ouvrir**. *Ouvrant*.
Ouvert. J'ouvre, etc. (1). **Paître**. V. *Paraître*. P. p. y pret.
faltan. **Paraître**. *Paraissant*. Paru. Je parais, tu parais,
il paraît. Je parus (3). **Partir**. *Partant*. Je pars, etc. (sing.).
Peindre. *Peignant*. Peint. Je peins, etc. (sing.). Je peig-
nis, etc. **Plaindre**. V. *Craindre*. **Plaire**. *Plaisant*. Plu. Je
plais, etc. Je plus (3). **Pleuvoir**. P. p. : plu. Il pleut. Il
plut. **Poindre**. V. *Peindre*. Sólo u. en pr. ind. 3ª pers. sing.
Pourvoir. V. *Voir*. Pret. : je pourvus, etc. Fut. : je pour-
voirai, etc. **Pouvoir**. *Pouvant*. Pu. Je peux o puis, tu peux,
il peut. Pl. 3ª pers. : peuvent. Je pus, etc. Fut. : je
pourrai, etc. Pr. subj. : que je puisse, etc. **Prédire**. V. *Interdire*. **Prendre**. *Prenant*. Pris. Pr. ind. 3ª pers. Pl. : prennent. Je pris. Pr. subj. : que je prenne, etc. (sing.). Pl.
3ª pers. : qu'ils prennent. **Prescrire**. V. *Ecrire*. **Prévaloir**.
V. *Valoir*. Pr. subj. Que je prévale, etc. **Prévoir**. V. *Voir*.
Fut. : je prévoirai, etc. **Produire**. V. *Cuire*. **Promouvoir**.
Sólo u. en p. p. : promu. **Réduire**. V. *Cuire*. **Repaître**.

V. *Paraître*. **Repentir (se)**. V. *Sortir*. **Requérir**. V. *Acqué-rir*. **Résoudre**. V. *Absoudre*. P. p. : résolu (pero *brouillard résous en pluie*). Pret. : je résolus, etc. **Ressortir** (en el sentido de *salir de nuevo*). V. *Sortir*. En el sentido de *ser de la competencia de*, es regular. **Restreindre**. V. *Peindre*. **Rire**. P. p. : ri. Pret. : je ris. **Satisfaire**. V. *Faire*. **Savoir**. *Sachant*. Su. Je sais, etc. Imper. : sache, etc. **Séduire**. V. *Cuire*. **Sentir**. V. *Partir*. **Seoir** (sólo u. en 3ª pers.). *Seyant* o *séant*. Sis. Pr. ind. : sied. Imperf. : seyait. Pret. falta. Fut : siéra. Subj. falta. **Servir**, sortir. V. *Partir*. **Souffrir**. V. *Ouvrir*. **Souscrire**. V. *Ecrire*. **Suf-fire**. *Suffisant*. Suffi. Pret. : je suffis, etc. **Suivre**. P. p. : suivi. Pr. ind. : je suis, etc. (sing.). **Taire**. V. *Plaire*. **Teindre**. V. *Peindre*. **Tenir**. *Tenant*. Tenu. Je tiens, etc. (sing.). Fut. : je tiendrai. Pr. subj. : que je tienne, etc. (sing.). Pl. 3ª pers. : qu'ils tiennent. **Traire**. *Trayant*. Trait. Pr. ind. 3ª pers. : il trait, ils traient. Pret. falta. Pr. subj. : que je traie, etc. Pl. 3ª pers. : qu'ils traient. **Tressaillir**. V. *Assaillir*. **Vaincre**. *Vainquant*. Vaincu. Je vainquis, etc. **Valoir**. *Valant*. Valu. Je vaux, tu vaux, il vaut (sing.). Je valus, etc. Fut. Je vaudrai, etc. Imper. falta. Pr. subj. : que je vaille, etc. (sing.). Pl. 3ª pers. : qu'ils vaillent. **Venir**. V. *Tenir*. **Vêtir**. *Vêtant*. Vêtu. Je vêts, etc. (4). **Voir**. *Voyant*. Vu. Je vois, etc. (sing.). Pl. 3ª pers. : ils voient. Je vis, etc. (2). Fut : je verrai, etc. Pr. subj. : que je voie, etc. (sing.). Pl. 3ª pers. : qu'ils voient. **Vouloir**. P. p. : voulu. Je veux, etc. (sing.). Pl. 3ª pers. : veulent. Je voulus, etc. Fut. : je voudrai, etc. Imper. : veuille, etc. Pr. subj. : que je veuille, etc. (sing.). Pl. 3ª pers. : qu'ils veuillent.

Imp. BREPOLS

Dépôt légal : juin 1953. N° de série Éditeur : 17878

IMPRIMÉ EN BELGIQUE (Printed in Belgium)

402051 R Janvier 1994.

LES DICTIONNAIRES BILINGUES LAROUSSE

La plus vaste gamme de dictionnaires bilingues :

- un ensemble de 8 langues réparties en différentes collections,
- des niveaux d'apprentissage ou d'exigence adaptés aux élèves, aux étudiants, aux traducteurs,
- un choix de formats pour répondre à toutes les utilisations :
à l'école, au bureau, en voyage.

Pour le premier cycle :
COLLECTION MARS et COLLECTION APOLLO.

Pour le second cycle et l'enseignement supérieur :
COLLECTION SATURNE
et COLLECTION GRANDS DICTIONNAIRES.

Pour le voyage et le bureau :
COLLECTION LAROUSSE DE POCHE
et COLLECTION ADONIS.

LES DICTIONNAIRES BILINGUES LAROUSSE OUVRENT LES FRONTIÈRES.

PRONONCIATION DES SONS ESPAGNOLS

Les voyelles et diphtongues en *italique* indiquent la place de l'accent tonique. Les lettres **grasses** ont une prononciation spéciale (V. ci-dessous). *H* n'est jamais aspiré. Il n'y a pas de nasales.

LETTRES	EXEMPLES	PRONONCIATION
àn	canto (cànto)	Jamais nasal. Comme *ann*.
è	beber (bébèr)	Comme l'*e* de *perle*.
èn	venda (vènda)	Jamais nasal. Comme *enn*.
ìn	lindo (lìndo)	Jamais nasal. Comme *inn*.
òn	conde (còndé)	Jamais nasal. Comme *onn*.
oùn	mundo (oùn)	Jamais nasal. Comme *oum*.
b	lobo (lobo)	Comme en français à l'initiale. Dans les autres cas, il se prononce sans serrer les lèvres.
v	vino (vìno)	Se confond dans la pratique avec le *b* ci-dessus.
z	caza (caza) cielo (zièlo)	Se prononce en plaçant la langue entre les dents, comme dans *th* anglais.
j	joven (jovèn) gemir (jémír)	Expiration analogue au français *hem!*
r	cara (cara)	*R* roulé dans lequel la langue ne touche pas le voile du palais.
rr	carro (carro)	*R* roulé multiple, formé par plusieurs battements rapides de la langue.
y	mayo (mayo)	*Y* consonne, plus fermé que dans le français *hier*, l'anglais *yes*; presque *dy* [*d* imperceptible] après *n* ou *l*. Equivaut à *i* dans le nord de l'Espagne, à *dj* français [*d* imperceptible] dans le sud, à *j* français en Argentine.

PRONUNCIACIÓN DE LOS SONIDOS FRANCESES

Las letras en *bastardilla* indican el acento tónico. Las letras en **negrilla** tienen pronunciación especial. La *b* y la *v* se distinguen como en el castellano teórico.

LETRAS	EJEMPLOS	PRONUNCIACIÓN
a	pâte (pat)	Entre *o* y *a*. Pronúnciese *pot* y, sin cambiar la posición de la boca, *pat*.
a^n	blanc (bla^n)	A seguida de *n* ligera.
è	père (pèr)	E como la *e* de *perder*.
ô	rôle (rol)	Entre *u* y *o*. Pronúnciese *rul* y, sin cambiar la posición de la boca, *rol*.
o^n	bon (bo^n)	O seguida de *n* ligera.
i^n	pin (pi^n)	Entre *i* y *a*. Pronúnciese *pin* y, sin cambiar la posición de la boca, *pan*.
u	dur (dür)	Entre *u* e *i*. Pronúnciese *dur* y, sin cambiar la posición de la boca, *dir*.
u^n	alun (lu^n)	U seguida de *n* ligera.
œ	bœuf (bœf) le (lœ)	Entre *o* y *e*. Pronúnciese *bof* y, sin cambiar la posición de la boca, *bef*.
e	bonne (bon^e)	E apenas perceptible.
ch	chat (**cha**)	Como *chato*, sin tocar los dientes con la lengua.
' (h)	hotte ('ot)	J apenas perceptible.
j	jars (jar) gel (jel)	El mismo sonido anterior, pero sonoro. Análogo a *y* de *cónyuge*.
r	rare (rar)	Pronúnciese *gago* y, sin cambiar la posición de la lengua, *raro*.
s	case (cas) zèle (sel)	Pronúnciese *da* y, sin cambiar la posición de la lengua, detener la vibración de ésta, *sa*.

collection Adonis

Diccionario

ESPAÑOL-FRANCÈS

por

Miguel de Toro y Gisbert

LAROUSSE

17 RUE DU MONTPARNASSE 75298 PARIS CEDEX 06

ISBN 2-03-402051-0

PREFACIO

Este diccionario de bolsillo, establecido conforme al plan de los demás diccionarios bilingües LAROUSSE, se destina a las necesidades de la vida corriente.

Para el lector español que quiera hablar o escribir en francés, damos, en la parte « español-francés », las traducciones francesas de cada palabra, con explicaciones en español que le permiten escoger entre las diferentes acepciones. Indicamos, para cada voz francesa : la pronunciación figurada, cuando presenta dificultad; la colocación del acento tónico, así como el género, cuando difiere en ambos idiomas; y, en general, todas las demás aclaraciones juzgadas útiles.

Los verbos irregulares van señalados con una estrellita (*) que remite a la tabla añadida al final del libro. Indicamos además, en el texto mismo, sus formas más interesantes.

Al consultar la parte « francés-español », se encontrará la traducción de las palabras francesas en español, acompañada, como en la otra parte, de aclaraciones semejantes. Damos, siempre que es posible, las expresiones idiomáticas curiosas.

Hemos adoptado para la pronunciación figurada un

PRÉFACE

Ce petit dictionnaire de poche, établi sur le plan des autres dictionnaires bilingues LAROUSSE, est destiné aux besoins de la vie courante.

Pour le lecteur français qui veut parler ou écrire en espagnol, nous donnons, dans la partie « français-espagnol », les traductions de chaque mot avec les explications en français qui lui permettront de choisir parmi les diverses acceptions. Nous indiquons pour chaque mot espagnol : la pronunciation figurée, quand elle présente quelque difficulté; la place de l'accent tonique; le genre, quand il diffère dans les deux langues; et, en général, tous les autres éclaircissements utiles.

Les verbes irréguliers sont indiqués par un astérisque (*) qui renvoie à une table en fin de volume. Nous indiquons en outre, dans le texte même, les principales formes irrégulières.

En consultant la partie « espagnol-français », on trouvera la traduction des mots espagnols en français, accompagnée, comme dans l'autre partie, des éclaircissements nécessaires. Nous donnons le plus souvent possible les idiotismes curieux.

Nous avons adopté pour la prononciation figurée un système à la fois clair et scien-

sistema a la vez claro y científico, sin empleo de signos especiales. Nuestra notación permitirá fácilmente al lector llegar a una pronunciación correcta. Nuestra pronunciación figurada está hecha para poderse leer conforme a las reglas de la pronunciación española. Las letras cuya pronunciación difiere en ambos idiomas van transcritas en **negrilla**. Las vocales tónicas están en *bastardilla*.

Hemos escogido con esmero nuestro vocabulario, uniendo la riqueza con la utilidad y concedido puesto importante a los neologismos, a la lengua familiar y a los americanismos.

tifique, sans employer de signes spéciaux. Notre notation permettra au lecteur d'arriver à une prononciation correcte. Notre prononciation figurée est destinée à être lue d'après les règles de la prononciation française. Les lettres dont la prononciation diffère dans les deux langues sont transcrites en **caractères gras**. Les voyelles toniques sont en *italique*.

Nous avons choisi avec grand soin notre vocabulaire, tâchant d'unir la richesse et l'utilité et donnant une large place aux néologismes, au parler familier et aux américanismes.

ABREVIATURAS — ABRÉVIATIONS

a.	adjetivo.	adjectif.
adv.	adverbio.	adverbe.
am.	americanismo.	américanisme.
ant.	anticuado.	vieilli.
aum.	aumentativo.	augmentatif.
bot.	botánica.	botanique.
com.	comercio.	commerce.
dem.	demostrativo.	démonstratif.
dim.	diminutivo.	diminutif.
ej.	ejemplo.	exemple.
f.	femenino.	féminin.
fam.	familiar.	familier.
fig.	figurado.	figuré.
ger.	gerundio.	participe présent.
impers.	impersonal.	impersonnel.
interj.	interjección.	interjection.
inus.	inusitado.	inusité.
irón.	irónico.	ironique.
irreg.	irregular.	irrégulier.
loc.	locución.	locution.
m.	masculino.	masculin.
mar.	marina.	marine.
med.	medicina.	médecine.
n.	neutro.	neutre.
neol.	neologismo.	néologisme.
observ.	observación.	observation.
p. p.	participio pasado.	participe passé.
pers.	persona, personal.	personne, personnel.
pop.	popular.	populaire.
pos.	posesivo.	possessif.
prep.	preposición.	préposition.
p. us.	poco usado.	peu usité.
r.	reflexivo.	réfléchi.
s.	substantivo.	substantif.
sing.	singular.	singulier.
sint.	sintaxiso.	syntaxe.
superl.	superlativo.	superlatif.
ú.	úsase.	usité.
vi.	verbo intransitivo.	verbe intransitif.
vt.	verbo transitivo.	verbe transitif.
vulg.	vulgar.	vulgaire.

PRINCIPALES ABREVIATURAS FRANCESAS

ABREV. FRANC.	FRANCÉS	ESPAÑOL	ABRÉV. ESP.
A. M....	ante meridiem.	ante meridiem.	A. M.
c.-à-d. .	c'est-à-dire.	es decir.	
Cⁱᵉ....	compagnie.	compañía.	Cⁱᵃ.
c/c.....	compte courant.	cuenta corriente.	c/c.
ct.	courant.	corriente.	cte.
dz	douzaine.	docena.	doc.
Dʳ....	Docteur.	Doctor.	Dr.
etc	et cetera.	etcétera.	etc.
fr.	franc.	franco.	fr.
id.....	idem.	idem.	id.
kg	kilogramme.	kilogramo.	kg.
km	kilomètre.	kilómetro.	km.
M.	Monsieur.	Señor.	Sr.
MM. ...	Messieurs.	Señores.	Sres.
m	mètre.	metro.	m.
m/.....	mon.	mi.	m.
Mᵐᵉ....	Madame.	Señora.	Sra.
Mˡˡᵉ...	Mademoiselle.	Señorita.	Srta.
n/.....	notre.	nuestro.	n/.
nᵒ.	numéro.	número.	nᵒ.
o/.....	ordre.	orden.	o/.
p. ex..	par exemple.	por ejemplo.	p. ej.
P. M....	post meridiem.	post meridiem.	P. M.
P. S....	post scriptum.	posdata.	P. D.
Sᵗᵉ....	société.	sociedad.	Sdad.
S. E. ou O.	sauf erreurs ou omissions.	salvo error u omisión.	S. E. u O.
S.G.D.G.	sans garantie du gouvernement	sin garantía del gobierno.	
S. V. P.	s'il vous plaît.	por favor.	
suiv. ...	suivant.	siguiente.	sigte.
v.	voyez.	véase.	

DICCIONARIO
ESPAÑOL-FRANCÉS

~~~~~~~~~~

A

a prep. à. [Se supprime en francés delante del compl. directo: *saluda a tu amigo*, salue ton ami; *vino a verme*, il vint me voir. à [con nombre de población o de nombre de país masc.] indica dirección: *fué a París*, il alla à París. En [con nombre de país fem.]: *ir a España*, aller en Espagne. Se contrae con el art.: *al*, au; *a los*, *a las*, aux.

abad, **abadesa** *mf* Abbé, abbesse.

abadejo (éjo) *m* Morue (rü) *f*.

abadía Abbaye (abeí).

abajo (jo) *adv* En bas (an ba) [sin movimiento]. à bas [con movimiento; amenaza].

abalorio *m* Verroterie (trí) *f*.

abanderado Porte-drapeau.

abandonado, **da** Abandonné, ée. Négligé, ée (jé) [descuidado].

abandonar Abandonner (né).

abandonarse Se laisser aller (lesé ralé). Se négliger (jé).

abandono (bàn) Abandon (aⁿ).

abanico Éventail (evaⁿtái).

abarcar Embrasser, serrer.

abarrote (rroté) *m* Ballot (lo). *Am.* Épicerie (episrí) *f*.

abastecer* (tézer) Approvisionner (sioné).

abastecimiento *m* Approvisionnement.

abate (té) Abbé (abé).

abatimiento *m* Abattement (abatr).

abatir Abattre* (abatr).

abdicación (zión) Abdication.

abdicar Abdiquer (ké).

abdomen Abdomen (ène).

abecedario Alphabet (fabè).

abedul (doul) Bouleau (buló).

abeja (abéja) Abeille (abéi).

abejeo (jéo) Bourdonnement.

abejorro Bourdon (burdoⁿ) Hanneton (`an<sup>n</sup>eto<sup>n</sup>`) [coléoptero].

aberración Aberration (ra).

abertura (`tou`) Ouverture (vr).

abeto (bé) Sapin (piⁿ).

abierto, **ta** Ouvert, te (uver).

abigarrar Bigarrer (ré).

abismo Abîme (abím).

abjurar (jou) Abjurer (jüré).

ablación Ablation (sioⁿ).

ablandar (àn) Ramollir (olr).

ablución (blou) Ablution (ü).

abnegación f Abnégation, dévouement (vumaⁿ) m.

abochornado, da Honteux, euse (oⁿtœ, œs).

abochornarse Rougir (rujĭr).

abofetear Gifler (jiflé).

abogado, da Avocat (ka), ate.

abogar Plaider (plèdé).

abolengo m Ascendance f.

abolición Abolition.

abolir Abolir.

abollar (lhar) Bosseler (oslé).

abombar (òn) Bomber (boⁿbé). Étourdir (tur) [aturdir].

abominable Abominable (abl).

abonar Accréditer. Cautionner (kosioné) [garantía]. Créditer [cuentas]. Fumer (fùmé) [tierras]. Abonner [suscribir]. Verser [pagar].

abonaré Billet à ordre.

abono m Abonnement (one-maⁿ). Engrais (aⁿgrè) [agricultura].

abordaje (ajé) Abordage.

abordar Aborder.

aborrecer* (ézér) Haïr*.

aborrecible Haïssable.

abortar Avorter.

aborto m Avortement (maⁿ). Avorton (toⁿ) [criatura].

abotonado Tire - bouton (tirbutoⁿ).

abotonar Boutonner (butoné).

abovedar (vé) Voûter (vuté).

abrasador, ra (assa) Brûlant, ante (brülaⁿ).

abrasar Embraser (aⁿbrasé).

abrasivo (ass) Abrasif (sif).

abrazar (zar) Embrasser (sé).

abrazo (azo) m Embrassement (aⁿbrasmaⁿ) m; accolade f.

abrelatas (tass) Ouvre-boîte.

abrevadero Abreuvoir (œvuar).

abreviar (bré) Abréger (jé).

abreviatura Abréviation.

abrigador m Flanelle (nel) f.

abrigar Abriter. Couvrir (ku) ; tenir* chaud (tœnĭr cho) [ropa]. Couver (ku) [sentimiento].

abrigo Abri. Pardessus (dœsü) [sobretodo].

abril Avril. *Fig.* Printemps.

abrir* Ouvrir* (uvrĭr).

abrochador (cha) Tire-bouton (tirbutoⁿ).

abrochar (char) Boutonner.

abrogar Abroger (jé).

abrojo (ojo) m Épine (ín) f.

abrumador, ra Écrasant, e.

abrumar (brou) Écraser (sé).

absceso (esso) Abcès (sè).

ábside (dé) Abside (sĭd).

absolución (lou) Absolution.

absoluto, ta Absolu (lü).

absolver* Absoudre* (su).

absorber (bèr) Absorber (bé).

absorto, ta Absorbé, ée.

abstención Abstention (sioⁿ).

abstinencia Abstinence.

abstracción Abstraction.

abstracto, ta Abstrait, te.

abstraer* Abstraire* (trèr).

absuelto, ta (souel) Absous, soute (absu, sut).

absurdo, da (sour) Absurde (ürd). *M* Absurdité (sür) f.

abuelo, la (boué) Grand-père, grand-mère (graⁿpèr, -mèr). *Mpl.* Grands-parents [antepasados]. Ancêtres (aⁿsœtr).

abultado, da Gros, osse (gro, os).

abultar Grossir. Vi. Être gros.

abundancia (oundàn) Abondance (oⁿdaⁿs).

abundar Abonder.

abur (our) Au revoir (vuar).

aburrido, da Ennuyeux, se (aⁿnüiíœ).

aburrimiento (ièn) Ennui (aⁿnüi).

aburrir Ennuyer (aⁿnüiié).

abusar (ouss) Abuser (üsé).

abusivo, va Abusif, íve.

abuso (ousso) Abus (abü).

abyecto, ta Abject, e (jèk).

acá Ici.

acabar Achever (vé), finir.

acacia Acacia.

academia (dé) Académie (mí).

académico Académicien (siⁱn).

acaecer* Arriver, survenir.

acalorar Échauffer (echofé).

acallar (lhar) Faire* taire.

acampanado En forme de cloche.

acampar (àn) Camper (kaⁿ).

acanalar Canneler (kanⁿlé).

acantilado m Falaise (ès) f.

acanto (kàn) Acanthe (kaⁿt).

acaparador Accapareur (rœr).

acariciar Caresser (sé).

acarrear Charrier (rié). Fig. Entraîner (aⁿtrené).

acarreo Charroi (ruá); charriage (aj).

acartonado, da adj. Sec, sèche (sèch); desséché, ée.

acaso (asso) Peut-être (pœtetr). M Hasard ('asar).

acatar Respecter.

acato Respect (respè).

acaudalado, da Riche (rich).

acaudillar (kaoudilhar) Commander (komaⁿdé).

acceder Accéder.

accesible Accessible.

acceso (esso) Accès (sè).

accesorio, ria Accessoire.

accidental (dèn) Accidentel.

accidente (èn) m Accident (aⁿ). m. Défaillance f [desmayo]. Por accidente, par accident, accidentellement.

acción (òn) Action (sioⁿ).

accionar Actionner [máquina]. Gesticuler (jes-kü) [gesto].

accionista Actionnaire (nèr).

acebo (azébo) Houx ('u).

acechar (azé) Guetter (gue).

acecho m Guet (guè). Al acecho, à l'affût (afü).

acedera Oseille (osé).

acedía Aigreur (ègrœr).

acedo, da Aigre (ègr).

aceitar (azéi) Huiler (üilé).

aceite m Huile (üil) f.

aceitera f Burette (bürèt). Pl Huilier (üilé) m.

aceituna (azéitou) Olive (ív).

aceituno Olivier (vié).

aceleración Accélération.

acelerada Reprise (rèprís) [auto].

acelerador Accélérateur.

acelerar Accélérer.

acelga Bette (bèt).

acémila Bête de somme (bèt dœ som). Buse [estúpido].

acendrar (èn) Épurer (epüré).

acento (èn) Accent (saⁿ).

acentuación Accentuation.

acentuar Accentuer (saⁿtüé).

acepillar (lhar) Brosser. Raboter [madera].

aceptación Acceptation.

aceptar Accepter.

acequia (zékia) Rigole (gol).

acera (azéra) f Trottoir (trotuar) m.

acerado, da Acéré, ée; dur, e.

acerbo, ba Acerbe.

acerca de Au sujet de.

acercar Approcher. Vr. Acercarse a, s'approcher de.

acerico m Pelote [f] à épingles (pelot a epíngl).

acero (azéro) Acier (sié).

acérrimo, ma Tenace (tœnás).

acertado, da Réussi, ie.

acertar* Réussir (reü). Trouver (truvé) [adivinar].

acertijo (jo) m Devinette f.

acetato Acétate.

acético Acétique.

acetileno Acétylène.

acetocelulosa Acétocellulose.

acetona Acétone.

acezar Haleter ('alté).

aciago, ga Funeste (fünést).

acial m Moralles (rai) fpl.

aciano (zía) Bluet (blüé).

acíbar Aloès.

acibarar Aigrir (egrír).

acicalar Fourbir (fur). *Fig.* Orner.

acicate (té) Éperon (epron).

acidez (èz) Acidité.

ácido, da Acide.

acídulo, la Acidulé, ée.

acierto m Succès m; réussite (reüsít) f. Adresse (adrès) f [habilidad].

aclamación Acclamation.

aclamar Acclamer.

aclaración f Eclaircissement (eklersisma) m.

aclarar Éclaircir (eklersír).

aclimatar Acclimater.

acobardar Effrayer (efreié).

acodar Accouder (aku). Couder [doblar]. *Agr.* Marcotter [plantas].

acodo m Marcotte (kot) f.

acoger (akojèr) Accueillir*.

acogerse Se réfugier.

acogida f Accueil (akœi) m.

acolchar (ch) Capitonner.

acólito Acolyte. Enfant de

chœur (anfan de kœr).

acomedido, da Serviable.

acometer Assaillir* (asaír). Entreprendre* (prandr).

acometida Attaque (atak).

acomodado, da Accommodé, ée. Modéré, ée [precio]. A l'aise (lès) [rico].

acomodador, ra Placeur, euse (sœr, œs); ouvreuse (œs) f [en un cine, teatro].

acomodar Accommoder.

acompañador, ra (gna) Accompagnateur (ñatœr), trice.

acompañar Accompagner (ñé).

acompasar *Mus.* Rythmer.

acondicionar Conditionner.

acongojar (akòngojár) Angoisser (angüasé).

acónito Aconit.

aconsejar (konséjar) Conseiller (seié).

aconsejarse Prendre* conseil (prandr konséi).

acontecer* (zèr) Arriver.

acontecimiento Événement.

acopiar Amasser.

acoplar Accoupler (kuplé). Assembler (er) [ensamblar].

acorazado Cuirassé (küi).

acorazonado, da En cœur.

acordar* Arrêter. Accorder [b. artes]. *Vr.* Se souvenir.

acordarse Se souvenir.

acorde D'accord. M Accord.

acordeón (èòn) Accordéon.

acorralar Parquer [ganado]. Cerner [acosar].

acorrer Accourir (akurír).

acortar Raccourcir (kursír).

acosar (ssar) Harceler ('arse).

acostar Coucher (kuché). Accoster [barco; acercarse].

acostumbrar Habituer (tüé).

acotar Borner. Coter [plano].

acre Âcre. M Acre [medida].

acrecentar* Accroître*.

acrecer* Accroître* (kruatr).

acreditar Accréditer. Créditer [dinero].

acreditarse Acquérir* la réputation de.

acreedor, ra Créancier, ère. Digne (diñ) [merecedor].

acribillar (lhar) Cribler.

acrisolar Affiner.

acritud Âcreté.

acrobacia Acrobatie (sí).

acróbata Acrobate (bat).

acta f Acte (akt) m. Procèsverbal m [informe].

actitud (toud) Attitude (tüd).

actínico, ca Actinique.

activar Activer.

actividad Activité.

activo, a Actif, ve.

acto Acte (akt). En el acto, sur le champ (sür lœ chañ).

actual (aktoual) Actuel, elle (üel).

actualidad Actualité.

actuar Agir (jír).

acuarela Aquarelle (kouarel).

acuarelista Aquarelliste.

acuario Aquarium (kuariom).

acuático, ca (koua) Aquatique (kua).

acuatinta Aquatinte (kua).

acuchillar Poignarder.

acudir Accourir* (aku). Recourir (rœku) [recurrir].

acueducto (kouédouk) Aqueduc (ak°duk).

acueo, a (akouéo) Aqueux, euse (akœ, œs).

acuerdo (ouer) Accord (kor). Avis (aví) [parecer]. De acuerdo, d'accord.

acumulador (koumou) Accumulateur (kümülatœr).

acumular Accumuler.

acuñar (kougn) Frapper.

acuoso, sa Aqueux, euse.

acure (akouré) Agouti (gu).

acurrucarse S'accroupir (gu).

acusación Accusation.

acusar (kouss) Accuser (küsé).

acusatorio, ria Accusatoire.

acuse Accusé [de recibo].

acústico, ca Acoustique (tik).

achacar Imputer (iñpüté).

achacoso, sa Maladif, ive.

achaque (chaké) m Infirmité (iñ) f. Prétexte [pretexto].

acharar Se troubler.

achatar Aplatir.

achicar Diminuer (nüé).

achicharrar Brûler (brü).

achiote (ioté) Rocouyer.

achisparse Se griser.

achuchón (choñ) Coup (ku).

achuras (chou) Am. Entrailles (añtraie).

adagio (jio) Adage (daj).

adalid Chef.

adamascado, da Damassé, ée.

adaptación Adaptation.

adaptar Adapter.

adarve Chemin de ronde.

adecuado, da (oua) Approprié, ée.

adefesio (essio) m Personne ou chose ridicule f.

adelantado, da Avancé, ée (añsé). M Gouverneur (guvernœr) [gobernador]. Chef d'expédition maritime.

adelantar (làn) Avancer (añsé). Dépasser [dejar atrás]. Doubler [vehículos].

adelantarse Devancer (dœvañsé).

adelante (àñté) En avant (añavañ-). Plus loin (plü

luin) [más allá]. *En adelante*, dorénavant. *¡Adelante!* Entrez! [¡adentro!].

adelanto (làn) *m* Avance (ans) *f.* Avancement (ansmàn), progrès [progreso].

adelgazar (zar) Amincir (insir). Maigrir (mè) [ponerse delgado].

ademán (an) Geste (jest). *En ademán*, en attitude.

además En outre (an utr).

adentro (èn) Dedans (dan). *A l'intérieur* (intériœr) : *tierra adentro*, à l'intérieur des terres. *Pl En sus adentros*, a part soi, dans son for intérieur. *¡Adentro!* Entrez!

adepto, ta Adepte.

aderezar Parer [adornar]. Assaisonner (asesoné) [condimantar]. Apprêter [disponer].

aderezo (rézo) *m* Parure (ür) *f.* Apprêt (aprè) [apresto].

adestrar* Dresser.

adeudar (éou) Devoir* (dœvuar). Débiter [cuentas].

adherencia Adhérence.

adherente Adhérent, e.

adherir*, -herirse Adhérer.

adhesión Adhésion.

adhesivo, va Adhésif, ïve.

adición (ziòn) Addition (siòn).

adicional Additionnel, elle.

adicionar Additionner.

adicto, ta Attaché, ée.

adiestrar Dresser.

adinerado, da Riche (rich).

adiós (oss) Adieu (diœ). Au revoir.

adiposo, sa Adipeux, euse.

adivinanza (ànza) Devinette (dœvinèt).

adivinar Deviner.

adivino, na Devin, devineresse.

adjetivo (jé) Adjectif (jek).

adjudicación Adjudication.

adjudicar (jou) Adjuger.

adjuntar Joindre* (juindr).

adjunto, ta Joint, te (juin, t). Ci-joint [que acompaña].

adjurar (ju) Adjurer (jü).

adminículo Accessoire (suar).

administración Administration.

administrador, ra Administrateur, trice.

administrar Administrer.

admirable Admirable.

admiración Admiration (siòn).

admirador, ra Admirateur, trice (ratœr, trís).

admirar Admirer.

admisión (siòn) Admission (iòn).

admitir Admettre*.

adobar Dauber (do) [guiso].

adobe (bé) *m* Brique [f] cuite au soleil. Torchís.

adobo *m* Daube (dob) *f.* Apprêt (aprè) *m* [preparación].

adolecer* Souffrir de.

adolescencia Adolescence.

adolescente Adolescent, ente.

adonde (ondé) Où (u). *Adonde quiera*, n'importe où.

adopción Adoption.

adoptar Adopter.

adoptivo, va Adoptif, ïve.

adorable Adorable.

adoración Adoration.

adorador, ra Adorateur, trice.

adorar Adorer.

adormecer* Assoupir (su).

adornar Orner.

adorno Ornement (neman).
adquirir* (ki) Acquérir*.
adquisición Acquisition.
adrede (édé) Exprès (prè).
aduana Douane (duane).
aduanero, a Douanier, ère.
aducir* (dou) Alléguer (ale).
adueñarse (gn) S'approprier.
adulación Flatterie.
adulador, ra Flatteur, euse.
adular (dou) Flatter.
adulterar Adultérer.
adulterio Adultère.
adúltero, ra Adultère.
adulto, ta Adulte (últ).
advenedizo, za Parvenu, ue.
advenimiento Avènement.
adverbio Adverbe.
adversario Adversaire (sèr).
adversidad Adversité.
adverso, sa Adverse (vers).
advertencia Avertissement.
advertir* Avertir. Remarquer (ké) [notar].
adviento (ièn) Avent (van).
aeración Aération.
aéreo, a Aérien, enne.
aerobús Aérobus.
aerodinámico, ca Aérodynamique.
aeródromo Aérodrome.
aerofagia Aérophagie.
aerolito Aérolithe (lit).
aeronauta Aéronaute.
aeroplano Aéroplane.
aeropuerto Aéroport.
aerostación Aérostation.
aeróstato Aérostat (ta).
afabilidad Affabilité.
afable Affable.
afamado, da Fameux, euse (œ, œs).
afán (fàn) Effort (or).
afanarse S'efforcer.
afear Enlaidir (lè).

afección Affection.
afectar Affecter.
afecto, ta Affectueux, euse. Attaché, ée [apegado]. M Affection f.
afectuoso Affectueux.
afeitar Raser. Farder [pintar]. Vr. Se raser.
afeite (éité) Fard (far).
afeminado, da Efféminé, ée.
aferrar* Saisir (sèsir). Vr. Fig. S'obstiner.
afianzar Affermir.
afición f Penchant m.
aficionado Amateur.
aficionarse S'attacher.
afilador Aiguiseur (ègüisœr).
afilar Aiguiser (ègüisé).
afiliar Affilier.
afín (in) Contigu, uë (gü).
afinar Affiner. Accorder [música].
afinidad Affinité.
afirmación Affirmation.
afirmar Affirmer. Affermir [dar solidez].
afirmativo, va Affirmatif, ve.
aflicción Affliction.
afligir (jir) Affliger* (jé).
aflojar (jar) Relâcher.
afluencia Affluence.
afluente Affluent.
afluir* (ouir) Affluer (üé).
aflujo (ouju) Afflux (aflü).
afónico, ca Aphone (afòne).
aforrar Doubler (du). Fourrer [pieles].
afortunado, da Fortuné, ée.
afrancesar Franciser.
afrecho (echo). Son (son).
afrenta (èn) f Affront (on) m.
afrentar Faire* affront.
afrontar (òn) Affronter (on).
afta Aphte (aft).

aftoso, sa Aphteux, euse.

afuera (ouéra) Dehors (dœr).
Fpl. Environs (a^nviro^n) mpl.
¡Afuera! Dehors!

agachar Courber (kurbé).

agalla f (galha) Galle (gal)
[botánica]. Branchie, ouïe
[pez]. Fam. Courage m.

ágape m Agape f.

agárico Agaric.

agarradero m Manche (ma^nch)
m; poignée (puañé) f.

agarrado, da Chiche (chich)
[mezquino, cicatero].

agarrador m V. AGARRADERO.

agarrar Empoigner (a^npuañé).
Attraper [asir, coger]. Vr.
Se cramponner. Se disputer.

agasajar (jar) Flatter.

agasajo (jo) m Obséquiosité f.
Cadeau (kado) m [regalo].

ágata Agate (gat).

agave f Agave m.

agazaparse Se blottir.

agencia (jèn) Agence (ja^ns).

agenciar Agencer (ja^ns).

agencioso, sa Adroit, oite.

agenda (èn) f Agenda (ji^n) m.

agente (jènté) Agent (ja^n).

ágil Agile (ajil).

agilidad (jì) Agilité (jì).

agio (jio) Agio (jio).

agiotaje (jé) Agiotage (aj).

agiotar (jio) Agioter (jio).

aglomeración Agglomération.

aglomerar Agglomérer.

aglutinar (glou) Agglutiner.

agobiar Accabler.

agolparse Se rassembler.

agonía Agonie.

agonizar Agoniser.

agorero, ra Fatidique (dik).
M Devin (dœvi^n).

agostar Dessécher.

agosto Août (u). Fam. Hacer* su agosto, faire* son beurre.

agotamiento m Epuisement f.

agotar Épuiser (püisé).

agraciado, da Gracieux, euse.

agradable Agréable.

agradar Plaire* (plèr).

agradecer* Remercier : le agradezco su oferta, je vous remercie de votre offre.

agradecido, da Reconnaissant, e.

agradecimiento (ièn) m Reconnaissance (konesa^ns) f.

agrado m Plaisir m (plèsir).
Gré m, volonté f [grado].

agrandar (àn) Agrandir (a^n).

agrario, ria Agraire (grèr).

agravación Aggravation.

agravar Aggraver.

agraviar Offenser (a^nsé).

agravio m Offense (fa^ns) f.

agraz Verjus (ju). En agraz, en vert, en herbe.

agredir Attaquer (ataké).

agregado Agrégé [titulo].
Attaché [embajadas].

agregar Agréger (jé). Ajouter (ajuté) [añadir].

agresión Agression.

agresivo, va Agressif, ive.

agresor Agresseur.

agreste Agreste (est).

agrícola Agricole.

agricultor, ra (koul) Agriculteur (kültœr) 2 g.

agridulce Aigre-doux (ègrdu).

agrietar Crevasser (krœ).

agrimensor m Arpenteur f.

agrio, a Aigre (ègr). M Agrume.

agrónomo Agronome.

agrupar (grou) Grouper (gru).

agua (agoua) Eau (o). Pl.

Reflets (rœflè) [visos].
Agua de Colonia, eau de Cologne. *Agua regia*, eau régale. *Agua de socorro*, ondoiement m.

aguacate Avocatier (tié).

aguada (oua) Gouache (guach).

aguador (oua) Porteur d'eau.

aguadura Fourbure (furbúr) f.

aguafiestas Trouble-fête.

aguafuerte Eau-forte (ofort).

aguamanil m Cuvette f (kü).

aguamarina Aigue-marine.

aguanoso, sa Aqueux, euse.

aguantar Attendre (aⁿdúre).

aguante m Endurance (aⁿs) f.

aguapié m Piquette (kè) f.

aguar Couper d'eau (kupé do). Baptiser (batisé) [vino]. *Fig.* Troubler (tru).

aguardar Attendre (aⁿdr).

aguardentoso, sa Aviné, ée.

aguardiente (gouardiénte) m Eau-de-vie (odví) f.

aguarrás m Essence de térébenthine (aⁿs-biⁿtíne) f.

aguatero Am. V. AGUADOR.

aguaturma f Topinambour m.

agudeza Acuité (küi) f. *Fig.* Perspicacité. Saillie (saií) [chiste].

agudo, da (gou) Aigu, uë (ègü). *Fig.* Subtil. Spirituel, elle.

agüero *Am.* Augure (ogúr).

aguerrir (rr) Aguerrir (erír).

aguijón (jòn) Aiguillon.

aguijonear Aiguillonner.

águila f Aigle (ègl) m.

aguileño, ña Aquilin, ine.

aguilón Aiglon (èglòⁿ). Pignon (piñòⁿ) [pared].

aguilucho Aiglon (èglòⁿ).

aguinaldo m Étrennes fpl.

aguja (ouja) Aiguille (ègüíie).

Aguja de marear, boussole. *Aguja de gancho*, crochet m. *Aguja de hacer media*, aiguille à tricoter.

agujerear (jé) Trouer (trué).

agujero (jé) Trou (tru).

agujetas Aiguillettes. Courbature (kurbatúr) [dolor]

agusanado, da Véreux euse.

agutí (gou) Agouti (gu).

aguzar (ouz) Aiguiser (üi).

aguzanieve m Bergeronnette f.

¡ah! Ah!

ahí Là.

ahijado, da Filleul, eule (fiœl).

ahilarse Défaillir* (faír) [desmayarse]. Filer [vino]. S'étioler [plantas].

ahinco (aïnko) Acharnement.

ahitarse S'empiffrer.

ahito, ta Qui a une indigestion. Las, *lasse* [cansado]. M Indigestion (iⁿdijestiòⁿ) f.

ahogadizo, ra Étouffant, ante.

ahogar Étouffer (etufé). Étrangler (aⁿglé) [estrangular]. Noyer (nuaié) [en agua].

ahogo Étouffement. *Fig.* Embarras (aⁿbarra).

ahondar Approfondir (foⁿ).

ahora Maintenant (miⁿtenaⁿ). Tout à l'heure (tutalœr) [hace poco, dentro de poco]. *Ahora...,* ahora, tantôt... tantôt. *Ahora bien,* or. *Ahora mismo,* tout de suite. *De ahora en adelante,* dorénavant. *Por ahora,* pour l'instant.

ahorcar Pendre (paⁿdr).

ahorrar Épargner (né).

ahorro m Épargne (arñ) f.

Caja de ahorros, caisse d'épargne (kès depañ).

ahuecar (aoué) Creuser (krœ). Enfler (aⁿ) [voz].

ahumar Fumer (fü). Enfumer (aⁿfü) [llenar de humo].

ahusado, da Fuselé, ée.

ahuyentar (aoudj) Chasser.

airado, da (aï). Irrité. ée.

aire (aïré) Air (èr). *Al aire,* en l'air. *Al aire libre,* en plein air.

airear (aïréar) Aérer.

airoso, sa (aï) Gracieux. euse (sïœ). *Salir airoso de,* se tirer à son honneur de.

aislado, da Isolé, ée.

aislador, ra Isolant, ante.

aislamiento Isolement.

aislar (aïs) Isoler (isolé).

ajar Froisser (fruasé).

ajedrez (jédrèz) *m* Échecs (echèk) *mpl.*

ajenjo (jènjo) Absinthe (iⁿt).

ajeno, na (aj) D'autrui (dotrüi). Libre : *ajeno de pesares,* libre de soucis. Étranger.

ajetreo *m* Grande fatigue *f.*

aji (aji) *Am.* Piment rouge.

ajimez *m* Fenêtre [*f*] à menecu.

ajo (ajo) Ail (ai). *Fam.* Affaire *f :* *andar en el ajo,* être* dans le coup. Juron (jü) : *echar ajos,* jurer.

ajuar (ajouar) Trousseau (trusó) [ropa]. Ménage (aj).

ajuiciado, da (jui) Sage.

ajustamiento Ajustement.

ajustar (ajous) Ajuster (jüs).

ajuste (jousté). Ajustement. Règlement (règle^{me}n) [cuenta]. Marché [trato].

al Au. *Al hablar, al salir,* en

parlant, en sortant. [al avec inf. : en avec ger.]

ala *f* Aile (èl). Bord *m.* Pale. *Dar* alas,* encourager.

alabanza Louange (luaⁿj).

alabar Louer (lué). *Vr.* Se vanter (vaⁿté).

alabarda Hallebarde ('alè).

alabardero Hallebardier.

alabastro Albâtre.

álabe *m* Aube (ob) *f.*

alabearse Se gondoler.

alabeo *m* Gauchissement.

alacena *f* Placard (kar) *m.*

alacrán (àn) Scorpion (oⁿ).

alada *f* Coup [*m*] d'aile.

alado, da Ailé, ée (èlé).

alajú Pain d'épices.

alambique (àmbiké) Alambic.

alambrado Grillage (griïaj).

alambrar (àn) Grillager (jé).

alambre (àn) Fil de fer.

alameda (mé) Allée (alé) *f.*

álamo Peuplier (pœplié).

alarde *m* Parade f. *Hacer alarde.* faire* parade.

alardear Faire* parade.

alargamiento Allongement.

alargar Allonger (aloⁿjé). Passer : *alárgame la sal,* passe-moi le sel.

alarido *m* Clameur (mœr) *f.*

alarma Alarme.

alarmar Alarmer.

alarmista Alarmiste.

alazán, na Alezan, ane.

alba Aube (ob) *f.*

albacea Exécuteur testamentaire (maⁿtèr).

albahaca *f* Basilic *m.*

albañal Égout (gu).

albañil (gnil) Maçon (soⁿ).

albarda *f* Bât (ba) *m.*

albardilla (lha) *f* Coussinet (cusinè) *m* [cojinete]. Chaperon (chaperoⁿ) *m* [tejado]. Barde *f* [tocino].

albaricoque (ké) Abricot (ko).

albaricoquero Abricotier.

albatros Albatros.

albayalde (yaldé) *m* Céruse *f*.

albear Blanchir (aⁿchír).

albedrío *m* Arbitre (bítr). *Libre albedrío,* libre arbitre. *Volonté* (loⁿ) *f* [deseo].

albéitar Vétérinaire (nèr).

alb·rca Réservoir (vuar) *m*.

albérchigo *m* Alberge (èrj) *f*.

albergar Héberger (jé).

albergue (ghé) Logis (ji). *Abri* [abrigo].

albino, na Albinos 2 *g*.

albo, ba Blanc, anche.

albóndiga Boulette (bulèt).

albor *m* Blancheur (aⁿchœr) *f.* Aube (ob) *f* [alba].

alborada Aube (ob).

albornoz Burnous (bürnu). Peignoir [de baño].

alborotadizo, za Inquiet, ète.

alborotador Turbulent.

alborotar Faire* du tapage. Soulever (sul°vé) [subjlevar]. *Vr* S'irriter.

alboroto Tumulte. Tapage (aj) [jaleo].

alborozo *m* Grande joie *f*.

albricias *fpl* Cadeau [*m*] pour une bonne nouvelle.

albufera (bou) *f* Étang *m*.

álbum (oum) Album (om).

albumen (oumèn) Albumen.

albúmina Albumine.

albuminoide, albuminoideo, a Albuminoïde.

albuminoso Albumineux.

albuminuria Albuminurie.

albur Coup de chance.

albura (bou) Blancheur (aⁿchœr). Aubier (árbol).

alcabala *f* Ancien impôt *m*.

alcachofa *f* Artichaut *m*.

alcahuete (ouèté) Entremetteur (aⁿtremètœr).

alcaide Alcade (Vx).

alcaldada *f* Coup '[*m*] d'autorité.

alcalde *m* Maire (mèr).

alcaldesa Femme du maire.

alcaldía Mairie (mèri).

álcali Alcali.

alcalino, na Alcalin, íne.

alcaloide Alcaloïde.

alcance (àné) *m* Portée (té) *f.* Levée [*f*] supplémentaire [correos]. Dernière heure *f* [diarios]. *Fig.* Capacité *f : ser de cortos alcances, être* peu capable. Déficit *m* [comercio].

alcancía Tire-lire (tirlír).

alcanfor (kàn) Camphre (kaⁿfr).

alcantarilla (lh) *f* Égout *m*.

alcantarillero Égoutier.

alcanzado, da Endetté, ée.

alcanzar Atteindre* (atiⁿdr). Saisir (sèsír) [comprendre]. Arriver à [llegar a]. Porter (té) [arma, tiro].

alcaparra Câpre.

alcaraván Butor.

alcarraza *f* Alcarazas *m*.

alcayata *f* Clou [*m*] à crochet.

alcazaba Casbah.

alcázar Alcazar. *Mar.* Gaillard d'arrière.

aice *m* Élan *m* [animal]. Coupe (kup) *f* [naipes].

alción Alcyon (sioⁿ).

alcista Haussier (osié).

alcoba Chambre à coucher (chaⁿbrakuché).

alcohol Alcool (kol).

alcoholato Alcoolat (la).

alcohólico, ca Alcoolique (lìk).

alcoholismo Alcoolisme (ísm).

alcoholizar Alcooliser.

alcor Coteau (koto).

alcorán (àn) Coran (koraⁿ).

alcornoque (noké) Chêne-liège (**chèn lièj**). *Fig.* Imbécile.

alcorza Pâte de sucre.

alcurnia (kour) Lignée (ñé).

alcuza (ouza) Burette.

alcuzcuz (kouzkouz) Couscous (kuskus).

aldaba *f* Heurtoir ('œrtuar) *m.* Verrou (verù) [cerrojo].

aldabada *f,* **aldabazo** *m* Coup [*m*] de heurtoir.

aldabilla (lha) *f* Crochet *m.*

aldabón Heurtoir ('œrtuar).

aldea *f* Hameau (amo) *m.*

aldeano, na Villageois, oíse.

alderredor Autour (otur).

¡ale! Allons! (aloⁿ).

álea Aléa.

aleación *f* Alliage (aliaj) *m.*

alear Battre des ailes. Allier (lié) [metales].

aleatorio, ria Aléatoire.

aleccionar Faire* la leçon.

alechugado, da Plissé, ée.

alegación Allégation (ale).

alegar Alléguer (alegué).

alegato *m* Allégation *f.*

alegoría Allégorie (ale).

alegórico, ca Allégorique.

alegrar Réjouir (rejuir). *Fig.* Égayer [avivar]. Exciter [el toro].

alegre (egré) Gai, aie (gué).

alegría Gaîté (guèté).

alegro Allégro (alé).

alegrón (gròn) *m* Grande joie (graⁿd juá) *f.*

alejamiento Éloignement.

alejar (aléjar) Éloigner (eluañé).

alelamiento Hébétement.

alelado, da Hébété, ée.

alelí V. ALHELI.

aleluya (loudja) *f* Alléluia (alélùa) *m.* Image [*f*] d'Épinal [estampita]. Vers [*m*] de mirliton.

alemán, ana Allemand, de.

alentado, da Vaillant, ante.

alentar (èn) Respirer. Encourager [animar].

alerce Mélèze (ès).

alero Avant-toit, auvent.

alerta Alerte. *Estar alerta,* être* en alerte, sur ses gardes.

alertar Alerter.

aleta Ailette (elèt). Nageoire (najuar) [pez].

aletazo Coup [*m*] d'aile.

aletear Voleter (volté).

aleteo *m* Battement d'ailes.

aleve (évé) Traître (trètr).

alevosía Traîtrise.

alezo *m* Alèse *f.*

alfabético, ca Alphabétique.

alfabeto Alphabet (alfabè).

alfajor Gâteau au miel.

alfalfa Luzerne (lusern).

alfandoque (àndoké). Gâteau au miel.

alfanje (ànjé) Cimeterre.

alfaque (aké) *m* Barre *f.*

alfarero Potier (tié).

alféizar (feízar) *m.* Embrasure (aⁿbrasûr) *f.*

alfeñique *m* Sucre d'orge. *Fig.* Gringalet.

alférez *m* Porte-drapeau. Sous-lieutenant.

alfil *m* Fou (fu) [échecs].

alfiler (èr) *m* Épingle *f.*

alfombra (òn) *f* Tapis (pi) *m.*

alfombrar Tapisser (sé).

alfóncigo m Pistache f.

alforfón (òn) Sarrasin (siⁿ).

alforja Besace (b^esas).

alforza f Rempli (raⁿ) m.

alga Algue (alg).

algalia Civette (sivet) [parfume]. Sonde (soⁿd) [med.].

algarabía f Charabia (iá) m.

algarroba Caroube (rub).

algazara (za) f Vacarme m.

álgebra (je) Algèbre (jebr).

álgido, da (ji) Algide (jid).

algo pr. Quelque chose. Adv. Un peu.

algodón (òn) Coton (oⁿ).

algodonero Cotonnier.

algonoso, sa Cotonneux, euse (nœ, œs).

alguacil (ouazíl) Huissier.

alguien (ghièn) Quelqu'un (kelkiⁿ).

alguno, na (gou) Quelque (kelk^e) [Algún devant un m]. Pr Quelqu'un [moins général que alguien].

alhaja (aja) f Bijou m.

alhajar Orner.

alhelí (alélí) m Giroflée f.

alheña (alégna) f Henné m.

alhóndiga Halle (hal).

alhucema (alou) Lavande.

alianza (iànza) f Alliance.

aliar Allier (alié).

alias (ia) adv, dite (di, dit).

alibí Alibi (bí).

alicaído, da Affaissé, ée.

alicatado Décor de céramique.

alicates (tès) mpl Pinces (piⁿs) fpl.

aliciente (iènté) Appât (pa).

alienar (lié) Aliéner (né).

alienista (lié) Aliéniste.

aliento (ièn) m Haleine ('a-lèn) f, respiration f. Cou-

rage m [ánimo, valor].

aligator Alligator (ali).

aligerar (jé) Alléger (alejé). Presser (sé) [apremiar].

alimaña (gna) Bête nuisible.

alimentación Alimentation. Nourriture (nuritür) [alimento].

alimentar Alimenter. Nourrir (nurir) [dar de comer]. Fig. Nourrir.

alimenticio, cia Alimentaire.

alimento (èn) m Nourriture (nuritür) f. Fig. Aliment.

alindar (ìn) Embellir (aⁿbelir). Borner [amojonar].

alineación f Alignement m.

alinear (né) Aligner (ñé).

aliñar (gn) Apprêter (té).

aliño (gno) Apprêt (aprè).

aliquebrar (kébrar) Briser les ailes.

alisar (issar) Lisser, polir.

alisios Alizés.

alistamiento Recrutement.

alistar Recruter (krü). Engager (aⁿgajé), enrôler (mil.). Préparer [disponer].

aliviar Soulager (sulajé). Vr Aller* mieux [mejorar].

alivio m Soulagement.

alizar (zar) Frise (is).

alizarina Alizarine.

aljaba (ja) f Carquois m.

aljez (jèz) Gypse (jips').

aljibe m Citerne (sitern') f.

aljofaina (jofaí) Cuvette.

aljófar m Verroterie f.

aljofifa f Torchon m.

alma Âme (am').

almacén (zèn) Magasin (iⁿ).

almacenaje Magasinage.

almacenar Emmagasiner.

almáciga Pépinière (nier).

almadía f Train [m] de bois.

almadraba Madrague (ag).
almadreña (gna) f Sabot m.
almagre (gré) Ocre (okr).
almanaque Almanach (na).
almeja (ja) Clovisse (ís).
almena f Créneau (no) m.
almenar Créneler (enlé).
almendra (èn) Amande (aⁿd).
almendro Amandier (dié).
almez Micocoulier (kulié).
almiar m Meule (mœl) f.
almíbar Sirop (ro).
almibarar Confire* (koⁿfir).
almidón (òn) Amidon (oⁿ).
almidonar Amidonner.
almilla (ílha) Gilet (jilè).
alminar Minaret (ré).
almirantazgo m Amirauté f.
almirante Amiral.
almirez (rèz) Mortier (tié).
almizcle (izklé) Musc (müsk).
almizcleño, ña Musqué.
almo, ma Nourricier, ère.
almocárabes Entrelacs.
almohada f Oreiller (oreié)
  m. Taie (tè) f [funda].
almohadilla f Coussin m.
almohadillar Capitonner.
almohaza Étrille (etrié).
almohazar Étriller (etrié).
almoneda Vente aux enchè-
  res (aⁿcher).
almorranas Hémorroïdes.
almorta Gesse (jes).
almorzada Jointée (juⁿté).
almorzar Déjeuner (dejœné).
almuerzo (ouerzo) Déjeuner.
alno Aune (on̄).
alocado, da Étourdi, ie (tur).
alocución Allocution.
aloe Aloès.
alojamiento (ja) Logement.
alojar (jar) Loger (jé).
alón (òn) m Aile (èl) f.
alondra (òn) Alouette (luet).

alópata Allopathe (alopat).
alopecia (péz) Alopécie (sí).
alotropía Allotropie (alo).
alpaca f Alpaca m [animal].
  Alpaga m [tela].
alpargata Espadrille (dríé).
alpestre (tré) Alpestre (tr').
alpinismo Alpinisme (ism).
alpinista Alpiniste (íst).
alpiste (ti) Alpiste.
alquequenje (kènjé) Coque-
  ret (kokeré).
alquería (ké) Ferme (ferm).
alquilar (ki) Louer (lué).
  De alquiler, en location.
alquiler (èr) m Location f.
alquilón (òn) Locatis (tí).
alquimia (ki) Alchimie (ch).
alquimista Alchimiste.
alquitrán (àn) Goudron (gu).
alquitranar Goudronner.
alrededor (otur) Autour, Environ [aproximadamente].
  Alrededor de cien metros,
  cent mètres environ. Pl. Environs.
alta f Congé (koⁿjé) m.
altanería Hauteur (otœr).
altanero, ra (né) Hautain,
  aine ('otìⁿ, ène).
altar Autel (otèl).
altavoz Haut-parleur (o - œr).
alteración Altération.
alterar Altérer (eré). Vr
  S'émouvoir* (muvŭar).
altercado m Altercation f.
altercar Quereller (kerelé).
alternancia Alternance.
alternar Alterner. Fréquenter (kaⁿté). Alternar con
  personas de su edad, fréquenter des personnes de son âge.
alternativa Alternative. Investiture (túr) [toreo].
alternativo, va Alternatif, ive.

alteza (za) Altesse (tès).

altibajos (joss) Hauts et bas.

altillano (lha) Am. Plateau.

altillo m·(lho) Tertre (tertr).
Am. Soupente (supa^{n}t) f.
Grenier (grenié) [casas].

altiplanicie f Plateau m.

altísimo, ma Très haut.

altitud (oud') Altitude (üd').

altivez (ez) Hauteur ('otœr).

altivo, va Hautain, e ('oti^n).

alto, ta Haut, e ('o, 'ot).
Grand, e [persona]. Mús.
Alto. Adv. Haut ('o).

altoparlante Am. Haut-parleur ('o parlœr).

altozano (za) Monticule (cül).
Parvis (vi) [de iglesia].

altramuz (ouz) Lupin (i^n).

altruísmo Altruisme (üésm').

altura (oura) Hauteur.

alubia (lou) f Haricot m.

alucinar (zi) Halluciner.

alud (oud') m Avalanche f.

aludir Faire* allusion.

alumbrado Éclairage (eraj).

alumbramiento m Éclairement.
Accouchement [parto].

alumbrar (oum) Éclairer.

alumbre (oùmbré) Alun (li^n).

aluminio Aluminium (niom).

alumno, na (oum) Élève.

alusión (ouss) Allusion.

aluvión m Alluvion f.

álveo Lit (li) [de río].

alvéolo m Alvéole f.

alverja f Vesce (ves) f. Petit
pois (petipuá) [guisante].

alza (alza) Hausse ('os).

alzada Hauteur.

alzamiento Soulèvement.

alzapaño m Patère (ter) f.

alzaprima f Levier (lœvié) m.

alzar* Lever (lœvé).

allá (alha) Là-bas (ba).

allanar (alha) Aplanir. Violer [domicilio]. Vr Se soumettre* (sumetr).

allegado, da Proche (proch).

allegar Ramasser (sé).

allende (èndé) Au-delà.

allí (alhi) Là. Alors (or)
[entonces].

ama Maîtresse (mètrès).
Nourrice (nurís) [nodriza].

amabilidad Amabilité.

amable (blé) Aimable (èm).

amador, ra Amoureux, euse.

amaestrar Dresser (dresé).

amagar Menacer (mœnasé).

amainar (aï) Baisser (bèsé).

amalgama Amalgame (gam).

amalgamar Amalgamer.

amamantar Allaiter (aleté).

amanecer* Faire* jour. M
Point du jour, aube (ob) f.
Al amanecer, à l'aube.

amanerado, da Maniéré, ée.

amaneramiento m Manières
fpl.

amanerarse Être maniéré.

amansar (àn) Apprivoiser.

amante (ànté) Amant, ante.
Ami, ie [que tiene afición].

amanuense Secrétaire (ter).

amañarse S'arranger*.

amapola f Coquelicot (ko) m.

amar Aimer (emé).

amaranto Amarante (ra^{n}t).

amarar Amerrir.

amargar Avoir* de l'amertume.

amargo, ga Amer, ère.

amargor m -gura f Amertume (amertüm) f.

amarillear, -llecer* (lhèzèr)
Jaunir (jonir).

amarillento, ta Jaunâtre.

amarillo (ilho) Jaune (jon^e).

amarra Amarre (ar).

amarradura f Amarrage m.

amarrar Amarrer (aré).

amasador, ra Pétrisseur, se. Masseur, euse [med.].

amasamiento Massage (saj).

amasar Pétrir [el pan]. Gâcher [yeso]. Masser [med.].

amasijo (ijo) Gâchis (chí). Mortier. Fig. Ramassis.

amatista Améthyste (tist).

amatorio, ria D'amour.

amazona (zo) Amazone.

ambages (jès) Ambages (baj).

ámbar (àm) Ambre (anbr).

ambición Ambition.

ambicionar Ambitionner.

ambicioso, sa Ambitieux, euse.

ambiente Ambiant M Ambiance (anbíans) f.

ambiguo, a Ambigu, guë (gü).

ámbito m Enceinte (sint) f. Confin (konfin) [límite].

ambladura f Amble (anbl) m.

ambón (ànbòn) Jubé (jübé).

ambos, bas Les deux, tous deux, toutes deux.

ambrosía Ambroisie (bruasí).

ambulancia (ànzia) Ambulance (ans).

ambulante Ambulant, e.

amedrentar (èn) Effrayer.

amén (èn) Ainsi soit-il.

amenaza (ménaza) Menace.

amenazador, ra Menaçant, e.

amenazar Menacer (menassé).

amenguar (èngouar) Amoindrir (muin), diminuer (nüé).

amenidad Aménité.

ameno, na Aimable (èmabl).

americanismo Américanisme.

americano, na Américain, aine.

ametralladora Mitrailleuse.

amianto Amiante.

amigable Amiable.

amígdala Amygdale (dal).

amigo, ga Ami, ie. Amateur [aficionado, a].

amilanarse Se décourager.

amistad Amitié.

amistoso, sa Amical, e.

amnesia Amnésie (sí).

amnistía Amnistie.

amo, ma Maître, maîtresse (mètr, metrés).

amojonar (jo) Borner.

amolador Rémouleur (mu).

amolar Aiguiser (eguisé). Fam. Assommer [fastidiar].

amoldar Mouler (mulé).

amonedar Monnayer (neié).

amonestación Admonestation.

amonestar Admonester.

amoníaco m Ammoniaque f.

amontillado Xérès blanc.

amontonar Entasser (an).

amor Amour (amur).

amoratado, da Violacé, ée.

amordazar Bâillonner (baio).

amorfo, fa Amorphe (orf).

amoríos Amours (amur).

amoroso, sa Amoureux, euse.

amortajar (jar) Ensevelir.

amortecer* Amortir.

amortiguar Amortir.

amortizar Amortir.

amoscarse Se fâcher (faché).

amostazarse S'irriter.

amotinar Ameuter, soulever.

amparar Protéger (jé). Vr S'abriter, se mettre* à l'abri.

amparo m Protection f.

amperio Ampère (anper).

ampliar Agrandir (an).

amplificar Amplifier.

amplio, a (àm) Ample.

amplitud Amplitude (tüd).

ampo (àm) m Blancheur f.

ampolla (lha) Ampoule (a^n-pul).
ampolleta f Sablier (ié) m.
ampuloso, sa Ampoulé, ée.
amputar (ànpoutar) Amputer.
amueblar (oué) Meubler (œ).
amuleto m Amulette f.
ana Aune (on^e).
anacoreta Anachorète (koret).
anacronismo Anachronisme.
ánade Canard (kanar).
anagrama Anagramme.
anal Anal.
anales mpl Annales fpl.
análisis m Analyse (li) f.
analizar Analyser.
analogía (jía) Analogie (jí).
análogo, ga Analogue (log).
ananás Ananas (na^s).
anaquel (kel) Rayon (reio^n).
anaquelería Etagère (jer).
anaranjado, da Orangé, ée.
anarquía Anarchie (chí).
anarquista Anarchiste.
anatema 2g Anathème m.
anatomía Anatomie.
anca (àn) Cuisse (küis). Pl Croupe (krup) [caballo]. A ancas, en croupe.
ancianidad Vieillesse (vietés). Ancienneté [antigüedad].
anciano, na Vieux, vieille (viœ, viei). Mf Vieillard 2g.
ancla Ancre (a^{n}kr).
anclar Ancrer, mouiller.
áncora Ancre (a^{n}kr).
ancho, cha Large (larj).
anchoa f Anchois (chuá) m.
anchura Largeur (larjœr) Pl Sans-gêne m.
anchuroso, sa Large (larj).
andadas Foulées (fulé). Volver* a las andadas, retomber dans les mêmes erreurs.
andador, ra Marcheur, euse.

Fpl Lisières [de los niños].
andaluz, za Andalou, ouse.
andamiaje, andamio Échafaudage.
andana Rangée (ra^{n}jé).
andanada Bordée [artillería].
andancia Épidémie.
andante Errant, e. M Mus. Andante.
andar* (àn) Marcher [dando pasos, un mecanismo]. Fig. Être* [alegre, triste]. Être* en train de [con ger.]; ¡Anda! interj. Allons! ¡Andando! En avant! M Démarche (arch).
andarín Marcheur.
andas (àndass) fpl Brancard (a^{n}kar) m.
andén (àndèn) Quai (kè).
andrajo Guenille (gœnîle).
andrajoso, sa Déguenillé, ée.
andurriales Lieux écartés.
anea Massette (maset).
anécdota Anecdote (dot).
anegar* Noyer* (nuaié).
anejar (jar) Annexer.
anejo, ja Annexe (ex).
anélido Annélide.
anemia Anémie.
anémico, ca Anémique.
anemona Anémone.
aneroide Anéroïde.
anestesia Anesthésie.
anestesiar Anesthésier.
anestésico, ca Anesthésique.
aneurisma Anévrisme.
anexión Annexion.
anexo, xa Annexe.
anfibio Amphibie (anfibí).
anfiteatro Amphithéâtre.
anfitrión Amphitryon.
ánfora Amphore.
anfractuosidad Anfractuosité.

anfractuoso, a Anfractueux, euse.

angarillas fpl Brancard m.

ángel (ànjel) Ange (a**n**j).

angélico, ca Angélique.

ángelus (ous) Angélus (üs).

angina (jí) Angine (jine).

anglicano, na Anglican, ane.

anglicismo Anglicisme.

anglosajón (jòn) Anglosaxon.

angostar Rétrécir.

angostura f Étranglement m.

anguila (àn) Anguille (íe).

angular Angulaire (a**n**gülèr).

ángulo (àn) Angle (a**n**gl).

anguloso, sa Anguleux, euse.

angustia (ous) Angoisse.

angustiar Angoisser.

angustioso, sa Angoissant, e.

anhelante (àn) Haletant ('a).

anhelar (ané) Haleter ('alté). Désirer [codiciar].

anheloso, sa Désireux, euse.

anidar Nicher (ché).

anilina Aniline.

anillo (lho) Anneau (no).

ánima Âme (am). Sonnerie de cloches, au crépuscule.

animación Animation.

animal Animal.

animalucho m Vilaine bête f.

animar Animer. Encourager (a**n**kurajé) [alentar].

ánimo Esprit (prí). Courage (kuraj) [valor].

animosidad Courage (raj). Animosité [rencor].

animoso, sa Courageux, euse.

aniñado, da Enfantin, ine.

aniquilar Anéantir (a**n**tír).

anís (ís) Anis (ní).

anisete m Anisette (set) f.

aniversario Anniversaire.

ano Anus (üs).

anoche (ché) Hier soir.

anochecer* (zèr) Faire* nuit. M Crépuscule (üskül). Al anochecer, au crépuscule.

anodino, na Anodin (í**n**).

ánodo m Anode f.

anomalía Anomalie.

anómalo, la Anormal, e.

anonadar Anéantir.

anónimo, ma Anonyme.

anormal Anormal, e.

anotar Annoter.

anquilosis Ankylose (lós).

ánsar (àn) m Oie (ua) f.

ansia (àn) Anxiété [inquietud]. Avidité [deseo].

ansiar Convoiter.

ansiedad (dàd) Anxiété.

ansioso, sa Anxieux, euse. Avide [deseoso, codicioso].

antagonismo Antagonisme.

antártico, ca Antarctique.

ante Élan (a**n**) [animal]. prep Devant (deva**n**).

anteayer Avant-hier.

antebrazo Avant-bras.

antecámara Antichambre.

antecedente Antécédent.

antecesor, ra Prédécesseur.

antemano (de) D'avance.

antena Antenne.

antenoche Avant-hier soir.

anteojo m Lunette (lünet) f.

antepasado Ancêtre.

antepecho Garde-fou.

antepenúltimo, ma Antépénultième (nültièm).

anteponer* Mettre* devant. Fig. Préférer.

anterior Antérieur, eure.

anterioridad Antériorité.

antes (àntès) Avant (ava**n**). Plutôt [más bien].

antesala Antichambre.

antibiótico Antibiotique.

anticipar Devancer. Avancer [dinero].
anticipo m Avance f.
anticuado, da Vieilli, ie.
anticuario Antiquaire (kèr).
antídoto Antidote.
antifaz Masque (mask).
antífona Antienne (tièn⁻).
antigualla Vieillerie.
antiguamente Autrefois.
antigüedad Antiquité [cosas]. Ancienneté [personas].
antiguo, gua (àn) Ancien, enne. Antique [muy antiguo].
antílope m Antilope f.
antimonio Antimoine.
antiparras Lunettes (lünet).
antipatía Antipathie.
antipático, ca Antipathique.
antípoda Antipode.
antiquísimo, ma Très vieux.
antirreligioso, sa Antireligieux, euse.
antiséptico Antiseptique.
antítesis Antithèse.
antojadizo, a Capricieux, se.
antojarse Avoir* envie. [desear]. Avoir* dans l'idée [imaginar]. *Se me antoja,* j'ai envie ou j'ai dans l'idée.
antojo (ojo) m Envie (aⁿví) f. Caprice (is) [capricho].
antología Anthologie.
antorcha Torche.
antracita f Anthracite m.
ántrax Anthrax (aⁿ).
antro (àn) Antre (aⁿtr).
antropofagia Anthropophagie.
antropófago Anthropophage.
anual Annuel, elle (nüel).
anualidad Annualité.
anuario Annuaire (anüèr).
anublar Couvrir (ku) [cielo].
anudar (nou) Nouer (nué).

anular Annuler (nü).
anunciación Annonciation.
anunciante Annonceur.
anunciar Annoncer (anoⁿsé).
anuncio m Annonce (anoⁿs) f.
anuo, a Annuel, elle.
anverso (àn) m Face (fas) f.
anzuelo (ànzoué) Hameçon.
añadido m Addition f.
añadidura f Supplément m.
añadir Ajouter (ajuté).
añejo, ja Vieux, vieille.
añicos mpl Miettes fpl.
añil Indigo (iⁿ).
año (agno) m An (aⁿ) m [con un número cardinal]; année f. Pl Anniversaire m.
añoranza f Regret (grè) m.
añoso, sa Vieux, vieille.
aorta Aorte (aort).
aovado, da Ovale.
apabullar (oulhar) Aplatir.
apacentar* Paître*. Fig. Repaître* (rⁿpètr).
apacible (zi) Paisible (pès).
apaciguar Apaiser (apèsé).
apache (ché) Apache (ach).
apachurrar Écraser, aplatir.
apadrinar Servir* de témoin.
apagador Éteignoir (teñuar).
apagar Éteindre* (tiⁿdr).
apaisado, da Allongé, ée (jé).
apalear (léar) Bâtonner (né).
apañado, da (gna) Drapé, ée. Adroit, te (uá) [listo]. Convenable [adecuado].
apañar (gnar) Arranger (jé).
apaño (gno) Arrangement.
aparador Buffet (büfè).
aparato Appareil (réi). Apparat (ra) [pompa].
aparatoso, sa Pompeux, euse.
aparcamiento Parc-autos, parking.
aparcar Garer [coche].

aparcería f Métayage (iaj) m.

aparcero Métayer (meteié) .

aparear (réar) Accoupler.

aparecer* Apparaître* (retr).

aparecido Revenant (na[n]).

aparejar Appareiller (reié).
  Harnacher [caballos].

aparejo (éjo) Apprêt (aprè).
  Harnais ('arnè) [caballo].

aparentar* Feindre* (fi[n]).

aparente (èn) Apparent, e.

aparición Apparition.

apariencia (rién) Apparence.

apartadero m Voie [f] de garage.

apartado, da Ecarté, ée. M
  Boîte postale (buat postal) .

apartar Ecarter. Trier [escoger].

aparte A part. M Aparté.

apasionarse Se passionner.

apatía Apathie (tí) .

apático, ca Apathique (tik).

apeadero m Halte ('alt) f.
  Pied-à-terre m [domicilio].

apear Entraver [caballos].
  Etayer (eteié) [apuntalar].
  Arpenter (a[n]té) [terrenos].
  Vr Mettre" pied à terre.

apechugar Se résigner (né).

apedrear (éar) . Lapider.

apegarse S'attacher.

apego Attachement.

apelación f Appel m.

apelar Appeler (ap[e]lé).

apellido Nom [de famille].

apenar (apé) Peiner (pèné).

apenas (ass) A peine (pèn) .

apéndice (èn) Appendice (i[n]).

apendicitis Appendicite.

apeo m Arpentage (pa[n]taj)
  Etai (etè) [puntal].

apercibir Préparer. Apercevoir" [ver: galicismo].

apergaminado Parcheminé.

aperitivo, va Apéritif, ive.

apero m Outil (utí) m. Selle
  (sel) f [de montar].

aperrear Ereinter (eri[n]té) .

apertura Ouverture (ür).

apesadumbrar Attrister.

apesarar Ennuyer (a[n]nuié) .

apestar Empester (a[n]pesté) .

apetecer" Convoiter, désirer.

apetecible Désirable.

apetito Appétit (ti) .

apetitoso, sa Appétissant, e.

apiadar Apitoyer" (tuaié) .

ápice m Pointe (pui[n]t) f,
  sommet (somé) m. Fig. Rien
  m [nada].

apicultor Apiculteur.

apiñar (gnar) Entasser (a[n]) .

apio Céleri (selrí) .

apisonar (iss) Tasser (sé) .

aplacar Apaiser (apesé) .

aplanamiento Aplanissement.
  Fig. Accablement.

aplanar Aplanir. Surprendre*
  [sorprender]. Accabler [anonadar].

aplastar Aplatir.

aplaudir Applaudir (plo) .

aplauso Applaudissement.

aplazamiento Ajournement.

aplazar (zar) Ajourner (jur).

aplicación Application.

aplicar Appliquer (ké) .

aplomado, da Plombé, ée
  [color]. Calme (kalm)
  [tranquilo].

aplomarse S'écrouler (krulé).

aplomo Aplomb (plo[n]) .

apocado, da Timide, craintif.

apocalipsis m Apocalypse f.

apocamiento m Timidité f.

apocar Amoindrir (amui[n]drír). S'humilier (sümilié).

apócrifo, fa Apocryphe (if) .

apodar Surnommer (mé) .

apoderado Chargé de pouvoirs.

apoderarse S'emparer (sa^n).

apodo Surnom (sürno^n).

apogeo (jéo) Apogée (jé).

apolillar Manger [aux vers].

Apolo Apollon (polo^n).

apólogo Apologue (log).

apoltronarse S'acagnarder.

aponeurosis Aponévrose.

apoplejía Apoplexie.

apoplético, ca Apoplectique.

aporcar Butter (büté).

aporrear Cogner (koñé).

aportar Apporter.

aposentamiento Logement.

aposentar Loger* (jé).

aposento Logement (lojma^n).

aposición Apposition.

apósito Emplâtre (a^{n}platr).

apostar* Parier [dinero, etc.].
Poster [colocar].

apostasía Apostasie (sí).

apóstata Apostat (ta).

apostema Apostème.

apostillar (lh) Apostiller.

apóstol Apôtre.

apostolado Apostolat (la).

apostólico, ca Apostolique.

apostrofar Apostropher.

apóstrofe 2g, **apóstrofo** m Apostrophe (*f*).

apostura Bonne prestance.

apotema Apothème (tem).

apoteosis Apothéose (téos).

apoyar (djar) Appuyer (ié).

apoyo (djo) Appui (püi).

apreciación Appréciation.

apreciar Apprécier.

aprecio m Appréciation *f*.
Estime (tim) *f*.

aprenhender Appréhender.

apremiante Pressant, e.

apremiar Presser.

apremio m Contrainte (i^{n}t) *f*.

aprender (èn) Apprendre.

aprendiz, za Apprenti, ie.

aprendizaje (èndizajé) Apprentissage (a^{n}tisaj).

aprensión Appréhension.

aprensivo, va Craintif, ive.

apresar Capturer (tü).

aprestar Apprêter.

apresto Apprêt *m*.

apresuramiento m Empressement *m*; hâte ('at) *f* [prisa].

apresurar Hâter (até).

apretado, da Serré, ée.

apretar* Serrer. Presser.

apretón Serrement (serma^n).

apretura (toura) Gêne.

aprieto m Gêne (jèn) *f*.

aprisa Vite (vit).

aprisionar Emprisonner.

aprobación Approbation.

aprobar* Approuver.

apropiar Approprier.

aprovochado, da Utilisé, ée. Appliqué, ée [discípulo].

aprovechamiento m Utilisation *f*; profit (profí) *m*.

aprovechar Utiliser. Profiter [sacar provecho]. *¡Que aproveche!* Bon appétit!

aproximación *f* Rapprochement *m*.

aproximadamente A peu près.

aproximar Approcher; rapprocher (ché).

aptitud Aptitude.

apto, ta Apte. *Apto para*, apte à.

apuesta *f* Pari *m*.

apuesto, ta De belle prestance.

apuntación Note.

apuntador Souffleur [théât.].

apuntalar Étayer (eteié).

apuntamiento m Pointage [armes]. Note *f* [señal].

apuntar Pointer (puiⁿté)
[arma]. Viser [al blanco].
Marquer, noter [notar].
Ponter [juegos]. Poindre*
(puiⁿdr) [el día].

apunte (pounté) Note ƒ. Souffleur [teatro]. Ponte [jue-
go].

apuñalar Poignarder (puañ).

apurado, da Gêné, difficile.

apurar Épurer [purificar].
Épuiser [agotar]. Éclaircir
[aclarar]. Affliger [afligir].
Presser [hostigar].

apuro m Gêne ƒ.

aquejar (akéjar) Peiner (pè).

aquel, lla Ce, cet, cette ;
ce...là, cet...là, cette...là. M
Charme.

aquél, lla Celui-ci, celle-là.

aquelarre Sabbat (saba).

aquerenciarse (akérⁿziarsé)
Prendre goût à.

aquí Ici.

aquietar Apaiser (apèsé).

aquilatar Essayer* (eseié).

aquilino, na (ki) Aquilin, e.

aquilón (ki) Aquilon (loⁿ).

ara ƒ Autel (otel) m.

árabe Arabe.

arabesco m Arabesque ƒ.

arábigo, ga Arabique.

arácnido m Arachnide (rak).

arador Laboureur (buroer).
Acarus (rüs) [de la sarna].

arambel Haillon (aioⁿ).

arancel (àn) Tarif douanier.

arancelario, ria Douanier, ère.

arándano m Airelle (èrel) ƒ.

arandela Bobèche (bech).

araña (gna) ƒ Araignée (ñé)
ƒ. Lustre (lüstr) m [luz].

arañar (gnar) Griffer.

arañazo Coup de griffe.
Égratignure ƒ [rasguño].

arar Labourer (buré).

aratorio, ria Aratoire.

arbitraje Arbitrage (aj).

arbitrar Arbitrer. Vr S'ingénier.

arbitrariedad ƒ Arbitraire m.

arbitrario, ria Arbitraire.

arbitrio Arbitre. Projet (jé)
[proyecto].

árbitro Arbitre.

árbol Arbre. Mât [mar.].

arbolado, da Boisé, ée. M
Arbres pl.

arbolar Dresser.

arboleda ƒ Arbres mpl.

arborescente Arborescent, e.

arbotante (àn) Arc-boutant.

arbusto Arbuste.

arca ƒ Coffre (kofr) m. Arche
ƒ [de Noé]. Château [m]
d'eau [de agua].

arcabucero Arquebusier.

arcabuz (bouz) m Arquebuse ƒ
(arkᵉbüs) ƒ.

arcada ƒ Arcade. Nausée (no).

arcaduz m Godet (dé) m
[noria]. Conduite ƒ [tubo].

arcaico, ca Archaïque (kaïk).

arcángel Archange (kaⁿj).

arcano Arcane.

arce Érable (erabl).

arcediano Archidiacre.

arcilla Argile (jil).

arcipreste Archiprêtre.

arco Arc. Archet (chè) [mús.].

arcón Caisson (kesoⁿ).

archidiácono Archidiacre.
-duque, sa Archiduc, chesse.
-piélago Archipel.

archivar Classer.

archivista Archiviste.

archivo m Archive ƒ.

árdea ƒ Butor m.

ardentía Brûlure.

arder Brûler (brülé).

ardid m Ruse (rüs) f.
ardiente Ardent, ente.
ardilla f Écureuil (rœi) m.
ardimiento m Ardeur f.
ardor m Ardeur (dœr) f.
ardoroso, sa Ardent, ente.
arduo, ua Ardu, ue (dü).
área Surface. Are (m2).
arena f Sable m. Arène f [redondel].
arenar Sabler.
arenero Sablier.
arenga (èn) Harangue (aⁿg).
arengar Haranguer ('aran).
arenilla f Sable m. Gravelle (vel) f [med.].
arenisco, ca Sablonneux, se. F Grès m (grè).
arenoso, sa Sablonneux, se.
arenque Hareng ('araⁿ).
areómetro Aréomètre.
areópago Aréopage (paj).
arete Anneau (ano).
argamasa f Mortier (tié) m.
argentino, na Argentin.
argolla f Anneau (ano) m.
argonauta Argonaute (not).
argüir (gouir) Arguer (gü-é).
argumento Argument. Sujet (süjé) [drama, comedia].
aridez Aridité.
árido, da Aride. Mpl Grains et légumes secs.
ariete Bélier (lié).
arillo (arilho) m Boucle [f] d'oreille.
arisco, ca Sauvage (sovaj).
arista Arête (aret).
aristocracia Aristocratie.
aristócrata Aristocrate.
aristocrático, ca Aristocratique.
aritmética Arithmétique.
arlequín (in') Arlequin (iⁿ)
arma Arme.

armada Flotte (flot).
armadía f Train [m] de bois.
armadillo (dilho) Tatou (tu).
armador Armateur.
armadura Armure. Armature [armazón]. Charpente [carpintería].
armamento Armement.
armar Armer. Monter (moⁿ) [disponer]. Faire* [ruido].
armario m Armoire (muar) f.
armatoste Fam. Meuble.
armazón Armature.
armería f Armurerie f. Musée [m] d'armes.
armero Armurier. Râtelier [mueble].
armiño (gno) m Hermine f.
armisticio Armistice.
armonía Harmonie.
armonio Harmonium (niom).
armonioso, sa Harmonieux, euse.
arnés Harnais ('arnè).
árnica Arnica.
aro Cerceau (serso).
aroma Arôme.
aromático, ca Aromatique.
aromatizar Aromatiser.
arpa Harpe ('arp).
arpegio Arpège (èj).
arpía Harpie ('arpi).
arpón Harpon ('arpoⁿ).
arquear (ké) Arquer (ké). Jauger (jé) [medir].
arqueo (kéo) m Courbure (kurbür) f. Jaugeage (jojaj) m [medida]. Vérification f [recuento].
arqueólogo Archéologue (ké).
arquero (ké) Archer (chè).
arquiepiscopal Archiépiscopal (chi).
arquitecto Architecte (chi).
arquitectura Architecture.

arrabal Faubourg (fobur).

arraigar (aï) Enraciner (aⁿ).

arrancar (àn) Arracher (ché).
Démarrer [coche].

arranque Arrachement. Démarrage [auto]. Démarreur.

arras Arrhes (ar).

arrasar Raser [destruir].

arrastrar Traîner (trené).

arrayán Myrte (mirt).

¡arre! Hue! (ü).

arrear Presser, stimuler.

arrebañar (gnar) Ramasser.

arrebatar Emporter (aⁿ).

arrebato Emportement.

arrebol m Rougeur [f] du crépuscule.

arrebujar Envelopper.

arreciar Redoubler (dublé).

arrecife Récif.

arrechucho Accès (sè).

arredrar Intimider (iⁿ).

arreglar Arranger (aⁿjé).
Régler [determinar].

arrellanarse S'installer commodément.

arremangar Retrousser.

arremeter Attaquer (ké).

arrendajo (jo) Geai (jè).

arrendar (èn) Louer (lué).

arrendatario Fermier.

arreo Harnais ('arnè).

arrepentimiento Repentir.

arrepentirse* (pèn) Se repentir (repaⁿtír).

arrestado, da Audacieux, se.

arrestar Arrêter.

arresto m Arrêt m. Audace (odás) [audacia] f.

arriar Lâcher. Amener (amené) [bandera].

arriate m Plate-bande f.

arriba Au-dessus. De arriba abajo, de haut en bas. ¡Arriba! Debout! courage! Vive!

arribada f Arrivage m.

arribar Arriver.

arribo m Arrivée f.

arriendo (ièn) Bail (bai).

arriero Muletier (mültié).

arriesgar Risquer (ké).

arrimar Approcher (ché).
Fam. Appliquer [dar: palos, etc.]. Vr S'appuyer.

arrimo Appui (púi).

arrinconar Mettre* dans un coin. Délaisser (lesé) [abandonar, descuidar].

arroba Arobe (11,5 kg).

arrobamiento m Extase f.

arrocero, ra Rizier, ère.

arrodillarse S'agenouiller.

arrogancia Arrogance.

arrogante Arrogant, ante.

arrojadizo, za De jet [arme].

arrojado, da Hardi, ie ('ar).

arrojar (jar) Jeter* (jeté).
lancer (laⁿsé).

arrollar Enrouler (aⁿrulé).
Entraîner (trè) [arrastrar].

arropar Couvrir.

arrope (opé) Moût cuit.

arropía Pâte de guimauve.

arrostrar Affronter (afroⁿ).

arroyada Crue (krü) [avenida]. Ravine [barranco].

arroyo Ruisseau (rüiso).

arroz Riz (ri).

arrozal m Rizière f.

arruga f Ride (rid) [piel].
Pli m [ropa].

arrugar Rider (piel). Froisser (fruasé) [estropear].

arruinar Ruiner (rüiné).

arrullar Roucouler (ruku).
Bercer (sé) [niños].

arrullo m Roucoulement m.
Berceuse (sœs) f [canto].

arrumaco m Cajolerie (jol) f.

arrumar Arrimer (mé).

arrumazón f Arrimage m.
arrumbar Mettre* de côté.
arrurruz Arrow-root (arurut).
arsenal (sé) Arsenal (se).
arsénico Arsenic.
arte m Art (ar) m. Adresse (adrés) f [habilidad].
artefacto Appareil (réi).
artería Artère.
artero, ra Rusé, ée (rüsé).
artesa f Pétrin (in) m.
artesano, na Artisan, ane.
ártico, ca Arctique (artík).
articulación f Articulation.
articular Articulaire. Vt Articuler.
artículo Article (tikl).
artífice Artisan (san).
artificial Artificiel, elle.
artificio Artifice.
artificioso, sa Artificieux.
artillería Artillerie.
artillero Artilleur.
artista Artiste.
artístico, ca Artistique.
artritis Arthrite.
arveja (éja) f Vesce f. Am. Petit pois (pti puá) m.
arvense (èn) Des champs.
arzobispado Archevêché.
arzobispo Archevêque (evèk).
arzón Arçon (son).
as (ass) As.
asa Anse (ans).
asado Rôti.
asador m Rôtissoire (suar) f.
asadura f Foie (fua) m.
asaetear Percer* de flèches.
asalariar Salarier.
asaltar Assaillir (saíir).
asalto Assaut (aso). Surprise-partie f [diversión].
asamblea Assemblée (anblé).
asar Rôtir.
ascendencia Ascendance.

ascender Monter. Avancer [empleado].
ascendiente Ascendant.
ascensión Ascension (on).
ascenso Avancement.
ascensor Ascenseur.
asceta Ascète (assèt).
asco Dégoût (degú).
ascua (askoua) f Charbon ardent. Hecho ascua, chauffé à blanc [mineral].
asear Nettoyer (netuaié).
asechanza f Piège (piej) m.
asechar Tendre des pièges.
asediar Assiéger.
asedio Siège (siej).
asegurar Assurer.
asemejar Rassembler (san).
asendereado, da Fatigué, ée.
asenso Assentiment.
asentaderas Fesses.
asentar* Asseoir* (asuar). Aplatir [costura]. Supposer [suponer]. Affirmer [afirmar]. Noter [apuntar].
asentimiento Assentiment.
asentir Assentir (san).
aseo (asséo) m Propreté f.
aséptico, ca Aseptique.
aserción f Assertion.
aserrín m Sciure (siür) f.
aserto m Assertion f.
asesinar Assassiner.
asesinato Assassinat (na).
asesino, na (assessi) Assassin, ine (asasin).
asesor Assesseur.
asestar Braquer (ké) [arma]. Asséner [golpe].
aseverar Affirmer, assurer.
asfalto Asphalte (falt).
asfixia Asphyxie (fiksí).
asfixiar Asphyxier (fiksié).
así Ainsi (insí). Tant (tan) [tanto]. Así así, comme ci,

comme ça. **Así como,** ainsi que. **Así que,** dès que.

asidero Manche (maⁿch).

asiduidad Assiduité.

asiduo, a Assidu, ue.

asiento (èn) m Siège (siej) m. Lie (li) f [poso]. Fond m [de vasija]. Stabilité.

asignación (ghna) Assignation (ña).

asignar Assigner.

asignatura Inscription. Matière [examen].

asilo (ass) Asile (sil).

asimiento Saisissement.

asimilar Assimiler.

asimismo De même.

asir* Saisir (sèsir).

asistencia Assistance.

asistenta Femme de ménage.

asistente Assistant.

asistir Assister. Fournir (furnir) [juegos de naipes].

asma f Asthme (asm) m.

asna Ânesse (anés).

asno Âne.

asociación Association.

asociar Associer.

asolar Dévaster.

asolear Exposer au soleil.

asoleo m Insolation f.

asomar Montrer (moⁿtré). Vr. Se montrer.

asombradizo, za Ombrageux, euse (jœ, œs).

asombrar Ombrager (oⁿ-jé). Effrayer (efreié) [dar miedo]. Étonner [sorprender].

asombro m Étonnement m. Revenant (rœv^enaⁿ) [aparecido].

asombroso, sa Étonnant, e.

asomo m Ombre f: ni por asomo, nullement.

asonada Émeute (emœt).

asonancia Assonance.

aspa f Croix (krua) f. Dévidoir m [devanadera]. Aile (èl) f [molino]. Am. Corne (korn) [cuerno].

aspaviento m Simagrée f.

aspereza Âpreté. Aspérité [rugosidad].

áspero, ra Âpre (apr). Rugueux, euse [rugoso].

asperón (òn) Grès (grè) m.

aspersión Aspersion (oⁿ).

áspid Aspic.

aspillera (lhéra) Meurtrière.

aspiración Aspiration.

aspirador Aspirateur.

aspirar Aspirer.

aspirina Aspirine.

asqueroso, sa (kérosso) Dégoûtant, e (gutaⁿ).

asta Corne (korn). Hampe ('aⁿp) [bandera].

asterisco Astérisque.

astil Manche (maⁿch).

astilla f Éclat (kla) m.

astillero (ro) Chantier naval.

astracán (àn) Astrakan (aⁿ).

astral Astral.

astreñir* (gnir) Astreindre*.

astringente (injèn) Astringent, ente (iⁿjaⁿ).

astro Astre (astr).

astrología Astrologie.

astronauta Astronaute.

astronáutica Astronautique.

astronomía Astronomie.

astrónomo Astronome.

astucia (ouz) Astuce (üs).

astuto, ta Astucieux, euse.

asueto (assoué) Congé (jé).

asumir (assou) Assumer (mé).

asunción Assomption (soⁿp).

asunto (assoun) Sujet (süjè).

asustar (assou) Effrayer.

atabal m Timbale (tiⁿ) f.

atacar Attaquer. Bourrer

[armas]. Ajuster [ropa].
atadero m Attache (at*ach*) f.
atado Paquet (kè).
atadura (o*u*ra) Attache.
atajar (j*a*r) Couper (kupé).
Barrer (ré) [camino].
atajo (*a*jo) Raccourci (kur).
atalaya Tour de guet.
atañer (gn*è*r) Appartenír*.
ataque (ké) m Attaque (ak) f.
atar Attacher (taché).
atareado, da Affairé, ée.
atarjea (jé*a*) Conduite (d*ü*it).
atascar Embourber (a^nbourbé) [carro]. Engorger (a^njé) [cañería].
ataúd (o*u*d) Cercueil (kœi).
ataviar Parer (ré).
atavío m Parure (r*ü*r) f.
atavismo Atavisme.
ataxia Ataxie.
atemorizar Effrayer (eié).
atención Attention (a^nsio^n).
atender* Faire* attention.
ateneo Athénée (atené).
atenerse* S'en tenir* à.
atentado Attentat (ta^ntá).
atento, ta Attentif, íve.
atenuar (no*u*ar) Atténuer.
ateo Athée (até).
aterido, da Transi, ie (a^n).
aterrajar Fileter (filté).
aterrar Atterrír [mar.]. Atterrer (ré) [asustar].
aterrizaje Atterrissage.
aterrizar Atterrír.
atesar (tess.) Raidír (rè).
atesorar Thésauriser.
atestación Attestation.
atestado m Attestation f.
atestar Bourrer (burré). Attester [atestiguar].
atinar Trouver (truvé) [solución]. Réussir.
atisbar Guetter (guété).

atizar Attiser.
atlántico Atlantique.
atlas Atlas.
atleta Athlète.
atlético, ca Athlétique.
atletismo Athlétisme (atle).
atmósfera Atmosphère (fèr).
atolondrado, da Étourdi, ie.
atolladero (lia) Bourbíer.
atómico, ca Atomique (míc).
átomo Atome (atom).
átono, na Atone.
atónito, ta Étonné, ée.
atontar Étourdír (etur).
atornillar (lhar) Visser.
atosigar (ossi) Empoisonner.
atracar Accoster. Bourrer (buré) [llenar].
atracción Attraction.
atractivo, va Attrayant, e. M Attrait (trè).
atraer* Attirer.
atrancar Barrer (ré).
atrapar Attraper.
atrás Derrière. *Días atrás,* il y a quelques jours. *¡Atrás!* Arrière!
atrasar Retarder.
atraso Retard (tar).
atravesar (ess) Traverser. Mettre* en travers.
atreverse Oser. S'attaquer à.
atrevido, da Hardi (*a*r).
atrevimiento m Hardiesse f.
atribución Attribution.
atribuír* Attribuer.
atributo Attribut (bü).
atril Lutrin (*i*^n), pupitre.
atrio Atrium (iom).
atrocidad Atrocité.
atrofia Atrophie.
atronar (o) Assourdír (asur).
atropar Attrouper (atru).
atropellar (lhar) Bousculer (buskülé). Écraser [coche].

atropello (elho) m Bousculade (buskülad) f.

atropina Atropine.

atroz (oz) Atroce (ós). Fam. Énorme (orm).

atún (oun) Thon (ton).

aturdido, da Étourdi, ie.

aturdimiento Etourdissement.

aturdir (tur) Etourdir (tur).

atusar Tondre (tondr).

audacia (aou) Audace (odás).

audaz (az) Audacieux, euse.

audición (zión) Audition.

audiencia (ién) Audience.

auditivo, va Auditif, ive.

auditor, ra Auditeur, trice.

auditorio Auditoire (tuar).

auge (aoujé) m Apogée (jé) f.

augur (gour) Augure (ogür) f.

augurar Augurer.

augurio Augure.

augusto, ta Auguste.

aula Classe (klas).

aulaga f Ajonc (ajon) m.

aullar (aoulh) Hurler (ürlé).

aullido Hurlement (ürleman).

aumentar (aoumèn) Augmenter (ogman).

aumento m Augmentation f.

aun (aoun) Encore (ankor) : aun es temprano, il est encore tôt. Même : aun si viene, même s'il vient. Aun cuando, bien que, quoique.

aunque Quoique (kuak).

aura (aoura) f Zéphir (fir) m. Faveur (vœr) f [favor].

áureo, a Doré, ée; d'or.

aureola Auréole (oréol).

aurícula Oreillette.

auricular Auriculaire.

aurífero, ra Aurifère.

auriga (aou) Automédon.

aurora (aou) Aurore (oror).

auscultar Ausculter.

ausencia (aou) Absence (ans).

ausentarse S'absenter.

ausente (aoussèn) Absent, e.

auspicio Auspice.

austeridad Austérité.

austero, ra (aous) Austère.

austral Austral.

autarcia Autarcie (otarsí).

autarquía Autarchie (chí).

auténtico, ca Authentique.

autillo Chat-huant (chaüan).

auto (aou) m Arrêt (arè) m [sentencia]. Auto (oto) f [coche]. Pl. Procès (sè) m. Auto de fe, autodafé.

autobús Autobus.

autocar Autocar.

autócrata Autocrate.

autódromo Autodrome.

autoestrada Autostrade.

autógeno, na Autogène.

autogiro Autogire.

autógrafo Autographe.

autómata Automate.

automedonte Automédon.

automóvil m Automobile f.

automovilismo Automobilisme.

automovilista Automobiliste.

autonomía Autonomie.

autónomo, ma Autonome.

autopista Autoroute.

autopsia Autopsie.

autor, ra Auteur (otœr) 2 g.

autoridad Autorité.

autorizar Autoriser.

auxiliar (aou) Auxiliaire (oxiliér) Vt Aider (èdé).

auxilio m Aide f, secours m.

avalancha (àn) Avalanche.

avance (àn) m Avance (ans) f.

avantrén Avant-train (trin).

avanzar Avancer.

avaricia Avarice.

avaro, ra Avare (avar).

avasallar (lhar) Asservir.

ave f Oiseau (uaso) m.

avecinar Avoisiner (vua).

avefría f Vanneau (no) m.

avellana Noisette (nua).

avellano Noisetier (nuastié).

avemaría f Avé María m.

avenida Crue (krü) [río].
Avenue (avnü) [calle].

avenirse* S'accorder.

aventajar (jar) Avantager.

aventar Éventer.

aventura Aventure (antür).

aventurar (èn) Aventurer.

aventurero, ra Aventurier, e.

avergonzar* Faire* honte.
Vr Avoir* honte.

avería Avarie. Panne [auto].

averiar Avarier.

averiguar (gouar) Recher-
cher.

aversión (iòn) Aversion (on).

avestruz (ouz) m Autruche f.

aviación (ziòn) Aviation.

aviador, ra Aviateur. trice.

aviar Arranger (aranjé).
Fournir [suministrar].

avidez Avidité.

ávido, da Avide.

avío m Préparatif m. Pl.
Affaires fpl.

avión (iòn) Avion (ion).

avisador Avertisseur.

avisar Aviser, avertir.

aviso Avis. Mar. Aviso.

avispa Guêpe (guep).

avispado, da Éveillé, ée.

avispero Guêpier (pié). Med.
Anthrax (antrax).

avivar Vivifier.

avizor (ojo) Sur ses gardes.

avutarda Outarde (utard).

axioma Axiome.

¡ ay! Aïe! (ai) [dolor físico].

Hélas! (las) [dolor moral].

¡ Ay de! Malheur à!

ayer (ayèr) Hier (ièr).

ayo, ya Précepteur m, gouvernante f.

ayuda Aide (èd). Ayuda de
cámara, valet de chambre.

ayudante Aide. Mil. Adju-
dant.

ayudar Aider (èdé).

ayunar (ayou) Jeûner (jœné).

ayuno, na A jeun. M Jeûne.

ayuntamiento m Municipa-
lité f.

azabache (aché) Jais (jè).

azada f, azadón m Houe* f.

azafata Hôtesse de l'air.

azafate m Corbeille (éi) f.

azafrán (àn) Safran (an).

azahar m Fleur [f] d'oranger.

azalea Azalée.

azar Hasard ('asar).

azaroso, sa Malheureux, se.

ázoe (azoé) Azote (asot).

azófar Laiton (lèton).

azogar Étamer.

azogue (ghé) Mercure (kür).

azor Autour (otur).

azorarse S'effrayer (frèié).

azotar Fouetter (fuété).

azote (oté) Fouet (fuè).

azotea Terrasse.

azteca Aztèque.

azúcar 2g Sucre (sükr) m.

azucarero Sucrier (sükrié).

azucena f Lis (lis) m.

azuela (zuél) Herminette.

azufaifa Jujube (jüjüb).

azufre (azoufré) Soufre (sufr).

azul (zoul) Bleu (e, (blœ).

azulado, da Bleuté, ée.

azular, azulear Bleuir.

azulejo Carreau de faïence.

azumbre f Mesure de 2 litres.

azuzar Exciter.

B

baba Bave (bav).
babador Bavoir.
babear (béar) Baver.
babero (éro) m Bavette f.
babieca (ka) Nigaud (go).
babor Bâbord (bor).
baboso, sa Baveux, euse. F
  Limace (limás).
babucha (bou) Babouche.
bacalao m Morue (rü) f.
bacanal Bacchanale (nal).
bacante (kàn) Bacchante.
bacia (zía) Bassin (sin).
bacinica f Vase [m] de nuit.
bacteria (té) Bactérie (rí).
báculo m Bâton (ton).
bache m Ornière (nièr) f.
  Trou (tru) d'air [atmosfé-
  rico].
bachiller, ra Bachelier, ère.
bachillerato Baccalauréat.
badajo (jo) Battant (an).
badana Basane (sane).
badén Cassis.
badil m, ila f Pelle [f] à feu.
badulaque Niais (nié).
bagaje (ajé) Bagage (aj).
bagazo m Bagasse f.
bagre Am. Bogre [pez].
bagual Am. Cheval sauvage.
¡bah! Bah!
bahía Baie (bè).
bailable (baï) Ballet (lè).
bailar (baï) Danser (dansé).
bailarín, na Danseur, euse.
baile (baïlé) m Danse (dans)
  f Bal [fiesta, lugar] m.
  Ballet [teatro].
baile Bailli (baï).
baja Baisse (bes). Mil. Perte :
  dar de baja, porter absent.

bajá (ja) Pacha.
bajada Descente (sant).
bajamar f Basse mer.
bajar Descendre. Baisser (besé) [doblar, inclinar].
bajel Bateau (to).
bajeza Bassesse.
bajío Banc de sable [arena].
bajo, ja Bas, asse. M. Mús.
  Basse f. Mar. Banc de sable.
  Rez-de-chaussée [piso]. Adv.
  Sous (su) [debajo].
bajón Basson (son).
bala f Balle f. Boulet (bulé)
  m [de cañón].
balada Ballade.
baladí Sans importance.
baladrón Fanfaron.
bálago m Paille (pai) f.
balance (ànzé) Balancement.
  Com. Bilan.
balancear Balancer (ansé).
balanceo Balancement.
balancín Balancier.
balanza Balance.
balar Bêler.
balasto Ballast (balast).
balaustrada Balustrade.
balaustre Balustre.
balazo Coup de fusil, de pistolet, de.
balbucear Balbutier (sié).
balcón Balcon.
baldado, da Perclus, use.
baldadura Infirmité.
baldaquín (kin) Baldaquin.
baldar Estropier (pié).
balde m Baille (bai) f. Seau
  (so) m [cubo]. De balde,
  gratis.
baldear Arroser.

baldío, a Vague (vag) [terrain].

baldón (òn) Affront (froⁿ).

baldosa (ossa) Dalle (dal).

baldosín (ssin) Carreau (ro).

balduque (ouké) Bolduc(ük).

balero Am. Bilboquet (kè).

balido Bêlement.

balita Am. Bille (bíe).

baliza (za) Balise (lís).

balneario, ria Balnéaire, m. Station [f] balnéaire.

balompié (lòn) Foot-ball.

balón (òn) Ballon (loⁿ).

baloncesto Basket-ball.

balsa f Mare (mar) [charca]. Radeau (rado) m [barca].

balsámico, ca Balsamique.

balsamina Balsamine.

bálsamo Baume (bom).

baluarte (ouarté) Rempart.

balumba (oum) f Tas (ta) m.

ballena (lhé) Baleine (lène).

ballenero, ra Baleinier, ère.

ballesta (lhes) f Arbalète f. Ressort (resor) m [muelle].

ballestero Arbalétrier.

bamba (bàn) Chance [suerte].

bambalear Branler (aⁿlé).

bambalina Frise (fris).

bambolear (léar) Osciller.

bamboleo m Oscillation f.

bambolla (lha) Ostentation f.

bambú (bàn) Bambou (bu).

banana Banane.

banano Bananier (nié).

banasta Corbeille (béi).

banasto Panier (nié).

banca Banque (bàⁿk).

bancario, ria Bancaire.

bancarrota Banqueroute.

banco m Banc (baⁿ) m. Établi m [de carpintero, curti-

dor]. Banque f [financiero].

banda (bàn) Bande. Fanfare [de músicos].

bandada Bande.

bandearse S'arranger (aⁿjé).

bandeja (éja) f Plateau m.

bandera (bàn) f Drapeau m.

banderilla Banderille.

banderillero Banderillero.

banderín Guidon (doⁿ).

banderola Banderole. Imposte [ventanillo].

bandido Bandit (baⁿdi).

bando (bàn) m Ban (baⁿ) [anuncio]. Faction (sioⁿ) f.

bandola f, bandolín m Mandoline (maⁿdoline) f.

bandolero (bàn-éro) Bandit.

bandoneón m Concertina f.

bandurria (ourr) Mandore.

banquero (bàn) Banquier.

banqueta Banquette.

banquete (té) Banquet (kè).

banquillo Petit banc.

bañado Am. Marécage.

bañador, ra Baigneur, euse. M Costume de bain.

bañar Baigner (bèñé).

bañero, ra Baigneur, euse. F Baignoire (beñuar).

bañista Baigneur, euse.

baño (bagno) Bain (biⁿ).

baobab Baobab.

baqueta (ké) Baguette (èt).

baquía (kía) Am. Pratique.

baquiano Am. Guide (guid).

baraja (raja) f Jeu [m] de cartes.

barajar Battre* [les cartes]. Fig. Brouiller (yé).

baranda (àn) Rampe (raⁿp).

barandilla (lha) Rampe.

baratija (ja) Bagatelle (tel).

baratillo m Friperie f.

barato, ta Bon marché.

baratura *f* Bon marché.

baraúnda (oun) *f* Vacarme *m.*

barba *f* Barbe *f.* Menton (maⁿtoⁿ) *m.* Père noble [teatro].

barbacana Barbacane.

barbacoa *Am.* Claie (klè).

barbaridad Énormité.

barbarie (arié) Barbarie.

barbarismo Barbarisme.

bárbaro, ra Barbare.

barbería Boutique de barbier.

barbero Barbier.

barbián, na Gaillard, arde.

barbilla *f* Menton (toⁿ) *m.*

barbiquejo *m* Mentonnière *f.*

barbo Barbeau (bo).

barbudo, da Barbu, ue.

barca Barque.

barcarola Barcarolle.

barco Bateau (to).

bardal *m* Mur [*m*] couvert de ronces. Haie ('è) *f* [seto].

bargueño (égno) Secrétaire.

barita Baryte.

baritono Baryton.

barlovento Dessus du vent.

barniz Vernis (ni).

barnizar Vernir.

barómetro Baromètre.

barón Baron (roⁿ).

baronesa Baronne (ron^e).

barquero Batelier (telié).

barquichuelo Petit bateau.

barquilla Nacelle (sèl).

barquillo *m* Petit bateau *m.* Oublie (ublí) *f* [pastel].

barquinazo Cahot (kao).

barra Barre, Baguette [pan].

barraca Baraque (rak).

barragana Concubine.

barranca *f* barranco *m.* Ravin *m* (raviⁿ).

barredura Balayure (lèiür).

barrena Vrille (vriie).

barrenar Percer (sé). Saborder [barco].

barrendero Balayeur.

barreno Trou de mine.

barreño *m* Terrine (rin^e) *f.*

barrer (èr) Balayer (leié).

barrera Barrière.

barrero *m* Potier. Bourbier [barrizal]

barreta *f* Barrette *f. Am.* Pic *m* [de minero].

barretina *f* Bonnet [*m*] catalan.

barrica Barrique.

barricada Barricade.

barrido Balayage (leiaj).

barriga *f* Ventre (vaⁿtr) *m.*

barrigudo, da Ventru, ue.

barril Baril (ri) [tonel].

barrilla Soude (sud).

barrio Quartier (kartié).

barrizal Bourbier (burbié).

barro *m* Boue (bu) *f.* Glaise (glès) *f* [de alfarero]. Poterie (potri) *f* [vasija]. Bouton (oⁿ) *m* [en la piel].

barroco, ca Baroque.

barroso, sa Argileux, euse.

barrote Barreau (baro).

barruntar Supposer (su-sé).

bartola (à la) Sur le dos.

bártulos *mpl.* Affaires *fpl.*

barullo *m* Confusion *f.*

basa Base.

basalto Basalte.

basar Baser. *Basar en,* fonder sur.

basca Nausée (nosé).

báscula Bascule (kül).

base (ssé) Base (bas).

basílica Basilique.

basilisco Basilic.

basquiña Basquine (kin^e).

basta *f* Bâti *m.*

bastante (tánte) Assez (sé).

Adv.: bastantes días, assez de jours.

bastar Suffire.

bastardilla *f* Bâtarde [letra].

bastardo, da Bâtard, arde.

bastidor Châssis (sí).

bastilla *f* Ourlet (urlè) *m.*

bastión Bastion.

basto Bât (ba). Trèfle (trefl) [naipes].

basto, ta Grossier, ère.

bastón *m* Bâton (ton) *m.* Canne (kane) *f* [de paseo].

bastonazo Coup de bâton.

basura *f* Ordures *fpl.*

basurero Boueur (buœr).

bata *f* Robe [*f*] de chambre. *Am.* Peignoir (pèñuar) *m.*

batalla (lha) Bataille (ai).

batallar Batailler.

batallón Bataillon.

batán (tàn) Foulon (fulon).

batata Patate.

batería Batterie.

batida Battue (tü).

batido Lait parfumé.

batiente (iènté) Battant (an).

batintín *m* Gong (gong).

batir Battre* (batr).

batista Batiste.

batracio Batracien (siin).

baturrillo Méli-mélo.

baturro Paysan aragonais.

batuta Baguette [mus.].

baúl (oul) *m* Malle (mal) *f.*

bauprés Beaupré.

bausán Nigaud (go).

bautismo Baptême (batem).

bautizar Baptiser.

bautizo Baptême (batem).

bauxita Bauxite (bo).

baya Baie (bè).

bayeta Flanelle (nel).

bayo, ya Bai, baie.

bayoneta Baïonnette.

baza Levée (lœvé) [juego].

Meter baza, prendre* part.

bazar Bazar.

bazo, za Bis, bise (bi, bis).

bazofia Saleté.

beatificar Béatifier.

beatitud (tou) Béatitude (üd).

beato, ta Bienheureux, euse. Dévot, ote; bigot, ote.

bebedero Abreuvoir (vuar).

bebedor, ra Buveur, euse.

beber Boire* (buar).

bebida Boisson (buason).

beca Bourse (burs).

becada Bécasse.

becerrada Course de jeunes taureaux.

becerro Veau (vo).

becuadro *Mús.* Bécarre.

bedel Bedeau (bœdo).

beduino, na Bédouin, ine.

befa Moquerie (mokri).

befar Se moquer.

befo, fa Lippu, ue.

begonia *f.* Begonia *m.*

bejuco (béjou) *m* Liane *f.*

beldad Beauté (boté).

beleño *m* Jusquiame (kiam).

belga Belge (belj).

bélico, ca Belliqueux, euse.

beligerante Belligérant, e.

bellaco, ca Fripon, onne.

belladona Belladone.

bellaquería Friponnerie.

belleza Beauté (boté).

bello, lla Beau [*bel* ante un sm]. belle.

bellota (lho) *f* Gland (an) *m.*

bemol Bémol.

bencina Benzine (binsine).

bendecir* Bénir.

bendición Bénédiction.

bendito, ta Béni, ie. Bénit, ite [agua, etc.]. *Fam.* Bon, bonne. *M Fam.* Brave homme.

benedictino, na Bénédictin, e.
beneficencia Bienfaisance.
beneficiar Bénéficier. Exploiter, cultiver.
beneficio Bénéfice. Bienfait (biⁿfè) [acto de bondad]. Exploitation.
beneficioso, sa Profitable.
benéfico, ca Bienfaisant, e.
benemérito, ta Digne d'honneur. F La garde civile.
beneplácito m Approbation f.
benevolencia Bienveillance.
benévolo, la Bienveillant, e.
bengala (bèn) Bengale (biⁿ).
benigno, na Bénin, igne.
benjuí (bènjouí) Benjoin.
benzol (bènzol) Benzol (biⁿ).
beocio, cia Béotien, enne.
beodo, da Ivre.
beodez Ivresse (ès).
berberisco, ca Barbaresque.
berbiquí Vilebrequin (kiⁿ).
bereber Berbère.
berenjena Aubergine(o-jine).
bergamota Bergamote.
bergantín Brigantin.
berilo Béryl.
berlina Berline.
bermejo, ja Rouge (ruj).
bermellón (lhòn) Vermillon.
berrear Beugler (bœglé).
berrenchín Accès de fureur.
berrendo, da (èn) Bigarré, e.
berrido Beuglement.
berrinche (inché) m Rage f.
berro Cresson (krœsoⁿ).
berroqueña f Granit m.
berza f Chou (chu) m.
besamanos f Sillon (siloⁿ) m.
besar Embrasser (aⁿ). Baiser (bèzé) [mano, frente].
bestia Bête.
bestial Bestial, e.

besugo (bessou) Pagre (pagr).
besuquear Bécoter.
betún Bitume (túm). Cirage (siraj) [calzado].
bezo m Lippe (lip) f.
biberón (ròn) Biberon (oⁿ).
biblia Bible.
bíblico Biblique.
bibliófilo Bibliophile.
bibliografía Bibliographie.
biblioteca Bibliothèque.
bicarbonato Bicarbonate.
bíceps Biceps.
bici f Vélo m.
bicicleta Bicyclette. En bicicleta, à bicyclette.
bicoca Bagatelle. Am. Calotte [solideo].
bicolor Bicolore.
bicóncavo, va Biconcave.
biconvexo, xa Biconvexe.
bicorne, bicornio Bicorne.
bicha f Serpent (paⁿ) m.
bicharraco m Bestiole f.
bichero m Gaffe (gaf) f.
bicho m Bête f, bestiole (bestiol) f Fam. Phénomène.
bichoco, ca Am. Vieux, eille.
bidé Bidet (dè).
biela Bielle.
bieldo m Fourche (furch) f.
bien (bièn) Bien (biⁿ).
bienaventurado, da Bienheureux, euse.
bienaventuranza Béatitude.
bienestar Bien-être (biⁿnetr).
bienhechor, ra Bienfaiteur, trice (biⁿfètœr, trís).
bienio Deux ans.
bienmesabe Œufs à la neige.
bienquistar Mettre* d'accord.
bienquisto, ta Estimé, ée.
bienvenido, da Bienvenu, ue.
bife Am. Bifteck.
biftec Bifteck.

bifurcarse Bifurquer.

bigamia Bigamie.

bígamo, ma Bigame.

bigornia Enclume (a^nklüm).

bigote (oté) m Moustache (mustach) f.

bigotudo, da Moustachu, ue.

bija f Bot. Rocouyer m.

bilingüe Bilingue (li^ng).

bilioso, sa Bilieux, euse.

bilis Bile.

billar Billard (biar).

billete (lhété) Billet (bié).

billón (lhon) Billion (bio^n).

binza (binza) Pelure (pe^lür).

biografía Biographie (fi).

biología Biologie.

biombo (biòm) Paravent (va^).

bióxido Bioxyde (xid).

bípedo, da Bipède (pèd).

biplano Biplan (pla^).

birlar Souffler (suflé), enlever (a^nlevé) [quitar].

birlibirloque (Por arte de) Par enchantement.

birlocho Cabriolet (lè).

birreta Barrette (rèt).

birrete (rrété) Bonnet (nè).

bis (biss) Bis (biss).

bisabuelo, la (bissaboué) Bisaïeul, e (aïœl).

bisagra (biss) Charnière.

bisectriz Bissectrice.

bisel (biss) Biseau (biso).

bisiesto Bissextile.

bismuto Bismuth (müt).

bisnieto, ta Arrière-petit-fils, -petite-fille.

bisojo (bissojo) Bigle.

bisoñé, ña (gno) Novice (vis).

bistre (tré) Bistre (bistr).

bisturí (tou) Bistouri (tu).

bisutería (biss) Bijouterie.

bizantino, na Byzantin, ine.

bizarría f Courage (kuraj) m.

bizarro, rra Courageux, euse.

bizco, ca Louche (luch).

bizcocho Biscuit (küi).

bizcotela f Biscuit (küi) m.

bizma f Emplâtre (platr) m.

blanca (in) Maille (mai).

blanco, ca (àn) Blanc, anche (a^, a^nch). M. Blanc. Cible (sibl) f [para tirar].

blancura (koura) Blancheur.

blandear (àn) Faiblir (fè).

blandir (àn) Brandir (a^).

blando, da Mou, molle. Doux, douce (du, dus) [suave].

blanquear Blanchir (a^chir).

blanquecino, na Blanchâtre.

blanqueo (àn) Blanchiment.

blasfemar Blasphémer.

blasfemia f Blasphème m.

blasfemo, ma Blasphémateur, trice.

blasón (òn) Blason (so^).

blasonar Se vanter (va^té).

bledo m Blette (blèt) f.

blindaje (indajé) Blindage.

blindar (in) Blinder (i^).

blocao Blockhaus (kos).

blonda (òn) Blonde (o^d).

bloque (oké) Bloc.

bloquear (kéar) Bloquer (ké).

bloqueo (kéo) Blocus (küs).

blusa Blouse (blus).

boa 2g Boa m.

boato m Pompe (po^p) f.

bobada Sottise (sotis).

bobear (béar) Niaiser.

bobería Niaiserie (nièsrí).

bóbilis bóbilis (de) Sans effort, sans peine.

bobo, ba Sot, sotte (so, sot).

boca Bouche (buch). Pince (pi^ns) [de crustáceos]. Boca abajo, à plat ventre. Boca arriba, sur le dos.

bocacalle Entrée d'une rue.

bocadillo (lho) *m* Bouchée. (buché) *f.* Sandwich *m.*

bocado *m* Bouchée (buché) *f.* Mors (mor) [caballo].

bocamanga Ouverture de manche.

bocanada Gorgée (jé). Bouffée (bufé) [de humo].

boceto *m* Esquisse (eskís) *f.*

bocina (zi) *f* Corne. Mar Porte-voix *m.* Pavillon [fonógrafo].

bocio Goître (guatr).

bocoy (koï) Boucaut (buko).

bocha Boule (bul).

bochinche (in) Vacarme.

bochorno *m* Chaleur *f.* Honteux.

bochornoso Étouffant. *Fig.* Honteux.

boda Noce (nos).

bodega (dé) Cave (kav). Cale (kal) [barcos].

bodegón *m* Gargote (got) *f.* Nature morte, *f* [pintura].

bodeguero (éro) Sommelier.

bodrio *m* Mangeaille *f.*

bofe Poumon (o**n**). *Mpl* Mou (mu) *m.*

bofetada *f*, **bofetón** *m* Gifle *f.*

boga Vogue (vog).

bogar Ramer.

bohardilla Mansarde (sard).

bohemio, mia Bohémien, enne. *Fam.* Bohème.

bohío *m Am.* Hutte *f.*

boina, boiña *f* Béret (rè) *m.*

boj (boj) Buis (büi).

bola Boule (bul). *Fam.* Blague (blag) [mentira].

boleadoras *fpl* Arme de jet des gauchos [boules réunies par des courroies].

bolear Lancer les *boleadoras.*

bolero (éro) Boléro (ero).

boleta *f* Billet (biié) *m.*

boletin (tin**e**) Bulletin (bül).

boleto (lé) *Am.* Billet (biié).

boliche (ché) Bilboquet (kè).

bólido Bolide (lid).

bolígrafo Stylo *à* bille.

bolillo (lho) Fuseau (füsó).

bolo *m* Quille (kii**e**) *f.*

bolsa *f* Bourse (burs). [com.]. Sac *m*[saco]. Poche [cavidad].

bolsista Boursier (bursié).

bolsillo *m* Poche *f.*

bolso Sac [à main].

bolsón *m* Poche *f.*

bollo (lho) Petit pain (pi**n**).

bomba *f* Pompe (po**n**p) *f* [hidráulica]. Bombe (bo**n**b) *f* [explos.]. Globe *m* [fanal].

bombacho Pantalon bouffant.

bombear (bónbéar) Bomber.

bombero Pompier (po**n**pié).

bombilla (bilha) Ampoule (a**n**pul). Pipette [tubo].

bombo *m* Grosse *caisse f.* Dar *bombo*, célébrer.

bombón (bo**n**bón) Bonbon.

bonachón, na (ón) Bonasse.

bonaerense De *Buenos Aires.*

bonancible Calme (kalm).

bonanza (ànza) *f* Calme *m.* *Fig.* Chance (a**n**s) [suerte].

bondad (bònda) Bonté (bo**n**).

bondadoso, sa Bon, bonne.

bonete (nété) Bonnet (nè).

bonificar Bonifier (fié).

bonito, ta Joli, ie (jo).

bono Bon (bo**n**).

bonzo (bònzo) Bonze (bo**n**z).

boñiga (gni) Bouse (bus).

boquear Ouvrir* la bouche.

boquera (éra) Gerçure (jersür) [à la bouche].

boquerón Anchois (a**n**chuá).

boquete (kété) Trou (tru).

boquilla (kílha) *f* Embou-

chure (a[n]buchür) f Fume-cigarettes m.
boquino, na Bec-de-lièvre.
bórax Borax.
borbollón (lhon) Bouillon.
borbotar Bouillonner (buio).
borbotón Bouillon (buio[n]).
borceguí Brodequin (brodki[n]).
borda f Bordage (daj) m.
bordada Bordée (dé).
borde Bord (bor).
borderó Bordereau (d[e]ro).
bordón (dòn) Bourdon (burdo[n]) [insecto]. Bâton (to[n]) [bastón]. Refrain (fri[n]) [estribillo].
boreal Boréal.
bórico, ca Borique.
borla Houppe ('hup).
borne (né) m Borne (born) f.
bornear Tourner (tur). Gauchir (gochir) [madera].
borona f Millet (mié) m.
borra Bourre (bur).
borrachera Ivresse (ès).
borracho, cha Ivre (ivr). Ivrogne, gnesse (vroñ, ñés). M Baba [pastelillo].
borrador Brouillon (bruio[n]).
borradura Rature (tür).
borraja (aja) Bourrache.
borrajear Griffonner.
borrar Effacer*.
borrasca Bourrasque (rask).
borrascoso, sa Orageux, euse.
borrego (égo) Agneau (año).
borricada Ânerie (aneri).
borrico Âne (an[e]).
borrón (òn) Pâté [tinta]. Tache f [mancha].
borronear Griffonner.
borroso, sa Brouillé, ée (bru).
borujón (ón) m Bosse f.
boscaje Bocage (kaj).
bosque (ké) Bois (bua).

bosquejar (kéjar) Ébaucher.
bosquejo m Ébauche (boch) f.
bosquete Bosquet (kè).
bosta Bouse (bus).
bostezar (ézar) Bâiller.
bostezo Bâillement.
bota Botte. Outre (utr) [para líquidos].
botánica Botanique.
botar Lancer (la[n]sé) [barco]. Am. Jeter (jœté) [tirar]. Bondir (bo[n]) [saltar].
botarate Étourdi, ie.
botarga f Masque (mask) m.
bote (té) Pot (po) [tarro]. Canot (no) [barco]. Bond (bo[n]) [salto].
botella Bouteille (butéi).
botica Pharmacie.
boticario Pharmacien.
botija Cruche (krüch).
botijo (jo) Cruchon.
botilla (lha) Bottine (tin).
botín (tin) m Butin (büti[n]) m. Bottine f [calzado].
botiquín m Pharmacie f.
botito m Bottine f.
botón (tòn) Bouton (buto[n]).
bóveda Voûte (vut).
boxear Boxer.
boxeo m Boxe f.
boya Bouée (bué).
boyante Heureux, euse.
boyera Étable.
bozal m Muselière (müs[e]lièr). Adj. Novice (novis). Fam. Niais, se (niè) [bobo].
bozo Duvet (düvè).
bracear Brasser.
bracero (zéro) Manœuvre.
braga Culotte (külot).
bragazas Fam. Jocrisse (ís).
braguero Bandage (ba[n]daj).
bragueta (ghe) Brayette (tèt).
bramante m Ficelle (sel) f.

bramar Mugir (mŭjír).

bramido Mugissement (jis).

branquia Branchie (an chí).

brasa (assa) Braise (brès).

brasero Brasier (sié) [hoguera]. Braséro [chauffage].

bravata Bravade.

bravear Faire* le brave.

braveza (véza). Furie (fûrí).

bravío, a Sauvage (sovaj).

bravo, va Sauvage (sovaj). *Fam.* Grand, e; magnifique.

bravura Bravoure (vur).

braza Brasse (as).

brazada Brassée (sé).

brazal Brassard (sar).

brazo Bras (bra).

brazuelo m Épaule (epol) f.

brea (éa) f Goudron (dron) m.

brebaje (ajé) Breuvage (vaj).

brecha Brèche.

brega Lutte (lŭt).

bregar (bré) Lutter.

breña (gna) Lande (lan d).

bretón, na Breton, onne.

breva Figue fleur.

breve Bref, ève. M Bref. *En breve*, bientôt.

brezo m Bruyère (brüér) f.

bribón, na Coquin, ine (ki n).

brida Bride (brid).

brigada Brigade.

brigadier (iér) Brigadier.

brillante (lhânté) Brillant, ante (bria n, bría nt).

brillar (lh) Briller (ié).

brillazón f *Am.* Mirage m.

brincar (in) Bondir (bo n).

brinco (ìn) Bond (bo n).

brindar Trinquer (tri nké). *Vt.* Offrir.

brindis (iss) Toast (tost).

brío Brio, Courage [valor].

brioso, sa Vaillant, te (ia n).

brisa (is) Brise (is).

britanico, ca Britannique.

brizna f Brin (brin) m.

brocado Brocart (kar).

brocal m Margelle (jel) f.

brocha Brosse (bros).

broche m Broche (broch) f.

broma f Plaisanterie (santri). Taret m [molusco].

bromear f Plaisanterie.

bromista Plaisantin.

bromuro Bromure (mür).

bronca (òn) Dispute (pŭt).

bronce (ònzé) Bronze (bro ns).

broncear Bronzer.

bronco, ca Rude (rüd).

bronquio m Bronche f.

bronquitis Bronchite (ch).

brotar Pousser (pusé). Jaillir (jaiír) [agua].

brote m Pousse f.

broza Broussailles (sai) pl.

bruces (ö) Sur le ventre.

bruja (ouja) Sorcière (sier).

brujería Sorcellerie (selrí).

brujo (oujo) Sorcier (sié).

brújula (oujou) Boussole.

bruma Brume.

brumoso Brumeux.

bruñir Brunir, polir.

brusco, ca Brusque (ůsk).

brusquedad Brusquerie.

brutal Brutal.

brutalidad Brutalité.

brutalizar Brutaliser.

bruto, ta Brut, ute [sin labrar]. Brute 2g [estúpido]. M Brute f. *En bruto*, brut.

bu Croquemitaine (tèn).

bucear Plonger (plo njé).

bucle m Boucle (bukl) f.

bucólico, ca Bucolique.

buche (bouché) Jabot (jàbo).

budismo Bouddhisme.

buen, no, na Bon, onne. En bonne santé [salud]. ¡Bue

no! Bon! *Por buenas*, de bon gré. *De buenas a primeras*, soudain.
buenaventura Bonne aventure.
buey (boueï) Bœuf (bœf).
búfalo Buffle (bûfl).
bufanda *f* Cache-nez *m*.
bufete (boufé) Bureau *m*.
bufido Grondement (oⁿde).
bufo, fa Bouffe (bouf).
bufón Bouffon (bufoⁿ).
buhardilla Mansarde (maⁿ).
buho Hibou (ibú).
buhonero Colporteur (tœr).
buitre (bouï) Vautour (votur).
bujía (bouj) Bougie (buji).
bula Bulle (bül).
bulbo Bulbe (bülb).
bulto (boul) *m* Masse *f*. Paquet (kè) *m* [fardo, lío]. Bosse *f* [chichón].
bulla (boulha) *f* Tapage (aj) *m*. Foule (ful) *f* [gentío].
bullicio *m* Agitation *f*.
bullicioso, sa Bruyant, ante.
bullir* Grouiller (gruié). Remuer (rœmüé). [mover].
buñuelo (gnoué) Beignet.
buque (boøké) Vaisseau.
burbuja (bouja) Bulle (bül).

burdo, da Grossier, ère.
burgo Bourg (bur).
burgomaestre Bourgmestre.
burgués Bourgeois (juá).
burguesía Bourgeoisie.
buril Burin (büriⁿ).
burla Moquerie (mokri).
burlador, ra Moqueur, euse. M Séducteur.
burlar Plaisanter (plèsaⁿté). Déjouer (jué) [vigilancia].
burlesco, ca Burlesque.
burlete Bourrelet (burlé).
burlón, na Moqueur, euse.
burócrata Bureaucrate.
burra Ânesse (anés).
burrada Ânerie, sottise.
burro Âne (an^e).
burujón *m* Bosse *f*.
busca Recherche. *En busca de*, à la recherche de.
buscador, ra Chercheur, euse.
buscar Chercher.
buscón, na Curieux, euse.
busilis (iss) Hic (ic).
busto Buste (büst).
butaca Fauteuil (tœi) *m*.
butano Butane.
butifarra Saucisse (sosís).
buzo (bouzo) Plongeur.
buzón *m* Boîte [*f*] aux lettres.

C

¡ca! Quoi!
cabal Juste (jüst) *Fig*. Accompli [cumplido, perfecto].
cábala Cabale.
cabalgadura Monture.
cabalgar* Monter.
cabalgata Chevauchée (ché).
cabalístico, ca Cabalistique.

caballa *f* Maquereau *m*.
caballar Chevalin, ine.
caballeresco Chevaleresque.
caballería Monture [animal] Cavalerie [mil.]. Chevalerie [orden, nobleza].
caballeriza Écurie (küri).
caballerizo Écuyer (küié).

caballero, ra A cheval *M* Chevalier [noble]. Monsieur [señor].

caballerosidad Générosité.

caballeroso Chevaleresque.

caballete Chevalet.

caballito Petit cheval. *Pl.* Chevaux de bois [tío vivo]. Petits chevaux [juego].

caballo Cheval. Cavalier [naipes: correspondiente a la reina o dama de los naipes franceses]. *Caballo de vapor*, cheval-vapeur.

caballón Billon (biˡoⁿ).

caballuno, na Chevalín, íne.

cabaña Cabane.

cabecear (zéar) Hocher la tête. Dodeliner [sueño]. Tanguer (taⁿgué) [barco].

cabecera f Tête f. Chevet (chœvè *m* [cama]. Chef-lieu (lìœ) *m* [capital].

cabecilla f Chef [*m*] de rebelles.

cabellera Chevelure.

cabello (ello) Cheveu (vœ).

cabelludo, da Chevelu, ue.

caber* Tenir* dans.

cabestro Licou (ku).

cabeza f Tête f. Chef-lieu *m* (lìœ) [capital].

cabezada f Coup [*m*] de tête. Dodelinement *m* [sueño]. Tangage *m* [barco]. Tranchefile f [libro].

cabezazo Coup de tête.

cabezón, ona, cabezudo, da Têtu, ue.

cabezuela f Petite tête.

cabida Capacité.

cabildo Chapitre (ítr). Conseil municipal.

cabilla Cheville (chœvììe).

cabimiento *m* Capacité f.

cabizbajo, ja Tête basse.

cable Câble.

cablegrama Câblogramme.

cabo Bout (bu). Manche (aⁿch) [mango]. Cap [*geogr.*] Cordage [cuerda]. Caporal [ejército]. *Llevar a cabo*, mener à bien.

cabotaje Cabotage.

cabra Chèvre.

cabrero, ra Chevrier, ère.

cabrestante Cabestan.

cabrilla Chèvre [máquina].

cabrilla Chevrette.

cabrillear Moutonner.

cabrilleo Moutonnement.

cabrío, a Caprin, ine. *Macho cabrío*, bouc.

cabriola Cabriole.

cabriolé Cabriolet (lè).

cabrito Chevreau (chœvro).

cabrón Bouc (buk).

cabuya (ouya) f Agavé *m*.

cacahuete *m* Cacahuette f.

cacao Cacao.

cacarear Caqueter (kakté).

cacareo Caquetage (kaktaj).

catatúa f Cacatoès *m*.

cacería Chasse (chas).

cacerola Casserole (kasrol).

cacillo (ílho) Poêlon (pua).

cacique Cacique (sík). Personnage influent de village.

cacofonía f Cacophonie.

cacto Cactus (tüs).

acumen (koumèn) Esprit.

cachalote Cachalot (lo).

cacharro Vase en terre. *Fam.* Clou [máquina vieja]. Tacot [auto].

cachas fpl Manche *m sing* [de couteau].

cachava Crosse (kros).

cachaza f Flegme (flegm) *m*.

cachete m Joue f. Claque f.

cachetero Poignard [*tauromaquia*].
cachifollar Humilier (ümi).
cachigordete Grassouillet.
cachimba *Am.* Pipe.
cachipolla Éphémère (efe).
cachirulo (rou) Pot (po).
cachivache Vase, récipient.
cacho Morceau (so).
cachorreñas *Fam.* Flegme m.
cachorro, rra Petit, ite [d'animal].
cachucha Casquette (kèt). Une *danse espagnole*.
cachupín, ina *Am.* Vx. Colon espagnol en Amérique.
cada Chaque (chak). *Cada cual* ou *cada uno*, chacun.
cadalso Échafaud (fo).
cadáver Cadavre.
cadavérico, ca Cadavérique.
cadena Chaîne (chèn·). *Cadena perpetua*, travaux forcés à perpétuité.
cadencia Cadence (da^{n}s).
cadencioso, sa Cadencé, ée.
cadeneta Chaînette (chènè).
cadera (éra) Hanche ('a^{n}ch).
cadete (été) Cadet (dè).
cadmio Cadmium (miom).
caducado, ca Caducée (düsé).
caducidad (zida) Caducité.
caduco, ca Caduque (dük).
caedizo, za Tombant, ante.
caer* Tomber (to^{n}bé).
café Café.
cafetal m Caféière f.
cafetera Cafetière.
cafetería f Milk-bar m.
cafeto Caféier (feié).
cáfila Troupe (trup).
cagada Crotte (krot).
cagafierro Mâchefer.
cagalaolla Chienlit (chia^{n}lí).
caída Chute (chüt).

caimán Caïman (kaima^n).
caja (kaja) Boîte (buat). Caisse (kès) [caja grande]. *Caisse* [dinero, coche, etc.]. Cage (kaj) [escalera]. *Caja de ahorros*, caisse d'épargne. *Caja de cambios*, boîte de vitesses.
cajero, ra Caissier, ère.
cajetilla f Paquet m [tabac].
cajista Compositeur [impr.].
cajón (jòn) Tiroir (ruar). Caisse (kès) [caja grande]. *Am.* Boutique (butik) [tienda]. *Cajón de sastre*, capharnaum (om). *De cajón*, vulgaire, banal.
cal Chaux (cho).
cala f Cale [de barco].
calabaza Courge (kurj), calebasse (kalbàs). *Dar calabazas*, repousser. *Llevar calabazas*, remporter une veste.
calabobos m Pluie fine f.
calabozo Cachot (cho).
calabrote Grelin (grœli^n).
calado m Broderie [f] à jour. *Mar.* Tirant d'eau.
calafate Calfat (fa).
calafatear Calfater.
calamar m Calmar.
calambre m Crampe (a^{n}p) f.
calamidad Calamité.
calamitoso Calamiteux.
cálamo Roseau (roso).
calamocano, na Éméché, ée.
calamorra Caboche (boch).
calaña (gna) Qualité (ka).
calar Tremper [líquido]. Traverser [atravesar]. Ajourer [tela, papel]. Enfoncer [sombrero].
calavera f Tête de mort. *Fam.* Noceur (nosœr) m.
calcañar (gnar) Talon (o^n).

calcar Décalquer.
calcáreo, a Calcaire (kèr).
calce m Jante (jaⁿt) f.
calceta f Bas (ba) m. Hacer calceta, tricoter.
calcetín (zétín) m Chaussette (choset) f.
calcinar Calciner.
calcio Calcium (siom).
calco Calque (kalk).
calcomanía Décalcomanie.
calculador Calculateur.
calcular Calculer.
cálculo Calcul.
calda f Chauffage (chofaj). Pl. Eaux thermales (ter).
caldear Chauffer (chofé).
caldeo, a Chaldéen, enne.
caldera Chaudière (chodièr).
calderero Chaudronnier.
calderilla Petite monnaie [moneda].
caldero Chaudron (oⁿ).
calderón Chaudron (oⁿ).
caldillo Jus (jü).
caldo m Sauce (sos) f. Bouillon (buioⁿ) ⌊sopa⌋.
calducho m Lavasse f.
calefacción f Chauffage m.
calendario Calendrier.
calentador m Chauffeur m. Chauffe-bain m [baño]. Bassinoire f [cama].
calentar (lèn) Chauffer (chofé). V. Se chauffer. Fig. S'échauffer ⌊irritarse⌋.
calentura Fièvre.
calepino Calepin (piⁿ).
calera f Four (m) à chaux.
calesa (essa) Calèche (ech) f.
calesero Postillon (tiⁿⁿ).
caletre (étré) Jugement.
calibrar Calibrer.
calibre Calibre.
caliche (ché) Salpêtre.

calidad Qualité (ka).
cálido, da Chaud, aude.
calidoscopio Kaléidoscope.
caliente Chaud, aude.
califa Calife.
calificar Qualifier (ka).
calificativo Qualificatif.
caligrafía Calligraphie.
cáliz Calice (lis).
caliza f Calcaire (kèr) m.
calma Calme.
calmante Calmant.
calmar Calmer.
calmoso Calme.
caló Argot (go).
calofrío Frisson (soⁿ).
calor m Chaleur f. Hace mucho calor, il fait très chaud.
calórico, ca Calorique.
calorífero Calorifère.
calumnia Calomnie.
calumniar Calomnier.
caluroso, sa Chaud, aude.
calvario Calvaire (vèr).
calvicie Calvitie (sí).
calvinismo Calvinisme.
calza Chausse (chos). Cale [cuña].
calzada Chaussée (chosé).
calzado, da Chaussé, ée. M Chaussure (chosür) f [pas au pl. en esp.].
calzador Chausse-pied.
calzar Chausser (chosé). Caler [mueble, etc.].
calzón m Culotte (külot) f.
calzoncillos mpl Caleçon m.
callada (lha) f Silence m.
callado (lha) de Silencieux, euse.
callar Taire* (tèr). Se taire*.
¡Calla! Tiens!
calle (lhé) Rue : calle mayor, grand-rue. Allée (alé) [de árboles].
calleja (lhéja) Ruelle (rüel)

callejero, ra Flâneur, euse.
callejón m Ruelle (rüel) f. *Callejón sin salida,* impasse f.
callo (lho) m Cor m [pied]. Callosité f [manos]. *Pl* Tripes fpl [cocina].
calloso, sa Calleux, euse.
cama f Lit (li) m. Couche (kuch) f [capa].
camada Portée (té).
camafeo Camée [piedra]. Camaïeu (maïœ) [pintura].
camaleón Caméléon.
camándula Fam. Ruse (rüs).
cámara Chambre (chaⁿbr).
camarada Camarade.
camaranchón m Mansarde f.
camarera Camériste. Femme de chambre [hôtel].
camarero Garçon [café].
camarista Camériste.
camarón m Crevette (et) f.
camarote m Cabine f.
camastro Grabat (ba).
camastrón, na Rusé, ée.
cambiador Changeur (jœr).
cambiante Changeant, e. M Reflet (flè) [reflejo].
cambiar (kàn) Changer.
cambio (kàn) Échange (echaⁿj) [trueque]. Change [moneda]. *En cambio,* en échange, en revanche.
cambista Changeur.
camelar Cajoler.
camelia f Camélia m.
camelista Fam. Fumiste.
camello Chameau (chamo).
camilla (lha) f Petit lit m. Brancard (braⁿkar) [andas].
caminante (nàn) Voyageur.
caminar Marcher. Voyager (vuaiaje) [viajar].
caminata Longue marche.

caminero, ra Routier, ère.
camino Chemin (chœmiⁿ). *Camino de hierro,* chemin de fer.
camión (òn) Camion (oⁿ).
camionaje (jé) Camionnage.
camioneta Camionnette (net).
camisa Chemise (chœmis).
camisería Chemiserie.
camiseta f Chemisette. Gilet [m] de corps.
camisola Camisole.
camorra Dispute (püt).
camote m Patate [f] douce. Am. Fam. Béguin.m.
campal Rangée [batalla].
campamento Campement.
campana (kàn) Cloche. *Campana de buzo,* cloche à plongeur.
campanada f Coup [m] de cloche.
campanario Clocher.
campanero Sonneur.
campanil m Campanile.
campanilla Sonnette.
campante Satisfait, te.
campanudo, da Sonore.
campanulácea Campanulacée (kaⁿpanülasé).
campaña Campagne.
campar Camper.
campechano, na Bon enfant.
campeón Champion.
campeonato Championnat.
campesino, na Champêtre. Mf Paysan (peisaⁿ), anne.
campestre (kàn) Champêtre.
campiña Campagne (kaⁿpañ).
campo (kaⁿ) m Champ (chaⁿ) m [tierra cultivada, espacio limitado]. Campagne f [el campo, en general]. Fond (foⁿ) m [cuadro].
camuesa Calville [pomme].

can (kàn) Chien (chiⁿ).
cana f Cheveu [m] blanc.
canal m Canal m. Conduite (koⁿdüit) f [cañería].
canaleja Gouttière (gutièr).
canalización Canalisation.
canalizar Canaliser.
canalón (lòn) Tuyau [tüio] de descente.
canalla (lha) Canaille (nái).
canallada Canaillerie.
canapé Canapé.
canario Serin (sœriⁿ).
canasta Corbeille (béí).
canastilla Layette (leièt).
canasto m Corbeille (béi) f.
cancela Grille (griie).
cancelar Biffer.
cáncer (kán) Cancer (kaⁿ).
cancerbero Cerbère (ber).
canceroso Cancéreux.
cancilla (zílha) Barrière.
canciller (lhèr) Chancelier.
cancillería Chancellerie.
canción Chanson (chaⁿsoⁿ). Canción de cuna, berceuse.
cancionero Recueil de chansons.
cancha f Am. Terrain (terrⁿ) m. Place [plaza] f.
candado Cadenas (kadná).
candela Chandelle (chaⁿdel).
candelabro Candélabre.
candelaria Chandeleur.
candelero Chandelier.
candelilla Petite chandelle. Bougie (bují) [cirujía].
candente Incandescent.
candidato Candidat.
candidatura Candidature.
candidez Candeur (kaⁿdœr).
cándido, da Candide.
candil m Lampe [f] à huile.
candilejas fpl Rampe sing.
candor m Candeur (dœr) f.

candoroso, sa Candide (díd).
canela Cannelle (nèl).
canelón (nélòn) m Torsade f.
canesú (ssou) Empiècement.
cangilón (kànjilòn) Godet.
cangrejo (kàngréjo) m Écrevisse (vís) f [de río]. Crabe m [de mar].
canguro (ouro) Kangourou.
caníbal Cannibale (bal)
canibalismo Cannibalisme.
canícula Canicule.
canicular Caniculaire.
canijo, ja Chétif, íve.
canilla (kanílha) f Tibia m [hueso]. Cannelle f [tonel]. Canette f [tejedor].
canino, na Canin, íne.
canje (kànjé) Échange.
canjear Échanger.
cano, na Blanc, blanche.
canoa f Canoë m.
canon Canon (noⁿ).
canonesa Chanoinesse.
canónico, ca Canonique.
canónigo Chanoine (nuane).
canonizar Canoniser.
canonjía f Canonicat m.
canoro, ra Chanteur, euse.
cansado, da Fatigué, ée. Ennuyeux, euse (aⁿnülíœ, œs) [molesto].
cansancio (zio) m Fatigue f.
cansar (kàn) Fatiguer (guè).
cantábrico, ca Cantabrique. M Golfe de Gascogne.
cantador, ra Chanteur, euse.
cantante (ànté) Chantant, ante. Mf Chanteur, euse.
cantar (kàn) Chanter (chaⁿ). M. Cantique; chanson f.
cántara Cruche (krüch).
cantárida Cantharide.
cantarillo Cruchon (krüchoⁿ).
cántaro m Cruche (krüch) f.

cantata Cantate.

cantatriz Chanteuse.

cantera Carrière (rièr).

cantería Taille de pierres.

cantero Tailleur de pierres. Chanteau (cha^{n}to) [pan].

cántico Cantique (ka^{n}tik).

cantidad (da) Quantité (ka^n).

cantil m Falaise (lès) f.

cantilena Cantilène.

cantimplora Chantepleure.

cantina Cantine.

cantinero, ra Cantinier, ère.

canto Chant (cha^n). Coin (kui^n) [angulo]. Tranche (a^{n}ch) f [moneda, libro]. Épaisseur f [ancho]. Pierre (pier) f [piedra].

cantón (kàntòn) Canton. Coin (kui^n) [esquina].

cantor, ra Chanteur, euse.

canturrear Chantonner (né).

canturria f Chant [m] monotone.

cánula Canule (nül).

canutero Porte-aiguilles.

canuto Tuyau (tüiio).

caña (gna) f Roseau (roso) m. Chaume (chom) [paja]. Flûte (üt) [vaso]. Caña de azúcar, canne à sucre. Caña de pescar, canne à pêche.

cañada Gorge (gorj).

cañaheja (kañadja) Férule.

cañamazo Canevas (kanva).

cáñamo Chanvre (cha^{n}vr).

cañamón Chènevis (chenvi).

cañaveral m Cannaie (nè) m.

cañería Conduite (ko^{n}düit).

caño Tuyau (tüiio). Jet (jè) [de agua]. Robinet (nè) [grifo].

cañón (gnòn) Tuyau (tüiio). Canon (no^n) [artillería].

cañonazo Coup de canon.

cañonear Canonner.

cañoneo m Canonnade f.

cañuto V. CANUTO.

caoba f Acajou (kajú) m.

caos Chaos (kaós).

capa f Cape. Couche (kuch) [de pintura, de terreno]. Chape [sacerdotal]. So capa de, sous prétexte la.

capacete (zé) Cabasset (sè).

capacidad (zi) Capacité (si).

capacha (cha) f, **capacho** m Cabas (ba) m.

capar Châtrer.

caparazón (zòn) m Caparaçon [de caballo]. Carapace f [tortuga]. Carcasse f [aves].

caparrosa (ossa) Couperose.

capataz (taz) Contremaître.

capaz (paz) Capable.

capear (pé) Ecarter avec la cape [taureaux]. Fig. Tromper (tro^{n}pé).

capelina Capeline.

capelo (pé) Chapeau (chapo).

capellán (lhàn) Chapelain.

capeo Jeu de cape [taur.].

caperuza (rouza) f Chaperon (chapero^n) m.

capilar Capillaire (lèr).

capilla (lha) f Chapelle (pel) f. Capuchon m [prenda].

capirotazo m Chiquenaude.

capirote (roté) Chaperon.

capital 2g Capital, ale.

capitalista Capitaliste.

capitalizar Capitaliser.

capitán (àn) Capitaine (ène).

capitanear Commander.

capitanía Capitainerie.

capitel Chapiteau (to).

capitolio Capitole (tol).

capitulación Capitulation.

capitular (tou) Capitulaire (tülèr). Vi Capituler.

capítulo Chapitre (pítr).
capón (òn) Chapon (oⁿ).
capota Capote (pot).
capote m Capote f [soldados]. Manteau (maⁿto) m [torero].
capricornio Capricorne.
capricho (cho) Caprice (ís).
caprichoso Capricieux.
caprino, na Caprin, ine.
cápsula (sou) Capsule (sül).
captar Capter.
captura Capture.
capturar Capturer (türé).
capucha (poucha) f Capuchon (púchoⁿ) m.
capuchino, na Capucín, ine. F Bot. Capucine.
capuchón Capuchon (pü).
capullo (poulho) Cocon (koⁿ). Bouton (boⁿ) [flor].
caquexia Cachexie (chexí).
cara f Visage (saj) m, figure [rostro]. Fig. Visage, face (fas) f. Cara y cruz, pile ou face. Cara a cara, face à face. Echar en cara, reprocher. Hacer* cara, faire* cara.
carabela Caravelle (vel).
carabina Carabine.
carabinero Carabinier.
caracol Escargot (go), colimaçon Limaçon [del oído]. ¡Caracoles! Sapristi!
caracolear Caracoler.
carácter Caractère.
característico, ca Caractéristique [bien, mal].
caracterizar Caractériser.
carado, da De bonne [ou mauvaise] figure.
¡caramba! Sapristi! Diable!
carámbano Glaçon (soⁿ).
carambola f Carambolage m.
carambolar Caramboler.

caramelo (mé) Bombon [confite].
caramente Chèrement.
caramillo Flageolet (jolè).
carantoña Cajolerie (jolrí).
carapacho m Carapace (as) f.
carátula f Masque (mask) m.
caravana Caravane.
caravanserrallo (rralho) Caravansérail (seraí).
¡caray! Diable!
carbón (bòn) Charbon (boⁿ). Carbón de leña, de piedra, charbon de bois, de terre.
carbonero Charbonnier.
carbónico, ca Carbonique.
carbonizar Carboniser.
carbono Carbone.
carbunco (boun) Charbon.
carbúnculo m Escarboucle f.
carburación Carburation.
carburador Carburateur.
caraburante Carburant (raⁿ).
carburar Carburer.
carburo Carbure (bür).
carcajada f Éclat [m] de rire.
carcamal Fam. Vieux débris.
carcañal (gnal) Talon (loⁿ).
cárcel Prison (soⁿ).
carcelero Geôlier (jolié).
carcoma Artison m [insecto]. Vermoulure [polvo]. Fig. Souci m, ver [m] rongeur.
carcomer Ronger (roⁿjé).
carcomido, da Vermoulu, ue.
carda f Cardage (daj) m.
cardar Carder.
cardenal Cardinal. Fam. Bleu (blœ) [equimosis].
cardencha f Chardon m.
cardenillo (lho) Vert-de-gris.
cárdeno, na Violet, ette.
cardíaco, ca Cardíaque.
cardillo Pissenlit.
cardinal Cardinal.

cardo Chardon (chardoⁿ).
carear Confronter (oⁿté).
carecer* Manquer de (maⁿ).
carena f Carénage (naj) m.
carenar Caréner.
careo m Confrontation f.
carero, ra Cher, ère.
carestía Disette (set) [falta].
Cherté [precio].
careta f Masque (mask) m.
carey (réï) m Caret (rè) m.
Écaille (ekaï) f [concha].
carga Charge (charj).
cargado, da Chargé, ée.
cargador Chargeur (jœr).
Am. Portefaix (tefè).
cargamento Chargement.
cargar Charger. Fam. Assommer [fastidiar]. Cargar con,
prendre sur soi.
cargo m Charge f. Hacerse
cargo de, se charger de. Fig.
Se rendre compte.
cariarse Se carier.
cariátide Cariatide.
caribe m Caraïbe (raïb).
caricato m Basse chantante f.
caricatura Caricature.
caricaturista Caricaturiste.
caricia (zia) Caresse (rès).
caridad Charité f.
caries (rïès) Carie (ri).
carilla (lha), Page de papier.
cariño (gno) m Affection f.
Caresse (rès) f [caricia].
cariñoso, sa Caressant, e.
Affectueux, euse.
caritativo, va Charitable.
cariz (riz) Aspect (pè).
carlinga (lìn) Carlingue.
carlismo Carlisme.
carlista Carliste.
carmelita   Carmélite.   M
Carme. F Carmélite.
carmen m Carmel m. Jardin

[m] de plaisance. Npr f
Carmen (èn).
carmesí Cramoisi (muasi).
carmín (mìn) Carmin (mïⁿ).
carmíneo, a Carminé, ée.
carnada f Appât (apa) m.
carnal Charnel.
carnaval Carnaval.
carne (né) Chair (cher).
Viande (viaⁿd) [de carni-
cería]. Carne de gallina,
chair de poule. Carne de
membrillo, pâte de coings.
carnero Mouton (mutoⁿ).
carnestolendas fpl Carnaval.
carnicería Boucherie (buch).
carnicero, ra Boucher, ère.
Adj Carnassier, ère.
carnívoro, ra Carnivore.
carnoso, sa Charnu, ue (nü).
caro, ra Cher, ère. Adv Cher.
carótida Carotide.
carozo m Rafle f. Am. Noyau.
carpa Carpe. Am. Tente.
carpanta Pop. Fringale.
carpe (pé) Charme (charm).
carpeta Carpette [tapiz].
Chemise (chœmis) [papel].
carpintería Menuiserie (nüis).
carpintero Menuisier (sié).
Charpentier (de obra).
carraca Crécelle (sel). Fam.
Patraque (ak) [achacoso].
carraleja f Méloé m.
carrasca Yeuse (iœs).
carraspear Grailler (ié).
carraspera f Enrouement m.
carrera (rréra) Course (kurs).
Carrière [profesión] Chaussée (chosé) [camino]. Rangée (raⁿjé) [hilera].
carreta Charrette (charret).
carretada Charretée (charté).
carrete (rrété) m Bobine f.
carretela (karrété) f. Calèche.

carretera Route (rut).

carretero Charretier.

carretilla (rré) Brouette. *De carretilla*, par cœur.

carretón m Charrette f.

carricoche m Carriole (riol) f.

carril m Ornière (nièr) f [caminos]. Rail (rai) m [riel de camino de hierro].

carrillada (lha) Bajoue (ju) f.

carrillo (rrilho) m Joue f.

carrizo m Laiche (lèch) f.

carro mVoiture(vuatür) f.Chariot (rio) m [para acarreos]. Char m [de guerra, del Estado]. Chariot m [de torno]. Voiture*f* [su contenido].

carrocería Carrosserie (rí).

carrocero (zéro) Carrossier.

carromato m Chariot (rio).

carroña (rrogna) Charogne.

carroza f Carrosse (ros) m.

carruaje (rrouajé) m Voiture (vuatür) f.

carta Lettre (ltr) [escrito]. Carte (kart) [naipe]. Charte [constitución] *A carta cabal*, tout à fait. *Echar las cartas*, tirer les cartes.

cartabón m Équerre (eker) f.

cartapacio Carton (toⁿ).

cartearse S'écrire.

cartel m Affiche (fich) f.

cartelón m Placard (kar).

cartera (téra) f Portefeuille (tefœi) m. Patte f [ropa].

carterista Voleur à la tire.

cartero Facteur (tœr).

cartílago Cartilage (laj).

cartilla f Alphabet m.

cartomancia Cartomancie.

cartón m Carton (toⁿ).

cartuchera Cartouchière.

cartucho m Cartouche f. Cornet [eucurucho].

cartujo, ja Chartreux, euse. F Chartreuse (œs) [licor].

carúncula Caroncule (kül).

casa (kassa) Maison (mesoⁿ). *Casa de huéspedes*, pension de famille. *Poner casa*, s'installer. *Casa consistorial*, hôtel [m] de ville.

casabe (ssabé) Cassave (sav).

casaca Casaque (sak).

casación Cassation.

casadero, ra Mariable; à marier.

casado, da Marié, ée.

casamentero, ra Marieur, euse.

casamiento Mariage (riaj).

casar (ssar) Marier (rié). Casser [anular]. M Hameau.

cascabel Grelot (lo).

cascabelada Étourderie (tur).

cascabillo m Balle (bal) f.

cascada Cascade.

cascadura (dura) Fêlure.

cascajo (ajo) Gravats (va) pl. Tesson (tesoⁿ) [vidrio]. *Fruits secs pl* [frutos]. *Fam. Estar hecho un cascajo*, être* patraque.

cascanueces Casse-noisettes.

cascar Fêler. Casser (sé) [romper]. *Fam.* Bavarder [charlar].

cáscara Coquille (kiie) [huevo, frutos secos]. Écorce [de árbol]. Peau (po) [de fruta]. *¡Cáscaras!* Diable!

cascarón m Coquille (kiie) f.

cascarrabias *Fam.* Rageur.

casco m Casque m [armadura]. Tesson (soⁿ) [vidrio] Éclat [de obus]. Quartier (kartié) m [naranja].

Crâne (kraⁿ) m [cráneo].
Fût (fu) m [tonel]. Sabot
(bo) m [caballo]. Enceinte f
[población]. Coque f [barco].
cascote (té) Gravats (va) pl.
caseína Caséine (seíné).
casería Métairie (terí).
caserío Hameau ('amo).
casero, ra Domestique. De
ménage (naj) [pan, dulce,
etc.]. Fam. Casanier, ère
[enemigo de salir]. M Propriétaire (ter) [dueño de
casa]. Locataire (ter) [in-
quilino].
caserón m Bâtisse (tis) f.
caseta Baraque (rak).
casi Presque (presk).
casilla (lha) Cabane. Case
(kas) [cuadrícula]. Guichet
m [teatro]. Salir de sus
casillas, sortir* de ses gonds.
casillero Casier (sié).
casimir Cachemire (kachmír).
casino (ssi) Casino (si).
caso Cas (ka). Hacer* caso,
faire* cas. Hacer* al caso,
convenir*. Hacer caso omiso,
passer sous silence. En caso
que, au cas que. Ir* al caso,
aller* au fait.
casorio Mariage mal assorti.
caspa Pellicules pl.
caspera Décrassoir (suar) m.
¡cáspita! Peste!
casquete (kété) m Calotte f.
casquillo (lho) Anneau (ano).
casta Race (ras) Espèce [de
cosas]. Caste [religiosa].
castaña f Châtaigne (teñ) f.
Marron (ⁿon) m [la redonda].
Dame-jeanne (botella) Chignon (ñoⁿ) m [moño].
castañeda Châtaigneraie (rè).
castañetazo Claquement.

castañetear Claquer (ké).
castaño, ña Châtain, aine
(tⁿ, ènè) [pelo] ; marron
m [telas, etc.]. M Bot.
Châtaignier (teñié), mar-
ronnier (nié).
castañuela Castagnette (ñet).
castellano, na Castillan, ane.
M Châtelain (telⁿ) [señor].
castidad Chasteté.
castigar Châtier ; punir (pü).
castigo m Châtiment (maⁿ)
m ; punition f. [Châtiment y
châtier son voces cultas.
castillo Château (to). Gaillard (gaïar) [barco].
castizo, za Pur, pure (pür).
Châtié [lenguage]. Tradi-
tionnel, elle.
casto, ta Chaste.
castor Castor.
castrar Châtrer.
casual Casuel, elle (süel).
casualidad f Hasard (sar) m.
casucha (soucha) Masure.
casulla (soulha) Chasuble.
cata Dégustation.
cataclismo Cataclysme.
catacumba Catacombe.
catadura Dégustation. Mine
(miné) [aspecto].
catafalco Catafalque (alk).
catalán, ana Catalan, ane.
catalepsia Catalepsie.
catálogo Catalogue (og).
cataplasma f Cataplasme m.
¡cataplún! Boum! (bum).
catapulta Catapulte (pült).
catar Goûter (guté).
catarata Cataracte (rakt).
catarro (arro) Catarrhe.
Rhume (rüm) [constipado].
catastro Cadastre.
catástrofe Catastrophe.
cataviento m Girouette f.

catavinos Tâte-vin (tatvⁿ).

catecísmo Catéchisme.

catecúmeno Catéchumène.

cátedra Chaire (cher).

catedral Cathédrale (dral).

catedrático Professeur.

categoría Catégorie. *Fig.* Rang *m*, condition.

categórico, ca Catégorique.

catequizar Catéchiser.

caterva *f* Tas (ta) *m*.

catite Pain de sucre.

cato Tabac (kachu).

cátodo *m* Cathode *f*.

catolicismo Catholicisme.

católico, ca Catholique (lík).

catorce Quatorze (katorz).

catorzavo, va Quatorzième.

catre Lit de sangle.

cauce (kaouzé) Lit (li) [río].

caución Caution *f*.

caucionar Cautionner.

caudal (kaou) *m* Débit (bí) *m* [río]. Fortune *f*

caudaloso Abondant [río] Riche [rico].

caudillo (ílho) Chef.

causa Cause.

causante 2*g* Cause *f*.

cáustico, ca Caustique.

cautela Ruse (rûs).

cauteloso, sa Cauteleux, *euse*.

cauterio Cautère (coter).

cauterizar (kaou) Cautériser.

cautivar Captiver.

cautivo, va Captif, *ive*.

cauto, ta Prudent, ente (ptd).

cava *f* Creusage (krœsaj) *m*.

cavador Terrassier (sié).

cavar Creuser (krœsé) Bêcher [campo].

caverna Caverne.

cavernoso Caverneux.

cavidad Cavité.

cavilar Réfléchir.

caviloso, sa Préoccupé, *ée*.

cayado *m* Houlette ('ulet) *f* [pastor]. Crosse *f* [bastón].

cayente (yén) Tombant, e.

cayo (yo) Récif.

caz *m* Saignée *f* [canal].

caza Chasse (chas). *Fig.* Gibier *m* [animal]. Chasseur *m* [avion].

cazador, ra *m* Chasseur, *euse* (chasœr, œs) [f. poét. chasseresse]. *F* Blouson *m* [prenda].

cazar Chasser (chasé).

cazo *m* Cuiller [*f*] à pot.

cazoleta Cassolette.

cazuela (zoué) Casserole *f* (kasrol) Paradis *m* [teatro].

cazurro, rra Bourru, *ue*.

cebada Orge (orj).

cebar Gaver. Amorcer [armas]. *Fig.* Nourrir (nurrír) [alimentar]. *Vr* S'acharner.

cebolla (olha) *f* Oignon *m*.

cebolleta Ciboulette.

cebra *f* Zèbre *m*.

cebrado, da Zébré.

cecear Zézayer (zezeié).

cecina Viande boucanée.

cedazo Tamis ('mí).

ceder Céder.

cedro (zé) Cèdre (sedr).

cédula *f* Billet (bié) *m*.

cefalea Céphalée.

cefiro (zé) Zéphir (sefir).

cegar* Aveugler (avœglé).

cegato, ta Myope (miop).

ceguedad, ceguera *f* Aveuglement (avœglemaⁿ) *m*.

ceiba *f* Fromager *m* [árbol].

ceibo *V.* SEIBO.

ceja (zéja) *f* Sourcil (sursí) *m*. Rebord (or) *m* [resalto].

cejar (zéjar) Reculer (rekü).

celada Embûche (ambüch).

celador, ra Surveillant, ante.

celaje Nuage du crépuscule.

celar Céler* [ocultar].

celda, celdilla Cellule (lül).

celebérrimo, ma Très célèbre.

celebrar Célébrer.

célebre Célèbre.

celebridad Célébrité.

celemín (in) Boisseau (buaso).

celeridad Célérité.

celeste, celestial Céleste.

celibato Célibat (ba).

célibe (bé) Célibataire (ter).

celo (zé) m Zèle (zel) m. Chaleur f [animales]. Pl. Jalousie (jalusi). Tener celos, être jaloux.

celófana Cellophane (fan).

celoso, sa Zélé, ée. Jaloux, ouse.

célula (sélou) Cellule (lül).

celular Cellulaire.

celuloide Celluloïd.

celulosa Cellulose.

cementar Cémenter.

cementerio (zémèntério). Cimetière (simtiér).

cemento Ciment (sima n) [hormigón]. Cément (sema n).

cena f Souper (supé) m Rel. Cène (sen) f.

cenáculo Cénacle.

cenacho (cho) Cabas (ba) m.

cenador Berceau (so).

cenagal Bourbier (burbié).

cenagoso, sa Bourbeux, euse.

cenar Souper (supé).

cencen ceño, ña Maigre (megr).

cencerrada f Charivari m.

cencerrear Sonnailler. Grincer (grin sé) [puerta].

cencerreo Vacarme (arm).

cencerro m Sonnaille (nai) f.

cenefa Bordure (dür).

cenicero Cendrier (sa ndrié).

ceniciento, ta Cendré, ée.

cenit Zénith.

cenital Zénithal.

ceniza Cendre (sa ndr).

cenizo, za Cendré, ée.

cenobita Cénobite.

censo m Recensement m. Cens m [gravamen]. Redevance f [renta].

censor Censeur.

censura Censure.

centauro (taouro) Centaure.

centavo Centième. Sou [moneda].

centella Etincelle (i nsel).

centellear Etinceler (eti nslé).

centelleo Scintillement.

centena Centaine (sa ntèn).

centenar m Centaine f.

centenario, ria Centenaire.

centeno Seigle (segl).

centésimo, ma Centième.

centígrado Centigrade.

centímetro Centimètre.

céntimo Centime (sa ntim).

centinela m Sentinelle f.

central Central.

centralizar Centraliser.

centrar Centrer (sa ntré).

céntrico, ca Centrique (trik).

centro (zèn) Centre (sa ntr).

centuplicar Centupler.

céntuplo, pla Centuple.

ceñido, da Cint, te (si n). Économe (nom).

ceñidor Ceinturon (si nturo n).

ceñir* (gnir) Ceindre* (si ndr). Abréger [abreviar] Vr Se borner [limitarse].

ceño Froncement de sourcils.

ceñudo, da (zégnou) Sombre.

cepa (zé) f Cep (sep) m. Souche (such) f [árbol].

cepillar (zé-lhar) Brosser. Raboter [madera].

cepillo (lho) m Brosse (os) f. Rabot (bo) m [carpintero]. Tronc (tro^n) [de iglesia].

cepo (zépo) Billot (bio) [troزco]. Jas (ja) [ancla]. Tronc (tro^n) [de iglesia].

cequia (zékia) Rigole (gol).

cera (zéra) Cire (sir).

cerámico, ca Céramique.

cerbatana Sarbacane.

cerbero (zerbéro) Cerbère.

cerca Près (prè). F Clôture.

cercado (zer) m Enclos (a^{n}klo).

cercanía f Proximité f. Pl. Environs (a^{n}viro^n) mpl.

cercano, na Proche (proch).

cercar (zer) Clore* (or).

cercenar (zerzé) Rogner (ñé).

cerceta (zerzé) Sarcelle (sèl).

cerciorar (zerzio) Affirmer.

cerco (zer) Siège (sièj).

cercha (zercha) f Gabarit m.

cerda (zer) f Soie (suá) f [cerdo]. Crin (kri^n) m [caballo].

cerdear (zer) Fléchir (chír).

cerdo (zer) Porc (por).

cereal (zéréal) m Céréale f.

cerebelo Cervelet (vèlè).

cerebral Cérébral, ale.

cerebro (zéré) Cerveau (vo).

ceremonia Cérémonie.

ceremonial Cérémonial.

ceremonioso, sa Cérémonieux, euse (niœ, œs).

cereza (zéréza) Cerise (rís).

cerezo Cerisier (sœrisié).

cerilla f (zérílha) Allumette (alümèt). Bougie (buji) f [velilla]. Cérumen (rü) m [oído].

cerillera f Porte-allumettes.

cernada Cendre (sa^{n}dr).

cerneja (jà) f Fanon (o^n) m.

cerner* Bluter (blü) [tamizar]. Être* en fleur [planta]. Bruiner (brüi) [lloviznar]. Vr Planer [aves].

cernícalo (zer) m Buse f.

cernidor Tamis (mí).

cernir* V. CERNER.

cerquita (zerki) Tout près.

cerradero m Gâche (gach).

cerrado, da Fermé, ée. Touffu, ue (tufü) [árboles]. Obstiné, ée, buté, ée (bü) [bruto].

cerradura Fermeture. Serrure (serür) [puertas].

cerraja (rraja) Serrure (ür).

cerrajero Serrurier (rürié).

cerramiento m Fermeture f.

cerrar* Fermer. Boucher [tapar]. Vr S'obstiner.

cerrazón m Obscurité (kü) f.

cerril Grossier, ère (sié).

cerro m Coteau (koto). Croupe (krup) [animal].

cerrojo (rrojo) Verrou (rru).

certamen Concours (ko^{n}kur).

certero, ra Adroit, oite.

certeza, certidumbre (ou^{n}bré). Certitude.

certificar Certifier. Recommander (a^{n}dé) [cartas].

cerúleo, a Céruléen, enne.

cerumen (rou) Cérumen (rü).

cerusa (zérou) Céruse (rüs).

cerval Cervier. Bleue [peur].

cervato Faon (fa^n).

cervecería Brasserie (brasrí).

cervecero Brasseur (sœr).

cerveza (zervéza) Bière (bier) : Cerveza dorada, negra, bière blonde, brune.

cervical Cervical.

cerviguillo (lho) m Nuque f.

cerviz (viz) Nuque (nük).

cervuno, na Cervin (vĭⁿ).

cesación Cessation.

cesante adj En disponibilité.

cesantía Mise en disponibilité.

cesar Cesser (sesé).

cesáreo, a Césarien, enne.

cesión Cession (sioⁿ).

césped Gazon (gazoⁿ).

cesta (zes) f Panier (nié) m.

cestería Vannerie (vanerí).

cestero, ra Vannier, ère.

cesto Panier. Ceste [atletas].

cesura Césure (súr).

cetáceo Cétacé.

cetrino, na Citrin, ine.

cetro Sceptre (septr).

cianuro (zianouro) Cyanure.

ciática Sciatique (siatík).

cibernética Cybernétique.

cicatear (zi) Lésiner.

cicatero, ra Avare, ladre.

cicatriz (iz) Cicatrice (is).

cicatrizar Cicatriser.

ciclamino Cyclamen (mène).

ciclismo Cyclisme.

ciclista Cycliste.

ciclo Cycle (sikl).

ciclón (ŏn) Cyclone (one).

cíclope Cyclope (siklop).

cicuta Ciguë (sigü).

cidra f Cédrat (drá) m.

ciego, ga Aveugle. A ciegas, à l'aveuglette. M Cæcum (sekom) [intestino].

cielo Ciel. Cielo de la boca, palais. Cielo raso, plafond.

ciempiés Mille-pattes.

cien V. CIENTO.

ciénaga f Marais (rè) m.

cieno m Fange (faⁿj).

científico, ca Scientifique.

ciento Cent. [Cien devant un sm ou devant le mot mil].

cierne m Fleur (flœr) f. Estar en cierne, être en herbe.

cierre, cierro m Fermeture f.

cierto, ta Certain, aine (sertăⁿ, èn). Por cierto, certes.

cierva Biche.

ciervo Cerf (ser).

cierzo (zierzo) m Bise (bis) f.

cifra f Chiffre (chifr) m.

cifrar Chiffrer.

cigarra Cigale.

cigarrera f Am. Débit [m] de tabac.

cigarrillo m Cigarette f.

cigarro (rro) Cigare (gar).

cigarrón m Sauterelle f.

ciguatera (goua) Jaunisse.

cigüeña (gouégna) Cigogne (oñ). Mec. Manivelle (el).

cigüeñal Mec. Vilebrequin.

cilicio Cilice.

cilindro (in) Cylindre (indr).

cima f Cime f. Sommet m.

cimarrón Marron (ron). Am. Vx. Sauvage (sovaj).

címbalo (zim) m Cymbale f.

cimbel (zim) f Cintre m.

cimbra (zim) f Cintre m.

cimbrar Cintrer [curvar]. Faire* vibrer. Cingler [azotar].

cimbrear V. CIMBRAR.

cimentar** Cimenter.

cimiento m Fondation f.

cinabrio Cinabre.

cinc (zinzel) Ciseau (sisó).

cincel (zinzel) Ciseau (sisó).

cincelar (zinzel) Ciseler.

cinco (zin) Cinq (siⁿk). Las cinco, cinq heures [hora].

cincuenta (zin) Cinquante.

cincuentena Cinquantaine.

cincuentón, ona Quinquagénaire (kiⁿkuajenèr) 2g.

cincha (zincha) Sangle.

cinchar Sangler (sanglé).

cine (né) Cinéma.

cinegético, ca Cynégétique.

cinematógrafo Cinématographe (graf).

cínico, ca Cynique (sinîk).

cinife (zinifé) Cynips.

cinismo Cynisme (nísm).

cinta f Ruban (rüban) m. Bande [cinematográfica].

cintillo (tílho) Bourdaloue f.

cinto, ta Ceint, ceinte. M Ceinture (sintüre) f.

cintura (zin) Ceinture.

cinturón (ròn) Ceinturon.

ciprés (èss) Cyprès (prè).

circo Cirque (sirk).

circuito Circuit (küí).

circulación Circulation.

circular (kou) Circuler (kü). Adj Circulaire (küler).

círculo (zírkou) Cercle.

circuncisión Circoncision.

circunferencia Circonférence.

circunflejo, ja Circonflexe.

circunloquio Circonlocution.

circunscribir* Circonscrire*.

circunscripción Circonscription.

circunspección Circonspection.

circunspecto, ta Circonspect, ecte.

circunstancia Circonstance.

circunstancial Circonstantiel.

circunstante Assistant, ante.

circunvenir* Circonvenir*.

circunvolución Circonvolution.

cirio Cierge (sierj).

ciruela (ziroué) Prune (ün).

ciruelo Prunier (prünié).

cirugía (ziroujía) Chirurgie (chirürjí).

cirujano Chirurgien.

bón). *Fam.* Dispute (püt) f.

cisma (zís) Schisme (chism).

cismático Schismatique.

cisne Cygne (siñ).

cisquero (kéro) m Ponce f.

cisterna Citerne.

cita f Citation f. Rendez-vous (randevú) [convenio].

citar Citer. Donner rendez-vous. Exciter [toro].

cítara Cithare (sitar).

cítrico, ca Citrique (trík).

ciudad (ziouda) Ville (vil).

ciudadano, na Citoyen, enne.

ciudadela Citadelle (del).

cívico, ca Civique (vík).

civil Civil, ile. M *Fam.* Gendarme (jandarm).

civilización Civilisation.

civilizar Civiliser.

civismo Civisme (vísm).

cizalla (zalha) Cisaille (saí).

cizaña (zagna) Ivraie (vrè). *Fig.* Zizanie [discordia].

clamar Clamer.

clamor m Clameur (mœr) f.

clamoreo m Clameur (mœr) f.

clandestino Clandestin.

clara f Blanc (an) [huevo]. Éclaircie (ersí) [tiempo].

claraboya Lucarne.

clarear Éclairer (eklèré). *Vi.* Poindre [el día].

claridad Clarté. *Fam.* Vérité.

clarificar Clarifier.

clarín m Clairon (ron).

clarinete m Clarinette f.

claro, ra Clair, aire. Clair-semé, e [ralo]. Franc (fran) [toro]. *Fig.* Noble. M Jour (jur) [ventana]. Blanc (blan) [espacio]. Clairière f [en un bosque]. *A las claras,* clairement. *Poner en claro,* tirer au clair.

claroscuro *m* Clair-obscur.
clase (*assé*) Classe (klas).
  Ir a clase, aller* en classe.
clásico, ca Classique.
clasificar Classer.
claudicar Boiter (buaté).
claustro Cloître (kluatr).
cláusula Clause (clos). Période (*ríod*) [frase].
clausura Clôture (klotür).
clausurar Clore*.
clavar Clouer. Enfoncer [hundir]. Fixer [mirada].
clave Clef (klé).
clavel Œillet (*œié*).
clavetear Clouter (klu).
clavicordio Clavecin (avsi*n*).
clavícula Clavicule (kül).
clavija (ja) Cheville (*vié*).
clavillo (lho) Rivet (vè).
clavo Clou (klu).
clemátide Clématite.
clemencia Clémence (*a*n*s*).
clemente (mèn) Clément.
cleptómano Kleptomane.
clerical Clérical.
clérigo Clerc (kler).
cliente (èn) Client, ente.
clientela (èn) Clientèle (*a*n*).
clima Climat (*ma*).
clínico, ca Clinique (nïk).
clisé (*ssé*) Cliché (ché).
clister Clystère (klistèr).
cloaca Cloaque (kloak).
cloquear (kéar) Glousser.
cloral Chloral (klo).
clorato Chlorate.
clorhídrico Chlorhydrique.
cloro Chlore (klo).
cloroformo Chloroforme.
clorosis Chlorose.
cloruro Chlorure.
club (oub) Club (œb).
clueca Poule couveuse.
coagular Coaguler.

coágulo Caillot (kaió).
coalición Coalition.
coartada *f* Alibi *m*.
coba Blague (blag).
cobalto Cobalt.
cobarde Lâche (lach).
cobardía Lâcheté (lachté).
cobayo Cobaye (*baie*).
cobertera *f* Couvercle *m*.
cobertizo Hangar (*a*n*).
cobertor *m* Couverture (kutür) *f*.
cobija Couverture (ku-tür) *f*.
cobijar (jar) Couvrir (ku).
cobrador Encaisseur.
cobranza *f* Recouvrement *m*.
cobrar Toucher (tuché) [dinero]. Recouvrer [factura, etc.]. Prendre* [tomar].
cobre Cuivre (küivr).
cobrizo, za Cuivré, ée.
cobro Recouvrement.
cocaína Cocaïne (*ïne*).
cocear (zéar) Ruer (rüé).
cocedura Cuisson *f*.
cocer* (zèr) Cuire (küir).
cocido, da (*zi*) Cuit, uite. *M* Pot-au-feu (potofœ).
cocimiento *m* Cuisson *f*. Décoction *f* [líquido].
cocina Cuisine (küisïne).
cocinar Cuisiner (*küisiné*).
cocinero, ra Cuisinier, ère.
cocinilla *f* Réchaud (cho) *m*.
coco *m* Noix [*f*] de coco. *Fam.* Croquemitaine (krokmitène) [bu]. *Fam.* Grimace (mas) *f* [mueca].
cocodrilo Crocodile.
cocotero Cocotier.
cocuyo Cucuje [insecto].
coche *m* Voiture (vuatür) *f*. *Coche cama*, wagon-lit.
cochera Remise (rœmis).

cochero Cocher.

cochinilla f Cloporte (ort) m. Cochenille f [tintórea].

cochinillo Cochon de lait.

cochino, na Cochon, onne.

cochitril m Bauge (boj).

cochura Cuisson (küïsoⁿ).

codazo Coup de coude.

codear Coudoyer* (kuduaié).

codeína Codéine (ïne).

codicia Cupidité. Convoitise (koⁿvuatís) [ansia].

codiciar Convoiter.

codicilo Codicille (síl).

codicioso, sa Avide.

codificar* Codifier*.

código Code (kod). *Código de la circulación*, code de la route.

codillo (dílho) m Épaule (pol) f [d'animal].

codo Coude (kud).

codorniz (niz') Caille (kai).

coetáneo, a Contemporain, e.

cofa Hune (üⁿe).

cofia Coiffe (kuaf).

cofrade (adé) Confrère (èr).

cofradía Confrérie.

cofre (fré) Coffre (kofr).

cogedor (jé) m Pelle (pel) f.

coger* (jèr) Prendre* (praⁿ). Cueillir* (kœïír) [frutos].

cogida f Cueillette (kœïet) f. Coup [m] de corne [toros].

cogido m France f; pli m.

cogotazo Coup sur la nuque.

cogote m Nuque (nük) f.

cogotera f Couvre-nuque m.

cogulla (oulha) Cagoule (gul).

cohabitar Cohabiter.

cohechar Suborner (sü).

coherente Cohérent, ente.

cohesión Cohésion f.

cohete (été) m Fusée (füsé) f.

cohibir Contraindre* (triⁿ).

cohombro Concombre.

cohorte (té) Cohorte (koort).

coincidencia Coïncidence.

coincidir Coïncider.

cojear (jé) Boiter (bua).

cojera Boiterie (buatrí).

cojijo Ennui (aⁿnüí).

cojín (jin) Coussin (kusiⁿ).

cojinete Coussinet.

cojo, ja Boiteux, euse.

cojuelo Boiteux.

cok Coke (kok).

col f Chou (chu) m.

cola Queue (kœ) [de animal]. Colle (kol) [substancia].

colaboración Collaboration (kol'la).

colaborador, ra Collaborateur, trice.

colaborar Collaborer.

colación Collation (kol'la).

colacionar Collationner.

colada Lessive (lesív).

colador m Passoire (suar) f.

coladora Lessiveuse (sivœs).

colar* Passer (líquido). Couler (kulé) [lejía]. Vr Se glisser [meterse].

colateral Collatéral, e [kola].

colcha (kolcha) f Couvre-lit (kuvrelí) m.

colchar Capitonner.

colchón (chòn) Matelas.

coleada f Coup [m] de queue.

colear Remuer la queue.

colección Collection (lek).

coleccionar Collectionner.

coleccionista Collectionneur.

colector Collecteur (lektœr).

colega Collègue (kol'leg).

colegial, la (jial) Collégien, enne (kolejiⁿ, ène).

colegio (léjio) Collège (lej) Barreau (baro) [abogados].

colegir* (jír) Réunir (reü). Déduire* [deducir].

coleóptero Coléoptère.

cólera Colère (lèr) [ira]. Choléra (kolera) [med.].

colérico, ca Coléreux, euse. Cholérique (kolerík) [med.].

coleta f Queue (kœ). Chignon (chiñoⁿ) m [toreros].

coleto (kolé) Collet (lè).

colgadizo Appentis (paⁿtí).

colgadura Tenture (taⁿtür).

colgajo (jo) Lambeau (bo).

colgante (ànté) Pendant, e.

colgar* Pendre (paⁿdr).

colibrí Colibri.

cólico m Colique (lík) f.

coliflor Chou-fleur (chu-flœr).

colilla (lha) f Pop. Mégot m.

colina Colline (lín).

colindante Limitrophe (trof).

colirio Collyre (kolír).

coliseo Colisée.

colisión Collision (lisioⁿ).

colmado m Pop. Gargote f.

colmar Combler (koⁿblé).

colmena (mé) Ruche (rüch).

colmillo (lho) m Canine (ni-né) f. Défense (faⁿs) [ele-fante].

colmo, ma Comble (koⁿbl).

colocación (zioⁿ) f Placement m. Place (plas) f [empleo].

colocar Placer.

colodión Collodion (kolo).

colofón m Note [f] finale.

colon Côlon (koloⁿ) [anat.].

colonia Colonie (ni).

colonaje (jé) m Période [f] coloniale [en Amérique].

colonial Colonial, ale.

colonización Colonisation.

colonizar Coloniser.

colono Colon (loⁿ). Fermier

(fermié) [arrendatario].

coloquíntida Coloquinte.

coloquio m Causerie (kos) f.

color m Couleur (kulœr) f.

coloración Coloration.

colorado, da Coloré, ée. Rouge (ruj) [encarnado].

colorante Colorant, e (raⁿ).

colorear Colorer (ré).

colorido Coloris (rí).

colorín m Couleur [f] criarde.

colorista Coloriste.

colosal Colossal, e.

coloso (osso) Colosse (los).

columbrar Percevoir*.

columna (loum) Colonne.

columnata Colonnade.

columpio m Balançoire f.

colusión Collusion (lü).

collado (lha) Coteau (to).

collar (lhar) Collier (lié).

colleja (lhéja) f Ris (ri) m.

collera (lhéra) f Collier m.

coma f Virgule (gül). M Coma.

comadre Commère (mèr).

comadrear (dré) Bavarder.

comadreja (éja) Belette (bè).

comadrón m Accoucheur.

comadrona Sage-femme (saj).

comandante Commandant.

comandita (àn) Commandite.

comanditario Commanditaire.

comarca Contrée (koⁿtré).

comarcano, na Limitrophe.

comba Courbure. Corde [para saltar].

combadura Courbure.

combar Courber (kurbé).

combate (kòn) Combat (ba).

combatiente Combattant, e.

combatir Combattre* (atr).

combinación Combinaison.

combinar Combiner.

combustible Combustible (üs).

combustión (ouss) Combustion.

comedero m Mangeoire (juar).

comedia Comédie.

comediante Comédien, enne.

comedirse* Se modérer.

comedor m Salle [f] à manger.

comején (jèn) m Termite.

comendador, ra Commandeur, commanderesse.

comensal Commensal, ale.

comentario Commentaire.

comenzar* (zar) Commencer.

comer Manger* (manjé). Démanger* [escocer]. M Manger.

comerciante Commerçant, e.

comerciar Commercer.

comercio Commerce.

comestible Comestible (ibl).

cometa m Comète (met) f. Cerf-volant (servolan) m.

cometer Commettre* (metr).

cometido m Mission f.

comezón Démangeaison (jè).

comicios Comices f.

cómico, ca Comique. Mf Comédien, enne (diin, ène).

comida f Nourriture f (nuritür) [alimento]. Repas (pa) m [alimento que se toma diariamente]. Déjeuner [almuerzo]. Dîner (né) m [comida de la tarde].

comido, da Mangé, ée. Nourri, ie (nuri) [alimentado].

comienzo Commencement.

comilona f Grand repas m.

comillas (lhass) fpl Guillemets (guiimè) mpl.

comino m Cumin (kümin).

comisar (ssar) Confisquer.

comisaría f Commissariat.

comisario Commissaire.

comisionista Commissionnaire.

comisura Commissure.

comité Comité.

comitiva Suite (süit).

cómitre (tré) Garde-chiourme.

como Comme. Si (condicional). M Le comment. ¿Cómo? Comment? ¡Cómo! Comment! (koman).

cómoda Commode.

comodoro Commodore.

compacto, ta Compact, e.

compadecer* Plaindre* (plindr). Vr Compatir (kon).

compadre Compère.

compañero, ra Compagnon (ñon), compagne (pañ). Partenaire (tenèr) [juego].

compañía Compagnie (ñí). Troupe (trup) [cómicos].

comparable Comparable.

comparación Comparaison.

comparar Comparer.

comparativo Comparatif.

comparecer* Comparaître*.

comparición Comparution.

comparsa Suite (süit). Comparse (ars) [teatro] 2g.

compartimiento Compartiment.

compartir Partager (jé).

compás (ass) Compas (kon-pa). Mesure [mús.]. Llevar el compás, battre la mesure.

compasión Compassion.

compasivo, a Compatissant, e.

compatible Compatible.

compatriota Compatriote.

compeler (lèr) Pousser (pu).

compendio (èn) Abrégé (jé).

compensación Compensation.

compensar Compenser.

competencia Compétence. Concurrence [com.].

competente Compétent, e.
competidor, ra Compétiteur, trice. Concurrent, e [com.].
competir* Concourir* (kurír). Rivaliser (sé).
compilación Compilation.
compinche (lnché) Copain.
complacencia Complaisance.
complacer* Complaire*.
complaciente Complaisant, e.
complejo (éjo) Complexe.
complementario, ria Complémentaire.
complemento Complément.
completar Compléter*.
completo, ta Complet, ète.
complexo, xa Complexe.
complicación Complication.
complicar Compliquer.
cómplice Complice (konplís).
complicidad Complicité.
complot (ot') Complot (plo).
componer* Composer (konposé). Arranger (aranjé) [arreglar]. Raccommoder [reparar].
comportamiento m Conduite f.
comportar Comporter.
composición Composition.
compositor Compositeur.
compostura f Arrangement.
compota Compote.
compotera f Compotier m.
compra (kòn) f Achat m.
comprador, ra Acheteur, se.
comprar Acheter* (achté).
comprender (kònprèndér) Comprendre* (konprandr).
compresión Compression.
compresa (essa) Compresse.
compresor Compresseur.
comprimido Comprimé.
comprimir Comprimer.
comprobación Vérification.

comprobar* Vérifier.
comprometedor, ra Compromettant, e (kon-metan, ant).
comprometer Compromettre*.
compromiso Compromis. Embarras (anbará) [apuro]. Engagement [obligación].
compuerta Barrière [cancela]. Vanne (vane) [esclusas].
compuesto, ta Composé, ée.
compulsar Compulser.
compungido, da Affligé, ée.
computador, ra Ordinateur m.
cómputo m Computation f.
comulgante (moul) Communiant, ante (münian, ant).
comulgar (moul) Communier.
común Commun, e (min, üne).
comunal Communal, e (mü).
comunicación Communication.
comunicante Communiquant.
comunicar Communiquer.
comunicativo Communicatif.
comunidad Communauté (no).
comunión Communion (nion).
comunismo Communisme.
comunista Communiste.
con (kòn) Avec. Quoique (kuak) [aunque].
conato m Effort (efor) m. Tentative f [intento].
cóncavo, va Concave.
concebir* (zébir) Concevoir* (konsevuar).
conceder Accorder.
concejal Conseiller municipal.
concejo Conseil municipal.
concentración Concentration.
concentrar Concentrer.
concéntrico, ca Concentrique.
concepción Conception.

conceptismo *m* Préciosité *f*.

concepto *m* Pensée (pansé) *f*. Opinion (ion).

conceptuar (ouar) Juger.

concernir* Concerner.

concertar* Concerter.

concesión Concession.

concesionario Concessionnaire.

conciencia (zièn) Conscience (siáns).

concienzudo, da (zou) Consciencieux, euse.

concierto Concert (konser). Accord (akor) [acuerdo].

conciliábulo Conciliabule.

conciliación Conciliation.

conciliador, ra Conciliant, e.

conciliar Concilier.

concilio (kònz) Concile (síl).

conciso, sa Concis, ise.

conciudadano Concitoyen.

concluir* (kònklouir) Conclure*. Finir [acabar].

conclusión *f* Conclusion *f*. Achèvement (achèvman) *m*.

concluyente Concluant.

concordar* Concorder. *Vi.* S'accorder [gramática].

concordato Concordat (da).

concorde (kòn) D'accord.

concordia Concorde.

concretarse Se borner.

concreto, ta Concret, ète. *M Am.* Béton (beton).

concubina Concubine.

concupiscencia Concupiscence.

concurrencia (èn) Concurrence (rans). Assistance (ans) [espectadores].

concurrente Concurrent, ente. Assistant, ante.

concurrir Concourir*.

concurso Concours (konkur).

concha (kòncha) *f*. Coquille (kíe) *f*. Coquillage (iaj) *m* [marisco]. Carapace (pas) *f* [tortuga]. Écaille (ekai) *f* [materia].

conchabar *Am* Engager* (angajé).

condado Comté (konté).

conde, esa Comte, tesse.

condecoración Décoration.

condena, condenación Condamnation (danasion).

condenar Condamner (dané). Damner (dané) [infierno].

condensar Condenser.

condescendencia Condescendance.

condescender Condescendre.

condescendiente Condescendant, e.

condestable Connétable (abl).

condición Condition.

condicional Conditionnel.

condimento Condiment.

condiscípulo Condisciple.

condolencia Condoléance.

cóndor Condor (kon).

conducente Approprié, ée.

conducir* Conduire* (üir).

conducta Conduite (düi).

conducto Conduit (düi).

conductor, ra Conducteur, trice.

conectar Brancher, relier.

conejera (jéra) *f* Clapier *m*. *Fig.* Repaire (rœpèr) *m*.

conejo (éjo) Lapin (pin).

conexo, xa Connexe.

confección Confection (sion).

confeccionar Confectionner.

confederación Confédération.

conferencia Conférence. Communication [interurbaine].

conferenciante Conférencier, ère.

conferir* Conférer.
confesar Confesser [un pecado]. Avouer [lo callado].
confesión f Confession f. Aveu (avœ) m [secreto].
confesonario Confessional.
confesor Confesseur.
confiado, da Confiant, ante.
confianza Confiance.
confiar Confier. Avoir* confiance [en algo, en uno].
confidencia Confidence.
confidente Confident, ente.
configuración Configuration.
confín (könfin) Confin (fîⁿ).
confinar Confiner.
confirmar Confirmer.
confiscar Confisquer (ké).
confitar (kòn) Confire (koⁿ).
confite (fité) Bonbon (boⁿ).
confitería Confiserie (fisrí).
confitero Confiseur (sœr).
confitura Confiture (tür).
conflicto Conflit (fli).
confluente (flou) Confluent.
conformar Conformer.
conforme (mé) Conforme (orm). Adv Conformément.
conformidad Conformité.
confortable Confortable.
confortar Conforter.
confraternidad Confraternité.
confrontación Confrontation.
confrontar Confronter.
confundir Confondre.
confusión confusion (füsioⁿ).
confuso, sa Confus, use.
congelar (jé) Congeler* (œ).
congeniar Sympathiser (siⁿ).
congénito, ta Congénital, e.
congestión Congestion (tioⁿ).
congestionar Congestionner.
congoja (oja) Angoisse (guas).
congojar (jar) Angoisser.
congregación Congrégation.

congregar (gré) Réunir (reü).
congreso (esso) Congrès (grè).
congrio Congre (koⁿgr).
cónico, ca Conique.
conífera Conifère.
conjetura (tou) Conjecture.
conjugación Conjugaison.
conjugar (jou) Conjuguer (jü).
conjunción Conjonction.
conjunto (joun) Ensemble.
conjurar (jou) Conjurer (jü).
conjuro m Conjuration f.
conmemorativo, va Commémoratif, ive.
conmigo Avec moi. Sur moi.
conmiseración Commisération.
conmoción Commotion (sioⁿ).
conmovedor, a Emouvant, te.
conmover* Émouvoir*.
conmutador Commutateur.
conmutar Commuer (müé).
connivencia Connivence.
cono Cône (koⁿ).
conocedor Connaisseur.
conocer* Connaître* (nètr).
conocido, da Connu, ue (nü). M Relation f [persona].
conocimiento m Connaissance f. Mar. Connaissement (nesmaⁿ) m Con conocimiento de causa, en connaissance de cause.
conque (könké) Ainsi (iⁿsí).
conquista (könkis) Conquête.
conquistador Conquérant.
conquistar Conquérir*.
consabido, da Connu, ue.
consagración Consécration.
consagrar Consacrer.
consanguíneo, a Consanguin.
consciente Conscient, ente.
conscripto Conscrit (kri).
consecución Obtention.
consecuencia Conséquence.

consecuente Conséquent, ente.

consecutivo, a Consécutif, ve.

conseguir* Obtenir*.

conseja (séja) f Conte m.

consejero Conseiller (seié).

consejo (séjo) Conseil (séi).

consentimiento Consente-
ment.

consentir* Consentir*. Gâter [mimar niños].

conserje Concierge (sierj).

conserva Conserve.

conservar Conserver.

conservatorio Conservatoire.

considerable Considérable.

consideración Considération
(sión). En consideración a
en égard à.

considerar Considérer.

consigna (ghna) Consigne.

consignar Consigner (ñé).

consigo Avec soi; sur soi.

consiguiente Conséquent, e.

consistencia Consistance.

consistente Consistant, ante.

consistir Consister.

consola Console (sol).

consolación Consolation.

consolador, ra Consolateur,
trice. Adj Consolant, ante.

consolar* Consoler*.

consolidar Consolider.

consonante (ánte) Conson-
nant, te. F Consonne (son°).

consorcio m Communauté
(úno) f. Consortium (siom)
m [com.].

consorte (té) 2g Conjoint
(juin). 2g. Pl Consorts.

conspicuo, a Remarquable.

conspiración Conspiration.

conspirador Conspirateur.

conspirar Conspirer.

constancia Constance.

constante Constant, ante.

constar Être* sûr, évident.
Être* composé.

constelación Constellation.

consternación Consternation.

consternar Consterner.

constipado Rhume (rüm).

constipar Enrhumer (añmi).

constitución Constitution.

constituir* Constituer*.

constituyente Constituant, e.

constricción Construction.

constructor Constructeur.

construir* Construire*.

consuelo m Consolation f.

consuetudinario Habituel.

cónsul (oul) Consul (súl).

consulado Consulat (la).

consular Consulaire.

consulta, consultación Consultation (konsül).

consultar Consulter.

consultivo Consultatif.

consultorio m Clinique f.

consumación Consommation.

consumar Consommer.

consumidor Consommateur.

consumir* Consumer*.

consumo m Consommation f.
Pl Octroi (truâ) m.

consunción Consomption.

contabilidad Comptabilité.

contacto Contact.

contado, da Compté, ée
(kon). Al contado, au com-
tant. De contado, aussitôt.

contador Comptable (tabl)
[cuentas].

contaduría f Comptabilité.
Bureau (büro) m [teatro].

contagiar Contaminer.

contagio m Contagion f.

contagioso, a Contagieux, se.

contaminar Contaminer.

contante (tàn) Comptant.

contar* Compter [calcular].
Conter [referir]. *Contar con,*
compter sur.

contemplación Contempla-
tion.

contemplar Contempler (taⁿ).

contemporáneo Contempo-
rain.

contencioso Contentieux.

contender* Disputer.

contendiente Adversaire.

contener* Contenir*.

contenido, da Contenu, ue.

contentadizo, za Facile à
contenter.

contentar (tèn) Contenter.

contento, ta Content, e. M
Contentement (aⁿtemaⁿ).

contera f Bout (bu) m.

contestación Réponse (poⁿs).
Contestation [litigio].

contestar Répondre. Contester [discutir].

contienda Dispute (pût).

contigo Avec toi. Sur toi.

contiguo, a Contigu, uë (gü).

continencia Continence.

continental Continental.

continente Continent (naⁿ).
Contenant [que contiene].

contingencia Contingence.

contingente Contingent, ente.

continuación Continuation.
Suite (süit) [lo que sigue].

continuador Continuateur.

continuar Continuer (nüé).

continuidad Continuité.

continuo, a Continu, ue.

contonearse Se dandiner.

contoneo Dandinement (din^e).

contorno Contour. Pl Alen-
tours (alaⁿtur).

contorsión Contorsion.

contra Contre. *Llevar la contra,* s'opposer. *En contra,* à

l'encontre, en opposition.

contrabajo m Contrebasse f.

contrabandista Contreban-
dier.

contrabando m Contrebande.

contracción Contraction.

contráctil Contractile.

contracto, ta Contracté, ée.

contradanza Contre-danse.

contradecir* Contredire*.

contradicción Contradiction.

contradictorio Contradic-
toire.

contraer* Contracter.

contrafuerte Contrefort (for).

contragolpe Contrecoup (ku).

contrahacer* Contrefaire*.

contrahecho Contrefait.

contralor Contrôleur.

contralto Contralto.

contraluz f Contre-jour m.

contramaestre Contremaître.

contraorden f Contrordre m.

contrapelo Rebrousse-poil.

contrapesar Contrebalancer.

contrapeso Contrepoids (pua).

contraponer* Opposer.

contraproducente Contraire.

contrapunto Contrepoint.

contrariar Contrarier.

contrariedad Contrariété.

contrario, ria Contraire. M
Adversaire (sèr).

contrarrestar Contrarier.

contrasentido Contresens.

contraseña Contremarque.

contrastar Contraster. Résister [resistir].

contraste Contraste (ast).
Contrôle (ol) [joyas, etc.].
Contrôleur [examinador].

contrata f Contrat (tra) m.
Adjudication f [subasta].

contratar Trafiquer. Engager (aⁿgajé) [artistas].

contratiempo Contretemps.

contratista Adjudicataire.

contrato Contrat (tra).

contravención Contravention.

contravenir* Contrevenir*.

contraventor Contrevenant.

contrayente Contractant.

contribución Contribution.

contribuir* Contribuer.

contribuyente Contribuable.

contrición Contrition.

contrincante Concurrent (kü).

contristar Affliger* (jé).

contrito, ta Contrit, ite.

controversia Controverse.

contumacia Contumace.

contumaz Obstiné, ée. Contumax [justicia].

contundente Contondant.

contusión (tou) Contusion.

contuso, sa Contus. use (tü).

convalecencia Convalescence.

convalecer Être* en convalescence.

convencedor, a Convaincant, e.

convencer* Convaincre* (vin).

convencimiento m Conviction f.

convención Convention (van).

convencional Conventionnel, elle.

conveniencia Convenance.

conveniente Convenable.

convenio m Convention f. Concordat (da) m [com.].

convenir* Convenir* (kon).

convento Couvent (kuvan).

convergente Convergent, ente.

convergir* Converger*.

conversación Conversation.

conversar Converser.

conversión Conversion.

converso, sa Convers, erse.

convertir* Convertir.

convexo, xa Convexe.

convicción Conviction.

convicto, ta Convaincu, ue.

convidar Inviter (in).

convincente Convaincant, te.

convite (té) m Invitation f.

convivir Vivre en commun.

convocación Convocation.

convocar Convoquer (ké).

convocatoria Convocation.

convoy (voï) Convoi (vuá).

convulsión Convulsion.

convulso, sa Convulsé, ée.

conyectura (yek) Conjecture.

conyugal (you) Conjugal, e.

cónyuges (youjès) Conjoints.

coñac (gn) Cognac (ñak).

cooperación Coopération.

cooperar Coopérer.

cooperativo, va Coopératif, ive.

coordinar Coordonner.

copa f Coupe (kup). Verre (ver) m [vaso]. Coupe [de-portes]. Tête (tet), cîme [sim] (árbol). Forme [sombrero]. Pl. Cœurs mpl [naipes].

copaiba f Copahu (ü).

copal Copal.

copelación Coupellation.

copero Échanson (chanson).

copete m Toupet (tupè) m [pelo]. Huppe f [aves].

copia Copie. Abondance (ans).

copiar Copier.

copioso, sa Copieux, euse.

copista Copiste.

copla f Couplet (kuplè) m. Fam. Chanson (chanson).

coplero Chansonnier.

copo Flocon (kon) [nieve].

copón Ciboire (sibuar).

cópula Union (union).

coque Coke (kok).

coqueta (ké) Coquette (kèt).

coquetear Coqueter (kokté).

coquetería Coquetterie (téri).

coracero Cuirassier.

coraje (rajé) m Colère (er) f.

corajudo, da Coléreux, euse.

coral Corail (rai).

coraza Cuirasse (küirás).

corazón Cœur (kœr).

corazonada f Pressentiment (sa^{n}tima^n) m.

corbata Cravate (vat).

corbeta (bé) Courbette (kur).

corcel Coursier (kursié).

corcovado, da Bossu, ue.

corchea Croche (och).

corcheta Porte [d'agrafe].

corchete m Agrafe (af) f. Crochet (chè) m [carpintería, tipografía].

corcho Liège (liej). Bouchon (bucho^n) [tapón].

cordaje (ajé) Cordage (aj).

cordal De sagesse [muela].

cordel Cordeau (do).

cordero Agneau (año).

cordial Cordial, ale.

cordialidad Cordialité.

cordillera Cordillère (iier).

cordobán Cuir de Cordoue.

cordobés, sa Cordouan, anne.

cordón Cordon (o^n).

cordoncillo Grain (gri^n).

cordura Sagesse (sajès).

coriáceo, a Coriace (rias).

corifeo Coryphée (rifé).

corimbo (ri^n) Corymbe.

corintio Corinthien.

corista Choriste (ko).

cornaca Cornac.

cornada f Coup [m] de corne.

cornamenta Encornure (nür).

córnea Cornée (né).

corneja (éja) Corneille (nè).

cornejo Cornouiller (nuié).

córneo, a Corné, ée.

corneta f Cornet (nè) m.

cornete (été) Cornet (nè).

cornezuelo Cornet. Ergot (go) [de centeno].

cornijal, cornijón Coin.

cornisa Corniche (ni).

cornisamento Entablement.

corno Cor [música].

cornucopia Corne d'abondance.

cornudo, da Cornu, ue.

cornúpeto Fam. Taureau.

coro Chœur (kœr).

coroides f (roïdès) Choroïde.

corola Corolle (rol).

corolario Corollaire (rolèr).

corona Couronne (kurone).

coronación f, coronamiento m Couronnement (ma^n) m.

coronar Couronner (roné).

coronel (nèl) Colonel.

coronilla (nîlha) f Sommet [m] de la tête.

corpachón (ôn) Grand corps.

corpiño Corsage (saj).

corporación Corporation.

corporal Corporel, elle.

corpóreo, a Corporel, elle.

corpulencia Corpulence.

corpulento, a Corpulent, te.

Corpus m Fête-Dieu f.

corpúsculo (kou) Corpuscule.

corral Basse-cour f [baskur] [para aves]. Cour f [patio]. Parc (par) [recinto grande].

correa (rréa) Courroie (kuruá). Souplesse (suplès) [paciencia].

correazo Coup de courroie.

corrección f Correction (sio^n).

correccional Correctionnel.

correctivo Correctif.

correcto, ta Correct, ecte.

corrector Correcteur.

corredera (déra) *f* Coulisse (kulís) *f*. Cafard (far) *m* [insecto]. Linch (loc) [marina]. Tiroir (tiruar) [máquina de vapor).

corredizo, za Coulant, ante.

corredor, ra Coureur, euse. Courtier (kurtié) [comercio]. Corridor [pasillo].

corregidor Prévôt (vo).

corregir* Corriger* (jé).

correhuela (ué) *f* Liseron *m*.

correlación Correlation.

correligionario Correligionnaire (relijioner).

correo (rréo) *m* Courrier (kurié) *m*. Poste *f* [oficina].

correón *m* Grosse courroie *f*.

correoso, sa Flexible (ibl). Dur, e; coriace (rías).

correr (rrèr) Courir* (kurír). Couler (kulé) [líquidos]. Tirer [cortina, cerrojo]. Confondre (avergonzar).

correría Incursion (sioⁿ).

correspondencia Correspondance.

corresponder Correspondre.

correspondiente Correspondant.

corresponsal Correspondant.

corretaje Courtage (kurtaj).

corretear Courir* (kurír).

corrida Course (kurs).

corrido, da Couru, ue. Cursive [letra]. Rusé, ée (rüsé) [astuto).

corriente (ièntè) Courant, e. *F* Courant *m*. *Adv* Parfait.

corrillo (lho) Groupe (grup).

corro (rro) Cercle (serkl).

corroborar Corroborer.

corromper (òm) Corrompre.

corrosivo, va Corrosif.

corrupción Corruption (rüp).

corruptela Corruption.

corrupto, ta Corrompu, ue.

corruptor Corrupteur.

corsario Corsaire (sèr).

corsé Corset (sè).

corsetera Corsetière.

corta Coupe (kup).

cortador, ra Coupeur, euse.

cortadura Coupure (kupúr).

cortafrío Ciseau à froid.

cortapisa Condition.

cortaplumas Canif.

cortar Couper (kupé). Trancher (aⁿché) [dificultad]. *Vr* Se couper. Tourner (turné) [leche, etc.]. Se troubler (tru) [turbarse].

corte (té) *m* Coupe (kup) *f*. Tranchant (aⁿchaⁿ) [filo]. Tranche *f* [de libro). *F* Cour (kur) [capital]. *Pl* États généraux [asamblea antigua]. Cortes, Sénat et Chambre des députés.

cortedad Petitesse. Timidité.

cortejar Courtiser (kurtisé).

cortejo (jo) *m* Cour (kur) *f*. *Fam.* Amant *m*; maîtresse *f*.

cortés Courtois, oise (tuá).

cortesano, na Courtisan, ane.

cortesía Courtoisie.

corteza Écorce (kors) [árbol, fruta]. Croûte [pan, etc.).

cortijo (jo) *m* Ferme (ferm) *f*.

cortina *f* Rideau (do) *m*.

cortinaje (jé) *m* Draperie *f*.

corto, ta Court, te. *Fig.* Timide [tímido].

corva *f* Jarret (jarè) *m*.

corvar Courber (kurbé).

corvejón Jarret (jarè).

corveta Courbette (kurbet).

corvetear Faire* des courbettes.

corvo, va Courbe (kurb).

corzo Chevreuil (vræi).

cosa Chose (chos). *Cosa de*, environ. *Poca cosa*, peu de chose. *A cosa hecha*, exprés. *No es cosa*, il ne faut pas.

cosaco Cosaque (sak).

coscorrón m Chiquenaude f.

cosecha Récolte.

cosechar Récolter.

cosechero Propriétaire.

coser Coudre* (kudr).

cosido m Couture (kutür) f.

cosmético, ca Cosmétique.

cósmico, ca Cosmique.

cosmografía Cosmographie.

cosmonauta Cosmonaute.

cosmopolita Cosmopolite.

cosmos Cosmos.

coso m Arène (aren*e*) f [lid]. Cours [calle].

cosquillas (lhas) Chatouillement. *Hacer cosquillas*, chatouiller.

costa f Coût (ku) m. Pl Dépens (pæⁿ) mpl [jurídico]. *A toda costa*, à tout prix.

costado Côté.

costal Sac.

costanero, ra Côtier, ère.

costar* Coûter (kuté).

coste Coût (ku).

costear Défrayer* (freié) [gastos]. Côtoyer* [orilla].

costilla Côte (kot). *Fam.* Femme, moitié [mujer].

costo m Coût (ku).

costra Croûte (krut).

costumbre (oùm) Habitude (üd). Coutume (kutüm) [uso]. *Pl* Mœurs (mœr) [conducta].

costura Couture (kutür).

costurera Couturière.

costurero Nécessaire.

costurón m Couture f, cicatrice f.

cota Cotte. Cote [topogr.].

cotejar (jar) Comparer (koⁿ).

cotidiano Quotidien (ko-diéⁿ).

cotillón (ôn) Cotillon (itoⁿ).

cotización Cotisation. Cote [evaluación].

cotizar Coter.

coto m Réserve f [de caza]. Borne f [mojón].

cotorra Perruche (rüch).

cotorrear Jaser (jasé).

coturno Cothurne (türn).

covacha f Caveau (vo) m.

coxcojilla Cloche-pied.

coyote (té) Coyote (iot).

coyunda (youn) f Lien m.

coyuntura (yountoura) Jointure (juiⁿtür) [articulación]. Conjoncture (tür) [ocasión].

coz (koz) m Ruade (rüad) f.

cráneo Crâne (anè).

crápula Crapule (pül).

craso, sa Gras, grasse.

cráter Cratère (ter).

creación Création.

creador, ra Créateur, trice.

crear Créer (kreé).

crecer* (zèr) Croître (uatr).

creces fpl Augmentation f *sing*. Intérêts mpl [dinero].

crecida Crue (krü).

crecido, da Grandi, ie. Important, ante.

creciente Croissant, ante.

credencial Nomination f.

crédito m Crédit m. Créance (aⁿs) f [deuda]. Créance f [creencia].

credo Credo.

credulidad Crédulité.

crédulo, la Crédule.

creederas Crédulité.

creedero, ra Croyable (iabl).

creer* Croire* (kruar).

creíble Croyable (*iabl*).
crema Crème.
cremación Crémation.
cremallera Crémaillère. Fermeture à glissière [cierre].
crencha (*èncha*) Raie [pelo].
creosota Créosote.
crepitar Crépiter.
crepúsculo Crépuscule (*kül*).
crespo, pa Crepu, ue (*pü*).
crespón (*one*) Crêpe (krep).
cresta, crestería Crête (krèt).
creta Craie (krè).
cretáceo, a Crétacé, ée.
cretino, na Crétin, ine (*in*).
cretona Cretonne (*kroetone*).
creyente (*yènte*) Croyant, e.
cría f Élevage (elvaj) m. Nourrisson (*nurison*) m [niño]. Petit m [animal].
criadero m Gisement m [minas]. Pépinière f [plantas].
criado, da Domestique 2g.
criador, ra Créateur, trice.
crianza (*ànza*) f Élevage m. Allaitement [niño] m. Éducation f.
criatura (*toura*) f Créature tür). Nourrisson m [niño].
criba f Crible (ibl).
cribado Criblage (*aj*).
cribar Cribler.
crimen (*èn*) Crime (im).
criminal Criminel, elle.
crin (*in*) f Crin (*in*) m.
crío Nourrisson (*nurison*).
criollo, lla (lho) Créole (ol).
cripta Crypte (ipt).
criptógamo, ma Cryptogame, e.
crisálida Chrysalide (*aj*).
crisantemo Chrysanthème.
crisis (*ississ*) Crise (kris).
crisma 2g Chrême (krem) m. Fam. Tête (tet) f.
crisol (ss) Creuset (*krœsé*).

crispar Crisper (pé).
cristal Cristal. Verre (ver) [vidrio]. Carreau (rró) [ventana].
cristalino, na Cristallin, e.
cristalizar Cristalliser (li).
cristianar Baptiser (batisé).
cristiandad Chrétienté.
cristianismo Christianisme.
cristiano, na Chrétien, enne.
Cristo Le Christ (krist).
criterio Critérium (*riom*). Jugement (*jujman*) [juicio].
crítica Critique.
criticar Critiquer.
croar Coasser.
cromático, ca Chromatique.
cromo Chrome (krom) [metal]. Chromo [estampa].
crónico, ca Chronique (*nák*).
cronista Chroniqueur.
cronología Chronologie.
cronómetro Chronomètre.
croqueta Croquette (kèt).
croquis (iss) Croquis (ki).
crótalo Crotale.
cruce (*krouzé*) Croisement.
crucero (*krouzéro*) m Transept [iglesias]. Croiseur (*kruasœr*) [barco]. Croisière (*sier*) f [viaje].
crucífera Crucifère (krü).
crucificar Crucifier.
crucifijo (jo) Crucifix (fi).
crudamente Crûment.
crudeza Crudité.
crudo, da (krou) Cru, ue (krü). Écru, ue [telas].
cruel (krou) Cruel, elle (krü).
crueldad (da) Cruauté (krüo).
cruento, ta Sanglant, ante.
crujía f Corridor m, couloir m. Passage (aje). Coursive (kursiv) [barco]. Galerie [galería]. Enfilade. *Fig.* Pasar

una crujía, en voir de dures.

crujido (krouji) Craquement.

crujir (krou-) (ké). Grincer* (grinsé) [dientes].

crup (kroup) Croup (krup).

crustaceo Crustacé (krüs-).

cruz (ouz) Croix (kruá). Pile [moneda]. Garrot m [animal].

cruzado, da (krouzado) Croisé, ée. F Croisade (kruasad).

cruzamiento Croisement.

cruzar Croiser (krua-).

cuadernillo (koua-ho) Carnet (nè) Cahier (ié) [de papel].

cuadra (koua) f Écurie (üri) f. Chambrée (chanbré) f [mil.]. Pâté m [casas].

cuadradillo (io) m Règle f.

cuadrado, da Carré, ée.

cuadragenario Quadragénaire.

cuadragésimo Quarantième.

cuadrangular Quadrangulaire.

cuadrante Quadrant (dran).

cuadrar (kouadrar) Convenir*. Vr S'arrêter net.

cuadrícula f Quadrillage m.

cuadricular Quadriller (ka).

cuadril m Hanche ('anch) f.

cuadrilátero Quadrilatère.

cuadrilla (ilha) Troupe (trup). Équipe (ékip) [obreros]. Bande [ladrones].

cuadringentésimo, ma Quatrecentième (katresantiem).

cuadro Carré. Tableau (blo) [pintura]. Cadre [jefes].

cuadrúmano Quadrumane.

cuadrúpedo Quadrupède.

cuádruple (koua) Quadruple (kuadrüpl) m.

cuadruplicar Quadrupler (ka).

cuajada (ja) f Caillé (ié) m.

cuajado, da (ja) (ja) Caillé, ée

(kaié). Rempli, ie (ranpli).

cuajar (kouajar) Cailler (kaié) [líquido]. Remplir (ran) [llenar]. M Caillette f.

cuajarón (ròn) Caillot (aió).

cuajo (kouajo) m Presure f. Fam. Patience f [paciencia]. *De cuajo,* avec la racine.

cual (koual) Quel, quelle, [pl. *cuales*] : quels, quelles (kel). *El, la cual,* lequel, laquelle ; *lo, los, las cuales,* lesquels, lesquelles. *Del, de la cual,* duquel, de laquelle ; *de los, de las cuales,* desquels, desquelles. ¿*Cuál es la fecha de hoy?* Quelle est la date d'aujourd'hui? . [Entre dos o más] : ¿*Cuál es el mejor?* Lequel est le meilleur? *Lo cual,* ce qui. Adv. Comme [como]. (*Cuál* exclamatif ou interrog. porte l'accent)

cualesquiera V. CUALQUIERA.

cualidad (koua) Qualité (ka).

cualquier (koualkier), **cualquiera** 2g. N'importe qui. Adj Quelconque (kelkonk). M Fam. Quidam (ki).

cuan (kouàn) Combien (konbiȵ) [on accentue *cuán* lorsqu'il est interrogatif].

cuantía (kouantía) Quantité (kan). Importance.

cuanto, ta (kouànto) Que [correlativo de tanto]. Combien de [interrog.] : ¿*Cuántas veces?* Combien de fois? Combien, que de [exclam.]: ¡*Cuánta gente!* Que de monde! Adv. Combien. ¿*Cuánto cuesta?* Combien coûte-t-il? ¡*Cuánto me gusta!* Combien j'aime! *Tout ce que* : *haz cuanto*

puedas, fais tout ce que tu
pourras. *Tanto... cuanto*,
plus... plus. *Cuanto antes*,
aussitôt que possible. *Cuanto
más*, à plus forte raison.
Cuanto más que, d'autant
plus que. *En cuanto*, dès
que. *En cuanto a*, quant à.
Por cuanto, vu que.

cuarenta (kouarèn) Quarante.

cuarentavo, va Quarantième.

cuarentena Quarantaine (ka).

cuaresma f Carême (rem) m.

cuarta (kouar) f Quart (kar)
m. Empan (a^{n}pa^n) [pal-
mo]. *Am*. Fouet (fuè) m.
Mús. Quarte (kart) f.

cuartear Partager en quatre.
Cartayer [coche]. *Am*.
Fouetter [azotar]. *Vr* Se
fendiller.

cuartel (kouar) m Quart
(kar) m. Quartier (kartié)
m [barrio]. Caserne (sern)
f [mil.]. *Dar cuartel*, faire*
quartier.

cuarterola (ro) f Quartaut
m. Mousqueton [arma].

cuarterón (ròn) m Quart (kar).
Vasistas [ventana]. Pan-
neau (no) [de puerta].

cuarteta f **cuarteto** m (té)
Quatrain (katri^n) m.

cuartilla (élha) f Paturon
(ro^n) m [caballo]. Feuillet
m (fœié) m.

cuartillo (tílho) m Chopine f.

cuarto, ta (kouarto) Quatrième (katriem). *M* Quart
(kar) [fracción]. Appar-
tement (t^{e}ma^n) [casa].
Liard, sou [moneda].
Chambre (châ^{u}br) f [habi-
tación] : *cuarto de dormir,
chambre à coucher*. Quart

[de hora, etc.]. *Train* (tri^n) :
cuarto trasero, train de derrière. *En cuarto*, in quarto.

cuartón (kouar) m Poutre f.

cuarzo (zo) Quartz (kuars).

cuasimodo Quasimodo (ka).

cuaternario, ria Quaternaire.

cuatro (koua) Quatre (katr).
Las cuatro, quatre heures
[hora].

cuatrocientos Quatre cents.

cuba (kou) f Tonneau (tonó)
m [tonel]. Cuve (küv) [de-
pósito, recipiente].

cubeta (koubéta) Cuvette.

cúbico, ca Cubique.

cubierta Couverture (ku-tür).

cubierto, ta Couvert, e (kü).

cubilete (koubilé) m Timbale f, gobelet. Cornet
m [dados].

cúbito (Cubitus (kübitüs).

cubo (kou) m Seau (so). Cube
m [fig.]. Moyeu [rueda].

cubrir (kou) Couvrir (kou).

cucaña f Mât [m] de cocagne.

cucaracha (kou) f Cafard m.

cuclillas (en) Accroupi, ie.

cuclillo (lho) Coucou (kukú).

cuco, ca Joli, ie (jolí) [lin-
do]. Rusé, ée [taimado].
M Coucou (kukú).

cucurbitácea Cucurbitacée.

cucurucho (roucho) Cornet.

cuchara (koutchara) Cuiller.

cucharada Cuillerée (ré).

cucharón (ròn) m Louche f.

cuchichear Chuchoter (chü).

cuchilla f Couperet (kuprè)
m. Lame [hoja].

cuchillada f Coup [m] de
couteau. Balafre [cicatriz].

cuchillería Coutellerie.

cuchillo Couteau (kuto).

cuchitril (íl) Réduit (düi).

cuchufleta Plaisanterie.

cuelga f Accrochage m.

cuelgacapas Porte-manteau.

cuello (kouelho) Cou (ku).
Col [botella, vestido, etc.].

cuenca (kouèn) f Écuelle
(eküel). Bassin m [río].

cuenco (kouèn) m Terrine f.

cuenta (kouèn) f Compte
(koⁿt) m. Addition, note
[gastos]. Grain (griⁿ) m
[rosario]. Caer* en la
cuenta, deviner, comprendre*. Dar* cuenta, rendre
compte. Tener* en cuenta,
tenir* compte.

cuentagotas Compte-gouttes.

cuentero, cuentista Conteur.

cuento Conte. Vx Billion. Venir* a cuento, convenir*.

cuerda (kouer) Corde. Dar*
cuerda, remonter. Por debajo
de cuerda, en sous-main.

cuerdo, da (kouer) Sage (saj).

cuerno m Corne (korn) f.

cuero m Cuir m. Outre (utr)
f [odre]. En cueros, tout nu.

cuerpo (kouer) Corps (kor) m.
En cuerpo, sans manteau.
Hacer* del cuerpo, aller* à
la selle.

cuervo (kouer) Corbeau (bo).

cuesta Côte. A cuestas, sur
le dos. Cuesta abajo, en
descendant. Cuesta arriba,
en montant.

cuestión (kouestiòn) Question (kestioⁿ). Dispute.

cuestionario Questionnaire.

cuestor Questeur (cuestœr).

cueto (koué) m Hauteur f.

cueva Cave. Caverne [gruta].

cuévano m Hotte ('ot) f.

cuezo (kouezo) m Auge f.

cuidado (kouidado) Soin
(suiⁿ). Souci (susí) [preocupación]. ¡Cuidado! Attention! De cuidado, gravement [enfermo]. Cuidado
con, attention à.

cuidar (kouidar) Soigner
(suañé). Cuidar de, veiller
à. Cuidarse de, se soucier.

cuita (kouí) f Souci (su) m.

culata (koulata) Culasse (külás). Crosse f [de fusil].

culatazo (azo) Coup de crosse.

culcusido m Reprise (ís) f.

culebra (kouébra) f Couleuvre (kulœvr) f. Serpent
(paⁿ) m [reptil grande].
Culebra de cascabel, serpent
à sonnettes.

culebrear (lébréar) Serpenter.

culebrina (brí) Couleuvrine.

culero (kouléro) Lange (laⁿj).

culinario, ria Culinaire (nèr).

culminante (àn) Culminant.

culo (kou) Cul (kü).

culpa (koul) Faute (fot).

culpabilidad Culpabilité.

culpable Coupable (kupabl).

culpar (koul) Accuser (kü).

culteranismo (nis) Cultisme.

culterano, na (ra) Cultiste.

cultivador, ra (koultivador)
Cultivateur, trice (tœr).

cultivar (koultivar) Cultiver.

cultivo m Culture (kültür) f.

culto, ta Cultivé, ée. M
Culte.

cultura (koultoura) Culture.

cumbre f Sommet m.

cumpleaños Anniversaire.

cumplido, da (koumplí) Accompli. M Compliment (koⁿ).

cumplimentar Complimenter.

cumplimiento Compliment.
Accomplissement [acto].

cumplir (koumplír) Accomplir (koⁿ). Échoir* (chuar) [plazo]. Mil. Être* libéré [soldado]. Por cumplir, par politesse. Cumplir con, s'acquitter envers.

cumular (koumou) Cumuler.

cúmulo m Accumulation f.

cuna (koⁿ) f Berceau m.

cundir (koundír) S'étendre. Se répandre [una noticia]. Avancer [un trabajo]. Gonfler [aumentar].

cunear (kounéar) Bercer.

cuneta (kouné) f Fossé m.

cuña (gna) f Coin (kuiⁿ).

cuñado, da (gna) Beau-frère; belle-sœur (bofrèr, belsœr).

cuño (kougno) Coin (kuiⁿ).

cuociente (kou) Quotient (ko).

cuota Quote-part (kotpar).

cupé (koupé) Coupé (ku).

cupido (koupí) Cupidon.

cupo Contingent (tiⁿjaⁿ).

cupón (kou) Coupon (kupoⁿ).

cúpula (kou) Coupole (kupol).

cura (koura) m Curé (küré). Pansement (paⁿsemaⁿ) [med.]. F Cure (kür).

curación Guérison (gheri).

curador (kourador) Curateur.

curandero (déro) Guérisseur.

curar (kourar) Guérir. Panser (paⁿsé) [aplicación de medicinas]. Sécher [secar].

curasao (kourassao) Curaçao.

curativo, va Curatif.

curato (koura) m Cure f.

curdo, da (kour) Kurde. F Fam. Ivresse (ivrès).

cureña (gna) f Affût (fü) m.

curia Justice. Curie [Roma].

curiana (ría) f Cafard m.

curiosear (ar) Être* curieux.

curiosidad (da) Curiosité.

curioso, sa Curieux, euse.

curro, rra Élégant, ante.

curruca Fauvette (fovet).

currutaco Gommeux.

cursar Assister [cours].

cursi (kour) Poseur, euse.

cursilería Pose (pos).

cursiva (sí) Cursive (kürsiv).

curso (kour) Cours (kur).

curtidor Tanneur (tanœr).

curtir (kourtír) Tanner. Haler ('alé) [cutis].

curvatura Courbure (kurbür).

curvo, va Courbe (kurb). Virage m [carretera].

cuscuta (kou) Cuscute (küs).

cúspide (kous) f Sommet m.

custodia f Garde f. Ostensoir m [vaso sagrado].

cutáneo, a Cutané, ée.

cutis (koutiss) m Peau (po) f.

cuy (koui) Cochon d'Inde.

cuyo, ya (kouyo) Dont [sans prép.] : el hombre cuyo hijo ves, l'homme dont tu vois le fils. De qui [avec prép.] : el hombre con cuyo hijo estoy, l'homme avec le fils de qui je suis.

cuzco Am. Roquet (kè).

CH

chabacano, na Grossier, ère.

chacal (cha) Chacal (cha).

chácara (cha) V. CHACRA.

chaco m Am. Chaco m, steppe f.

chacolotear Branler (aⁿ).

chacota (ko) f Plaisanterie.

chacra Am. Ferme (ferm).

cháchara f Babillage (iaj) m.

chafallar (lhar) Fam. Gâcher (gaché) ; saboter (té).

chafar (far) Écraser (sé). Chiffonner (estropear).

chafarote Fam. Sabre (sabr).

chaflán (àn) Biseau (bisó).

chaira (chaïra) f Fusil (füsí) m [pour aiguiser]. Tranchet m.

chal Châle (chal).

chala Am. Feuille de maïs.

chalado, da Fam. Toqué, ée.

chalán (àn) Maquignon (ñoⁿ).

chaleco (chalé) Gilet (jilé).

chalina Lavallière (lier).

chalote m Échalote (lot) f.

chalupa (chalou) Chaloupe.

chamarasca Flambée (flaⁿ).

chamarilero Brocanteur.

chambelán (àn) Chambellan.

chambergo (chànbergo) Chapeau à large bord relevé.

chambonada Maladresse.

chambra (àn) f Caraco m.

champaña Champagne.

champurrar (àn) Mélanger.

chamuscar (chamous) Flamber. Roussir (tostar).

chamusquina f Roussi m. Fam. Dispute (püt) f.

chancear (ànzé) Plaisanter.

chancero, ra Plaisant, ante.

canciller (ilh) Chancelier.

cancillería Chancellerie.

chancla, chancleta Savate.

chanclo (chan) m Socque f.

chanchería Am. Charcuterie.

chancho Am. Porc (por).

chanchullo m Intrigue f.

chanfaina f Ragoût [m] de mou.

chanflón, ona Grossier, ère.

changador Am. Portefaix.

chantaje Chantage.

chantre (àn) Chantre (chaⁿtr).

chanza (tchànza) Plaisanterie (plèsaⁿtrí).

chapa Plaque (plak). Am. Serrure (serür) [cerradura].

chapado, da Plaqué, ée.

chapalear Barboter.

chapar (chapar) Plaquer.

chaparro m Yeuse (iœs) f.

chaparrón m Averse (ers) f.

chapear (chapéar) Plaquer.

chapetón, na Am Vœ. Européen arrivé en Amérique.

chapín Claque (chaussure).

chapitel Chapiteau.

chapodar Élaguer.

chapotear Barboter.

chapucero, ra Grossier, ère.

chapurrar Baragouiner (güi).

chapuzar Plonger (oⁿjé). Bricoler [trabajo menudo].

chaquet (eit) m Jaquette f.

chaqueta (chaké) Veste (vest).

chaquete (kété) Jacquet (ké).

charada Charade.

charanga (àn) Fanfare (far).

charca (charca) Mare (mar).

charco m Flaque (flak) f.

charla f Bavardage (aj) m.

charlar (charlar) Bavarder.

charlatán Charlatan (taⁿ).

charlatanería Charlatanerie.

charnela Charnière.

charol Vernis (ní).

charqui m Viande boucanée.

charrada (rra) Grossièreté.

charrán, na Coquin, ine.

charranada, charranería Coquinerie (kokinⁿrí).

charrasca f Sabre (sabr) m.

charretería f Ornement [m] de mauvais goût.

charretera Épaulette.

charro, rra Paysan de Salamanque. Cavalier mexicain [mejicano]. *Adj.* Rococo.

chascar Craquer.

chascarrillo *m* Historiette *f.*

chasco *m* Niche *f* [burla]. Échec [fracaso].

chasis (chassiss) châssis.

chasquear (chaskear) Duper (düpé) [engañar]. Claquer [látigo]. Craquer [leña].

chasquido (ki) Claquement.

chato, ta Camus, use (mü) [nariz]. Plat, ate [llano].

chaveta (vé) Clavette (vèt).

chayote (yo) Chayote (yot).

¡che! (ché) *Am.* Eh!

checoeslovaco Tchécoslovaque.

chelín (chélín) Shilling.

cheque (chéké) Chèque.

chico, ca Petit, ite. *M/* Enfant (an^n) 2g. Garçon *m*, fille (fíe) : *un buen chico*, un bon garçon.

chicolear Flirter (flœrté).

chicoleo *m* Galanterie, *f.*

chicote *Am.* Fouet (foué).

chicuelo, la Gamin, ine.

chícharo Pois (puá).

chicharra Cigale (sigal).

chicharro Étouffoir.

chicharrón Rillon (riio^n).

chichón *m* Bosse (bos) *f.*

chifla *f* Sifflement *m.*

chiflado, da *Fam.* Toqué, ée.

chifladura Toquade (kad).

chiflar (chiflar) Siffler. *Vr* Être* toqué.

chiflido Coup de sifflet.

chile Piment (ma^n).

chileno, na Chilien.

chilindrína Bagatelle. *Fam.* Boutade [cuento].

chillar (lhar) Crier*.

chillido (tchilhído) Cri.

chillón, ona Criard, arde.

chimenea (néa) Cheminée.

chimpancé Chimpanzé.

china *f* Caillou (kaiá) *m. Am.* Domestique indienne; métisse. *Npr* Chine.

chinche Punaise (punès).

chinchorrería Impertinence.

chinchorrero, ra Impertinent, ente. Cancanier, ère [chismoso].

chinchoso, a Ennuyeux, se.

chinela Pantoufle (tufl).

chinero Vaisselier (vesléé).

chinesco, ca Chinois, oise.

chingar (chin) Ennuyer (a^n).

chino, na Chinois, oise. *f Am.* Métis (tís).

chipichipi *Am.* Bruine.

chiquero *m* Porcherie *f.*

chiquillada Gaminerie.

chiquillería Bande d'enfants.

chiquillo, lla Enfant 2g.

chiquito, ta Tout petit.

chiribita Étincelle (sel).

chiribitil Galetas (galta).

chirigota *Fam.* Blague (ag).

chirimbolo Bibelot (bib^{e}lo).

chirimía *f* Chalumeau *m.*

chirimoyo *Am.* Chérimolier.

chirinola Quille (kíe). *Fam.* Bagatelle.

chiripa *f* Raccroc (kro) *m* [billar]. Chance *f* [suerte].

chiripá *m* Culotte du gaucho.

chirivía *f* Panais (nè) *m.*

chirlar (chirlar) Crier*.

chirle (chirlé) Fade (fad).

chirlo *m* Balafre *f* [cicatriz]. Coup (ku) *m* [golpe].

chirona *Pop.* Taule.

chirriador, ra Grinçant, e.

chirriar Grincer* (gri^{n}sé). Crier* [gritar].

chirrido Grincement.

chirrión Tombereau (b^ero).

chirumen *Pop.* Esprit (pri).

¡chis! (chiss) Chut! (chût).

chisgarabís Bout d'homme.

chisguete (été) Jet (jé).

chisme Cancan. *Fam.* Machín, truc [objeto].

chismear Cancaner.

chismoso, sa Cancanier, ère.

chispa *f* Étincelle (iⁿsel) *f*. Goutte (gut) *f* [gota]. Esprit (espri) [ingenio].

chispear Etinceler (iⁿselé). *Fig.* Bruiner (brüiné).

chispo, pa Ivre.

chisporrotear (té) Crépiter.

chistar Parler: *sin chistar,* sans mot dire.

chiste *m* Bon mot. Plaisanterie *f* [broma].

chistera *f* Manne (man^e) [cesta]. Chistera [pelota]. *Fam.* Chapeau [m] haut de forme.

chistoso, sa Spirituel, elle.

chita *f* Osselet (oslé) *m*.

chito Bouchon (buchoⁿ) [juego]. *¡Chito!* Chut!

chivo Bouc (buk).

chocante Choquant (kaⁿ).

chocar Choquer.

chocarrero Bouffon (bufoⁿ).

choclo *m* Socque *f. Am.* Épi de maïs [panoja].

chocolate Chocolat (la).

chocolatera *f* Chocolatière.

chocha Bécasse (kas).

chochear Radoter.

chochera *f*, **chochez** *f* Radotage (taj) *m*.

chocho, cha Radoteur, euse. Toqué, ée [chiflado]. *M* Lupin (lüpiⁿ) [altramuz]. *Fam.* Nanan (naⁿ) [dulce].

chófer Chauffeur [auto].

cholo, la Métis, isse (ís).

cholla (cholha) *Fam.* Tête.

chopo (chopo) Peuplier (lé).

choque (choké) Choc (chok).

choquezuela Rotule (tül).

chorcha Bécasse (kas).

chorizo (rizo) Cervelas (la).

chorlito Courlis (kurlí).

chorreado, da Rayé, ée.

chorreadura Coulure (kulür).

chorreo (rréo) *m* Coulure *f*.

chorrera *f* Coulure *f* (kulür). Jabot (jabo) *m* [cuello].

chorrillo (rrílho) Filet (lè).

chorro (chorro) Jet (jè).

chotacabras Engoulevent.

choteo *m* Moquerie (kri) *f*.

choto (cho) Cabri.

chotuno, na De chèvre.

choza (choza) Cabane (bàn^e).

chubasco *m* Averse (ers) *f*.

chubascoso, a Orageux, se.

chúcaro, ra *Am.* Sauvage.

chuchear Chuchoter (chü).

chuchería Bagatelle (tel).

chucho, cha Chien, chienne.

chufa *f* Souchet (suchè) *m*.

chufar (chou) Se moquer.

chuleta (chou) Côtelette.

chulo, la (chou) Grossier, ère. Drôle (ol) [gracioso]. *M* Souteneur [rufián]. Valet·(lè) [toros].

chumacera Crapaudine.

chumbo V. Higo.

chunga Plaisanterie (plesaⁿ).

chupadero Hochet (′ochè).

chupado, da Sucé, ée. Maigre (mègr) [flaco]. *F* Sucement *m*.

chupador, ra Suceur, euse. *M* Hochet (′ochè).

chupaflor Oiseau-mouche.

chupar (chou) Sucer (süsé).

chupetear Suçoter (süsoté).

chupón, na Parasite (sít).

churrasco m Am. Grillade f.

churre (chourré) m Crasse f.

churrete m Tache (tach) f.

churrigueresco, ca Rococo.

churro Beignet (bèñé).

churumo (rou) Jus (jü).

chuscada Drôlerie (droleri).

chusco, ca Drôle (drol).

chusma Chiourme. Populace.

chuzo (chouzo) m Pique f.

D

dable Faisable (fœsabl).

dactilógrafo, fa Dactylographe (graf).

dádiva f Don (doⁿ) m.

dadivoso, sa Généreux, euse.

dado, da Donné, ée. M Dé.

dador, ra Donneur, euse (nœr, œs). Porteur [de una carta]. Tireur [letra].

daga Dague (dag).

dalia Dahlia.

dalmática Dalmatique.

daltonismo Daltonisme.

dalle (dalhé) m Faux (fo) f.

dama Dame.

damajuana Dame-jeanne.

damascado, da Damassé, ée.

damasquinar Damasquiner.

damisela (sé) Demoiselle.

danés, esa (nès) Danois, oise.

dantesco, ca Dantesque.

danza (dànza) Danse (aⁿs).

danzante (dànzánté) Danseur, euse (daⁿsœr, œs).

danzar (dànzar) Danser (aⁿ).

danzarín, ina Danseur, euse.

dañar (gnar) Endommager* (jé). Gâter [fruta, muela].

dañino, na Nuisible.

daño (dagno) Dommage (maj). Mal [dolor]. Hacer* daño, faire* mal.

dañoso, sa Nuisible (nüi).

dar* Donner. Tenir* (considerar). Avec quelques mots on traduit par le verbe correspondant : dar saltos, sauter; dar un beso, embrasser; dar gusto, plaire*. Faire* (fer) : dar lástima, faire* pitié. Tirer : dar un tiro, tirer un coup de feu. Sonner [horas] : dans las tres, trois heures sonnent. Dar de, enduire*. Avoir* [tener] : le dió calentura, il a eu la fièvre. Dar en, trouver. Dar a, donner sur. Darse a, s'adonner à. Se tenir* pour, se faire* passer pour. ¡Dale! Encore!

dársena f Bassin (siⁿ) m.

data Date [fecha]. Com. Crédit [crédito].

datar Dater. Com. Créditer.

dátil m Datte (dat) f.

datilera f Dattier (tié) m.

dato m Donnée (né) f.

de (dé) De (dœ). En (aⁿ) [materia] : mesa de madera, table en bois. Dans : mañana por la tarde, demain dans l'après-midi. Ser* de día, une épithète] : el bueno de tu padre, ton brave homme de père.

deán (àn) Doyen (duaiⁿ).

debajo (jo) Dessous (dœsú).
  Debajo de, sous.
debate (té) Débat (ba).
debatir Débattre (batr).
debe Com. Doit (dua).
deber Devoir* (vuar) *Deber de*, devoir* [probabilidad].
  M Devoir.
débidamente Dûment.
débil Faible, débile.
debilidad Faiblesse.
debilitar Affaiblir.
débito m Dette (dèt) f.
década Décade (kad).
decadencia Décadence (aⁿs).
decadente Décadent, ente.
decaer* Déchoir* (chuar).
decaimiento m Déchéance f.
decalitro Décalitre.
decámetro Décamètre.
decano Doyen (duaiⁿ).
decantar Vanter (vaⁿ).
decapitar Décapiter.
decena Dizaine (zèn).
decenal Décennal, ale.
decencia Décence. Propreté [limpieza].
decenio m Décennie f.
decentar* Entamer (aⁿ-).
decente Décent, ente.
decepción Déception f.
decidir Décider.
decigramo Décigramme.
decilitro Décilitre.
décima Dixième (siem).
decimal Décimal, ale.
decímetro Decimètre.
décimo, ma Dixième.
decimoctavo, va Dix-huitième.
décimocuarto, ta Quatorzième.
décimonono, na Dix-neuvième.
décimoquinto, ta Quinzième.

décimoseptimo, ma Dix-septième.
décimosexto, ta Seizième.
décimotercio, a Treizième.
decir* (zir) Dire* (dir). *Dicho y hecho*, aussitôt dit, aussitôt fait. *¿Diga? Allô! ¡Digo!* Tiens! *El que dirán*, le qu'en dira-t-on. *Es decir*, c'est-à-dire. *Por decirlo así*, pour ainsi dire.
decisión Décision f.
decisivo, va Décisif, ive.
declamación Déclamation.
declamar Déclamer (mé).
declamatorio Déclamatoire.
declaración Déclaration f.
declarar Déclarer.
declinación Déclinaison f.
declinar Décliner.
declive m Déclivité f.
decocción Décoction f.
decolorar Décolorer.
decoración f Décoration f. Décor m [teatros].
decorado (ra) Décor.
decorador (ra) Décorateur.
decorar (rar) Décorer.
decorativo, va Décoratif, ive.
decoro (koro) Décorum (rom).
decoroso, sa (ro) Convenable.
decrecer* (zèr) Décroître*.
decrépito, ta Décrépit, ite.
decrepitud (tou) Décrépitude.
decretar Décréter.
decreto Décret (krè).
dechado (cha) Modèle.
dedal Dé [à coudre].
dedicación Dédicace (kas).
dedicar Dédier*.
dedicatoria Dédicace (kas).
dedil Doigtier (duatié).
dedillo Petit doigt. *Saber* al dedillo*, savoir* sur le bout du doigt.

dedo (dé) Doigt (duá).

deducción Déduction (ük).

deducir* Déduire* (dúir).

defecar Déféquer (ké).

defección Défection.

defecto Défaut (**fó**).

defectuoso, a Défectueux, se.

defectuosidad Défectuosité.

defender* Défendre.

defensa Défense.

defensivo Défensif.

defensor Défenseur.

deferencia (rèn) Déférence.

deferente (rèn) Déférent.

deficiente Déficient, ente.

déficit Déficit.

definición Définition.

definitivo, va Définitif, íve.

deflación Déflation.

deflagración Déflagration.

deformación Déformation.

deformar Déformer.

deforme Difforme.

deformidad Difformité.

defraudar Tromper (troⁿpé).

defuera Dehors (dœr).

defunción f Décès (sè) m.

degeneración Dégénérescence.

degenerar (jé) Dégénérer.

deglución (glou) Déglutition.

deglutir Déglutir.

degollación Décollation.

degolladero Abattoir (tuar).

degollar (lhar) Égorger (jé). Fam. Assommer [fastidiar]. Échancrer (chaⁿ) [escotar].

degradación Dégradation.

degradar Dégrader.

degustación Dégustation.

dehesa f Pâturage (türaj) m.

deidad (déida) Divinité.

dejación f Abandon m.

dejadez (dèz) Paresse (rès).

dejado, da (ja) Laissé, ée

(lésé). Négligent, ente (jaⁿ).

dejamiento Abandon (doⁿ).

dejar Laisser (lèsé). Quitter (kité) [apartarse de]. Dejar de, manquer de.

dejo (déjo) Accent (aksaⁿ) [voz]. Goût (gu) [sabor].

del Du [ante consonante]. De l' [ante vocal o h muda].

delación Délation.

delantal (làntal) Tablier (ié).

delante (délànté) Devant. Delante de, devant.

delantera f Devant m, avant m [parte anterior]. Premier rang m [fila]. Avance. Tomar la delantera, devancer.

delantero, ra Placé devant.

delatar Dénoncer* (noⁿsé).

delator, ra Délateur, trice.

delegación Délégation.

delegar Déléguer.

deleitar (léïtar) Délecter.

deleite (délèïté) Plaisir.

deleitoso, sa Délicieux, euse.

deletéreo, a Délétère.

deletrear (tréar) Épeler*.

deleznable Friable. Glissant, ante (saⁿ) [escurridizo].

delfín Dauphin (dofiⁿ).

delgadez (dèz) Maigreur.

delgado, da Mince (miⁿs). Maigre (mègr) [flaco].

deliberación f Délibération.

deliberar (rar) Délibérer.

delicadeza (eza) Délicatesse.

delicado, da Délicat, ate (ka). Susceptible (sü).

delicia f Délice m [f en pl].

delicioso, sa Délicieux, euse.

delicuescente Déliquescent.

delimitar Délimiter.

delincuencia Criminalité.

delincuente (kouènté) Délinquant, ante (liⁿkaⁿ).

delinear Dessiner.

delinquir* (linkír) Commettre* un délit (delí).

delirar Délirer.

delirio Délire (lír).

delta Delta.

demacrado, da Émacié, ée.

demagogia Démagogie (ji).

demagógico Démagogique.

demagogo Démagogue (gog).

demanda Demande (dᵉmᵃⁿd).

demarcación Démarcation.

demás Autre, autres; los demás libros, les autres livres; lo demás, le reste. Por demás, inutilement.

demasía f Excès (eksè) m.

demasiado, da (ssia) adj Trop adv: demasiadas faltas, trop de fautes. Comer demasiado, trop manger.

demencia (enz) Démence.

demente (mèntè) Dément.

demisión Démission.

democracia Démocratie (sí).

demócrata Démocrate.

democrático Démocratique.

demoler* (démolèr) Démolir.

demolición Démolition.

demoníaco, ca Démoniaque.

demonio Démon (moⁿ).

demora f Retard (rœtar) m.

demorar Retarder (rœ).

demostración Démonstration.

demostrar* Démontrer.

demostrativo, Démonstratif.

denegación Dénégation.

dengue m Minauderie (nod) f.

denigrar Dénigrer.

denodado, da Intrépide (iⁿ).

denominación Dénomination.

denominador Dénominateur.

denostar* Insulter (iⁿsúlté).

denotar Dénoter.

densidad (da) Densité.

denso, sa (dèn) Dense (daⁿs).

dentadura (dèntadoura) f Dentition f. Rateliér (ratᵉ).

dental Dental, ale. M Sep.

dentellada f Coup de dent.

dentera f Agacement m.

dentición Dentition.

dentífrico, ca Dentifrice.

dentista (dèn) Dentiste.

dentro (dèn) Dedans (dœdaⁿ). Dentro de, dans.

denuedo (oué) m Intrépidité.

denuesto m Insulte (ült) f.

denuncia Dénonciation.

denunciar (oùn) Dénoncer.

deparar Procurer.

departamento Département. Compartiment [vagón].

departir Causer (kosé).

dependencia Dépendance.

depender (èndèr) Dépendre.

dependiente (èndèr) Dépendant, ante. M Employé (aⁿpluaié).

depilatorio Dépilatoire.

deplorable Déplorable.

deplorar Déplorer.

deponer* Déposer.

deportar Déporter.

deporte (té) Sport (spor).

deportivo, va Sportif, íve.

deposición Déposition.

depositar Déposer.

depositario, ria Dépositaire.

depósito Dépôt (depo).

depravación Dépravation.

depravado, da Dépravé, ée.

depredación Déprédation.

depresión Dépression.

deprimir Déprimer.

depurar Dépurer [sangre, etc.]. Épurer [metales, etc.].

depurativo, va Dépuratif, ve.

derecho, cha Droit, oite. A la derecha, à droite. M Droit.

derechura Ligne droite.

derivar Dériver.

derivativo, va Dérivatif, ive.

dermis Derme.

derogación Dérogation.

derogar Déroger.

derramar Répandre (aⁿdr).

derrame Épanchement.

derredor (dérredor) Tour
(tur). En derredor, autour.

derrengar* (èn) Éreinter.

derretir* Fondre (foⁿdr).

derribar Renverser (raⁿ).

derribo m Démolition f.

derrocar Renverser (raⁿ).

derrochar Gaspiller (pité).
Fig. Prodiguer.

derroche (rroché) Gaspil-
lage (iaj). Fam. Excès.

derrota Déroute (rut) Mar.
Route (rut) [camino].

derrotar Dérouter (ruté).

derrotero (éro) m Route f.

derrumbar (oum) Ébouler
[hundir]. Écrouler [derri-
bar].

derviche (ché) Derviche.

desaborido, da Insipide.

desabotonar Déboutonner.

desabrido, da Fade.

desabrigarse Se découvrir*.

desabrimiento m Rudesse f.

desabrochar Déboutonner.

desacato m Irrévérence f.

desacertado, da Erroné, ée.

desacierto m Erreur (erœr) f.

désacorde Discordant, ante.

desacostumbrado, da Inha-
bituel, elle (tüel).

desacostumbrar Déshabituer.

desacreditar Discréditer.

desacuerdo Désaccord (kor).

desafectar Désaffecter.

desafecto, ta Opposé, ée. M
Désaffection f.

desafiar Défier.

desafinar Chanter faux.

desafío (dessafio) Défi. Duel
(düel) [combate].

desaforado, da Effréné, ée.

desafortunado Infortuné.

desafuero Excès (sè), abus.

desagradable Désagréable.

desagradar Déplaire* (pler).

desagradecer* Oublier*
(ublié). Être* ingrat (iⁿ-
gra).

desagradecido, a Ingrat, e.

desagravio m Satisfaction f.
Dédommagement [compen-
sación].

desagregar Désagréger* (jé).

desaguar (gouar) Vider, épuiser (epüisé). Se jeter [río].

desagüe m Vidange (aⁿj) f.

desaguisado m Insulte f.

desahogado, da Débarrassé,
ée [libre]. A l'aise (fortuna) Effronté, ée (oⁿ)
[descarado].

desahogar Soulager* (sulajé)
[aliviar]. Vr Se soulager.
Se mettre* à l'aise [a gus-
to].

desahogo m Soulagement (su-
lajmaⁿ) m. Aise (ès) f: vivir con desahogo, être* à
l'aise. Effronterie (oⁿterí)
[descaro].

desahuciar Condamner (da-
né) [enfermo]. Donner
congé (koⁿjé) [inquilino].

desairado, da Dédaigné, ée.
Ingrat, ate [sin gracia].

desairar (dessairar) Dédaigner (dedeñé).

desaire (airé) Affront (oⁿ).

desalado, da Empressé, ée.

desalentar* (dessalèntar)
Décourager (kurajé).

desaliento Découragement.
desaliñado, da Négligé, ée.
desaliño m Négligence f.
desalmado, da Cruel, elle.
desalojar (jar) Déloger*.
desalquilar Donner congé.
desamor Manque d'affection.
desamparar Démparer.
desamparo (ssàm) Abandon.
desamueblar* Démeubler.
desandar* Rebrousser chemin.
desangrar Saigner (sèñé).
desanimar Décourager*.
desanudar Dénouer (denué).
desapacible (zi) Rude (rüd).
desaparecer* Disparaître*.
desaparición Disparition.
desapegar Détacher.
desapego Détachement (maⁿ).
desapercibido Dépourvu.
desapiadado Impitoyable.
desaplicado Inappliqué, ée.
desaprender Désapprendre*.
desaprobación Désapprobation.
desaprobar* Désapprouver.
desaprovechado, da Mal utilisé, ée. Paresseux, euse [alumno].
desaprovechar Mal employer.
desarbolar Démâter.
desarmar Désarmer.
desarme Désarmement.
desarraigar Déraciner.
desarrapado Deguenillé.
desarreglar (rré) Dérégler.
desarreglo Désordre (sordr).
desarrollar Développer. Dérouler (rulé) [lo enrollado].
desarrollo Développement.
desarrugar (rrou) Dérider.
desarticular Désarticuler.
desarzonar Désarçonner (so).

desaseado, da Malpropre.
desaseo m Malpropreté f.
desasirse* Se dessaisir.
desasnar Instruire* (üir).
desasosiego m Inquiétude f.
desastrado, a Négligent, te.
desastre Désastre (astr).
desastroso, a Désastreux, se.
desatacar Détacher. Déboutonner (butoné).
desatar (dess) Détacher (ché). Déchaîner (che) [desencadenar].
desatascar Désembourber (desaⁿburbé). Déboucher [destapar].
desate (dess) Débordement.
desatención f Manque [m] d'égards. Inattention f.
desatender* Ne pas faire* cas. Négliger [descuidar].
desatento, ta Inattentif, ive. Impoli, ie (iⁿ) [descortés].
desatinado, da Étourdi, ie.
desatinar Déraisonner.
desatino m Étourderie f.
desautorizar Désavouer (vué).
desavenencia Discorde.
desavenir* Brouiller (bruié).
desaventajado, da Désavantageux, euse (vaⁿtajœ, œs).
desayunar (you) Déjeuner.
Desayunarse con té, prendre du thé au petit déjeuner.
desayuno Petit déjeuner.
desazón f Ennui (aⁿnüi) m. Malaise m [malestar].
desazonar Ennuyer* (aⁿnüié).
desbancar Supplanter.
desbandada Debandade.
desbandarse Se débander.
desbarajustar Désordonner.
desbarajuste Désordre.
desbaratado, da Détruit, ite.

desbaratamiento Désordre.

desbaratar Détruire* (ür). Gaspiller (pié) [malgastar]. *Mil.* Mettre* en déroute.

desbarate *m* Destruction *f.* Gaspillage *m* [derroche]. Déroute (derut) *f* [tropa].

desbarbar Ébarber.

desbarrar Glisser. *Fig.* Déraisonner (deresoné)

desbarro *m* Erreur *f.*

desbastar Dégrossir.

desbocar Éguculer (goelé) [vasija]. *Vr* S'emballer (sanbalé) [caballo]. Se montrer insolent.

desbordamiento Débordement.

desbordar Déborder.

desbridar Débrider.

desbrozar Nettoyer* (tuaié).

descabalar Dépareiller (reié).

descabellado, da (lha) Échevelé, ée. Absurde (sürd).

descabellar Tuer le taureau d'un coup d'épée à la nuque.

descabezar (bézar) Décapiter. Étêter (árbol, etc.).

descalabrar Casser la tête. *Fig.* Blesser (sé) [herir]. *Fig.* Nuire* (nüir) [perjudicar].

descalzar Déchausser.

descalzo, za Déchaussé, ée.

descamisado, a Miséreux, se.

descampado, a Découvert, e.

descansadamente Sans fatigue.

descansar (kànsar) Reposer, se reposer (rœposé).

descansillo (descànsilho) Palier (lié) [de escalera].

descanso Repos (rœpo).

descantillar Ébrécher.

descarado, da Effronté, ée.

descarga Décharge (charj).

descargador Déchargeur.

descargar Décharger*.

descargo *m* Déchargement *m.* Décharge (charj) *f* [recibo].

descariño (rigno) *m* Désaffection (feksion) *f.*

descarnado, da Décharné, ée.

descarnar Décharner.

descaro *m* Effronterie *f*

descarriar Égarer.

descarrilar Dérailler (raié).

descarrío Égarement.

descartar Écarter.

descarte (arté) Écart (kar).

descascarar Écorcer* (sé).

descastado, da Dénaturé, ée.

descendencia Descendance.

descendente Descendant, ante.

descender* Descendre.

descendiente (ènté) Descendant, ante (dessandan).

descendimiento *m* Descente *f.*

descenso *m* Descente (santé) *f.*

descentrar Décentrer.

descerrajar (desƶerrajar) Tirer [arma de fuego]. Forcer* (sé) [cerradura].

descifrar (zi) Déchiffrer.

desclavar Déclouer (klué).

descocado, da Effronté, ée.

descoco *m* Effronterie *f.*

descoger* (kojèr) Étendre.

descolgar* Décrocher.

descolorar, descolorir Décolorer.

descollar* Se détacher.

descomedido, da Inconvenant.

descompasado Excessif.

descomponer* Décomposer. Déranger* (ranjé) [desarreglar]. Brouiller (bruié) [desavenir].

descompostura (kom-toura)

f Décomposition. Négligence *f* [descuido]. Impudence (iⁿpûdaⁿs) [descaro].
descompuesto, ta (*oues*) Décomposé, ée.
descomulgar Excommunier.
descomunal Extraordinaire.
desconceptuar Discréditer.
desconcertar (kònzer) Détraquer. Disloquer [dislocar]. *Fig.* Déconcerter.
desconcierto Dérangement.
desconchar Écailler (katé).
desconfiado, da Méfiant, te.
desconfianza Méfiance.
desconfiar (kon) Se méfier*.
desconocer* Méconnaître*. Ne pas reconnaître* [no reconocer]. Renier (rœnié) [negar como suyo].
desconocido, da Inconnu, ue (nû). Méconnaissable [que no puede reconocerse] Ingrat, ate (iⁿgra, at).
desconsolador* Désolant.
desconsolar* Désoler (so).
desconsuelo *m* Chagrin, peine *f*.
descontar Déduire* (dûir) [rebajar]. *Com.* Escompter (koⁿté).
descontentadizo, za Difficile à contenter.
descontentar Mécontenter.
descontento, ta Mécontent, ente. *M* Mécontentement.
descontinuar Discontinuer.
descorazonamiento Découragement.
descorazonar Décourager.
descorchar Déboucher.
descorrer Tirer [cortina].
descortés Impoli, ie (iⁿ); discourtois, se (tuá).
descortesía Impolitesse.

descoser Découdre* (kudr).
descosido, da Décousu, ue.
descotar Échancrer (chaⁿ).
descote *m* Échancrure *f.*
descoyuntar Disloquer [os].
descrédito Discrédit (di).
descreído, da Mécréant. ante.
descreimiento *m* Incrédulité.
describir* Décrire*.
descripción Description.
descrito, ta Décrit, ite.
descuadernar Dérelier.
descuartizar Dépecer (depesé).
descubierto, ta Découvert, te.
descubridor, ra Découvreur, euse.
descubrimiento *m* Découverte *f.*
descubrir Découvrir*.
descuento Escompte (koⁿt).
descuidado, da Négligé, ée. Négligent, ente (jaⁿ).
descuidar (koui) Négliger.
descuido (deskouido) *m* Négligence (jaⁿs) *f.*
desde Depuis (pûi). Dès (dè) [avec *ahora, entonces*]. *Desde luego*, bien entendu.
desdecir* (dézir) Ne pas convenir*. *Vr* Se dédire*.
desdén (dèn) Dédain (diⁿ).
desdentado, da Édenté, ée.
desdeñar (gnar) Dédaigner.
desdeñoso, sa Dédaigneux, euse.
desdicha *f* Malheur (lœr).
desdichado, da Malheureux, se.
desdoblar Déplier* (plié).
desdoro Déshonneur.
deseable Désirable.
desear (desear) Désirer.
desecar Dessécher.
desechar (dessechar) Rejeter (rœjté).

desecho Rebut (rœbů).

desembarazar Débarrasser.

desembarazo (zo) Sans-gêne.

desembarcar Débarquer (ké).

desembarco Débarquement.

desembargo m Mainlevée f.

desembargar Débarquement.

desembocadura Embouchure.

desembocar Déboucher.

desembolsar Débourser (bur).

desembolso Débours (bur).

desembragar Débrayer.

desembriagar Désenivrer.

desembrollar Débrouiller.

desemejante Dissemblable.

desemejanza Dissemblance.

desemejar Changer.

desempedrar* Dépaver.

desempeñar (desempégnar) Dégager* (jé) [lo empeñado]. Remplir (raⁿ) [funciones]. Jouer (jué) [papel dramático]. Vr S'acquitter (sakité).

desempeño Dégagement. Accomplissement [cumplimiento].

desempolvar Dépoussiérer.

desempotrar Desceller (selé).

desencadenar Déchaîner.

desencajar (jar) Déboîter.

desencanto Désenchantement.

desenconar Calmer [irritación].

desenfadado, da Gai, gaie (gué).

desenfado Sans-gêne (jèn).

desenfrenado, a Effréné, ée.

desenfreno Déchaînement.

desenganchar Décrocher. Dételer* (det'lé) [caballos].

desengañar Détromper (oⁿ).

desengaño m Désillusion f.

desengrasar Dégraisser.

desenlace Dénouement.

desenmarañar (gnar) Débrouiller (debruié).

desenmascarar Démasquer.

desenredar Débrouiller.

desentenderse* (dessènten). Se désintéresser (desiⁿ).

desenterrar* Déterrer.

desentonar (dessèn) Détonner, chanter faux (fo).

desentono Éclat de voix (vuá).

desentorpecer* Dégourdir.

desentrañar Approfondir.

desentumir Dégourdir (gur).

desenvainar (vaï) Dégainer.

desenvoltura Désinvolture.

desenvolver* (dessèn) Dérouler (rulé) [lo arrollado]. Développer (developé) [lo envuelto].

desenvuelto, ta Déroulé, ée. Désinvolte (siⁿ), sans-gêne.

deseo (dessêo) Désir (sir).

deseoso, sa Désireux, euse.

desequilibrado Déséquilibré.

desequilibrio Manque d'équilibre.

deserción (dess) Désertion.

desertar (dess) Déserter.

desertor (tœr) Déserteur.

desesperación f Désespoir m.

desesperar (dess) Désespérer.

desesterar (dess) Ôter les nattes.

desfachatado, a Effronté, ée.

desfachatez Effronterie.

desfalcar Défalquer (ké).

desfalco m Défalcation f.

desfallecer* Défaillir*.

desfallecimiento m Défaillance f.

desfavorable Défavorable.

desfavorecer* Défavoriser.

desfigurar (gou) Défigurer.

desfiladero m Défilé.

desfile Défilé.

desflorar Déflorer.

desflorecer* Défleurir* (flœ).

desfogar* Donner cours.

desfondar (fòn) Défoncer.

desformar Déformer.

desfruncir (froun) Défroncer.

desgaire (aïré) Laisser-aller (lésé alé). Al desgaire, libre.

desgajar (jar) Arracher.

desgalichado, da Dégingandé, ée.

desgana f Dégoût m.

desganar Dégoûter (gu).

desgañitarse S'égosiller (ié).

desgarbado, da Disgracieux, se (siæ, œs).

desgarrado, da Déchiré, ée. Fig. Impudent, e (püdaⁿ).

desgarrador, a Déchirant, e.

desgarrar Déchirer (chiré). Cracher (ché) [escupir].

desgarro m Déchirure (rür) f.

desgarrón m Déchirure f.

desgastar User (üsé).

desgaste m Usure (üzür) f.

desgobernar Désordonner.

desgobierno Désordre.

desgracia f Malheur (lœr).

desgraciado, da Malheureux, se (malœrœ, œs).

desgraciar Abîmer [estropear]. Estropier [lisiar]. Vr S'abîmer. S'estropier.

desgranar Égrener (egrèné).

desgrasar Dégraisser (grèsé).

desgrase Dégraissage (saj).

desgreñar Écheveler (chœvlé).

deshabitado, da Inhabité, ée.

deshacer* Défaire (dèfr). Fondre (foⁿdr) [derretir].

desharrapado Déguenillé.

deshecho, cha Défait, te. Violent, ente.

deshelar* (ssé) Dégeler (jlé).

desheredar Déshériter (dese).

deshielo (sié) Dégel (jel).

deshilar (si) Défiler.

deshinchar (sìn) Dégonfler.

deshojar Effeuiller (efœié).

deshollinar (solhi) Ramoner.

deshonesto, ta Déshonnête.

deshonra (ssòn) f Déshonneur (sonœr) m.

deshonrar Déshonorer.

deshonroso Déshonorant.

deshora Heure indue.

desidia Nonchalance (nonchalaⁿs).

desidioso Nonchalant.

desierto, ta Désert, erte.

designación f Désignation.

designar (ghnar) Désigner.

designio Dessein (desiⁿ).

desigual (dessigoual) Inégal.

desilusión Désillusion (lü).

desinfectar Désinfecter.

desinterés (rès) Désintéressement (desiⁿteresmaⁿ).

desinteresado Désintéressé.

desistir (dess) Désister (sis).

deslavazar Délaver.

desleal (léal) Déloyal (uaïal).

deslealtad Déloyauté.

desleír* Délayer (deleié).

deslenguado, da Insolent, e.

desliar Délier (lié).

deslindar (lin) Délimiter.

desliz (iz) Faux pas (fopa).

deslizar (zar) Glisser. Vr Se glisser. Faire* un faux pas.

deslucido, da Peu brillant.

deslucir (zir) Ternir.

deslumbrador, ra Éblouissant, e (beluisaⁿ).

desligar Délier (lié).

deslumbrante Éblouissant, e.

deslumbrar Éblouir (ebluír).

desmán Excès (eksè).

desmandarse Désobéir (so).

desmañado, da Maladroit, e.

desmayarse S'évanouir (nuir).
desmayo Évanouissement.
desmedido, da Démesuré, ée.
desmedrado, da Chétif, íve.
desmelenado a Échevelé, ée.
desmembrat* Démembrer.
desmemoriado Oublieux.
desmentir* (mèn) Démentir.
demenuzar Émietter.
desmerecer* Démériter.
desmigajar (jar) Émietter.
desmirriado, da Chétif, íve.
desmonetizar Démonétiser.
desmontar Démonter. Déboiser [arbolado]. Défricher [campo].
desmonte Déboisement (buasmⁿ). Défrichement (ichmaⁿ) [campo].
desmoralizar Démoraliser.
desmoronar Ébouler (ebulé).
desnaturalizar Dénaturer.
desnivel m Dénivellation f.
desnudar (nou) Déshabiller (desabié). Dépouiller (depuié) [despojar].
desnudez Nudité.
desnudo, da Nu, nue. Dénué, ée [privado].
desnutrición Dénutrition.
desobedecer* (dessobédézèr) Désobéir (deso).
desobediencia Désobéissance.
desobediente Désobéissant, e (saⁿ).
desocupar Débarrasser.
desoír Ne pas écouter.
dosojarse (dessojarsé) Se fatiguer les yeux.
desolación Désolation (sioⁿ).
desolar* (dess) Désoler (so).
desolladura (dessolhadoura) Écorchure (chur).
desollar Écorcher.
desopilar Dépoiler.

desorden (dessòrdèn). Désordre (sòrdr).
desordenar Désordonner.
desorganizar Désorganiser.
desorientar Désorienter.
desosar* Désosser.
desovar* Frayer (freié).
despabiladeras Mouchettes.
despabilar Moucher (muché) [candela]. Hâter [apresurar]. Fam. Dégourdir (gur) [personas]. Éveiller, réveiller (reveié) [despertar].
despacio (pazio) Lentement (laⁿtmaⁿ).
despacito Tout doucement (tu dusmaⁿ).
despachar Expédier (dié) Débiter [mercancías]. Servir* [clientes].
despacho (acho) m Expédition f; vente f [mercancías]. Bureau (büro) m [oficina]. Débit (débi) m [tienda]. Dépêche f [telegrama].
despachurrar Écraser.
despanzurrar Éventrer (vaⁿ).
desparejar Dépareiller (reié).
desparpajo (ajo) Sans-gêne.
desparramar Éparpiller (ié).
despavorido Effrayé (efreié).
despeado, da Éclopé, ée.
despectivo, va Péjoratif, ve.
despechar (char) Dépiter.
despecho (pé). A despecho de, en dépit de.
despechugado, a Débraillé, e.
despedazar Mettre* en pièces.
despedida f Adieux (adiœ) mpl.
despedir* Jeter* (jœté) [luz, rayos]. Renvoyer* (raⁿyuaié) [criado, em-

pleado]. Répandre (re-
pa^{n}dr) [olor]. Reconduire*
(rœko^{n}düïr) [visita]. *Vr*
Prendre* congé.

despegar Décoller (kolé).

despego Détachement (tach).

despeinar (péï) Décoiffer.

despejar (jar) Dégager* (jé).
Déblayer (eié) [estorbos].

despeluznar (louz) Echeveler
(echœvlé).

despellejar (lhej) Écorcher.

despensa (pèn) *f* Garde-
manger (gardma^{n}jé) *m* [co-
cina]. Dépense (pa^{n}s) [eco-
nomato].

despeñadero (gnadéro) Précipice (pis).

despeñar Précipiter.

desperdiciar (ziar) Gaspiller
(iié).

desperdicio Gaspillage. Déchet [residuo].

desperezarse* Convoiter.

desperezarse S'étirer.

desperfecto *m* Imperfection *f*
(i^n-sio^n) ; défaut (fo) *m*.

despertador Réveil (véï).

despertar* Réveiller (veié).

despiadado, da Impitoyable.

despierto, ta Éveillé, ée.

despilfarrar Gaspiller (piié).

despintar Défigurer. Dégénérer [personas].

despistado, da Distrait, e.

despistar Dépister (coche].

despiste Dérapage.

desplantar Déplanter.

desplante Mauvaise attitude *f*.

desplegar* Déployer* (plua).

despliegue Déploiement.

desplomarse S'écrouler (kru).

desplumar Plumer (plü).

despoblar* Dépeupler (pœ).

despojar (jar) Dépouiller.

despojo *m* Dépouille (puié) *f*.

desposado, da Nouveau marié, nouvelle mariée.

desposarse Épouser (epusé).

desposeer Déposséder.

desposorios *mpl* Épousailles
(epuäï) *fpl*.

déspota Despote.

despótico, ca Despotique.

despotismo Despotisme.

despotricar Parler à tort et à
travers.

despreciable Méprisable.

despreciar Mépriser.

desprecio Mépris (pri).

desprender (èndèr) Détacher,
défaire* (fer). *Vr* Se défaire*. Se dégager* (jé)
[desnudarse, resultar].

desprendido, da Détaché, ée.
Fig. Généreux, se (rœ, œs).

desprendimiento Détachement. Dégagement [gases].

despreocupado, da Insouciant, e (i^{n}susïa^n). Sans
préjugés [sin prejuicios].

desprevenido, a Au dépourvu.

desproporción Disproportion.

despropósito *m* Sottise *f*.

desproveer Démunir (mü).

desprovisto, a Dépourvu, ue.

después (pouès) Après (prè).

despuntar (poun) Épointer
(puï^n) [quitar la punta].
Bourgeonner (burjo) [vege-
tales]. *Fig.* Poindre*
(puï^{n}dr) [día]. *Fig.* Briller,
exceller [lucir, brillar].

desquiciar Bouleverser.

desquitar (kitar) Rattraper
[pérdida]. Dédommager*
(jé) [resarcir].

desquite (kíté) *m* Revanche (rœvaⁿch) f.

destacameⁿto Détachement.

destacar Détacher (ché).

destajo (jo) Forfait (fè).
Decouvrir (ku) [descubrir].

destello (telho) Éclat (kla).

destemplanza (tèmplànza) Intempérie (iⁿtaⁿperí). temporance (iⁿtaⁿperaⁿs) [exceso]. *Med.* Fièvre légère.

destemplar (tè^m) Déranger^r (raⁿjé). Désaccorder [mus.]. Détremper [acero].

desternillarse (lhar) Se pâmer de rire.

desterrar* (rrar) Exiler.

destetar Sevrer (sœ).

destete (tété) Sevrage (aj).

destiempo (a) (tiè^m) A contretemps (koⁿtretaⁿ).

destierro Exil.

destilar Distiller (tilé).

destilería Distillerie.

destinación (zión) Destination (sioⁿ).

destinar Destiner.

destinatario, ria Destinataire (tèr).

destino *m* Destinée (né) f [suerte]. Destination f [objeto]. Poste (post) *m*, emploi [empleo].

destitución Destitution.

destituir* (touír) Destituer.

destorcer (zer) Détordre.

destornillador Tournevis.

destreza Adresse (adrès).

destripar Étriper.

destripaterrones (nès). *Fam.* Croquant (crocaⁿ).

destronar Détrôner.

destrozar* (zar) Détruire* (uir). Dépecer (depesé) [despeda-

---

zar]. Défaire* [enemigos].

destrozo *m* Destruction f.

destrozón, na Brise-tout 2g.

destrucción Destruction.

destructor, ra Destructeur, trice (truktœr, trís).

destruir* Détruire* (uir).

desuello (ouelho) *m* Écorchement *m*. Écorchure f [desollón]. *Fam.* Insolence f.

desunir Désunir (sü).

desusado, da Inusité, ée.

desuso (ss) *m* Désuétude f.

desvaído, da (vaï) Faible.

desvalido, da Abandonné, ée.

desvalijar (jar) Dévaliser.

desvaluar (louar) Dévaluer.

desván Grenier (grœnié). Galetas (galta) [zaquizamí].

desvanecer* Évanouir (nuír). *Vr* S'évanouir.

desvanecimiento *m* Évanouissement *m*. Vanité f.

desvariar Divaguer (gué).

desvarío Délire (lír).

desvelar Éveiller (eveié).

desvelo *m* Insomnie f.

desvencijado, da Disjoint, e.

desventaja (vèntaj) f Désavantage (desavaⁿtaj) *m*.

desventajoso, sa Désavantageux, se (desavaⁿtaj, œs).

desventura Malheur *m*.

desventurado, a Malheureux, se.

desvergonzado Dévergondé.

desvergüenza f Dévergondage *m*.

desviar Dévier.

desvío *m* Déviation f. *Fig.* Éloignement *m*; froideur (fruadœr) f.

desvirtuar Affaiblir (afe).

desvivirse Désirer ardemment.

detallar Détailler (taié).

detalle (lhé) Détail (détái).

detasa Détaxe (tax).

detención f Détention f [prisión]. Arrêt (arè) [parada].

detener* Arrêter (areté).

detenidamente Posément.

detenimiento (mièn) Arrêt.

detentar (tèn) Détenir*.

detentor Détenteur (taⁿtœr).

deteriorar Détériorer.

deterioro m Détérioration f.

determinación Détermination.

determinar Déterminer.

detestable Détestable.

detestar Détester.

detonación Détonation f.

detonar Détoner.

detractor Détracteur.

detrás Derrière. *Detrás de mí*, derrière moi.

detrimento Détriment (maⁿ).

detrito Détritus (tüs).

deuda (deouda) Dette (det).

deudo, da Parent, ente.

deudor, ra Débiteur, trice.

devanar Dévider.

devaneo m Rêverie (revrí) f.

devastación Dévastation f.

devastador Dévastateur.

devastar Dévaster.

devengar Gagner (ñé).

deviación Déviation f.

cevoción Dévotion f.

devocionario Paroissien.

devolución Dévolution f.

devolver* Rendre (raⁿdr).

devorador, ra Dévorant, e.

devorar (dévorar) Dévorer.

devoto, a Dévot, ote.

devuelto, ta Rendu, ue.

deyección (yek) Déjection f.

dextrina Dextrine f.

día (día) m Jour (jur) m.

El día de San Juan, la saint Jean. *Pl.* Fête f (santo), anniversaire (cumpleaños): *dar los días,* souhaiter la fête o l'anniversaire. *Día de año nuevo,* jour de l'an. *Día de carne, de vigilia,* jour gras, maigre. *Día del Corpus,* la Fête-Dieu. *Al día,* à jour [al corriente]. *Vivir al día,* vivre* au jour le jour. *Al otro día,* le lendemain. *Otro día,* un autre jour. *A tres días vista, fecha,* à trois jours de vue, de date. *Buenos días,* bonjour. *Dar los buenos días,* souhaiter le bonjour. *Hoy día,* aujourd'hui.

diabetes (ètes) f Diabète m.

diabético, ca Diabétique.

diabla Diablesse (blès). *A la diabla,* à la diable.

diablillo (lho) Diablotin (iⁿ).

diablo Diable (diabl).

diablura (oura) Espièglerie.

diabólico, ca Diabolique.

diácono Diacre (diakr).

diadema (dé) f Diadème m.

diáfano, na Diaphane (fane).

diafragma Diaphragme.

diagnóstico Diagnostic.

diagonal Diagonal, ale.

diagrama Diagramme (gram).

dialecto Dialecte (lekt).

diálogo Dialogue (log).

diamante (ānté) Diamant.

diámetro Diamètre.

diapasón (sson) Diapason f.

diariamente Journellement.

diario, ria Journalier, ère. *M* Journal (jur) [periódico].

diarrea (rréa) Diarrhée (ré).

dibujante (boujar) Dessinateur, trice.

dibujar (boujar) Dessiner.

dibujo (boujo) Dessin (si^n).

diccionario Dictionnaire.

diciembre Décembre (sa^{n}br).

dictado m Dictée f.

dictador Dictateur (tœr).

dictadura (dou) Dictature.

dictamen (èn) m Opinion f.

dictar Dicter.

dicterio m Insulte (i^{n}sült) f.

dicha (dícha) Chance.

dicharacho m Grossiéreté f.

dicho, cha Dit, ite. (V. DECIR.)
M Mot (mo) [locución]. Ce,
cet, cette: dicha ocasión,
cette occasion. Mejor dicho,
plutôt.

dichoso, sa (chosso) Heu-
reux, euse (œrœu, œs). Fam.
Ennuyeux, euse [cargante].

didáctico, ca Didactique.

diecinueve Dix-neuf.

dieciocho Dix-huit.

diente (diènte) m Dent (da^n)
f. Gousse (gus) f [ajo].

diéresis f Tréma m.

diestro, tra Droit, oite (druá,
at). Adroit, oite [hábil].
F Droite. M. Matador [to-
ros]. A diestro y siniestro,
à tort et à travers.

dieta (diéta) Diète (diet).

diez (dièz) Dix (dis). Las
diez, dix heures. El diez de
junio, le dix juin.

diezmar Décimer.

diezmo m Dîme f.

difamar Diffamer.

difásico, ca Diphasé, ée.

diferencia (rènzia) f Différence (ra^{n}s) f. Différend
(ra^n) m [opinión].

diferente (rèn) Différent, te.

diferir (dirér) Différer*.

difícil Difficile (síl).

dificultad (ta) Difficulté f.

dificultar Rendre difficile.

dificultoso, a Difficultueux.

difteria Diphtérie (difteri).

difundir Diffuser (füsé).

difunto, ta Défunt, te (fi^n).

difusión Diffusion (füsio^n).

difuso, sa (fou) Diffus, use.

digerir* (jerir) Digérer*.

digestión (jestio^n) Digestion.

digestivo, va Digestif ive.

digital (jí) Digitale (jital).

dignarse (ghn) Daigner (né).

dignatario Dignitaire (ñi).

dignidad (ghnida) Dignité f.

digno (dighno) Digne (diñ).

digresión Digression.

dije m Breloque (brœlok) f.

dilapidar Dilapider.

dilatar Dilater.

dilema (lé) Dilemme (lem).

diletante (ànté) Dilettante.

diligencia (jèn) f Diligence
(ja^{n}s). Démarche [paso].

diligente Diligent, ente.

diluir* (louír) Diluer (lüé).

diluvio (lou) Déluge (delüj).

dimanar Émaner.

dimensión Dimension (a^n).

dimes y diretes mpl Dis-
putes f.

diminución Diminution.

diminutivo, a Diminutif, ve.

diminuto, ta (nou) Petit, ite.

dimisión Démission.

dimitir Démissionner, se démettre*.

dinamita Dynamite.

dínamo Dynamo.

dinastía Dynastie (tí).

dinero (nero) Argent (arja^n).

dintel (din) Linteau (li^{n}to).

diócesi, diócesis f Diocèse m.

Dios Dieu (diœ). A Dios!
V. ADIÓS. A la buena de
Dios, à la bonne franquette.

Mandar con Dios, envoyer promener. *Quiera Dios,* ou *Dios mediante,* plaise à Dieu.

diploma Diplôme.

diplomacia Diplomatie (sí).

diplomático, ca Diplomatique. *M* Diplomate.

diptongo Diphtongue (toⁿg).

diputado (pou) Député.

dique (diké) *m* Digue (dig) *f.*

dirección Direction. Adresse (adrés) [señas]. *Dirección prohibida, única,* sens [*m*] interdit, unique.

directo, ta Direct, ecte.

director, ra Directeur, trice.

directorio Directoire.

dirigir (jír) Diriger* (rijé). Adresser [enviar, remitir].

discernimiento Discernement.

discernir* (szer) Discerner.

disciplina Discipline (ìn).

disciplinar Discipliner.

discípulo (szípou) Disciple. Élève (elev) [colegio].

disco Disque (disk). Feu [de tráfico].

díscolo, la Indocile (iⁿdosíl).

discordancia Discordance.

discordante Discordant, te.

discordia Discorde.

discreción Discrétion.

discrepar (krépar) Différer*.

discreteo Marivaudage.

discreto, a Discret, ète.

disculpa (koul) Excuse (kús).

disculpar Excuser, disculper.

discurso Discours.

discusión (kou) Discussion.

discutir (kou) Discuter (kü).

disecar Disséquer*. Empailler (aⁿpaié) [conservar animales].

disección (zión) Dissection.

diseminar Disséminer.

disensión (ssèn) Dissension.

disentería (té) Dysenterie.

disentimiento Dissentiment.

diseño (égno) Dessin.

disertación Dissertation.

disertar Disserter (té).

disfraz Déguisement.

disfrazar Déguiser (ghisé).

disfrutar (frou) Jouir (juír).

disfrute *m* Jouissance *f.*

disgustar (ous) Fâcher.

disgusto (disgousto) Mécontentement. Dégoût [has-tío]. *A disgusto,* à regret.

disidente Dissident, ente.

disimulación Dissimulation.

disimular (mou) Dissimuler. Excuser [perdonar].

disimulo *m* Dissimulation *f.*

disipación Dissipation.

disipar Dissiper.

dislate (sla) *m* Sottise *f.*

dislocar Disloquer (ké).

disminuir* (nouír) Diminuer.

disociar Dissocier (sié).

disolución Dissolution.

disoluto, ta Dissolu, ue.

disolvente Dissolvant, te.

disolver* Dissoudre*.

disparador *m* Détente (taⁿt).

disparar Tirer [arma de fuego]. Décocher [arco]. Partir en courant [correr].

disparatado, da Déraisonnable.

disparatar Déraisonner.

disparate *m* Sottise *f.*

disparo Coup de feu (kudfœ).

dispendioso Dispendieux.

dispensa (èn) Dispense (aⁿs).

dispensar Dispenser (paⁿsé).

dispepsia Dyspepsie.

dispersar Disperser.

dispersión Dispersion.
displicencia Mauvaise grâce.
displicente (èn) Déplaisant.
disponer* Disposer.
disponible (iblé) Disponible.
disposición Disposition.
dispositivo Dispositif.
dispuesto, ta Disposé, ée.
disputa (pou) Dispute (pût).
disputar Disputer.
distancia (tàn) Distance.
distante Distant, ante (ta^n).
distar Être*=éloigné de.
distinción Distinction.
distinguido, a Distingué, ée.
distinguir (tìn) Distinguer.
distinto (tìn) Distinct, incte (tì^{n}k, i^nkt). Différent, ente.
distracción Distraction.
distraer* Distraire* (trer).
distribución Distribution.
distribuir* Distribuer (bûé).
distribuidor Distributeur.
distrito District (trí).
disturbio (tour) Trouble.
disuadir (ssoua) Dissuader.
disuelto, ta Dissous, oute.
ditirambo Dithyrambe (ra^{m}b).
diurético, ca Diurétique.
diurno, na Diurne (diúrn).
divagación Divagation.
divagar Divaguer.
diván (vàn) Divan (va^n).
divergente (jèn) Divergent.
diversidad (dà) Diversité.
diversión Diversion.
diverso, sa Divers, erse.
divertido, da Divertissant, e.
divertir* Divertir. Amuser (amûsé) [entretener].
dividendo (èn) Dividende.
dividir Diviser.
divieso (viesso) Furoncle.
divinidad (dà) Divinité.
divinizar (zar) Diviniser.

divino, na Divin (vi^n), ine.
divisa Devise (dœvís).
divisar Distinguer (tì^n).
división Division (sio^n).
divisor (ssor) Diviseur.
divisorio, ria Qui divise.
divorciar Divorcer.
divorcio Divorce (vors).
divulgación Divulgation.
divulgar (voul) Divulguer.
dobladillo (lhou) Ourlet (lè).
doblar Plier* [plegar]. Tourner [página, la esquina]. Doubler [aumentar]. Doubler [un promontorio, un actor]. Vi. Sonner le glas [campanas].
doble (doblé) Double (dubl).
doblegar Plier* (plié).
doblete (été) Doublet (blè).
doblez (doblèz) Pli.
doblón (blo) Doublon (o^n).
doce (dozé) Douze (dus). *Las doce,* midi [del día], minuit [de la noche].
docena Douzaine (dusèn).
docente (zèn) Enseignant.
dócil (dozil) Docile (síl).
docilidad (dà) Docilité.
docto, ta Docte.
doctor, ra Docteur, toresse.
doctoral Doctoral.
doctrina Doctrine. Catéchisme [enseñanza religiosa elemental].
doctrinar Instruire*.
doctrinario Doctrinaire.
doctrino Pensionnaire [d'un orphelinat].
documentación Documentation.
documentar Documenter.
documento (èn) Document. Carte [f] d'identité [cédula].
dogma Dogme.

dogmático Dogmatique.

dogo Dogue (dog).

dolar Dollar (dolœr).

dolencia (lènzia) Maladie (di). Infirmité.

doler* (lèr) Avoir* mal: *me duele la cabeza*, j'ai mal à la tête. Regretter (rœgreté) [sentir]. *Vr* Se plaindre*.

doliente, **ie** (dolorido). Malade [enfermo].

dolmen (èn) Dolmen (mèn).

dolor m Douleur (dulœr) f. Mal m: *dolor de muelas*, mal aux dents. *Dolor de costado*, point de côté.

dolorido, **da** Endolori, ie.

doloroso, **sa** Douloureux, se.

domador Dompteur (dõºtœr).

domar Dompter (dõºté).

domesticar Domestiquer.

doméstico, **ca** Domestique.

domiciliar Domicilier.

domicilio Domicile (síl).

dominación Domination.

dominador Dominateur.

dominar Dominer.

domingo (dominigo) Dimanche (aºch). *Npr* Dominique.

dominicano Dominicain.

dominico Dominicain (kiⁿ).

dominio m Domination f. Domaine m [posesión].

dominó Domino.

don (dòn) Don (dõⁿ). Monsieur (mœsiœ) [devant un prénom] : *don Jaime López*, monsieur Jacques López.

donación Donation.

donado, **da** Convers, erse.

donador, **ra** Donateur, trice.

donaire (aï) m Grâce (as) f. Bon mot [chiste].

donar Donner.

donatario Donataire (tœr).

donativo Don (dõⁿ).

doncella Demoiselle. Femme de chambre [criada].

donde Où (u). (V. ADONDE.)

dondequiera N'importe où.

dondiego Belle-de-jour, belle-de-nuit [flores].

donoso, **sa** Gracieux, euse.

doña (gna) Madame (dam) [devant un prénom] : *doña María López*, madame Marie López.

doquier, **ra** N'importe où.

dorada Dorade.

dorado, **da** Doré, ée. M Dorure f.

doradura Dorure (rür).

dorar Dorer.

dorífora Doriphore (for).

dormido, **da** Endormi, ie.

dormilón, **ona** Dormeur, euse.

dormir* Dormir*. Endormir* (aⁿ) [hacer dormir]. *Vr* S'endormir.

dormitar Sommeiller (meié).

dormitorio (torio) m Chambre [f] à coucher. Dortoir (tuar) [para varios].

dorsal Dorsal.

dorso Dos (do).

dos (doss) Deux (dœ). *Las dos*, deux heures.

doscientos, **tas** Deux cents.

dosel (dossel) Dais (dè).

dosis (dossiss) Dose (os).

dotar Doter. Douer (dué) [de una cualidad].

dote (doté) mf Dot f. Don (dõⁿ) m [cualidad].

dozavo, **va** Douzième.

draconiano, **na** Draconien, enne.

dragar Draguer.

dragón (õn) Dragon (goⁿ).

drama Drame (dram).

dramático, ca Dramatique.
dramatizar Dramatiser.
dramaturgo Dramaturge.
drenaje (ajé) Drainage (naj).
dril Coutil (kutí).
droga Drogue (drog).
droguería Droguerie.
droguista Droguiste.
dromedario Dromadaire (der).
druida (ouída) Druide.
dubitativo, va Dubitatif, ve.
ducado Duché. Ducat [mo-
neda].
ducal (doukal) Ducal (dü).
dúctil (douk) Ductile (dük).
ducha (doucha) Douche.
ducho, cha Habile (il).
duda (douda) f Doute m.
dudar (doudar) Douter (duté).
dudoso, sa Douteux, euse.
duela (douéla) Douve (duv).
duelista Duelliste (düelíst).
duelo (douélo) Duel (düel)
[desafío]. Deuil (dœi) [do-
lor, luto]. Duelos y que-
brantos, œufs frits avec des
lardons.
duende (douéndé) Lutin (in).
dueña (douégna) Maîtresse
(mètrès). Duègne (düeñ)
[acompañanta].

dueño (douégno) Maître
(metr).
dulce (doulzé) Doux, ouce
(du, dus). Sucré, ée [azu-
carado]. M Confiture (ko-
fitür).
dulcera (zéra) f Compotier m.
dulcificar Adoucir (adusír).
dulzón Douceâtre (dusatr).
dulzura (doulzoura) Douceur.
duna (dou) Dune (dün).
dúo (douo) Duo (düo).
duodécimo, ma Douzième.
duplicado Duplicata (dü).
duplicar (du) Doubler (du).
duplicidad (da) Duplicité.
duque (douké) Duc, du-
chesse (dük, düchès].
duración Durée (düré).
duradero, ra (déro) Durable.
durante (dourànté) Durant
(düraⁿ) ; pendant (daⁿ).
durar (dourar) Durer (düré).
durazno m Pêche f.
dureza (douréza) Dureté.
durmiente (dourmiènté) Dormant, ante. Mf Dormeur,
euse.
duro, ra (douro) Dur (dür).
dure. Adv. Fort (for).
dux (doux) Doge (doj).

E

e Et [devant un mot commençant par í ou hí].
¡ea! (éa) Allons! (aloⁿ).
ebanista Ébéniste.
ebanistería Ébénisterie.
ébano Ébène (ebéne).
ebonita Ebonite.

ebriedad Ébriété.
ebrio, a Ivre (ivr).
ebullición, ebullición (lhi)
Ébullition (ebulisió).
ebúrneo, a Éburnéen, enne.
ecarté Écarté.
ecléctico, ca Éclectique.

eclesiástico Ecclésiastíque.
eclipsar Éclipser.
eclipse m Éclipse f.
eco Écho (eco).
economato Économat (ma).
economía Économie.
económico, ca Économique.
economista Économiste.
economizar Économiser.
ecónomo Économe (nom).
ecuación (koua) Équation.
ecuatorial Équatorial (küa).
acuatoriano, na Équatorien.
ecuestre Équestre (kuestr).
eczema f Eczéma.
echadura (doura) f Jet m.
echar (echar) Jeter (jœté).
Congédier (ko^njédié) [despedir]. Pousser (pusé) [tallos, yemas, pelo]. Faire*
(fer) [dientes]. Boire
(buar) [trago]. Tourner
(turné) [llave]. Servir [de
comer]. Verser [de beber].
Faire* (fer) [cuentas]. Tirer
[cartas, suerte]. *Echar a*,
se mettre à. *Vr* Se coucher
[tenderse], se jeter [tirarse], tomber [viento].
Echarla de, faire le.
echazón f (echazòn) Jet m.
edad (eda) f Âge (aj) m.
Mayor edad, majorité. *Menor edad*, minorité. *Mayor
de edad*, majeur. *Menor de
edad*, mineur. *Edad Media*,
Moyen Âge.
edecán Aide de camp.
edema Œdème (edem).
edén (èn) Éden (ène^n).
edición Édition (sio^n).
edicto Édit (di).
edículo Édicule (kül).
edificación Édification.
edificar Édifier, bâtir, cons-

truíre. *Fig.* Édifier [dar
ejemplo].
edificio Édifice, bâtiment.
edil Édile.
editar Éditer.
editor Éditeur.
editorial Éditorial, ale.
educación (dou) Éducation.
educador, a Éducateur, trice.
educando, da Pensionnaire.
educar (dou) Éduquer (ké).
efebo Éphèbe (efeb).
efectivo, va Effectif, ive.
efecto Effet (efè).
efeméride Éphéméride.
efervescencia Effervescence.
eficacia Efficacité.
eficaz (kaz) Efficace (kás).
efigie (jié) Effigie (jí).
efímero, ra Éphémère (er).
efluvio Effluve (üv).
efugio (oujio) m Évasive f.
efusión Effusion (üsio^n).
égida (éji) Égide (jíd).
egipcio, cia (jíp) Égyptien,
enne (ejipsii^n, èn).
égloga Églogue (og).
egoísmo Égoïsme (ism).
egoísta Égoïste (ist).
egregio (jio) Illustre (ilüstr).
egreso (esso) m Dépense f.
¡eh! (é) Eh! (è).
eje (éjé) Axe (ax). Essieu
(esiœ) [de carro].
ejecución Exécution (kü).
ejecutar (jékou) Exécuter.
ejecutivo, va Exécutif, ive.
Expéditif, ive [rápido].
ejecutor Exécuteur.
ejecutoria (jekou) Lettres
[*pl*] de noblesse.
ejecutorio Exécutoire.
ejemplar (jèn) Exemplaire.
ejemplo Exemple (exa^npl).
Por ejemplo, par exemple.

ejercer* (ejerzèr) Exercer.
ejercicio Exercice (sís).
ejercitar Exercer (sersé).
ejército m Armée (mé) f.
ejido Terrain communal.
ejote Am. Haricot vert.
el Le, l'.
él Il, lui.
elaborar Élaborer.
elástica f Tricot (ko) m.
elasticidad Élasticité
elástico, ca Elastique (tík).
eléboro Ellébore (elebor).
elección Élection.
electo, ta Élu, ue (elü).
elector, ra Électeur, trice.
electoral Électoral, ale.
electricidad Électricité.
eléctrico, ca Électrique.
electrificar Électrifier.
electrizar Électriser.
electrocutar Électrocuter.
electrodo m Électrode f.
electroimán Électro-aimant.
electrólisis Électrolyse.
electrólito Électrolyte (lít).
electrómetro Électromètre.
electrón Électron (o^n).
electroquímica Électrochimie.
electroterapia Électrothéra-
pie.
electuario Électuaire (tüer).
elefante (fán) Éléphant (fan).
elegancia Élégance (ga^ns).
elegante (gánte) Élégant, e.
elegía (jía) Élégie (jí).
elegible (jí) Éligible (jbl).
elegir* (lejír) Élire*. Choisir [escoger].
elemental (èn) Élémentaire.
elemento (èn) Élément.
elevación Élévation.
elevar (élé) Élever (el^{e}vé).
elidir Élider.
eliminar Éliminer.

elipse (sé) Ellipse (líps).
elipsis (siss) Ellipse (líps).
elíptico, ca Elliptique (tík).
elíseo Élysée.
elisión Élision.
élitro Elytre (elítr).
elixir Élixir.
elocución Élocution (kü).
elocuencia (kouènzia) Éloquence (ka^{n}s).
elocuente (kouènté) Élo-
quent, ente (eloka^{n}t).
elogiar (jiar) Célébrer.
elogio (jío) Éloge (oj).
elote Am. Épi de maïs cuit.
elucidar Élucider.
eludir (lou) Éluder.
elzevir o elzeviro Elzévir.
elzeviriano Elzévirien.
ella (elha) Elle (el).
ello (elho) Cela (s^{e}la). En,
y : hablo de ello, j'en parle ;
estoy en ello, j'y suis.
emanación Émanation.
emanar Émaner.
emancipar Émanciper.
embadurnar (èn-dour) Bar-
bouiller (barbuié).
embajada (ja) Ambassade.
embajador Ambassadeur.
embalaje Emballage (laj).
embalar (èn) Emballer.
embalsamar Embaumer.
embalse Barrage.
embarazado, da Embarrassé,
ée. Enceinte [mujer].
embarazar Embarrasser.
embarazo Embarras (ra).
Grossesse f [de mujer].
embarazoso, sa Embarras-
sant, ante.
embarcación Embarcation.
embarcadero Embarcadère.
embarcar Embarquer.
embargar (èn) Embarrasser.

Saisir (sesír) [jurispr.].
embargo (èn) *m* Saisie (sesí)
f. Mar. Embargo (a^n) *m.*
Sin embargo, cependant.
embarque (ènbárke) Embarquement (a^{n}bark^{e}ma^n).
embarrancarse S'embourber.
embate (ènbaté) Coup de
mer. *Fig.* Assaut (aso).
embaucar Leurrer (œré).
embebecimiento Ravissement.
embeber S'imbiber (si^n). Rétrécir [encogerse].
embeleco (èn) Leurre (lœr).
embelesar (èn) Ravir.
embeleso Ravissement.
embellecer Embellir (a^{n}belír).
embestida Attaque (atak).
embestir Attaquer (ké).
embetunar (ènbtounar) Cirer [chaussures].
emblema (ènblé) Emblème.
embobado, da Ébahi, ie.
embocadura Embouchure.
embocar (èn) Emboucher.
embolia (èn) Embolie (a^n).
émbolo (èn) Piston (pisto^n).
emboisar (èn) Empocher.
emborrachar Enivrer (a^{n}nivré).
emborrazar Barder [aves].
emborronar (èn) Barbouiller.
emboscada (èn) Embuscade.
emboscarse S'embusquer.
embotar (èn) Émousser (musé).
embotellar (èn-lhar) Mettre* en bouteilles.
embozar (èn) Draper
[en manta o capa]. *Fig.*
Cacher.
embozo (ènbozo) Revers (rœver) [capa]. Rabat (rœ-

tur) [sábana]. *Fig.* Déguisement [disfraz].
embragar (èn) Embrayer.
embravecer* Irriter (irité).
embriagar Enivrer (a^{n}ni).
embriaguez (èn-ez) Ivresse.
embrión (èn) Embryon (a^n).
embrionario Embryonnaire.
embrocación Embrocation.
embrollar (ènbrolhar) Embrouiller (a^{n}bruié).
embrollo (èn-lho) Imbroglio.
embrollón Brouillon.
embromar (èn) Mystifier.
embrutecer (ènbroutézèr)
Abrutir (abrütír).
embrutecimiento Abrutissement.
embuchado *m* Saucisse (sosís) *f*; saucisson (sosiso^n)
m.
embuchar (ènbouchar) Gorger.
embudo (ènbou) Entonnoir.
embuste (ènbousté) Mensonge.
embustero, ra Menteur, euse.
embutido. V. EMBUCHADO.
Marqueterie (ket^{e}ri) [madera].
embutir (ènbou) Fourrer
(furé) [rellenar].
emerger (jèr) Émerger (jé).
emérito, ta Émérite (rít).
emético Émétique.
emigración Émigration.
emigrante (ànté) Émigrant,
ante (a^n, a^{n}t).
emigrar Émigrer.
eminencia (èn) Éminence (na^{n}s).
eminente Éminent, ente.
emisario (ser) Émissaire (ser).
emisor (ssor) Émetteur (tœr).
F. Station émettrice, émetteur *m.*

emitir Émettre* (emetr).

emoción Émotion (sioⁿ).

emoliente (iénté) Émollient.

empacar (èn) Empaqueter, emballer. Vr Am. S'obstiner.

empacho (ènpacho) Embarras gastrique.

empadronamiento (èn-miénto) Recensement (sèⁿ).

empalagar (èn) Écœurer (kœ).

empalago Dégoût (degu).

empalagoso, a Écœurant, e.

empalar (èn) Empaler (aⁿ).

empalizada (èn) Palissade.

empalmar (èn) Unir, réunir.

empalme Embranchement.

empanada (èn) f Pâté m.

empanado, da Pané, ée.

empantanar (èn) Inonder [inundar] Embourber [encenagar]. Fig. Arrêter.

empañar (gnar) Ternir.

empapar (èn) Tremper.

empapelar (èn) Tapisser de papier [con papel]. Envelopper [envolver].

empaque Empaquetage. Maintien (mintiⁱⁿ) [postura].

empaquetar Empaqueter.

emparedado (èn-re) Sandwich (saⁿdwich).

emparedar Emmurer (aⁿmü).

emparrado m Treille (trei) f.

empastar (èn) Empâter. Cartonner [libros]. Plomber (ploⁿbé) [muelas].

empaste (ènpasté) Plombage.

empastelar Arranger [negocio].

empate (ènpaté) Ballottage.

empecatado, da Méchant, ante.

empecinado, da Am. Obstiné, ée.

empedernido, da Endurci, ie.

empedrar* (ènpé) Paver.

empegar (ènpé) Poisser (pua).

empeine (ènpéⁱne) m Bas-ventre (baⁿtr) m. Coude-pied [pie] m. Dartre f [erupción].

empellón m Poussée (pusé) f.

empenachar (ènpé) Panacher.

empeñar (ènpégnar) Engager (aⁿgajé). Forcer [obligar]. Vr. S'endetter [entramparse]. S'obstiner à.

empeño (ènpégno) m Engagement m. Obstination f [tesón]. Désir (sir) [deseo].

empeorar (ènpé) Empirer.

empequeñecer* Rapetisser.

emperador, triz (èmpérador, triz) Empereur, impératrice.

emperejilar (ènpéréjilar) Fam. Parer, orner.

empero (ènpéro) Mais (mè).

emperrarse Fam. S'entêter.

empezar* (ènpézar) Commencer* (komaⁿsé).

empinar (ènpinar) Dresser. Vr Se dresser.

empingorotar Jucher (jüché).

empíreo (èn) Empyrée (aⁿpiré).

empírico, ca Empirique.

emplasto (èn) Emplâtre.

emplazar (èn) Assigner.

empleado, da (ènpléádo) Employé, ée (aⁿpluaé).

emplear (èn) Employer*.

empleo (ènpléo) Emploi (uâ).

emplomar (èn) Plomber (oⁿ).

emplumar (ènplou) Plumer.

empobrecer* (èn) Appauvrir.

empobrecimiento (èn-brézimiénto) Appauvrissement.

empolvado, da Poussiéreux, se. Poudré, ée (pu) [rostro].

empollar (ènpolhar) Couver (kuvé). Fam. Réfléchir (reflexionar). Potasser (lección).

emponzoñar Empoisonner.

emporcar* Salir.

emporio (ènpório) Marché. Emporium (anpóriom) [ciudad].

empotrar Sceller (selé).

empozar (ènpozar) Rouir.

emprendedor Entreprenant.

emprender (ènprèndèr) Entreprendre* (antreprandr).

empresa (ènpressa) Entreprise. Devise (dœvís) [divisa].

empresario Entrepreneur. Impresario (in) [teatro].

empréstito Emprunt (anprun).

empujar (ènpoujar) Pousser (pusé).

empuje, empujón m Poussée (pusé) f.

empuñadura Poignée (ñé).

empuñar (ènpougnar) Empoigner (anpuañé).

emulación Émulation (mü).

émulo, la (mou) Émule (ül).

emulsión (oul) Émulsion.

en (èn) En (an) ; dans (dan). Con los n. indeterminados, en : en América, en Amérique ; con los determinados, dans : en el cuarto de dormir, dans la chambre à coucher. Con los n. de países f, generalmente en ; con los m, generalmente à, au : en España, en Espagne ; en Chile, au Chili. Con los n. de poblaciones, à, à l', à la, au : en Madrid, à Madrid ;

en el Cabo, au Cap. A [dentro] : en casa, à la maison. Sur [sobre] : en el suelo, sur le sol. OBSERV. En, seguido de un gerundio, equivale à dès que : en dando las seis saldré, dès que six heures sonneront, je sortirai.

enaguas (énagouass) fpl. Jupon (jüpon) msing.

enajenamiento m Aliénation f.

enajenar (enejenar) Aliéner. Ravir, charmer [encantar].

enaltecer (tézèr) Élever.

enamorado, da Épris, ise. Mf Amoureux, se (rœ, œs).

enamoramiento Amour (amur).

enamorar (éna) Rendre* amoureux. Faire* la cour. Vr Devenir* amoureux.

enano, na Nain (nin), naine.

enarbolar Arborer. Brandir (brandir) [armas].

enardecer* Échauffer (echo).

enarenar (énarénar) Sabler.

enastar Emmancher (anman).

encabezamiento En-tête (antet).

encabezar (èn-ézar) Commencer.

encabritarse Se cabrer.

encachado Radier.

encadenamiento Enchaînement.

encadenar Enchaîner.

encajar (èn-jar) Emboîter (anbuaté). Ajuster (ajüsté) [ajustar]. Appliquer [dar: golpe, etc.]. Fam. Fourrer [fur é] [meter]. Venir* à propos [venir a cuento].

encajonar (jo) Encaisser.

encalar (èn) Crépir.

encallar (lhar) Échouer (chué).

encallecer* (kalhé) Durcir.

encaminar Acheminer (acheminé).

encanallarse (ènkanalhar) S'encanailler (sankanaié).

encandilar (ènkàn) Éblouir (ebluir). Vr S'allumer (salümé) [mirada].

enoaneoer* Blanchir [cabello].

encantador, ra Enchanteur, enchanteresse (anchantœr, tœrès).

encantamiento Enchantement.

encantar Enchanter (anchan).

encanto (ènkàn) Enchantement.

encañar Canaliser. Drainer (drèné) [agric.]. Ramer [plantas].

encañonar Tuyauter (tuiio).

encapotarse Se couvrir.

encapricharse S'entêter. S'amouracher (samuraché) [amoríos].

encarado, da (bien, mal) De bonne ou mauvaise figure.

encaramarse Grimper (grin).

encarar Envisager (anvisajé).

encarcelar Emprisonner.

encarecer* Enchérir (anchérir). Louer [celebrar].

encarecidamente Instamment.

encarecimiento m Instance f.

encargar Charger (charjé).

encargo m Commission (sion).

encariñarse Prendre* en affection.

encarnación Incarnation. Carnation [pintura].

encarnado, da Rouge (ruj).

encarnar (èn) Incarner (in).

encarnizado, da (èn-za) Acharné, ée (achar). Sanglant (sanglan) [ojos].

encarnizamiento Acharnement.

encarnizarse S'acharner.

encarte (ènkàrté) Action de jouer une couleur que l'adversaire peut fournir.

encartonar Cartonner.

encasillado (ènkassilha) Quadrillage (kadriiaj).

encasquetar Enfoncer* [gorra]. Fig. Fourrer dans la tête.

encastillarse S'obstiner.

encausar (ènkaoussar) Mettre* en accusation.

encáustico m Encaustique f.

encauzar (kaou) Canaliser.

encebollado (ènzébolhado) Ragoût aux oignons.

encéfalo (ènzé) Encéphale.

encelar Rendre jaloux.

encenagarse S'embourber.

encender (ènzèndèr) Allumer (alümé). Fig. Enflammer (an).

encendido, da Allumé. Fig. Irrité, ée. Rouge (ruj) [rojo].

encentar (ènzèn) Entamer.

encerado, da Ciré, ée. M Toile [f] cirée. Tableau [m] noir (tablo nuar) [escuelas].

encerrar* (ènzerrar) Enfermer (aⁿfermé).

encía (ènzia) Gencive (jaⁿ).

encierro (ènzierro) m Enfermement m. Retraite (rœtret) f [retiro]. Cachot (cho) m [cárcel].

encima (ènzima) Dessus (dœsu). Encima de, sur.

encimar Ajouter (ajuté).

encina (ènzina) f Chêne vert m.

encinar m Chênaie (chenè) f.

encinta (ènzinta) adj Enceinte (aⁿsiⁿt).

enclavar (èn) Clouer (clué).

enclenque (ènklènké) Chétif.

encoger (ènkojèr) Rétrécir.

encogido, da Timide (mid).

encogimiento Rétrécissement.

encolar Encoller (aⁿkolé).

encolerizar Irriter (irité).

encomendar* (èn) Remettre*. Charger* (jé) [encargar].

encomienda Commission. Commanderie [dignidad]. Croix (ua) [condecoración].

enconar (èn) Enflammer (aⁿ) [herida]. Fig. Irriter.

encono m. Inflammation f. Fig. Animosité f.

encontrar* (ènkòn). Trouver (truvé) [buscando]. Rencontrer (raⁿkoⁿtré) [sin buscar]. Vr Se trouver.

encontrón (ènkòntròn) Choc, heurt (œr)

encopetado, da Huppé, ée.

encornadura Encornure.

encorsetar Corseter.

encorvadura Courbure.

encorvar (èn) Courber (kur).

encrespar (èn) Hérisser ('e-

ri). Grossir [mar, olas]. S'agiter [pasiones]. S'envenimer [discusión].

encrucijada f Carrefour m.

encrudecer* Devenir* vif.

encuadernación Reliure.

encuadernador Relieur.

encuadernar Relier*.

encuadrar Encadrer.

encuarte Cheval de renfort.

encubridor Receleur.

encubrir Cacher [ocultar]. Receler [robos].

encuentro (ènkouèn) m Rencontre (raⁿcoⁿtr) f. Opposition f [oposición].

encumbrado, da Élevé, ée.

encurtido, da Confit dans le vinaigre. Mpl. Cornichons confits dans le vinaigre.

encharcar Inonder (inoⁿdé).

enchufar Brancher.

enchufe m Prise [f] de courant. Fam. Piston.

endeble (èndéblé) Faible.

endecha Complainte.

endémico, ca Endémique.

endemoniado, da Possédé, ée [poseso]. Fig. Endiablé, ée.

enderezar (èndé) Dresser.

endeudarse S'endetter.

endiablado, da Endiablé, ée.

endibia (èn) Endive (aⁿdiv).

endosar (èndoss) Endosser.

endoso (osso) Endos (aⁿdo).

endrina (èn) Prunelle (ünèl).

endulzar (èndoulzar) Adoucir (aduzir). Sucrer [azucarar].

endurecer* (èndouré). Endurcir.

endurecimiento Endurcissement.

enea Massette, canne.

enebro Génévrier (je).

enemigo, ga (éné) Ennemi, ie (ènèmi). F Inimitié.

enemistad (éné) Inimitié.

enemistar Fâcher (faché).

energía Énergie (ji).

enérgico, ca Énergique (jik).

energúmeno Énergumène.

enero Janvier (ja^{n}vié).

enervar Énerver.

enfadar (èn) Fâcher.

enfado m Fâcherie.

enfadoso, sa Fâcheux, euse.

enfaldar (èn) Retrousser.

énfasis m Emphase.

enfático, ca Emphatique.

enfermar Rendre malade. Vi Tomber malade.

enfermedad Maladie (dí).

enfermería Infirmerie (i^n).

enfermero, ra Infirmier, ère.

enfermizo, za Maladif, ive.

enfermo, ma Malade.

enfilar (èn) Enfiler (a^n).

enfisema Emphysème (a^{n}fisem).

enflaquecer* Amaigrir (mè). Maigrir (mè) [adelgazar].

enflaquecimiento Amaigrissement (amègrisma^n).

enfocador Viseur.

enfocar Mettre* au point. Viser [photo].

enfoscarse Se rembrunir. S'engager dans. S'obscurcir [cielo].

enfrascarse S'absorber.

enfrenar (èn) Brider [embridar]. Freiner (frè) [detener].

enfrentar (ènfrèn) Affronter.

enfrente (ènfrènté) En face.

enfriar Refroidir (rœfrua).

enfurecer* Irriter.

enfurtir (ènfour) Fouler.

engalanar (èn) Orner.

engallarse Dresser la tête.

enganchar (ènga^{n}char) Accrocher. Atteler* [caballo]. Enrôler [soldado].

enganche Accrochage.

engañabobos Attrape nigaud.

engañador, ra Trompeur, euse.

engañar (gnar) Tromper.

engaño m Tromperie (tro^n peri) f. Erreur f.

engañoso, sa Trompeur, euse.

engarzar (èn) Enfiler (a^n).

engastar (èn) Enchâsser.

engaste m Sertissure f.

engatusar (èngatoussar) Cajoler (kajolé).

engendrar (ènjèn) Engendrer (a^{n}ja^{n}dré).

engendro (dro) m Avorton.

englobar Englober.

engolfarse (èn) S'absorber.

engolosinar (èngolosinar). Allécher* (aléché).

engomar (èn) Gommer (mé).

engordar (èn) Engraisser.

engorde m Engraissage.

engorroso, a Ennuyeux, se.

engranaje Engrenage.

engranar (èn) Engrener*.

engrandecer* Agrandir (a^n).

engrandecimiento (èngràn) Agrandissement (a^{n}disme^n).

engrasar (èn) Graisser (ésé).

engreír* (ègréir) Enorgueillir (a^{n}norgœïir).

engrosar* (èn) Grossir.

enguirnaldar Enguirlander.

engullir* (èngoulïir) Engloutir (a^{n}glutir).

enharinar (énari) Enfariner.

enhebrar (éné) Enfiler (a^n).

enhiesto (èn) Dressé.

enhorabuena Félicitation f.

Vœu m. Dar la enhorabuena,

féliciter. *Adv.* Heureusement.
enhoramala Mal à propos;
malheureusement.
enhornar (énor) Enfourner.
enigma *m* Énigme *f*.
enigmático, ca Énigmatique.
enjabonar (ènj) Savonner.
enjaezar (jaéz) Harnacher.
enjalbegar (en) Badigeonner.
enjalma (jal) *f* Bât (ba) *m*.
enjambrar (ànjàn) Essaimer (esemé).
enjambre Essaim (esi[n]).
enjaretar Enfiler.
enjaular (en) Encager*.
enjuagar (ènjoua) Rincer*.
enjuague Rinçage (ri[n]saj).
Fam. Tripotage (taj) [manejo].
enjugar (ènjou) Sécher*.
enjuiciar (ènjouiziar) Juger*.
enjullo (ènjoulho) *m* Ensouple (a[n]supl) *f*.
enjundia (ènjou) Graisse.
enjuto, ta (ènjou) Sec, sèche.
enlace (ènlazé) *m* Liaison *f*.
enlazar (èn) Enlacer*.
enlodar (èn) Crotter.
enloquecer* *Va* (ènlokézér) Rendre fou. *Vn* Devenir* fou. *Fig.* S'affoler.
enloquecimiento Affolement.
enlosar (ènlosar) Daller.
enlucido (ènlouzido) Badigeon (jo[n]).
enlucir* Badigeonner (badijoné).
enlutar (ènlou) Endeuiller (a[n]deué).
enmaderar Boiser (buasé).
enmarañar (ènmaragnar) Emmêler (a[n]mèlé).
enmascarar Masquer (ké).

enmelar* Emmieller (a[n]miélé).
enmendar* (ènmèn) Amender (a[n]). Corriger* (korijé) [corregir].
enmienda Correction (sio[n]).
enmohecer* (ènmohézér) Moisir.
enmudecer* Se taire*.
ennegrecer* Noircir (nuar).
ennoblecer* Anoblir [título]. *Fig.* Ennoblir (a[n]no).
enojar Fâcher (faché).
enojo (énjo) Courroux (kurú). Ennui (a[n]nüi) [disgusto].
enojoso, sa Ennuyeux, euse.
enorgullecer* (énorgoulhézér) Enorgueillir (a[n]norgœír).
enorme (mé) Énorme (orm).
enormidad Énormité (orm).
enramada (ènra) Ramure (ramür).
enramar Garnir de branches.
enranciar (ziar) Rancir.
enrarecer* Raréfier* (tié).
enrasar Araser (arasé).
enredadera *f* Liseron *m*.
enredar (ènrédar) Brouiller (bruié), embrouiller. *Vr* S'embrouiller (sa[n]bruié).
enredo (ènrédo) *m* Embrouillement. Intrigue *f* [teatro] *Fig.* Espièglerie *f* [travesura].
enrejado (ènrèja) Grillage (grííaj). Treillage (treiaj) [madera].
enrejar (ènréjar) Grillager* (a[n]).
enrevesado, da Difficile.
enriquecer* (ènrikézér) Enrichir (a[n]richir).
enriscado, da Accidenté, ée.
enrojecer* Rougir.

enrollar (ènrolhar) Enrouler (a^{n}rulé).

enronquecer* (ènrònkézèr). Enrouer (a^{n}rué).

enroscar Enrouler (a^{n}rulé).

ensaimada (saï) Galette (let).

ensalada (è) Salade (lad).

ensaladera f Saladier m.

ensalmo Enchantement.

ensalzar (è) Exalter. Louer, vanter [celebrar].

ensambladura f ensamblaje m Assemblage m.

ensamblar Assembler (asa^n).

ensanchar (è) Elargir.

ensanche Agrandissement.

ensangrentar* Ensanglanter.

ensañamiento Acharnement.

ensañarse (gnar) S'acharner.

ensartar (è) Enfiler (a^n).

ensayar (yar) Essayer (esè).

ensaye, ensayo Essai (esè).

ensenada (è) Anse (a^{n}s).

enseña (gna) Enseigne (è).

enseñanza (ènségnánza) f Enseignement m.

enseñar Enseigner (a^{n}séé). Montrer (mo^n) [hacer ver].

enseñorearse enseñorear (sa^n).

enseres Effets (efè), outils.

ensillar (ènsilhar) Seller.

ensimismarse S'absorber.

ensoberbecer* Enorgueillir.

ensombrecer* Assombrir.

ensordecer* Assourdir.

ensortijado, da Bouclé, ée.

ensuciar (ènsuciar) Salir.

ensueño (ènsouégno) Songe.

entablado Plancher (pla^n).

entablar Planchéier*. Fig. Entamer, commencer.

entalladura f Ajustement m.

entallar (èntalhar) Sculpter (skül). Ajuster (jus) [ropa].

entallecer* Pousser (pusé).

entapizar (zar) Tapisser.

entarimado Plancher.

ente (èntē) Être (etr). Fam. Type, individu (i^n-dü).

enteco, ca Chétif, ive.

entena (èntē) Antenne (a^{n}tèn).

entendederas pl Jugeotte.

entendedor Entendeur.

entender* (èndèr) Comprendre* : entender francés, comprendre le français. Vr S'entendre*.

entendido, da Entendu, ue.

entendimiento Entendement.

enterar (è) Informer.

entereza (èntéréza) Intégrité. Fermeté, énergie (ji).

enteritis (tiss) Entérite.

enternecer (èn-nézèr) Attendrir (ta^n).

enternecimiento Attendrissement (ata^{n}drisma^n).

entero, ra (èntéro) Entier, ère (a^{n}tié, er). Ferme, solide. Por entero, entièrement.

enterrador Fossoyeur.

enterrar* Enterrer (ré).

entidad (è) Entité (a^n).

entierro Enterrement.

entoldar Couvrir (ku).

entomología Entomologie.

entonación Intonation.

entonces (èntònzès) Alors.

entontecer* Abêtir.

entorchado Galon (o^n).

entornar Entrebâiller (baié).

entorpecer* Embarrasser.

entorpecimiento m Engourdissement (a^{n}gurdisma^n) m. Fig. Gêne (jèn) f [molestia].

entortar (è) Tordre (tordr). Éborgner (né) [ojos].

entrada (è) Entrée (a^{n}tré).

105   ENT — ENU

Recette (rœset) [dinero].

entrambos (èntràn) Tous deux.

entrampar (èntràn) Endetter.

entrante (èntrànté) Rentrant, e. M Entrant.

entrañable Très aimé (èmé).

entrañar (èn-gnar) Renfermer (ra^n). Vr. S'unir intimement.

entrañas (èntragnass) Entrailles (àntráĭ).

entrar (èn) Entrer (a^n). Fig. Commencer [empezar].

entre (èntré) Entre (a^{n}tr). Parmi : entre ellos, parmi eux. Chez : entre los romanos, chez les romains.

entreabrir (èntré) Entrouvrir (a^{n}truvrír).

entreacto Entracte (a^{n}tract).

entrecejo (zéjo) Sourcil.

entreclaro, ra Peu clair.

entrecortado, da Entrecoupé, ée (kupé).

entrecruzado, da Entrecroisé, ée (kruasé).

entredecir* (dézir) Interdire* (i^n-dér).

entredicho Interdit (i^{n}terdí).

entredós Entre-deux.

entrefino, na Demi-fin, ine.

entrega Remise (rœmís). Livraison (vrèso^n) [libros].

entregar (èn) Livrer. Remettre* (rœmètr) [remitir].

entrelazar (èntrélazar). Entrelacer*.

entrelucir* (louzír) Luire (lüír).

entremedias (médiass) Au milieu.

entremés (mès) Intermède (i^{n}termèd) [teatro]. Hors-d'œuvre ('ordœvr) [comida].

entremeter Entremêler. Vr S'entremettre* (sa^{n}trmètr).

entremezclar Entremêler.

entrepierna Entrejambes (ja^{n}b).

entresacar Eclaircir (ersír).

entresuelo (soué) Entresol (a^{n}tre).

entretanto Pendant ce temps. M Intervalle (i^n-val).

entretejer (jèr) Entrelacer (lasé).

entretela f Bougran (bugra^n) m.

entretener* Amuser (amüsé).

entretenido, da Amusant, ante (amüsa^n, a^{n}t).

entretenimiento (miènto) Amusement (amüsma^n).

entretiempo m Demi-saison (dœmi sèso^n).

entrever* Entrevoir* (vuar).

entreverar Entremêler.

entrevista Entrevue (a^{n}trvü).

entristecer* (zèr) Attrister.

entristecimiento m Tristesse (tristès) f.

entroncar S'allier, s'unir.

entruchada Fam. Manigance.

entuerto (èntouer) m Tort (tor). Pl Tranchées [f] utérines [dolor].

entumecer* (èntoumézér) Engourdir (a^{n}gur).

entumecimiento Engourdissement.

entumirse S'engourdir.

enturbiar (tour) Troubler.

entusiasmar Enthousiasmer.

entusiasmo (entou) Enthousiasme (a^{n}tusíasm).

enumeración Énumération.

enumerar (énoumé). Énumérer*.

enunciar (énoun) Énoncer*.

envainar (vaï) Engainer.

envalentonar Enhardir (an').

envanecer* (zèr) Enorgueillir (aᵇnorgœïir).

envasar (ènvassar) Remplir.

envase (ènvassé) Remplissage. Vase (vas) [recipiente].

envejecer* (ènvéjézèr.) Vieillir (vieïir).

envejecimiento Vieillissement (isma⁸).

envenenar Empoisonner.

envenenamiento Empoisonnement.

envergadura Envergure (gür).

envero m Couleur dorée.

envés Envers.

enviado, da Envoyé, ée.

enviar (èn) Envoyer* (aᵇvuaié). Enviar por, envoyer chercher.

envidia (èn) Envie (aᵇví).

envidiar (èn) Envier (aᵇ).

envidioso, sa Envieux, euse.

envilecer* (èn-zèr) Avilir.

envilecimiento Avilissement.

envío (ènvío) Envoi (aᵇvuá).

envión m Poussée (pusé) f.

envite (ènvité) Renvi (raᵇ).

enviudar Devenir* veuf.

envoltorio m Paquet (kè).

envoltura Enveloppe (aᵇv).

envolver* (èn) Envelopper.

enyesar (ènyessar) Plâtrer.

eolio, lia Éolien, ᵉnne.

épico, ca Épique (pík).

epicúreo, a Épicurien, enne.

epidemia Épidémie.

epidémico, ca Épidémique.

epidermis f Épiderme m.

epifanía Épiphanie (fa).

epigastrio Épigastre (gastr).

epígrafe m Épigraphe (graf) f.

epigrama m Épigramme f.

epilepsia Épilepsie.

epiléptico, ca Épileptique.

epilogar Résumer.

epílogo Épilogue (log).

episcopado Épiscopat (pa).

episcopal Épiscopal, ale.

episodio (sso) Épisode (sod).

epístola Épître (pítr).

epistolar Épistolaire (lèr).

epitafio Épitaphe (taf).

epíteto m Épithète f.

epítome Abrégé, résumé.

época Époque (pok).

epopeya (peya) Épopée (pé).

equidad (da) Équité.

equidistante (ki) Équidistant, ante (eküidista⁸).

equilátero (ékilatéro) Équilatéral (küilatéral).

equilibrar Équilibrer.

equilibrio Équilibre (líbr).

equilibrista Équilibriste.

equimosis (ossiss) Ecchymose (ekimos).

equino, na Chevalin (lí⁸).

equinoccio Équinoxe (nox).

equipaje (ekipajé) Bagages (bagaj) pl.

equipar Équiper.

equipo Équipement. Équipe f [grupo].

equis (ékiss) f X (ix) m.

equitación Équitation.

equitativo, va Équitable.

equivalencia Équivalence.

equivalente Équivalent, ente.

equivaler* (ekivalèr) Équivaloir* (ekivaluar).

equivocación Erreur (erœr).

equivocadamente Par erreur.

equivocar Tromper. Confondre. Vr Se tromper.

equívoco (éki) Équivoque.

era Aire (er) [para trillar].
Ere (er) [período].

erario Trésor public.

erección Érection.

eréctil Érectile.

erguir* Dresser. *Vr* Se dresser (sœ dresé).

erial Terrain en friche.

erigir* Eriger* (jé).

erisipela Érysipèle (pel).

erizar (zar) Hérisser ('eri).

erizo Hérisson ('erisoⁿ).

ermita *f* Ermitage (taj) *m*.

ermitaño (gno) Ermite (mit).

erogar Distribuer.

erosión Érosion (sioⁿ).

erótico, ca Erotique.

errabundo, da Errant, ante.

erradamente Par erreur.

errado, da Erroné, ée.

errante (ànté) Errant, e.

errar* Errer. Se tromper [equivocarse].

errata *f* Erratum (tom) *m* [en pl. fr. : errata, mpl].

erre (erré) *f* Erre *m* [letra].

erróneo, a Erroné, ée.

error *m* Erreur (erœr) *f*.

eructar Éructer (rükté).

eructo (ouk) *m* Eructation *f*.

erudición Érudition.

erudito, ta Érudit, ite.

erupción Eruption (rüpsioⁿ).

eruptivo, va Eruptif, ive.

esbeltez (tez) Sveltesse (tès).

esbelto, ta Svelte (svelt).

esbirro Sbire (sbir).

esbozar (zar) Ébaucher.

esbozo *m* Ebauche (eboch) *f*.

escabeche *m* Marinade *f*.

escabel Escabeau (bo).

escabiosa Scabieuse (biœs).

escabroso, sa Scabreux, euse.

escabullirse* Se glisser.

escafandro Scaphandre.

escala Echelle (chel). Escale (kal) [marina].

escalada Escalade.

escalar Escalader.

escaldar Échauder (echodé).

escalera (léra) *f* Escalier (lié) *m*. Echelle *f* [de mano]. *Escalera de caracol*, escalier en colimaçon.

escalfador *m* Bouillote *f*.

escalfar Pocher (ché).

escalinata *f* Perron (roⁿ) *m*.

escalonar Echelonner (echlo).

escalpar Scalper.

escalpelo Scalpel.

escama Écaille (ekai).

escamarse Se méfier.

escamondar Émonder.

escamoso, sa Écailleux, euse.

escamotear Escamoter.

escamoteo Escamotage (taj).

escampar (kàn) S'éclaircir (eklèrsir) [cielo].

escanciar Verser à boire.

escandalizar Scandaliser. *Fam.* Faire* de l'esclandre [jaleo]. *Vr* Se scandaliser.

escándalo (kàn) *m* Scandale (skaⁿ). Esclandre [jaleo].

escandinavo, va Scandinave.

escaño (kagno) Banc (baⁿ).

escapada Escapade (pad).

escapar Échapper.

escaparate (raté) *m* Vitrine (inᵉ) *f*. Étalage (laj) [de tienda].

escapatoria Échappatoire.

escape (kape) *m* Échappement (echapmaⁿ) *m*. Fuite (füit) *f* [de gas]. *A escape*, en vitesse.

escapulario Scapulaire (üler).

escarabajo (jo) Scarabée.

escaramujo (moujo) Églantier (glaⁿtier) *m*.

escaramuza (ouza) Escarmouche (much).

escarapela (rapé) Cocarde.

escarbadientes (diéntès) Cure-dents (kürdeⁿ).

escarbar Fouiller (fuié).

escarcear Caracoler.

escarceo m Courbette f.

escarcha f Givre (jivr) m.

escarchar Givrer (jivré). Givror [con azúcar].

escarda f Sarclage (klaj) m.

escardar Sarcler (klé).

escardillo Sarcloir (kluar). Reflet (reflè) [centelleo].

escarificar Scarifier.

escarlata Écarlate (lat).

escarlatina Scarlatine.

escarmenar Démêler.

escarmentar* (mèn) Corriger* (jé). Vi Se corriger*.

escarmiento m Leçon f.

escarnecer* (nézèr) Railler (raié); bafouer (fué).

escarnio m Moquerie f.

escarola Chicorée (ré).

escarpa f Escarpement m. Escarpe f [fortif.].

escarpia f Clou [m] à crochet.

escarpidor Démêloir (luar).

escarpín Escarpin (piⁿ).

escasear Lésiner (siné) [cicatear]. Épargner (ñé) [ahorrar]. Vi Manquer (maⁿké) [no abundar].

escaso, sa Rare (rar), peu abondant. À peine.

escatimar Lésiner.

escayola f Stuc (stük) m.

escena f Scène (sèn).

escenario m Scène f. Scénario [de drama, etc.].

escénico, ca Scénique.

escepticismo m Scepticisme.

escéptico Sceptique (septik).

escisión (zissión) Scission.

esclarecer* (rézèr) Éclairer. Fig. Éclaircir [dilucidar]. Ennoblir (ennoblecer). Vi poindre*, se lever [día].

esclarecido Illustre (ilüstr), insigne.

esclarecimiento Éclaircissement (eklersismaⁿ).

esclavina Pèlerine (pelèrin).

esclavitud f Esclavage m.

esclavizar Asservir.

esclavo, va Esclave (av).

esclerosis (ossis) Sclérose.

esclerótica Sclérotique.

esclusa (oussa) Écluse (üs).

escoba f Balai (lè) m.

escobajo (bajo) Rafle (vid].

escobazo (zo) Coup de balai.

escobilla (lha) Balayette (leièt). Brosse [cepillo].

escobón Grand balai.

escocer* (zèr) Cuire* [küir].

escocés, sa Écossais, aise.

escoger* (jèr) Choisir (chua).

escofina Râpe (rap).

escolapio Prêtre des Escuelas pías ou écoles religieuses.

escolar Scolaire (lèr).

escolástico, ca Scolastique.

escolopendra Scolopendre.

escolta Escorte.

escoltar Escorter.

escollera (lhéra) f Brise-lames (brislam).

escollo (olho) Écueil (kœi).

escombros (kôn) Décombres.

esconder Cacher.

escondidas (a) En cachette.

escondite m, escondrijo m (kôndrijo) Cachette (chèt) f.

escopeta f Fusil (füsi) m.

escopetazo Coup de fusil.

escopleadura Mortaise (tès).

escoplo Ciseau (sisó).

escorbuto (bou) Scorbut (bü).

escoria Scorie (rí).

escorpión Scorpion (pion).

escorzo Raccourci (kursi).

escota Écoute (ekut).

escotar Échancrer (chan).

escote m Échancrure (krür) f. Décolleté [de un vestido]. Écot [pago en común].

escotilla (lha) Écoutille.

escotillón (lhon) m Trappe f.

escozor m Démangeaison f.

escriba Scribe (skrib).

escribanía Écritoire (tuar).

escribano Notaire (tèr).

escribiente (biènté) Secrétaire (sekretèr).

escribir* Écrire*.

escrito, ta Écrit, ite.

escritor, ra Écrivain (in) 2g.

escritura Écriture (tür).

escrófula Scrofule (fül).

escrupulizar Se faire* un scrupule.

escrúpulo Scrupule (üpül).

escrupuloso, sa Scrupuleux, se.

escrutar Scruter.

escrutinio Scrutin (skrütin).

escuadra (koua) Équerre. Mar. Escadre. Mil. Escuade.

escuadrar (koua) Équarrir.

escuadrilla Escadrille.

escuadrón Escadron (on).

escuálido, da (koua) Sale.

escualo (koua) Squale (skül).

escucha (koua) Écoute (kut).

escuchar Écouter.

escudero Écuyer (eküié).

escudete (kou) Écusson f.

escudilla (lha) Écuelle (üel).

escudo Écu (ekü).

escudriñar Fureter* (füre).

escuela (koué) École.

escuerzo (kouerzo) Crapaud.

escueto, a Libre, dégagé.

escuezno Cerneau (serno).

esculpir (koul) Sculpter.

escultor Sculpteur (tœr).

escultura Sculpture (skül).

escupidera f Crachoir m.

escupidura f Crachat (cha) m.

escurridizo, za Glissant, te.

escurridura Égoutture.

escurrir Glisser. Égoutter (egüté) [líquido].

esdrújulo, la Dactylique.

ese f Esse (ess) m. Hacer eses, zigzaguer.

ese, sa Ce, cette; ce...-là, cette...-là.

ése, sa, ésos, sas Celui-ci, celle-ci, ceux-ci, celles-ci.

esencia Essence (sans).

esencial Essentiel, elle.

esfera f Sphère (sfer) f. Cadrant (an) m [de reloj].

esfinge (injé) f Sphinx m.

esforzado, da Vaillant, ante.

esforzarse* S'efforcer* : esforzarse en, s'efforcer à o de.

esfuerzo (fouerzo) Effort (or).

esfumar Estomper (on).

esfumino m Estompe (onp) f.

esgrima Escrime.

esguince (ghinzé) m Écart (ar). Foulure f [torcedura].

eslabón Maillon (maion).

eslavo, va Slave.

esmaltar Émailler (maié).

esmalte (té) Émail (maí).

esmerado, da Soigné, ée (suañé). Soigneux, se [que se esmera].

esmeralda Émeraude (rod).

esmerarse S'appliquer.

esmeril Émeri (emrí).

esmero Soin (suin).

eso Cela (sela).

esófago Œsophage (esofaj).

esotro, a Cet *autre*, cette *autre*.

espaciar Espacer.

espada Épée. Au jeu de cartes, couleur qui correspond aux piques, en français.

espadachín Spadassin (*siⁿ*).

espalda *f* dos, m.

espantadizo Ombrageux (*jœ*).

espantajo Épouvantail.

espantar (*pàn*) Effrayer.

espanto Effroi (*efruá*).

espantoso, sa Effrayant, e.

español, la Espagnol, e.

esparadrapo Sparadrap (*dra*).

esparavel Épervier (*vié*).

esparceta *f* Sainfoin (*fuⁱ*).

esparcir* Répandre (*aⁿdr*).

espárrago m Asperge (*erj*) *f*.

esparto *m* Alfa, sparte.

espasmo Spasme.

espasmódico Spasmodique.

espato Spath (*spat*).

espátula (tou) Spatule (*tül*).

especia (*ézia*). Épice (*epís*).

especial Spécial.

especialidad Spécialité.

especialista Spécialíste.

especializar Spécialiser.

especie Espèce. Idée [idea].

especificar Spécifier.

específico, ca Spécifique.

espectáculo Spectacle.

espectador, ra Spectateur, trice.

espectro Spectre.

especulación Spéculation.

especulador Spéculateur.

especular Spéculer.

espejear (*jé*) Miroiter (*rua*).

espejeo (*péjéo*) o espejismo (*jis*) Mirage (*raj*).

espejo (*éjo*) Miroir (*ruar*).

espejuelos (*jowé*) *mpl* Lunettes *fpl* [anteojos].

espeluznante Effrayant, te.

espeluznar Ébouriffer (*bu*). Effrayer (*efreié*) [espantar].

espera *f* Attente (*ataⁿt*) *f*. Délai (delè) *m* [plazo].

esperanza Espérance (*raⁿs*).

esperanzar Donner de l'espoir.

esperar (pé) Espérer. Attendre (*taⁿdr*) [aguardar].

esperma *f* Sperme *m*. Blanc [m] de baleine.

esperpento *m* Personne ou chose ridicule.

espesar (essar) Épaissir (pe).

espeso, sa Épais, aisse.

espesor *m* y espesura *f* Épaisseur (*epesœr*) *f*.

espetar Embrocher. *Fig.* Débiter [soltar, decir].

espía 2*g* Espion, onne.

espiar Épier (epié).

espiga *f* Épi m. Tenon (*tœnoⁿ*) *m* [carpint.].

espigar Glaner.

espigón *m* Jetée (*jœté*) *f*.

espina Épine (*in*). Arête (aret) [pescado].

espinaca *f* Épinard (nar) m.

espinazo *m* Épine [f] dorsale.

espineta *f* Épinette.

espinilla *f* Tibia *m*.

espino *m* Aubépine *f*.

espinoso, sa Épineux, euse.

espión Espion (*oⁿ*).

espira (*ira*) Spire (spir).

espiral Spiral, e.

espirar Expirer.

espiritismo Spiritisme.

espiritista Spiritíste.

espiritoso, sa Spiritueux, se.

espíritu Esprit (pri).

espiritual Spirituel, elle.

espirituoso Spiritueux.

espita Cannelle (nel).

espléndidez Magnificence.

espléndido, da Splendide.

esplendor (èn) Splendeur.

esplendoroso, sa Splendide.

espliego m Lavande (va^{n}d) f.

esplin (ìn) Spleen (splin).

espolear Éperonner (roné).

espolique (iké) Valet (lè) [de cavalier].

espolón (òn) m Éperon (epe-ro^n) m [barco]. Ergot (go^n) m [gallo]. Jetée (joeté) f [malecón]. Terrasse (ras) f [paseo].

espolvorear Saupoudrer.

esponja (ònja). Éponge.

esponjar (ònjar) Enfler (a^n). Fam. Se rengorger*.

esponsales mpl Fiançailles.

espontaneo, a Spontané, ée.

espora Spore (spor).

esportilla Petit panier.

esportillero Portefaix (fè).

esposo, sa Époux, se (epu, us). Fpl Menottes (mœnot).

espuela f Éperon m.

espuerta f Cabas (kaba) m.

espulgar (poul) Épucer* (pü). Fig. Examiner.

espuma (pou) Écume (kum).

espumadera Écumoire (muar).

espumar Écumer.

espumarajo m Fam. Écume f.

espumoso, sa Écumeux, euse.

espurio, ria Bâtard, arde.

espurrear Arroser [de salive].

esputo Crachat (cha).

esqueje (kéjé) m Bouture f.

esquela f Billet (bìè) m.

esqueleto (kéléto) Squelette (skœlet). Amer. Formulaire.

esquema (ké) Schéma (che).

esquematico Schématique.

esquife (kifé) Esquif.

esquila Sonnaille (sonái). Tonte (to^{n}t) [de la lana].

esquilar Tondre (to^{n}dr).

esquileo m Tonte (to^{n}t).

esquilón m Sonnaille (nai).

esquimal Esquimau 2g (mo).

esquina (kí) f Coin (kui^n) m.

esquinado Anguleux.

esquinazo Coin (kui^n).

esquirol Écureuil (ekurœi). Fam. Jaune (jon) [obrero].

esquisto Schiste (chist).

esquivar Esquiver.

esquivez f Dédain (di^n) m.

esquivo, va Dédaigneux, se.

estabilidad Stabilité.

estabilizar Stabiliser.

estable Stable.

establecer* (zèr) Établir.

establecimiento Établissement.

establo m Étable (abl) f.

estaca f Pieu (piœ) m. Bouture (butür) [planta].

estacada Estacade.

estacar Attacher à un pieu.

estacazo Coup de bâton.

estación Saison (seso^n) [año]. Gare (gar) [ferrocarril]. Station, poste m [telégrafo, teléfono].

estacionamiento Stationnement.

estacionario Stationnaire.

estacionar Stationner. Vr Stationner.

estada f Séjour (jur) m.

estadía f Estarie (ri).

estadio m Stade (stad).

estadista m Homme d'État (om deta). Statisticien (sii^n) [estadísticas].

estadística f Statistique.

estado m État (eta). État [gobierno]. Estado llano,

tiers état. *Tomar estado*, se marier.

estafa f Escroquerie (okrí).

estafador Escroc (kro).

estafar Escroquer (ké).

estafeta f. Estafette (fet). Bureau [m] de poste [correo).

estalactita Stalactite.

estallar (lhar) Éclater.

estallido (lhi) Éclatement.

estambre (ànbré) m Estame f [laine). Étamine f [bot.].

estampa (àn) Image (aj). Impression : *dar a la estampa*, faire imprimer.

estampar Estamper (aⁿpé). Imprimer.

estampía (de) Soudain (diⁿ).

estampido m Explosion f.

estancar (tàn) Étancher (aⁿ).

estancia (tàn) f Séjour (jur) m Stance (aⁿs) [poesia]. Chambre. *Am.* Ferme.

estanciero *Am.* Fermier (ié).

estanco, ca Étanche (taⁿch). M Bureau de tabac.

estandarte (àndàrté) Étendard (aⁿdar).

estanque (ànké) Étang (aⁿ).

estanquero, ra Buraliste.

estante (ànté) m Étagère f.

estañar (gnar) Étamer (mé).

estaño (tagno) Étain (etⁿ).

estaquilla (kílha) Cheville.

estar* Être* (etr). OBSERV. *Estar* indique le lieu, avec le sens de « se trouver », ou un état passager : *estar en casa*, être à la maison; *estar cansado*, être fatigué. Avec un p. p. il exprime un état : *la casa está construida*, la maison est construite. Suivi du p. prés., il signif.

être en train de : *estar comiendo*, être en train de manger. Vr Rester (té) : *estarse en la cama*, rester au lit. *Estar a*, être le [fechas]. *Estar de*, être en : *estar de viaje*, être en voyage. *Estar para*, être sur le point de. *Être* disposé à [en disposición de]; *no estoy para risas*, je ne suis pas disposé à rire. *Estar por*, être tenté de, avoir envie de. *Estar en*, être au courant de. *Estar bien, mal*, aller bien, mal [salud, traje].

estarcir Poncer* (poⁿsé).

estatua (toua) Statue (tü).

estatuario, ria Statuaire.

estatuir* Statuer.

estatura (toura) Stature.

estatuto (tou) Statut (tü).

este m Est.

este, ta (àj) Ce, ce...-ci, cet, cet...-ci: *este libro*, ce livre, ce livre-ci. V. ESE et AQUEL.

éste, ta pr dem Celui-ci, celle-ci: *es hombre es más rico que éste*, cet homme-là est plus riche que celui-ci. [*Éste*, pronom, s'accentue.]

estearina Stéarine (rín).

estela (té) f Sillage (siàj) m [barco]. Stèle [piedra].

estenografía Sténographie (fí).

estenógrafo, fa Sténographe (graf).

estentor Stentor (stⁿ).

estentóreo, a De stentor.

estepa (té) Steppe (ep).

estera (téra) Natte (nat).

estéreo Stère (ster).

estereoscopio Stéréoscope.

estéril Stérile (ríl).

esterilidad Stérilité.

esterilizar Stériliser.

esterlina f Sterling m.

esternón Sternum (nom).

estero Estuaire (tüer). Am Marais.

estertor Râle (ral).

estético, ca Esthétique.

estevado, da Cagneux, euse.

estiba Charge (charj).

estiércol Fumier (fümié).

estigma f Stigmate (mat) m.

estigmatizar Stigmatiser.

estilar User (üsé).

estilo m Style (stil) m. Mode f [costumbre]. *Por el estilo,* dans le même genre.

estima Estime (ïm).

estimación Estimation.

estimar Estimer.

estimular (mou) Stimuler.

estímulo (ou) m Stimulation f.

estío Eté.

estipendio (èn) Salaire (ler).

estipular (pou) Stipuler (pü).

estirado, ra Étiré, ée. Soigné, ée (suañé) [traje]. Fier, fière [orgulloso]. *Fam.* Pingre [tacaño].

estirar Étirer.

estirpe (pé) Souche (such).

estival Estival, ale.

esto Ceci (sesí).

estocada Estocade.

estofar Étuver (tüvé).

estoicismo Stoïcisme (sism).

estoico, ca Stoïque (stoïk).

estola Étole (etol).

estólido, da Stupide (stüpíd).

estomacal Stomacal, ale.

estómago Estomac (stomá).

estopa Étoupe (etup).

estoque (toké) Estoc.

estorbar Gêner (jené).

estorbo m Gêne (jèn) f.

estornino Étourneau (turnó).

estornudar Éternuer (nüé).

estornudo Éternuement (nümaⁿ).

estos, tas Ces (se); ces...-cí: *estos libros,* ces livres-ci.

éstos, tas Ceux-ci, celles-cí; *ni ésos ni éstos,* ni ceux-là ni ceux-ci.

estrabismo Strabisme (bísm).

estrada Estrade (ad).

estrado Tribunal (bü).

estrafalario, ria Ridicule.

estrago Ravage (ravaj).

estrambótico, ca Extravagant, ante (gaⁿ, aⁿt).

estrangul (àngoul) m Anche, f.

estrangulador Étrangleur (aⁿglœr).

estrangular (àngou) Étrangler.

estraperlo Marché noir.

estratagema (jé) f Stratagème (jem) m.

estratégico, ca Stratégique (jík). M Estratège.

estratificar Stratifier.

estraza (za) f Chiffon m.

estrechamiento Rétrécissement.

estrechar Rétrécir. Presser [apretar, apremiar]. *Fig.* Resserrer (rœ) [amistad].

estrechez (chèz) Étroitesse. *Fig.* Intimité (iⁿ). Gêne (jene) [molestia, escasez].

estrecho, cha (echo) Étroit, oite (truá, uat). M Détroit.

estrechura (choura) Étroitesse (uatés). Gêne (jen) [apuro].

estregar* (tré) Frotter (té).

estregón Frottement (frotmaⁿ).

estrella (élha) Étoile (tual):
estrella fugaz, étoile filante.
Nacer con estrella, naître
sous une bonne étoile.

estrellado, da Étoilé, ée
[cielo]. Brisé, ée (sé) [ro-
to]. Sur le plat [huevos].

estrellamar Étoile de mer.

estrellar (lho) Briser.

estremecerse* (zèr) Sur-
sauter, tressaillir.

estremecimiento Sursaut
(sürso) [sobresalto].

estrenar Étrenner. Jouer pour
la première fois [teatro].
Vr Débuter [actor].

estreno (éno) m Étrenne f.
Première (représentation) f
[teatro]. Début m [actor].

estreñimiento m Constipa-
tion f.

estreñir* Constiper.

estrépito Fracas (ká).

estrepitoso, sa Bruyant, ante.

estría Strie (stri).

estribar S'appuyer (sapüié) :
estribar en, s'appuyer sur.

estribillo (lho) Refrain (i").

estribo Étrier (ié). Marchepied [coches].

estribor Tribord (bor).

estricnina Strychnine (ik).

estricto, ta Strict, icte.

estridente Strident, ente.

estro m Inspiration f.

estrofa Strophe (strof).

estropajo (ajo) m Lavette f.

estropear Abîmer [deterio-
rar]. Estropier [lisiar].

estructura (tou) Structure.

estruendo (ouèn) Fracas (ká).

estrujar (ouj) Presser.

estuario Estuaire (tüer).

estuco (tou) Stuc (stük).

estuche (ouché) Étui (üé).

estudiante (toudiânté) Étudiant, ante (etüdia", a"t).

estudiar Étudier (etüdié).

estudio m Étude (etüd) f.
Atelier [artista].

estufa (tou) f Poêle (pual) m.
Serre (ser) [plantas]. Étuve
(etüv) [baños].

estupefacción Stupéfaction.

estupefacto, ta Stupéfait, te.

estupendo, da Stupéfiant,
ante.

estupidez Stupidité.

estúpido, da Stupide (stü).

estupor (tou) m Stupeur f.

esturión Esturgeon (türjo").

etapa Étape.

éter Éther.

etéreo Éthéré.

eternidad Éternité.

eternizar Éterniser (nisé).

eterno, na Éternel, elle.

ética Éthique (etik).

etimología Étymologie.

etiqueta (ké) Étiquette (et).

etnografía Ethnographie.

eucalipto Eucalyptus.

eucaristía Eucharistie (ka).

eufemismo Euphémisme.

eufonía Euphonie (œfoni).

euforbio Euphorbe.

eunuco (éounou) Eunuque.

éuscaro, ra Basque (bask).

evacuar (louar) Évacuer.

evadirse S'évader.

evaluar (louar) Évaluer (üé).

evangélico, ca Évangélique.

evangelio (vànjé) Évangile.

evangelista Évangéliste (je).

evangelizar Évangéliser.

evaporación Évaporation.

evasión Évasion (sio").

evasivo, va Évasif, ive.

eventual Éventuel, elle.

eventualidad Éventualité.

evidencia (èn) Évidence.
evidente Évident (daⁿ), ente.
evitar Éviter.
evocar Évoquer (ké).
evolución Évolution. ,
evolucionar Évoluer (lué).
exacción Exaction.
exactitud Exactitude (tüd).
exacto, ta Exact, acte.
exageración Exagération.
exagerar Exagérer*.
exaltación Exaltation.
exaltar Exalter.
examen (amèn) Examen.
examinador Examinateur.
examinar Examiner.
exasperación Exaspération.
exasperar Exaspérer*.
excavación Excavation.
excedente (dèn) Excédent.
excelencia Excellence.
excelente Excellent, ente.
excelso, sa Très haut, te.
excéntrico, ca Excentrique.
excepción Exception (sioⁿ).
excepcional Exceptionnel.
excepto Excepté.
excesivo, va Excessif, ive.
exceso Excès (eksé).
excitación Excitation.
excitante Excitant, ante.
excitar Exciter.
exclamación Exclamation.
exclamar S'écrier* (sekrié).
excluir* (ouïr) Exclure* (ür).
exclusión Exclusion.
exclusivo, va Exclusif, ive.
excomulgar Excommunier.
excomunión Excommunion.
excoriación Excoriation.
excrecencia Excroissance.
excremento Excrément (maⁿ).
excursión Excursion (kür).
excusa (koussa) Excuse (küs).
excusado, da Excusé, ée.

Exempt, te [libre]. Inutile
  (inútil). M Cabinets (kabi-
  nè) pl.
excusar Excuser (ekšüsé).
  Éviter. Exempter (exaⁿté)
  [librar]. Vr S'excuser.
execrable Exécrable.
execrar Exécrer*.
exención Exemption (xaⁿ).
exentar (èn) Exempter.
exento, ta Exempt, empte.
exequias Obsèques (sek).
exhalación Exhalation. Exhalaison (lèsoⁿ) [vapor].
exhalar Exhaler.
exhausto, ta Épuisé, ée (püi).
exhibir Exhiber.
exhortación Exhortation.
exhortar Exhorter.
exhumar (xou) Exhumer.
exigencia (jènzia) Exigence.
exigente Exigeant, ante (jaⁿ,
  aⁿt).
exigir Exiger.
exiguo (gouo) Exigu, uë (gü).
eximio, mia Excellent (laⁿ), e.
eximir Exempter (xaⁿté).
existencia Existence (taⁿs).
  Stock [comercio].
éxodo Exode.
exonerar Exonérer*.
exorbitante Exorbitant, te.
exorcismo Exorcisme.
exordio Exorde.
exótico, ca Exotique (tik).
expansión (àn) Expansion.
expansivo, va Expansif, ive
expatriarse S'expatrier.
expectación Attente (aⁿt).
expectativa Expectative.
expectorar Expectorer.
expedición Expédition (sioⁿ).
expedicionario Expéditionnaire.
expedidor Expéditeur.

expediente Expédient. M Dossier (sié) [papeles].

expedir* Expédier*.

expeditivo, a Expéditif, ve.

expedito, ta Dégagé, ée (jé).

expeler (pèler) Chasser (sé).

expendedor Débitant [tabaco, lotería].

expendeduría f Débit (bi) m.

expender Dépenser (depansé). Débiter [vender]

expensas fpl. Dépens mpl. A expensas de, aux dépens de.

experiencia Expérience.

experimentar Expérimenter. Éprouver [sentimiento].

experimento m Expérience f.

experto Expert (per).

expiación Expiation.

expiar Expier (pié).

expirar Expirer.

explanada Esplanade (nad).

explicación Explication.

explicar Expliquer (ké).

explícito, ta Explicite.

exploración Exploration.

explorador Explorateur. Neol. Boy-scout (bo'skut).

explorar (rar) Explorer.

explosión Explosion (sioⁿ).

explosivo, va Explosif, ïve.

explotación Exploitation.

explotador Exploiteur (tœr).

explotar Exploiter (plua).

exponente m Exposant, ante.

exponer* Exposer (sé).

exportación Exportation.

exportador, ra Exportateur, trice.

exportar Exporter.

exposición Exposition.

expósito Enfant trouvé (tru).

expositor, ra Exposant, ante.

expresar Exprimer.

expresión Expression.

expresivo, va Expressif, ïve.

expreso, sa Exprimé, ée. Exprès, esse (prè, ès) [claro]. M Express (prés) [tren].

exprimir Exprimer.

expropiar Exproprier.

expuesto, ta Exposé, ée.

expulsar Expulser (pulsé).

expurgar Expurger* (purjé).

exquisito, ta Exquis, ise.

extasiarse S'extasier.

éxtasis m Extase (tas) f.

extender* (èn) Étendre.

extensión Extension. Étendue [superficie].

extenso, sa (tën) Étendu, ue; por extenso, in extenso.

extenuar Exténuer (nué).

exterior Extérieur, re (œr).

exteriorizar Manifester.

externo, na Externe (tern).

extinción Extinction.

extinguir Éteindre (etïndr).

extinto, ta Éteint, te.

extirpar Extirper.

extracción Extraction (sioⁿ).

extractar Extraire (trèr).

extracto Extrait (trè).

extradición Extradition.

extraer* Extraire* (èr).

extralimitarse Outrepasser.

extranjero, ra (ànjéro) Étranger, ère (aⁿjé, èr).

extrañar Exiler. Étonner [causar sorpresa]. Am Regretter. Vr S'étonner.

extrañeza (gnéza) Étrangeté.

extraño, ña Étranger, ère (aⁿjé, èr). Étrange [raro].

extraordinario Extraordinaire.

extravagancia Extravagance.

extravagante Extravagant.

extraviar Égarer.

extravío Égarement (armaⁿ).
extremado, da Exagéré, ée.
extremar Exagérer (je). Vr
Se surpasser (sür).
extremeño, ña Extrémègne.
extremidad (da) Extrémité.

extremo, ma Extrême (em).
M Extrémité f.
exuberancia Exubérance.
exuberante Exubérant, ante.
exvoto Ex-voto.
eyección Ejection (jeksíoⁿ).

F

fa Fa [musique].
fábrica Fabrique, usine. Bâtiment m [edificio]. De fábrica, en maçonnerie.
fabricación Fabrication.
fabricante (ànté) Fabricant.
fabricar Fabriquer.
fabril Manufacturier, ère.
fábula Fable (fabl).
fabulista Fabuliste (bülíst).
fabuloso, sa Fabuleux, euse.
faca f Couteau (kuto) m.
facción Faction (fl). Fpl
Traits (trè) [visage] mpl.
faccioso Factieux (sia).
faceta Facette (set).
fácil Facile (sil).
facilidad Facilité.
facilitar Faciliter. Fournir, procurer [suministrar].
facineroso Scélérat (selerá).
facistol Lutrin (lütrin).
Amer. Vaniteux (tœ).
facsímile Fac-similé.
factible Faisable (fœsabl).
facticio, cio Factice (faktís).
factor Facteur (tœr).
factoría Factorerie (torœrí).
factura (oura) Facture (tür).
facturar Facturer (tü). Enregistrer [equipaje].
facultad (koulta) Faculté.
facultativo, va Facultatif, ve. M Médecin (medsiⁿ).

facundia (koun) Faconde.
facundo, da Éloquent, te.
facha Figure (gür).
fachada (cha) Façade (sad).
fachenda Jactance (jaktaⁿs).
fachendoso, sa Vantard, arde (vaⁿtar, ard).
faena Besogne (bœsoñ).
faetón (ôn) Phaéton (faetoⁿ).
faisán (faïssàn) Faisan (fè).
faja (faja) f Bande (baⁿd).
Ceinture (siⁿtür) [cintura].
fajar (fajar) Mettre* une bande, une ceinture. Emmailloter (aⁿmaioté) [niño].
Fajar con uno, attaquer quelqu'un.
fajín (jìn) m Écharpe (arp) f.
fajina (jí) Fascine (sin^e).
falange (ànjé) Phalange.
falaz (az) Fallacieux, euse.
falda Jupe (jüp). Basque (ask) [levita, etc.]. Flanc m [montaña].
faldillas Basques.
faldón Pan (paⁿ) [ropa].
falible Faillible (faiíbl).
falsario Faussaire (foser).
falsarregla Transparent (aⁿ).
falsear Fausser (fosé).
falsedad (éda) Fausseté.
falseo Gauchissement.
falsete (été) Fausset (fosè).

falsía Fausseté (fosté).

falsificación Falsification.

falsificar Falsifier (fié).

falsilla f Transparent m.

falso, sa Faux, fausse (fo, fos). *En falso*, à faux.

falta Faute (*error*). Défaut (*to*) m (*defecto*). Manque (ma^nk) m (*ausencia*). *A* [ou *por*] *falta de*, faute de. *Hacer falta*, manquer [faltar], falloir [ser preciso]. *Sin falta*, sans faute.

faltar Manquer (ma^nké). Rater (*armas*).

falto, ta Dépourvu, ue (vü).

faltriquera (ké) Poche.

falúa f Canot (no) m.

falla (falha) Faille (fai).

fallar (lhar) Juger* (jujé) [*sentencia*]. Jouer atout [*juegos*]. Échouer (jué atú) [*juegos*] [*fracasar*].

falleba (lhé) Espagnolette.

fallecer* (lhézer) Décéder.

fallecimiento Décès (sè).

fallido, da (lhí) Failli, e.

fallo, lla (lho) Qui renonce [*juego*]. *Estar fallo a espadas*, renoncer à pique. M Sentence (sa^ta^s) f. Renonce (rœno^s) f [*juego*].

fama Renommée (rœnomé).

famélico, ca Famélique.

familia Famille (míe).

familiar Familier (lié).

familiaridad Familiarité.

familiarizar Familiariser.

famoso, sa Fameux, *euse*.

fámulo, la Domestique (tík).

fanal m Fanal. Cloche (och) f [*campana de cristal*].

fanático, ca Fanatique.

fanatismo Fanatisme (tísm).

fandango Fandango.

fanega Fanègue [55 litres].

fanerógama Phanérogame.

fanfarria Fanfaronnade.

fanfarrón, ona Fanfaron, onne (fa^faro^, on^).

fanfarronería Fanfaronnerie.

fango (fán) m Fange (fa^j) f.

fangoso, sa Fangeux (jœ).

fantasear Rêver.

fantasía Fantaisie (fa^tesí). Imagination (sio^).

fantasma (fán) Fantôme.

fantasmagoría Fantasmagorie.

fantástico, ca Fantastique.

fantoche (ché) Fantoche.

faralá Falbalas (la).

faramalla f Boniment m.

farándula (rán) Farandole.

faraón Pharaon (rao^).

fardo Ballot (balo).

farfantón Fanfaron (ro^).

farfullar Bredouiller.

farináceo, a Farineux, *euse*.

faringe (jé) Pharynx (i^x).

fariseo Pharisien (risi^).

farmacéutico, ca Pharmaceutique. M Pharmacien (si^).

farmacia Pharmacie (far-sí).

faro Phare (far).

farol m Lanterne (tern) f. *Fam.* Épate f [*fachenda*].

farola Lanterne.

farolero, ra Vantard, e.

farolillo (lho) m Campanile f.

farrago o fárrago Fatras.

farro Gruau (grüo).

farsa Farce (fars).

farsante (ánté) Farceur (œr).

fascinación Fascination.

fascinador Fascinateur.

fascinar Fasciner.

fase (fasé) Phase (fas).

fastidiar Ennuyer.

fastidio Ennui (a^nüi).

fasto Faste.

fastuoso, sa Fastueux, euse.

fatal Fatal, ale.

fatalidad Fatalité.

fatalismo Fatalisme.

fatídico, ca Fatidique (dik).

fatiga Fatigue. Ennui *m*.

fatigar Fatiguer.

fatuidad Fatuité.

fatuo, a Fat, ate (fa, fat).

fauces *fpl* Gosier *m*.

fauna (faou) Faune (fon).

fausto, ta Heureux, se (œræ, œs). *M* Faste. *Npr* Faust.

fautor (faou) Fauteur (fo).

favor *m* Faveur (vær). *A favor de*, à la faveur de. *Hacer el favor de*, faire* le plaisir de. *Por favor*, s'il te (vous) plaît.

favorable Favorable.

favorecer* (zer) Favoriser.

favorito Favori.

faz (faz) Face.

fe Foi (fua). Certificat (ka), acte: *fe de vida, de bautismo*, certificat de vie, acte de baptême. *Buena fe*, bonne foi. *A fe mía*, par ma foi.

fealdad Laideur (lèdær).

febrífugo Fébrifuge (füj).

febril Fébrile (il).

fécula Fécule (kül).

fecundar Féconder (kondé).

fecundidad Fécondité.

fecundo, da Fécond, onde.

fecha (cha) Date (dat).

fechar Dater.

fechoría (cho) *f* Méfait *m*.

federación Fédération.

federal Fédéral, ale.

felicidad (da) Félicité; bonheur (bonær) *m*.

felicitación Félicitation.

felicitar Féliciter. Souhaiter:

felicitar el santo a, souhaiter la fête à.

feligrés Paroissien (ruasiⁿ).

felino, na Félin, ine.

feliz (iz) Heureux, se (œræ).

felpa Peluche. Tissu [*m*] éponge [para toalla, etc.].

felpudo, da Pelucheux, euse. *M* Paillasson (paiasoⁿ).

femenino, na Féminin, ine.

fémur (mour) Fémur (mür).

fenecer* Périr. Sombrer [barco].

fenicio, cia Phénicien, enne.

Fénix Phénix (fe).

fenol (fé) Phénol (fe).

fenómeno Phénomène.

feo, a (féo) Laid (lè), aide.

féretro Cercueil (serkœi).

feria Foire (fuar).

feriante Forain (foriⁿ).

fermentar Fermenter.

fermento (èn) Ferment (aⁿ).

ferocidad Férocité.

feroz (oz) Féroce (ros).

ferretería Quincaillerie.

ferrocarril Chemin de fer.

ferruginoso Ferrugineux.

fértil Fertile (il).

fertilidad Fertilité.

fertilizar Fertiliser (sé).

férula (rou) Férule (rül).

ferviente (ièn) Fervent (aⁿ).

fervor *m* Ferveur (vær) *f*.

fervoroso, sa Fervent, te.

festejar (éjo) Fêter.

festejo (éjo) *m* Fête (fet) *f*.

festín (ine) Festin (tiⁿ).

festival Festival.

festividad Festivité.

festivo, va De fête. Joyeux, euse (juaiœ, œs) [alegre].

festón (òn) Feston (toⁿ).

fetiche (ché) Fétiche (tich).

fétido, da Fétide (tid).

feto (té) Fœtus (fætüs).

feudal (féou) Féodal, ale.

feudalidad Féodalité.

feudo (féou) Fief.

fiado, da À crédit (di).

fiador m Caution (kosioⁿ) f.
Agrafe (af) f [crochete].
Arrêt (arè) [armas].

fiambre (fiàmbré) Froid,
oide (fruá, ad) [manjar].

fiambrera f Garde-manger
(gard°maⁿjé) m.

fianza (ànza) Caution (ko-
sioⁿ).

fiar Garantir (raⁿ). Vendre
à crédit [vender]. Vr Fiarse
de, se fier à.

fibra Fibre.

fibroso Fibreux.

ficción Fiction (sioⁿ).

ficticio, cia Fictif, ive.

ficha (cha) f Fiche (fich) f.
Jeton m [teléfono].

fidedigno, na Digne de foi.

fidelidad Fidélité.

fideos (déoss) pl Vermicelle
(misel) sing.

fiduciario, ria Fiduciaire.

fiebre (fiébré) Fièvre (fievr).

fiel Fidèle (el). Juste (jüst)
[exacto]. M Contrôleur
(lœr). Aiguille [balanza].

fielato Octroi (truá).

fieltro Feutre (fœtr).

fiera (fiéra) Bête féroce.

fiereza (za) Sauvagerie (jri).

fiero, ra Féroce. Horrible
[horroroso].

fierro (rro) Fer (Vx).

fiesta Fête (fet).

figón m Gargote (got) f.

figura (gou) Figure (gür).
Grimace (mas) [mueca].

figurado, da Figuré, ée.

figurante Figurant, ante.

figurar (rar) Figurer (gü).

figurin m (rin) Gravure [f]
de modes (vür dœ mod).

fija (ja) f Gond (goⁿ) m.

fijador, ra Fixateur, trice.

fijar (jar) Fixer. Vr Fijarse
en (algo), remarquer (quelque chose).

fijeza (jéza) Fixité.

fijo, ja Fixe (fix).

fila File.

filamento (mèn) Filament.

filantropía Philanthropie.

filántropo Philanthrope (op).

filatelista Philatéliste.

filete (lété) Filet (lè).

filfa Blague (blag).

filiación Filiation. Signalement (ñalmaⁿ) [señas].

filial Filial, ale.

filibustero Flibustier (üs).

filiforme (mé) Filiforme.

filigrana Filigrane (gran°).

filipino, na Philippin, ine.

filisteo Philistin (tiⁿ).

filo Fil.

filón Filon (loⁿ).

filoseda Filoselle (sel).

filosofía Philosophie (fi).

filósofo Philosophe (sof).

filoxera Phylloxera (filo).

filtrar Filtrer.

filtro Filtre (filtr).

fin (fin) Fin (fiⁿ). A fin,
afin. En fin, por fin, enfin.

finado, a Défunt, e (feⁿ, iⁿt).

final Final, e. M Fin f [fin].
Finale f [deportes].

finalidad Finalité.

finalizar Terminer.

financiero, ra Financier, ère
(aⁿsié, èr).

finanzas Am Finances [ha-
cienda].

finado, da Défunt, te.

finca Propriété.

fineza Gentillesse (ja^ntiiés). Cadeau (do) m [regalo].

fingir* (finjír) Feindre*.

fino, na Fin, ine (fin, ine). Poli, ie. [cortés].

finta (fin) Feinte (fint).

finura (noura) Finesse (nès). Politesse (tès) [cortesía].

firma Signature (siñatůr).

firmamento (èn) Firmament.

firmar Signer (siñé).

firme Ferme. En firme, ferme.

firmeza Fermeté (metté).

fiscal Fiscal, e. M Procureur.

fiscalizar Critiquer.

fisgar Railler (raié) [burlar]. Fouiner (fui) [buscar].

fisgón, ona Moqueur, euse. Fouineur (curioso).

fisgoneo m Curiosité f.

físico, ca Physique (sik). M Physicien. Médecin (Vx).

fisiología Physiologie (jí).

fisionomía Physionomie.

fistol m Am Épingle [f] de cravate (épi^ugl de kravat).

fístula (tou) Fistule (tůl).

fisura Fissure (fisůr).

flaco, ca Maigre (mègr).

flacura (kou) Maigreur (œr).

flagelar (jé) Flageller (jelé).

flagrante (ànté) Flagrant. En flagrante, en flagrant délit.

flamante (àn) Flambant, te.

flamenco, ca (èn) Flamand, de (a^n). Flamenco [cante]. M Flamant.

flan (àn) Flan (a^n).

flanco (àn) Flanc (fla^n).

flanquear (ké) Flanquer (a^n).

flaquear (ké) Faiblir (fè).

flaqueza (kéza) Maigreur. Faiblesse [debilidad].

flato m Flatuosité f.

flatulento, ta Flatulent, te.

flauta (aou) Flûte (flůt).

flautín m Petite flûte f.

fleco m Frange (a^nj) f.

flecha (cha) Flèche (ech).

flema f Flegme (flegm) m.

flemático, ca Flegmatique.

flemón m Phlegmon (flegmo^n).

fletar Fréter*.

flete Fret (frè).

flexible Flexible.

flexión (iòn) Flexion (io^n).

flojear (jé) Faiblir (fè).

flojedad (dá) Faiblesse.

flojel (jel) Duvet (důvé).

flojo, ja (jo) Lâche (lach) [no tenso]. Faible (fèbl) [débil]. Fig. Mou, molle [perezoso].

flor Fleur (flœr). Tricherie (trich^erí) [fullería]. Compliment [requiebro]. Fam. Flor y nata, crème.

flora Flore.

floración Floraison (rèso^n).

floral Floral, ale.

florecer* (zer) Fleurir (flœ). Vr Moisir (muasír) [moho].

floreciente Florissant.

florecimiento m Floraison f.

floreo m Causerie f [charla]. Mús. Fioriture f.

floresta Forêt (rè).

florete (té) Fleuret (flœrè).

florido, da Fleuri, ie (flœ).

florilegio (lejio) Florilège.

florín (in) Florin (ri^n).

floripondio Datura [flor]. Fam. Grande fleur [f] peinte.

flota Flotte (flot).

flotación Flottaison.

flotante Flottant, te.

flotar Flotter.

flote Flot (flo).

flotilla (lha) Flottille (tií^e).

fluido, da Fluide.

fluir* (flouír) Couler (kulé).

flujo (floujo) Flux (flüx).

fluvial (flou) Fluvial (flü).

fluxión (flouxión) Fluxion.

foca f Phoque (fok) m.

foco Foyer (fuaié).

fofo, fa Spongieux, euse.

fogata Flambée (fla*n*bé).

fogón (gòn) Fourneau (furno). Lumière f [armas].

fogonero Chauffeur (fœr).

fogoso, sa Fougueux, euse.

folio Folio. En folio, in folio.

follaje (folhajé) Feuillage (fœiaj)

folletín Feuilleton (fœito*n*).

fomentar (mèn) Fomenter. Fig. Stimuler.

fomento (mèn) Appui (apüí). Ministère des Travaux publics.

fonda (fòn) f Restaurant m. Buffet m [de estación].

fondeadero Mouillage (iaj).

fondear (fòndéar) Mouiller (muié) [barcos].

fondista Restaurateur.

fondo (fòn) Fond (fo*n*). Fonds (fo*n*) [propiedad]. Dar fondo, mouiller [barco].

fonógrafo Phonographe (af).

foque (fok) Foc.

forajido (jí) Bandit (ba*n*dí).

forastero, ra Étranger, ère (etra*n*jé, èr).

forcejear (zéjé) Se débattre.

forense (rèn) Du tribunal.

forja (j) Forge (forj).

forjar Forger* (jé).

forma f Forme (orm) f. Format (ma) m [libros]. Moyen m [modo].

formación Formation.

formal Formel, elle. Sérieux, euse (riœ, œs) [serio].

formalidad Formalité. Gravité [seriedad].

formalizar Formaliser.

formar Former.

formidable Formidable.

formol Formol.

fornecer Fermoir (muar).

fórmula Formule (mül).

formular Formuler.

formulario Formulaire (ler).

fornicar Forniquer (ké).

fornido, da Robuste (büst).

foro Forum (rom) [plaza]. Tribunal. Barreau (baro) [ejercicio de la abogacía].

forraje Fourrage (furaj).

forrajear Fourrager (jé).

forrajero, ra Fourrager, ère.

forrar (rrar) Doubler (dublé) [ropas]. Couvrir (ku) [libro].

forro m Doublure (dublür) f [ropa]. Couverture (ku-ür) f [libro]. Mar. Bordage (aj) m.

fortalecer* (lézér) Fortifier.

fortaleza (léza) Forteresse.

fortificación Fortification.

fortificar Fortifier.

fortuito, ta Fortuit (tüí), e.

fortuna (tou) Fortuna (tüne).

forzado, da Forcé, ée.

forzar* (zar) Forcer* (sé).

forzoso, sa (zosso) Forcé, ée.

forzudo, da Fort, orte.

fosa (fossa) Fosse (fòs).

fosfato Phosphate.

fosforera Boîte d'allumettes.

fosforescente Phosphorescent.

fosfórico, ca Phosphorique.

fósforo m Phosphore (for). Allumette (alümet) f [cerilla].

fosforoso, sa Phosphoreux, se.

fósil Fossile (síl).

foso (fosso) *m* Fosse (fos) *f*
[hoyo]. Fossé *m* [fortif.].
fotogénico, ca Photogénique.
fotograbado *m* Photogravure *f*.
fotografía Photographie (fí).
fotografiar Photographier.
fotógrafo Photographe (graf).
frac (frak) Frac (fra), habit.
fracasar Echouer (chué).
fracaso (sso) Échec (chek).
fracción (òn) Fraction (sioⁿ).
fraccionar Fractionner.
fraccionario Fractionnaire.
fragancia *f* Parfum (fíⁿ) *m*.
fragante Parfumé (fumé).
fragata Frégate (gat).
frágil (jil) Fragile (jil).
fragilidad (dà) Fragilité.
fragmento (mèn) Fragment.
fragor Fracas (ka).
fragoso Accidenté (aⁿ), ée.
fragua (goua) Forge (forj).
fraguar (ouar) Forger* (jé).
fraile (fraïlé) Moine (uanⁿ).
frambuesa (boué) Framboise.
francachela *f* Festin (tíⁿ) *m*.
francés, esa (ànzès) Français, aise (aⁿsé, és).
franciscano, a Franciscain, e.
franco, ca (àn) Franc, anche
(aⁿ, aⁿch). M Franc. *Adv*
Franco (àⁿ).
franchute, ta *m* Fam. Français, se.
franela Flanelle (nel).
frangollar Saboter, bâcler.
franja (ànja) Frange (aⁿjⁿ).
franquear (kéar) Affranchir
[esclavo, carta]. Accorder
[conceder]. Débarrasser
[obstáculo].
franqueo Affranchissement.
franqueza (kéza) Franchise.
franquía (en) En partance.

franquicia Franchise (chís).
frasco Flacon (koⁿ).
frase (ssé) Phrase (fras).
fraternal Fraternel, elle.
fraternidad Fraternité.
fraternizar Fraterniser.
fraterno, na Fraternel, elle.
fratricida Fratricide.
fraude *m* Fraude (od) *f*.
fraudulento, ta Frauduleux,
euse.
fray (fraï) Frère [relig.].
frazada (za) Couverture (ku).
frecuencia (ouèn) Fréquence.
frecuentar Fréquenter.
frecuente Fréquent, e.
fregadero Évier (vié).
fregar* Frotter. Récurer
[estregar]. *Fig.* Ennuyer*
[molestar]. *Fregar los platos*, faire la vaisselle.
freir* Frire* (frir).
frenar Freiner (fré).
frenesí *m* Frénésie *f*.
frenético, ca Frénétique.
freno (fré) Frein (friⁿ).
Mors (mor) [caballo].
frente (èn) *f* Front (oⁿ) *m*.
En frente, en face. *Hacer
frente*, faire* face. *Frente a
frente*, face à face. *Frente
por frente*, vis-à-vis.
fresa (ssa) Fraise (frès).
fresca *f* Frais (fre) *m*. Fam.
Insolence (iⁿ-aⁿs).
fresco, ca Frais, aîche (frè,
ech). *Fig.* Effronté, e. M
Frais (frè). Fresque (esk) *f*
[pintura].
frescura (kou) Fraîcheur.
Fig. Toupet *m*.
fresno Frêne (fré).
fresquera *f* Garde-manger *m*.
friable Friable (abl).
frialdad (dà) Froideur (da).

fricción Friction (sioⁿ).

friega Friction (sioⁿ).

frígido, da (ji) Froid, oide.

frigio, gia Phrygien, enne.

frigorífico, ca Frigorifique.

frijol (jol) Haricot (ko).

frío, a Froid, e (fruá, uad).

friolento, ta (lèn) Frileux, euse (lœ, œs).

friolera Bagatelle (tel).

frisar Friser (sé).

friso m Frise (fris) f.

fritada Friture (tür).

frito, ta Frit, ite.

fritura (toura) Friture (tür).

frivolidad Frivolité.

frívolo, la Frivole (vol).

frondoso, sa Touffu, ue (fü).

frontal (òn) Frontal, e (oⁿ).

frontera (òn) Frontière (oⁿ).

frontispicio Frontispice.

frontón (òn) Fronton (oⁿ).

frotador, ra Frotteur, euse.

frotadura f y frotamiento m Frottement (frotmaⁿ) m.

frotar Frotter.

frote (té) Frottement (aⁿ).

fructificar Fructifier.

fructuoso, a Fructueux, se.

frufrú Frou-frou (fru).

frugal (frou) Frugal, e (fru).

frugalidad Frugalité.

fruición Jouissance.

frunce (oûnzé) m Fronce f.

fruncimiento m Froncement.

fruncir* (oûn) Froncer*.

frusleria Vétille (tíe).

frustrar Frustrer.

fruta (frou) f Fruit (früi) m. Fruta de sartén, beignet m.

frutal Fruitier, ère.

frutería Fruiterie (früitri).

frutero, ra Fruitier, ère. M Compotier (koⁿpotié).

frutilla (ilha) Am. Fraise.

fu ni fa (ni) Ni l'un ni l'autre.

fucsia (fouk) f Fuchsia (füch) m.

fucsina Fuchsine (chsìne).

fuego (foué) Feu (fœ). Fuego fatuo, feu follet. Fuegos artificiales, feux d'artifice. A fuego lento, à petit feu. ¡Fuego! Au feu! [incendio]. Feu! [militar].

fuelle (fouelhé) Soufflet (suflé). Pli [ropa].

fuente Fontaine. Source [manantial]. Plat m [vajilla]. Fig. Source (surs).

fuer de (a) Foi de.

fuera (fouéra) Dehors (dœor). Fuera de, hors de. Hormis [excepto]. Por fuera, en dehors.

fuero Privilège (lej). Fuero interno, for intérieur.

fuerte (fouerté) Fort, te. Adv. Fort.

fuerza (fouerza) Force (fors).

fuete (fouété) Am Fouet (fouè).

fuga (fou) Fuite (füit). Fugue (füg) [escapada, música].

fugarse (fou) Fuir*.

fugaz (fou) Fugace (ás).

fugitivo, va Fugitif, íve.

fulano, na Un tel, une telle.

fulgor (foul) Éclat (kla).

fulgurante (ân) Fulgurant, e.

fulminante Fulminant, e.

fulminar (foul) Fulminer.

fullería (foulhéría) Tricherie (chrì).

fullero Tricheur.

fumadero (fou) Fumoir (uar).

fumador, ra Fumeur, euse.

fumar (fou) Fumer (fü).

fumigación Fumigation.

funámbulo Funambule.

función (founziòn) Fonction (o^n). Représentation [teatro]. Fête (fet) [fiesta].
Función de tarde, matinée. *Función de noche*, soirée.

funcionar Fonctionner.

funcionario Fonctionnaire.

funda (foun) Housse ('us).

fundación Fondation (o^n).

fundador, ra Fondateur, trice.

fundamental Fondamental.

fundamento Fondement.

fundar Fonder (fo^n).

fundición Fonderie (fo^ndrî). Fonte (fo^nt) [acción].

fundidor (foun) Fondeur.

fundir Fondre (fo^ndr).

fundo Fonds (fo^n).

fúnebre (fou) Funèbre (fü).

funerales Funérailles (raî^).

funerario, ria Funéraire.

funesto, ta Funeste (fü).

funicular Funiculaire (lèr).

furgón Fourgon (furgo^n).

furia (fou) Furie (fürî).

furibundo, a Furibond, e.

furioso, sa (fou) Furieux, se.

furor (fou) *m* Fureur (fü) *f*.

furriel (fou) Fourrier (fu).

furtivo, va Furtif, ive.

fusa Triple croche [mús.].

fuselaje Fuselage.

fusible Fusible (füsîbl).

fusil (foussî) Fusil (füsî).

fusilar Fusiller (siié).

fusión (fou) Fusion (o^n).

fusta (fous) *f* Fouet (fuè) *m.*

fustán *m* Futaine (fütèn^) *f.*

fuste Fût (fü). Arçon (so^n) [silla]. *Fig.* Importance *f.*

fustigar Fustiger* (füstijé).

futesa (fou) Vétille (tiî^).

fútil (fou) Futile (fü).

futilidad Futilité.

futuro, ra (fou) Futur, ure.

G

gabacho, cha *Fam* Français, se. *M* Langue mêlée de termes français.

gabán (àn) Pardessus (œsü).

gabardina Gabardine.

gabela Gabelle (bel).

gabinete (nété) Cabinet (nè).

gacela (zé) Gazelle (sel).

gaceta Gazette (set).

gacetilla *f* Fait divers *m.*

gacha (cha) Bouillie (buí).

gachón, a *Fam.* Gracieux, se.

gachonería *Fam.* Grâce.

gaditano, na De Cadix.

gafas Lunettes (lünet).

gaita Cornemuse (müs). *Fam.* Cou (ku) [cuello].

gaje (jé) Gage (gaj).

gajo (jo) *m* Branche (a^nch) *f.* Grappe *f* [racimo]. Quartier (tié) [naranja].

gala *f* Habit [*m*] de fête. Grâce, charme [gracia]. *Pl* Atours (atur) [vestidos]. *De gala*, de gala. *Hacer gala*, faire étalage.

galán (àn) Galant (la^n). *Jeune premier* [teatro].

galano, na Galant, ante (la^n) Élégant, ante.

galante Galant, ante.

galanteo (àn) *m* Cour (kur) *f.*

galantería Galanterie.

galanura (oura) Grâce (as).

galápago m Tortue (tü) f.
galardón m Récompense f.
galbana Fam. Flemme.
galeón m Galion (oⁿ).
galeote Galérien (riⁿ).
galeoto Entremetteur.
galera (lé) Galère (lèr).
galería Galerie (galrí).
galgo, ga Lévrier, levrette.
gálibo Gabarit (rí).
galicado, da Francisé, ée.
galicano, na Gallican, ane.
galicismo Gallicisme (gali).
gálico m Syphilis (lís).
galillo (lho) m Luette f.
galimatías Galimatias.
galo, a Gaulois, e (goluá, ás).
galocha (cha) Galoche (loch).
galón (òn) Galon (oⁿ).
galonear Galonner.
galopar Galoper.
galope (pé) Galop (lo).
galopín, galopo Galopin.
galpón Am. Hangar ('aⁿ).
galvanizar Galvaniser.
galvanoplastia Galvanoplastie.
gallardear (lhardéar) Montrer de la grâce.
gallardete (lhardété) m Banderole (baⁿdrol) f.
gallardo, da (lh) Gracieux, se (siœ, œs) Gaillard, e (gaiar, ard) [fuerte].
gallear (lhéar) Fam. Crier.
gallego (lhé) Galicien.
galleta (lhé) f Biscuit (üí) m.
gallina (lhí) Poule (pul). Fam. Poule mouillée [cobarde]. Gallina ciega, colin-maillard m.
gallináceo, a Gallinacé, ée.
gallinazo m Am. Vautour.
gallinero Poulailler (pulaié).
gallipavo Dindon (diⁿdoⁿ).

Mús. Fam. Couac (kuak).
gallo (lho) Coq (kok). Mús. Couac (kuak). Alzar el gallo, élever* la voix. En menos que canta un gallo, en un clin d'œil.
gamarra Martingale (tiⁿ).
gamberro Voyou.
gambetear Gambader (gaⁿ).
gamo Daim (diⁿ).
gamón (òu) Asphodèle (el).
gamuza (ouza) f Chamois m.
gana Envie : tener ganas de, avoir* envie de. Gré m : de buena, mala gana, de bon, mauvais gré.
ganadería f Élevage (vaj) m.
ganadero Éleveur (elvœr).
ganado Bétail (betái) Ganado mayor, menor, gros, petit bétail. Ganado lanar, moutons. Ganado de cerda, porcs.
ganancia (àn) Gain (guiⁿ).
gananciales (bienes) Acquêts.
ganapán Portefaix (tⁿfè).
ganapierde Qui perd gagne.
ganar Gagner (ñé).
gancho (gàncho) Crochet.
ganchoso, sa Crochu, ue.
gandul (ou) Paresseux, euse [suerte].
ganga (àn) Gélinotte. Fig. Aubaine (obèn) [suerte].
ganglio (àn) Ganglion (oⁿ).
gangoso, sa Nasillard, arde.
gangrena Gangrène (gaⁿgrèn⁎).
ganguear Nasiller (siié).
gangüeo Nasillement.
ganoso, sa Désireux, euse.
ganso (gàn) m Oie (ua) f.
ganzúa f Rossignol (ñol) m.
gañán (gnàn) Rustre (rüstr). Valet (lè) [de labranza].

gañido (gñí) Glapissement.

gañiles mpl Gorge (gorj) f.

gañir* (gnír) Glapir.

gañote (gnoté) m Gorge f.

garabato Pincer (chè).
Griffonnage (naj) [escritura].
Fam. Charme (charm) [gracia].

garambaina f Ornement [m] ridicule.

garante (rànté) Garant (aⁿ).

garantía (ràn) Garantie.

garantizar Garantir (raⁿ).

garañón (gnòn) Étalon (loⁿ).

garapiñar (gnar) Congeler*.
Praliner [almendra].

garbanzo (ànzo) Pois chiche.

garbo m Grâce. Générosité f [generosidad].

garboso, sa Gracieux, euse.
Généreux, euse (jè-rœ, œs).

gardenia f Gardénia m.

garduña Fouine (fuïn).

garete (al) À la dérive.

garfio Crochet (chè).

gargajear (jè) Cracher.

gargajo (jo) Crachat (cha).

garganta (gàn) Gorge (gorj).

gargantilla f Collier (lié) m.

gárgara f Gargarisme (m).

gargarizar Gargariser.

gárgol m Rainure (rènür) f.

gárgola Gargouille (guï).

garguero (goué) Gosier (sié).

garita Guérite (guerit) f.

garito Tripot (po).

garlito Piège (piej).

garlopa Varlope (lop).

garnacha f Grenache m.

garra Serre (ser) [mamíferos].
Griffe (mamíferos] [aves].

garrafa Carafe (raf).

garrafal Énorme (norm).

garrafón m Grande carafe f.

garrapata Tique (insecto).

garrapatear Griffonner.

garrapato Griffonnage (naj).

garrido, da Gaillard, arde.

garroba (rro) Caroube (rub).

garrocha Pique (pik).

garrochazo Coup de pique.

garrochear Frapper de la lance, de la pique.

garrón Ergot (go) [gallos].

garrotazo Coup de bâton.

garrote (rroté) Bâton (oⁿ).
Garrot (ro) [tormento].

garrotillo (lho) Croup (kru).

garrucha (oucha) Poulie.

gárrulo, la Bavard, de.

garúa Am. Bruine (brüïn).

garza (za) f Héron (roⁿ) m.

garzo, za (zo) Bleu, e (blœ).

garzota Aigrette (ègrèt).

gas (gass) Gaz (gas).

gasa (gass) Gaze (gas).

gascón, ona Gascon, onne.

gasificar Gazéifier.

gasista Gazier.

gaseoso, a (sséo) Gazeux, se.

gasolina (sso) Essence (aⁿs).

gasómetro Gazomètre.

gastador, ra Dépensier, ère.
M Sapeur (œr) [soldado].

gastar Dépenser (aⁿsé). User (üsé) [consumir]. Porter [llevar, traje, etc.].

gasto m Dépense (paⁿs) f.
Pl. Frais.

gastoso, sa Dépensier, ère.

gastritis Gastrite.

gastrónomo Gastronome.

gata Chatte (chat). A gatas, à quatre pattes.

gatear Grimper [trepar].
Marcher à quatre pattes.
Fam. Voler [robar].

gatillo (lho) Chien (chiⁿ) [armas]. Davier [dentista].

gato Chat (cha). Cric [me-

cán.]. *Fig.* Magot (go) [dinero]. Filou (lu) [ratero].
gatuperio m Intrigue (iⁿ) f.
gaucho, cha Gaucho, cha.
gaveta (jé) f Tiroir (uar) m.
gavia Hune (´üne).
gavilán (làn) Épervier (vié).
gaviota Mouette (muet).
gavota Gavotte (vot).
gayo, ya (yo) Gai, gaie (guè).
gayomba f Genêt (jœnè) m.
gazapo Lapereau (lapro).
Fam. Erreur (rœr) f.
gazmoño, ña (gno) Prude.
gaznate (té) Gosier (sié).
gazpacho m Soupe froide à l'huile, au vinaigre et à l'ail.
gazuza *Fam.* Fringale.
gelatina (jé) Gélatine (je).
gema (jé) Gemme (jème).
gemelo, la (jé) Jumeau (jümo), elle. *Mpl.* Jumelle f [anteojo]. Boutons [mpl] de manchettes [camisa]. *Astr.* Gémeaux.
gemido (jé) Gémissement.
géminis (iss) *Astr.* Gémeaux.
gemir* (jé) Gémir (je).
genciana (jèn) Gentiane.
gendarme (jèn) Gendarme.
gendarmería Gendarmerie.
genealogía Généalogie.
generación Génération.
generador Générateur.
general (je) Général (je).
generalidad Généralité.
generalizar Généraliser.
generatriz Génératrice.
genérico, ca Générique.
género (jé) Genre (jaⁿr). Étoffe (tof) f [tela]. *Genero de punto*, bonneterie f.
generosidad (jé) Générosité.
generoso, sa Généreux, se.

génesis m. Genèse (jenès).
genial (jé) Génial, e (je).
genialidad Originalité.
genio (jé) Génie (jení). Caractère: *mal genio*, mauvais caractère.
genoves, esa Genevois, oise.
gente (jènt) f Gens (jaⁿ) pl. *Buena gente*, bonnes gens. Monde (moⁿd) m *en la calle*, il y a beaucoup de monde dans la rue.
gentileza (jèn-za) Gentillesse (jaⁿtièss).
gentilhombre Gentilhomme.
gentío (jèn) m Foule (ful) f.
gontualla (oualha) Canaille.
genuflexión Génuflexion.
genuino, na (jénoui) Propre; caractéristique.
geografía (jéo) Géographie.
geología Géologie (jeo-ji).
geometría Géométrie.
geométrico, ca Géométrique.
geranio Géranium (je-niom).
gerencia (jén) Gérance.
gerente Gérant, te (jeraⁿ).
germanía f Argot (go) m.
germánico, ca Germanique.
germen Germe (jerm).
germinar Germer.
Gertrudis (jer) Gertrude.
gerundio (jéroun) Gérondif. participe présent.
gesta (jes) Geste [literat.].
gestación Gestation.
gestear (jes) Grimacer*.
gesticular (jes) Grimacer* [mueca]. Gesticuler [ademán].
gestión (jes) Gestion (jes). Démarche [diligencia].
gestionar Faire* des démarches; traiter une affaire.

gesto (jes) m Grimace (as) f; moue (mu) f [rostro]. Geste (jest) [cuerpo].

giba (ji) Bosse (bos).

giboso, a (ji) Bossu, e (sü).

gigan‖te (jigàn) Géant, e. (jeaⁿ).

gigantesco Gigantesque.

gimnasia (jim) Gymnastique.

gimnasio (jim) Gymnase.

gimnasta Gymnaste.

gimnástica Gymnastique.

gimotear (ji) Pleurnicher.

ginebra (jiné) f Genièvre (jœnièvre) m.

ginecología Gynécologie.

girándula (jiràn) Girandole.

girar (ji) Tourner (tur). Com. Tirer [letra].

girasol Bot. Soleil (léi).

giratorio, ria Giratoire.

giro (ji) Tour (tur). Tournure (turnür) f [frase]. Change [Com.]. Mandat [postal].

gitanería (ji) Cajolerie (joléri). Action propre des bohémiens.

gitano, na (ji) Gitan, ane (ji) ; bohémien, enne. Fam. Cajoleur.

glacial Glacial, ale.

glaciar Glacier (sié).

gladiador Gladiateur.

glándula Glande (glaⁿd).

glanduloso, sa Glanduleux, se.

glaseado, da Glacé, ée.

glasear Glacer* (sé).

glauco, ca Glauque (glok).

gleba (glé) Glèbe (glè).

glicerina Glycérine (glise).

glicina Glycine (sinⁿ).

global Global, ale.

globo (glo) Globe. Ballon (baloⁿ) [aerostático].

glóbulo Globule (bül).

gloria Gloire (uar). Paradis (di), ciel [cielo].

gloriarse Se vanter (vaⁿ).

glorieta Charmille.

glorificar Glorifier.

glorioso, sa Glorieux, euse.

glosario Glossaire (ser).

glotón, na Glouton, onne.

glotonería Gloutonnerie.

glucosa Glucose (glükós).

gluten (glou) Gluten (ütèn).

gneis (ghnéiss) Gneiss.

gnomo (ghno) Gnome (gnom).

gobernación f Gouvernement m. Intérieur m [ministère].

gobernador Gouverneur.

gobernar* Gouverner* (gu).

gobierno Gouvernement.

gobio Goujon (gujoⁿ).

goce (zé) m Jouissance (juisaⁿs). Joie (jua) f [alegría].

godo, da Goth (go).

gofio m Farine grillée f.

gola f Gorgerin m [armadura]. Cimaise [moldura].

goleta Goélette (let).

golfo Golfe (golf). Fam. Voyou.

golilla (lha) f Rabat. Fig. Magistrat (jistra).

golondrina Hirondelle (del).

golosina (lossí) Gourmandise.

goloso, sa Gourmand, e.

golpe (pé) Coup (ku). Foule (ful) [gran cantidad]. Patte (pat) f [bolsillo]. Surprise (sür) f [sorpresa]. Esprit [ingenio]. De golpe, soudain. De un golpe, d'un seul coup. Dar golpe, étonner. No dar golpe, se la couler douce (du).

golpear (pé) Frapper.

gollería *Fam.* Friandise.

gollete (lhé) Goulot (gulo).

goma Gomme (gom).

góndola Gondole (go[n]).

gongorismo *m* Préciosité *f.*

gordal Gros, osse.

gordiflón, ona Jouflflu, ue.

gordo, da Gros, osse.

gordolobo Bouillon-blanc.

gordura (doura) Grosseur (sœr). Graisse [grasa].

gorgojo (Ju) Charançon (so[n]).

gorgorito *m* Roulade (rulad).

gorgoteo Gargouillement.

gorguera Collerette (kolret).

gorila Gorille (rii[n]).

gorjear (jé) Gazouiller (suié).

gorjeo Gazouillis (gasuií).

gorra Casquette (kasket). *De gorra,* gratis.

gorrino Goret (rè).

gorrión Moineau (muano).

gorrista Parasite.

gorro Bonnet (nè). *Gorro de cuartel,* bonnet de police.

gorrón, ona *Fam.* Parasite. *M* Pivot (vo) [eje].

gota Goutte (gut).

gotear Tomber goutte à goutte.

gotera Gouttière (gutier).

gótico, ca Gothique.

gotoso, sa Goutteux, euse.

gozar (sar) Jouir (juir).

gozo (zo) *m* Joie (jua) *f.*

gozoso, sa Joyeux.

gozque (gozké) Roquet (kè).

grabado *m* Gravure (vür) *f.*

grabador Graveur (vœr).

grabar Graver.

gracejo (zéjo) *m* Badinage.

gracia (zia) Grâce (as). Plaisanterie (chiste). *Fam.* Nom (no[n]) [nombre].

¡Gracias! Merci! ¡Muchas gracias! Merci bien! *Gracias a,* grâce à.

grácil Gracile (sil).

gracioso, sa Gracieux, euse. Drôle (divertido). *M* Bouffon (bufo[n]) [teatro].

grada *f* Degré *m* [de escalera]. Gradin *m* [de anfiteatro]. Herse [agr.].

gradería *f* Gradins *mpl.*

grado Degré (dœ). Grade (ad) [honor]. Gré [gusto]. *Mal de mi grado,* malgré moi.

graduar (ouar) Graduer (ué). *Vr.* Être* reçu: *Graduarse de bachiller,* être reçu au baccalauréat.

gráfico Graphique (fik).

grafito Graphite (fit).

grajea (jéa) Dragée (jé).

grajo (jo) Crave (av).

grama *f* Chiendent *m.*

gramática Grammaire (mèr).

gramatical Grammatical, e.

gramil Trusquin (trüski[n]).

gramínea Graminée.

gramo Gramme (gram).

gran (àn) Grand (a[n], a[n]d).

grana Cochenille (cochníie). Écarlate (lat) [color].

granadero Grenadier.

granate (té) Grenat (grœna).

grande Grand (a[n]), de. *M* Grand.

grandeza Grandeur (œr).

grandioso, sa Grandiose (os).

grandor (àn) *m* Grandeur *f.*

grandote, ta Trop grand *m.*

granado, da Grené, e (grœ). Roulant (rula[n]) [fuego].

granel Grener* (grœ).

granel (a) En tas (an ta). En vrac (ak) [barcos].

granero Grenier (grœníé).

granito Granit (ní).
granizar (zar) Grêler.
granizo (zo) m Grêle (el) f.
granjearse Gagner (ñé).
granja (ànja) Ferme (erm).
granjería f Bénéfice m.
grano m Grain (grin) [cereales]. Graine (èn) f [semilla]. Bouton (butoⁿ) [erupción]. Ir* al grano, aller* au fait.
granoso, sa Grenu, ue (nü).
granuja (ouja) Marmaille [niños]. Coquin [pillo].
granuloso, sa Granuleux, se.
granza (ànza) Garance (raⁿs).
grapa f Crampon (aⁿpoⁿ).
grasa (ssa) Graisse (gres).
grasiento, ta Graisseux, se.
graso, sa Gras, asse (gra, as).
gratificar Gratifier.
gratis Gratis.
gratitud (tou) Gratitude (üd).
grato, ta Agréable (abl).
grava f Caillou (kaiù) m.
gravamen (èn) m Charge f.
gravar Grever* (grcévé).
grave (vé) Grave (av).
gravedad (da) Gravité.
gravitar Graviter.
gravoso, sa Grave (av).
graznar Croasser.

greca (gré) Grecque (grek).
greda (gré) Glaise (glès).
gremio (gré) m Corporation f.
greña f Tignasse.
greñudo, da Échevelé, ée.
gres (èss) Grès (grè).
gresca Dispute (püt).
grey f Troupeau (trupo) m.
griego, ga (ié) Grec, grecque.
grieta (ié) Crevasse (cvas).
grifo Griffon (foⁿ). Robinet (nè) [agua].
grillete (lhété) Fer.

grillo (lho) Grillon (iioⁿ).
grima f Dégoût (gu) m.
gringo, ga Am. Étranger, ère.
gripe Grippe (grip).
gris (iss) Gris, ise (gri, s).
grisú (ssou) Grisou (sú).
grita f Cri m.
gritería Criaillerie (airi).
grito Cri. Dar gritos, crier.
gritón, na Criard, arde (ar).
grosella (sselha) Groseille.
grosería Grossièreté.
grosero, ra Grossier, ère.
grosor m Grosseur (sœr) f.
grosura Graisse (gres).
grotesco, ca Grotesque (esk).
grúa (oua) Grue (grü).
grueso, sa (ouesso) Gros, osse (gro, os). M Grosseur (œr) f. Grosse (os) f [144.].
gruila (oulha) Grue (grü).
grumete (grou) Mousse (mus).
grumo (grou) Grumeau (grümo).
gruñido (grou) Grognement.
gruñir* (grou) Grogner (ñé).
gruñón, na (gnòn) Grognon.
onne.
grupa (grou) Croupe (krup).
grupo (grou) Groupe (grup).
gruta (grou) Grotte (ot).
guacamayo Ara, perroquet.
guadamecí Maroquin (kiⁿ).
guadaña (gna) Faux (fo).
guadua f Am. Bambou m.
guagua (goua) Am. Bébé. De guagua, gratis.
guajiro (jí) Paysan de race blanche, à Cuba.
guajolote Am. Dindon.
gualda Gaude. Jaune [color].
gualdrapa Housse (ʼus).
guamo Am. Inga [planta].
guanábana f Am. Corossol
guanaco Am. Guanaco.

guano (goua) Guano (gua).

guantada f, **guantazo** m (gouàn) Gifle (jifl) f.

guante (gouàn) Gant (ga^n).

guapeza (gouapéza) f Chic m.

guapo, pa (goua) Beau, belle; chic 2g. Brave (brav) [valiente].

guarda (goua) Garde (gard).

guardabarrera Garde-barrière.

guardabosque Garde forestier.

guardabrisa f Lanterne. Parebrise m [mampara].

guardacantón m Borne f.

guardainfante Vertugadin.

guardamuebles Gardemeuble.

guardapelo Médaillon (lo^n).

guardar (gouar) Garder.

guardarropa m Garde-robe f.

guardarropía f Magasin [m] d'accessoires.

guardia Garde. M Agent [de policía]. Guardia civil, gendarme (ja^{n}darm).

guardián, ana Gardien, enne.

guarecer* (goua) Protéger* (jé). Vr S'abriter.

guarida (goua) Retraite (èt).

guarismo (goua) Chiffre.

guarnecer* (gouar) Garnir.

guarnición Garnison (so^n). Garniture [adorno]. Pl. Harnais ('arnè) [caballos].

guarnicionero Bourrelier.

guarro (gouarro) Goret (rè).

guasa (gouassa) Blague (ag).

guasón, ona Blagueur, euse.

guayaba (gouaya) Goyave.

gubia (gou) Gouge (guj).

guedeja (ghédéja) Chevelure (chevlür). Crinière [león] f.

guerra (gherra) Guerre (gher).

guerrear Guerroyer* (ruaié).

guerrero, ra Guerrier, ère.

guerrilla (rrilha) Guérilla.

guerrillero Franc-tireur.

guía Guide (ghid). Indicateur (i^n-tœr) [ferrocarril].

guiar Guider (ghidé).

guija (ghija) f. Caillou (iú).

guijarro (jarro) Caillou (iú).

guijo (guijo) Cailloutis.

guillotina Guillotine (ghiio).

guinda (ghin) Guigne (ghiñ).

guiñapo (gna) Haillon ('aio^n).

guiñaposo, sa En haillons.

guiñar (gn) Cligner des yeux.

guiño Clin d'œil.

guión Guidon (ghido^n). Trait d'union [-]. Scénario [cine].

guirnalda Guirlande (la^{n}d).

guisa (ghissa) Guise (ghis).

guisado (ghiss) Ragoût (gu).

guisante (ànté) Pois (pua).

guisar (ghissar) Apprêter, préparer. Cuisiner [cocinar].

guiso (ghisso) Mets (mè).

guita Ficelle (sel).

guitarra Guitare (tar).

guitarrista Guitariste.

gula (gou) Gourmandise (ís).

gules mpl Gueules fpl.

gurrumina Faiblesse (fèblès).

gurrumino Fam. Jocrisse (jo).

gusano (gouss.) Ver.

gusarapo Vermisseau (so).

gustar (gouss) Goûter (gu). Plaire* (pler) [satisfacer]. Aimer : a Juan le gusta el melón, Jean aime le melon. Gustar de, aimer à.

gustillo (lho) Arrière-goût.

gusto (gous) Goût (gu) [sabor]. Plaisir (plèsir) [satisfacción]. A gusto, à l'aise (alès).

gutapercha Guttapercha.

gutural Guttural, ale.

H

¡ha! Ah!

haba Fève.

habanera Danse cubaine.

habano Havane [cigarro].

haber* Avoir* : he visto, j'ai vu. Impers. Y avoir* : hubo música, il y eut de la musique. Être [aux. de los v. pron. o de movimiento] : me he levantado, je me suis levé ; ha llegado, il est arrivé. Haber de, haber que, falloir* : No hay más que, il n'y a qu'à. M Avoir.

habichuela f Haricot vert m.

hábil Habile.

habilidad Habileté.

habilidoso, sa Habile.

habilitar Pourvoir* (purvuar). Autoriser (otorisé).

habitación Habitation. Chambre [cuarto].

habitante (àn) Habitant, e.

habitar Habiter.

hábito Habit (abí). Habitude (tüd) [costumbre].

habitual Habituel, elle.

habituar Habituer (tüé).

habla f Parler (lé) m.

hablador, ra Bavard, arde.

habladuría f Bavardage m.

hablanchín, ina Bavard, arde.

hablar Parler.

hablilla (ilha) f Cancan m.

hacedero, ra Faisable.

hacedor, ra Faiseur, se (sœr). Sumo Hacedor, le Créateur.

hacendado, da (zèn) Riche.

hacendero, ra Actif, ive.

hacendista Financier (sié).

hacendoso, sa Actif, ive.

hacer* Faire* (fèr). Impers. Faire : hace frío, il fait froid. Y avoir* [tiempo] : hace ocho días, il y a huit jours. Hacer de, être [oficio]. Vr Se faire* : Faire* : hacerse el bobo, faire le sot. Hacerse útil, se rendre utile. Hacerse de, se pourvoir de.

hacia Vers (ver).

hacienda (ièn) Ferme [finca]. Fortune [riqueza]. Finances fpl [ministerio]. Am. Bétail [ganado].

hacinar Entasser (antasé).

hacha (cha) Hache ('ach). Torche (torch) [luz].

hachazo Coup de hache.

hada Fée (fé).

hado Sort (sor).

halagar Flatter.

halagüeño, ña (gouégno) Flatteur, euse (tœr, œs).

halar Haler.

halcón Faucon (fokon).

hálito Souffle (sufl).

halo Halo.

hallar (lhar) Trouver (tru).

hallazgo m Trouvaille (aí) f.

hamaca f Hamac m.

hambre (àn) Faim (fin). Famine (in) [escasez].

hambriento, ta Affamé, ée.

hampa Gueuserie (gœsrí).

haragán, ana Paresseux, se (resœ, œs), fainéant (an), e.

haraganear Paresser.

haraganería Fainéantise.

harapiento, a Déguenillé, ée.

harapo Haillon (aión).

haraposo, sa Déguenillé, ée.

harén (èn) Harem.

harina Farine (ine).

harinoso, sa Farineux, se.

harmonía V. ARMONIA.

harnero Van (van), crible.

harpa Harpe.

harpía Harpie ('arpi).

harpillera Serpillière (lier).

hartar Rassasier (sié). Lasser [cansar].

hartazgo Rassasiement.

harto, ta Rassasié, ée. *Fig.* Las (la), e [cansado]. *Adv* Assez (asé) : *harto bueno*, assez bon.

hartura *f* Rassasiement *m.*

hasta Jusque (jüsk). Même (mem) [aún]. *Hasta luego*, au revoir. *Hasta mañana*, à demain.

hastiar Fatiguer (ghé).

hastío *m* Fatigue (tig) *f.*

hatajo (jo) Troupeau (trupo). Tas (ta) [multitud].

hato *m* Troupeau (trupo). Bande (band) [de personas].

hay V. HABER.

haya (ya) *f* Hêtre ('etr) *m.*

haz (z) *f* Faisceau (fès). Gerbe (jèrb) [gavilla]. Face (fas) [cara, anverso].

haza *f* Champ (chan) *m.*

hazaña *f* Exploit (ua) *m.*

he *He aquí*, voici ; *he ahí*, voilà. Hem, me voici.

hebilla (lha) Boucle (bukl).

hebra Fibre. Fil *m* [hilo].

hebreo, a Hébreu (ebrœ) ; *a* : *f:* juive (jüiv) [judía].

hebroso, sa Fibreux, euse.

hecatombe Hécatombe (o*m*b).

hectárea Hectare (tar).

hectogramo Hectogramme.

hectolitro Hectolitre.

hectómetro Hectomètre.

hechicería Sorcellerie (selri).

hechicero, ra Sorcier, ière. *Fig.* Charmeur [encantador].

hechizar (zar) Ensorceler*.

hechizo Charme (charm).

hecho, cha Fait, e (fè, et). *De hecho*, en fait.

hechura (oura) Façon (son).

heder* (dèr) Puer (pué).

hediondo, da Puant, ante.

hedor m Puanteur (püan) *f.*

hegemonía (jé) Hégémonie.

helada Gelée (jelé).

helado, da Glacé, ée. Gelé, ée (jœlé). *M* Glace (as) *f.*

helar Geler* (jœ) [cambiar en hielo, causar frío, enfriar]. Glacer [solidificar, causar impresión, timidez].

helecho *m* Fougère (fujer) *f.*

helénico, ca Hellénique (le).

helero (éléro) Glacier (sié).

hélice Hélice (elis).

helicóptero Hélicoptère.

heliograbado *m* Héliogravure *f.*

heliotropo Héliotrope.

helminto (in) Helminthe.

hembra (èn) Femelle.

hemiciclo Hémicycle (sikl).

hemiplejía Hémiplégie.

hemisferio Hémisphère.

hemistiquio Hémistiche (ich).

hemoptisis Hémoptysie.

hemorragia Hémorragie.

hemorroide Hémorroïde.

henchir* (èn)   Remplir Enfler [hinchar].

hendedura (oura) Fente.

hender* (èn) Fendre (fandr).

hendidura Fente (fant).

henequén (énéken) Agavé.

heno Foin (fuin).

hepático, ca Hépatique (tik).

heráldico, ca Héraldique.

heraldo Héraut ('ero).
herbáceo, a Herbacé, ée.
herbario Herbier (bié).
herbívoro, ra Herbivore.
herborizar Herboriser.
heredad Propriété.
heredar Hériter.
heredero, ra Héritier, ère.
hereditario, ria Héréditaire.
hereje (éréjé) Hérétique (ík).
herencia [Héritage m [bienes]. Hérédité [carácter, derecho].
herético, ca Hérétique.
herida Blessure (blesür).
herido, da Blessé, ée.
herir* (érír) Blesser* (sé). Frapper [impresionar].
hermanar Fraterniser.
hermandad Confrérie.
hermano, na Frère, sœur.
hermético, ca Hermétique.
hermosear Embellir (lír).
hermoso, sa Beau (bo), belle (bel).
hermosura Beauté (boté).
héroe, ína Héros (éro), héroïne.
heroico, ca Héroïque (roík).
herpes Herpès.
herrada [Baquet (kè) m.
herrador Maréchal-ferrant.
herradura [Fer [m] à cheval.
herramienta [Outil (utí) m.
herrar* Ferrer*.
herrumbre Rouille (ruíe).
hervidero Grouillement.
hervir* Bouillir* (buír). Grouiller (gruié) [gusanos].
hervor Bouillonnement. Fig. Ardeur (dœr) f.
hervoroso, sa Bouillant, ante.
hetera Hétaïre ('etaír).
heteróclito, ca Hétéroclite.

heterodoxo Hétérodoxe.
heterogéneo Hétérogène.
hexágono Hexagone.
hez (ez) Lie (lí).
hiato Hiatus (tüs).
hibernal Hivernal.
híbrido, da Hybride (ibríd).
hidalgo, ga Noble. M Gentilhomme (jaⁿtiíom).
hidalguía Noblesse (es).
hidra Hydre (idr).
hidratar Hydrater.
hidráulico, ca Hydraulique.
hidrofobia Hydrophobie.
hidrógeno Hydrogène.
hidrografía Hydrographie.
hidromel Hydromel.
hidropesía Hydropisie.
hidrópico, ca Hydropique.
hidroterapia Hydrothérapie.
hiedra [Lierre (lier) m.
hiel [Fiel m.
hielo (ié) m Glace (as) [.
hiena Hyène (iene).
hierático, ca Hiératique.
hierba Herbe (erb). Hierba del Paraguay, maté m.
hierbabuena Menthe (maⁿt).
hierro Fer.
higa Fam. Figue [burla].
higadilla [Foie (fuá) m.
hígado Foie (fuá).
higiene (jié) Hygiène (ijiè).
higiénico, ca Hygiénique.
higo m Figue (fig) f. Higo chumbo, figue de Barbarie.
higuera [Figuier m. Higuera chumba, nopal m.
hijastro, tra (jas) Beau-fils (bofís), belle-fille (belfíe).
hijo, ja (ijo, ja) Fils (fís), fille (fíe).
hijuelo (joué) Rejeton (rœj).
hila Fíle. Pl Charpie sing.
hilacha (cha) Effilochure.

HIL — HOL 136

hilada Fíle rangée (ranjé).
Assise (asís) [piedras].
hilado m Filature (tür) f.
hilandera Fileuse (læs).
hilar Filer.
hilaracha Effilure.
hilaridad Hilarité.
hilaza f Fil m. Descubrir
la hilaza, montrer la corde.
hilera Filière.
hilo Fil.
hilván (án) Faufil (fofíl).
hilvanar Faufiler (fo).
himeneo Hyménée (imené).
himenóptero Hyménoptère.
himno Hymne (imn).
hincapié Effort (for).
hincar Ficher (ché).
hinchado, da Enflé, ée (an).
Fig. Gonflé, ée (gon) [va-
nidad]. Affecté, ée [estilo].
hinchar Enfler (an).
hinchazón Enflure (anflür).
hinojo (jo) Genou (jœnu)
[rodilla]. Fenouil [bot.].
hipérbole Hyperbole.
hipertrofia Hypertrophie.
hípico, ca Hippique (pík).
hipnótico, ca Hypnotique.
hipnotismo Hypnotisme.
hipnotizador Hypnotiseur.
hipnotizar Hypnotiser.
hipo Hoquet (ké).
hipocondría Hypocondrie.
hipocresía Hypocrisie.
hipócrita Hypocrite (krít).
hipodérmico Hypodermique.
hipódromo Hippodrome.
hipogastrio Hypogastre.
hipogeo (jé) Hypogée (jé).
hipogrifo Hippogriffe (if).
hipopótamo Hippopotame.
hipoteca Hypothèque (tek).
hipotecario, a Hypothécaire.
hipotenusa Hypoténuse (nüs).

hipótesis Hypothèse (tès).
hipotético, ca Hypothétique.
hirsuto, ta Hirsute (süt).
hirviente (ièn) Bouillant, e.
hisopo Goupillon (píon).
hispánico, ca Hispanique.
hispanismo Hispanisme.
hispano, na Hispanique.
histérico, ca Hystérique.
histeria Hystéric (isterí).
histerismo Hystérie.
historia Histoire (tuar).
historiador Historien (rièn).
histórico, ca Historique.
historieta Historiette (riet).
histrión (òn) Histrion (on).
hita Borne (born).
hito, ta Fixé, ée. M Borne f.
But (büt) m [blanco, meta].
De hito en hito, fixement.
hocicar Fouiller (fuié).
hocico Museau (müso). Moue
(mu) f [mueca].
hocino m Serpe (serp) f.
hogaño Cette année.
hogar Foyer (fuaé).
hogaza (aza) Miche (mich).
hoguera (ghéra) f Bûcher m.
hoja (ja) Feuille (fœi).
Lame [cuchillo]. Feuillet
(fœié) m [libro]. Battant
(tan) m [puerta].
hojalata f Fer-blanc (an) m.
hojalatero (ja) Ferblantier.
hojaldre (jaldré) 2g Feuilleté (fœité) m.
hojarasca (ja) Feuilles mor-
tes (fœi mort) pl.
hojear (jé) Feuilleter*.
hojuela Petite crêpe. Crêpe
[repostería]. Bot. Foliole m.
¡hola! Bonjour (bonjur).
holandés, sa Hollandais,
aise. Demi-chagrin [encua-
dernación].

holgado, da Large. *Fig.* À l'aise.

holganza Oisiveté (uasivté).

holgar* Se reposer. Être* inutile (nútil) [sobrar].

holgazán, na (zàn) Paresseux, euse (paresœ, œs).

holgazanear Paresser (resé).

holgazanería Paresse (parés).

holgorio *m* Réjouissance *f*.

holgura (goura) Réjouissance. Aise [bienestar]. Jeu *m* [mec.].

holocausto Holocauste (kost).

hollar* (lhar) Fouler (fulé).

hollejo (éjo) *m* Peau (po) *f*.

hollín (olhìn) *m* Suie (süi) *f*.

hombrada Action énergique. *Interj.* Allons! (alon), voyons! (vuaion).

hombre (ònbré) Homme (om).

hombrear *Faire** l'important.

hombrecillo Petit homme. Houblon ('ublon) [lúpulo].

hombro *m* Epaule *f*. A hombros, sur les épaules.

hombruno, na Hommasse.

homenaje (jé) Hommage *f*.

homeopatía Homéopathie.

homérico, ca Homérique.

homicida, homicidio Homicide.

homilía Homélie (li).

hominicaco Gringalet.

homogéneo, a Homogène.

homónimo, ma Homonyme.

honda (òn) Fronde (frond).

hondo, da Profond, de (fon).

hondón (òn) Fond (fon).

hondonada *f* Enfoncement *m*.

hondura Profondeur.

honestidad (da) Honnêteté.

honesto, ta Honnête (net).

hongo (òn) Champignon

(piñon). Melon [sombrero].

honor Honneur (onœr).

honorable Honorable.

honorario, ia Honoraire.

honorífico, ca Honorifique.

honra (òn) *f.* Honneur *m.*

honradez (z) Honnêteté.

honrado, da (òn) Honnête.

honrar (òn) Honorer.

honrilla (lha) *f* Point [*m*] d'honneur (puin donœr).

honroso, a (rosso) Honorable.

hopalanda (làn) Houppelande ('upland).

hora Heure (œr). *Dar la hora*, sonner l'heure. *A última hora*, au dernier moment. *En buena hora*, à la bonne heure. *En mala hora*, mal à propos. *Por horas*, à l'heure.

horadar Percer* (sé).

horario, ia Horaire (rèr) *m*. Petite aiguille *f* [reloj].

horca Fourche (furch). Potence (potans) [suplicio].

horcajadas (a) à califourchon.

horcón *m* Fourche (furch) *f*.

horchata *f* Orgeat (ja) *m*.

horchatería Débit de boissons; café.

horda Horde ('ord).

horizontal Horizontal, ale.

horizonte (zòn) Horizon *f*.

horma Forme (form).

hormiga Fourmi (fur).

hormigón (gòn) Béton (on).

hormiguear Fourmiller (ié).

hormigueo Fourmillement.

hormiguero *m* Fourmilière *f*.

hormilla *f* Moule (mul) *m*.

hornacina Niche (nich).

hornada Fournée (furné).

hornaguera *f* Charbon [*m*] de terre; houille ('uie) *f*.

hornaza f Creuset (krœsè) m.

hornero Fournier (furnié).

hornillo (lho) Fourneau (no).

horno Four (fur). *Alto horno*, haut fourneau.

horóscopo Horoscope (kop).

horquilla (kilha Fourche (furch). Épingle à cheveux.

horrendo (en) Affreux, euse.

hórreo (rréo) Grenier (nié).

horrible (blé) Horrible (ibl).

horrífico, ca Horrifiant, te.

horripilar Horripiler.

horrísono Horrible [bruit].

horro, rra Libre (iibr).

horror m Horreur (rœr) f.

horrorizar Horrifier* (fié).

horroroso, sa Horrible (ibl).

hortaliza f Légume (güm) m.

hortelano, na Jardinier, ère.

hortense (en) Potager, ère.

hortera Écuelle (küel). *Fam.* Calicot (ko) [empleado].

horticultor Horticulteur.

horticultura Horticulture.

hosanna (oss) Hosanna.

hosco, ca Renfrogné, ée.

hospedaje (jé) Logement.

hospedar Loger* (jé).

hospicio Hospice (pís).

hospital Hôpital.

hospitalario Hospitalier.

hospitalidad Hospitalité.

hospitalizar Hospitaliser.

hostería Hôtellerie (telrí).

hostia Hostie (tí). Pain [m] à chanter (oblea].

hostil Hostile.

hostilidad Hostilité.

hostilizar Attaquer (ké).

hotel Hôtel.

hotelero, ra Hôtelier, ère.

hoy Aujourd'hui (ojurdüi). *Hoy día*, à l'heure actuelle.

hoya Fosse (fos).

hoyo (yo) Trou (tru).

hoyuelo m Fossette (set) f.

hoz Faucille (fosile). Gorge (gorj) [estrechura].

hozar Fouiller (fuié).

huaca f Am. Tombeau inca.

huasca f Am. Fouet (fuè) m.

hucha (oucha) Tirelire.

hueco, ca (ouéko) Creux, se (krœ, œs). *Fig.* Gonflé, ée (gonⁿ) [hinchado] *M* Creux (krœ). Vide (vid) [vacío]. Baie (bè) f [ventana].

huelga (ouel) Grève. *Fam.* V. JUERGA.

huelguista Gréviste.

huella (ouélha) Trace (as).

huérfano, na Orphelin, ine.

huero, ra Vide (vid).

huerta f Jardin (jardiⁿ) m.

huerto (ouer) Verger (jé).

hueso (ouesso) Os (os). Noyau (nuaío) [de fruta].

huesoso, sa Osseux, euse.

huésped, a (ouesped) Hôte, hôtesse (ot, otés).

hueste (ouesté) Armée (mé).

huesudo (ouessou) Osseux.

huevero (oué) Coquetier.

huevo (oué) Œuf (œf). *Huevo pasado por agua*, œuf à la coque; *huevo estrellado*, o *frito*, œuf sur le plat, ou frit.

hugonote Huguenot, ote.

huida (ouí) Fuite (füit).

huir* (ouír) Fuir* : *huir de alguien*, fuir quelqu'un.

hule (ou) m Toile cirée f.

hulla (oulha) Houille (uie).

humanar Humaniser.

humanidad Humanité.

humano, na Humain, aine (ümiⁿ, èⁿ).

humanizarse S'humaniser.

humareda Fumée (fümé).
humear (ouméar) Fumer (fü).
humedad Humidité.
humedecer* Humecter*.
húmedo, da (ou) Humide (ümíd).
humeón (ouméôn) Fumeron.
humeral Huméral.
húmero Humérus (ümérüs).
humildad (ou) Humilité.
humilde Humble ('imbl).
humillación (oumilhaziôn) Humiliation (ü-sioⁿ).
humillante Humiliant, e.
humillar (ou-lhar) Humilier.
humillo (lho) m Vanité f.
humo m Fumée, f. Vender humos, faire* l'important.
humor (ou) m Humeur (ümœr) f: de mal humor, de mauvaise humeur. Humour.
humorada f Caprice (is) m.
humorado, da (bien, mal) De bonne, ou mauvaise, humeur.

humorismo Humour (ümur).
humorista Humoriste.
humoso, sa Fumeux, euse.
humus (oumous) Humus.
hundimiento Enfoncement.
hundir Enfoncer* (anfonⁿ).
húngaro, ra Hongrois, se.
huracán (ourakân) Ouragan.
huracanado Violent [vent].
huraño, ña Sauvage.
hurgar (our) Fouiller (fuié).
hurgonear Fourgonner.
hurí Houri ('urí).
hurón (ouròn) Furet (fürè). Fam. Ours (urs) [huraño].
¡ hurra! Hourrah ! ('urra).
hurtadillas (A) En cachette.
hurtar (our) Dérober.
hurto Larcin (siⁿ).
húsar (ouss) Hussard ('üsar).
husillo (ilho) m Vis f.
husmear (ous) Flairer (fle).
husmo Fumet (fümé).
huso (ou) Fuseau (füzò). Arbre [máquina].
¡ huy! (ouië) Aïe (aiè).

I

íbero, ra Ibère (iber).
ibis Ibis.
icón (ôn) m Icône (onⁿ) f.
iconoclasta Iconoclaste.
ictericia (zia) f Ictère m.
ida f Aller (alé) m.
idea (dé) Idée (dé).
ideal Idéal, e.
idealismo Idéalisme.
idealizar Idéaliser.
idear (dé) Imaginer (jiné).
ídem Idem.
idéntico, ca Identique (ik).
identidad (èn) Identité (aⁿ).

identificar Identifier.
ideólogo Idéologue (log).
idilio m Idylle (idil) f.
idioma Idiome, langue f.
idiota Idiot (diô), ote.
idiotez (tez) Idiotie (sí).
idiotismo Idiotisme.
idólatra Idolâtre.
idolatrar Idolâtrer.
idolatría Idolâtrie (tris).
ídolo m Idole (is).
iglesia Eglise (is).
igneo, a (igh) Igné, ée.
ignífugo, ga Ignifuge.

ignominia (igh) Ignominie.
ignominioso, sa Ignominieux, euse.
ignorancia (igh-rànzia) Ignorance (iñora⁵s).
ignorante Ignorant, ante.
ignorar (igh) Ignorer (ño).
ignoto, ta Inconnu, ue.
igual (goual) Égal, e [idéntico]. Semblable (saⁿ) [semejante].
igualar Égaler. Égaliser [hacer igual]. Vr Se concerter*.
igualdad Égalité.
iguana (goua) Iguane (üan).
ijada (ja) f, ijar (jar) m. Flanc (flaⁿ) m.
ilación Suite (süit).
ilegal Illégal (il-le), e.
ilegalidad Illégalité (il-le).
ilegible (ji) Illisible.
ilegitimo, ma Illégitime (l-l).
ileso, sa Sain et sauf.
ilícito, ta Illicite (il-li).
ilimitado, da Illimité, ée.
ilógico, ca Illogique (il-lo).
ilota Ilote (ilot).
iluminación Illumination.
iluminar (lou) Illuminer (il-lü). Enluminer [estampa]. Fig. Éclairer [espíritu].
ilusión Illusion (il-lüsioⁿ).
ilusionar Illusionner.
ilusionista Illusionniste.
iluso, sa Illusionné, ée.
ilusorio, ria Illusoire (il-lüsuar).
ilustración Illustration.
ilustrador Illustrateur.
ilustrar (lous) Illustrer.
ilustre (iloustré) Illustre (il-lüstr).
ilustrísimo Illustrissime.
imagen (jèn) Image (aj). Statue [estatua].

imaginación Imagination.
imaginar (ji) Imaginer (ji).
imaginario, ria Imaginaire.
imaginería Imagerie (ajrí).
imán (àn) Aimant (èmaⁿ).
imanar Aimanter.
imbécil (iⁿ) Imbécile (iⁿ-íl).
imbecilidad Imbécillité.
imberbe Imberbe (iⁿberb).
imbricado, da Imbriqué, ée.
imbuido, da Imbu, e (iⁿbü).
imitación Imitation.
imitador, ra Imitateur, trice.
imitar Imiter.
impaciencia Impatience.
impacientar Impatienter.
impalpable Impalpable.
impar (in) Impair, e (iⁿpèr).
imparcial Impartial, e (sial).
impasible (inpass) Impassible.
impávido, da Intrépide.
impecable Impeccable (kabl).
impedimento Empêchement.
impedir* Empêcher (ché).
impeler (in) Pousser (pusé).
impenetrable Impénétrable.
impenitente (tèn) Impénitent, e.
impensado, da Inopiné, ée.
imperar (inpér) Régner.
imperativo, a Impératif, ve.
imperceptible Imperceptible.
imperdible m Épingle [f] de nourrice.
imperdonable Impardonnable.
imperecedero, ra Impérissable.
imperfección Imperfection.
imperfecto, ta Imparfait, te.
imperial Impérial.
impericia Impéritie (sí).
imperio Empire (aⁿpir).
imperioso, sa Impérieux, euse.

impermeable Imperméable.
impersonal Impersonnel, elle.
impertérrito Imperturbable.
impertinencia Impertinence.
impertinente Impertinent.
imperturbable Imperturbable.
impetu (im) m Impetuosité f.
impetuoso, a Impétueux, se.
impiedad (da) Impiété (i^n).
impío, a (ín) Impie ($i^n pi$).
implacable Implacable (abl).
implicar (ìn) Impliquer (i^n).
implícito, ta Implicite (i^n).
implorar Implorer.
impolítico, ca Impoli, ie.
imponderable Impondérable.
imponer* (ìn) Imposer.
impopular Impopulaire.
importación Importation.
importancia Importance.
importante Important, e.
importar Vi. Importer, avoir de l'importance: No importa, cela n'a pas d'importance. Vt. Comporter. Com. Importer.
importe Montant ($mo^n ta^n$).
importunar Importuner.
importuno Importun.
imposibilidad Impossibilité.
imposibilitar Empêcher (a^n).
imposible Impossible (sibl).
imposición Imposition.
impostor (ìn) Imposteur.
impostura Imposture (tür).
impotencia Impuissance.
impotente (tèn) Impotent, e.
impracticable Impraticable.
imprecación Imprécation.
impregnar Imprégner (ñé).
imprenta (èn) Imprimerie.
imprescindible Indispensable.
impresión Impression.

impresionar Impressionner.
impreso (esso) Imprimé (i^n).
impresor Imprimeur (mœr).
imprevisión Imprévoyance.
imprevisto, ta Imprévu, ue.
imprimir (ìn) Imprimer (i^n).
improbable Improbable.
ímprobo, ba Ingrat, e [travail].
improductivo Improductif.
improperio m Injure f.
impropiedad Impropriété.
impropio, a Impropre ($i^n propr$).
improvisación Improvisation.
improvisar Improviser (sé).
improviso, sa Imprévu, vue. De improviso, a l'improviste.
imprudencia (prou) Imprudence.
imprudente Imprudent, te.
impúber Impubère ($i^n püber$).
impudencia Impudence.
impudente Impudent, e.
impúdico, ca Impudique.
impuesto (oues) Impôt.
impugnar (ough) Attaquer.
impulsar (ìn) Pousser.
impulso m Impulsion f.
impune (ìnpou). Impuni, ie.
impunidad (da) Impunité.
impureza (pou) Impureté.
impuro, a (ìnpou) Impur, e.
imputar Imputer ($i^n püté$).
inacabable Interminable.
inaccesible Inaccessible.
inacción Inaction.
inaceptable Inacceptable.
inactivo, va Inactif, ive.
inadmisible Inadmissible.
inadvertencia Inadvertance.
inadvertido Inaperçu (sü).
inagotable Inépuisable (püi).
inalterable Inaltérable.

inamovible Inamovible.
inanición Inanition.
inanimado, da Inanimé, ée.
inapreciable Inappréciable.
inaudito (aou) Inouï (nuï).
inauguración Inauguration.
inaugurar Inaugurer (ogǔré).
incandescencia Incandes-
cence.
incandescente Incandescent.
incansable (ln) Infatigable.
incapacidad Incapacité.
incapaz (az) Incapable (abl).
incautarse Réquisitionner.
incauto, ta Imprudent, ente.
incendiar Incendier*.
incendiario, a Incendiaire.
incendio Incendie (insandí).
incensario (inzèn) Encensoir
(ansansuar).
incentivo Stimulant (mülan).
incertidumbre Incertitude.
incesto Inceste (insest).
incidente Incident.
incienso Encens (ansan).
incierto, ta Incertain, ne.
incinerar Incinérer*.
incipiente Commençant, e.
incisión Incision.
incisivo, va Incisif, ive. M
Incisive f [diente].
inciso m Incise (insis) f.
incitar Inciter.
inclemente Inclément, te.
inclinación Inclination. Inclinaison (nèson), pente
(pant) [pendiente].
ínclito, ta Illustre (ilüstr).
incluír* (ln) Inclure (ür).
inclusa Hospice des enfants
trouvés.
inclusero Enfant trouvé.
inclusive Inclusivement.
incluso, sa Inclus, e, ci-
inclus, e [contenido]. Y

compris [inclusive]. Même
[hasta].
incógnito, ta (gh) Inconnu, e.
De incógnito, incognito. F
Inconnue (inkonü).
incoherencia Incohérence.
incoherente Incohérent, ente.
incoloro, ra Incolore.
incólume Sain et sauf.
incombustible Incombustible.
incomodar Incommoder. Fâ-
cher [disgustar].
incomodidad Incommodité.
incómodo, da Incommode.
incomparable Incomparable.
incompatible Incompatible.
incompetente Incompétent, e.
incompleto, a Incomplet, ète.
incomprensible (prèn) In-
compréhensible (ansibl).
incomunicar Isoler. Mettre*
au secret [presos].
inconcebible Inconcevable.
inconcuso, sa Indiscutable.
incondicional Sans condition.
inconfesable Inavouable (vu).
inconfeso Qui n'a pas avoué.
incongruente Incongru, ue.
inconsciente Inconscient, te.
inconsiderado Inconsidéré.
inconsolable Inconsolable.
inconstancia Inconstance.
incontestable Incontestable.
incontrastable Irréfutable.
inconveniente (ièn) Inconvé-
nant, e. M Inconvénient.
incorporar Incorporer. Vr
S'asseoir (sasuar).
incorrección Incorrection.
incorrecto, ta Incorrect, e.
incorregible Incorrigible.
incorruptible Incorruptible.
incredulidad Incrédulité.
incrédulo, la Incrédule (dül).
increíble Incroyable (iabl).

incremento Accroissement.
increpar (ln) Gronder.
incriminar Incriminer.
incrustación Incrustation.
incrustar (ous) Incruster.
incubación Incubation.
incubadora Couveuse (ku-
vœs).
inculcar Inculquer.
inculpación Inculpation.
inculpar (koul) Inculper.
inculto, ta (koul) Inculte.
incumbencia Obligation.
incumbir Incomber (iⁿkoⁿbé).
incunable Incunable.
incurable Incurable.
incuria Incurie, négligence.
incurrir Commettre* [falta].
    Encourir (aⁿku) [castigo].
incursión (kour) Incursion.
indagación Recherche.
indagar (ln) Rechercher (rœ).
indebido, da Indu, ue (iⁿdü).
indecencia (zèn) Indécence.
indecente Indécent, te (saⁿ).
indecible Indicible.
indecisión Indécision.
indeciso, sa Indécis, ise.
indecoroso, sa Malséant, te.
indefenso, sa Sans défense.
indefinible Indéfinissable.
indefinido, da Indéfini, ie.
indeleble Indélébile.
indemne (m) Indemne (iⁿ).
indemnización Indemnité.
indemnizar Indemniser.
independencia Indépendance.
independiente Indépendant.
indestructible Indestructible.
indeterminado, da Indéterminé.
indiano, na Indien, enne.
indicación Indication.
indicador, ra Indicateur,
trice.

indicar Indiquer.
indicativo,   va   Indicatif,
ive.
índice Indice (indis). Index
[tabla, manecilla, dedo].
indicio Indice (iⁿdís).
índico, ca Indien. enne.
indiferencia Indifférence.
indiferente Indifférent, e.
indígena Indigène.
indigencia Indigence (jaⁿs).
indigente Indigent, ente.
indigestión Indigestion.
indigesto, ta Indigeste (jest).
indignación (gh) Indigna-
tion.
indignar (ln) Indigner.
indignidad (gh) Indignité.
indigno, na Indigne (iⁿdñ).
índigo (ln) Indigo (iⁿ).
indio, dia Indien, enne.
indirecto, ta Indirect, te.
indisciplina Indiscipline.
indiscreción Indiscrétion.
indiscreto, ta Indiscret, ète.
indiscutible Indiscutable.
indisoluble Indissoluble.
indispensable Indispensable.
indisponer* Indisposer.
indisposición Indisposition.
indistinto, ta Indistinct, te.
individual Individuel, elle.
individuo (ln) Individu (iⁿ).
indiviso, sa Indivis (vi), se.
indócil Indocile.
indocto, ta Ignorant, ante.
índole (ln) f Caractère m.
indolente (ln) Indolent (laⁿ).
indomable Indomptable.
indómito, ta Indompté, ée.
inducción Induction.
inducir* (dou) Induire*.
indudable Indubitable.
indulgencia Indulgence.
indulgente Indulgent, e.

indultar (doul) Gracier.
indulto (oul) m Grâce (as) f.
indumentaria f Costume m.
industria (ous) Industrie (üs).
industrial Industriel, elle.
industriarse S'ingénier* (je).
industrioso, a Industrieux, se.
inédito, ta Inédit, e.
inefable Ineffable.
ineficaz (kaz) Inefficace.
inenarrable Inénarrable.
inepcia Ineptie (sí).
inepto, ta Inepte (ept).
inequívoco, ca Inéquivoque.
inercia Inertie (sí).
inerte (té) Inerte (ert).
inesperado, da Inespéré, ée.
inestable Instable (instabl).
inestimable Inestimable.
inevitable Inévitable.
inexactitud Inexactitude.
inexacto, ta Inexact, te (xa).
inexcusable Inexcusable.
inexistente Inexistant, te.
inexorable Inexorable.
inexperiencia Inexpérience.
inexperto Inexpérimenté.
inexplicable Inexplicable.
inexplorado Inexploré.
inexpugnable Inexpugnable.
inextinguible Inextinguible.
inextricable Inextricable.
infalible Infaillible (faïbl).
infamatorio, ia Infamatoire.
infancia (ínfàn) Enfance.
infante, ta Infant, te. M
    Fantassin [soldado].
infantería Infanterie (in).
infanticida (ínfàn) Infanti-
    cide.
infanticidio Infanticide (in-
    fantisid).
infantil Enfantin (fantin).
infatigable Infatigable.
infatuar Infatuer (in-tué).

infausto, ta Malheureux,
    euse.
infección Infection.
infeccioso, sa Infectieux, se.
infectar (in) Infecter* (in).
infecto, ta Infect, te.
infelicidad f Malheur m.
infeliz Malheureux, euse.
infernal Infernal, ale.
infestar (in) Infester*.
inficionar Infecter* (in).
infidelidad Infidélité.
infiel Infidèle (infidel).
infierno (in) Enfer (an).
infinitivo Infinitif.
infundado, da Mal fondé, ée.
infundir (in) Inspirer (ins).
infusión Infusion.
infuso, sa (in) Infus, e.
ingeniarse (in) S'ingénier*.
ingeniero Ingénieur (i).
    Génie sing.
ingenio (injé) m Génie (jení).
    Esprit (pri) [talento]. En-
    gin (anjin) [máquina]. Su-
    crerie f [de azúcar].
ingenioso, sa Ingénieux,
    euse.
ingente (injèn) Énorme.
ingenuo, a Ingénu, ue (jénü).
ingle (inglé) Aine (ène).
ingratitud Ingratitude.
ingrato, a Ingrat, e (gra).
ingrediente Ingrédient.
ingresar (in) Entrer (an).
ingreso m Entrée (antré) f.
ingurgitar (in-ji) Ingurgiter.
inhábil (ina) Inhabile.
inhabitado, da Inhabité, e.
inhalación Inhalation (ina).
inherente (rèn) Inhérent.
inhospitalario Inhospitalier.
inhumación Inhumation.
inhumano, a (inou) Inhu-
    main, e.

inhumar Inhumer (inu).

iniciación Initiation.

inicial Initial, e (sial).

iniciar Initier.

iniciativa Initiative.

inicuo, a (kouo) Inique (nik).

inimaginable Inimaginable.

inimitable Inimitable (abl).

ininteligible (inin-ji) Inintelligible (ininteligibl).

iniquidad (kida) Iniquité.

injertar (jer) Greffer (té).

injerto (jer) m Greffe (ef) f.

injuria (injou) Injure (jür).

injuriar Injurier.

injurioso, sa Injurieux, euse.

injusticia Injustice (tís).

injustificado Injustifié.

injusto, ta Injuste (injüst).

inmaculado, a Immaculé, ée.

inmanente Immanent, e.

inmaterial Immatériel, elle.

inmediaciones (inmé) fpl. Environs (anviron) mpl.

inmediato, a Immédiat, ate.

inmejorable Parfait, e.

inmensidad (in-mèn) Immensité (im-man).

inmenso, sa Immense (mans).

inmerecido, da Immérité, ée.

inmersión Immersion.

inmigración Immigration.

inmigrante Immigrant, ante.

inminencia Imminence (im-).

inminente (èn) Imminent, ente.

inmoderado, da Immodéré, ée.

inmodesto, ta Immodeste.

inmolar Immoler (im-mo).

inmortal Immortel, elle.

inmortalidad Immortalité.

inmortalizar Immortaliser.

inmóvil Immobile (im-mo).

inmovilidad Immobilité.

inmueble (inmoueblé) Immeuble (im-mœbl).

inmundicia Immondice.

inmundo Immonde.

inmune (mou) Immunisé, ée.

inmunidad Immunité (mü).

inmunizar Immuniser.

inmutable Immuable (im-muabl).

inmutar Troubler, altérer*.

innato, ta (in) Inné, ée.

innecesario, ria Inutile (nü).

innegable Indéniable.

innovar Innover (in-no).

innumerable (in) Innombrable.

inocencia Innocence (sans).

inocente (zèn) Innocent, ente.

inocular (nou) Inoculer (kü).

inodoro, ra Inodore. M Tout à l'égout (tutalegú).

inofensivo, va Inoffensif, ve.

inolvidable Inoubliable (inu).

inopia Indigence (in-jans).

inoportuno, a Inopportun, e.

inquebrantable Inébranlable.

inquietar Inquiéter (inkié).

inquieto, ta Inquiet, ète. Agité, ée [agitado].

inquietud (tou) Inquiétude.

inquilino, na (ki) Locataire.

inquina Haine (ène).

inquirir* (ki) S'enquérir*.

inquisición Inquisition.

inquisidor Inquisiteur.

inquisitorial Inquisitorial.

insaciable (zia) Insatiable.

insalubre (in-lou) Insalubre.

insania Insanité, folie.

inscribir* Inscrire*.

inscripción Inscription.

insecticida Insecticide.

insecto (in) Insecte (insekt).

inseguro, ra Incertain, e.

insensatez Folie (lí).

insensato, ta Insensé, ée.

insensibilidad Insensibilité.

insensible Insensible (i^nsan).

inseparable Inséparable.

inserción Insertion.

insertar Insérer*.

inservible Inutilisable.

insidioso, sa Insidieux, euse.

insigne (ghné) Insigne (iñ).

insignia Insigne.

insignificante Insignifiant, e.

insinuar (i^n-ouar) Insinuer.

insípido, da Insipide.

insistencia Insistance.

insistente Insistant, ante.

insistir (ln) Insister (i^n).

insociable Insociable.

insolación Insolation.

insolencia Insolence (la^{n}s).

insolente (lèn) Insolent, e.

insólito, ta Insolite.

insoluble Insoluble (lübl).

insolvente (vèn) Insolvable.

insomnio (ln) m Insomnie f.

insondable Insondable.

insoportable Insupportable.

inspección Inspection.

inspector, ra Inspecteur, trice.

inspiración Inspiration.

inspirar Inspirer. Vr. Inspirarse en, s'inspirer de.

instalación Installation.

instalar Installer (i^nstalé).

instancia Instance.

instantáneo, a Instantané, ée.

instante (instàn) Instant (i^n).

instar (ins) Presser (presé).

instigación Instigation.

instintivo, va Instinctif, ive.

instinto (ln) Instinct (i^n).

institución Institution.

instituir* Instituer.

instituto Institut (tü). Lycée (lisé) [colegio].

institutor, ra (ins-tou) Instituteur (i^ns-tütœr), trice.

instrucción Instruction.

instructivo, va Instructif, ve.

instructor Instructeur.

instruir* Instruire*.

instrumento Instrument.

insubordinado Insubordonné.

insuficiente Insuffisant, e.

insufrible Insupportable.

ínsula (ínsou) Ile (il).

insular (insou) Insulaire.

insulso, sa (soul) Fade (fad).

insultar (insoul) Insulter.

insulto (insoul) m Insulte f.

insuperable Insurmontable.

insurgente (jèn) Insurgé, ée.

insurrección Insurrection.

insurrecto Insurgé.

intacto, ta (ln) Intact, acte.

intachable Irréprochable.

intangible (jí) Intangible.

integral Intégral, ale.

integrar Intégrer* [mat.]. Fig. Former, composer.

integridad Intégrité.

íntegro, gra (ln) Intègre (i^n).

intelectual Intellectuel, elle.

inteligencia Intelligence.

inteligente Intelligent (teli).

inteligible Intelligible.

intemperie Intempérie.

intempestivo Intempestif.

intención Intention (i^nta^n).

intencional Intentionnel.

intendente Intendant (i^nta^n).

intensidad Intensité.

intenso (intén) Intense (an^s).

intentar (ln) Intenter (i^n). Tenter, essayer [probar].

intento (tèn) Essai (esè).

intercalar Intercaler.

interceder Intercéder*.

interceptar Intercepter.

intercesión Intercession.

interdicción Interdiction.
interés (in) Intérêt (in-rè).
interesante Intéressant, te.
interesar Intéresser.
interfecto, ta Victime f.
interin En attendant (aᵑna-
  (aᵑdaᵑ). M Intérim.
interino, na Intérimaire.
interior (in) Intérieur, e.
interjección (j) Interjection.
interlocutor Interlocuteur.
intermediario Intermédiaire.
intermedio, dia Intermé-
  diaire. M Intermède.
interminable Interminable.
intermitente Intermittent, e.
  M Clignotant [auto].
internacional International.
internar Interner.
interno, na Interne (intern).
interpelación Interpellation.
interpelar Interpeller (pelé).
interponer* Interposer.
interpretar Interpréter*.
intérprete Interprète (et).
interrogación Interrogation.
interrogar (in) Interroger.
interrogatorio Interrogatoire.
interrumpir Interrompre.
interrupción Interruption.
intersección Intersection.
intersticio Interstice.
intervalo Intervalle (val).
intervención Intervention.
intervenir* Intervenir*.
interventor Contrôleur.
intestinal Intestinal, ale.
intestino, na Intestin, ine.
intimidar Intimider.
íntimo, ma Intime (in).
intolerable Intolérable.
intoxicar Intoxiquer.
intranquilo, la Inquiet, ète.
intransigente Intransigeant.
intratable Intraitable.

intrépido, da Intrépide.
intriga (in) Intrigue (iᵑtrig).
intrigante Intrigant, ante.
intrincado, a Embrouillé, ée.
introducción Introduction.
introducir* Introduire*.
intuición (tou) Intuition.
inundación Inondation.
inundar (oun) Inonder (oᵑ).
inútil (nou) Inutile (inútil).
inutilidad Inutilité.
invadir Envahir (aᵑvair).
inválido, da Invalide.
invariable Invariable.
invasión Invasion (iᵑ-sioᵑ).
invasor (in) Envahisseur.
invectiva Invective.
invencible Invincible (iᵑ).
invención Invention.
inventar (invèn) Inventer.
inventario Inventaire (aᵑtèr).
invento m Invention (iᵑvaᵑ) f.
inventor, ra Inventeur, trice.
invernáculo m Serre (ser) f.
invernar* Hiverner*.
inverosímil Invraisemblable.
inversión Inversion.
inverso, sa Inverse (iᵑvers).
invertir* Invertir [simétrica-
  mente]. Inverser, renverser
  [cambiar de dirección]. Investir, employer* [emplear].
investigación Investigation.
investigar Rechercher.
inveterado, da Invétéré, ée.
invierno (in) Hiver.
invisible (in) Invisible (ibl).
invitación Invitation (iᵑ).
invitar Inviter.
invocación Invocation.
invocar Invoquer (ké).
involuntario, a Involontaire.
invulnerable Invulnérable.
inyección Injection.
inyectar Injecter.

ir* Aller*. Avec un gérondif, indique qu'une action se réalise ou est à son commencement : *iba diciendo*, je disais ; *iba anocheciendo*, il commençait à faire nuit. *Ir a* [con un infinitivo], aller : *voy a salir*, je vais sortir. *Ir por*, aller chercher ; *ir por agua*, aller chercher de l'eau. *Ir de*, être* en : *ir de levita*, être en redingote. *Vr* S'en aller*. *Allá se va*, cela revient au même. *¡Vamos! ¡Vaya!* Allons !

ira Colère (ler).

iracundo, da Irascible.

iris Iris. Arc-en-ciel [arco].

irisar Iriser.

ironía Ironie.

irónico, ca Ironique (nik).

irracional Irrationnel. *M* Animal, bête *f*.

irradiar Irradier.

irrealizable Irréalisable.

irrecusable Irrécusable.

irreductible Irréductible.

irreflexión Irréflexion.

irregular Irrégulier.

irreligión Irréligion (jioⁿ).

irreligioso, a Irréligieux, se.

irremediable Irrémédiable.

irreparable Irréparable.

irreprensible Irrépréhensible.

irresistible Irrésistible.

irresoluto, ta Irrésolu, e.

irrespetuoso Irrespectueux.

irrespirable Irrespirable.

irresponsable Irresponsable.

irreverencia Irrévérence.

irrigación Irrigation.

irrisión Dérision.

irrisorio, ria Dérisoire.

irritable (rri) Irritable.

irritación Irritation (ri).

irritar Irriter.

irrupción Irruption.

isla Île (il).

isleño, ña Insulaire (iⁿsü).

israelita Israélite.

istmo Isthme (ism).

italiano Italien.

itinerario Itinéraire (rer).

izar (zar) Hisser (isé).

izquierdo, ria de Gauche : *a la izquierda*, à gauche. *F* Gauche [política].

J

jabalí (ja) Sanglier (saⁿ).

jabalina (ja) Javeline (jav).

jabato (ja) Marcassin (siⁿ).

jabeque *m* Balafre *f* [herida].

jabón (jaboⁿ) Savon (voⁿ).

jaboncillo *m* Savonnette *f*.

jabonera (ja) Savonnerie.

jabonoso, sa Savonneux, euse.

jaca (ja) *f* Bidet (dè) *m*.

jácara (ja) Romance (romaⁿs).

jacarandoso Joyeux (juaïœ).

jaco (ja) Bidet (dè).

jactancia (ja) Jactance (ja).

jactancioso, a Bavard, e.

jaculatoria (ja) Jaculatoire.

jade (jadé) Jade (jad).

jadear (ja) Haleter* ('alté).

jaez (ja) Harnais ('arnè).

jaguar (jagouar) Jaguar (ja).

jalbegar (jal) Crépir.

jalea (jaléa) Gelée (jœlé).

jalear Exciter. Applaudir.

jaleo (jaléo) Applaudissement, exclamation f. Vacarme, chahut : *meter jaleo*, faire du chahut.

jalón (jalón) Jalon (jalon).

jamás Jamais.

jamba f Jambage (janbaj) *m*.

jamelgo (ja) *m* Rosse (ros) f.

jamón Jambon.

jamugas (ja) fpl Cacolet *m*.

jaque (jaké) Échec. Bravache (vach) [matón].

jaqueca (jaké) Migraine.

jara (jara) f Ciste (sist) *m*.

jarabe (jara) Sirop (ro).

jaral (ja) *m* Lande (land) f.

jarana f Amusement (man) *m*.

jarcia (jarzia) f Cordage *m*.

jardín (ja) Jardin.

jardinero, ra Jardinier, ère.
   F Baladeuse [tranvía].

jareta (ja) Coulisse (kulís).

jarope Breuvage (brœvaj).

jarra (jarra) Jarre (jar).

jarrete (ja) Jarret (jarè).

jarro (jarro) Pot (po).

jarrón (jarrôn) Vase (vas).

jaspe (jaspé) Jaspe (jasp).

jaspear (ja) Jasper (pé).

jauja (jaouja) Cocagne (kañ).

jaula (jaoula) Cage (kaj).

jauría (jaou) Meute (mœt).

jayán (jayán) Géant (jean).

jazmín Jasmin (jasmín).

¡ je! (jé) Eh!

jebe (jébé) Alun (alun). *Am.* Caoutchouc (kautchu).

jedive (jé) Khédive (kedív).

jefatura (jé) f Direction.

jefe (jéfé) Chef.

jenjibre (jènji) Gingembre.

jerarquía (jé) Hiérarchie.

jerárquico, ca Hiérarchique.

jerga (jer) Grosse toile. Jargon (jargon) [habla].

jergón *m* Paillasse f.

jerife (jérifé) Chérif.

jerigonza f Jargon (gon) *m*.

jeringa (jérin) Seringue.

jeringar Fam. Ennuyer.

jeringuilla (jé) Seringa.

jeroglífico, ca Hiéroglyphe.
   Rébus (üs) [adivinanza].

jersey Pull-over.

jesuita (jésouita) Jésuite.

Jesús Jésus.

jeta (jé) f Museau (müso) *m*. Moue (mu) [mueca].

jíbaro (ji) Paysan cubain.

jibia (ji) Seiche (sèch).

jícara (ji) Tasse (tas).

jifero (ji) Boucher (buché).

jigote (ji) Brouet (brué).

jilguero Chardonneret.

jindama Fam. Frousse.

jinete (jinété) Cavalier.

jipijapa (ji) Panama.

jira (ji) f Haillon (aion) *m*. Partie de campagne.

jirafa (ji) Girafe (ji).

jirón (jirón) Lambeau (bo).

jocoso, sa (jo) Plaisant, e.

jofaina (jofaí) Cuvette (kü).

jondo (jón) Se dit d'un chant populaire andalou.

jónico, ca (jo) Ionien, enne.

jornada (jor) f Voyage *m*. Journée [de trabajo].

jornal m Journée f [salario].

jornalero Journalier.

joroba (joro) Bosse (bos).

jorobado, da Bossu, ue.

jorobar Fam. Ennuyer.

jota (jo) J [letra]. Danse populaire aragonaise.

joven (jovèn) Jeune (jœne).
   Mf Jeune homme, jeune fille.

jovial (jo) Jovial (jo).

joya (joya) f Bijou (bijú) *m*.

joyería (joye) Bijouterie.

joyero Bijoutier (bijutié).

juanete (jouα) *m* Pommette *f.*

jubete (jou) Pourpoint (puiⁿ).

jubilar (jou) Retraiter (retreté) [trabajador]. Jubiler [regocijarse]. *Vr* Prendre* sa retraite.

júbilo (jou) *m* Joie (juá) *f.*

jubiloso, sa Joyeux, euse.

juhón (jou) Pourpoint (puiⁿ).

judería Juiverie (jüivri).

judía *f* Haricot ('αriko) *m.*

judicial Judiciaire.

judío, a Juif, ive (jüif, ív).

juego (joué) Jeu (jœ). Service [té, café, etc.]. Train (triⁿ) [coche]. Jeu, mouvement [de un mecanismo]. *Hacer* juego, faire* pendant [dos objetos].

juerga (jouer) Fête (fet).

jueves (jouévès). Jeudi (jœ).

juez (jouez) Juge (jüj).

jugada (jou) *f* Coup (ku) *m* [juego]. Tour (tur) *m* [mala pasada].

jugador, ra Joueur, euse.

jugar (jou) Jouer (jué).

juglar (jou) Jongleur (joⁿ).

jugo (jou) Jus (jü).

jugoso, sa Juteux, euse.

juguete (jou) Jouet (juè).

juguetear (jou) Jouer (jué).

juguetón, ona Joueur, euse.

juicio (joui) Jugement. Jui-

cio final, jugement dernier.

juicioso, sa Judicieux, euse. Raisonnable; sage [niños].

julepe (jou) Julep (jü).

jumento (joumèn) Âne (anⁿ).

juncia *f* Souchet *m.*

junco (joun) Jonc (joⁿ).

junio (jou) Juin (jüiⁿ).

junquillo (jounkilho) *m* Jonquille (joⁿkíie) *f.*

junta (joun) Junte (jünt) [asamblea]. Réunion (reüniⁿ). Joint (juiⁿ) *m* [intervalo].

juntar (joun) Joindre* (juiⁿdr), réunir.

junto, ta (joun) Joint, e (juiⁿ). Réuni: *vivir juntos,* vivre ensemble. *Junto a,* près de.

juntura (jou) Jointure (tür).

jura (jourα) Serment *m.*

jurado (jou) Jury (jüri).

juramento Serment; jurement. Juron [blasfemia].

jurar (jou) Jurer (jüré).

jurídico, ca Juridique.

jurisprudencia Jurisprudence.

justa (jous) Joute (jut).

justicia (jous) Justice.

justificar Justifier*.

justo, ta (jous) Juste (jüst).

juvenil (jou) Juvénile.

juventud (jou) Jeunesse (jœ).

juzgado (jouz) Tribunal.

juzgar (jouz) Juger* (jüjé).

K

kaolín Kaolin (liⁿ).

kilogramo Kilogramme.

kilómetro Kilomètre.

kiosko Kiosque (kiosk).

L

la La.

laberinto Labyrinthe (riⁿt).

labia Bagout (bagu).

labio m Lèvre f.

labor f Ouvrage (uvraj). Labeur (bœr) m [trabajo penoso]. Labour (bur) m [agrícola].

laborable Labourable. Ouvrable [día].

laboratorio Laboratoire.

laborear Travailler (vaié).

laboreo Travail (vai).

laborioso, sa Laborieux, euse.

labrador, ra Cultivateur, trice.

labranza (ànza) f Labour m.

labrar Ouvrer (uvré), travailler (vaié). Cultiver [tierra]. Fig. Faire, causer.

labriego, ga Paysan, anne.

laca Laque (lak).

lacayo (yo) Laquais (kè).

lacerar Lacérer*.

lacería (zéria) Misère (ser).

lacio, a Fané, ée. Plat (pla), e [cabello].

lacónico, ca Laconique (nik).

laconismo Laconisme.

lacre m Cire [f] à cacheter.

lacrimal Lacrymal.

lacrimoso, sa Larmoyant (uaian).

lactancia f Allaitement m.

lactar Allaiter (alté).

lácteo, a Lacté, ée.

lacticinio Laitage (lètaj).

láctico, ca Lactique (tik).

lacustre Lacustre.

ladear Pencher (paⁿché).

ladeo m Inclinaison (nèsoⁿ) f.

ladera f Versant (saⁿ) m.

ladilla (lha) f Pou m.

ladino, na Malin, igne.

lado Côté. Al lado, à côté. Dar* de lado, mettre* de côté. Hacerse* a un lado, laisser la place.

ladrar Aboyer* (abuaié).

ladrido Aboiement (abuamaⁿ).

ladrón, na Voleur, euse. Interj. ¡Ladrones! Au voleur!

ladronera f Repaire [m] de voleurs.

lagar Pressoir (suar).

lagartija f Petit lézard m.

lagarto Lézard (zar).

lago Lac (lak).

lagotería Flatterie (flatri).

lágrima Larme (larm).

lagrimear Larmoyer* (muaié).

lagrimeo Larmoiement.

laguna Lagune. Lacune [vacío en un texto].

laico, ca (laï) Laïque (ik).

lambrequín (in) Lambrequin.

lamedura f Léchage (chaj) m.

lamentable (èn) Lamentable.

lamentación Lamentation.

lamentar Lécher (aⁿ).

lamento m Lamentation f.

lamer Lécher* (lé).

lámina Lame. Planche [grabada]. Image [grabado].

laminador Laminoir (nuar).

laminar Laminer.

laminilla (ilha) Lamelle (el).

lámpara (làn) Lampe (laⁿp).

lamparero Lampiste.

lamparilla Petite lampe. Veilleuse (veiœs) [mariposa].

lamparín Lampadaire (der).

lamparón m Grande tache f.
Pl Écrouelles (ekruel) fpl.

lampiño, ña (gno) Glabre.
Imberbe [sin barba].

lampo (làn) Éclair (kler).

lamprea Lamproie (pruá).

lana Laine (lèn·).

lanar à laine [ganado].

lance m Situation f. Coup
(ku) [juegos], Passe f [toros]. De lance, d'occasion.

lanceolado, da Lancéolé, ée.

lancero m Lancier (la^n).

lanceta Lancette (set).

lancinante Lancinant, e.

lancha (làncha) Barque.
Dalle (dal) [piedra].

landó Landau (la^ndo).

landre (làn) Glande (a^nd).

landrecilla Noix (nua).

lanería f Lainage (lènaj) m.

lanero, ra Lainier, ère.

langosta Langouste (gust)
[marina]. Sauterelle [insecto].

langostín m Langoustine f.

languidecer* (làn) Languir.

languidez (ghi) Langueur.

lánguido, da Languissant, e.

lanoso, sa Laineux, euse.

lanza (lànza) Lance (la^ns).
Timon (o^n) m [carros.].

lanzada f Coup [m] de lance.

lanzadera Navette (navèt).

lanzador, ra Lanceur, euse.

lanzamiento Lancement.

lanzar Lancer*. Vr Se lancer*. S'élancer* [precipitarse].

laña f Crampon (kra^npo^n).

lañador Raccommodeur de vaisselle.

lapa Patelle (tel) [molusco].

lapicero (zéro) Porte-mine.

lápida Dalle (dal).

lapidar Lapider.

lapislázuli Lapis-lazuli.

lápiz (piz)· Crayon (eio^n).

lapo Coup (ku).

lapón, na (òn) Lapon, onne.

lapso Laps.

lar Lare [dios pl. casa].

lardo Lard (lar).

largar Larguer [cable]. Lâcher [soltar]. Vr Se sauver.

largo, ga Long (lo^n), longue.
Large (larj) [liberal]. M
Long (lo^n), longueur (lo^n-
ghœr). A la larga, à la
longue. A lo largo de, le
long de. Dar* largas, faire*
traîner.

larguero (ghé) Montant (ta^n).

largueza (ghéza) Largesse.

larguirucho, cha Trop long.

laringe (rinjé) f Larynx m.

laringitis Laryngite (ri^njit).

larva Larve.

las Les.

lasca f Éclat [m] de pierre.

lascivo, va Lascif, ive.

lasitud Lassitude.

lástima Pitié (tié) : dar lástima, faire pitié. ¡Qué
lástima! Quel dommage!

lastimar Blesser.

lastimero, ra Plaintif, ive.

lastimoso, sa Triste, malheureux (lœræ), euse.

lastrar Lester.

lastre Lest.

lata f Fer-blanc (bla^n) m.
Boîte (buat) f [recipiente].
Fam. Dar la lata, barber.

latente (èn) Latent, te.

lateral Latéral, ale.

latido Battement (batma^n).

latigazo Coup de fouet.

látigo Fouet (fué).

latín (ìne) Latin (ìn).

latino, na Latin, íne.

latir Battre* [corazón]. Glapir [perro].

latitud (tou) Latitude (tüd).

lato, ta Large (larj).

latón Laiton (lèton).

latoso, sa Assommant, e.

laúd (laoud) Luth (lüt).

laudable (laou) Louable.

láudano Laudanum (nom).

laudar (laou) Louer (lué).

laudatorio, ria Laudatif, ive.

laudes (laoudès) Laudes.

laudo Arbitrage.

laureado Lauréat (lorea).

laurel (laou) Laurier (lo).

lava Lave.

lavabo Lavabo.

lavadero Lavoir (vuar).

lavado Lavage (vaj).

lavador, ra Laveur, euse.

lavamanos m Cuvette (vet) f.

lavandera (àn) Blanchisseuse.

lavándula Lavande.

lavar Laver.

lavativa f Lavement m.

lavatorio Lavement (lavman).

lavazas pl Lavasse (vas) sing.

lavotear Mal laver.

laxante Laxatif, ive.

laxitud Laxité.

laya (ya) Qualité (ka). Bêche (bèch) [agricultura].

lazada f Nœud (nœ) m.

lazareto Lazaret (rè).

lazarillo Conducteur d'aveugle.

lazo Nœud (nœ) Lasso [nudo corredizo]. Fig. Piège. Pl. Entrelacs (la) [ornamento].

le Lui: le hablé, je lui parlai. Le: le vi, je le vis.

leal Loyal, e (lualal).

lebrato Levraut (lœvro).

lebrel Chien courant.

lebrillo m Terrine (rine) f.

lección Leçon (lœson).

lector, ra Lecteur, trice.

lectura Lecture.

lechada Lait [m] de chaux.

leche (ché) f Lait (lè) m.

lechería Laiterie.

lechero, ra Laitier, ère.

lechigada Portée.

lecho (cho) Lit (li).

lechón Cochon de lait (chon).

lechoso, sa Laiteux, euse.

lechuga Laitue (lètü).

lechuguilla Fraise [adorno].

lechuguino Fam. Gommeux.

lechuza (chou) Chouette.

ledo, da Gai, gaie (ghè).

leer* Lire*.

legación Légation.

legado Legs (lè) [donación].

Légat (ga) [enviado].

legajo m Liasse f.

legal Légal.

legalidad Légalité.

legalizar Légaliser.

légamo m Boue (bu) f.

legaña Chassie (chasí).

legar Léguer* (ghé).

legatario, ria Légataire.

legible (léji) Lisible.

legión (jión) Légion (jion).

legionario Légionnaire (ner).

legislación Législation.

legislativo, va Législatif, ve.

legislatura Législature.

legítimo (jí) Légitime (jí).

lego, ga Lègue (ghe). Ignorant, te. Lai, e (lè); convers, e.

legua (goua) Lieue (lice).

legumbre (légounbré) f. Légume (legüm) m.

leguminoso, sa Légumineux, se (legúminœ, œs).

leído, da Instruit, e (trúi).

lejanía f Éloignement m.

lejía (jí) Lessive (sív).

lejos (léjoss) Loin (luín). A lo lejos, au loin.

lelo, la Gâteux (gatœ), se.

lema (lé) Devise (dœvís).

lencera (lènzé) Lingère (jèr).

lencería Lingerie (liújrrí).

lengua (lèn) Langue (laⁿg).

lenguado m Sole (sol) f.

lenguaje Langage (aj).

lengüeta (oué) Languette.

lenitivo, va Lénitif, ive.

lente Lentille (laⁿtíïe). Pl Lorgnon (ñoⁿ) m.

lenteja (éja) Lentille (tíïe).

lentejuela Paillette (païet).

lentitud Lenteur.

lento, a (lèn) Lent, e (laⁿ).

leña (gna) f Bois [m] à brûler (bua à brûlé).

leñoso, sa Ligneux, se.

león, ona Lion, onne.

leonado, da Fauve (fov).

leonera Fam. Maison mal tenue.

leonino, na Léonin, e.

leopardo Léopard.

leotardo Collant.

lépero Homme du peuple, au Mexique.

lepidóptero Lépidoptère.

leporino, na De lièvre. Labio leporino, bec-de-lièvre.

lepra Lèpre.

leproso Lépreux.

lerdo, da Maladroit, e.

les Leur.

lesión (ión) Lésion (ioⁿ).

leso, sa Lèse.

letanía Litanie.

letárgico, ca Léthargique.

letargo m Léthargie (jí) f.

letra Lettre.

letrado, da Lettré, ée. M Avocat (ka).

letrero Écriteau (to).

letrilla Petite poésie.

letrina Latrine.

leva f Départ (par) m.

levadizo Levis (lœví) [pont].

levadura Levure (vür).

levantamiento Soulèvement.

levantar (vàn) Lever* (lœvé). Élever* (elvé) [voz, etc.]. Fig. Soulever (sulvé) [sublevar]. Vr Se lever*.

levante (lévànté) Levant.

levantino, na Levantin, íne.

levantisco, ca Turbulent, te.

levar Lever* (lœvé) [ancla].

leve (lévé) Léger, ère (jé).

levedad Légèreté.

leviatán Léviathan.

levita f Redingote (rœdiⁿgot) [prenda]. Lévite (vít) m [sacerdote hebreo].

léxico Lexique (ík).

lexicografía Lexicographie.

ley (léï) Loi (lua). Affection [afecto]. Titre (titr) [metales]. Aloi m [moneda].

leyenda (yèn) Légende (jaⁿd).

lezna Alène (lèn*).

liana Liane (lïan*).

liar Lier*. Attacher (ché) [atar]. Rouler [cigarro].

libación Libation.

libar Boire* (buar).

libelo Libelle (bel).

libélula Libellule (lül).

liber Liber (èr).

liberación Libération (sioⁿ).

liberal Libéral, e.

liberalidad Libéralité.

libertador, a Libérateur, trice.

libertar Libérer*, délivrer.
libertinaje (jé) Libertinage.
libertino, na Libertin, ine.
liberto, ta Affranchi, ie.
libidinoso, sa Libidineux, se.
libio, bia Libyen, enne.
libra Livre (livr).
libraco Bouquin (ki^n).
librador Tireur [letra].
libramiento m Délivrance f. Ordre de paiement [pago].
libranza (ànza) f Mandat m.
librar Délivrer. Livrer [batalla]. Tirer [letra].
libre Libre (libr).
librea Livrée (vré).
librería Librairie (brèri).
librero Libraire (brèr).
libreta f Livret (vrè) m.
libreto Livret (vrè).
librillo Petit livre. Cahier de papier à cigarettes.
libro Livre.
librote Fam. Bouquin (buki^n).
licencia Licence.
licenciado, da Licencié, ée.
licenciar Licencier*.
licenciatura Licence.
licencioso, sa Licencieux, se.
liceo Lycée (sé).
licitación f Licitation.
lícito, ta Licite (sit).
licor m Liqueur (kœr) f.
licorista Liquoriste (ko).
licoroso, sa Liquoreux, se.
lictor Licteur (tœr).
licuar (ouar) Liquéfier* (ke).
lid (lid') f Combat (ko^nba) m. Dispute (üt) f.
lidia f Combat (ko^nba) m.
lidiador, ra Combattant, te.
lidiar Combattre (ko^nbatr).
liebre (liébré) f Lièvre m.
liendre (è) f Lente (la^nt).

lienzo (ènzo) m Toile (tual) f.
liga Jarretière (jartier). Ligue (lig) [alianza]. Glu (ü) [materia viscosa]. Alliage (aliaj) m [metales].
ligadura Ligature.
ligamento Ligament.
ligar Lier*. Fig. Allier*.
ligazón Liaison (lèso^n).
ligereza (jéréza) Légèreté (lejerté).
ligero, ra (jé) Léger, ère.
lignito (gn) Lignite (ñit).
lija (ja) Peau de chagrin [piel]. Papel de lija, papier de verre.
lijar (jar) Polir.
lila f Lilas (la) m.
liliáceo, a Liliacé, ée.
liliputiense Lilliputien, enne (liliputi^n).
lima Lime.
limadura f Limaille (mai).
limar Limer.
limbo (in) Limbe (li^nb).
limeño, ña De Lima (Pérou).
limeta (mé) Fiole (fiol).
liminar m Introduction f.
limitación f Limitation.
limitar Limiter.
límite m Limite (it) f.
limítrofe Limitrophe (trof).
limo m Boue (bu) f.
limón (ò) m Citron (o^n).
limonada Limonade.
limonero Citronnier.
limosna Aumône (omòne).
limosnero, ra Charitable.
limpia f Nettoyage (aj) m.
limpiabotas Cireur (rœr).
limpiador Nettoyeur.
limpiadura f Nettoyage m.
limpiar Nettoyer* (tuaié).
limpidez Limpidité.
límpido, da Limpide (li^n).

limpieza (*ieza*) Propreté.

limpio, pia (lìn) Propre. *En limpio*, au net [escrito]; en définitive.

limpión Nettoyage rapide.

linaje (najé) *m* Lignée (ñé) [alcurnia]. Classe (as).

linajudo, da De *haute* lignée.

linaza (za) *Graine* de lin.

lince (ìn) Lynx (lìⁿx).

linchar Lyncher.

lindante Contigu, uë (gü).

lindar être* limitrophe de, être* contigu à.

linde, lindero *m* Limite *f*. Orée (oré) *f* [bosque].

lindeza (ìn) Gentillesse.

lindo, da Gentil, ille (jaⁿtì, ìⁱᵉ) ; jolì, *ie* (jo).

línea Ligne (lìⁿ).

lineal Linéaire (neer).

linear Tracer*. *Adj* Linéaire.

linfa Lymphe (lìⁿf).

linfático, ca Lymphatique.

lingote Lingot (go).

lingual Lingual (lìⁿgüal).

lingüística Linguistique.

linimento Liniment.

lino Lin (lìⁿ).

linóleo Linoléum (om).

linón Linon (noⁿ).

linotipia Linotype.

lintel (lìn) Linteau (lìⁿto).

linterna Lanterne.

lío Paquet (kè). *Fig.* Embrouillement (aⁿbruìmaⁿ).

liquefacción Liquéfaction.

liquen (kèn) Lichen (kenᵉ).

liquidación Liquidation.

liquidar Liquider.

líquido, da Liquide (kíd).

lira Lyre (lìr) [mús.]. *Lire* [moneda].

lírico, ca Lyrique.

lirio Iris.

lirismo Lyrisme.

lirón Loir (luar).

lisiado, da Infirme.

lisiar Rendre infirme.

liso, sa Lisse (lis). Franc, franche [franco].

lisonja (ònja) Flatterie.

lisonjear Flatter.

lisonjero, ra Flatteur, euse.

lista Bande (baⁿd).

listear Rayer (reìé).

listo, ta Adroit, oite (druá). Prêt, e [dispuesto, pronto].

listón *m* Baguette (guet) *f*.

litargirio *m* Litharge *f*.

litera Litière.

literal Littéral, e.

literario, ria Littéraire.

literato, ta Littérateur *m;* femme de lettres *f*.

literatura Littérature.

litigante Plaideur, euse.

litigar Plaider (plèdé).

litigio Litige (tìj).

litigioso, sa Litigieux, se.

litina Lithine.

litografía Lithographie.

litógrafo Lithographe.

litoral Littoral.

litro Litre.

liturgia (ourjia) Liturgie.

liviandad (àn) Légèreté (jer).

liviano, na Léger, ère (jé, èr). Lascif, ive [lascivo].

lividez (èz) Lividité.

lívido, da Livide (vìd).

lizo *m* Lisse *f*.

lo Le: *lo veo*, je le vois. Ce [que, qui] : *lo que nos dice*, ce qu'il nous dit.

loa Louange (luaⁿj).

loable Louable.

loar Louer (lué).

loba Louve (luv).

lobanillo m Med. Loupe f.

lobato Louveteau (luvto).

lobezno Louveteau (luvto).

lobina Lubine (lübin*e*).

lobo Loup (lu).

lóbrego, ga Sombre (so*n*br).

lobreguez (éz) Obscurité (kü).

lóbulo (lobu) Lobe (lob).

lobuno, na De loup.

local Local, ale.

localidad Localité [lugar]. Place (plas) [espectáculo].

localizar Localiser.

loción Lotion (sio*n*).

loco, ca Fou, folle (fu, fol).

locomoción Locomotion.

locomotora Locomotive.

locomóvil Locomobile.

locro Am. Ragoût de viande et de maïs.

locuacidad Loquacité (kua).

locuaz Loquace (kuás).

locución Locution.

locura (oura) Folie (li).

locutor Speaker, annonceur.

locutorio Parloir (lwar).

lodazal (zal) Bourbier (bur).

lodo m Boue (bu) f.

logaritmo Logarithme.

logia (jia) Loge (loj).

lógico, ca Logique (jik).

logogrifo Logogriphe (if).

lograr Obtenir* (t*n*ir).

logrero (éro) Usurier (üsü).

logro m Réussite (reüsit) f.

loma f Coteau (koto) m.

lombarda f Chou [m] rouge.

lombardo, da Lombard, arde.

lombriz (lõnbríz) f Ver [m] de terre, lombric m.

lomillo (ílho) Bât (ba).

lomo Dos (do). Filet (lè) [carne].

lona Toile à voile (tual).

londinense Londonien, enne.

longanimidad Longanimité.

longaniza Andouille.

longevidad (jé) Longévité.

longitud (jitou) Longitude.

lonja (lònja) Tranche (a*n*ch). Longe [correa]. Bourse de commerce [edificio]. Épicerie (episri) [tienda].

lontananza (lòn-ànza) f Lointain (lwi*n*t*i*n) m.

loor m Louange (lua*n*j) f.

loquear (ké) Folâtrer.

loquesco, ca Fou, folle.

lord (lor) Lord (lor) [pl esp.: lores].

loriga Cotte de mailles.

loro Perroquet (rokè).

los, las Les.

losa Dalle (dal).

lote (té) Lot (lo).

lotería Loterie (lotrí).

loza (za) Faïence (faia*n*s).

lozanía Vigueur (g*œ*r).

lozano, na Vigoureux, euse. Touffu, ue (tufü) [plantas]. Fam. Gaillard (ga*i*ar), e.

lubricar (lou) Lubréfier*.

lubricidad Lubricité.

lúbrico, ca Lubrique (lü).

lucero (louzéro) m Étoile (tual) f. Vénus, étoile du berger.

lucidez (lou) Lucidité.

lúcido, da; luciente (zièn). Brillant, e (bria*n*).

luciérnaga f. Ver [m] luisant.

lucimiento Éclat (kla).

lucio, cia Brillant, e (*i*a*n*). M Brochet (chè) [pez].

lución Orvet (vè).

lucir* (louzír) Luire* (lüir). Montrer (mo*n*tré) [ostentar]. Vr Briller (brié).

lucrarse Profiter.
lucrativo, va Lucratif, *íve*.
lucro (lou) Lucre (lükr).
luctuoso, sa Triste, *funèbre*.
lucubración Élucubration.
lucha (cha) Lutte (lüt).
luchar (lou) Lutter (lü).
ludibrio *m* Honte (oⁿt) *f*.
ludir (lou) Frotter.
luego Ensuite (aⁿsüit) [después]. Bientôt (biⁱn*to*) [pronto]. Donc (doⁿk) [pues]. *Luego que, dès que.*
luengo, ga Long, longue.
lugar (lou) Lieu (liœ). Village (vilaj) [aldea]. *En lugar de, au lieu de.*
lugareño, ña Villageois, *oise.*
lugarteniente Lieutenant.
lúgubre (lou) Lugubre (lü).
lujación Luxation.
lujo (loujo) Luxe (lüx).
lujoso, sa Luxueux (üœ), *euse.*
lujuria Luxure (lüxür).
lujuriante Luxuriant, *e.*
lumbago (loun) Lumbago.
lumbar (loun) Lombaire.
lumbre (lounbré) *f* Feu *m.*
lumbrera Lumière.

luminar (lou) Luminaire.
luminoso, sa Lumineux, *euse.*
luna Lune (lün). Miroir (ruar) *m* [espejo]. *Luna llena,* pleine lune. *Luna creciente, menguante,* premier, dernier quartier. *Media luna,* croissant [*m*].
lunación Lunaison (nèsoⁿ).
lunático, ca Lunatique.
lunes (lounès) Lundi (lüⁿ).
luneta *f* Fauteuil (fotœi) *m.*
lúpulo (loupou) Houblon ('u).
lusitano Lusitanien.
lustral (lous) Lustral, *e* (üs).
lustrar (lous) Lustrer (lüs).
lustre (loustré) Éclat (kla).
lustrina Lustrine.
lustro Lustre (lüstr).
lustroso, sa Brillant, *ante.*
luterano, na Luthérien, *enne.*
luto (lou) Deuil (dœi). *De luto,* en deuil. *Medio luto, alivio de luto,* demi-deuil.
luxación Luxation.
luz (louz) *f* Lumière (ier). Jour (jur) *m* [ventana]. *Luz de cruce,* phare [*m*] code. *Dar a luz,* donner le jour. *Salir a luz,* paraître.

LL

llaga (lha) Plaie (plè).
llama (lha) *m* Flamme (flam). Lama *m* [animal].
llamada *f* Appel *m.* Coup [*m*] de téléphone [teléfono].
llamador Marteau de porte.
llamamiento (*i*èn) Appel.
llamar (lha) Appeler (aplé). *Vi* Frapper, sonner.

llamarada Flambée (flaⁿbé).
llamativo, va Criard, *arde.*
llameante Flamboyant, *e.*
llamear Flamboyer.
llana (lha) Truelle (trüèl).
llanero (lha). *Am.* Habitant des plaines.
llaneza (éza) Simplicité.
llano, na Plat, *ate* (pla).

Simple (si^npl) [sencillo].
Contribuable [pechero] ; bourgeois, e (burjua) [burgués]. M Plaine (plène) [llanura].
llanta (llàn) f Bandage m.
llantén (llàntèn) Plantain.
llanto (llàn) Pleurs (œr) pl.
llanura (lhanou) Plaine (ène).
llares fpl Crémaillère f sing.
llave (lhavé) Clef (klé). Robinet (nè) [grifo]. Echar la llave, fermer à clef.
llavín m Petite clef f.
llegada Arrivée.
llegar (lhé) Arriver. Atteindre* (ti^ndr) [cantidad].
llenar (lhé) Remplir (ra^n). Fig. Satisfaire* (fèr). Combler (ko^n) [de favores].

lleno, na (lhé) Plein, e (pli^n).
llevadero, ra Supportable.
llevar (lhé) Porter. Emporter (a^n) [llevarse]. Supporter (sü) [sufrir]. Mener* (mœ) [conducir]. Venir de passer : llevo dos días en Madrid, je viens de passer deux jours à Madrid.
llorar Pleurer (plœ).
lloriquear Pleurnicher.
lloro m Pleurs (plœr) pl.
llorón, ona Pleureur, euse.
lloroso, sa Plaintif, ive.
llover* (lhovèr) Pleuvoir*.
llovizna Petite pluie.
lloviznar Pleuvoir* finement, bruiner.
lluvia (lhou) Pluie (plüi).
lluvioso, sa Pluvieux, se.

M

macaco Macaque.
macadán Macadam.
macana Am. Massue (sü). Fam. Impertinence.
macanear Am. Ennuyer.
macanudo, da Am Énorme.
macarrón Macaron, mostachón (dulce]. Pl Macaroni sing.
macarse Se taler [fruta].
maceración Macération.
macerar Macérer*.
maceta f Pot [m] à fleurs.
macicez Massiveté.
macilento, ta Émacié, ée.
macizo, za Massif. ive.
mácula Tache (tach).
macular (kou) Maculer.
machacar (cha) Piler. Fig. Assommer, ennuyer (a^nnüé).

machacón, na Assommant, ante.
machete Sabre d'abattis.
macho (cho) Mâle. Mulet (mülè) [mulo]. Agrafe (af) f [corchete]. Pilier [arquit.]. Taraud (ro) [de aterrajar].
machón Pilier.
machote Maillet (maiè).
machucadura (dou) Meurtrissure (mœr-sür).
machucar (chou) Meurtrir. Bosseler (boslé) [abollar].
madama Fam. Madame.
madapolán Madapolam.
madeja (éja) f Écheveau m.
madera f Bois (buá) m.
maderamen (èn) m Charpente f.

madero (déro) Madrier (ié).

mador m Moiteur (muatœr) f.

madrastra Belle-mère. Marâtre (ratr) [la mala].

madre (dré) Mère (mer). Lit (li) m [río]. Lie (li) [vino]. Marc (mar) [de café].

madreperla Huître perlière.

madrépora Madrépore (por).

madreselva f Chèvrefeuille (chevrfœi) m.

madrigal Madrigal.

madriguera f Terrier m.

madrileño, ña Madrilène.

madrina Marraine (rène).

madroño (gno) Arbousier [árbol]. Arbouse (bús) f [fruto].

madrugada Aube (ob) De madrugada, à l'aube.

madrugador, ra Matinal, e.

madrugar Se lever* matin.

madurar Mûrir.

madurez (rèz') Maturité.

maduro, ra (dou) Mûr, e (mûr).

maestra Maîtresse (mètrès).

maestrante Écuyer (kuié).

maestranza Maistrance (mes).

maestrazgo m Maîtrise m.

maestre Maître (mètr).

maestresala Maître d'hôtel.

maestría Maîtrise (mètris).

maestro Maître (mètr).

magia Magie (ji).

mágico, ca Magique (jik). M Magicien (jisiⁿ).

magisterio Magistère (jis).

magistrado Magistrat (tra).

magistral Magistral (jis).

magistratura Magistrature.

magnánimo, ma Magnanime.

magnate (ghna) Magnat.

magnesia (gh) Magnésie.

magnesio Magnésium.

magnético, a Magnétique.

magnetismo Magnétisme.

magnetizador Magnétiseur.

magnetizar (gh) Magnétiser.

magnificencia Magnificence.

magnífico, ca Magnifique.

magnitud (ghtou) Grandeur.

magno, gna (gh) Grand, e.

magnolia (gh) f Magnolia m.

mago Magicien. Mage : rey mago, roi mage.

magra Tranche de jambon.

magro, gra Maigre (mègr).

maguey (ghéi) Agave.

magulladura Meurtrissure.

magullar (goulhar) Meurtrir.

mahometano, na Mahométan, e.

maitines mpl Matines fpl.

maíz (íz) Maïs.

majada (ja) Bergerie (jeri).

majadería (ja) Sottise (tis).

majadero, ra Sot, sotte.

majar (jar) Piler.

majestad (jesta) Majesté.

majestuoso Majestueux.

majo, ja Élégant, e. M Bravache.

majoleto (jo) m Aubépine f.

majuelo (joué) m Aubépine f.

mal adj Mauvais, e. [apocope de malo devant un s. m.]. Adv. Mal. Mauvais. ¡Mal haya! Maudit, e. Mal que bien, comme ci, comme çà. M Mal.

mala Malle (mal).

malacate Manège (nej).

malandanza f Malheur, m.

malaventura Mésaventure.

malaventurado Malchanceux.

malayo, ya Malais, se.

malbaratar Gaspiller (pié).

malcontento, ta Mécontent, e.

malcriado, da Mal élevé, ée.
maldad (dá) Méchanceté.
maldecir* Maudire* (mo).
  Médire* [calumnia].
maldiciente Médisant, te.
maldición Malédiction.
maldito, ta Maudit, te (mo).
maleable (lé) Malléable (le).
maleante Méchant, te (cha^n).
malear (lé) Corrompre (o^n).
malecón m Jetée (jœté) f.
maledicencia Médisance.
maleficencia Malfaisance.
maléfico, ca Maléfique (fk).
malestar Malaise (lès).
maleta Valise (lís).
malevolencia Malveillance.
malévolo, la; malevo, va
  Malveillant, te (veïa^n).
maleza Broussailles (saï) pl.
malgastar Gaspiller (pié).
malhablado, da Grossier,
  ère.
malhadado Malheureux.
malhechor Malfaiteur (fè-
  tœr).
malhumorado, da De mau-
  vaise humeur.
malicia Malice (lís).
maliciar Soupçonner (supso).
malicioso, sa Malicieux, se.
malignidad Malignité (ñi).
maligno, na (gh) Malin, igne.
malintencionado, da Mal in-
  tentionné, ée.
malmandado, a Désobéis-
  sant, e.
malo, la Mauvais, e (mo-
  vè). Méchant, e (cha^n)
  [perverso]. Malade [salud].
  Lo malo, ce qui est mauvais.
malograr Perdre (tiempo,
  etc.]. Échouer (chué) [fra-
  casar]. Mourir* jeune [mo-
  rir joven].

malón m Am Incursion f.
malparar Maltraiter (trèté).
malparto m Fausse couche f.
malquerer* Montrer de l'animosité.
malquistar Fâcher.
malquisto, ta Fâché, e (ché).
malsano, na Malsain, e
  (si^n).
malsonante Malsonnant, e.
maltrabaja Paresseux, euse.
maltratar Maltraiter (trè).
maltrato Mauvais traitement.
maltrecho Maltraité.
malva Mauve (mov). Malva
  rosa, rose trémière.
malvavisco m Guimauve f.
malvado, da Méchant, te.
malversación Malversation.
malversar Mévendre.
malla (lha) Maille (mai).
  Maillot (maïo) m [traje].
mallo (lho) Maillet (maïè).
mama Mamelle (mel) [teta].
  Maman (a^n) [mamá].
mamá Maman.
mamar Teter*.
mamarrachada Sottise (tís).
mamarracho m Sot (o).
mambla f Mamelon (lo^n) m.
mameluco Mameluk. Am
  Combinaison f [vestido].
mamífero Mammifère.
mamón, na Qui tète.
mamotreto m Paperasse f.
mampara f Paravent, m.
mampostería Maçonnerie.
mampuesto (de) De réserve.
mamut (out') Mammouth f.
maná m Manne (man^e) f.
manada f Troupeau (po) m.
manantial m Source (surs) f.
manatí Lamantin (ma^{n}ti^n).
manaza Grosse main.
mancar (àn) Estropier.

mancarrón m Am. Rosse f.
manceba Concubine.
mancebo (màn) Garçon.
mancilla (lha) Tache (tach).
mancillar Tacher (ché).
manco Manchot (cho).
mancomunidad Union.
mancha (àncha) Tache (tach).
manchar (tchar) Tacher.
manchón m Grosse tache f.
manda f Legs (lè) m.
mandadero Commissionnaire.
mandado, da Commandé, ée.
M Commission (sion) f.
mandamiento Commande-
ment.
mandar Ordonner [ordenar].
Envoyer [enviar]. Vi. Commander.
mandato Mandat (mandá).
mandíbula Mandibule, mâ-
choire (chuar).
mandil (àn) Tablier (blié).
mandinga Fam. Nègre. Fam.
Le Diable.
mandioca (àn) f Manier m.
mando (àn) Commandement.
mandoble Coup à deux
mains.
mandolina Mandoline.
mandón, ona Impérieux, euse.
mandrágora Mandragore.
mandria Fam. Poltron (on).
mandril Mandrin (mandrin).
manducar Fam. Manger*.
manea (néa) Entrave.
manear Entraver (an).
manecilla (lha) Petite main.
Aiguille (èguile) [reloj].
manejar (jar) Manier.
manejo (néjo) Maniement.
manera Manière. Sobre ma-
nera, très, beaucoup.
manga (màn) Manche (man-
ch).Tuyau m (tùïïo) [bom-

ba, riego]. Largeur (jœr)
[barco]. Trombe (onb) [de
agua].
manganeso Manganèse.
mangle (mànglé) Palétuvier.
mango (màn) Manche.
mangonear Intervenir* dans
une affaire.
mangual Fléau d'armes.
manguito (màn) Manchon.
maní m Arachide (chid) f.
manía Manie (ní).
maniatar Attacher les mains.
maniático, ca Maniaque.
manicomio Asile d'aliénés.
manido, da Faisandé, ée.
manifestación Manifestation.
manifestante Manifestant, e.
manifestar* Manifester.
Montrer (mon) [mostrar].
manifiesto, ta Manifeste.
manigua (goua) Am Forêt.
manija (ja) Poignée (ñé).
manilla (lha) f Bracelet m.
maniobra Manœuvre (nœvr).
maniobrar Manœuvrer.
manipulación Manipulation.
manipular Manipuler.
maniquete m Mitaine f.
maniquí Mannequin.
manir Faisander (fèsandé).
manirroto, ta Prodigue (dig).
manivela Manivelle (vel).
mano Main (min). Pied [m]
de devant [animal]. Pilon
(on) m [almirez]. Couche
(kuch) [de color]. Main
[de papel]. Partie [juego].
Ser mano, avoir* la main.
Manos muertas, mainmorte.
Manos puercas, pots-de-vin
m. Cargar la mano, abuser.
Bajo mano, sous main. De-
jar de la mano, abandonner.
De manos a boca, soudain.

Echar mano de, se servir* de. *Llegar a las manos*, en venir* aux mains. *Traer* entre manos*, s'occuper de. *Untar la mano*, graisser la patte.

manojo (jo) *m* Botte (bot) *f*.

manómetro Manomètre.

manopla *f* Gantelet (ga**n**tlè) *m*. Gant [*m*] de toilette [para lavarse].

manosear Tripoter.

manoseo *m* Tripotage.

manotada *f*, **manotazo** *m* Claque *f*.

manotear Battre* des mains.

mansalva (a) En sûreté.

mansedumbre Mansuétude.

mansión (ió**n**) Demeure.

manso, sa Doux (du), ce.

manta Couverture (ku-ur) *f*.

mantear Berner.

manteca (à**n**) *f* Beurre (bœr) *m* [de vaca]. Saindoux (si**n**du) *m* [de cerdo].

mantecado Biscuit glacé [helado]. Sablé [pastelillo].

mantecoso, sa Gras, asse.

mantel (è**n**) *m* Nappe (nap) *f*.

mantelería *f* Nappage.

manteleta *f* Mantelet *m*.

mantener Maintenir*.

mantenimiento Entretien.

manteo (à**n**) Manteau.

mantequera *f* Baratte (rat). Beurrier [bœrié] [para servir en la mesa].

mantequilla (mà**n**tékílha) *f* Beurre (bœr) *m*.

mantilla *f* Mantille [de señora]. Lange [de niño].

mantillo (lho) Terreau (ro) *m*.

manto (à**n**) Manteau (a**n**to) *m*.

mantón (antò**n**) Châle (chal) *m*.

manual (oual) Manuel, elle.

manubrio *m* Manivelle (vel) *f*.

manuela V*x* Voiture de place.

manufactura Manufacture.

manufacturar Manufacturer.

manumitir Affranchir (a**n**).

manutención Manutention.

manzana (za) Pomme (pom). Pâté *m* [de casas].

manzano Pommier (mié).

maña (gna) Habilidad (da). Ruse (rüs) [treta].

mañana (gna) *f* Matin (i**n**) *m*. *Adv* Demain (mi**n**). *Mañana por la mañana*, demain matin. *Pasado mañana*, après-demain.

mañero, ra (gné) Rusé, ée.

mañoso, sa (gno) Habile (il).

mapa *m* Carte *f*.

mapamundi *m* Mappemonde *f*. (mapmo**n**d).

maque (ké) *m* Laque (lak) *f*.

maquiavelismo Machiavélisme.

máquina Machine (chîne) *f*.

maquinal Machinal.

maquinaria Machinerie *f*.

maquinismo Machinisme.

maquinista Machiniste.

mar *2g* Mer. *Fig. La mar de*, beaucoup, très.

marabú Marabout *f*.

maraña (gn) Broussaille (aïe). Chose embrouillée.

marasmo Marasme.

maravedí Maravédis (dís) *m*.

maravilla (lha) Merveille (véi). Souci (susí) *m* [flor].

maravillar (lh) Émerveiller.

maravilloso, sa Merveilleux, se (merveiœ).

marbete *m* Étiquette *f*.

marca Marque.

marcar Marquer.

marcasita Marcassite (sít).

marcial Martial (síal).

marco Cadre. Mark [moneda].

marcha Marche.

marchamo Plomb (o**n**) [aduana].

marchante Marchand, de.

marchar Marcher. Vr Partir, s'en aller.

marchitar Faner, flétrir.

marchitez f Etiolement m.

marchito, a Fané, ée.

marea Marée.

marear Naviguer. Fam. Assommer [fastidiar]. Vr Avoir* le mal de mer. Avoir* le vertige [en tierra].

marejada (ja) Houle ('ul).

maremoto Raz de marée.

mareo Mal de mer. Vertige. Fam. Ennui (a**n**nüi).

marfil Ivoire (vuar).

marga Marne.

margarina Margarine.

margen (jèn) 2g Marge f.

maridaje (jé) Ménage (naj).

maridar Marier.

marido Mari.

marimacho m Virago f.

marimorena Dispute (püt).

marina Marine.

marinero, ra Marin, ine. M Matelot (matló).

marino, na Marin, ine (ri**n**). M Marin.

mariposa f Papillon (pio**n**). Veilleuse (vei**a**s) [luz].

mariposear Papillonner.

marisabidilla f Bas-bleu m.

mariscal Maréchal.

marisco Coquillage (kia**j**).

marisma f Marais (rè) m.

marital Marital, e.

marítimo, ma Maritime.

maritornes Maritorne (orn).

marjoleto (jo) m Aubépine f.

marmita Marmite (ìt).

mármol Marbre (marbr).

marmolillo m Borne (born).

marmolista Marbrier.

marmóreo Marmoréen.

marmota Marmotte (ot).

maroma f Corde, câble m.

marqués, esa Marquis, ìse.

marquesina (ké) Marquise.

marquetería Marqueterie.

marrajo, ja Hypocrite.

marranada Cochonnerie.

marrano Cochon (o**n**).

marras (de) D'autrefois.

marrasquino Marasquin.

marroquí Marocain, aine.

marrulleria Ruse (rüs).

marrullero, ra Rusé, ée.

marsopa f Marsouin m.

martes (ès) Mardi.

martillar (lhar) Marteler*.

martillazo Coup de marteau.

martilleo Martèlement.

martillo (lho) Marteau (to).

martinete Martinet (nè).

martingala Martingale.

mártir Martyr, yre.

martirizar Martyriser.

martirologio Martyrologe.

marzo Mars (mars).

mas Mais [pero].

más (mass) Plus (plü). Los más, la plupart. Más bien, plutôt. No... más que, ne... que. Por más que, quoique. Sin más ni más, sans plus.

masa f Masse. Pâte [de harina].

masaje m Massage (saj).

masajista Masseur, euse.

mascar Mâcher.

máscara f Masque (mask) m.

mascarada Mascarade.

mascarilla (lha) f Masque m.

mascarón Mascaron.

masculino, na Masculin, ine.

mascullar (lh) Mâchonner.

masilla (lha) f Mastic m.

masón Franc-maçon.

masonería Franc-maçonnerie.

masónico, ca Maçonnique.

mastelero Mât (ma).

masticar Mastiquer.

mástil Mât (ma). Manche m [guitarra].

mastín (ìn) Mâtin (tin).

mastodonte (té) Mastodonte.

mastoiditis Mastoïdite.

mastuerzo Cresson (kroeson). Fam. Sot (so).

mata Tige (tij) [plantas]. Touffe (tuf) [de hierba].

matacán Mâchicoulis (kuli).

matachín Bravache.

matadero Abattoir (tuar).

matador, ra Tueur, euse. Matador [taureaux].

matadura Plaie (plè).

matalahúva f Anis (ani) m.

matalón m Rosse (ros) f.

matamoros Matamore.

matanza Tuerie (türí). Abattage (taj) m [cerdo].

matar Tuer (tüé) Eteindre [fuego, color, cal]. Fam. Assommer [fastidiar].

matarife Boucher (buché).

matasellos Cachet postal.

mate Mat, e. M Mat [ajedrez]. Maté [planta].

matemáticas Mathématiques.

matemático, ca Mathématique.

materia Matière. Materia prima, matière première. Med. Pus (pü) m.

material Matériel, elle. Pl.

Matériaux (materio).

materialidad Matérialité.

materialismo Matérialisme.

materializar Matérialiser.

maternal Maternel, elle.

maternidad Maternité.

materno, na Maternel, elle.

matiz m Nuance (nüans) f.

matizar Nuancer.

matorral Buisson (buison).

matraca f Crécelle (sel). Moquerie (mokrí) [burla].

matraquear Se moquer.

matrero, ra Rusé, ée.

matrícula Matricule (kül). Inscription (sion).

matricular Immatriculer. Vr S'inscrire.

matrimonio Mariage.

matritense De Madrid.

matriz Matrice. Adj Mère: casa matriz, maison mère.

matrona Matrone.

maturrango Am Mauvais cheval, mauvais cavalier.

matute m Contrebande f.

matutero, ra Fraudeur, euse.

matutino, na Matinal, e.

maula Coquin, ine.

maullar Miauler (miolé).

maullido Miaulement.

mausoleo Mausolée.

maxilar Maxillaire (iler).

máxima Maxime.

máximo, ma Maximum (mum).

máximum Maximum (mom).

maya (ya) Marguerite.

mayal (yal) Fléau (eo).

mayar (yar) Miauler.

mayo (yo) Mai (mè).

mayólica Majolique (jolík).

mayonesa Mayonnaise (io).

mayor Plus grand, e. Majeur (jœr) [principal, edad]. Pl Ancêtres (ansetr).

mayoral Postillon (tiíon) [diligencia]. Contremaître (kontrẽmĕtr) [obreros].

mayorazgo Majorat (jora).

mayoría Majorité.

mayormente Surtout (tu).

mayúsculo, la Majuscule.

maza (za) Masse (mas).

mazacote Mortier.

mazamorra Bouillie (buii).

mazapán (àn) Massepain.

mazmorra f Cachot (cho) m.

mazo Maillet (maiĕ). Paquet (kĕ) [lío].

mazorca f Épi de maïs m.

mazorral Massif; compact.

mazurca (zour) Mazurca.

me Me [compl. dir. ou indir.]. Moi : dame, donne-moi.

meandro Méandre.

mear Pisser.

mecánica Mécanique. Corvée (vé) [militares].

mecánico, ca Mécanique. M Mécanicien (sitn).

mecanismo Mécanisme.

mecanógrafo, fa Mécanographe.

mecedor Balançoire (suar) f.

mecenas Mécène.

mecer* Bercer* (sé). Balancer (latn) [columpiar].

mecha f Mèche. Lardon m [tocino].

mechero Bec. Briquet [encendedor].

mechón m Mèche f.

medalla (lha) Médaille (daí).

medallón Médaillon (daiotn).

médano m Dune (dünē) f.

media f Moyenne (muaiène). Bas (ba) m [calceta].

mediacaña (gna) Gorge [moldura]. Gouge [gubia].

mediación Médiation.

medianero, ra Mitoyen, enne.

medianía Médiocrité.

mediano, na Moyen, enne.

mediante Moyennant.

mediar Être* au milieu. Intervenir* [interponerse].

mediato, ta Médiat, e.

medicación Médication.

medicamento Médicament.

medicina Médecine. Médicament m [droga].

medicinal Médicinal, e.

medición Mesure (mœsür).

médico, a Médical, e. M Médecin.

medida Mesure (mœsür).

medio, día Demi, e : media hora, demi-heure. Moyen, enne [mediano] : Clase media, classes moyennes pl. M Milieu (liœ). Médium (iom) [magnetismo] Moyen [manera]. Pl Moyens. A demi : medio muerto, à demi mort. A medias, à moitié. En medio, por medio, au milieu.

mediocre Médiocre (iokr).

mediocridad Médiocrité.

mediodía Midi.

medir* Mesurer (mœsü).

meditabundo Méditatif.

meditación Méditation.

meditar Méditer.

mediterráneo m Méditerranée f.

medrar Croître* (kruatr); augmenter (ogmantē).

medro Progrès (grè).

medroso, sa Peureux, se.

médula, medula Mœlle (mual).

medusa Méduse (üs).

mefítico, ca Méphitique.

megalítico, ca Mégalithique

mejicano, na Mexicain, e (ki^n).

mejilla (lha) Joue (ju).

mejillón m Moule (mul) f.

mejor (jor) Meilleur (meiαr). Mieux (miœ): *escribe mejor*, il écrit mieux. *A lo mejor*, peut-être.

mejora Amélioration (si^n).

mejorana Marjolaine (lèn).

mejorar Améliorer. Se remettre* [enfermo].

mejoría f Mieux (miœ) m.

melado, da Miellé, e (lé).

melancolía Mélancolie.

melancólico, ca Mélancolique.

melar* Mieller (mielé).

melaza Mélasse (lás).

melcocha Pâte de guimauve.

melena Crinière. Fam. Cheveux (chœvœ) mpl.

melenudo Chevelu (lü).

melindre (ìn) m Sorte de beignet. Fam. Minauderie f.

melindroso, sa Minaudier, ère.

melisa Mélisse.

melodía Mélodie.

melodioso, sa Mélodieux, se.

melodrama Mélodrame.

melómano, na Mélomane.

melón (mèlòn) Melon (lo^n).

melopeya Mélopée.

meloso, sa Mielleux, se (lœ).

mella (lha) Brèche. *Fig.* Impression (i^{n}presio^n).

mellado, da Ébréché, ée.

mellizo, za Jumeau, elle (jü).

membrana Membrane.

membranoso, sa Membraneux, se.

membrete (èn) Billet (biié). En-tête (a^{n}tet) [papel].

membrillo (lho) Coing (kui^n).

memo, ma Sot, otte.

memorable Mémorable.

memoria Mémoire (muar). *Pl* Compliments. *De memoria*, par cœur.

memorial Mémorial. Supplique (süplìk) f [petición].

memorialista Mémorialiste.

mena f Minerai (min^{n}rè) m.

menaje (jé) Ménage (aj).

mención Mention (ma^{n}sio^n).

mencionar Mentionner.

mendicidad Mendicité.

mendigar (mèn) Mendier*.

mendigo, ga Mendiant, e.

mendiguez Mendicité.

mendrugo m Croûton.

menear Remuer* (rœmüé).

meneo Remuement.

menester Besoin (bœsui^n). *Ser menester*, falloir*.

menesteroso Nécessiteux.

menestra Potée.

menestral, a Ouvrier, ère.

mengano, na Un tel, une telle.

mengua (goua) Diminution.

menguado, da Lâche [cobarde]. M Point diminué [medias].

menguante Décroissant, e. M Dernier quartier [luna].

menguar Diminuer.

menhir Menhir.

meningitis Méningite.

menjurje (jourjé) Mélange.

menor Moindre (mui^{n}dr). Mineur (nœr) [edad, lógica, religioso]. *Por menor*, au détail.

menoría Minorité.

menos Moins (mui^n). *De menos*, en moins. *Echar de menos*, regretter. *Por lo menos*, au moins.

menoscabo Diminution [merma]. Détriment [perjuicio].
menospreciar Mépriser.
menosprecio Mépris (prí).
mensaje (je) Message (saj).
mensajería Messagerie.
mensajero, ra Messager, ère.
menstruación Menstruation.
mensual (èn) Mensuel, elle.
mensualidad Mensualité.
menta Menthe (maⁿt).
mental (èu) Mental, ale (aⁿ).
mentar* Mentionner (maⁿ).
mente (mèntè) Esprit (prí).
mentecato, ta Sot, sotte.
mentir* Mentir* (maⁿ).
mentira (mèn) f Mensonge
(maⁿsoⁿj) m. Parece mentira, c'est incroyable.
mentiroso, sa Menteur, euse.
mentís (mèntíss) Démenti.
mentón Menton (maⁿtoⁿ).
mentor Mentor.
menudear Abonder (oⁿ).
menudencia Bagatelle.
menudeo m Vente [f] au détail. [com.]
menudillo (ílho) Boulet (bulè) [caballo]. Pl Abattis [de las aves].
menudo Menu, da. A menudo, souvent. Por menudo, en détail.
menuzo m Miette f.
meñique (gñí) Petit doigt.
meollo (lho) m Moelle (oal) f.
mequetrefe Gringalet (griⁿ).
mercader Marchand (chaⁿ).
mercadería Marchandise.
mercado Marché.
mercancía Marchandise.
mercante (àn) Marchand, de.
mercantil Mercantile.
merced Grâce (as). Merci :
estar* a la merced de, être*

à la merci de. Grâce [título] :
vuestra merced, votre grâce.
mercería Mercerie.
mercero, ra Mercier, ère.
merecedor, ra Digne (diñ).
merecer* Mériter.
merecido, da Mérité. M Dû.
merecimiento Mérite.
merendar* (rèn) Goûter (gu).
merengue m Meringue f.
meridiano Méridien.
meridional Méridional, ale.
merienda (rièn) f Goûter m.
merino, na Mérinos [carnero]. M Bailli (baíi).
mérito Mérite.
meritorio Méritoire. M Volontaire (loⁿter) [empleado].
merluza (louza) Merluche.
mermar Diminuer.
mermelada Marmelade.
mero, ra Simple.
merodear Marauder (ro).
merodeo m Maraude (rod) f.
mes Mois (muá).
mesa Table. Bureau (büro) m [asamblea]. Plateau (to) m [meseta]. Mesa redonda, table d'hôte. Poner* la mesa, mettre* le couvert.
mesana f Mar Artimon m.
mesar Arracher [cheveux].
meseta f Plateau m. Palier m [escalera].
mesías Messie (sí).
mesilla Petite table. Palier m [escalera].
mesón m Auberge (oberj) f.
mesonero Aubergiste.
mestizo, za Métis, isse.
mesura Mesure.
mesurar Mesurer.
meta f But m.
metafísica Métaphysique.
metáfora Métaphore (for).

metal Métal.

metálico, ca Métallique.

metalurgia Métallurgie (lür).

metamorfosear Métamorphoser.

metamorfosis Métamorphose.

meted̲or m Couche (kuch) f.

metempsicosis Métempsychose

meteoro Météore.

met̲er Mettre*. Faire* (fer): *meter ruido, faire* du bruit. Fourrer (furré) [introducir]. Serrer [apretar].

meticuloso Méticuleux.

metódico, ca Méthodique.

método m Méthode (tod) f.

metralla (lha) Mitraille.

métrico, ca Métrique (ik).

met̲ro Mètre.

metrópoli Métropole.

metropolitano Métropolitain.

mezcal m Am. Eau-de-vie [f] de pulque.

mezcla f Mélange (laⁿj) m.

mezclar Mélanger* (laⁿjé).

mezcolanza f Mélange m.

mezquindad (kin) Mesquinerie.

mezquino, na Mesquin, e.

mezquita Mosquée (ké).

mi, mis Mon, ma; mes.

mí Moi (muá).

miaja (ja) Miette (miet).

miasma Miasme.

mica Mica

mico Singe (siⁿj).

microbio Microbe.

micrófono Microphone.

microscopio Microscope.

microsurco Microsillon.

miedo (mié) m Peur (pœr) f.

miedoso Peureux (pœrœ).

miel f Miel m.

miembro Membre (aⁿbr).

miente f Esprit (pri) m.

mientras Pendant que. *Mientras que*, tandis que.

miércoles (ès) Mercredi.

mies Moisson (muasoⁿ).

miga Miette. Mie (mi) [del pan]. *Fig.* Substance, importance.

migaja Miette (miet).

migar Tremper* (aⁿpé).

migración Migration.

migratorio Migratoire (tuar).

mijo Millet (miè).

mil Mille (mil).

milagro Miracle (rákl).

milagroso, sa Miraculeux, se.

milenario Millénaire.

milésimo, ma Millième.

milicia Milice (lis).

miliciano, na Milicien, enne.

miligramo Milligramme.

milímetro Millimètre.

militante Militant, ante.

militar adj et m Militaire (ter). *Vi* Militer.

militarismo Militarisme.

milpiés Cloporte.

milla (lha) f Mille (mil) m.

millar Millier (lié).

millón Million (lioⁿ).

millonario Millionnaire.

mimar Flatter. Gâter [niño].

mimbre 2g Osier (sié) m.

mímica Mimique.

mimo Mime. Flatterie f. Gâterie (gat) [adulación].

mimosa f Mimosa m.

mina Mine (min) f.

minar Miner.

mineral Minéral, e. Minerai (minⁿrè) [mena].

mineralizar Minéraliser.

minería Travail des mines.

miner̲o, ra Minier, ère. M Mineur (nœr).

miniatura Miniature.
mínimo, ma Minime. F Blanche (anch) [mús.].
mínimum Minimum.
minio Minium (iom).
ministerio Ministère.
ministrar Administrer.
ministro Ministre.
minorar Diminuer (nûé).
minoridad Minorité.
minucia Minutie (nûsí).
minucioso, sa Minutieux, se.
minué Menuet (nuè).
minúscula Minuscule (kül).
minuta f Minute [escrito]. Menu m [comida].
minutero m Aiguille f [des minutes].
minuto (ou) m Minute (üt) f.
mío, a Mien, mienne. À moi: *este libro es mío, ce livre est à moi.*
míope Myope (miop).
miopía Myopie.
miosota f Myosotis m.
mira Mire. *Estar*, a la mira, surveiller.
mirada f Regard (gar) m.
mirado, da Regardé, ée. *Re- gardant, e* [circunspecto].
mirador Belvédère (der).
mirar Regarder.
mirilla f Judas (jüda) m.
miriñaque m Crinoline f.
mirlo Merle.
mirón, ona Curieux, euse.
mirra Myrrhe (mir).
mirto Myrte (mirt).
misa Messe (mes) : *ir a misa, aller* à la messe. *Misa del gallo,* messe de minuit.
misal Missel.
misantropo Misanthrope.
miscelánea Miscellanée.
miserable Misérable.

miseria Misère. Avarice. Ver- mine (mine) [piojos].
misericordia Miséricorde.
misericordioso Miséricor- dieux.
mísero, ra Misérable, pauvre.
misión Mission (sion).
misionero Missionnaire.
misiva Missive (siv).
mismo, ma Même (mem). *Lo mismo,* la même chose.
mistela Mistelle (tel)
misterio Mystère.
misterioso, a Mystérieux, se.
místico, ca Mystique.
mitad Moitié (mua).
mitigar Mitiger*.
mitin (in) m Meeting (mítiñ).
mito Mythe (mit).
mitología Mythologie.
mitón m Mitaine (tène) f.
mitra Mitre.
mixto, ta Mixte.
mixtura (tou) Mixture (tür).
mobiliario Mobilier (lié).
moblaje (ajé) Ameublement.
mocear Faire* le jeune homme.
mocedad Jeunesse (jœnès).
mocetón, a Gaillard, e.
moción Motion. Mouvement (muvman) m [movimiento].
moco m Morve f. Mucosité f. Crête (et) f [aves].
mocoso, sa Morveux, se (vœ).
mochila (chi) f Sac m.
mocho, cha Émoussé, ée. Tondu, ue [pelado].
mochuelo Hibou (íbu).
moda Mode : *de moda,* à la mode.
modales mpl Manières fpl.
modelar Modeler* (modlé).
modelo Modèle.
moderación Modération.

moderar Modérer*.
modernizar Moderniser.
moderno, na Moderne.
modestia Modestie.
modesto, ta Modeste (est).
módico, ca Modique (ík).
modificación Modification.
modificar Modifier* (fié).
modismo Idiotisme.
modista Couturière (kutú-
rier).
modistilla Petite couturière.
Fam. Trottin (tiⁿ) *m.*
modisto Couturier (kutúrié).
modo Mode (mod). Manière
f [manera]. *A modo de,* en
guise de .
modorra *f* Assoupissement.
modoso, sa Sérieux, euse.
modular Moduler.
mofa Raillerie (rairí).
mofarse Se moquer.
moflete *m* Joue (ju) *f.*
mofletudo, da Joufflu, ue.
mogollón Parasite.
moharra *f* Fer [*m*] de lance.
mohecer* (**zer**) Moisir (mua).
mohín *m* Moue (mu) *f.*
mohíno, na Boudeur, euse.
moho *m* Moisissure (sür) *f.*
Rouille (ruie) *f* [hierro].
mohoso, a Moisi, ie. Rouillé,
ée (ruié).
mojama (**ja**) *f* Thon conservé.
mojar (**jar**) Mouiller (muié).
moje (**jé**) Jus (jú).
mojicón Biscuit (küi). *Fam.*
Coup (ku) [golpe].
mojiganga Mascarade.
mojigato, ta Hypocrite. Bigot, ote (gó) [beato].
mojón *m* Borne *f.*
molar Molaire (ler).
molde Moule (mul).
moldear Mouler (mulé).

moldura (*ou*) Moulure (lür).
mole (**lé**) Masse (mas).
molécula Molécule.
moler* (**ler**) Moudre (mudr).
Fam. Fatiguer [cansar].
molestar Gêner, ennuyer.
Molester [fastidiar].
molestia Gêne (jen*e*). Peine
(pèn*e*) [trabajo].
molesto, ta Gênant, e (je).
moleta Molette.
molicie Mollesse (molés).
molido, da Moulu, ue.
molienda Mouture (mutúr).
molinero, ra Meunier, ère.
molinete Moulinet (nè).
molino Moulin (muliⁿ).
molusco Mollusque (molúsk).
molleja (**lhéja**) *f* Gésier *m.*
momentáneo Momentané.
momento (**èn**) Moment (aⁿ).
momia Momie.
momificar Momifier*.
mona Guenon (gh*e*noⁿ).
Pop. Cuite (küit) [borra-
chera].
monarca Monarque.
monarquía Monarchie (chí).
monárquico, a Monarchique.
monasterio Monastère.
monástico, a Monastique.
monda *f* Nettoiement *m.*
mondadientes Cure-dent.
mondadura Épluchure (chür).
mondar Nettoyer* (tuaié).
Éplucher (ü) [legumbres].
mondo, da Net, nette (net).
mondongo *m* Tripes *fpl.*
monear Grimacer*.
moneda Monnaie (nè).
monería Gentillesse (tiiès).
monetario, ria Monétaire.
monigote Bonhomme (nom).
Pantín [pelele].
monises *mpl. Pop.* Galette *f.*

monitor Moniteur (tœr).
monja Religieuse (rɛliʝœs).
monje (je) Moine (muane).
mono, na Singe (siⁿj) m; guenon (gœnoⁿ) f. Adj Joli (joli).
monocromo Monochrome.
monóculo Monocle.
monografía Monographie.
monograma Monogramme.
monolito Monolithe.
monólogo Monologue (log).
monomanía Monomanie.
monomaníaco Monomane.
monomio Monôme.
monoplano Monoplan.
monopolio Monopole.
monopolizar Monopoliser.
monosílabo, ba Monosyllabe.
monotonía Monotonie.
monótono, na Monotone.
monseñor Monseigneur (ñœr).
monstruo (ouo) Monstre.
monstruoso Monstrueux, se.
monta Monte. *Fig.* Importance.
montadura Monture (tür).
montaje (je) Montage (aj).
montante (àn) Montant (taⁿ).
montaña (gna) Montagne.
montañés, sa Montagnard, e.
montañoso Montagneux, euse.
montar (òn) Monter (oⁿ).
montaraz Sauvage (sovaj).
monte (ònté) Mont (oⁿ). Bois (bua) [bosque]. Baccarat [juego]. *Monte de piedad,* mont-de-piété.
montea f Épure (ür).
montera f Bonnet (nè) m.
montería Vénerie (venéri).
montero Veneur (vœnœr).
montés, sa Sauvage (sovaj).
montículo Monticule (kül).
montón (òn) Tas (ta).

montuoso, sa Montueux, euse.
montura (òntou) Monture.
monumental Monumental, e.
monumento (èn) Monument.
monzón Mousson (musoⁿ).
moña (gna) f Nœud [m] de rubans (nœ de rübaⁿ).
moño Chignon (ñoⁿ).
moñudo, da Huppé,ée.
moquear Moucher (muché).
moquero (ké) Mouchoir (uar).
moquete (kété) Soufflet.
mor de (Por) à cause de.
mora Mûre (mür).
morada Demeure (dœmœr).
morado, da Violet, ette (lè).
morador, ra Habitant, e.
moral Moral, e.
moraleja, moralidad Moralité.
moralista Moraliste.
moralizar Moraliser.
morada Demeure.
morar Habiter.
moratoria f Moratorium m.
mórbido, da Morbide (bid).
morboso, sa Morbide.
morcilla (lha) f Boudin m.
morcillero Charcutier (kü).
mordacidad Mordacité.
mordaz (az) Mordant, te.
mordaza f Bâillon (ioⁿ) m.
mordedura Morsure.
mordente (èn) Mordant (aⁿ).
morder* Mordre.
mordiscar Mordiller (dié).
mordisco m Morsure (ür) f.
moreno, a Brun, une (briⁿ, üne).
morera f Mûrier (rié) m.
morfina Morphine (fíne).
moribundo, da Moribond, de.
morigerar (jé) Morigéner*.
morillo Chenet (chœnè).
morir* Mourir* (mu).

morisco, ca Mauresque.

morriña f Cafard m.

mormón Mormon (oⁿ).

moro, ra Maure (mor).

morocho, cha Brun, une. *Am.* Robuste (büst).

morueco Jeune bélier.

mosaico m Mosaïque (saïk) f.

mosca Mouche (much). *Fam.* Galette (let) [dinero].

moscada Muscade.

moscardón m Grosse mouche.

mosquear (ké) Émoucher.

mosquero Emouchoir (chuar).

mosqueta f Rosier [m] musqué.

mosquete Mousquet (muskè).

mosquetería Mousqueterie.

mosquetero Mousquetaire.

mosquetón Mousqueton.

mosquitero m Moustiquaire (mustiker) f.

mostacilla Cendrée (plomo). Verroterie [abalorio].

mostacho m Moustache f.

mostachón Macaron (roⁿ).

mostaza Moutarde (mutard).

mosto Moût (mu).

mostrador Comptoir (koⁿtuar).

mostrar* Montrer (moⁿ).

mostrenco, ca Abandonné, ée. *Fam.* Sot, sotte (so, ot).

mota f Défaut (fo) m.

motacilla Bergeronnette.

mote (té) m Devise (dœvis) f. Surnom (sürnoⁿ) [apodo]. *Am* Bouillie de maïs.

motear Tacheter (tachté).

motete Motet (tè).

motín (in) m Emeute (œt) f.

motivar Motiver.

motivo Motif. *Con motivo de,* à l'occasion de.

motocicleta Motocyclette.

motón (òn) m Poulie (pulí) f.

motor, ra Moteur, trice.

motriz Motrice.

movedizo, za Mouvant, ante.

mover* Mouvoir* (muvuar). Exciter (té), pousser (pusé).

movible Mobile (bil).

moviente (ièn) Mouvant, te.

móvil Mobile (bil).

movilidad Mobilité.

movilizar Mobiliser.

moyuelo (youé) Fleurage.

moza (za) Fille (fíi).

mozalbete Jeune garçon.

mozo, za (zo) Jeune (jœn^e). Garçon (soⁿ) [muchacho, criado, camarero]. *Buen mozo,* beau garçon.

mozuelo, la Garçonnet, fillette.

mucamo, ma *Am.* Domestique.

muceta f Camail (mai) m.

mucílago Mucilage (laj).

mucosidad Mucosité.

mucoso, sa Muqueux, euse (mükœ, mükœs).

muchachada f Enfantillage.

muchacho, a Garçon, fille.

muchedumbre Foule (ful).

mucho, cha Beaucoup (bekú). *Adv* Beaucoup : *leer mucho,* lire beaucoup. Bien [con otros adj] : *mucho mejor,* bien meilleur. Oui (ui) [sí]. *Qué mucho,* quoi d'étonnant. *Ni mucho menos,* pas le moins du monde. *Ni con mucho,* tant s'en faut. *Por mucho que,* quoi que.

muda f Changement (chaⁿjmaⁿ) m. Linge [m] propre [ropa]. Mue f [aves, voz].

mudable Changeant, ante.

mudanza *f* Changement *m.* Déménagement *m* [de casa].

mudar Changer* (chaⁿjé). Muer (aves, voz). *Vr* Déménager* [cambiar de casa].

mudéjar Mudéjare.

mudo, da (mou) Muet, ette (müè).

mueble (mouè) Meuble (mœ).

mueca (mouè) Grimace (más).

muela (mouè) Meule (mœl). Molaire (lèr) [diente]. *Dolor de muelas,* mal aux dents.

muelle (mouellé) Mou, molle. *M* Quai (kè) [puerto, ferrocarril]. Ressort (rœsor) [elástico].

muérdago Gui.

muermo (mouer) *m* Morve *f.*

muerte (mouer) Mort (mor). Meurtre (mœrtr) [homicidio]. *De mala muerte,* de rien du tout.

muerto, ta (mouer) Mort, te.

muesca Encoche (aⁿkoch).

muestra (mouè) Enseigne (aⁿseñ). Échantillon (tiioⁿ) [spécimen]. Arrêt (rè) *m* [perro]. *Dar muestras de, faire** preuve de.

muestrario Échantillonnage.

mugido *m* Mugissement.

mugir (moujir) Mugir.

mugre (mougré) Crasse.

mugriento, ta Crasseux, se.

mujer (moujèr) Femme (fam).

mujeril Féminin (niⁿ), ine.

mujerío Réunion de femmes.

mujerona (jé) Grosse femme.

mujerzuela Femme de rien.

mula (mou) Mule (mül).

muladar Fumier (fümié).

mulato, ta Mulâtre (latr).

muleta Béquille. Étoffe rouge

dont le matador se sert pour tromper le taureau.

muletilla *f* Refrain (rœfriⁿ).

muletón (ô) Molleton (toⁿ).

mulo (moun) Mulet (mülè).

multa (moul) Amende (aⁿd).

multar Punir d'une amende.

multiplicación Multiplication.

multiplicar Multiplier*.

múltiplo, pla Multiple.

mullir* Battre* [colchón].

mundanal, mundano, na Mondain (moⁿdiⁿ), aine.

mundial (moun) Mondial.

mundillo *m* Boule-de-neige *f.*

mundo (moun) Monde (moⁿd).

munición Munition (sioⁿ).

municipal Municipal, e.

municipalidad *f,* municipio *m* Municipalité *f.*

munificencia Munificence.

muñeca (mougné) *f* Poignet (puañé) *m.* Poupée (pupé) [juguete]. Tampon (taⁿpoⁿ) [de tela].

muñeco Bonhomme (bonom).

muñidor Bedeau (bœdo).

muñón (moun) (mougnôn) Moignon, e.

mural (mou) Mural, e (mü).

muralla (lha) Muraille (mü).

murciélago *m* Chauve-souris *f.*

murga Troupe de musiciens.

murmullo (lho) Murmure.

murmuración Médisance.

murmurador, a Médisant, te.

murmurar Murmurer. *Fig.* Médire*, cancaner [hablar mal].

murmurio Murmure. *Fig.* Médisance.

muro (mouro) Mur (mür).

murria *f* Ennui (aⁿnüi) *m.*

mus Un jeu de cartes.

musa (moussa) Muse (müs).

musaraña Musaraigne (reñ).
muscular Musculaire.
músculo (mouskou) Muscle.
musculoso, sa Musclé, ée.
muselina Mousseline (muslinᵉ).
museo (mousséo) Musée.
musgaño Campagnol (ñol).
musgo (mous) m Mousse (mus) f.
musgoso, sa Mousseux, se.
música (mou) Musique (müsik).
musical Musical, ale.
músico, ca Musical, ale. M Musicien (müsisiⁿ).

musitar Marmotter .
muslo (ous) m Cuisse (küis) f.
musmón Mouflon (mufloⁿ).
mustio, tia Fané, ée.
musulmán, na Musulman, ane.
mutabilidad Mutabilité.
mutilación Mutilation.
mutilar (mou) Mutiler (mü).
¡mutis! Sortez!
mutismo Mutisme.
mutual (moutoual) Mutuel, elle (mutüel).
mutualidad Mutualité.
mutuo, a Mutuel, elle.
muy Très (trè).

N

nabab Nabab.
nabo Navet (vè).
nácar m Nacre (nakr) f.
nacarado, da Nacré, ée.
nacela Nacelle (sel).
nacer* Naître* (nètr).
nacido, da Né, ée.
naciente (zièn) Naissant, e.
nacimiento m Naissance (nèsaⁿs) f. Source (surs) f [agua]. Crèche (ech) f [de Navidad].
nación Nation (sioⁿ).
nacional National, e.
nacionalidad Nationalité.
nacionalismo Nationalisme.
nada f Néant (neaⁿ) m. Adv Rien (riiⁿ). Nada más, rien de plus. De nada, de rien.
nadador, ra Nageur, euse.
nadar Nager (jé).
nadie Personne (sonᵉ).
nado (a) A la nage.
nafta Naphte (naft).

naftalina Naphtaline (linᵉ).
naipe (naïpé) m Carte f.
najarse Pop. Se sauver.
nalga Fesse (fes).
nana Nourrice (nuris).
nao f Nef.
napolitano, na Napolitain, e.
naranja (rànja) Orange (aⁿj).
Fam. Media naranja, moitié (muatié) [mujer].
naranjada Orangeade (jad).
naranjado, da Orangé, ée.
naranjero, ra Marchand, ande d'oranges.
naranjo Oranger (aⁿjé).
narciso Narcisse (sis).
narcótico, ca Narcotique.
nardo m Tubéreuse (tü-œs) f.
nariz f Nez (ne) m. Narine f [ventana de nariz]. Bec m [pico de un objeto].
narración Narration.
narrador, ra Narrateur, trice.
narrar Narrer.

narria *f* Fardier *m.*

nasa Nasse (nas).

nata Crème (em).

natación Natation.

natal Natal, e.

natalicio Anniversaire (ser).

natillas (ílhass) Crème (em).

natividad Nativité.

nativo, va Natif, ive.

nato, ta Né, née.

natural Naturel, elle.

naturaleza Nature (tür).

naturalidad Naturalité.

naturalismo Naturalisme.

naturalista Naturaliste.

naturalizar Naturaliser.

naufragar Naufrager*.

naufragio (naou) Naufrage.

náufrago Naufragé.

náusea (aou) Nausée (nosé).

nauseabundo Nauséabond.

náutico, ca Nautique (notik).

nava Plaine (plèn∘).

navaja (ja) *f* Couteau (kutó) *m.*

naval Naval, e.

navazo Jardin maraîcher.

nave (navé) Nef.

navegable Navigable.

navegación Navigation.

navegante Navigateur (tœr).

navegar Naviguer.

naveta (vé) Navette (vet).

navidad (da) Noël.

naviero Armateur.

navío Navire (ir) vaisseau.

náyade (yadé) Naïade (iad).

nazareno Nazaréen. *M* Pénitent [procesiones].

nobilna Brume (üm).

nebuloso, sa Nébuleux, se.

necedad (da) Sottise (tís).

necesario, ria Nécessaire.

necesidad Nécessité. Besoin

(bœsui∘) *m* [falta]. Faim (fi∘) [hambre].

necesitado, a Nécessiteux, se.

necesitar Avoir* besoin.

necio, cia Sot, otte.

necrología Nécrologie (ji).

necrópolis Nécropole.

néctar Nectar.

nefando, da Abominable.

nefasto, ta Néfaste (ast).

nefritis Néphrite (frit).

negación Négation (sio∘).

negar* (né) Nier (nié). Refuser (rœfüsé) [rehusar]. *Vr* Se refuser de.

negativo, va Négatif, ve.

negligencia (jèn) Négligence.

negligente Négligent, e (ja∘).

negociación Négociation.

negociado Bureau (büro).

negociar Négocier.

negocio Négoce (gós). Affaire (afer) [asunto].

negrear Tirer sur le noir.

negro, gra (né) Noir, oire (nuar) [color]. *mf* Nègre (negr), négresse [de raza negra]. *Fig.* Embarrassé, ée [apurado].

negrura Noirceur (nuarsœr).

negruzco, ca Noirâtre.

neguijón (jòn) *m* Carie (ri) *f.*

nene (néné) Bébé.

nenúfar (nou) Nénuphar (far).

neófito, a Néophyte (fit).

neologismo Néologisme.

neón Néon.

nervadura Nervure (vür).

nervio Nerf (ner).

nerviosidad Nervosité.

nervioso, sa Nerveux, se.

nesga *f* Biais (biè) *m.*

neto, ta Net, nette.

neumático, ca Pneumatique.

neuralgia Névralgie (ji).

neurastenia Neurasthénie.

neurasténico Neurasthénique.

neuróptero Névroptère.

neurosis (neou) Névrose (os).

neurótico, ca Névrosé, ée.

neutral (néou) Neutre (nœtr).

neutralidad Neutralité.

neutralizar Neutraliser.

neutro, a (néou) Neutre (nœtr).

nevado, da Neigeux (nèjœ), se. *F* Chute de neige.

nevar* Neiger* (nèjé).

nevatilla Bergeronnette.

nevera (névé) Glacière (ier).

nevería Glacerie (glasrí).

nevisca Chute de neige.

nevoso, sa Neigeux, euse.

ni Ni.

nicotina Nicotine.

nicho (cho) *m* Niche (ich).

nidada Nichée (ché).

nido Nid (ni).

niebla (nié) *f* Brouillard *m* (bruïar).

nieto, ta Petit-fils, petite-fille (pœtifis, titfíle).

nieve (niévé) Neige (nèj).

nigromancia Nécromancie.

nigua (goua) Chique (chik).

nihilista Nihiliste.

nimbo Nimbe (ni^nb).

nimiedad Petitesse (pœtités).

nimio, a Superflu, ue.

ninfa (nìn) Nymphe (ni^nf).

ningún, na Aucun, e (okin, üne) [ninguno après un substantif ou employé comme pronom].

niña (gna) Fillette (fíiet). Pupille (pupíie) [del ojo].

niñada *f* Enfantillage *m*.

niñera (gné) Bonne d'enfant.

niñería *f* Enfantillage *m*.

niño (gno), ña Enfant (a^ufa^n).

nipón, na Nippon, one.

níquel Nickel.

niquelar (s) Nickeler* (klé).

níspero *m* Nèfle (nefl) *f*.

nítido, da Net. ette (net).

nitrato Nitrate.

nitro Nitre.

nitrógeno Azote (asot).

nitroglicerina Nitroglycérine.

nivel Niveau (vo).

nivelar Niveler* (nivlé).

níveo, a Neigeux (nèjœ), se.

no Non. Ne... pas [ante un verbo] : *no habla*, il ne parle pas. *No hace nada*, il ne fait rien. *No bien*, aussitôt que. *No más*, pas plus. *No ya*, non seulement. *No tal*, nullement.

noble Noble (nobl).

nobleza (za) Noblesse (és).

noción Notion.

nocivo, va Nocif, ive.

nocturno, a Nocturne (ürn).

noche (ché) Nuit (nüí). *Media noche*, minuit. *Buenas noches*, bonne nuit. *De noche*, la nuit.

nochebuena Noël (noel).

nodriza Nourrice (nurís).

nogal Noyer (nuaïé).

nómada Nomade (ad).

nombradía *f* Renom (rœ^no^n) *m*.

nombramiento *m* Nomination *f*.

nombrar (nòn) Nommer.

nombre (nòn) Nom. *Nombre de pila*, nom de baptême.

nomenclatura Nomenclature.

nomeolvides Ne m'oubliez pas.

nómina Liste (list).

nominal Nominal, e.

non (nòn) Impair, e (iⁿper).
Mpl Refus (rœfü).

nonada *f* Rien (riⁿ) *m.*

nonagésimo Quatre-vingt-dixième (katreviⁿdisiem).

nono, na Neuvième (nœviem).

non plus ultra Nec plus ultra.

nopal Nopal.

nordeste Nord-est.

noria Noria.

norma Norme (norm).

normal Normal, ale.

normando, da Normand, e.

noroeste Nord-ouest (ruest).

norte Nord (nor).

norteamericano, na Américain, aine, du Nord.

noruego, ga Norvégien, enne.

nos, nosotros Nous (nu).

nota Note (nu).

notabilidad Notabilité.

notabilísimo Très notable.

notable Notable (abl).

notar Noter. Remarquer.

notariado Notariat.

notario Notaire (ter).

noticia Nouvelle (nuvel). Notice (tís) [informe].

noticiar Informer (iⁿ).

noticiario *m* Actualités *fpl* [cine].

noticioso, sa Informé, ée.

notificar Notifier*.

notoriedad Notoriété.

novador, ra Novateur, trice.

novatada Brimade (mad).

novato, a Nouveau, elle.

novecientos Neuf-cents.

novedad Nouveauté (té).

novel Nouveau (nuvo).

novela *f* Roman *m.* Novela corta, nouvelle (nuvel).

novelesco, ca Romanesque.

novelista Romancier, ère.

novena Neuvaine (nœvèn·).

noveno, na Neuvième.

noventa Quatre-vingt-dix.

noviazgo *m* Fiançailles *fpl.*

novicio, cia Novice 2g.

noviembre (vèn) Novembre.

novillada Course de jeunes taureaux.

novillo (ílho) Jeune taureau.

novio, a Fiancé, ée (fia·nsé).

novísimo, ma Dernier, ère [último]. Très récent [nuevo].

nubarrón Gros nuage (nüaj).

nube (nou) *f* Nuage (nüaj).

núbil (nou) Nubile (nübil·).

nublado, da Nuageux, euse.

nublar Couvrir de nuages.

nuca Nuque (nük).

núcleo (nou) Noyau (nuaio).

nudo (nou) Nœud (nœ·).

nudoso, sa Noueux, euse.

nuera (noué) Belle-fille.

nuestro, tra Notre 2g [pl. nos]. (Cuando es pronombre lleva en francés acento : nôtre.).

nuevamente Nouvellement.

nueve (nouévé) Neuf (nœf).

nuevo, va (noué) Nouveau, velle [*novel* delante de un sm. que empieza por vocal o h muda : *año nuevo,* nouvel an]. Neuf (nœf), neuve [que aún no ha servido].

nuez (nouez) Noix (nua).

nulidad Nullité (nül·lité).

nulo, la Nul, nulle (nül).

numen (noumèn) *m* Inspiration (iⁿs·siòⁿ) *f.*

numeración Numération.

numeral Numéral, ale.

numerar Numéroter. Dénombrer (noᵇ) [contar].
numerario Numéraire.
numérico, ca Numérique.
número (numéro) Nombre (noᵇbr) [cantidad]. Numéro [cifra, guarismo].
numeroso, a Nombreux, se.
nunca (noun) Jamais (jamè).
nunciatura Nonciature.

nuncio (noun) Nonce (noᵇs).
nupcial Nuptial, e (nüpsial).
nupcias Noces (nos).
nutria (nou) Loutre (lutr).
nutricio, cia Nourricier (nurisié).
nutrición Nutrition.
nutrido, da Nourri, ie (nurí).
nutrir (nou) Nourrir (nurír).
nutritivo Nourrissant.

Ñ

ñandú (gnàndou) Nandou.
ñoño, ña (gnogno) Niais, se.

ñudo (gnou) Nœud (nœ).
ñudoso, sa Noueux, euse.

O

oasis (ssis) m Oasis (sís) f.
obcecación f Aveuglement m.
obcecar Aveugler (avœ).
obedecer* Obéir.
obediencia Obéissance.
obediente Obéissant, ante.
obelisco Obélisque (lisk).
obenque (obènkè) Hauban.
obesidad Obésité.
obeso (esso) Obèse (bès).
obispado Évêché (ché).
objeción (je) Objection (jek).
objetar Objecter (jek).
objetivo, va Objectif, ive.
objeto (jé) Objet (jè).
oblea f Pain [m] à cacheter.
oblicuo, a Oblique (ik).
obligación Obligation.
obligar Obliger* (jé).
obligatorio, ria Obligatoire.
obliterar Oblitérer*.
oblongo, ga Oblong, ongue.
óbolo m Obole (ol) f.

obra Œuvre (œvr). Ouvrage (uvraj) m [de arte, literaria]. Ouvrage m [trabajo]. Œuvre [buena o mala]. Pl Travaux m [públicas].
obrador m Ouvroir (uvruar).
obrar Agir (ajir).
obrero, ra Ouvrier, ère (uvrié).
obsceno, na Obscène (senᵉ).
obscurecer* Obscurcir (kür).
obscuridad (kou) Obscurité.
obscuro, ra Obscur, ure.
obsequiar (kiar) Combler de prévenances. Faire* cadeau [regalar].
obsequio Cadeau (do). Prévenance f [atención].
obsequioso, a Obséquieux, se.
observación Observation.
observador Observateur.
observar Observer*.
observatorio Observatoire.

obsesión Obsession.
obstáculo Obstacle (akl).
obstante (no) Nonobstant.
obstar Empêcher (aⁿpeché).
obstinación Obstination.
obstinarse S'obstiner : obstinarse en, s'obstiner à.
obstrucción Obstruction.
obstruir* Obstruer (trüé).
obtención Obtention.
obtener* Obtenir*.
obturar Obturer.
obtuso, sa Obtus, use.
obviar Obvier.
obvio, via Évident, ente.
oca Oie (ua).
ocasión Occasion.
ocasional Occasionnel, elle.
ocasionar Occasionner.
ocaso (asso) Crépuscule (ül).
occidental Occidental, e.
occidente (èn) Occident (aⁿ).
occipucio Occiput (püt).
océano Océan (oseaⁿ).
ocio Loisir (luasir).
ociosidad Oisiveté (uasivté).
ocioso, sa Oisif, ive (uasif).
  Oiseux, se (uasœ) [inútil].
oclusión Occlusion (klüsioⁿ).
ocre (okré) Ocre (okr).
octavo, va Huitième (üitiem).
  F Octave. Npr. Octave (av).
octogenario, a Octogénaire.
octogésimo Quatre-vingtième.
octógono Octogone (gonᵉ).
octubre (tou) Octobre (obr).
ocular (kou) Oculaire (küler).
oculista Oculiste.
ocultar (koul) Cacher (ché).
oculto, ta (koul) Caché, ée.
  Occulte (kült) en sent. fig.
  o en lenguaje culto].
ocupación Occupation (kü).
ocupar (kou) Occuper (küpé).

ocurrencia Occurrence (raⁿs)
  [ocasión]. Fig. Saillie
  (saï), trait (trè) [chiste].
ocurrente (kourrèn) Spirituel, elle (tüel).
ocurrir Arriver (ari) [suceder]. Recourir* (rœku)
  [acudir]. Venir à l'esprit.
ochavo (ocha) Liard (liar).
ochenta (chèn) Quatre-vingts
  (katreviⁿ)
ocho (ocho) Huit ('üit).
ochocientos, tas Huit-cents.
oda Ode (od).
odalisca Odalisque.
odiar Haïr* ('aïr).
odio m Haine (èn) f.
odioso, a Odieux (diœ), se.
odisea Odyssée (disé).
odre m Outre (utr) f.
oeste m Ouest (uest).
ofender (fèn) Offenser* (faⁿ).
ofensa (èn) Offense (faⁿs).
ofensivo, va Offensif, ive.
ofensor (fèn) Offenseur.
oferta Offre (ofr).
ofertorio Offertoire (tuar).
oficial Officiel, elle (siel).
  M Officier (sié) [militar].
  Ouvrier (uvrié) [obrero].
  Employé [empleado].
oficiala Ouvrière.
oficialidad f Cadres mpl.
oficiar Officier*.
oficina f Bureau (büro) m.
  Officine f [farmacia].
oficinista Bureaucrate.
oficio Métier (tié) [profesión]. Office [función].
  Office [religión]. Office f
  [cocina].
oficioso, sa Officieux, euse.
ofidio Ophidien (fidiⁿ).
ofrecer* Offrir*. Fig. Venir*
  à l'esprit [pensar].

ofrecimiento *m* Offre (ofr) *f*.

ofrenda (èn) Offrande (aⁿd).

oftalmia Ophtalmie.

ofuscar Offusquer (füs).

ogro Ogre (ogr).

¡oh! Oh! O [vocativo].

oídas (de) Par ouï-dire.

oídio Oïdium (diom).

oído *m* Ouie (uï) *f* [sentido].
   Oreille (oréi) *f* [órgano de
   la audición].

oidor, ra Auditeur, trice.

oír* Entendre (aⁿtaⁿdr).
   ¡Oiga! Écoutez! Allô! [teléfono].

ojal (jal) *m* Boutonnière *f*.

¡ojalá! Plaise à Dieu!

ojaranzo Charme.

ojeada *f* Coup [*m*] d'œil.

ojear (jé) Regarder (rœ).
   Battre* (batr) [caza].

ojeo (jé) *m* Battue (tü) *f*.

ojera (jé) *f* Cerne (sern) *m*.

ojeriza (jériza) Aversion.

ojete (jété) Œillet (œié).

ojiva (ji) Ogive (jiv).

ojo (ojo) Œil (œi) [pl. *yeux*
   (iœ)]. Chas (cha) [aguja].
   Trou [cerradura]. Arche *f*
   [puente]. ¡*Ojo!* Attention!
   A ojo, au jugé. *A ojos vistas*, à vue d'œil. *En un abrir
   y cerrar de ojos*, en un clin
   d'œil. *Estar* * ojo avizor*,
   être* attentif.

ola Vague (vag).

¡ole! ¡olé! Bravo!

oleada Marée (ré).

oleaginoso, a Oléagineux, se.

oleaje *m* Vagues (vag) *fpl.*

óleo *m* Huile (üil) *f*.

oler Sentir* (saⁿ) : *olera*,
   sentir le, la.

olfatear Flairer (flèré).

olfato Odorat (ra).

oliente (iènté) Odorant, ante.

olímpico, ca Olympique.

oliva Olive.

olivar *m* Olivaie (vè).

olivo Olivier (vié).

olmo Orme.

ológrafo Olographe.

olor *m* Odeur (dœr) *f*.

oloroso, sa Odorant, ante.

olvidadizo, a Oublieux, se.

olvidar Oublier (ublié). *Vr*
   Oublier, négliger.

olvido Oubli (ublí).

olla (olha) Marmite. Pot-au-
   feu (potofœ) *m* [puchero].
   Olla podrida, pot-pourri.

ombligo Nombril (no^mbri).

omisión Omission (sioⁿ).

omitir Omettre* (metr).

ómnibus (ouss) Omnibus.

omnipotente Tout-puissant, e.

omóplato *m* Omoplate *f*.

once Onze (oⁿs).

onda (òn) Onde (oⁿd).

ondear Ondoyer (oⁿduaié).

ondulación Ondulation.

ondular (òndou) Onduler.

oneroso, sa Onéreux, euse.

ónice Onyx (ix).

onomatopeya (ya) Onomatopée.

onza (ònza) Once (oⁿs).

onzavo, va Onzième.

ópalo *m* Opale *f*.

opción Option.

ópera *f* Opéra *m*.

operación Opération.

operador, ra Opérateur,
   trice.

operar Opérer*.

operario, ria Ouvrier, ère.

opérculo Opercule.

opereta Opérette (ret).

opiado, da Opiacé, ée.

opilación Anémie.

opinar Opiner.

opinión Opinion (nión).

opio Opium (píom).

opíparo, ra Abondant, ante.

oponer* Opposer.

oportunidad Opportunité.

oportunista Opportuniste.

oportuno, na Opportun, une. Spirituel, elle (tüel).

oposición Opposition. Concours (koⁿkur) [certamen] Concurrent [certamen].

opositor Opposant (saⁿ). [certamen].

opresión Opression.

opresor Opresseur (sœr).

oprimir Opprimer.

oprobio Opprobre.

optar Opter.

óptico, ca Optique.

optimismo Optimisme.

óptimo, ma Excellent, e.

opulencia Opulence (laⁿs).

opulento, ta Opulent, ente.

opúsculo Opuscule (opüskül).

oquedad (okedá) f Creux m.

ora Tantôt (taⁿto).

oración Oraison (oresoⁿ). Prière (er) f [rezo]. Discours (kur) m [gramática].

oráculo Oracle.

orador Orateur (tœr).

oral Oral, ale.

orangután Orang-outan.

orar Prier*.

orate (té) Fou, folle.

oratorio, ria Oratoire.

orbe (bé) Globe (ob).

órbita Orbite (it).

órdago (de) Excellent, e.

orden mf Ordre m.

ordenado Ordonnateur [persona]. Ordinateur [aparato].

ordenanza Ordonnance.

ordenar Ordonner.

ordeñar (gnar) Traire* (trer).

ordinal Ordinal, ale.

ordinario, ria Ordinaire (ner). Vulgaire (vülgher).

orear Aérer*.

orégano Origan (aⁿ).

oreja (éja) Oreille (orei).

orejera (jé) Oreille (oréi).

orejeta Oreillette (reíet).

oreo m Brise f. Ventilation f.

orfanato Orphelinat (fœlina).

orfandad Orphelinage.

orfeón (féón) Orphéon (feoⁿ).

organdí Organdi (gaⁿ).

orgánico, ca Organique.

organillero Joueur d'orgue.

organillo (lho) Orgue de Barbarie.

organismo Organisme.

organista Organiste.

organización Organisation.

organizador, ra Organisateur, trice (satœr, tris).

organizar Organiser.

órgano Orgue (org) [mús.]. Organe (ane) [aparato].

orgía Orgie (ji).

orgullo (oulho) Orgueil (gœi).

orgulloso, a Orgueilleux, se.

orientación Orientation.

oriental Oriental, ale.

orientar (èn) Orienter (iaⁿ).

oriente (èn) Orient (riaⁿ).

orificar Aurifier* (orifié)

orificio Orifice.

origen (ijèn) m Origine f.

original Original, ale (ji).

originalidad Originalité.

originar (ji) Causer, provoquer, donner naissance.

orilla (ilha) f Bord (bor) m; a orillas de, au bord de.

orillar (lhar) Border.

orillo (ilho) Bord (bor).

orín (ìn) m Rouille (rui) f.

orina Urine (üríne).

orinal Vase de nuit (vas dœ nüi), pot de chambre.

orinar Uriner.

orines (ès) mpl. Urine f.

oriundo Originaire (jiner).

orla Bordure (dür).

orlar Border.

ornamento Ornement (a^n).

ornar Orner.

ornato Ornement.

oro Or. Couleur des cartes à jouer espagnoles (disques dorés correspondant aux carreaux des jeux français).

orondo, da Fier, fière.

oropel Oripeau (po).

oropéndola (rou) f Loriot (rio) m.

orozuz (zouz) m Réglisse f.

orquesta (kes) f Orchestre (kestr) m.

orquídea Orchidée.

ortiga Ortie (tí).

orto Lever (lœvé) [astros].

ortodoxo, xa Orthodoxe.

ortografía Orthographe (af).

oruga (rou) Chenille (niie).

orujo (roujo) Marc (mar).

orza (za) f Pot (po) m.

orzuelo Compère-loriot.

os Vous (vu) [pl. de te].

osa (ossa) Ourse (urs).

osadía Hardiesse ('ardiés).

osado, da Hardi, die ('ardi).

osamenta f Squelette m.

osar (ossar) Oser (sé).

osario Ossuaire (osüèr).

oscilación Oscillation (sila).

oscilar Osciller (sil-lé).

ósculo Baiser (bèsé).

oscuro, ra Obscur, e (kür).

óseo, a Osseux (osœ), euse.

osezno Ourson (urso^n).

osificar Ossifier* (fié).

oso (osso) Ours (urs).

osteítis Ostéite f.

ostentación Ostentation.

ostentar Montrer, étaler.

ostentoso, sa Vaniteux, euse.

ostra Huître (üitr).

ostracismo Ostracisme.

osudo Osseux (osœ).

otero (té) m Butte (büt) f.

otitis Otite.

otomano, na Ottoman, e.

otoño (gno) Automne (oton).

otorgar Octroyer (uaié).

otro, a Autre (otr). ¡Otra! Encore!, bis! Otra vez, une autre fois.

ovación Ovation.

oval; ovalado, da Ovale (al).

óvalo Ovale (al).

ovario Ovaire (over).

oveja (éja) Brebis (brœbi).

ovejuno, na De brebis.

ovillo (lho) m Pelote (plot) f.

ovíparo Ovipare.

ovoide (oï) Ovoïde (id).

óvolo m Ove (ov) f.

óvulo (vou) Ovule (vül).

oxálico, ca Oxalique.

oxidación Oxydation.

oxidar Oxyder.

óxido Oxyde (xid).

oxigenar Oxygéner* (jené).

oxígeno (jé) Oxygène (jène).

¡oxte! Zest.

oyente (oyènté) Auditeur.

ozono (zo) Ozone (son^e).

P

pabellón Pavillon (paviíon).
pabilo m Mèche (mech) f.
pábulo (bou) Aliment (maⁿ).
pacato, ta Tranquille (kil).
pacer* Paître (pètr).
paciencia (zièn) Patience.
paciente Patient (sian).
pacienzudo Très patient.
pacificador Pacificateur.
pacificar Pacifier*.
pacífico, ca Pacifique.
pacotilla Pacotille (tíe).
pactar Convenir* (konvnir).
pacto Pacte.
pachón (ón) Basset (sè).
pachorra Fam. Flegme.
padecer* Souffrir (su).
padecimiento m Souffrance f.
padrastro Beau-père. Envie
  (anvi) f [en las uñas].
padre Père (per). Pl. Les
  parents (ran). El Padre
  Santo, le Saint-Père.
padrinazgo Parrainage.
padrino Parrain (riⁿ).
padrón (ón) Recensement.
  Fig. Tache f [mancha].
paella (lha) Riz à la mode
  de Valence.
paga Paie (pè).
pagadero Payable (pèiabl).
pagador Payeur (pèiœr).
paganismo Paganisme.
pagano, na Païen, enne (iiⁿ).
pagar Payer* (pèié).
pagaré Bon (boⁿ).
página (ji) Page (paj).
pago Paiement (pèmaⁿ). Propriété f [finca].
pagoda Pagode.
país Pays (pèi).

paisage (paissajé) Paysage
  (peïsaj).
paisajista Paysagiste.
paisano, na Compatriote.
  Civil, e [no militar] : de
  paisano, en civil.
paja (ja) Paille (paíe).
pajar (jar) Paillier (paíé).
pajarera (ja) Volière.
pajarero, ra Oiselier, ère
  (uaslié). Fam. Enjoué, ée
  (anjué) [chancero]. Criard,
  de (criar) [colores].
pajarete Sorte de vin.
pájaro (ja) Oiseau (uaso).
  Passereau (pasro) [orden
  de aves].
pajarota f Fam. Canard (ar)
  m [noticia falsa].
pajarraco Fam. Vilain oiseau.
paje (j) Page (paj).
pajizo, za (jizo) Jaune
  paille (jone paíe).
pajonal (jo) m Am. Savane f.
pajoso, sa De paille.
pajuela Petite paille.
pala Pelle (pel). Empeigne
  (anpeñ) [calzado].
palabra Parole. Mot (mo) m
  [vocablo]. Promesse (es).
palabreo m y palabrería f.
  Bavardage (daj) m.
palabrota f Gros mot m.
palaciego Courtisan.
paladar Palais (lè). Goût
  (gu) [sabor].
paladear Savourer (savuré).
paladio Palladium.
palafrén (èn) Palefroi (frua).
palafrenero Palefrenier.
palanca (làn) f Levier m.

palangana Cuvette (küvet).
palanganero Porte-cuvette.
palanquera Barrière.
palanqueta Pince-monseigneur.
palanquín Palanquin *Fam*.
Portefaix [mozo].
palastro *m* Tôle (tol) *f*.
palatal Palatal, ale.
palco *m* Loge (loj) *f*.
palenque (lènkè) *m* Palissade (lisad) *f*. Arène [lid].
palestra Arène (rène).
paleta (lé) Palette (let).
Truelle (trüel) [albañil].
paletilla (lha) *f* Omoplate.
paleto *Fam*. Croquant (ka*n*).
paletó Paletot (palto).
paliar Pallier* (palié).
paliativo Palliatif (lia).
palidecer* Pâlir.
palidez (dèz) *f* Pâleur (lœr).
paliducho, cha Pâlot, otte.
palillero (lhé) Porte-plume.
palillo (lho) Bâtonnet (nè).
Cure-dents [mondadientes].
Fuseau (füso) [encajes].
Baguette (guèt) *f* [tambor].
Pl Castagnettes (ñet) *fpl*.
palinodia Palinodie.
palio Dais (dè).
palique (ê) Entretien (tii*n*).
palitroque Bout de bois.
paliza (za) Volée (lé).
palizada Palissade (sad).
palma Palme [hoja]. Palmier *m* [árbol]. Paume (pom) [de la mano].
palmada (é) Battement [*m*] de mains (batma*n*dœ mi*n*).
palmado, da Palmé, ée.
palmar Palmaire (mer).
Clair, e; évident, e. *M* Palmeraie *f*.

palmario, ria Clair, *aire*.
palmatoria *f* Bougeoir (juar) *m*. Férule *f* [palmeta].
palmeado, da Palmé, ée.
palmear Battre des mains.
palmera *f* Palmier *m*.
palmeta Férule (rül).
palmetazo Coup de férule.
palmiche (ché) *m* Palme royale (palm ruaïal) *f*.
palmípedo, da Palmipède.
palmito Palmier nain (ni*n*).
Fam. Visage (saj).
palmo Empan (a*n*pa*n*).
palmotear Battre des mains.
palmoteo Applaudissement.
palo Bâton (to*n*). Bois (bua) [madera]. Mât (ma) [mástil]. Couleur (kulœr) [naipes]. Coup de bâton.
paloma Colombe (o*n*b) [hembra]. Pigeon (pijo*n*) *m*.
palomar Pigeonnier (jonié).
palomilla (lha) Teigne (teñ) [mariposa]. Console (ko*n*sol) [repisa].
palomino Pigeonneau (jono).
palomo Pigeon (jo*n*).
palote (té) Bâton [escritura].
palpable (blé) Palpable (abl).
palpar Palper.
palpitación Palpitation.
palpitante (ta*n*) Palpitant, e.
palpitar Palpiter.
palpo Palpe.
palúdico, ca Paludique.
palurdo (lour) Rustre (rüstr).
pallador (lha) *Am* Chanteur populaire.
pamema (mé) Niaiserie (niès).
pampa (pàm) Pampa (pa*n*).
pámpana Feuille de vigne.
pámpano Sarment (ma*n*).
pampeano, na De la pampa.
pampero Vent de la pampa.

pamplina (àm) f Mouron
(muroⁿ) m. Fam. Niaiserie
(nièsri) f.

pan (pàn) Pain (piⁿ). Agr.
Blé.

pana f Velours à côtes m.

panacea Panacée.

panadería Boulangerie.

panadero Boulanger (bulaⁿ).

panadizo (zo) Panaris (rí).

panal Gâteau de miel. Sucre
spongieux [azucarillo].

panatela f Biscuit long m.

páncreas (pàn) Pancréas.

pandear Gauchir (gochír).

pandeo (pàn) Gauchissement.

pandereta f Tambourin m.

panderetear Tambouriner.

pandero (pàn) Tambour de
basque.

pandilla (pàndílha) Bande.

pando, da Gauche (goch).
Fam. Tranquille (traⁿkíl).

pandorga Fam. Dondon (doⁿ).

panecillo (lho) Petit pain.

panegírico Panégyrique.

panela f Biscuit (kíí) m.
Am Cassonade (sonad).

pánfilo, la Nonchalant, ante.

paniaguado Familier.

pánico, ca Panique (ník).

panificación Panification.

panizo Panic.

panocha f Épi [m] de maïs.

panocho, cha Habitant de la
huerta de Murcie.

panoplia Panoplie.

panorama Panorama.

panoso, sa Farineux, euse.

pantalón Pantalon (loⁿ).

pantalla (pàntàlha) f Abat-
jour (abajúr) [para la luz.]
m. Écran (aⁿ) m [cine].
Fig. Écran m.

pantano (pàn) Marais (rè).

pantanoso, a Marécageux, se.

panteísmo Panthéisme.

panteón Panthéon. Cime-
tière [cementerio].

pantera (pàn) Panthère (paⁿ).

pantógrafo Pantographe.

pantomima Pantomime.

pantorrilla (lha) f Mollet
(molè) m.

pantufla (pàntou) m Pan-
toufle (paⁿtufl) f.

panza (pànza) Panse (paⁿs).

pañal (gnal) Lange (laⁿj).
Pan (paⁿ) [de camisa]. Pl
Couches (kuch) [de niño].

pañería Draperie (draprí).

pañero Drapier (pié).

paño (gno) Drap (dra). Compresse (és) [vendaje]. Pl
Draperies fpl [ropa].

pañol (gnol) m Soute (sut) f.

pañoleta f Fichu (chü) m.

pañolón (gnolón) Châle.

pañuelo (gnoué) Mouchoir
(muchuar). Foulard (fular)
[de adorno].

papa (pàn) Pape [padre].
F Pomme de terre [patata].
Fam. Niaiserie (nièsrí). Pl
Bouillie (buí) f [gachas].

papá Papa.

papada f Double menton m.

papado m Papauté (poté) f.

papagayo Perroquet (rokè) f.

papal Papal, ale.

papalina Capeline (kaplín[e]).

papamoscas Gobe-mouches.

papanatas Badaud, aude (do).

papar Gober.

paparrucha Fam. Niaiserie.

papaveráceas Papavéracées.

papaya (ya) Papaye (paíe).

papazgo m Papauté f.

papel Papier. Rôle (rol)
[teatro]. Papel de fumar,

papier à cigarettes. *Papel de seda*, papier de soie. *Papel secante*, buvard. *Hacer* (o desempeñar) un papel*, jouer un rôle.

papeleo m Paperasse f. Paperasserie f.

papelera f Classeur (sœr) m.

papelería Papeterie (paptrí).

papelero Papetier. *Fam.* Poseur [farolón].

papelillo (lho) Petit papier.

papelón m Paperasse (pras) f. *Am.* Sucre brun. *Fam.* Fanfaron (fanronᵉ).

papelonear *Faire** le fanfaron.

papera f Goitre (guatr) m.

papila f Papille (piíᵉ).

papilionácea Papilionacée.

papilla (lha) Bouillie (buíᵉ).

papiro Papyrus (rüs).

papirote m Chiquenaude f.

papista Papiste.

paquebote Paquebot (pakbo).

paquete Paquet (kè).

paquidermo Pachyderme.

par Pair. e. M Paire (pèr) f. Pair (pèr) [inglés]. Chevron (chœvronⁿ) [madero]. *A la par*, au pair. *De par en par*, grand ouvert, e. *Sin par*, inimitable (tabl).

para Pour (pur). Vers (ver) [hacia]. ¿*Para qué?* Pourquoi? (kuá) [motivo] à quoi? [uso]. *Estar* para salir*, [uso] *Estar* para salir*, être* sur le point de sortir.

parabién Compliment.

parábola Parabole (bol).

parabrisas Pare-brise.

paracaídas (ass) Parachute.

paracaidista Parachutiste.

parachoques Pare-chocs.

parada f Arrêt (rè) m. Re-

lais (rœlè) [caballos]. Parade (esgrima). Mise (mis) [juegos].

paradero m But (büt), terme [fin]. Domicile (sil).

parado, da Arrêté, ée. Oisif (uasif), ive [ocioso]. Chômeur (chômœur) [obrero]. *Am.* Debout (but) [de pie].

paradoja (ja) f Paradoxe m.

paradójico, ca Paradoxal, e.

parador m Auberge (oberj) f.

parafina Paraffine (finᵉ).

paráfrasis Paraphrase (fràs).

parágrafo Paragraphe (graf).

paraguas (ouass) Parapluie.

paraíso Paradis (di).

paraje (jé) Parage (raj).

paralelepípedo Parallélépipède.

paralelismo Parallélisme.

paralelogramo Parallélogramme.

parálisis Paralysie.

paralítico, ca Paralytique.

paralizar (zar) Paralyser.

paramento Parement.

paramera Lande (land).

páramo Désert (ser).

parapeto Parapet (pè).

parar Arrêter [detener]. Finir [acabar]. Demeurer (dœmœré) [habitar]. Descendre (andr) [fonda, posada]. *Vr* S'arrêter. *Am* Se mettre* debout.

pararrayos Paratonnerre.

parásito, ta Parasite (sit).

parce m Exemption (anⁿsionⁿ) f.

parcela Parcelle (sel).

parcial Partiel, elle (sièl) [incompleto]. Partial, e (sial) [injusto].

parcialidad Partialité.

parcidad (da) Parcimonie.

parco, ca Sobre (sobr).
parcha Passiflore (flor).
parche (ché) Emplâtre (atr).
¡pardiez! Pardi!
pardal Moineau (muano).
pardillo, lla Brunet, ette. M Linotte (nɔt) [ave].
pardo, da Brun, une (briⁿ, üⁿe) [moreno]. Gris, ise (gri, is) [ceniciento]. Am. Mulâtre.
pardusco, ca Grisâtre (satr).
parear Assembler par paires.
parecer m Avis (avi). Aspect.
parecer* (parézèr) Vi Paraître* (rètr) Impers. Sembler : parece que, il semble que. Vr Se ressembler (rœsaⁿ).
parecido, da Paru, ue (ru). Ressemblant, e (rœsaⁿblⁿ).
pared f Mur (mür) m. Paroi (ruá) f [de un recipiente].
pareja f Couple (kupl) m.
parejo, ja Pareil, eille (réi).
parentela f, parentesco m Parenté f.
paréntesis m Parenthèse f.
paria f Paria.
parida Accouchée (akuché).
paridad Parité f.
pariente (iènté) Parent, e.
parihuela Civière.
parir Accoucher (akuché). Mettre* bas [animales].
parisiense Parisien, enne.
parla f Bavardage (daj) m.
parlamentar Parlementer.
parlamentario Parlementaire.
parlamento Parlement.
parlante (làn) Parlant, e.
parlar Bavarder.
parlero, ra Bavard, e. Chanteur, euse (chaⁿtœr) [ave].
paro m Arrêt (rè) m. Mé-

sange (mesaⁿj) f [pájaro].
parodia Parodie.
parodiar Parodier.
parola f Bavardage (daj) m.
parótida Parotide.
parpadear Cligner des yeux.
párpado m Paupière.
parque (ké) Parc (par).
parra (rra) Treille (trei).
párrafo Paragraphe (graf).
parral Treille (trei) f.
parranda Fam. Fête (fèt).
parricida, parricidio Parricide.
parrilla (lha) f Gril (gri) m.
párroco Curé (küré).
parroquia Paroisse (ruás). Clientèle (kliaⁿtel).
parroquial Paroissial, e.
parroquiano, a Client, e.
parsimonia Parcimonie.
parte (té) Partie [división]. Part (par) [reparto]. Partie [sitio]. Partie [litigante]. Rôle m [papel]. Dar* parte, faire* part. De parte de, de la part de. De parte a parte, de part en part. Por otra parte, d'autre part. Tomar parte en, prendre part à.
partera Sage-femme (sajfam).
partesana Pertuisane (tüis).
partición f Partage (taj) m.
participación Participation.
participar Vi Participer : participar en, participer à. Vt Faire* part de, communiquer.
participante Participant, e.
participio Participe (síp).
partícula Particule (kül).
particular Particulier, ère. M Sujet (süjé) [asunto].

189   PAR — PAS

partida Partie (tí) [juego]. Départ (par) m [salida]. Acte m [estado civil]. Lot (lo) m [mercancías]. Fam. Tour (tur) m : mala partida, mauvais tour.

partidario, ria Partisan.

partido, da Divisé, ée. M Parti. Avantage [juego].

partir Partir [salir]. Partager*, diviser [dividir].

partitura Partition (sioⁿ).

parto Accouchement.

parturienta Parturiente.

parva Airée (èré) [trigo]. Tas (ta) m [montón].

parvedad Petitesse.

parvo, va Petit, e (pœti).

párvulo, la Tout petit, toute petite.

pasa f Raisin [m] sec.

pasacalle (lhé) m Passacaille.

pasada f Passage (saj) m. Fam. Tour m [jugada].

pasadero, ra Passable (sabl) [mediano]. Passager, ère (jé) [pasajero].

pasadizo (zo) Passage (saj).

pasado, da Passé, ée.

pasador m Goupille (gupíe) [clavillo]. Pl Boutons de manchette.

pasaje (jé) Passage (saj).

pasajero, ra Passager, ère.

pasamanería Passementerie.

pasamano m Rampe (raⁿp) f [baranda]. Passement m [adorno].

pasante (ssanté) Passant, e (saⁿ). M Stagiaire (jièr) [abogado, etc.]. Répétiteur (tœr) [colegios].

pasantía f Stage (staj) m.

pasaporte Passeport (por).

pasar Passer. Dépasser [ex-

ceder]. Souffrir (su) [padecer]. Impers. Arriver [suceder]. ¿Qué pasa? Qu'est-ce qu'il se passe?

pasatiempo Passe-temps.

pascua Pâques (pak) fpl [de resurrección]. Pl Noël et jour de l'an.

pase (passé) m Permis (mi) m. Passe f [magnetismo].

paseante Promeneur, euse.

pasear Promener. Se promener.

paseo (sséo) m Promenade f.: dar un paseo, faire* une promenade.

pasible Passible.

pasiega Fam. Nourrice.

pasillo (ílho) Couloir (kuluar). Saynète (et) [teatro].

pasión Passion (sioⁿ).

pasionaria Passiflore.

pasivo, va Passif, ive. Clases pasivas, retraités mpl.

pasmar Pâmer. Glacer* [helar].

pasmarota f Grand geste m.

pasmo m Pâmoison (muasoⁿ) f [síncope]. Froid intense.

pasmoso, sa Étonnant, te.

paso (passo) Pas. Passage (aj) [sitio para pasar]. Démarche (arch) f [diligencia]. Scène f de la Passion [litúrgico]. Saynète f [teatro]. Paso doble, pas redoublé. A paso largo, à grands pas. Dar* un paso, faire* un pas. Dar* pasos, faire* des démarches. ¡Paso! Doucement! Salir del paso, se tirer d'affaire.

pasta f Pâte (pat). Reliure (rœliúr) [libro].

pastar Paître* (petr).

pastel Gâteau (to) [dulce]. Pâté [carne]. Pastel [color].

pastelería Pâtisserie (tisrí).

pastelero, ra Pâtissier, ère.

pastilla (lha) Pastille (tíé).

pastinaca f Panais (nè) m.

pasto Pâturage (türaj). A pasto, avec abondance. De pasto, ordinaire [vino].

pastor, ra Berger, ère (jé). Pasteur (tœr) [sacerdote].

pastorear Paître* (petr).

pastorela Pastourelle (turel).

pastoril Pastoral, e.

pastoso, sa Pâteux, euse.

pata Patte (pat). Cane (kané) [ave]. Sottise (tís) [tontería]. Meter la pata, faire* une gaffe.

patache (ché) m Patache f.

patada f Coup [m] de patte.

patalear Trépigner (ñé).

pataleo Trépignement m.

patán Rustre (rüstr).

patarata Bagatelle (tel).

patata Pomme de terre.

patatús m Fam. Syncope f.

patear Trépigner (ñé). Fouler aux pieds [pisotear]. Siffler (flé) [teatro].

patena Patène (tenè).

patentado, da Breveté.

patente Patent (tañ), ente. F Brevet (brœvè) m.

patentizar (tèn-zar) Mettre* en évidence.

pateo Trépignement.

paternal Paternel, elle.

paternidad (da) Paternité.

paterno, na Paternel, elle.

pateta Bancal. Fam. Diable.

patético, ca Pathétique.

patibulario, a Patibulaire.

patíbulo Gibet (jibè).

paticojo, ja Boiteux, euse.

patidifuso, sa Épaté, ée.

patihendido À pied fourchu.

patilla (ilha) f Favori m [barba]. Pl Fam. Le diable.

patín Patin (tiⁿ).

pátina Patine (tínè).

patinador, ra Patineur, euse.

patinaje Patinage (naj).

patinar Patiner.

patio m Cour (kur) f. Parterre (tèr) m [teatro].

patitieso, sa Raide (rèd).

patituerto, ta Bancal, ale.

patizambo, ba Cagneux, se.

pato Canard (nar).

patochada Balourdise (lurdis).

patojo, ja Bancal, e.

patología Pathologie.

patraña (tragna) f Mensonge (manⁿsonj) m.

patria Patrie (trí).

patriarca Patriarche (arch).

patriarcal Patriarcal, ale.

patricio, cia Patricien, enne. Npr Patrice (is).

patrimonio Patrimoine.

patrio, a De la patrie.

patriota Patriote.

patriótico, ca Patriotique.

patriotismo Patriotisme.

patrocinar Patronner.

patrocinio Patronage (naj).

patrón, na Patron, onne.

patronado Patronat (na).

patronal Patronal, e.

patronato Patronage (naj).

patronímico Patronymique.

patrono, na Patron, onne.

patrulla Patrouille (truíe).

patrullar Patrouiller (truié).

patudo, da Pattu, ue (tü).

patula Populace. Fam. Marmaille (maíe) [niños].

paulatino, na Lent, e (laⁿ).

pauperismo Paupérisme (po).

paupérrimo, a Très pauvre.

pausa (paoussa) Pause (pos).

pausado, da Lent, lente.

pauta (paou) Règle (règl).

pava Dinde (di^{n}d). *Am.* Bouillotte (buiot) [recipiente].

pavada Sottise (sotís).

pavana Pavane (van^e).

pavero *Fam.* Large chapeau.

pavés Pavois (vuá).

pavesa Flammèche (ech).

pavimento (èn) Sol.

pavipollo (lho) Dindonneau.

pavo Dindon (di^{n}do^n). *Pavo real*, paon (pa^n). *Edad del pavo*, âge ingrat.

pavón Paon (pa^n). Bruni (ü) [del acero].

pavonar Brunir (brü) [acero].

pavonearse Se pavaner.

pavor *m* Frayeur (frèïœr) *f.*

pavoroso, a Effrayant, ante.

payador V. PALLADOR.

payaso (yasso) Clown (clon).

payés, esa; payo, ya (yo) Paysan, anne (peïsa^n).

paz Paix (pè).

pazguato, ta Niais, se (niè).

pazote Sorte de thé américain.

peaje *f* Péage (aj).

peana *f* Socle (sokl) *m.*

peatón Piéton (to^n).

pebete (pébété) Parfum (fi^n).

pebetero Brûle-parfums.

pebre 2g Poivre (puavr) *m.*

peca Tache de rousseur.

pecado Péché.

pecador, ra Pécheur, eresse.

pecaminoso, sa De péché.

pecar (pé) Pécher* (ché).

pecera *f* Aquarium (kuariom) *m.*

pecio *m* Épave *f.*

pecíolo Pétiole (síol).

pecoso, sa Qui a des taches de rousseur.

pectoral Pectoral.

pecuario, ria De l'élevage.

peculiar Particulier.

pecuniario, a Pécuniaire.

pechera *f* Plastron (o^n) *m.*

pechirrojo (rrojo) Rouge-gorge (rujgorj).

pecho (cho) *m* Poitrine (puatrín^e) *f.* Poitrail (trái) [caballo]. Gorge (gorj) *f* [mujer]. Sein (si^n) *m* [nodriza]. *Vx* Tribut (bü).

pechuga (chou) Poitrine (puatrín^e). Blanc (bla^n) *m* [de ave].

pedagogía Pédagogie.

pedal *m* Pédale (dal) *f.*

pedalear Pédaler.

pedalier Pédalier (lié).

pedante (àn) Pédant, ante.

pedantismo Pédantisme.

pedazo (zo) Morceau (morso). *Hacer* pedazos*, mettre* en pièces.

pedernal Silex.

pedestal Piédestal.

pedestre Pédestre (estr).

pedicuro Pédicure (kür).

pedido, da Demandé, ée. M Commande (ma^{n}d) *f.*

pedigüeño Solliciteur.

pediluvio Bain de pieds.

pedir* (pé) Demander (a^{n}dé). *Pedir de*, demander à. *A pedir de boca*, à bouche que veux-tu. *No hay más que pedir*, il n'y a rien à dire.

pedo Pet (pè).

pedrada *f* Coup de pierre.

pedregoso, sa Pierreux, euse.

pedrería Pierrerie (pier^erí).
pedrisco m Grêle (grel) f.
pedrusco m Pierraille (raí) f.
pedúnculo Pédoncule.
peer (pèèr) Péter* (té).
  Pie (pi) [ave].
pegajoso, sa Collant, ante.
pegar Coller (kolé) [con cola]. Frapper (pé) [golpes].
  Pousser (pusé) [grito].
  Faire* (fer) [dar saltos, etc.].
  Aller (alé) [sentar, ir].
  Pegársela a uno, jouer un tour à quelqu'un.
pegote (té) Emplâtre (atr).
pegual m Entrave f.
peinado, da Peigné, ée. M Coiffure (kuafür) f.
peinador, ra Coiffeur, euse. M Peignoir (pèñuar).
peinar (péí) Peigner (pè), coiffer (kuafé).
peine (pé^íné) Peigne (pèñ).
peineta f Peigne (pèñ) m.
pejiguera (jighéra) f Fam. Ennui (aⁿnüí) m.
peladera Pelade (pœlad).
peladilla (lla) Dragée (jé).
pelado, da Pelé, ée. Tondu, ue (toⁿdü) [cabello].
pelagatos Pauvre diable.
pelaire (œ̀ré) Cardeur (œr).
pelaje (jé) Pelage (pœlaj).
pelambre (à̀nbré) Poil (pual).
pelamesa (messa) Bataille.
pelar Peler* (pœlé). Tondre (toⁿdr) [cortar el pelo].
peldaño (gno) Échelon (echloⁿ), degré (dœgré).
pelea (pélèa) f Combat m.
pelear Combattre*.
pelele Mannequin (mane^kiⁿ).
  Fam. Fantoche (faⁿtoch).
peleón (péléòn) Fam. Mau-

vais, ordinaire [vino].
peletería Pelleterie (peltrí).
peliagudo, da Difficile.
pelícano Pélican (kaⁿ).
película Pellicule. Film m [cine].
peligrar Être* en danger.
peligro (pé) Danger (daⁿjé).
peligroso, sa Dangereux, se.
pelirrubio, a Blond, e (bloⁿ).
pelitre Pyrèthre.
pelma Paresseux (sœ).
pelo Poil (pual). Cheveu (chœvœ). Cheveux pl [cabellera]. *Al pelo*. Fam. Très bien. *Contra pelo*, à rebrousse poil.
pelota Balle (bal). Ballon (baloⁿ) [la de viento]. *En pelota. Fam.* Nu; à poil.
pelotari Joueur de pelote.
pelotazo Coup de balle.
pelotera Dispute (püt).
pelotilla Boulette.
pelotón Peloton (plotoⁿ).
peltre (tré) Étain (tiⁿ).
peluca Perruque (rük). *Fam.* Savon (voⁿ) [reprensión].
pelucona Fam. Once.
peludo, da Poilu, e (pualü). Chevelu, e (chœvlü) [cabelludo]. M Tatou [armadillo].
peluquería Boutique de coiffeur.
peluquero (peloukéro) Coiffeur (kuafœr).
pelusa f Duvet (düvè) m.
pelvis f Bassin (siⁿ) m.
pellejo (lhéjo) m Peau (po) f. Outre (utr) f [para vino].
pellica (lhí) Pelisse (lís).
pellizcar (lhiz) Pincer (piⁿ).
pellizco Pincement. Pinçon (piⁿsoⁿ) [señal].

pena Peine (pèn). *A duras penas*, à grand-peine. *Dar pena, faire* pitié.

penacho (*nacho*) Panache.

penado, da Condamné, ée.

penal Pénal, e.

penalidad Pénalité.

penar Peiner (pèné).

penates Pénates (nat).

penca (pèn) *f* Feuille charnue [de cardo, higo chumbo, etc.]. Fouet (fuè) *m* [látigo]. *Hacerse* de pencas, faire* la sourde oreille.

penco (pèn) *m* Rosse (ros) *f*.

pendencia (pèndèn) Dispute.

pendenciero Querelleur.

pender Pendre (paⁿdr).

pendiente (èn) Pendant, e. *F* Pente (pa^{nt}). *M* Boucle d'oreille (bukl dorei) *f*.

péndola (pèn) *f* Pendule *m*.

pendolista Calligraphe.

pendón (pèndòn) Étendard. Personne méprisable.

péndulo Pendule (paⁿdül) *m*.

penetración Pénétration.

penetrante (àn) Pénétrant, e.

penetrar Pénétrer*.

penicilina Pénicilline.

península Presqu'île (kíl).

peninsular Péninsulaire.

penitencia Pénitence (taⁿs).

penitenciaría *f* Pénitencier (penitaⁿsié) *m*.

penitenciario Pénitentiaire.

penitente Pénitent, e.

penol Bout de vergue.

penoso, sa Pénible (ibl).

pensador, ra Penseur, euse.

pensar* (pèn) Penser* (paⁿ); *pensar en*, penser à.

pensativo, va Pensif, ive.

pensil Jardin suspendu.

pensión (iòn) Pension.

pensionar Pensionner.

pensionista Pensionnaire.

pentágono Pentagone.

pentagrama Pentagramme. *Mús.* Portée (té) *f*.

penúltimo Avant-dernier.

penumbra Pénombre.

penuria Pénurie (nüri).

peña (gna) Roche (roch).

peñasco Rocher (ché).

peñascoso, sa Rocheux, euse.

peñón (òn) Rocher (ché).

peón Piéton (tòⁿ) *m* [caminante]. Manœuvre (nœvr) [obrero]. Toupie (tupi) *f* [juguete]. Pion (pioⁿ) [ajedrez, damas].

peonía Pivoine (vuane).

peonza (ònza) *f* Sabot *m*.

peor *adj* Pire (pir), plus mauvais (movè). *Adv* Plus mal, pis.

pepinillo (ilho) Cornichon.

pepino Concombre (oⁿbr).

pepita *f* Pépin (iⁿ) *m* [fruta]. Pépie (pi) [aves]. Pépite (it) [de oro].

pepitoria Fricassée (sé).

peplo Péplum (plom).

pequeñez (gnez) Petitesse.

pequeño, a (kégno) Petit, ite.

pera (péra) Poire (puar).

peral Poirier (puarié) *m*.

perca Perche (perch).

percal *m* Percale (kal) *f*.

percalina Percaline.

percance Contretemps.

percebe Pousse-pied (puspié). *Fam.* Imbécile.

percepción Perception.

perceptible Perceptible.

percibir Percevoir (vuar).

percudir (kou) Tacher (ché).

percusión Percussion.

percusor Percuteur (kütœr).

percha f Perche. Portemanteau (maⁿto) m [ropa].

perdedor, ra Perdant, ante.

perder* Perdre (perdr).

perdición Perdition (sioⁿ).

pérdida Perte (pert).

perdido, da Perdu, ue. Fam. Vaurien (voriⁿ).

perdigón Perdreau (dro). Plomb de chasse [plomo].

perdiguero (ghé) Braque.

perdiz Perdrix (drí).

perdón Pardon (oⁿ). Con perdón, avec votre permission

perdonar Pardonner.

perdonavidas Fanfaron.

perdulario, ria Négligent, e.

perdurar Durer (düré).

perecedero, ra Périssable.

perecer* Périr.

peregrinación Pèlerinage.

peregrinar Aller* en pèlerinage (alé aⁿ pelrinaj).

peregrino, na Étrange (aⁿj). M et f. Pèlerin, ine.

perejil (jíl) Persil (sí). Pl Fam. Ornements [adornos].

perendengue Colifichet.

perengano Un tel.

perenne (en'né) Perpétuel.

perennidad Perpétuité.

perentorio Péremptoire (uar).

pereza (réza) Paresse (rès).

perezoso, sa Paresseux, euse.

perfección Perfection.

perfeccionar Perfectionner.

perfecto, ta Parfait, aite.

perfidia Perfidie (di).

pérfido, da Perfide.

perfil Profil.

perfilar Profiler.

perforar Perforer.

perfumador Brûle-parfums.

perfumar Parfumer.

perfume (toumé) Parfum.

perfumería Parfumerie.

perfumista Parfumeur, euse.

pergamino Parchemin (miⁿ).

pergeñar (jégnar) Arranger* (aⁿjé) ; agencer* (jaⁿsé).

pergeño (jegno) Engin.

pericardio Péricarde.

pericarpio Péricarpe.

pericia Péritie (sí).

perico m Perruche (rüch) f.

pericón Grand éventail.

periferia Périphérie.

perifollo (lho) Cerfeuil (serfœi). Pl Colifichets (chè).

perífrasis Périphrase.

perilla Poire (puar), pomme (pom) [adorno]. Impériale (iⁿperial) [barba].

perillán (lhàn) Fam. Coquin.

perímetro Périmètre.

perinola f Toton (toⁿ) m.

periódico Périodique (dik). M Journal (jur) [diario].

periodista Journaliste.

período m Période f.

periostio Périoste (riost).

peripatético Péripatéticien.

peripecia Péripétie (sí).

peripuesto, ta Paré, ée.

periquete (ké) Instant (taⁿ).

periscopio Périscope.

peristilo Péristyle (stíl).

perito, ta Expert, erte (per).

peritoneo (néo) Péritoine.

peritonitis Péritonite (nit).

perjudicar Nuire (nüir).

perjudicial Préjudiciable.

perjuicio (joui) Préjudice.

perjurio (jou) Parjure (jür).

perjuro, ra (jou) Parjure.

perla Perle.

perlado, da Perlé, ée.

permanecer* Rester (té).

permanencia Permanence.

permanente Permanent, te.
permeable (mé) Perméable.
permiso m Permission f. Permis (mi) m [documento].
permitir Permettre* (etr).
permuta (mou) Permutation.
permutar Permuter (mùté).
pernear Gambader (gaⁿ).
pernicioso, sa Pernicieux, se.
pernil Gigot (go). Jambon (jaⁿboⁿ) [jamón].
pernio Gond (goⁿ).
perno Boulon (buloⁿ).
pernoctar Passer la nuit.
pero (péro) Mais (mè).
perogrullada Lapalissade.
perol m Bassine (sinᵉ) f.
peroración Péroraison.
perorar Pérorer.
perorata Péroraison.
perpendicular Perpendiculaire.
perpetrar Perpétrer.
perpetuar Perpétuer (tüé).
perpetuidad Perpétuité.
perpetuo, a Perpétuel, elle.
perpiaño Parpaing (pɛⁿ).
perplejidad Perplexité.
perplejo, ja Perplexe (ex).
perra (rra) Chienne (chiene). Sou (su) m [moneda].
perrera (rrera) f. Chenil m. Fam. Rage (raj) [rabia].
perrillo (lho) Petit chien. Fam. Sou (su) [moneda]. Perro de aguas, caniche. Perro de muestra, chien d'arrêt. Perro de presa, dogue (dog).
persa Persan (aⁿ), ane (ane).
persecución Persécution.
perseguidor Persécuteur.
perseguir* (sé) Poursuivre (pursüivr).
perseverancia Persévérance.

perseverante Persévérant, e.
perseverar Persévérer*.
persiana Persienne (sienᵉ).
pérsico Pêcher (ché) [árbol]. Pêche (pech) f [fruto].
persignar (ghnar) Faire* le signe de croix.
persistencia Persistance.
persistente Persistant, e.
persistir Persister.
persona Personne (son).
personaje Personnage (aj).
personal Personnel, elle.
personalidad Personnalité.
personificar Personnifier.
perspectiva Perspective.
perspicacia Perspicacité.
perspicaz Perspicace (kas).
persuadir (soua) Persuader.
persuasión Persuasion (süa).
persuasivo, va Persuasif, ive.
pertenecer* Appartenir*.
pértiga Perche (perch).
pértigo Timon [carro].
pertinaz Obstiné, ée.
pertrecho m Munition f.
perturbación Perturbation.
perturbador Perturbateur.
perturbar (tour) Perturber (tür), troubler (trublé).
peruano, na Péruvien, enne.
perversidad Perversité.
perversión Perversion (oⁿ).
perverso, sa Pervers (er), se.
pervertir* Pervertir.
pesa (pessa) f Poids (pua) m.
pesada Pesée (pesé).
pesadez Lourdeur (lurdœr).
pesadilla f Cauchemar m.
pesado, da Lourd, de (lur, lurd). Fam. Ennuyeux, euse (aⁿnüiiœ, œs).
pesadumbre (dounbrè) f. Ennui m; chagrin (griⁿ) m.
pésame m Condoléances fpl.

pesar Vt et vi Peser* (pœsé). Pesarle una cosa a uno, regretter quelque chose. M Regret (rœgrè) m. A pesar de, malgré.

pesaroso, sa Ennuyé, ée (anüiié), fâché, ée (faché).

pesca Pêche (pech).

pescadería Poissonnerie.

pescado Poisson (puasoⁿ).

pescador, ra Pêcheur, euse (pechœr, œs).

pescante (kànté) Siège (siej).

pescar Pêcher (ché). Fam. Attraper (coger).

pescozón m Calotte (lot) f.

pescuezo (ouézo) Cou (cu).

pesebre (pessébré) Râtelier.

peseta (pessé) Peseta.

pesimismo Pessimisme (ism).

pesimista (es) Pessimiste.

pésimo, ma Très mauvais.

peso (pesso) m Poids (pua). Balance (aⁿs) (balanza). Peso (moneda). Tomar a peso, soupeser*.

pespunte m Piqûre f.

pespuntear Piquer (ké).

pesquisa Perquisition.

pestaña (gna) f Cil (sil) m.

pestañear Sourciller (siié).

peste (té) Peste (pest).

pestilencia Pestilence.

pestilente Pestilentiel, elle.

pestillo (lho) Verrou (rù).

pestiño Beignet (bèñè).

petaca Blague (blag). Am. Malle (mal) (baúl).

pétalo Pétale (tal).

petardo m Pétard (tar) Fam. Escroquerie (krokrí) f. Pegar un petardo, escroquer.

petate m Natte (nat) f. Fam. Pauvre diable (povr diabl).

petenera f Air [m] populaire andalou [música].

petición Pétition (sioⁿ).

petimetre Petit-maître.

peto (pé) Plastron (troⁿ).

pétreo, a adj Pierreux, euse.

petrificar Pétrifier*.

petróleo Pétrole (trol).

petulante Pétulant, ante.

pez (pez) m Poisson (puasoⁿ). F Poix (puá).

pezón (péźón) Mamelon (loⁿ).

piadoso, sa Pieux, euse.

piafar Piaffer (fé).

pianista Pianiste.

piano Piano.

piar Piauler (piolé).

piara f Troupeau (trupo) m.

pica Pique (pik).

picacho (cho) Pic.

picadero (déro) Manège.

picadillo (lho) Hachis (chí).

picador Picador [toros]. Dresseur (sœr) [caballos].

picadura (dou) Piqûre (kür).

picaflor Oiseau-mouche.

picante (àntè) Piquant (kaⁿ).

picapedrero Tailleur de pierres (taiœr dœ pier).

picaporte (té) Loquet (lokè).

picar Piquer (ké). Hacher [carne]. Démanger (aⁿjé) [escozor]. Vr Se piquer. Se fâcher (faché) [enfado].

picardía Friponnerie.

picaresco, ca Picaresque.

pícaro, ra Fripon (oⁿ), onne.

picatoste m. Rôtie f.

picaza (za) Pie (pi).

picazón (żòn) Démangeaison.

pico Pic [herramienta]. Bec [de ave]. Pic [monte]. Y pico loc. Et quelques.

picor m Démangeaison f.

picota f Pilori m.

picotear Becqueter (bekté).

pie (pié) Pied (pié). *A pie firme*, de pied ferme. *Dar pie*, donner motif. *De pie, en pie*, debout. *De pies a cabeza*, de la tête aux pieds. *No dar pie con bola*, ne pas réussir. *Sin pies ni cabeza*, sans queue ni tête. *Sacar los pies del plato*, se dégourdir.

piedad Piété. Pitié [compasión, lástima].

piedra Pierre (pier).

piel Peau (po).

piélago Océan.

pierna Jambe. *A pierna suelta*, à poings fermés.

pieza Pièce (pies).

pifia Bévue (vü).

pigmento (èn) Pigment.

pigmeo Pygmée (mé).

pijama (j) Pyjama (ja).

pila Pile (pil). Évier *m* [cocina]. Auge (**oj**) [pilón]. Bénitier *m* [de agua bendita]. Fonts baptismaux *mpl*.

pilar Pilier (ié). Vasque *f* (vask) [pilón].

pilastra *f* Pilastre (lastr) *m*.

píldora Pilule (lül).

pilón Bassin (si^n) [de fuente]. Pylône (on^e) [columna].

píloro Pylore (lor).

pilotaje (jé) Pilotage (aj).

pilotar Piloter.

piloto Pilote (lot). *Pl* Feux arrière [de coche].

piltrafa *f* Bout de viande *m*.

pillada (lha) Friponnerie.

pillaje (ajé) Pillage (aj).

pillar (lhar) Piller (pié).

pilluelo, la Gamin, ine.

pimienta *f* Poivre (puavr) *m*.

pimiento (ièn) Piment (ma^n).

pimpollo (polho) Bourgeon.

pináculo (kou) Pinacle (akl).

pinar Bois de pins.

pincel Pinceau (pi^nso).

pincelada *f* Coup de pinceau.

pinchar (pìn) Piquer (ké). Crever [neumático].

pinchazo *m* Piqûre (kür) *f*. Crevaison *f* [neumático].

pinche (pinché) Marmiton.

pincho *m* Pointe (pui^nt) *f*.

pineda *f* Pinède.

pingo (pìn) Chiffon (fo^n).

pingüe (pingoué) Gras, asse.

pingüino Pinguoin (güi^n).

pinitos Premiers pas.

pino Pin (pi^n).

pinta (pin) Tache (tach). Marque (mark) [naipes].

pintada (pìn) Pintade (pi^n).

pintado, da (pìn) Peint, te (pi^n, i^nt). *Estar* como pintado, aller* comme un gant.

pintar Peindre* (pi^ndr).

pintarrajear Barbouiller.

pintarrajo Barbouillage.

pintiparado Tout pareil.

pintor (in) Peintre (i^ntr).

pintoresco, ca Pittoresque.

pintorrear Peinturlurer.

pintura Peinture (pi^ntür).

pinturero, ra Coquet, ette.

pinzas (pinzas) Pinces (pi^ns).

pinzón Pinson.

piña (pígna) *f* Pomme de pin. Ananas *m* [ananás].

piñón (gnòn) Pignon (ño^n).

piojo (piojo) Pou (pu).

piojoso, sa Pouilleux, euse.

pipa Pipe : *fumar en pipa*, fumer la pipe. Pépin *m* [fruta].

pipiolo *Fam.* Gamin (mi^n).

pipirigallo (galho) Sainfoin.

pique (ké) *m* Pique (pik) *f*. *A pique de*, sur le point de.

piquera (ké) *f* Trou (tru) *m*.

piqueta (ké) f Pic m.

piquete (kété) Piquet (kè).

pira f Bûcher (bûché) m.

piragua (agoa) Pirogue (og).

pirámide (ra) Pyramide (id).

pirata Pirate (rat).

piratería (ía) Piraterie.

pirenaico, ca Pyrénéen, enne.

pirita Pyrite (rít).

pirograbado m Pyrogravure f.

piropear Faire des compliments.

piropo Propos galant.

pirotecnia Pyrotechnie.

pirrarse Désirer vivement.

pirueta (roué) Pirouette.

pisada (ssa) f Pas (pa) m.
Foulée (fulé) f [animales].

pisapapeles Presse-papiers.

pisar (ssar) Fouler (fulé)
[hollar]. Marcher sur [poner el pie sobre].

pisaverde Fam. Godelureau.

piscina Piscine (pissíne).

piso (ssar) Sol [suelo].
Étage (etaj) [casas].

pisotear Fouler aux pieds.

pisoteo (téo) Piétinement.

pisotón (dar un) Marcher
sur.

pista Piste (pist).

pistacho m Pistache (ach) f.

pistar Piler.

pistilo Pistil.

pisto Bouillon de volaille.
Darse* pisto, se vanter.

pistola f Pistolet (lè) m.

pistolera Fonte (fontt).

pistón (òn) Piston (ton).

pita f Agave m.

pitada (ta) f Coup [m] de sifflet.

pitanza Pitance (tans).

pitar Siffler (siflé).

pitillo (lho) m Cigarette f.

pito Sifflet (flè).

pitón (òn) m Corne (korn) f.
Piton [reptil].

pitonisa Pythonísse.

pitorro m Canule (nül) f.

pituita (ouï) Pituite (üít).

pizarra (za) Ardoise (uás).

pizca (piz) Miette (miet).

pizpireta adj Vive (viv).

placa Plaque (plak).

pláceme m Félicitation f.

placenta f Placenta (siⁿ) m.

placentero, ra Plaisant, te.

placer (zer) Plaisir (plèsír).
Placer (ser) [de oro].

placer* (zèr) Plaire* (pler).

placidez (ez) Placidité.

plaga Plaie (plè).

plagar Remplir (raⁿ).

plagio (jio) Plagiat (jía).

plan (plàn) Plan (plaⁿ).

plana Page (paj). *Plana
mayor*, état-major.

plancha (àncha) f Plaque
(ak) f. Fer [m] à repasser
[para planchar la ropa].
Fam. Four (fur) [fracaso].

planchado Repassage (saj).

planchadora Repasseuse.

planchar (ànchar) Repasser.

planeta m Planète (net) f.

planicie (sié) Plaine (plène).

planisferio (fério) Planisphère (fer).

plano, na Plan, ane. M Plan
(plaⁿ). *De plano*, à plat.

planta (plàn) f Plante (nⁿt).
Plan (aⁿ) m [plano]. *Echar
plantas*, faire* le bravache.

plantación Plantation (sioⁿ).

plantador Planteur (tœr).

plantar (plàntar) Planter.
Mettre* (metr) [poner].

plantear (àntear) Établir.
Poser [un problema].

plantígrado Plantigrade.

plantilla (plàntilha) f Semelle (sœmel). Patron (o^n) m [modelo].

plantío (tío) m Plantation f.

plasmar Créer (kreé).

plástico, ca Plastique (tik).

plata f Argent (ja^n) m.

plataforma Plate-forme (orm).

plátano m Platane (an^e) m. [árbol]. Bananier m [banano]. Banane f [fruto].

platear (téar) Argenter.

plateresco, ca Rococo.

plática Causerie (kosrí).

platicar (kar) Causer (cosé).

platija (ija) f Plie (pli).

platillo (lho) m Plateau (to) m. Cymbale (si^n) f [mús]. Entremets m [plato dulce].

platino Platine (tín^e).

plato m Plat (pla) m. Assiette (asiét) f [vajilla].

plausible (plaou) Plausible.

playa (aya) f Plage (plaj).

plaza (plaza) f Place (plas) f. Marché (ché) m [mercado].

plazo Délai (lè).

plazoleta Petite place.

pleamar Pleine mer.

plebe (plebé) f Plèbe (pleb).

plebeyo, ya Plébéien, enne.

plebiscito Plébiscite (sit).

plegable Pliant, ante.

plegar* (plégar) Plier* (ié).

plegaria Prière (prier).

pleita Tresse (tres).

pleitear Plaider (pledé).

pleito (pléito) Procès (sè).

plenipotenciario   (tènzia) Plénipotentiaire (ta^nsier).

plenitud (tou) Plénitude (üd).

pleno, na Plein (pli^n), eine.

pleonasmo Pléonasme (nasm).

plétora Pléthore (tor).

pleura (pléoura) Plèvre (evr).

pleuresía Pleurésie (resí).

plexo Plexus (üs).

pléyade Pléiade (iad).

pliego (iégo)   m   Pli m. Feuille (fœie) f [de papel].

pliegue (pliégué) Pli.

plomada (Fil [m] à plomb.

plomo Plomb (plo^n).

pluma (plou) Plume (plüm).

plumaje (ajé) Plumage (aj).

plumero Plumier. Plumeau (plümo) [de limpiar].

plumón (ploumón) Duvet.

plural (ploural) Pluriel.

pluralidad (da) Pluralité.

población (zión) Population. Ville (vil), localité [lugar].

poblado Lieu habité.

poblar Peupler (pœplé).

pobre Pauvre (povr).

pobreza Pauvreté (povreté).

pocero Puisatier (püisatié).

pocilga Étable à porcs.

pocillo (zilho) m Tasse [f] à chocolat.

pócima (zi) Potion (sio^n).

poco, ca Peu de : pocas palabras, peu de mots. Adv Peu. Dentro de poco, sous peu. Poco a poco, peu à peu. Poco más o menos, à peu près. Por poco, pour un peu.

poda Taille (taie).

podadera Serpe (serp).

podar Tailler.

podenco (èn) Épagneul (ñœl).

poder* Pouvoir* (puvuar). impers Se pouvoir* : puede que diga, il se peut qu'il dise. A más no poder, de toutes ses forces. No poder con, ne pas pouvoir* supporter.

poderdante Commettant.

poderhabiente Fondé de pouvoirs.

poderío m Puissance (saⁿs) f.
poderoso, sa Puissant, ante.
podre Pus (pü).
podredumbre Pourriture.
podrir* Pourrir (purír).
poema Poème (em).
poesía Poésie (sí).
poeta Poète (et).
poético, ca Poétique (tík).
poetisa (íssa) Poétesse.
poetizar Poétiser
poluco, ca Polonais, aise.
polaina (aïna) Guêtre (etr).
polar Polaire (poler).
polea (léa) Poulie (puli).
polémica Polémique (mík).
polen (polèn) Pollen (polene).
policía (zía) Police (lís). M
   Policier (sié) [agente].
poliedro Polyèdre.
polígamo, ma Polygame.
polígloto, ta Polyglotte.
polígono Polygone (gone).
polilla Teigne (t) mite.
pólipo Polype (políp).
politécnico, ca Polytechnique.
política Politique (tík).
político, ca adj Politique
   (tík). M Politicien (siⁿ).
   Padre político, beau-père;
   madre política, belle-mère.
póliza (za) Police (lís).
polizonte (zónté) Policier.
polo Pôle. Polo [juego].
   Glace f [helado].
poltrona f Fauteuil (œi) m.
poltronería Paresse (rés).
polvareda Grande poussière.
polvera Boîte à poudre.
polvo m Poudre (pudr) f.
   Poussière (pusier) f [de
   tierra]. Pl Poudre (pudr)
   [de tocador].
pólvora Poudre (pudr).
polvorear (ré) Poudrer.

polvoriento, ta Poudreux, se.
polvorón (ròn) Sablé.
polvorosa f Poner* pies en
   polvorosa, prendre* la poudre d'escampette.
polla (polha) Poule (pul).
   Fam. Jeune fille.
pollera Am Jupe (iüp).
pollino (polho) Baudet (bodè).
pollo (polho) Poulet (pulé).
polluelo (lhoué) Poussin (iⁿ).
pomada Pommade (mad)
pómez (ez) Ponce (poⁿs).
pomo Pommeau (mo). Fla-
   con (oⁿ) [frasco].
pompa (pòn) Pompe (poⁿp).
   Bulle (bül) [de aire].
pomposo, sa Pompeux, euse.
pómulo (mou, m Pommette f.
ponche Punch (poⁿch).
poncho (poncho) Poncho.
ponderar Pondérer*.
ponedero, ra Mettable.
ponente (ènté) Rapporteur.
poner* Mettre* (metr), poser. Pondre (poⁿdr) [gal-
   lina]. Rendre (raⁿdr) [vol-
   ver]. Vr Se mettre*. Mettre*
   [vestido]. Se coucher [as-
   tros]. Devenir* : ponerse
   enfermo, tomber malade.
poniente (nènté) Couchant.
pontificado Pontificat (ka).
pontífice (sé) Pontife (tíf).
pontificio, a Pontifical, ale.
pontón (tòn) Ponton (toⁿ).
ponzoña (zogna) f Poison m.
ponzoñoso Empoisonné.
popa Poupe (pup).
población Population.
populacho m Populace f.
popular Populaire.
popularidad Popularité.
popularizar Populariser.
populoso, sa Populeux, euse.

poquedad Pusillanimité.

poquito, ta (kí) Peu de. *M* Petit peu.

por Par. A: *por Navidad*, à la Noël. En : *por abril*, en avril. Pour [en cambio] : *tomar una cosa por otra*, prendre une chose pour une autre. Pour [duración, causa] : *por dos años*, pour deux ans; *por haber hablado*, pour avoir parlé.

porcelana Porcelaine (se¹en).

porción (zión) Portion (sió¹). *Fam.* Foule (ful) [multitud].

porche (ché) Porche (porch).

pordiosero Mendiant.

porfía *f* Entêtement *m.* A *porfía*, à l'envi.

porfiado, da Entêté, ée.

porfiar S'entêter (sa¹teté).

pórfido Porphyre (fír).

pormenor (mé) Détail (tái).

pornografía Pornographie.

poro Pore (por).

porosidad (da) Porosité.

poroso, sa Poreux (rœ).

poroto *Am.* Haricot (ko).

porque (ké) Parce que.

porqué (ké) Pourquoi.

porquería (kería) Saleté.

porra Massue (sü).

porrazo (rrazo) Coup (ku).

porrear (éar) Assommer (mé).

porrillo (a) A foison.

porrón (òn) *m* Cruche (üch) *f.* Bouteille à bec pour boire.

porta *f* Sabord (bor) *m.*

portada *f* Titre (titr) *m.*

portador, ra Porteur, euse.

portal Vestibule (bül).

portalón *m* Coupée (kupé) *f.*

portamantas Portemanteau.

portamonedas Porte-monnaie *m.*

portante (àn) Amble (a¹bl).

portañuela Brayette.

portaplumas (plou) Porteplume.

portátil Portatif, íve.

portaviones Porte-avions.

portavoz (voz) Porte-voix.

portazo Coup de la porte qui se ferme.

porte (té) Port (por).

portear (téar) Porter.

portento (tèn) Prodige (díj).

portentoso Prodigieux.

porteño, ña *m* De Buenos Aires.

portería Loge (loj). Conciergerie (sierjerí).

portero, ra Concierge (ko¹sierj) *2g.* Portier. ère.

portezuela (zoué) Portière.

pórtico Portique (tík).

portillo (ílho) *m* Brèche (brech) *f.* Guichet (guiché) [puertecilla]. Col [montañas].

portón (òn) *m* Grande porte *f.*

portugués, a Portugais, se.

porvenir Avenir (avnír).

¡pórvida! Parbleu! (blœ).

pos (en) Derrière (rièr).

posada (possada) Auberge (oberj).

posaderas (dérass) Fesses.

posadero Aubergiste (jist).

posar (possar) Poser (posé). Loger* (lojé) [alojarse]. *Vr* Se poser. Se reposer [líquidos].

posdata *f* Post-scriptum.

poseedor, ra Possesseur *2g.*

poseer* (éèr) Posséder* (dé).

posesión Possession (sió¹).

posesivo, va Possessif, íve.

poseso, sa (poss) Possédé, ée.

posesor, ra Possesseur *2g.*

posguerra Après-guerre.

posibilidad (da) Possibilité.

posible (iblé) Possible (ibl).
posición Position.
positivo, va Positif, ive.
posma Lenteur (la^{n}tœr).
poso (posso) *m* Lie (li) *f*.
posponer* Placer* derrière.
pospuesto, ta Placé derrière.
posta Poste (post).
postal Postal, ale.
poste (té) Poteau (poto).
postema *f* Emplâtre (atr) *m*.
postergar Ajourner (ajurné).
posteridad (da) Postérité.
posterior (té) Postérieur.
postigo Guichet (chè).
postilla (ilha) Croûte (krut).
postillón Postillon (tiio^n).
postizo, za Postiche (ich).
postor Enchérisseur (a^n-œr).
postración Prostration.
postrar Abattre*.
postre (tré) Dessert (ser).
postrero, ra Dernier, ère.
postulante (làn) Postulant.
postular (tou) Postuler (tü).
póstumo, ma (tou) Posthume.
postura (toura) Posture (ür).
potable (ablé) Potable (tabl).
potaje (ajé) Potage (ch).
potasa (assa) Potasse (tas).
pote (poté) Pot (po).
potencia (èn) Puissance (a^{n}s).
potentado Potentat (ta^{n}ta).
potente Puissant (püisa^n).
potra Pouliche (pulich).
  Fam. Hernie (erni).
potranca Pouliche.
potro Poulain (pulè^n). Chevalet (chevalé) [tormento].
poyo (poyo) Banc (ba^n).
poza (za) Mare (mar).
pozo (zo) Puits (püi).
práctica Pratique (tik).
practicable Praticable.
practicante Praticien. In-

terne (i^{n}tern) [hospital].
practicar Pratiquer (ké).
práctico, ca Pratique (tik).
pradera Prairie (prèri).
prado Pré.
pragmática Pragmatique.
preámbulo Préambule (bül).
prebenda (èn) Prébende.
preboste Prévôt (vo).
precario, ria Précaire (kèr).
precaución (kaou) Précaution.
precaver* Prévoir* (vuar).
precavido, da Prévoyant, e.
precedente (prézédènté) Précédent, e (seda^n).
preceder (zéder) Précéder*.
precepto (zep) Précepte.
preceptor (prézédènté) Précepteur (tœr).
preces (prézès) Prières.
preciado, da De valeur.
preciar Estimer. *Vr* Se vanter.
precinto (zin) *m* Attache (ach) *f*. Cachet (chè) [paquetes].
precio (prézio) Prix (pri).
precioso, sa Précieux, se. Charmant, e (ma^n) [lindo].
precipicio Précipice.
precipitar Précipiter.
precisar Préciser (sé). Avoir* besoin [necesitar].
precisión Précision.
preciso, sa Précis, ise. *Ser* preciso, falloir* (luar).
preclaro, ra Illustre (lüstr).
precocidad Précocité.
preconizar Préconiser.
prec-z (koz) Précoce (kós).
pre ursor Précurseur (sœr).
predecesor Prédécesseur.
predecir* (dézir) Prédire*.
predestinación Prédestination.
predestinar Prédestiner.

prédica Prêche (prech).

predicación Prédication.

predicar Prêcher (ché).

predicción Prédiction (sion).

predilección Prédilection.

predilecto, ta Préféré, ée.

predio Fonds (fon).

predisponer* Prédisposer.

predisposición Prédisposition.

predominante Prédominant.

predominar Prédominer.

predominio m Prédominance f.

preexistir Préexister.

prefacio Préface (fás).

prefecto Préfet (fè).

prefectura Préfecture (tür).

prefijo (fijo) Préfixe (fíx).

pregón m Annonce (ons) f. Vanter (vanté) [celebrar].

pregonar Annoncer (onsé).

pregonero Crieur public.

pregunta Question : hacer preguntas, poser des questions.

preguntar Demander (dœmandé).

prejuicio (joui) Préjugé (jé).

prelado Prélat (la).

preliminar Préliminaire.

preludio (lou) Prélude (lüd).

prematuro, ra Prématuré, ée.

premeditación Préméditation.

premeditar Préméditer.

premiar Récompenser*.

premio m Récompense f. Premio gordo, gros lot.

premioso, sa Étroit (truá), e. Serré, ée [apretado]. Pressant, ante [urgente].

premisa (ssa) Prémisse (ís).

premura (oura) Presse (es).

prenda (èn) f Gage (gaj) m. Vêtement (vetman) m [ro-

pa]. Pl Qualités (kalité).

prendarse S'éprendre*.

prender Prendre* [asir]. Arrêter [detener].

prendería Friperie (fripri).

prensa (èn) Presse (pres).

prensar Presser*.

preñado, da (gna) Plein, e Adj f Enceinte [mujer]. Grosse [animal].

preocupación Préoccupation.

preocupar Préoccuper. Vr se préoccuper (de).

preparación Préparation.

preparar Préparer.

preparatorio, a Préparatoire.

preponderancia Prépondérance.

preponer* Préposer (sé).

preposición Préposition.

prepucio (pou) Prépuce (üs).

prerrogativa Prérogative.

presa (ppensa) Prise (is). Proie (pruá) [de una fiera, de un incendio, de una inquietud, etc.].

presagiar Présager* (jé).

presagio (jio) Présage (saj).

presbicia Presbytie (bisí).

présbita Presbyte (bit).

presbiteriano Presbytérien.

presbítero (bítéro) Prêtre.

prescindir Se passer. Fig. Faire* abstraction.

prescribir* Prescrire*.

prescripción Prescription.

presentación Présentation.

presentar (press) Présenter.

presente Présent (san), te.

presentimiento Pressentiment.

presentir Pressentir.

preservación Préservation.

preservar Préserver*.

preservativo Préservatif.

presidencia Présidence.
presidente Président, e.
presidiario Forçat (forsá).
presidio Bagne (bañ) Travaux forcés pl.
presidir Présider.
presión Pression (sioⁿ).
preso, sa Prisonnier.
prestado, da Prêté, ée. Pedir* prestado emprunter.
prestamista Prêteur, euse.
préstamo Emprunt (aⁿpriⁿ) [pedido]. Prêt (prè) [concedido].
prestar Prêter.
presteza Prestesse.
prestidigitador (ji). Prestidigitateur (dijitatœr).
prestigio Prestige (tij).
prestigioso Prestigieux.
presto, ta Preste (prest). Prêt, ête (prè) [dispuesto].
presumido Présompteux.
presumir Présumer. Faire* l'important (taⁿ). Presumir de, faire* le, se croire*.
presuntuoso, a Présomptueux, se.
presupuesto Devis (dœví). Budget (büdjè) [de gastos e ingresos].
presuroso, sa Pressé, ée.
pretender Prétendre.
pretendiente Prétendant, e.
pretensión Prétension.
pretérito Passé.
pretextar Prétexter.
pretexto Prétexte.
pretil Garde-fou (gardœfu).
pretina Ceinture (siⁿtür).
prevalecer* Prévaloir* (uar).
prevaricación Prévarication.
prevención Prévention [prejuicio]. Disposition. Réserve [provisión].

prevenir* Prévenir* [avisar]. Préparer [preparar].
prever* Prévoir* (vuar).
previo, via Préalable (abl).
previsión Prévision. Prévoyance [acción de prever].
previsor, ra Prévoyant, e.
priesa (iessa) Presse (pres).
prieto, ta Très brun.
prima Prime. Mus Chanterelle.
primario, ria Primaire (mer).
primavera (véra) f Printemps (priⁿtaⁿ) m.
primaveral Printanier, e.
primer, -ero, ra Premier, ère.
primitivo, va Primitif, ive.
primo, ma Premier, ère. Cousin, ine (kusiⁿ, ine) [parientes] : primo hermano, cousin germain. Fam. Dupe (düp) f [incauto].
primogénito Premier-né.
primor m Habileté f. Chose charmante.
primoroso Charmant, te.
princesa Princesse.
principal Principal. Premier étage [primer piso].
príncipe (ìn) Prince (iⁿs).
principiante Commençant.
principiar (ìn) Commencer*.
principio Principe [base]. Commencement. A principios de, au début de.
pringar (ìn) Graisser (grè).
pringoso, sa Gras, asse.
pringue (ìnghé) Graisse (ès).
prior, ra Prieur, eure.
priorato Prieuré.
prisa Hâte ('at). Tener* prisa, être° pressé. Correr prisa, presser. De prisa, à la hâte.
prisión Prison. Arrestation.

205   PRI — PRO

prisionero, a Prisonnier, ère.
prisma Prisme.
privación Privation.
privanza (ànza) Familiarité.
privar Priver. Vi Être* en
faveur.
privilegiar Privilégier*.
privilegio Privilège (lej).
pro Profit (fi).
proa Proue (pru).
probabilidad Probabilité.
probable Probable.
probar* Prouver (pruvé).
Essayer* (eseié) [intentar].
Goûter [un manjar].
probidad Probité.
problema Problème.   •
problemático, a Problémá-
tique.
probo Probe (ob).
procedencia Origine (jín°).
proceder Procéder*. Provenir* [originarse]. M Pro-
cédé.
procedimiento Procédé.
prócer Important, e.
procesión Procession.
proceso (esso) Procès (sè).
proclamación Proclamation.
proclamar Proclamer.
procrear Procréer.
procuración Procuration.
procurador Procureur; avoué.
procurar Procurer [propor-
cionar]. Essayer* [inten-
tar].
prodigalidad Prodigalité.
prodigar Prodiguer (gué).
prodigio Prodige (dij).
prodigioso, a Prodigieux, se.
pródigo Prodigue (dig).
producción Production (dük).
producir* Produire*.
productivo Productif.
producto Produit (düi).

productor, ra Producteur,
trice.
proemio m Préface (fas) f.
proeza (éza) Prouesse (prués).
profanación Profanation.
profanar Profaner.
profano, na Profane.
profecía Prophétie (fesí).
proferir* Proférer*.
profesar Professer*.
profesión Profession.
profesional Professionnel.
profesor, ra Professeur 2g.
profesorado Professorat (ra).
profeta Prophète (fet).
profético, ca Prophétique.
profetizar Prophétiser.
profilaxis Prophylaxie.
prófugo, ga Fugitif, ive. Réfractaire (ter) [militar].
profundidad Profondeur.
profundizar Approfondir.
profundo, da Profond, onde.
profusión Profusion.
progenie (jénié) Race (ras).
progenitura Progéniture.
programa Programme (am).
progresar Progresser* (sé).
progresión Progression.
progreso Progrès (grè).
prohibición Prohibition.
prohibir Prohiber, défendre.
prohombre Homme éminent.
prójimo Prochain (chi").
prole (prolé) Descendance.
proletariado Prolétariat.
proletario, ria Prolétaire.
prolífico, ca Prolifique.
prolijo, ja Prolixe.
prólogo Prologue (log).
prolongación Prolongement.
prolongar Prolonger (o"jé).
promedio Milieu (miliœ).
promesa Promesse (mès).
prometer Promettre*.

prometido, da Promis, íse.
prominencia Proéminence.
prominente Proéminent, e.
promisión Promission.
promoción Promotion.
promontorio Promontoire.
promotor Promoteur (tœr).
promover Promouvoir*.
promulgar Promulguer.
pronombre Pronom (non).
pronosticar Pronostiquer.
pronóstico Pronostic.
prontitud (tou) Promptitude.
pronto, ta (ôn) Prompt, e
(on, ont) Prêt (prè). *ête*
[dispuesto]. *Adv* Vite (vit).
pronunciación (noun) Prononciation.
pronunciar Prononcer*.
propagación Propagation.
propaganda Propagande.
propagar Propager (jé).
propalar Divulguer (vulgué).
propasar Dépasser. *Vr* Abuser.
propensión Propension.
propenso, sa Enclin, íne.
propicio, cia Propice.
propiedad (da) Propriété.
propietario, ria Propriétaire.
propina *f* Pourboire (buar) *m.*
propinar Administrer.
propio, a Propre. *M* Messager.
proponer* Proposer.
proporción Proportion.
proporcional Proportionnel.
proporcionar Proportionner.
Procurer (kü) [conseguir].
proposición Proposition.
propósito Propos (po), but.
propuesta Proposition.
propulsor Propulseur (œr).
prorrata Prorata.
prórroga Prorogation.

prorrumpir (oun) Éclater.
prosa (prossa) Prose (prôs).
prosaico, ca Prosaïque (ik).
proscenio *m* Avant-scène *f.*
proscrito, ta Proscrit, íte.
proseguir* (ghír) Continuer.
prosélito, ta Prosélyte (lit).
prosista Prosateur (tœr).
prospecto Prospectus (üs).
prosperar Prospérer*.
prosperidad (da) Prospérité
próspero, ra Prospère.
prosternarse Se prosterner.
prostitución Prostitution.
prostituta Prostituée.
protagonista Protagoniste.
protección Protection.
proteccionismo Protection-
nisme.
protector, a Protecteur, trice.
protectorado Protectorat.
proteger* Protéger*.
protesta Protestation.
protestante Protestant, ante.
protestar Protester.
protesto Protêt (tè).
protocolo Protocole. Dossier.
prototipo Prototype.
protuberancia Protubérance.
provecho Profit (fí). *En provecho de,* au profit de.
¡Buen provecho!, bon appétit!
provechoso, sa Profitable.
proveedor Pourvoyeur.
proveer Pourvoir* (purvuar).
provenir* (vé) Provenir*.
proverbial Proverbial, e.
proverbio Proverbe (verb).
providencia Providence.
providencial Providentiel.
provincia (ín) Province (íns).
provincial, -vinciano, na
(vìn) Provincial, ale (vìn).
provisión Provision.

provisional. -sorio, ria *Am.* Provisoire (suar).

provocación Provocation.

provocar Provoquer (ké).

provocativo, a Provocant, e.

proximidad Proximité.

próximo, ma Prochain, e (iⁿ, èn).

proyección Projection.

proyectar Projeter* (projté).

proyectil (yek) Projectile.

proyecto (yek) Projet (jè).

prudencia (oudèn) Prudence.

prudente Prudent (prûdaⁿ), e.

prueba (prouéba) Preuve (œv). Épreuve [ensayo].

prurito Prurit (ürit).

psicología Psychologie (ko).

psíquico Psychique (chík).

púa (poua) Pointe (puiⁿt) Dent (aⁿ) [peine].

púber Pubère.

pubertad (ta) Puberté.

publicación Publication.

publicar (pou) Publier (pü).

publicidad (da) Publicité.

publicista Publiciste.

público, ca Public (ík), íque.

puchera f -ro (chéro) m. Pot (po) m [olla]. Pot-au-feu (potofœ) m [manjar].

pudibundo, da Pudibond, de.

púdico, ca Pudique (püdík).

pudiente Puissant, e. Riche.

pudor (pou) m Pudeur f.

pudoroso, sa Pudique (pü).

pudrir* (pou) Pourrir (purîr). Vr Fam. S'ennuyer (aⁿ).

pueblo (poué) Peuple (pœpl). Village (vilaj) [aldea].

puente (pouènté) Pont (poⁿ).

puerca (pouer) Truie (trüi).

puerco, ca (pouer) Sale (sal) [sucio]. M Porc (por).

pueril (pouéril) Puéril, île.

puerilidad Puérilité (püéri).

puerro Poireau (puaro).

puerta (pouer) Porte (port). *A puerta cerrada,* à huis clos.

puerto (pouer) Port (por). Col [montañas].

pues (pouès) Puisque (püísk) [puesto que]. Car [porque]. Donc (doⁿk) [después de v] : *vino, pues,* il vint donc. Eh bien [en principio de frase] : *pues no vengas,* eh bien, ne viens pas.

puesta f Mise (mís). Coucher (kuché) m [sol].

puesto, ta pp de *poner.* Mis, ise. M Place f. Poste (post) .m [empleo].

pugilato Pugilat (püjila).

pugnar (pough) Lutter (lü).

puja (pouja) Enchère.

pujante (jàn) Puissant, e.

pujanza Puissance, vigueur.

pujar (poujar) Enchérir.

pulcro, cra Propre (propr).

pulga (poul) Puce (püs).

pulgada (poul) Pouce (pus).

pulgar (poul) Pouce (pus).

pulgón (gòn) Puceron (püs).

pulido, da (pou) Poli, íe.

pulimentar (poulimen) Polir.

pulimento Poli.

pulir (pou) Polir.

pulmón (poulmòn) Poumon.

pulmonar Pulmonaire.

pulmonía Pneumonie (pnœ).

pulpa (poul) Pulpe (pülp).

pulpería *Am* Boutique de campagne.

pulpo (poul) Pulpe (pulp).

pulsación Pulsation (sioⁿ).

pulsera (poulsséra) Bracelet.

pulso (poul) Pouls (pu).

pulular (poulou) Pulluler.

pulverizar Pulvériser.

pulverulento Pulvérulent, e.

pulla (poulha) f Sarcasme m.

puna f Am. Haut plateau.

punción Ponction (poⁿksioⁿ).

pundonor Point d'honneur.

pundonoroso, sa Digne (diñ).

punta (poun) Point (puiⁿt).
    Bout (bu) m [extremo].

puntada f Point (puiⁿ) m.

puntal (poun) Étai (eté).

puntear Pincer (guitarra).

puntera f Bout (bu) m.

puntería Visée (visé).

puntiagudo, da Pointu, ue.

puntilla (lha) Dentelle (daⁿ-
    tel). Poignard (puañar) m
    [puñal de torero]. De pun-
    tillas, sur la pointe des
    pieds.

puntilloso, a Pointilleux, se.

punto (poun) Point (puiⁿ).
    Tricot [media]. Station
    [coches]. Point [juego].
    Al punto, sur-le-champ. En
    punto, juste [hora]. A
    punto de, sur le point de.

puntuación Ponctuation.

puntual Ponctuel, elle.

puntualidad Ponctualité.

puntuar Ponctuer (poⁿktüé).

punzada (pounzada) Piqûre.
    Élancement m [dolor].

punzante Piquant, te (kaⁿ).
    Fig. Poignant, e (puañaⁿ).

punzar (pounzar) Piquer.

punzón Poinçon (puiⁿsoⁿ).

puñado m Poignée f.

puñal Poignard (puañar).

puñalada f Coup de poignard.

puñetazo Coup de poing.

puño (pougno) Poing (puiⁿ).
    Poignet (puañé) [camisa].

pupa (pou) f Bobo, m.

pupila Pupille (püpíle).

pupilaje m Pension f.

pupilo Pupille (püpíle). Pen-
    sionnaire (paⁿsiouer).

pupitre (pou) Pupitre (ítr).

puré (pouré) m Purée (pü) f.

pureza (pouréza) Pureté.

purga (pour) Purge (pürj).

purgante (àn) Purgatif (pür).

purgar (pour) Purger* (jé).

purgatorio Purgatoire.

purificar Purifier*.

purista Puriste.

puritano, na Puritain, aine.

puro, ra (pouro) Pur, ure.
    M Cigare [cigarro].

púrpura Pourpre (purpr).

purpúreo, a Pourpré, ée.

purulento, ta Purulent, ente.

pus (pouss) Pus (pü).

pusilánime Pusillanime (la).

pústula Pustule (püstül).

putrefacción Putréfaction.

putrefacto, a En putréfac-
    tion.

pútrido, da (pou) Putride.

puya f Fer [m] de lance.

Q

que (ké) Que (kœ). Qui
    [después de un n. o pron.
    sujetos] : el hombre que
    viene, l'homme qui vient.

Quel, quelle [delante de un
    n. en frases interrogativas
    o admirativas: ¿qué hom-
    bre? quel homme? Que, com-

bien, comme [ante adj. en frases admirativas] : ¡qué bueno es! comme il est bon! qu'il est bon! Quoi (kuá) (con una prep.) : ¿de qué se trata? de quoi s'agit-il? De que, dont, de qui, de quoi.

quebrada f Ravin (vi n) m.

quebradizo, za Fragile (jíl).

quebrado, da (ké) Brisé, ée. Accidenté, ée [terreno]. M Mat. Fraction (sio n) f.

quebradura Brisure. Hernie.

quebrantar (kébrà n) Briser. Broyer* (bruaié) [moler]. Fig. Enfreindre* (a nfri n dr).

quebranto Brisement.

quebrar* (ké) Briser (sé). Faire* faillite [quiebra].

queda (ké) f Couvre-feu m.

quedar (ké) Rester. Quedar en, convenir de. Vr Rester.

quedo, da Tranquille (kíl). Adv Doucement.

quehacer m Affaire (afèr) f.

queja (kéja) Plainte (pli nt).

quejarse (kéjar) Se plaindre*.

quejido m Plainte (pli nt) f.

quejoso, sa (kejoso) Plaintif, ive. Fâché, ée.

quema (ké) f Feu (fœ) m.

quemador, ra Brûleur, euse.

quemadura Brûlure.

quemar Brûler. Vr Fig. Brûler.

quemazón f Brûlure (brûlür). Incendie m (i n sa n di).

querella (kérélha) Plainte.

querencia (kéré n zia) Affection. Gîte (jit) [animales].

querer* (ké) Vouloir* (vuluar) [desear]. Aimer [afecto].

querido, da (ké) Voulu, ue. Aimé, ée. F Maîtresse (mè-très).

querubin (kéroubì n) Chérubin.

quesera (késséra) Cloche à fromage.

quesería Fromagerie.

queso (késso) Fromage (maj).

quicio (kizio) m Penture f. Salir* de quicio, sortir* de ses gonds.

quiebra (ké) Brisure (sür). Com. Faillite (fait).

quiebro (kié) Écart (ar). Roulade (rulad) f [canto].

quien (kièn) Qui (ki).

quienquiera Quiconque.

quieto, ta (kié) Tranquille.

quietud (tou) Quiétude (üd).

quijada (ja) Mâchoire (chuar).

quijotada Fanfaronnade.

quijote (kijoté) Don Quichotte.

quijotismo Don Quichottisme.

quilate (kilaté) Carat (ra).

quilo (ki) Chyle (chil) [digestión]. V. KILO.

quilla (kílha) Quille (kiie).

quillotro m Passion f [enamoramiento]. Stimulant [estímulo].

quimera (kiméra) Chimère.

quimérico, ca Chimérique.

químico, ca Chimique (chimík). F Chimie (chimí).

quina f Quinquina (ki n ki) m.

quincalla (kinkalha) Quincaille.

quincallería   Quincaillerie (ki n kairí).

quincallero Quincaillier.

quince (kinzé) Quinze (ki n s).

quincena Quinzaine (ki^{n}zè-n^e).

quincuagésimo Cinquantième.

quincha (kincha) *Am.* Mur de terre et de roseaux.

quingentésimo Cinq centième.

quinientos Cinq cents.

quinina Quinine (nin^e).

quino Quinquina.

quinqué (kinké) Quinquet.

quinquenio (ké) Cinq ans.

quinta (kinta) Quinte (kint) [juego, música]. Maison de campagne [casa]. Tirage [m] au sort; classe [soldados].

quinteto (kintéto) *m* Quintette (küi^{n}tèt) *f.*

quintilla Poésie de 5 vers.

quinto (kin) Cinquième.

quintuplicar Quintupler.

quintuplo, pla (kintouplo) Quintuple (kui^{n}tüpl).

quinzavo, va (kinzavo) Quinzième (kui^{n}zièm).

quiosco (kios) Kiosque (osk).

quiquiriquí (ki) Cocorico.

quiromancia Chiromancie.

quiróptero Chéiroptère (kéi).

quirquincho (kirkin) Tatou.

quirúrgico Chirurgical.

quisicosa Devinette (nèt).

quisquilla (kilha) Vétille.

quisquilloso, sa Susceptible.

quiste (té) Kyste (kist).

quitamanchas Dégraisseur.

quitar Ôter (té). Parer (ré) [golpes]. *Vr* Ôter.

quitasol *m* Ombrelle (el) *f.*

quite (kité) Obstacle (akl). Parade (rad) *f* [de golpe].

quizás (zass) Peut-être.

R

rabadilla (lha) *f* Croupion *m.*

rábano Radis (radi).

rabel Rebec (ræbek).

rabia Rage (raj).

rabiar Rager* (jé).

rabieta Rage*(raj).

rabillo (ilho) *m* Queue (kœ) *f* [fruto]. Coin (kui^n) [ojo].

rabino Rabbin (bi^n).

rabioso, sa Enragé, ée.

rabo *m* Queue (kœ) *f.*

rabón, na Sans queue. Hacer rabona, faire* l'école buissonnière.

racimo *m* Grappe (ap) *f.*

raciocinar Raisonner.

raciocinio Raisonnement.

ración Ration (rasio^n).

racional Rationnel, elle.

racionar Rationner (sioné).

racha (racha) Rafale (fal).

rada Rade (rad).

radar Radar.

radiación Radiation.

radiante Rayonnant, e.

radiar Rayonner (reioné).

radical Radical, ale.

radicar Être* fixé, situé.

radio Rayon (reio^n) Radius [hueso]. Radium [metal]. *F* Radio [aparato].

radiografía Radiographie (fí).

radiografiar Radiographier*.

radioscopia Radioscopie.

radioso, sa Radieux, se.

raedura Raclure (klür).

211   RAE — RAS

raer* (raèr) Racler (raklé).

ráfaga Rafale (rafal).

rafia Raphia (rafia).

raído, da Usé, ée (ropa).

raigón (raïgón) m Racine (sine) f [raíz]. Chicot (ko) m [diente].

raimiento m Raclure (klür) f.

raíz Racine (rasine). A raíz de, tout de suite après.

raja (raja) Fente (faⁿt) [hendidura] Tranche (aⁿch) [de carne, etc.].

rajá (raja) Rajah (raja).

rajar (jar) Fendre (faⁿdr).

ralea Engeance (aⁿjaⁿs).

ralear S'éclaircir (ersir).

ralo, la Clairsemé, ée (klersœmé) Peu serré [tela].

rallador (ralha) Râpe (rap) f.

ralladura f Râpage m.

rallar (ralhar) Râper (rapé).

rallo (ralho) m Râpe f.

rama Branche (aⁿch). En rama, brut. Algodón en rama, ouate (u) f.

ramada f Branchage m.

ramaje Branchage.

ramal m Licou (ku) [ronzal]. Embranchement; bifurcation f [caminos].

rambla (raⁿ) f Ravin (viⁿ) m. Avenue [en Barcelona].

rameado, da À ramages.

ramera Prostituée.

ramificación Ramification.

ramificar Ramifier.

ramilla Branchette (aⁿchet).

ramillete Bouquet (buke).

ramilletera Marchande de fleurs.

ramio (ra) m Ramie (mi) f.

ramo (ra) Rameau (ramo). Fig. Branche (aⁿch) f.

ramoso, sa Branchu, ue.

rampa (raⁿ) Rampe (raⁿp).

ramplón, na (raⁿplón) Lourd, lourde (lur, lurd).

rana Grenouille (grœnuie).

rancio, cia (raⁿ) Rance.

ranchería f Campement m.

rancho (raⁿcho) Campement. Soupe (sup) f, rata m [soldados]. Am Ferme (ferm) f.

randa (raⁿ) Dentelle (tel).

ranúnculo m Renoncule f.

ranura (nou) Rainure (ür).

rapacidad Rapacité.

rapar Tondre (toⁿdr) [pelo]. Raser (se) f [afeitar].

rapaz (az) Rapace (pas) [de presa]. M Gamin (miⁿ).

rapazada Gaminerie (in^eri).

rape (a) (rapé) À ras (ra).

rapé Tabac rapé.

rapidez Rapidité.

rápido, da Rapide (pid).

rapiña (igna) Rapine (pine). Ave de rapiña, oiseau de proie.

raposo, sa (raposso) Renard, e (rœnar, d) [Raposa s'emploie en esp. pour les 2 g].

rapsodia Rapsodie.

rapto Rapt. Extase (as) f.

raptor Ravisseur (sœr).

raqueta (ké) Raquette (kèt).

raquídeo, a Rachidien, enne.

raquítico, ca Rachitique.

raquitismo Rachitisme (chi).

rarefacción Raréfaction.

rarefacer* (zer) Raréfier*.

rareza (éza) Rareté (rarté).

rarificar Raréfier* (fié).

raro, ra Rare (rar). Extravagant [extravagante].

ras (rass) Ras (ra).

rascacielos Gratte-ciel.

rascador Frottoir (tuar).

rascar Gratter.

rasgar Déchirer, fendre.

rasgo Trait (trè).

rasgón m Déchirure (rür) f.

rasguear (ghé) Racler [guitarra]. Dessiner [dibujar].

rasguñar Égratigner (ñé).

rasguño m Égratignure f.

raso, sa Ras, ase (ra. as). Simple (sĩpl) [soldado]. Serein (scerĩn) [cielo]. M Satin (satĩn) [tela] Al raso, à la belle étoile.

raspa Arête (aret).

raspador Grattoir (tuar).

raspadura (ou) f Grattage m.

raspar Gratter.

rastra Trace (as) [señal]. Chariot (río) m [carro]. Sabot (sabo) m [de rueda]. Herse ('ers) [grada]. Chapelet (chaplè) m [cebollas]. A rastras, en traînant.

rastrillar (lhar) Claquer.

rastrear Suivre* à la piste.

rastrero, ra (río) Traînant, e. Fig. Bas, basse.

rastrillar (lhar) Râteler*.

rastrillo (lho) Râteau (rato).

rastro m Râteau (rato). Trace f [huella]. Abattoir (tuar) [matadero].

rastrojo (ojo) Chaume (chom).

rasurar (ssou) Raser.

rata f Rat (ra) m. Fam. Filou m.

ratero Filou (filu).

ratificar Ratifier* (fié).

ratina Ratine (tĩn).

rato Moment (mãn). A ratos, par moments.

ratón (tõn) m Souris (suri) f.

ratonera Souricière (sier).

raudal (raou) Torrent (rãn).

raudo, da Rapide (píd).

raya (ya) Raie (rè).

rayano, na Qui touche à.

rayar (rayar) Rayer* (reié). Toucher à [lindar]. Poindre* (puĩndr) [alba].

rayo (rayo) Rayon (reión). Foudre (fudr) f [electr.]. Rai (re) m [ruedas].

rayón m Rayonne f.

raza Race (ras).

razón (zõn) Raison (rèsõn).

razonable Raisonnable.

razonamiento Raisonnement.

razonar Raisonner (resoné).

re (ré). Ré.

reacción Réaction (siõn). De reacción, à réaction [motor].

reaccionar Réagir (jir).

reaccionario, a Réactionnaire.

reacio, cia Obstiné, ée.

reactivo Réactif.

real Réel, elle [verdadero]. Royal, e (ruaial) [del rey]. M Camp (kãn) [militar]. Champ (chãn) [feria]. Réal [moneda] (1/4 de pta) [pl fr.: réaux].

realce (réalzé) Relief (rœ).

realidad Réalité.

realismo Réalisme.

realista Réaliste. Royaliste (ruaialist) [monárquico].

realización Réalisation.

realizar Réaliser.

realzar Rehausser (rœosé).

reanimar Ranimer.

reanudar (réanou) Renouer.

reaparecer* Reparaître*.

reata f File de mulets.

rebaba Bavure (vür).

rebaja f Rabais m.

rebajar Rabaisser (bèsé).

rebajo (bajo) m Feuillure f.

rebanada Tranche (ãnch). Tartine [de pan].

rebañar Nettoyer* (netuaié).

rebaño Troupeau (trupo).

rebasar Dépasser.

rebatiña Dispute (püt).

rebatir Repousser (repusé).

rebato m Alarme (arm) f.

rebelarse Se rebeller (belé).

rebelde Rebelle. Contumace [juicio].

rebelión Rébellion (beliᵒⁿ).

rebenque (benké) Fouet (fuè).

reblandecer* Ramollir (lir).

reblandecimiento Ramollissement.

reborde Rebord (bor).

rebosar (ssar) Déborder.

rebotar Rebondir (boⁿ).

rebozar Couvrir le visage. Tremper dans la pâte [friture].

rebozo (zo) Retour (rœtur) [sábana]. Fig. Prétexte.

rebullir (llir) S'agiter.

rebusca (rebouska), co Recherche (rœcherch).

rebuznar (ouz) Braire (brer).

rebuzno (bouz) Braiment.

recado m Commission f. Nécessaire m [accesorio]. Am. Selle (sel) f [silla].

recaer* Retomber (toⁿbé).

recaída Rechute (rœchüt).

recalar Atterrir.

recalcar Serrer (seré) Appuyer* (apüié) [apoyar].

recalentar* (èn) Réchauffer.

recamar Broder en relief.

recámara Chambre (chaⁿbr).

recambio (kàn) Rechange.

recapacitar Remémorer.

recapitular Récapituler.

recargar Recharger*.

recargo Surcharge (sürcharj).

recato m Modestie (ti) f.

recaudación f Recouvrement.

recaudador Percepteur.

recaudar Recouvrer (kuvré).

recaudo Recouvrement.

recelar (rézé) Craindre*.

recelo (rézélo) m Crainte f.

receloso, sa (losso) Inquiet, ète. Soupçonneux, euse.

recepción Réception.

receptaculo Réceptacle.

receptor Récepteur.

receta Recette (set). Ordonnance (naⁿs) [médico].

recetar (rézé) Ordonner.

recibimiento (ièn) m Réception f. Antichambre f [antesala].

recibir (zi) Recevoir*.

recibo (rézibo) Reçu (rœsü). Réception f.

recidiva Récidive.

recién (rézièn) Récemment. Recién nacido, nouveau-né; recién llegado, nouveau venu.

reciente (zièntè) Récent, e.

recinto (zin) m Enceinte f.

recio, cia (rézio) Fort, te. Dur, re (dür) [duro]. Adv Fort : hablar recio, parler fort.

recipiente Récipient.

reciproco, ca Réciproque (ok).

recitación Récitation.

recitar (rézitar) Réciter.

reclamación Réclamation.

reclamar Réclamer.

reclamo m Réclame f. Appeau (apo) m [caza].

reclinar Appuyer* (apüié).

reclinatorio Prie-Dieu (pridiœ).

recluir* (ouír) Renfermer.

reclusión Réclusion (klü).

recluso, sa (klou) Reclus, e.

recluta (ou) m Recrue (krü) f.

reclutamiento Recrutement.

reclutar (klou) Recruter (üté).

recobrar Recouvrer (ku).

recocer* (zèr) Recuire (küir).

recodo Coude (kud).

recoger (jèr) Reprendre. Recueillir* (kœiir) [cosechar, reunir]. Ramasser [lo caído].
Vr Se recueillir*. Rentrer (raⁿtré) [regresar].

recogida (ji) f Ramassage m. Levée (vé) f [cartao].

recogido, da Recueilli, ie. Ramassé, ée [lo caído]. Trapu, ue (pü) [rechoncho].

recogimiento Recueillement m.

recolección Récolte.

recoleto, ta Récollet, ette.

recomendación Recommandation.

recomendar* Recommander.

recompensa Récompense.

recompensar* Récompenser.

recomponer* Recomposer.

reconciliación Réconciliation.

reconciliar Réconcilier*.

reconcomio m Inquiétude f Méfiance f. Envie f [deseo].

recóndito, ta Caché, ée.

reconocer* Reconnaître*.

reconocimiento (tèn) m Reconnaissance (rœkonesaⁿs) f.

reconquista Reconquête.

reconquistar Reconquérir*.

reconstituir Reconstituer.

reconstruir* Reconstruire.

reconvenir* Reprocher (ché).

recopilar Compiler.

recordar* Rappeler*. Vi Se souvenir* (suvnir).

recordatorio Memento (miⁿ).

recorrer Parcourir (kurir).

recorrido Parcours (kur).

recortar Découper (kupé).

recorte m Découpure (kupür).

recoser Recoudre (kudr).

recostar* Coucher (kuché).

recoveco m Détour.

recreación Récréation.

recreo m Récréation f.

recriminar Récriminer.

recrudecer* Redoubler.

recrudecimiento m Recrudescence f.

rectangular Rectangulaire.

rectángulo (gou) Rectangle.

rectificar Rectifier*.

rectilíneo, a Rectiligne (lín).

rectitud Droiture (tür).

recto, ta Droit, e (drua).

rector Recteur (tœr).

recua (rekoua) f File (fil), troupe (trup) [de mulets].

recuento m Vérification f.

recuerdo (ouer) Souvenir.

recuperar Récupérer*.

recurrir Recourir* (kurir).

recurso m Ressource.

recusar Récuser.

rechazar (zar) Repousser.

rechazo m Recul (kül) [arma]. Rejet (rœjè) [petición].

rechifla Raillerie (raíri).

rechinamiento Grincement.

rechinar Grincer* (grinsé).

rechoncho, a Boulot, otte.

rechupete (de) Excellent, e.

red (red) f Filet (filè) m. Réseau (reso) m [tejido].

redacción Rédaction.

redactar Rédiger* (jé).

redactor, ra Rédacteur, trice.

redada (f) Coup de filet m.

redaño (gno) Épiploon.

redargüir* (gouir) Rétorquer.

redecilla f Filet (lè) m.

rededor Alentour. Al rededor, autour (otur).

redención Rédemption.
redentor (rédèn) Rédempteur.
redhibitorio, a Rédhibitoire.
redil Bercail (kaï).
redimir Racheter* (rachté).
rédito Revenu (rœvnu). Intérêt.
redituar Rapporter.
redoblar Redoubler (rœdublé). Rouler [tambor]. River [clavo].
redoble Redoublement. Roulement [tambor].
redoblón Rivet (vè).
redoma Fiole (fiol).
redomado, da Fieffé, ée.
redondear (rédòn) Arrondir.
redondel (rédòn) Rond (roⁿ). Arène f [toros].
redondez f Rondeur m.
redondilla f Quatrain (triⁿ) m.
redondo, a (rédòn) Rond, e.
reducción Réduction.
reducir* (rédouzir) Réduire*.
reducto (douk) Réduit (düi).
redundante Redondant, ante.
redundar Surabonder (boⁿ). Se tourner [volverse].
reedificar Réédifier.
reelección Réélection.
reelegir* (rééléjir) Réélire*.
reembolsar (èn) Rembourser.
reembolso Remboursement.
reemplazar Remplacer*.
reemplazo (èn) Remplacement.
reenganchar Rengager*.
refajo (jo) Jupon (jüpoⁿ).
refección Réfection.
refectorio Réfectoire (tuar).
referencia Référence (raⁿs).
referente (rèn) Relatif, ive.
referir* Référer*. Rapporter [relacionar].

refilón (de) De côté.
refinar (ré) Raffiner.
refino, na Surfin, ine (fiⁿ).
reflector Réflecteur.
reflejar (jar) Réfléchir.
reflejo, ja (jo) Réfléchi, ie. M Reflet (rœflè).
reflexión Réflexion.
reflexionar Réfléchir.
reflexivo, va Réfléchi, ie.
reflujo (oujo) Reflux (flü).
reforma Réforme.
reformar Réformer.
reformista Réformiste (mist).
reforzar* Renforcer* (raⁿ).
refracción Réfraction.
refractar Réfracter.
refractario, ria Réfractaire.
refrán (àn) Proverbe (verb).
refregar* Frotter.
refrenar Refréner*.
refrendar (frèn) Légaliser.
refrescar Rafraîchir (frè).
refresco Rafraîchissement.
refriega f Combat m.
refrigerante Réfrigérant, te.
refrigerar (jé) Refroidir.
refrigerio Rafraîchissement. Soulagement [alivio].
refringente Réfringent, e.
refringir Réfracter.
refuerzo Renfort (raⁿ).
refugiar (foujiar) Réfugier.
refugio Refuge (rœtüj).
refundir (foun) Refondre.
refunfuñar Grogner.
refunfuño Grognement (oñe).
refutación Réfutation (fü).
refutar Réfuter (té).
regadera (déra) f Arrosoir m.
regadío m Irrigation f.
regalado, da Donné, ée. Exquis, ise [exquisito].
regalar Donner en cadeau.
regaliz (iz) m Réglisse f.

regalo Cadeau (kadọ) [dá-diva]. Régal [placer].
regalón, na Délicat, ate.
regañadientes (a) [diẽntès] En maugréant (aⁿmogreaⁿ).
regañado, da Fendu, ue (faⁿ).
regañar (gnar) Gronder (oⁿdé). Vr. Se fendre [abrir].
regaño (gnar) m Gronderie f.
regar vt Arroser (arosé).
regata Régate (gat).
regate (gaté) Écart (ekar).
regatear (tear) Marchander.
regateo Marchandage (aj).
regatón (tòn) Bout (bou).
regazo (gazo) Giron (jiroⁿ).
regencia (jèn) Régence (jaⁿs).
regeneración Régénération.
regenerar Régénérer*.
regentar (jèn) Régenter.
regente (jèn) Régent (jaⁿ). Prote (prot) [imprenta].
regicida, -cidio m Régicide.
regidor Échevin (echviⁿ).
régimen (jimèn) Régime.
regimiento Régiment.
regio, a (rejio) Royal, e.
región (jiòn) Région (jioⁿ).
regional (jio) Régional, ale.
regir* (rejir) Régir (rejir). Être* en vigueur [vigente].
registrar Enregistrer. Fouiller (fuié) [buscar].
registro Enregistrement [inscripción]. Registre (rœjistr) [órgano, reloj, libro].
regla (ré) Règle (regl).
reglamentar Réglementer.
reglamento Règlement.
regocijar (xijar) Réjouir.
regocijo m. Réjouissance f.
regodeo m Réjouissance f.
regoldar* Roter.
regordete, ta Grassouillet, te.

regresar Revenir*.
regreso (esso) Retour (tur).
regüeldo (gouel) Rot (ro).
reguera f, **-guero** m Rigole f.
regulador Régulateur.
regular Régulier, ère. Fam. Comme-ci, comme-ça [mediano].
regular vt Régler* (glé).
regularidad (gou) Régularité.
regularizar Régulariser.
rehabilitar Réhabiliter.
rehacer* Refaire* (rœfer).
rehén Otage (aj).
rehilete m Fléchette (chet) f.
rehogar Étuver (etuvé).
rehuida (reouí) Fuite.
rehuir* (reouír) Fuir (fúir).
rehusar (réoussar) Refuser.
reimprimir Réimprimer.
reina (réína) Reine (rène).
reinado Règne (reñ).
reinante Régnant, ante (ñaⁿ).
reinar Régner (ñé).
reincidente Récidiviste.
reincidir Récidiver.
reineta Reinette (net).
reino (réí) Royaume (ruaiom). Règne (reñ) [h. nat.].
reintegrar Réintégrer*.
reintegro (tér) Réintégration.
reir* (reír) Rire.
reiterar Réitérer*.
reivindicación Revendication.
reivindicar Revendiquer.
reja (ja) Grille (gríiℓe). Soc m [arado]. Labour (bur) m [acción de arar].
rejalgar (jal) Réalgar.
rejilla (jilha) f Grillage m. Cannage (canaje) m [silla].
rejón (jòn) Javelot (javlo).
rejonear Piquer avec un javelot [courses de taureaux].
rejuvenecer* (jou) Rajeunir.

relación (ré) Relation (rœ). Récit (resí) *m* [relato].

relacionar Mettre* en rapport.

relajar (jar) Relâcher.

relámpago (làn) Éclair (èr).

relampaguear *Faire* des éclairs.

relapso, sa Relaps, apse.

relatar Rapporter.

relativo, va Relatif, íve.

relator, ra Narrateur, trice. Rapporteur.

releer* (ré) Relire* (rœlír).

relegar (rélé) Reléguer*.

relente (lèn) Serein (sœri^n).

relevante (àn) Remarquable.

relevar Relever*.

relevo (rélé) *m* Relève *f*.

relicario Reliquaire (kèr).

relieve (réliévé) Relief.

religión (jión) Religion.

religioso, a Religieux, se.

relinchar (lìn) Hennir ('en).

relincho Hennissement.

reliquia (kia) Relique (ik).

reloj (lo) *m* Horloge (loj) *f* [de torre]. Pendule (pandül) *f* [de mesa]. Montre (mo^ntr) *f* [de bolsillo].

relojería Horlogerie.

relojero (jéro) Horloger (jé).

reluciente Reluisant, e.

relucir* Reluire*.

relumbrante (àn) Brillant, e.

relumbrar Briller (brié).

relumbrón (b) En toc.

rellano (lha) Palier (*l*).

rellenar (lhé) Remplir (ra^n).

relleno, a (lhé) Rempli, ie.

remachar River (vé).

remacho (ho) Rivet (vè).

remangar (àn) Retrousser.

remanso *m* Eau [*f*] dormante.

remar Ramer.

rematado, da Achevé, ée.

rematar Achever*. Adjuger* (jüjé) [ventas].

remate (rématé) *m* Fin (fi^n) *f*. Adjudication *f* [ventas].

remedar Imiter.

remediar Remédier* (rœ).

remedio Remède (med). Ressource (œsurs) [recurso].

remedo (rémé) *m* Imitation *f*.

remendar* (èn) Raccommoder. Rapiécer [poner un remiendo].

remendón Savetier (savtié).

remero (rémèro) Rameur.

remesa (rémessa) Remise.

remesar Envoyer* (a^nvuaié).

remiendo (iéndo) Raccommodage. Morceau (so) [pedazo añadido].

remilgado, a Minaudeur, se.

remilgo *m* Minauderie *f*.

reminiscencia Réminiscence.

remisión Rémission.

remitente (tèn) Expéditeur.

remitir Remettre*. Envoyer* (a^nvuaié) [enviar]. Renvoyer* [cita, etc.].

remo (ré) *m* Rame (ram) *f*.

remojar (jar) Tremper (tra^n).

remolacha Betterave.

remolcador Remorqueur.

remolcar Remorquer (ké).

remolino Tourbillon (turbión).

remolón, na Paresseux, euse.

remolque (ké) *m* Remorque *f*.

remontar Remonter.

remoquete *m* Moquerie *f*.

rémora Rémora. Fig. Obstacle.

remorder* (dèr) Remordre.

remordimiento Remords.

remotamente De très loin.

remoto, ta Éloigné, ée.
remover* (vèr) Déplacer.
remozar Rajeunir (rajœnír).
remuneración Rémunéra-
tion.
remunerar Rémunérer*.
renacer* (zèr) Renaître*.
renacimiento m Renaissance.
renacuajo (ouajo) Têtard.
renal Rénal, ale.
rencilla (rénzílha) Rancune.
renco, ca (rèn) Boiteux, se.
rencor m Rancune (kûn²).
rencoroso, a Rancunier, ère.
rendición Reddition.
rendido, da Rendu, ue. Soumis, ise (sumí, ís) Épris,
ise [enamorado].
rendija (réndíja) Fente.
rendimiento Rendement
[producto]. Soumission (su)
f. Fatigue f.
rendir* (rèn) Rendre (ra²dr).
Soumettre* (sumetr) [so-
meter]. Fatiguer (gué)
[cansar].
renegado, da Renégat, ate.
renegar* (réné) Renier*
(rœnié). Jurer (juré)
[blasfemar].
renglón m Ligne (liñ) f. Article m [de una cuenta].
rengo, ga Boiteux, se.
reniego m Juron (jûro²).
reno (ré) Renne (rèn).
renombrado, a Renommé, ée.
renombre Renom (rœno²).
renovación f Renouvelle-
ment m.
renovar* Renouveler*.
renta Rente (ra²). Revenu
(rœvnü) m [interés]. Fer-
mage (aj) [de una finca].
rentista (rèn) Rentier, ère.
renuevo (rénoué) Renouveau

(rœnuvo). Pousse (pus) f
[de un vegetal].
renuncia f Renoncement m.
Renonce (no²s) [juegos].
renunciar Renoncer* (rœ-
no²sé).
reñido, da (gni) Disputé, ée.
Fâché, ée [disgustado]†
reñir* (gni) vt. Gronder
(o²dé). Vi. Se disputer.
reo, a (réu) Accusé, ée.
reojo (de) De travers (ver).
reorganización Réorganisa-
tion.
reorganizar Réorganiser.
reóstato Rhéostat (ta).
repantigarse Se vautrer (vo).
reparación Réparation (sio²).
reparada f Écart (kar) m.
reparador, ra Réparateur,
trice.
reparar (ré) Réparer. Re-
marquer (rœmarké) [no-
tar].
reparo m Remarque (ark) f.
Protection f [defensa]. Poner* reparos, faire* des
difficultés. No tener* reparo en, ne pas se préoccuper de.
repartición Répartition.
repartir Distribuer (bǘé).
reparto m Distribution f.
repasar Repasser. Raccom-
moder [componer].
repaso Raccommodage (daj).
Coup d'œil [ojeada].
repatriar Rapatrier*.
repecho m Côte (kot) f.
repeler Repousser (pusé).
repelo (répé) Frisson (so²).
repente (rèpèn) Mouvement
brusque. De repente, sou-
dain.
repentino, na Soudain, e.

repercusión Répercussion.

repercutir Répercuter.

repertorio Répertoire (tuar).

repetición Répétition.

repetir* (répé) Répéter*.

repicar Sonner [campanas].

repiquetear Carillonner.

repisa (issa) Console.

replegar* (plé) Replier*.

repoblar* Repeupler.

repollo (répólho) Chou (chu).

reponer* Remettre* (ræmetr).

reportar Apporter [traer]. Apaiser [calmar].

reporte Report.

reposar Reposer (ræposé).

reposo (réposso) Repos (po).

repostería Pâtisserie (tisrí).

reprender (èn) Reprendre.

reprensible Répréhensible.

reprensión (èn) f Barrage m.

represa (éssa) f Barrage m.

represalia Représaille.

representación Représentation.

representante Représentant.

representar Représenter.

represión Répression.

reprimenda (èn) Reprimande.

reprimir Réprimer.

reprobación Réprobation.

reprobar* Réprouver. Recaler [examen].

réprobo, ba Réprouvé, ée.

reprochar Reprocher.

reproche Reproche (och).

reproducción Reproduction.

reproducir* Reproduire*.

reproductor Reproducteur.

repropio, pia Rétif, ive.

reptil Reptile (tíl).

república République (ik).

republicano, na Républicain, e.

repudiar Répudier* (pûdié).

repudio m Répudiation f.

repuesto, ta Remis, ise. M Réserve f.

repugnancia Répugnance (ñaⁿs).

repugnante Répugnant, e.

repugnar (ghnar) Répugner.

repujar (jar) Repousser.

repulgo Rebord. Ourlet (urlé) [tela].

repulsa f Rejet (ræjè) m. Rebuffade (bûfad) f [desaire].

repulsión Répulsion (pûl).

repulsivo, va Répulsif, ive.

reputación Réputation f.

reputar (pou) Réputer (pû).

requebrar* (ké) Courtiser.

requemar (ké) Brûler. Hâler ('alé) [tez]. Irriter.

requerir* Requérir*.

requesón Fromage blanc.

requiebro m Compliment m; flatterie f.

requilorio m Formalité f.

requisa (kissa) Réquisition. Inspection (sioⁿ).

requisición Réquisition.

res (rès) Bête, tête de bétail.

resabiado, da Vicieux, euse.

resabio (ressa) Vice (vis).

resaca (ressaca) f Ressac m. Retraite (rœtret) [letra].

resaltar Ressortir*.

resalto m Saillie (saíie) f.

resalvo Baliveau (vo).

resarcir Réparer.

resbaladizo, za Glissant, e.

resbalar Glisser (sé).

resbalón m Glissade f. Faux pas (fopa) m [desliz].

rescatar Racheter*.

rescate (katé) Rachat (cha).

rescisión Rescission.

rescoldo m Braise (brès) f.

resecar Dessécher*.

reseda Réséda.

resentimiento Ressentiment.

resentirse* Se ressentír. Se fendre (fandr) [quebrarse]. Se fâcher [ofenderse].

reseña (ressé) Description.

reserva Réserve (serv).

reservar Réserver.

resfriado, da Refroidi, ie. Enrhumé, ée (anrümé) [constipado]. M Rhume.

resfriar Refroidir. Enrhumer [constipar].

resfrío Rhume (rüm).

resguardar Garantir.

resguardo m Garantie (ran) f. Récépissé [recibo].

residencia Résidence.

residente Résident, ente.

residir Résider.

residuo Résidu (dü).

resignación Résignation.

resignar Résigner (siñé).

resina (rëssí) Résine (sin̂).

resinoso, sa Résineux, euse.

resistencia Résistance.

resistente Résistant, e.

resistir Résister.

resma Rame (ram).

resmilla (ílha) Ramette.

resolana. V. SOLANA.

resolución Résolution.

resolver* Résoudre* (udr).

resonancia Résonance.

resonante Résonnant, ante.

resonar* (ress) Résonner (so).

resoplar Souffler (suflé).

resorber Résorber.

resorte (ress) Ressort (sor).

respaldo Dossier (sé).

respectivo, a Respectif, ve.

respecto Rapport. Con respecto a, respecto a, en qui concerne.

respetable Respectable.

respetar (pétar) Respecter.

respeto Respect (respè). De respeto, de rechange.

respetuoso, a Respectueux, se.

respingar Regimber (jin).

respingona Retroussé [nez].

respiración Respiration.

respiradero Soupirail (rai).

respirar Respirer.

respiratorio Respiratoire.

respiro Souffle (sufl).

resplandecer* Resplendir.

resplandeciente Resplendissant.

resplandor (àn) Éclat (klá).

responder Répondre (on).

responsabilidad Responsabilité.

responsable Responsable.

responso Répons (pon).

respuesta (poue) Réponse (ons).

resquebrajar Fendiller (diié).

resquemor (ké) m Inquiétude f.

resquicio (ki) m Fente f.

resta f Reste (rest) m.

restablecer* (ézèr) Rétablir.

restablecimiento Rétablissement.

restallar (lhar) Claquer (ké).

restante (ánté) Restant (an).

restañar (gnar) Étancher.

restar Soustraire* (sustrer).

restauración Restauration.

restaurar (tau) Restaurer.

restitución Restitution.

restituir* (touír) Restituer.

resto (res) Reste (reste).

restregar Frotter.

restricción Restriction.

restringir (lnj) Restreindre*.

resucitar Ressusciter (resü).

resuello (ouelho) Souffle.

resulta Suite (süít).

resultado Résultat (ta).

resultar Résulter (sül).

resumen (réssoumèn) Résumé.

resumir (ress) Résumer (sü).

resurrección Résurrection.

retablo (ré) Retable.

retahila f Chapelet (lè) m.

retal Morceau, coupon.

retama f Genêt (jenè) m.

retar (ré) Provoquer (ké).

retardar Retarder.

retazo Morceau, coupon.

retemblar* (tèn) Trembler.

retén (èn) Renfort (ra^nfor).

retención Rétention, retenue.

retener* Retenir* (rœtnír).

reticencia Réticence.

reticente Réticent, ente.

retículo (kou) Réticule (ül).

retina (ré) Rétine (tíne).

retintín (tìn) Tintement.
  Fig. Ton impertinent.

retirada (ré) Retraite (èt).

retirar (ré) Retirer (ré).

retiro (rétíro) m Retraite (rœtrèt) f.

reto (ré) Défi.

retocar Retoucher (tuché).

retoño (togno) m Pousse f.

retoque (toké) m Retouche f.

retorcer* (zèr) Retordre.

retórica Rhétorique (torík).

retorno Retour (rœtur).

retortijón (jòn) Tortillement.

retozar (zar) Folâtrer.

retozón, ona Folâtre (latr).

retractar Rétracter.

retraer* Dissuader (süa).

retraído, da Renfermé, ée.

retrasar (trassar) Retarder.

retraso Retard (rœtar).

retratar Faire* le portrait.

retrato Portrait (trè).

retreparse Se rejeter* en arrière (jeté a^n narièr).

retrete (été) Cabinets pl.

retribución Rétribution.

retribuir* (ouir) Rétribuer.

retroceder Reculer (külé).

retroceso Recul (rœkül).

retrógrado, da Rétrograde.

retrospectivo Rétrospectif.

retruécano (oué) Calembour.

retumbar Retentir (ta^ntír).

reuma (réou) Rhumatisme.

reumatismo Rhumatisme.

reunión (réounión) Réunion.

reunir Réunir (reünír).

revelación Révélation.

revelador, a Révélateur, trice.

revelar Révéler*.

revender (vèn) Revendre (a^n).

reventar* (èn) Crever* (krœ).

reverberar Réverbérer*.

reverbero Réverbère (ber).

reverdecer* Reverdir.

reverencia (èn) Révérence.

reverenciar Révérer*.

reverendo, da Révérend, e.

reverente Révérencieux, se.

revés (ès) Envers (a^nver).
  Al revés, à l'envers.

revestimiento Revêtement.

revestir* Revêtir*.

revisar Réviser. Contrôler (ko^ntrolé) [billetes].

revisión Révision.

revisor Réviseur. Contrôleur [de billetes].

revista Revue (rœvü).

revistero Revuiste (vüíst).

revivir Revivre* (rœvívr).

revocar Révoquer (ké).

revolar* Voleter (volté).

revolcarse* Se vautrer (vo).

revolotear Voltiger (jé).

revoltillo (ílho) Mélange.

revoltoso, a Turbulent, ente.

revolución Révolution.

revolucionar Révolutionner.

revolucionario, ria Révolutionnaire (sionèr).

revolver* Remuer (rœmüé). Fouiller (fouié) [registrar]. Bouleverser [trastornar].

revólver Revolver.

revoque (révóké) Crépi.

revuclo (révouólo). Vol.

revuelto, ta Bouleversé, ée; en désordre; agité, ée.

revulsivo Révulsif.

rey (réï) Roi (rua).

reyerta (yer) Dispute (püt).

rezaga Arrière-garde.

rezagar Laisser en arrière.

rezar (zar) Prier (prié).

rezo m Prière (èr) f.

rezongar Marmonner.

ría f Estuaire (estüèr) m.

riachuelo Ruisselet.

riada Inondation.

ribazo (azo) Coteau (to).

ribera (ribéra) Rive (riv).

ribete (bété) m Bordure f.

ribetear Border.

ricacho, cha Richard, arde.

ricino Ricin (risin).

rico, ca Riche (rich). Délicieux, euse [sabroso].

ridiculez (kou) f Ridicule m.

ridiculizar Ridiculiser.

ridículo, la Ridicule (kül).

riego (rié) Arrosage (saj).

riel Rail (rai).

rienda (rièn) Rêne (rene).

riente Riant, e (rian, ant).

riesgo Risque (risk).

rifa Tombola (tonbola).

rifar Mettre* en loterie.

rifeño, ña Rifain, aine.

rigidez (dèz) Rigidité.

rígido, da (riji) Rigide (jid).

rigor m Rigueur (gœr) f

riguroso, sa Rigoureux, euse.

rima Rime (rim).

rimar Rimer.

rimbombante Retentissant, e.

rimero (éro) Tas (ta).

rincón (rinkón) Coin (kuin).

rinconera Encoignure.

rinoceronte Rhinocéros.

riña (gna) Dispute (püt).

riñón (gnon) Rein (rin). Rognon (ñon) [animal].

río Fleuve. Rivière f.

riostra f Étançon m.

ripio Gravats (va) pl. Fig. Cheville (chœvíie) f [verso]. Fig. Remplissage (ranplisaj) [inutilidades].

riqueza (kéza) Richesse (es).

risa f Rire (rir) m.

risco Roc.

risible (ssi) Risible (sibl).

risotada f Éclat de rire m.

ristra f Chapelet m.

ristre Arrêt (rè) [de lanza].

risueño (ssouégno) Riant.

ritmo Rythme (ritm).

rito Rite.

ritual Rituel, elle.

rival (rival) Rival, e (ri).

rivalidad (da) Rivalité.

rivalizar (zar) Rivaliser.

rizar (zar) Friser (sé).

rizo m Boucle (bukl) f.

róbalo Bar [pez].

robar Voler.

roblar River.

roble (blé) Chêne (chèn).

roblón Rivet (vè).

robo (ro) Vol.

robustez Robustesse.

robusto, ta (bous) Robuste.

roca Roche (roch) ; roc m.

roce (ro) Frôlement (frol).

rociar (ziar) Arroser.

rocín (zìn) Bidet (dè).

rocinante *m* Rossinante *f*.

rocío (zío) *m* Rosée (sè) *f*.

roda Étrave (av).

rodaballo (alho) Turbot (bo).

rodada Ornière (nièr).

rodaje Rouage. Rodage [de un motor]. Tournage [película].

rodante (ànté) Roulant, e.

rodar* Rouler (rulé). Roder [motor]. Tourner [película].

rodear (déar) Entourer. Faire* le tour [dar la vuelta].

rodela (dé) Rondache (ach).

rodera Ornière.

rodete (été) Chignon (ñoⁿ).

rodilla *f* Genou (jœnu) *m*. Torchon (choⁿ) [trapo].

rodillera (lhéra) Genouillère.

rodillo (lho) Rouleau (rulo).

rododendro Rhododendron.

rodrigón (gòn) Tuteur (œr).

roedor Rongeur (œr) [jœr).

roer* Ronger* (roⁿjé).

rogar* Prier (prié).

rogativa Prière (ier).

rojizo, za Rougeâtre (rujatr).

rojo, ja Rouge (ruj).

rollizo, za Joufflu, ue.

rollo (lho) Rouleau (rulo).

romadizo Rhume (rüm).

romana Romaine (mèn°).

romance *m* Castillan [lengua]. Romance *f* [poesía].

romancero Recueil de poésies.

románico, ca Roman, ane.

romano, na Romain, aine.

romería *f* Pèlerinage *m*.

romero (éro) Pèlerin (pelriⁿ).

romo, a Épointé, ée. Camus, use [nariz, persona].

rompecabezas Casse-tête.

rompeolas Brise-lames.

romper (ròn) Rompre, briser. Casser [en pedazos]. User [gastar : ropa, etc.].

rompiente (piènté) Brisant.

rompimiento *m* Rupture *f*.

ron (ròn) Rhum (rom).

ronca (ròn) Bravade (vad).

roncar (ròn) Ronfler.

roncería Paresse (rès). Flatterie (flatrí) [halago].

ronco, ca (ròn) Rauque (rok).

roncha (ròncha) Cloque.

ronda (ròn) Ronde (roⁿd).

rondar (ròn) Rôder (rodé). Se promener* (pasear).

rondón (de) Tout de go.

ronquera (rònkéra) *f* Enrouement (aⁿrumaⁿ) *m*.

ronquido Ronflement.

ronzal (rònzal) Licou (likú).

roña (gna) Crasse (as) [mugre]. Ladrerie [avaricia].

roñoso, sa Ladre (ladr).

ropa *f* Vêtements (vetmaⁿ) *mpl*. Literie (litrí) [de cama]. *Ropa blanca*, linge *m*, lingerie. *Ropa hecha*, confection. *A quema ropa*, à brûle-pourpoint.

ropaje (pajé) Vêtement. Draperie (pri) *f* [artes].

ropavejero (jéro) Fripier.

ropero *m* Armoire (uar) *f*.

rorro Bébé.

ros (ros) Képi espagnol.

rosa (rossa) Rose (ros).

rosado, a Rosé, ée.

rosal Rosier (sié).

rosario Rosaire (roser).

rosca Vis (vis). Couronne (kuroné) [pan].

róseo, a Rosé, ée.

roseta (rosséta) Rosette.

rosetón *m* Rosace (rosas) *f*.

rosquilla (lha) *f* Gâteau en forme de couronne.

rostro Visage (visaj).

rotación Rotation.

rotativo, va Rotatif, ive.

rotatorio, ria Rotatoire.

roten Rotin (tî^n).

roto, ta Rompu, ue; brisé, ée; cassé, ée. V. ROMPER.

rotonda (òn) Rotonde (o^{n}d).

rótula Rotule (tül).

rótulo *m* Enseigne *f*.

rotundo, da Rond, ronde. *Fig.* Catégorique.

rotura Rupture, déchirure, cassure. V. ROMPER.

roza Terre défrichée.

rozadura *f* Frôlement *m*. Écorchure *f* [desolladura].

rozagante (àn) Pimpant, e.

rozamiento Frottement [frote]. Roulement [mécánica].

rozar (zar) Frôler.

ruana *f* Am. Poncho (po^n) *m*.

rubéola (rou) Rougeole (jol).

rubí Rubis (rübí).

rubia (rou) Garance (ra^{n}s).

rubicundo, a Rubicond, de.

rubio, bia Blond, onde.

rubor *m* Rougeur (rujœr) *f*.

ruborizarse Rougir (rujir).

ruboroso, sa Honteux, se.

rúbrica Rubrique. Paraphe (raf) *m*.

rubricar Parapher (rafé).

rucio, a Gris, ise. *M* Âne.

rucho (rou) Baudet (bodé).

ruda (rou) Rue (rü).

rudeza (roudéza) Rudesse.

rudimental Rudimentaire.

rudimento (mèn) Rudiment.

rudo, da (rou) Rude (rüd).

rueda (roué) Roue (ru). Cercle (serkl). Tranche (a^{n}ch) [tajada]. Meule (mœl) *f*.

ruedo (roué) Tour (tur).

ruego (rouégo) *m* Prière *f*.

rufián (roufián) Rufian.

rufo, fa (rou) Roux, rousse.

rugido (rouj) Rugissement.

rugir (roujir) Rugir (rüjir).

rugosidad Rugosité.

rugoso, sa Rugueux, se.

ruibarbo *m* Rhubarbe *f*.

ruido (roui) Bruit (brüi).

ruidoso, sa Bruyant, e (üia^n).

ruin 2*g* (rouin) Méchant, e (a^n). Mesquin (ki^n), ine [tacaño].

ruina (roui) Ruine (rüine).

ruinoso, sa Ruineux, euse.

ruiseñor (gnor) Rossignol.

ruleta (rou) Roulette (rulet).

rulo (roulo) Rouleau (ruló).

rumbo (roum) *m* Route (rut) *f*. Ostentation *f* [ostentación].

rumboso, sa Généreux, se.

rumiante Ruminant, e.

rumiar (rou) Ruminer (rü).

rumor (rou) *m* Rumeur *f*.

rumoroso, sa Bruyant, te.

runrún Ronron.

ruptura (rouptoura) Rupture.

rural 2*g* (roural) Rural, e.

ruso, a Russe (rüs).

rústico, ca Rustique (rüstik).

ruta Route (rut).

rutilante (ânté) Rutilant, e.

rutina (rou) Routine.

rutinario, ria Routinier, ère.

rutinero, ra Routinier, ère.

S

sábado Samedi (samdí).
sábalo m Alose (alos) f.
sabana Am. Savane (vané).
sábana f Drap (dra) m.
sabandija (díja) Bestiole.
sabañón (gnòn) m Engelure f.
sabedor, ra Instruit de.
saber* Savoir* (vuar).
   Saber a, avoir* le goût de
   [sabor]. M Savoir.
sabiduría (dour) f Savoir m.
sabiendas (a) Sciemment.
sabihondo, da Pédant, ante.
sabio, bia Savant, e Sage 2g
   [hombre experimentado].
sablazo (azo) Coup de sabre.
   Fam. Emprunt (aⁿpriⁿ).
sable (blé) Sabre (sabr).
sablista Fam. Tapeur.
sabor m Saveur (vœr) f.
saborear Savourer (vuré).
sabroso, sa Savoureux, se.
subueso (buoeso) Griffon.
saca Extraction. Exportation.
sacabocados Emporte-pièce.
sacabuche Trombone.
sacadineros Attrape-nigauds.
sacamanchas Dégraisseur.
sacamuelas Arracheur de
   dents.
sacar Tirer. Ôter [quitar].
   Gagner [lotería].
sacarina Saccharine (saka).
sacerdocio Sacerdoce (dós).
sacerdotal Sacerdotal, ale.
sacerdote (té) Prêtre (etr).
sacerdotisa (íssa) Prêtresse.
saciar (ziar) Rassasier*.
saciedad Satiété.
saco Sac. Veston [ropa].
sacramentar Administrer.

sacramento Sacrement.
sacratísimo Très sacré.
sacrificador Sacrificateur.
sacrificar Sacrifier*.
sacrificio Sacrifice (fís).
sacrilegio Sacrilège.
sacrílego, ga Sacrilège.
sacristán Sacristain (tiⁿ).
sacristía Sacristie.
sacrosanto, ta Sacro-saint, e.
sacudida (kou) Secousse (kús).
sacudimiento m Secousse f.
sacudir (kou) Secouer (kué).
sachar (char) Sarcler.
sacho Sarcloir (kluar).
saeta (éta) Flèche (ech).
saetera Meurtrière (mœr).
sagacidad Sagacité.
sagaz Sagace (gás).
sagitario (ji) Sagittaire.
sagrado, da Sacré, ée.
sagrario Tabernacle (akl).
sagú (gou) Sagou (gú).
sahumar (saou) Fumiger.
sain (saïne) Gras (gra).
sainete (saïneté) m Sauce
   (sos) f. Saynète (senet) f
   [teatro].
saíno Pécari.
sajar (jar) Couper (kupé).
sajón, na (jòn) Saxon, onne.
sal f Sel m.
sala f Salle (sal) f. Salon
   (loⁿ) m [de recibo].
saladero Saloir (luar).
saladillo (ílho) Petit-salé.
salado, da Salé, ée.
saladura (oura) Salage (laj).
salamandra Salamandre.
salar Saler.
salario (rio) Salaire (ler).

salaz Lascif, ive.
salazón Salaison (lèsó[n]).
salchicha Saucisse (sosís).
salchichería Charcuterie.
salchichero, a Charcutier, ère.
salchichón Saucisson.
saldar Solder.
saldo Solde (sold).
salero m Salière f. Charme (charm) m [gracia].
saleroso, sa Charmant, e.
salicilato Salicylate.
salida Sortie (té). Départ m [de un tren, etc.]. Lever* m [astro]. Débit (bí) m [venta]. Saillie (saíe) [saliente]. Issue (isú) f [fin].
salido, da Sorti, ie. En chaleur [animal].
saliente (ièn) Saillant, e.
salino, na Salin (li[n]), ine.
salir* Sortir*. Partir [irse]. Se lever* (lœvé) [astros]. Ressortir [resaltar]. Revenir (rœvnír) [costar]. Salir bien, mal, réussir, échouer. Vr Sortir. Déborder [líquido]. Fuír [recipiente].
salitral m Salpêtrière f.
salitre Salpêtre.
salitroso, sa Nitreux, euse.
saliva Salive.
salival Salivaire (vèr).
salivar Saliver (vé).
salmantino, na De Salamanque.
salmear Psalmodier*.
salmo Psaume (psom).
salmodia Psalmodie.
salmodiar Psalmodier*.
salmón Saumon (somo[n]).
salmonete (été) Rouget.
salmorejo (réjo) Salmis (mí).
salmuera (ouéra) Saumure.
salobre Saumâtre (somátr).

salón m Salle (sal) f. Salon m [exposición, etc.].
salpicadura Éclaboussure.
salpicar Éclabousser (busé).
salpullido m Éruption f.
salsa Sauce (sos).
salsera (éra) Saucière (sier).
saltador, ra Sauteur, euse.
saltamontes m Sauterelle f.
saltar Sauter (soté). Éclater (té) [estallar]. Jaillir (jaíir) [fuentes].
salteador Brigand (ga[n]).
salteo m Brigandage.
saltear Attaquer (ké).·
salteo Brigandage.
saltimbanqui Saltimbanque.
salto Saut (so). Chute (chüt) f [de agua]. Dar* saltos, sauter, bondir.
saltón, na Saillant, e (saia[n]). M Sauterelle verte f.
salubridad (da) Salubrité.
salud (lou) Santé (sa[n]té).
saludable Salutaire.
saludar Saluer.
saludo (lou) Salut (lü).
salutación Salutation (lü).
salva Salve (salv).
salvación f Salut (lü) m.
salvado Son (so[n]).
salvador Sauveur (sovœr).
salvaguardia Sauvegarde.
salvaje Sauvage (sovaj).
salvamento (èn) Sauvetage.
salvar Sauver (so). Franchir (fra[n]) [saltar].
salvavidas De sauvetage.
salvedad (véda) Excuse (üs).
salvia Sauge (soj).
salvilla (ilha) f Plateau m.
salvo, va Sauf, auve. En salvo, en sûreté.
salvoconducto Sauf-conduit.
sambenito San-benito. Fig. Note infamante.

san (sàn) Saint (siⁿ).
sanar Guérir.
sanatorio Sanatorium.
sanción (ziòn) Sanction.
sancionar Sanctionner.
sancochar Cuire légèrement.
sandalia (sàn) Sandale (saⁿ).
sándalo Santal (saⁿ).
sandez (èz) Sottise (tis).
sandía Pastèque (tek).
sandio, día (sàn) Sot, sotte.
sandunga Fam. Grâce (gras).
sanear (néar) Assainir.
sangrar (àn) Saigner (sèñé).
sangre (sàngré) f Sang (saⁿ)
    m. Echar sangre, saigner.
sangría Saignée (sèñé). Li-
    monade au vin [bebida].
sangriento, ta Sanglant, te
sanguijuela (joué) Sangsue.
sanguinario, ria Sanguinaire.
sanguíneo, a Sanguin. íne.
sanguinolento Sanguinolent.
sanies (ès) Sanie (ní).
sanitario, ria Sanitaire (ter).
sano, a Sain, e (siⁿ, ène).
sánscrito Sanscrit.
santabárbara Sainte-barbe.
santero, ra Sacristain, tine.
santiamén Clin d'œil.
santidad (da) Sainteté.
santificación Sanctification.
santificar Sanctifier*.
santiguador Rebouteux.
santiguarse Se signer (ñé).
santísimo, ma Très saint, e.
santo, ta Saint, te (siⁿ, in-
    te). M Fête (fet) f [día].
    Mil. Santo y seña, mot de
    passe.
santón (sàntòn) Santon.
santoral Martyrologe.
santos mpl Toussaint f.
santuario (ouа) Sanctuaire.
santurrón, ona Bigot, ote.

saña (gna) Colère (ler).
sañudo, da Irrité, ée.
sapo Crapaud (po).
saponificar Saponifier*.
saque Service [pelota].
saquear (kéar) Piller (pié).
saqueo Pillage (piàj).
sarampión m Rougeole (ru-
    jol) f.
sarao m Soirée (suaré) f.
sarape Am Poncho.
sarcasmo Sarcasme (kasm).
sarcástico, ca Sarcastique.
sardesco, ca Intraitable.
sardina Sardine (dìne).
sardinero, ra Sardinier, ère.
sardo, da Sarde (sard).
sardónico, ca Sardonique.
sarga Serge (serj).
sargento (jèn) Sergent (jaⁿ).
sarmiento Sarment (maⁿ).
sarna Gale (gal).
sarnoso, sa Galeux, euse.
sarpullido m Éruption.
sarraceno, na Sarrasin, íne.
sarro (sarro) Tartre.
sarta f Chapelet (chaplè) m.
sartén (èn) f Poêle (pual) f.
sastra Couturière (kutürier).
sastre (tré) Tailleur (iœr).
sastrería f Magasin, atelier
    de tailleur. Ir* a la sastre-
    ría, aller* chez le tailleur.
satánico, ca Satanique.
satén (tèn) Satin (tiⁿ).
satinar Satiner.
sátira Satire.
satírico, ca Satirique.
sátiro Satyre (satir).
satisfacción Satisfaction.
satisfacer* Satisfaire*.
satisfactorio, ria Satisfaisant.
satisfecho, cha Satisfait, te.
sátrapa Satrape (trap).
saturar (tou) Saturer (türé).

saturnal Saturnal, *ale*.
sauce (*saoucé*) Saule (sol).
saúco (*saouko*) Sureau.
saurio (*saourio*) Saurien.
savia Sève (sev).
saxófono Saxophone (fon^e).
saya (ya) Jupe (jüp).
sazón Maturité. Occasion.
sazonar Assaisonner (seso).
se Se. *Se lo, se la, se los, se las*, le-lui, la-lui, les-lui, le-leur, la-leur, les-leur. On : *se trabaja*, on travaille.
sebáceo, a Sébacé, *ée*.
sebo (sé) Suif (süif).
secadero Séchoir (ch*uar*).
secamiento (*iènto*) Séchage.
secano Terrain non irrigué.
secante Secatif, *ive*. Buvard [papel]. F Sécante.
secar Sécher*.
sección Section.
secesión Sécession.
seco, ca Sec, sèche (sech).
secretario Secrétaire.
secretear Chuchoter (chücho).
secreto (*sécré*) Secret (krè).
secta Secte.
sectario (*ario*) Sectaire (er).
secuaz (*ouaz*) Partisan (saⁿ).
secuestrar (*oues*) Séquestrer.
secuestro (*oues*) Séquestre.
secularizar Séculariser.
secundar (koun) Seconder.
secundario, ria Secondaire.
sed (sé) Soif (suaf).
seda Soie (suá). Ligne (liñ).
sedante (*sédànté*) Sédatif.
sede (*sédé*) f Siège (sièj) m.
sedentario, a Sédentaire.
sedición Sédition.
sedicioso, sa Séditieux, *euse*.
sediento, ta Assoiffé, *ée* (suaté), altéré, *ée*.
sedimento Sédiment (maⁿ).

sedoso, sa Soyeux, *euse*.
seducción Séduction.
seducir* (*douzir*) Séduire*.
seductivo, va Séduisant, *ante*.
seductor, ra Séducteur, *trice*.
segador, ra Faucheur, *euse*.
segar* (sé) Faucher (foché).
seglar (sé) Séculier, *ère*.
segmento Segment (maⁿ).
segregar Sécréter.
seguida Suite (süit). *En seguida*, tout de suite.
seguimiento m Suite (süit) f.
seguir* (*séguir*) Suivre* (süivr). Continuer : *seguir hablando*, continuer de parler.
según (goun) Selon (sloⁿ).
segundar (goun) Seconder.
segundario, ria Secondaire.
segundo, da Second, *onde*.
segundón, ona Cadet, *ette*.
segur (gour) Hache (ʼach).
seguridad Sécurité, sûreté.
seguro, ra (gouro) Sûr, e. M Assurance f. *En seguro*, en sûreté. *A buen seguro*, à coup sûr, certainement.
seibo (*séibo*) Flamboyant (flaⁿbuaiaⁿ) [árbol].
seis (séïss) Six (sis). *Las seis*, six heures.
seisavo, va Sixième (siem).
seiscientos (*ièntoss*) Six-cents (sisaⁿ).
selección Sélection (sioⁿ).
selecto, ta Choisi, *ie*.
selenio Sélénium (niom).
selva Forêt (rè).
sellar (lhar) Sceller. Cacheter*. Timbrer. V. SELLO.
sello (lho) Sceau (so) [de una autoridad] Cachet (chè) [de un particular]. Timbre (tiⁿbr) [correos, etc.] Cachet [de farmacia].

semáforo Sémaphore. Feux [pl] de signalisation [de tráfico].

semana Semaine (sœmène).

semanario, ria Hebdomadaire.

semblante (sènblànté) Visage (visaj). Fig. Aspect (pè).

sembrar* (sèm) Semer* (sœmé). Joncher [esparcir]. Parsemer* [flores, etc.].

semejante (jàn) Semblable.

semejanza Ressemblance.

semental (mèn) Étalon (loⁿ).

semestral Semestriel, elle.

semestre (sé) Semestre (sœ).

semicírculo Demi-cercle.

semicorchea Demi-croche.

semidiós Demi-dieu.

semilla (lha) Semence.

semillero m Pépinière f.

seminario Séminaire (nèr).

seminarista Séminariste.

semínima Noire (nuar).

sémola Semoule.

senado Sénat (na).

senador Sénateur.

sencillez (ez) Simplicité.

sencillo (lho) Simple (siⁿ).

senda (sèn) f Sentier m.

sendero Sentier (saⁿtier).

sendos, as Un chacun, une chacune.

senil Sénile.

senilidad Sénilité.

seno Sein (siⁿ). Creux (krœ). Sinus (üs) [mat. y anat.]. Golfe (golf) [mar].

sensación Sensation.

sensatez f Bon sens m.

sensato, ta Sensé, ée (saⁿ).

sensibilidad Sensibilité.

sensible (sèn) Sensible (saⁿ).

sensual (soual) Sensuel, elle.

sensualidad Sensualité.

sentar* (sèn) Asseoir* (asuar). Aller* (alé) [vestido]. Plaire* [gustar]. Vr. S'asseoir : sentarse en una silla, s'asseoir sur une chaise.

sentencia Sentence (aⁿs).

sentenciar Juger* (jüjé). Condamner [condenar].

sentencioso Sentencieux.

sentido (sèn) Sens (saⁿs).

sentimental Sentimental, le.

sentimiento Sentiment. Regret (rœgrè) [pesar].

sentir* Sentir. Regretter [pesar]. M Sentiment.

seña (gna) f Signe (siñ) m. Pl Adresse [dirección].

señal (ségnal) Marque (mark). Arrhes (ar) pl [ventas].

señalado, da Marqué, ée. Signalé, ée [indicado]. Remarquable (kabl) [notable].

señalar Marquer. Signaler [indicar]. Vr Se distinguer.

señor, ra (gnor) Seigneur (señœr) m, dame (dam) f. Monsieur, Madame [términos de cortesía].

señorear (gnoréar) Dominer.

señorial, -ñoril (gno) Seigneurial, ale (señœrial).

señorío (gno) m Seigneurie (ñœri). Distinction f.

señorita (gno) Demoiselle (dœmuasèl). Mademoiselle [término de cortesía].

señorito (gno) Monsieur.

señuelo (gnoué) Leurre (lœr).

seo Prov. Cathédrale (tedral).

separación Séparation.

separar Séparer (ré).

sepelio (pé) m Inhumation f.

septentrión Septentrion.

septiembre Septembre.

septuagésimo Soixante-dixiè-
me.
sepulcral Sépulcral, ale.
sepulcro (poul) Sépulcre (ül).
sepultar (poul) Ensevelir.
sepulto, ta Enseveli, ie.
sepulturero Fossoyeur.
sequedad (kéda) Sécheresse.
sequía Sécheresse.
séquito m Suite (süit) f.
ser Être (étr). M Être.
sera f Couffin (kufiⁿ) m.
serafín Séraphin (fiⁿ).
serenar Rasséréner.
serenata Sérénade (nad).
serenidad Sérénité.
sereno, na Serein, eine. M
    Veilleur (veiœr) [vigilante].
    Serein (sœriⁿ) [humedad].
serie Série (rí).
seriedad (da) f Sérieux m.
serio, a Sérieux (riœ), euse.
sermón Sermon (moⁿ).
serosidad (da) Sérosité.
serpear Serpenter*.
serpentino, na Serpentin,
    ine. F Serpentin (paⁿtiⁿ) m.
serrallo (rralho) Sérail.
serranía Montagne (moⁿtañ).
serrano, a Montagnard, e.
serrar* Scier* (sié).
serrín (ìn) m Sciure (ür) f.
serrucho m Scie égoïne f.
servicial Serviable.
servicio Service (vís).
servidor, ra Serviteur, vante.
servidumbre Servitude. Ser-
    vice (ís) m [personal].
servil Servile.
servilleta (lhé) Serviette.
servilletero (lhétéro) Rond de
    serviette (roⁿde serviét).
servir* Servir* : servir para,
    servir à. Vr Se servir*.
    Vouloir* bien [dignarse].

seconda (sèn) Soixante (sua-
saⁿt).
sesentón Sexagénaire.
seseo Défaut qui consiste à
    prononcer le z comme des s.
sesgar Biaiser (biésé).
sesgo, ga Biais, biaise (biè).
sesión Séance (seaⁿs). Ses-
    sion [período de reunión].
seso m Cervelle (servel) f.
sestear Faire* la sieste.
sesudo, da (ssou) Sensé, ée.
seta f Champignon (ñóⁿ) m.
setecientos Sept cents.
setenta (ssou) Soixante-dix.
seto m Haie (′è) f.
seudónimo, ma Pseudonyme.
severidad Sévérité.
severo, ra Sévère (ver).
sexagenario Sexagénaire.
sexo Sexe (sex).
sexto, ta Sixième (siem).
sexual Sexuel, elle.
si conj. Si.
sí Pron. Soi (sua) : para sí,
    pour soi.
sí adv Oui (ui) [afirmación].
sibarita Sybarite.
sibila Sibylle (sibíl).
sicómoro Sycomore.
sideral Sidéral, e.
siderurgia Sidérurgie.
sidra Cidre (sidr).
siega (sié) Moisson (muasoⁿ).
siembra Semailles (maïe) pl.
siempre (èn) Toujours (tujur).
sien (sièn) Tempe (taⁿp).
sierpe (pé) Serpent (paⁿ).
sierra Scie (sì). Chaîne de
    montagnes [montañas].
siervo, va Serf, serve.
siesta Sieste (siest).
siete (siété) Sept (set).
sífilis Syphilis (lís).
sifón (fòn) Siphon (foⁿ).

siglo (ji) Secret.
sigiloso, sa Secret, ète.
siglo Siècle (siekl) : *el siglo XX*, le XXᵉ siècle.
significación Signification (ñi).
significado *m* Signification *f*.
significar Signifier*.
signo (sigh) Signe (siñ).
siguiente Suivant, ante.
sílaba Syllabe (silab).
silba *f* Sifflement *m*.
silbar Siffler.
silbato Sifflet (flè).
silbido, silbo Sifflement.
silencio (èn) Silence (aⁿs).
silencioso, sa Silencieux, se.
silfo Sylphe (silf).
silicato Silicate.
sílice Silice (lís).
silueta Silhouette (luet).
silvestre Sylvestre (vestr).
silla (lha) Chaise (chès). Selle (sel) [de montar].
sillar *m* Pierre [*f*] de taille.
sillín *m* Sellette (selet) *f*. Selle *f* [bicicleta].
sillón (lhòn) Fauteuil (fotœï).
sima *f* Abîme (abim) *m*.
simbólico, ca Symbolique.
simbolizar Symboliser.
simbolo (símb) Symbole (siⁿ).
simetría Symétrie.
simétrico, ca Symétrique.
simiente (tèn) Semence (aⁿs).
símil *m* Comparaison *f*.
simón Fiacre (fiakr).
simonía Simonie (ní).
simpatía Sympathie.
simpático, ca Sympathique.
simpatizar Sympathiser.
simple (sìnplè). Simple (sinpl) [sencillo]. Niais, e (niè, ès).

simpleza Niaiserie (nièsrí).
simplicidad Simplicité.
simplificar Simplifier*.
simulacro Simulacre (lakr).
simulador, a Simulateur, trice.
simular (mou) Simuler (mü).
simultáneo, a Simultané, ée.
sin (sin) Sans (saⁿ).
sinagoga Synagogue (gog).
sinapismo Sinapisme.
sinceridad (da) Sincérité.
sincero, ra Sincère (ser).
síncopa Syncope (siⁿkop).
síncope *m* Syncope *f*.
sindical Syndical.
sindicar Syndiquer.
sindicato Syndicat (ka).
síndico Syndic.
sinecura Sinécure (kür).
sinfonía Symphonie (foní).
sinfónico, ca Symphonique.
singular (sìngou) Singulier.
singularidad Singularité.
singularizar Singulariser.
siniestro, a Sinistre. Gauche (goch) [izquierdo]. *M* Sinistre.
sinnúmero Grand nombre.
sino Sort (sor) [suerte]. *Conj* Mais (mè) [pero].
sinonimia Synonymie.
sinónimo, a Synonyme.
sinóptico, ca Synoptique.
sinrazón Injustice (iⁿjüs).
sinsabor (sin) Ennui.
sinsonte Oiseau moqueur.
sintaxis Syntaxe.
síntesis Synthèse.
sintético, ca Synthétique.
síntoma Symptôme (tom).
sinuosidad (da) Sinuosité.
sinuoso, sa Sinueux, euse.
sinvergüenza (ouènza) Dévergondé, ée.

siquiera (sikiéra) Quoique (kuak) [aunque]. Soit (suá) [ya, bien]. Au moins (muiⁿ) [por lo menos]. *Ni siquiera,* pas même.

sirena (ré) Sirène (renᵉ).

sirga Halage (alaj).

sirio, ria Syrien, enne.

sirviente, ta Serviteur, vante.

sisa Échancrure (echaⁿkrür) [ropa]. Anse du panier.

sisar Faire* danser l'*anse* du panier [criadas].

sisear (siséar) Faire* chut!

sísmico, ca Sismique.

sistema Système.

sistemático Systématique.

sitiador, a Assiégeant, e.

sitiar Assiéger* (asiejé).

sitio m Place (as) f. Siège (siej) [plaza fuerte].

situación Situation.

situar (touar) Situer (tüé).

so Fam. Espèce de. Sous (su): *so color,* sous couleur.

soba Fam. Volée (lé).

sobaco m Aisselle (esel) f.

sobar Pétrir. Fam. Frapper.

soberanía Souveraineté.

soberano, na Souverain, e.

soberbia Orgueil (ghœi) m.

soberbio, bia Superbe (süperb), Coléreux, euse.

sobornar Suborner.

sobra f Reste m.

sobradillo (dílho) Auvent.

sobrado, da Excessif, ive. *Adv* Trop (tro). *M* Comble (koⁿbl).

sobrante (ànté) Restant, e.

sobrar Être* de trop.

sobre (sobré) Sur. *M* Enveloppe (aⁿvlop) f [cartas]. Sachet (de sopa).

sobreabundar Surabonder.

sobreagudo, da Suraigu, uë.

sobreasada Sorte de saucisse.

sobrecama Courte-pointe.

sobrecarga Surcharge.

sobrecargar Surcharger*.

sobrecejo Sourcils pl.

sobrecoger* (jer) Saisir (sèsir).

sobredorar Dorer.

sobreexcitar Surexciter.

sobrehumano, na Surhumain, aine.

sobrellevar (lhé) Supporter.

sobremanera Excessivement.

sobremesa (de) Au dessert.

sobrenadar Surnager* (jé).

sobrenatural Surnaturel, elle.

sobrenombre (nònbré) Surnom (noⁿ).

sobrentender* (brèntèndèr) Sous-entendre (susaⁿtaⁿdr).

sobrepelliz f Surplis m.

sobreponer* Superposer.

sobrepujar Dépasser.

sobresaliente (iènté) Distingué, ée. Avec mention [examen].

sobresalir* Dépasser (sé). *Fig.* Se distinguer (iⁿgué).

sobresaltar Effrayer* (efreié).

sobresalto Sursaut (sürso).

sobreseer Surseoir* (suar).

sobrestante Surveillant.

sobresueldo Supplément de traitement.

sobretodo Pardessus (dœsú).

sobrevenir* Survenir*.

sobreviviente Survivant, e.

sobrevivir Survivre*.

sobrexcitar Surexciter.

sobriedad (dá) Sobriété.

sobrino, na Neveu (nœvœ), nièce (niés).

sobrio, a Sobre (sobr).

socaliña (lígna) Ruse (rüs).

socarrón, na Sournois, oise.

socarronería Sournoiserie.

socavar Creuser en dessous.

sociable (blé) Sociable (abl).

social Social, ale.

socialismo Socialisme.

socialista Socialiste.

sociedad (da) Société.

socio, cia Associé, ée.

socorrer Secourir* (sœkurir).

socorro Secours (sœkur).

soez (èz) Grossier, ère.

sofá Sofa.

sofista Sophiste (fist).

sofocación f Suffocation (sü)
f. Fig. Ennui (a[n]nüi) m.

sofocar Suffoquer (süfoké).
Ennuyer* (a[n]nüé) [disgustar].

sofreír Fricasser (sé).

sofrenar Retenir*.

soga Corde (kord).

sojuzgar Subjuguer (jügué).

sol Soleil (solèi). Sol [música].

solana Endroit [m] ensoleillé.

solanácea Solanacée.

solapa f Revers (rœver) m.

solapado, da Fam. Rusé, ée.

solar Solaire (lèr). M Terrain (teri[n]) [terreno]. Manoir (nuar) [casa solariega].

solar* Parqueter* [con madera]. Carreler* [enladrillar]. Ressemeler* (rœsœmelé) [zapatos].

solariego, ga Patrimonial. ale. Noble (nobl).

solaz (àz) Repos (rœpo).

solazar Reposer. Distraire.

soldadesca Soldatesque.

soldado Soldat (da).

soldadura (doura) Soudure.

soldar* Souder (sudé).

soledad (da) Solitude. F Un air populaire andalou.

solemne Solennel, elle (la).

solemnidad Solennité (la).

solemnizar Solenniser (la).

soler* Avoir* coutume de.

solera Solive.

solevantar Soulever* ·(sulvé).

solfa f Solfège m. Fam. Volée f [golpes].

solfeo (fé) Solfège (fej).

solicitación f Sollicitation.

solicitar Solliciter.

solícito, ta Actif. ive; empressé, ée (a[n]presé).

solicitud (tou) Sollicitude.

solidaridad (da) Solidarité.

solidario, a Solidaire (der).

solídeo m Calotte (lot) f.

solidez (èz) Solidité.

solidificar Solidifier*.

sólido, da Solide (lid).

solio Trône (tro[n]°).

solípedo, da Solipède (ed).

solitario, ria Solitaire (ter).

soliviantar Exciter.

solo, la Seul, e (sœl). A solas, seul, e. M Solo.

sólo Seulement (sœlma[n]).

solomillo (lho) Aloyau (uaio).

soltar* Lâcher (ché). Vr Se faire* [acostumbrarse].

soltero, ra Célibataire (ter).

solterón, na Vieux garçon, vieille fille.

soltura Liberté. Souplesse. Aisance (èsa[n]s) [de palabra].

soluble (lou) Soluble (übl).

solución Solution (lüsio[n]).

solvencia Solubilité.

solvente (vènté) Solvable.

sollo (lho) Esturgeon (jo[n]).

sollozar (lhozar) Sangloter.

sollozo Sanglot (sa[n]glo).

sombra Ombre (o[n]br).

sombrear Ombrer (onbré).

sombrerera f Modiste (dist) [que hace sombreros]. Carton [m] à chapeau (caja).

sombrerería Chapellerie.

sombrero Chapelier.

sombrero Chapeau (chapo).

sombrilla Ombrelle (onbrel).

sombrío, a Sombre (sonbr).

somero, ra Superficiel, elle.

someter Soumettre (sumetr).

somorgujo Plongeon (pon).

son (sòn) Son (son).

sonaja f Grelot (grœlo) m.

sonar* Sonner. Moucher (muché) [nariz]. Vr Se moucher.

sonata Sonate (nat).

sonda (sòn) Sonde (sond).

sondear Sonder.

sondeo (déo) Sondage (aj).

soneto (né) Sonnet (nè).

sonido Son (son).

sonoridad Sonorité.

sonoro, ra Sonore.

sonreír* Sourire.

sonrisa f Sourire m.

sonrojarse Rougir (rujir).

sonrojo (rojo) m Honte f.

sonrosado, da Rose.

sonsacar Soutirer (sutiré).

sonsonete Ton ironique.

soñador, ra Rêveur, euse.

soñar* (gnar) Rêver : soñar con, rêver à, de.

soñoliento, ta Somnolent, e.

sopa Soupe (sup).

sopapo m Gifle (jifl) f.

sopera Soupière (supér).

sopero À potage (assiette).

sopetón (dé) A l'improviste.

soplador Souffleur (flœr).

soplamocos m Mornifle f.

soplar Souffler (suflé).

soplete (été) Chalumeau.

soplo m Souffle. Fig. Délation f [denuncia].

soplón, ona Mouchard, arde.

sopor Assoupissement.

soporífero Soporifère.

soportal Porche (porch).

soportar Supporter.

soporte (sùpor) Support.

sor Sœur (scr) [religiosa].

sorber Humer (ùmé).

sorbete (bété) Sorbet (bè).

sorbo m Gorgée (jé) f.

sordera Surdité (sür).

sórdido, da Sordide.

sordina Sourdine (surdine).

sordo, da Sourd (sur), de.

sorgo Sorgho (go).

sorna f Flegme (flegm) m. Raillerie [burla].

sorprender Surprendre.

sorpresa Surprise.

sortear Tirer au sort.

sorteo Tirage au sort.

sortija Bague (bag).

sortilegio (léjio) Sortilège.

sosa Soude (sud).

sosegar* Apaiser (apèsé).

sosiego Repos (rœpo).

soslayo (de) De travers.

soso, sa Fade (fad).

sospecha f Soupçon (son) m.

sospechar Soupçonner.

sospechoso, sa Suspect, ecte.

sostén Soutien (sutièn).

sostener* Soutenir*.

sostenido, da Soutenu, ue. M Dièse [mús].

sota f Valet (lè) m [naipes].

sotabanco m Mansarde f.

sotana Soutane (sutane).

sótano Souterrain (terin).

sotavento Sous le vent.

soterrar* Enterrer (anteré).

soto Bois (bua).

su, sus Son (soⁿ), sa, ses.

suave (souavé) Suave (süav).

suavidad Douceur (dusœr), suavité (süa).

suavizar (zar) Adoucir (du).

subalterno, na Subalterne.

subasta Vente aux enchères.

súbdito (soub) Sujet (süjè).

subdividir Sous-diviser.

subida Montée (moⁿté).

subir (soubir) Monter (té).

súbito, ta Subit, e (sübí, ít). Adv Soudain.

subjuntivo Subjonctif.

sublevación f Soulèvement m.

sublevar (sou) Soulever*.

sublime (imé) Sublime (im).

submarino, a Sous-marín, e.

submúltiplo Sous-multiple.

subordinar Subordonner.

subrayar Souligner (liñé).

subrepticio Subreptice.

subsanar Réparer.

subscribir V. SUSCRIBIR.

subsidio Subside.

subsiguiente Subséquent.

subsistencia Subsistance.

subsistir Subsister.

substancia Substance.

substancial et substancioso, sa Substantiel, elle.

substantivo Substantif.

substitución Substitution.

substituir* Substituer.

substituto Substitut (tü).

substracción Soustraction.

substraer* Soustraire* (trer).

subsuelo (soué) Sous-sol.

subterfugio Subterfuge.

subterráneo, a Souterrain, e.

suburbano, na Suburbain, e.

suburbio Faubourg (fobur).

subvención Subvention.

subvenir* Subvenir*

subversivo, va Subversif, íve.

subyugar Subjuguer.

sucedáneo, a Succédané, ée.

suceder Succéder*. Arriver [ocurrir].

sucedido Événement (even^e).

sucesivo, va Successif, íve.

suceso Événement. Pl Faits divers.

sucesor, ra Successeur 2g.

suciedad (souziéda) Saleté.

sucinto, ta Succínt, e.

sucio, cia (souzio) Sale 2g.

suculento, ta Succulent, e.

sucumbir Succomber (bé).

sucursal Succursale.

sud (soud) Sud (süd).

sudamericano, a Sud-améri-caín, e.

sudar (sou) Suer (süé).

sudario Suaire (süèr).

sudeste Sud-est.

sudoeste Sud-ouest.

sudor (sou) m Sueur (süœr) f.

sudoroso, sa En sueur.

sueco, ca Suédois, se.

suegro, gra (soué) Beau-père; belle-mère.

suela (soué) Semelle (sœmel).

sueldo (souel) Traitement [empleados]. Sou.

suelo (soué) Sol. Plancher (plaⁿché) [de madera].

suelto, ta Libre. Vif, ve [ágil]. M Petite monnaie f. Entrefilet (lè) [diarios].

sueño (soué^gno) Sommeil (méí). Rêve [lo soñado].

suero (souéro) Petit-lait (pœ-tilè). Sérum [medic.].

suerte f Sort (sor) m. Chance (chaⁿs) [fortuna]. Sorte f [especie, clase]. Passe (pas) [toreo, etc.]. Por suerte, par bonheur.

suficiencia Suffisance.

suficiente Suffisant, e.
sufragar (sou) Aider (edé).
sufragio (soufrajio) Suffrage.
sufrido, da Endurant, e.
sufrimiento m Souffrance (sufraⁿs). Patience (siaⁿs) f.
sufrir (sou) Souffrir (su). Endurer (aⁿdüré) [tolerar].
sugerir (soujé) Suggérer*.
sugestión Suggestion.
sugestivo, va Suggestif, ive.
suicida Suicidé, ée.
suicidio Suicide (süisid).
suizo, za Suisse (süis).
sujeción Sujétion (jesioⁿ).
sujetar Assujétir. Retenir* [retener, contener].
sulfato Sulfate.
sulfurar Fam. Irriter.
sulfúrico, ca Sulfurique.
sulfuroso, sa Sulfureux, euse.
sultán Sultan (sültaⁿ).
suma (sou) Somme (som).
sumamente Extrêmement.
sumar (sou) Additionner.
sumaria (souma) Instruction.
sumario, a Sommaire.
sumergir* Submerger*.
sumersión Submersion.
sumidero m Bouche [f] d'égout.
suministrar Fournir (furnir).
suministro m Fourniture f.
sumir (sou) Enfoncer* (aⁿ).
sumisión Soumission.
sumiso, sa Soumis, ise.
sumo, ma Suprême (suprem). A lo sumo, tout au plus.
suntuoso, sa a Somptueux, se.
superar Dépasser.
superchería Supercherie.
superficial Superficiel, elle.
superficie Superficie.
superfluo, a Superflu, ue.
superior Supérieur, eure.

superioridad Supériorité.
superlativo Superlatif.
supernumerario Surnuméraire.
superponer* Superposer.
superposición Superposition.
superstición Superstition.
supersticioso Superstitieux.
superviviente Survivant, e.
suplantar Supplanter.
suplementario Supplémentaire.
suplemento Supplément.
suplente Suppléant, e.
súplica Supplique (plik).
suplicación f Supplication f. Plaisir m [barquillo].
suplicar Supplier*.
suplicio Supplice.
suplir Suppléer.
suponer Supposer (suposé).
suposición Supposition.
supositorio Suppositoire.
supremacía Suprématie.
supremo, ma Suprême.
supresión Suppression.
suprimir (sou) Supprimer.
supuesto, ta Supposé, ée. M Supposition f. Por supuesto, naturellement.
supurar Suppurer (süpüré).
suputar Supputer (süpüté).
sur (sour) Sud (süd).
surcar Sillonner (siioné).
surco (sour) Sillon (siioⁿ).
surgente Jaillissant.
surgir (sourjir) Surgir (sürjir). Jaillir (jaïir) [agua].
surtido, da Assorti, ie. Fourni, ie [abastecido]. M Assortiment m [variedad]. De surtido, d'usage courant.
surtidor Jet d'eau (jèdo). Poste à essence [gasolina].

surtir Assortir [variar].
Fournir (furnír) [suministrar]. Jaillir (jaïír) [agua].
¡sus! Allons!

susceptible Susceptible.

suscitar Susciter.

suscribir Souscrire*.

suscripción Souscription.

suscriptor, ra Abonné, ée.

susodicho, cha Susdit, te.

suspender Suspendre (paⁿdr).

suspensión Suspension.

suspensivo, va Suspensif. ve.

suspenso, sa Suspendu. ue.

suspicaz Soupçonneux, euse.

suspirar Soupirer (supiré).

suspiro (souspiro) Soupir.

sustentar Sustenter. Soutenir* (sutnír) [sostener].

sustento (soustènto) Soutien (sutiäⁿ). Aliment (maⁿ).

sustituir* V. SUBSTITUÍR.

susto (sous) m Peur (pœr) f.

sustracción V. SUBSTRACCIÓN.

susurrar Susurrer (süsüré)

sutil (sou) Subtil, ile.

sutileza Subtilité.

sutilizar Subtiliser.

sutura (toura) Suture (sütür).

suyo, ya, yos, yas Sien, sienne; siens, siennes. À lui, à elle, à eux, à elles (como adj.) : *la casa es suya*, la maison est à lui. *Un amigo suyo*, un de ses amis. *De suyo*, de soi.

T

taba f Osselet (oslè) m.

tabacalero, ra Des tabacs.

tabaco Tabac (ba). Cigare.

tábano Taon (taⁿ).

tabaquera Tabatière.

tabardillo m Fièvre typhoïde.

taberna f Cabaret (rè) m

tabernáculo Tabernacle (akl).

tabernero, ra Cabaretier, ère.

tabique (biké) m Cloison f.

tabla f Planche (aⁿch) f. Pli m [ropa]. Table f [matem.]. Pl Trictrac [juego].

tablado m Estrade (ad) f. Scène (sen^e) f [teatro].

tablero Panneau (pano). Échiquier (kié) [ajedrez]. Damier [damas].

tableta Tablette.

tablilla (ilha) Planchette.

tablón m Grosse planche f.

tabuco (bou) Réduit (redü)

taburete Tabouret.

tacaño, ña Avare.

tácito, ta Tacite (sit).

taciturno Taciturne (ürn)

taco m Bourre (bur) f [armas]. Queue (kœ) f [billar]. Bloc m [de calendario]. Fam. Juron (jüroⁿ).

tacón Talon.

táctica Tactique.

tacto Toucher (tuché). Fig. Tact [delicadeza].

tacha (cha) Tache (tach).

tachar Accuser. Barrer (ré) [lo escrito].

tacho (cho) Chaudron (cho).

tachón (chòn) Gros clou.

tachuela Broquette (kèt).

tafetán Taffetas (taftá).

tafilete (lété) Maroquin (kiⁿ).

tafilatería Maroquinerie.

tagaroto Hubereau. Escogriffe. Gratte-papier.

tahalí Baudrier (bodrié).

tahona Boulangerie (bulaⁿj).

tahur (taour) Joueur (juœr).

taimado, da Rusé, ée (rüsé).

tajada Tranche (aⁿch).

tajar Trancher (traⁿché).

tajo m Coupure [corte]. Ravin m [barranco].

tal Tel, telle. Cela [eso]. Ainsí [así]. *Tal como,* tel que. *Tal cual,* passable. *Con tal que,* pourvu que.

tala Coupe (kup) [árboles].

talabartero Sellier (selié).

taladrar Percer*.

taladro m Foret (rè) [útil]. Trou (tru) [agujero].

tálamo m Couche (kuch) f.

talante (ànté) m Humeur (ümœr f [humor].

talar Long (loⁿ), gue [largo]. *Vt* Couper (kupé) [árboles]. *Fig.* Détruire (trüir).

talco Talc.

talega f, **talego** m Sac m.

talento (lèn) Talent (laⁿ).

talión Talion (ioⁿ).

talismán Talisman (maⁿ).

talón Talon (loⁿ).

talonario à souche (such).

talud (lou) Talus (lü).

talla (talha) Taille f.

tallar (lhar) Tailler (taié).

tallarín m Nouille (nuié) f.

talle (lhé) m Taille (taié) f.

taller (lhèr) Atelier.

tallo (lho) Tige (tij).

tamal m *Am* Pâté (paté).

tamaño (gno) m Grandeur f.

tambalear (tàn) Balancer*.

tambaleo Balancement (aⁿs).

también (bièn) Aussi (osí).

tambo m *Am* Auberge (oberj).

tambor (tàn) Tambour (bur).

tambora Grosse caisse.

tamboril Tambourin (buriⁿ).

tamborilear Tambouriner.

tamiz Tamis (mí).

tamizar Tamiser.

tampoco Non plus (plü).

tan Aussi (osi) [comparativo] : *es tan alto como su hermano,* il est aussi grand que son frère. Si : *no seas tan goloso,* ne sois pas si gourmand. (V. TANTO).

tanda (tàn) f Tour (tur) m.

tangente (jènté) Tangent, e.

tangible (tènjiblé) Tangible.

tango (tàn) Tango (taⁿ).

tanino Tannin (niⁿ).

tanque (tànké) Tank (taⁿk).

tántalo Tantale (taⁿtal).

tantear (tàntéar) Mesurer. Tâtonner [tentar].

tanteo m Mesure (mœsür) f. Tâtonnement m.

tanto (tàn) Quantité (kaⁿ) f. Tant (taⁿ) [por ciento, etc.]. *Pl* Quelques (kelk). *Adj* Tant de. Autant de [con un comparativo] : *tantas chicas como chicos,* autant de filles que de garçons. *Adv.* Tant. Si longtemps. *Las tantas,* une heure tardive. *Por lo tanto,* par conséquent.

tañer* (gnèr) Jouer (jué).

tañido (gni) Son (soⁿ).

tapa f Couvercle (kuverkl) m.

tapadera f Couvercle (ku) m.

tapar Couvrir [cubrir]. Cacher (ché) [ocultar].

taparrabo Pagne (pañ) f.

tapete (pété) Tapis (pí).

tapia f Mur [m] de terre.

tapiar Murer (müré).

tapicería Tapisserie (pisrí).
tapicero Tapissier.
tapón Bouchon (buchon).
taquígrafo, fa Sténographe.
taquilla (ilha) f Guichet m.
taquimecano Sténodactylo.
tara Tare.
tarabilla Traquet [molino]. Loquet [de puerta].
taracea Marqueterie.
taracear Marqueter*.
tarambana Fam. Étourdi.
tarántula Tarentule.
tarara f Tarare m.
tararear Fredonner.
tarasca Tarasque (rask).
tarascada Morsure (sür).
tardanza f Retard (rœtar) m.
tardar Tarder.
tarde Tard (tar). F Après-midi (aprœmidí) m. Buenas tardes, bonjour.
tardío, a Tardif, íve.
tardo, da Lent (lan), te.
tarea Tâche (tach).
tarifa f Tarif m.
tarima f Escabeau (bo) m.
tarjeta (jé) Carte.
tarro Pot (po).
tarso Tarse.
tarta Tarte.
tartajear Bredouiller (duié).
tartamudear Bégayer*.
tartamudeo Bégaiement.
tartana Tartane.
tarugo (rou) Bout de bois.
tarumba (volver) Rendre fou.
tasa Taxe. Borne [límite].
tasación Taxation.
tasar Taxer. Priser, évaluer.
¡tate! Attends! Attendez!
tato Tatou (tú).
tatuaje (je) Tatouage (tuaj).
tatuar Tatouer (tué).
taurino, a Des taureaux.

tauromaquia Tauromachie.
taxímetro Taximètre.
taza (za) Tasse (tas). Vasque (vask) [de fuente].
tazón Bol.
te Te [pronombre].
té Thé (te).
tea Torche (torch).
teatral Théâtral, aie.
teatro (tea) Théâtre (teatr).
tecla (te) Touche (tuch).
teclado Clavier (vié).
técnico Technique (tekník).
techar (char) Couvrir (ku).
techo (cho) Toit (tuá). Plafond (fon) [de habitación].
techumbre (choumbré) Toiture (tuatür).
tejado Toit.
tejar (téjar) Tuilerie (tüilrí) Vt Couvrir (ku).
tejedor Tisserand (tisran).
tejer (téjer) Tisser.
tejería Tuilerie (tüilrí).
tejido, da (téji) Tissé, ée. M Tissu (tisü).
tejo Palet. If [árbol].
tela (té) Étoffe (etof). Toile (tual) [de araña].
telar Métier à tisser.
telaraña Toile d'araignée.
teledirigir Téléguider.
telefonear Téléphoner.
telefonista Téléphoniste.
teléfono Téléphone (fone).
telegrafiar Télégraphier.
telegrafista Télégraphiste.
telégrafo Télégraphe (graf).
telegrama Télégramme.
telepatía Télépathie.
telescopio Télescope.
televisar Téléviser.
televisión Télévision.
televisor Téléviseur.
telilla (lha) Pellicule (kül).

TEL — TEN

240

telón (télòn) Rideau (rido). *Tolón de ucero*, rideau de fer.

tema m Thème (tem). F Manie (maní), marotte (rot).

tembladero Sable mouvant.

temblador, ra Trembleur, euse

temblante Tremblant, ante.

temblar Trembler (tra^n).

temblequear Trembloter.

temblón, na Trembleur, euse.

temblor (tèn) Tremblement.

tembloroso, sa Tremblant, ante.

temedor, ra Craintif, ive.

temer (èr) Craindre* (i^{n}dr).

temerario, ria Téméraire.

temeridad Témérité.

temeroso, a Peureux, euse (rœ).

temible Redoutable.

temor m Crainte (kri^{n}t).

tímpano (tèn) Glaçon (so^n).

temperamento Tempérament.

temperatura Température.

tempestad (tèn) Tempête.

tempestuoso Tempétueux.

templado, ra Tempéré, ée (ta^n). Tiède (tied) [tibio]. *Fig.* Courageux, euse (rajœ, œs) [valiente].

templanza Tempérance.

templar (tèn) Tempérer* (ta^n). Tremper (tra^{n}pé) [metales].

templario Templier (plié).

temple m Trempe (tra^{n}p) f. Temple m [orden militar]. *Fig.* Humeur (ümœr) [humor].

templo (tèn) Temple (ta^{n}pl).

temporada (tèn) Saison (so^n).

temporal Temporel. Temporaire [no duradero]. M Temporal [hueso]. Tempête f [tempestad].

témporas fpl Quatre Temps mpl.

temprano, na Précoce (kós). *Adv* Tôt, de bonne heure.

tenacidad Ténacité.

tenacillas fpl Pincettes. Fer [m] à friser [peluquero].

tenaz (ténaz) Tenace (tœnas).

tenaza Tenaille (tœnaïe).

tenca (tèn) Tanche (ta^{n}ch)

tendencia (tèn) Tendance.

tender* (tèndèr) Tendre (ta^{n}dr). *Vr* S'étendre.

tendero, ra Marchand, ande.

tendidos Gradins bas [arène]

tendón (tèndòn) Tendon.

tenducho m *Fam.* Boutique f.

tenebroso, sa Ténébreux, euse.

tenedor m Possesseur. Fourchette (furchet) f. [para comer]. Teneur (tœnœr) [libros].

teneduría Tenue des livres.

tener* Avoir* (avuar). Tenir* [apretar, cumplir]. Arrêter (areté) [detener]. *Tener que*, avoir* à, devoir.

tenería Tannerie (tanèri).

teniente (iènte) Tenant (tœna^n). Dur d'oreille [sordo]. M Lieutenant [oficial].

tenor m Teneur (tœnœr) f [contenido]. Ténor [cantante].

tenorio Don Juan (do^{n}jüa^n).

tensión (tèn) Tension.

tenso, sa Tendu, ue (ta^{n}dü).

tensor (tèn) Tendeur (ta^{n}dœr).

tentación Tentation.

tentáculo Tentacule.

tentador, ra Tentateur, trice.

tentar* (tèn) Tenter (ta^{n}té).

tentativa (tèn) Tentative.

tenue (ténoué) Ténu, ue.
teñir* Teindre* (tiᵑdr).
teocrático, ca Théocratique.
teologal Théologal, ale.
teología Théologie.
teólogo, ga Théologue.
teorema Théorème.
teoría Théorie.
tepe (tépé) Gazon (zoⁿ).
terapéutica Thérapeutique.
tercena f Entrepôt (po) m.
tercer (zèr) Troisième.
tercera Troisième. Tierce
[juegos].
tercero, ra Troisième. Tiers,
erce [que intervienne].
tercerola f Mousqueton m.
terceto Tercet (tersè).
tercia f Tiers m. Tierce f
[naipes].
terciana Fièvre tierce.
terciar Mettre* en travers.
Porter en bandoulière [arma].
Vi Intervenir*.
terciario, ria Tertiaire (sièr).
tercio, a Troisième. M Tiers.
Ballot (balo). Chacune des
trois parties de la course de
taureaux [taurom.]
terciopelo Velours (vœlur).
terco, ca Obstiné, ée.
terebinto Térébinthe.
terebrante Térébrant, e.
tergiversación Tergiversa-
tion.
termal Thermal.
terminación Terminaison.
terminante Formel, elle.
terminar Terminer.
término m Terme. Limite
(mit) f Territoire (tuar).
Plan (plaⁿ) [pintura].
termómetro Thermomètre.
terne Fam. Brave (brav).
ternera f (éra) Génisse (is).

Veau (vo) m [carne].
ternero Veau (vo).
terneza (za) Tendresse (és).
ternilla (lha) f Tendron m.
terno Trio. Terne (tern) [lo-
tería]. Complet (koⁿplé)
[ropa]. Fam Juron.
ternura (noura) Tendresse.
terquedad Obstination.
terrado m Terrasse f.
terraja (rraja) Filière (ier).
terraplén Terre-plein (pliⁿ).
terraplenar Remblayer*.
terrateniente (niènte) Propriétaire foncier.
terremoto (terré) Tremblement de terre.
terrenal Terrestre (rèstr).
terreno, na Terrestre (rèstr).
M Terrain (riⁿ).
térreo De terre; terreux.
terrestre Terrestre.
territorial Territorial, e.
territorio Territoire (tuar).
terrón m Motte (mot) f. Morceau (so) m [de azúcar].
Tourteau [de semillas].
terror m Terreur (rœr) f.
terrorismo Terrorisme.
terrorista Terroriste.
terroso, sa Terreux, euse.
terruño (rougno) Terroir.
terso, sa Poli, ie.
tersura (soura) f Poli m.
tertulia (tou) Veillée (veie)
f.
tesis (tessiss) Thèse (tès).
tesorería Trésorerie.
tesorero, ra Trésorier, ère.
testa Tête.
testador, ra Testateur, trice.
testamentario Testamentaire.
testamento Testament.
testar Tester.
testarada f Coup [m] de
tête.

testarudo, da Têtu, ue (tü).

testera f Façade (sad) f.
Fond (fo^n) m [del coche].
Têtière [del caballo].

testero Trumeau (trümo).

testículo Testicule (kül).

testificar Attester.

testigo Témoin (mui^n).

testimonio Témoignage.

testuz (touz) f Front (o^n) m.

teta Mamelle (mel).

tétanos (noss) Tétanos.

tetera Théière (teier).

tetilla (ilha) f Mamelon m.

tetraedro Tétraèdre.

tetralogía Tétralogie.

tetrarquía Tétrarchie (chi).

tétrico, ca Sombre (so^{n}br).

teutón Teuton (tœto^n).

teutónico, ca Teutonique.

textil Textile (til).

texto Texte (text).

textura Texture (tür).

tez (tez) f Teint (ti^n) m.

ti Toi (tuá).

tía Tante (ta^{n}t). *Fam.* Mère
[con un nombre]. *Fam.*
Bonne femme. *No hay tu tía,*
il n'y a rien à faire.

tiara (tiara) Tiare (tiar).

tibia f Tibia m.

tibieza (biéza) Tiédeur (dœr).

tibio, bia Tiède f.

tibor m Potiche (tich) f.

tiburón Requin (rœki^n).

tiempo (tiém) Temps (ta^n).
Longtemps (lo^{n}ta^n) : *hace
tiempo,* il y a longtemps.
Con tiempo, à temps.

tienda Tente (ta^{n}t). Boutique (butik) [comercio].

tienta (tiè^n) Sonde (so^{n}d). *A
tientas,* à tâtons.

tiento Toucher (tuché). Tact
[prudencia]. *Con tiento,*

prudemment (prüdama^n).

tierno, na Tendre (ta^{n}dr).

tierra (rra) Terre (ter). *Por
tierra,* à terre.

tieso, sa Raide (red). Ferme
(ferm) [firme]. Raide (red)
[rígido].

tiesto Tesson (teso^n). Pot à
fleurs [maceta].

tiesura (oura) Raideur.

tifo y **tifus** Typhus.

tifoidea Typhoïde.

tigre (gré) Tigre (tigr).

tijera (jéra) f Ciseaux (si-
so) *mpl.*

tijereta Vrille (vriie).

tijeretazo m ou **tijeretazo** m
Coup de ciseaux.

tijeretear Découper (ku).

tila f Tilleul (tiœl) m.

tilburi (bou) Tilbury (büri)
m.

tildar Accuser, traiter de.

tilde 2g Tilde m [signe].
Fig. Critique (tik) f.

tilo Tilleul (tiœl).

timador, ra Voleur, euse.

timar Escroquer.

timba f Tripot (po) m.

timbal (tin) m. Timbale f.

timbrar Timbrer.

timbre (tin) Timbre (ti^{n}br).

timidez (èz) Timidité f.

tímido, da Timide (mid).

timo m Thymus. *Fam.* Escroquerie f.

timón Gouvernail (nai).

timonero Timonier.

timorato, ta Timoré, ée.

tímpano Tympan (ti^{n}pa^n).

tina Cuve (küv).

tinaja Jarre (jar).

tinglado Hangar [cobertizo].
Estrade f [tablado].

tinieblas Ténèbres (ebr).

tino m Adresse (drès) f.

tinta (tìn) Encre (ankr). Teinte (tìnt) [color].

tinte (tìnté) m Teinture f.

tintero Encrier (ankrié).

tinto Teint (tìn). Rouge (ruj) [vino].

tintorería Teinturerie.

tintorero Teinturier.

tintura (tìntou). Teinture.

tiña (tigna) Teigne (teñ).

tío Oncle (onkl) [hermano del padre o la madre]. Fam. Père (con un nombre). Fam. Bonhomme (bonom). Tío vivo, chevaux de bois pl.

típico, ca Typique.

tiple (plé) Soprano.

tipo Type (tip).

tipografía Typographie.

tipógrafo, fa Typographe.

tira Bande (band).

tirabuzón (zòn) Tire-bouchon.

tirada f Tirage (tìraj) m. Tirade (relato).

tiranía Tyrannie (ni).

tiránico, ca Tyrannique.

tiranizar Tyranniser.

tirano, a Tyran (ran) 2g.

tirante (rànté) Tendu, ue. M Trait (trè) [arreos]. Tirant (ran) [arquit.]. Pl Bretelles (brœtel) fpl.

tirantez Raideur (dœr).

tirar Jeter (jœté) [arrojar]. Tirer (trazar). Vi Tirar de, tirer. Traîner (arrastrar). Àttirer (imán).

tiro (tíro) Jet (jè) [lanzamiento]. Tir [acción de tirar]. Coup de feu (kudfœ) [de arma de fuego]. Attelage (atlaj) [de caballerías]. Trait (trè) [correa].

tirolés, sa Tyrolien, enne.

tirón (ròn) m Secousse f.

tiroteo m Fusillade (iïad) f.

tirria f Dégoût (gu) m.

tisana Tisane (sane).

tísico, ca Phtisique.

tisis (sis) Phtisie (ftisí).

titán Titan (tan).

titánico, ca Titanique.

títere Pantin (pantìn), marionnette (rionet) f.

titiritero Montreur de marionnettes.

titubear Hésiter.

titular (tou) Titulaire. Vt Intituler (intitulé).

título (tou) Titre (titr).

tiza (za) Craie (krè).

tiznar Tacher (ché).

tizne (tizné) Suie (süi).

tizón (zòn) Tison (son).

toalla (lha) Serviette.

toallero Porte-serviette.

tobillo m Cheville f.

toca Toque (tok). Coiffe (kuaf) [de mujer].

tocado m Coiffure (kua) f.

tocador a Joueur, euse. M Cabinet de toilette.

tocante (ànté) Qui touche.

tocar Toucher (tuché). Jouer (jué) [música]. Sonner (campana). Coiffer (kuafé) [peinado]. Vi Toucher (tuché). Revenir* (rœvnir) [corresponder]. A ti te toca, c'est à toi.

tocayo, ya Homonyme (ím).

tocinería Charcuterie (trí).

tocino Charcutier.

tocona (xi) Lard (lar).

todavía Encore (ankor).

todo, da Tout, toute. Con todo, malgré tout. Sobre todo, surtout.

toga Toge (toj).

toldo m Bâche (bach) f.

tolerante Tolérant, ante.

tolerar Tolérer*.

tollo (lho) Chien de mer.

toma Prise (pris).

tomador, ra Preneur, euse.

tomar Prendre (aⁿdr). Vr Se
rouiller   [métal].   (ruté)
¡Toma! Tiens!

tomate (té) m Tomate f.

tomillo (lho) Thym (tiⁿ)

tomo Tome (tom).

ton (tòn) Ton (toⁿ) Sin ton
ni son, sans raison.

tonada f Air (er) m.

tonel Tonneau (no).

tonelada Tonne (ton⁸)

tonelaje (nélajé) Tonnage

tonelería Tonnellerie

tonelero Tonnelier.

tónico, ca Tonique (ník)

tono Ton (to⁸)

tonsura (oura) Tonsure (ür).

tontada Sottise (tís).

tontear Dire* des sottises.

tontería Sottise (sotís).

tonto, ta (tòn) Sot, sotte.

topacio (azio) m Topaze f.

topar Heurter (œr). Topar
con alguien, Rencontrer quelqu'un [encontrar].

tope Heurtoir   (’œrtuar)
[trenes, etc.]. Choc [golpe].

topo m Taupe (top) f.

topografía Topographie.

toque m Attouchement (atu-
chma⁸) m. Touche (tuch)
f [metales, pintura]. Son
(so⁸) m [campanas].

toquilla (lha) f Fichu m.

tórax Thorax (torax).

torbellino Tourbillon.

torcaz (az) Ramier (mié).

torcer* (zér) Tordre. Tourner (turné) [camino, leche].
Changer (cha⁸jé) [cambiar].

torcida (zi) Mèche (mech).

torcido, da Tordu, ue (dü).
Retors (tor) [taimado].

tordillo Gris pommelé.

tordo m Grive (iv) f.

torear (ré) Combattre* un
taureau (ko⁸ba⁸tr).

torero Toréador.

tormenta f Orage (aj) m.

tormentoso Orageux, se.

tornadizo, a Inconstant, e.

tornar Retourner (rœtur).
Tornar a, recommencer à.

tornasol Tournesol.

tornasolar Chatoyer* (uaié).

tornátil Inconstant, ante.

tornear Tourner (turné).

torneo Tournoi (turnuá).

tornera Tourière (turier).

tornero (éro) Tourneur (œr).

tornillo m Vis f.

torniquete Tourniquet (kè)

torno Tour (tur).

toro (ro) Taureau (toro).

toronja (ònja) Bigarade.

toronjil m Mélisse f.

torpe Maladroit (drua). Lourd
(lur), de [pesado]. Malhonnête (net) [indecente].

torpedear Torpiller.

torpedero Torpilleur.

torpedo m Torpille f.

torpeza (éza) Maladresse.
Gaucherie [pesadez]. Tur-
pitude (türpitüd) [inde-
cencia].

torpor m Torpeur (pœr) f.

torre (torré) Tour (tur).

torrefacción Torréfaction.

torrencial Torrentiel, elle.

torrente (èn) Torrent (a⁸).

torreón m Tour m.

torrezno Lardon (do⁸).

tórrido, da Torride.

torrija Pain [m] perdu.

torsión Torsion (sioⁿ).

torta Tarte. Galette [cosa aplastada]. *Pop.* Baffe.

tortícolis (iss) Torticolís.

tortilla Omelette (omlet).

tórtola Tourterelle (tur-rel).

tortuga (tou) Tortue (tü).

tortuoso, sa Tortueux, se.

tortura (ou) Torture (ür).

torturar Torturer.

torvo, va Menaçant, e.

torzal (zal) Cordonnet (nè).

tos (toss) Toux (tu). *Tos ferina,* coqueluche.

tosco, ca Grossier, ère.

toser (sèr) Tousser (tusé).

tósigo Toxique (xik).

tosquedad Grossièreté.

tostada Rôtie (roti).

tostado, a Grillé, ée (iié). Rôti, ie. M Grillage.

tostador Grilloir (griiuar).

tostar* Griller (griié).

total Total, ale.

totora f Am. Jonc (joⁿ) m.

tóxico, ca Toxique (xik).

traba Entrave (aⁿtrav).

trabajador, a Travailleur, se.

trabajar (jar) Travailler.

trabajo (ajo) Travail (vái). *Fig.* Peine (pèⁿ) f.

trabajoso, sa Pénible (ibl).

trabar Lier. Entraver (aⁿ) [animales]. Engager* (aⁿ-gajé) [batalla, etc.].

trabazón Liaison (èsoⁿ).

trabucar Trébucher.

trabuco Tromblon (bloⁿ).

tracción (zioⁿ) Traction.

tradición (zioⁿ) Tradition.

tradicional Traditionnel, elle.

traducción Traduction.

traducir Traduire* : *traducir al francés,* traduire en français.

traductor Traducteur.

traer* Apporter [cosa pesada]. Amener* (amné) [lo que se mueve solo]. Attirer [atraer]. Porter [ropa].

tráfago Trafic. *Fig.* Tracas.

traficante Trafiquant.

traficar Trafiquer.

tráfico Trafic.

tragaluz (louz) Soupirail.

tragar Avaler. *Fig.* Engloutir.

tragedia Tragédie (jedi).

trágico, ca (ji) Tragique.

trago m Gorgée (gorjé) f.

tragón, na Glouton, tonne.

traición Trahison (soⁿ).

traicionero Traître (tr).

traído, da Apporté, ée. Usé, ée (isé) [ropa].

traidor, ra Traître (tr).

tráilla (la) Laisse (les).

traje (ajé) Costume (tüm).

trajín m Agitation (sioⁿ) f.

trajinar S'agiter (jité).

tralla f Fouet (fué) m.

trama Trame (tr).

tramar Tramer (mé).

tramitar Suivre* son cours.

trámite (té) m Formalité f, démarche f.

tramo m Section (sioⁿ) f.

tramoya Machine (chíne).

tramoyero Machiniste.

trampa (aⁿ) Trappe. Piège (piej) m [ardid]. Tricherie f [juego]. Expédient, m.

trampolín Tremplin (pliⁿ).

tramposo Tricheur.

tranca Trique (ik).

trancazo Coup de bâton. Grippe (ip) [enfermedad].

trance Moment difficile. *A todo trance,* à tout prix.

tranco (àn) m Enjambée f.

tranquilidad Tranquillité.

tranquilizar Tranquilliser.

tranquilo, la Tranquille (kíl).

transacción Transaction.

transbordar Transborder.

transcribir* Transcrire*.

transcripción Transcription.

transcurrir (kou) S'écouler.

transcurso Cours (kur).

transeúnte Passant, ante.

transferir* Transférer*.

transfigurar Transfigurer.

transformar Transformer.

tránsfuga Transfuge (üj).

transfusión Transfusion.

transgresión Transgression.

transición Transition.

transigir* Transiger*.

transitar Passer.

tránsito Passage (saj). Transit [de mercancías].

transitorio, a Transitoire.

translúcido, da Translucide.

transmisión Transmission.

transmitir Transmettre*.

transmutar (mou) Transmuer.

transparencia Transparence.

transparente Transparent, e.

transpirar Transpirer.

transportador Transporteur.

transportar Transporter.

transporte Transport (por).

transposición Transposition.

transversal Transversal.

tranvía (vía) Tramway (mué).

trapacear, a Finaud, aude.

trapajoso, sa Déguenillé, ée.

trápala f Fam. Mensonge m.

trapaza Ruse (rüs).

trapecio (ézio) Trapèze.

trapense (ènsé) Trappiste.

trapero, a Chiffonnier, ère.

trapiche (ché) Moulin (muliⁿ) [à huile, à sucre].

trapillo Chiffon (oⁿ). De trapillo, en déshabillé.

trapío m Prestance (aⁿs) f.

trapisonda (òn) Intrigue.

trapisondista Intrigant.

trapo Chiffon (foⁿ). Toile, voile [vela].

tráquea (kéa) Trachée (ché).

traqueal (ké) Trachéal, ale.

traquearteria Trachée-artère.

traquetear Secouer (sœkué).

traquido m Explosion f.

tras Après (aprè). Derrière (deriér) [detrás].

trascendente Transcendant.

trasconejarse Rester caché.

trascordarse* Oublier*.

trasdós (oss) Extrados (do).

trasegar* Transvaser.

trasero, ra Postérieur, eure. M. Derrière. F Arrière m.

trasgo Lutin (lütiⁿ)

trashumante Transhumant.

trasiego Transvasement.

traslación f Transfert m.

trasladar Transférer*. Déplacer* [empleados]. Traduire* [traducir]. Copier.

traslucirse* Se laisser voir.

trasluz m Transparence f.

trasnochador, a Noctambule.

trasnochar Passer la nuit.

traspapelar Égarer [papiers].

traspasar Traverser*. Céder* [fonds de commerce].

traspaso Transport (por). Cession f [fonds].

traspié Faux-pas (fopa).

trasplantar Transplanter.

traspunte (oun) Régisseur.

trasquilar Tondre (toⁿdr).

trastada f Mauvais coup m.

trastazo Coup (ku).

traste Meuble (mœbl). Sillet (silé) [guitarra].

trastear Fam. Faire* du bruit. Causer (kosé) [charlar]. **Faire*** des passes [taureaux].

trastera f Débarras m.

trastienda Arrière-boutique.

trasto Meuble (mœbl). Ustensile (üstanˢíl). Affaire (afer) f [chisme].

trastornar Bouleverser*.

trastorno Bouleversement.

trastrocar* Changer* (jé).

trasunto (oun) m Copie f.

trata Traite (tret).

tratable Traitable (trè).

tratado Traité (trètè).

tratamiento Traitement (trètmaⁿ). Titre (título).

tratar Traiter. Fréquenter (frecuentar). Vi. Essayer* (eseté) [intentar]. Négocier, trafiquer [negociar]. Se trata de, il s'agit de.

trato m Traitement (maⁿ). Relation (rœlasioⁿ) f.

traumatismo Traumatisme.

través Travers (ver). Loc. A través de, à travers de.

travesaño m Traverse f.

travesía Traversée.

travesura (vessoura) Espièglerie (pieglᵉrí).

travieso, a Espiègle (iegl).

trayecto Trajet (jé).

trayectoria Trajectoire.

traza f Plan (aⁿ) m [proyecto]. Aspect, air: de mala traza, de mauvaise apparence.

trazar* Tracer*. Projeter*.

trazo Trait (trè).

trébedes f Trépied (pié) m.

trebejos Ustensiles.

trébol Trèfle (ɛfl).

trece (ézé) Treize (èz).

trecho (cho) Trajet (jè).

tregua (égoua) Trêve (èv).

treinta (éïn) Trente (aⁿt).

treintena Trentaine (ène).

tremebundo Épouvantable.

tremendo Terrible (ribl).

trementina Térébenthine.

tremolar Déployer*, agiter.

tremolina f Vacarme m.

trémolo Trémolo.

trémulo, a Frémissant, e.

tren (èn) Train (triⁿ).

trencilla (zilha) Tresse.

treno (éno) m Lamentation f.

trenza (ènza) Tresse (es). Natte (nat) [pelo]

trenzado, a Tressé. Natté.

trenzar Tresser. Natter.

trepador, a Grimpeur, euse.

trepanar Trépaner.

trepar Gravir. Grimper (iⁿ) [a un árbol, etc.]. Forer [taladrar].

trepidación Trépidation.

trepidante Trépidant. ante.

trepidar Trépider.

tres Trois (truá). Las tres, trois heures.

trescientos, as Trois cents.

tresbolillo Quinconce.

tresillo Jeu de l'hombre.

treta Ruse (rüs)

trezavo, a Treizième (ziem).

triangular Triangulaire.

triángulo Triangle (angl)

tribu (bou) Tribu (bü)

tribulación Tribulation.

tribuna Tribune (büne).

tribunal (bou) Tribunal (bü).

tributar Payer* (peïé). Montrer (moⁿ) [respeto, etc.].

tributo (bou) Tribut (bü).

triciclo Tricycle (ikl).

tricolor Tricolore (lor).

tricornio Tricorne (korn).

tridente (èn) Trident (daⁿ).

trienal Triennal, ale.

trifásico, a Triphasé, ée.

trigésimo, ma Trentième.

trigo Blé.

trigueño, ña (ghé) Brun, e.

trilla f Battage (aj) m.

trillado, a Battu, ue.

trillador, a Batteur, se.

trillar Battre* [blé].

trillo (lho) m Herse ('ers) f [à dépiquer].

trillón (lhòn) Trillion.

trimestre (tré) Trimestre.

trinar Enrager (anrajé).

trincar Attacher (liar). Trinquer (trinké) [beber].

trincha (ln) Boucle (bukl).

trinchar Trancher (anché).

trinchera Tranchée.

trineo Traîneau (trèno).

trinidad Trinité.

trinitaria Pensée (pansé).

trino m Roulade (ulad) f.

trinquete m Cliquet (kè) Misaine (sène) f [vela].

trío Trio.

tripa f Boyau (buaió) m. Fam. Ventre (vantr) m [barriga].

tripicallos (kalhos) mpl Tripes (trip) fpl.

triple (plé) Triple (tripl).

triplicar Tripler.

trípode (dé) Trépied (pié).

tríptico Triptyque (tík).

tripulación f Équipage m.

tripulante Marin (rin).

tripular Armer [barco].

triquina Trichine (chín).

triquiñuela (gnoué) Ruse.

triquitraque Pétard (tar).

tris (Estar* en un) S'en falloir* de peu.

triscar Faire* l'espiègle.

triste (té) Triste (trist).

tristeza (éza) Tristesse.

tritón (n) Triton (ton).

triturar Triturer (türé).

triunfador Triomphateur.

triunfal (ioun) Triomphal, e.

triunfar Triompher (trionfé).

triunfo (oun) Triomphe.

triunvirato Triumvirat.

trivialidad Trivialité.

triza (za) f Morceau (so) m.

trocar* Troquer (ké).

trocha (cha) f Sentier m.

trofeo (féo) Trophée (fé).

troje (ojé) f Grenier m.

trole (lé) Trolley (trolè)

tromba (òn) Trombe (tronb).

trombón Trombone (one).

trompa Trompe (onp).

trompada f, trompazo m Coup de poing (kudpuin).

trompeta (péta) Trompette.

trompetazo Coup de trompette.

trompetilla f Cornet [m] acoustique (kornè akustík).

tronco (ón) Tronc (tron).

tronar* Tonner. Estar* tronado, être* ruiné.

troncar Tronquer (onké).

tronco (ón) Tronc (tron). Attelage (atlaj) [coche].

tronchar (trònchar) Briser.

troncho Trognon (ño n).

tronera Meurtrière. Blouse (blus) [billar].

tronido m Explosion f.

trono Trône (tron).

tropa Troupe (trup).

tropel m Foule (ful) f.

tropelía Violence (lans).

tropezar* Trébucher : tropezar con, trébucher sur. Butter (büté) [sin caer]. Fig. Rencontrer.

tropezón Faux pas (fopa).

tropical Tropical, ale.

trópico Tropique (pík).

tropiezo Faux pas (fopa).
troquel (kel) Coin (kuiⁿ).
trotar Trotter.
trotón, na Trotteur, euse.
trovador Troubadour.
trozo Morceau (morso).
trucos mpl Truc m.
truculento Truculent, te.
trucha Truite (trüit).
trueno Tonnerre (toner). Fam. Étourdi (eturdí).
trueque (ouéké) Échange.
trufa (trou) Truffe (trüf).
trufar Truffer. Fam. Blaguer.
truhán, na Truand, ande.
truhanería Friponnerie.
truncar Tronquer (onké).
trunco, ca Tronqué, ée.
truque Un jeu de cartes.
tú (tou) Toi (uá).
tu, tus Ton, ta, tes.
tubérculo Tubercule (kül).
tuberculosis Tuberculose.
loso, a Tuberculeux, se.
tubería Tuyauterie (iotrí).
tuberosa (tou) Tubéreuse.
tubo (tou) Tube (tüb). Tuyau (tüio) [cañería]. Verre (ver) [de lámpara].
tubular Tubulaire.
tuerca (touer) f Écrou m.
tuerto, ta (touer) Tordu, e. Borgne (borñ) [sin un ojo]. M Tort (tor) [agravio].
tuétano m Moelle (mual) f.
tufarada Bouffée (bufé).
tufo m Odeur [f] forte.
tugurio Taudis (todí).
tul (toul) Tulle (tül).
tulipán m Tulipe f.
tullido, da Perclus, use.
tumba (toum) Tombe (toⁿb).
tumbar (toun) Renverser.

tumbo (toum) Cahot (kao).
tumor m Tumeur (tümœr) f.
tumulto Tumulte (tümült).
tumultuoso Tumultueux.
tuna Orchestre [m] d'étudiants.
tunante Coquin (kiⁿ), ine.
tunda (toun) Volée (lé).
tundir Tondre (toⁿdr).
túnel (tou) Tunnel (tü).
túnica (tou) Tunique (tüník).
tuno, na Coquin (kiⁿ), ine.
tupé (tou) Toupet (tupê).
tupir vt Serrer* (seré).
turba (tour) Foule (ful).
turbación f Trouble m.
turbador, a Troublant, e.
turbante (tourbàn) Turban (türbaⁿ). Adj. Troublant, e.
turbina (our) Turbine (ür).
turbio, bia (tour) Trouble.
turbulento, a Turbulent, e.
turco, ca Turc, turque. F Fam. Cuite (küit).
túrdiga (tour) Lanière.
turista Touriste.
turnar (tour) Alterner*.
turno (tour) Tour (tur).
turón (rón) Putois (pütuá).
turquesa Turquoise (kuas).
turquí Indigo (iⁿdigo).
turrón (touroⁿ) Nougat.
turulato, a Ébahi, ie.
tute (touté) Mariage (riaj) [jeu de cartes].
tutear Tutoyer* (tuaié).
tutela (touté) Tutelle.
tutelar (touté) Tutélaire.
tuteo (tou) Tutoiement.
tutor, ra Tuteur, trice.
tuyo, ya; yos, yas Tien, tienne; tiens, tiennes [avec un article]. à toi, de tes [sans article].

U

ubicar (ou) Situer (tüé).
ubre (oubré) Mamelle (el).
¡uf! interj. Ouf!
ufano, na (ou) Fier, fière.
ujier (oujier) Huissier.
úlcera f Ulcère m.
ulcerar Ulcérer* (ül).
ulterior Ultérieur, e.
ultimar Mettre* fin.
ultimátum (üm) Ultimatum.
último, ma Dernier, ère.
ultrajar (jar) Outrager*.
ultraje (oul-jé) Outrage.
ultramar Outremer (utre).
ultramarino, a D'outremer.
Mpl Épicerie (srí) f.
umbelífera Ombellifère.
umbral (oum) Seuil (sœi).
umbrío, a et umbroso, sa
Ombreux, euse (oⁿbrœ, œs).
un V. UNO.

unánime (ouna) Unanime.
unanimidad Unanimité.
unción (ounzión) Onction.
uncir (oun) Atteler (atlé).
undulación Ondulation.
undular (oundou) Onduler.
ungir (ounjir) Oindre*.
ungüento (gouèn) Onguent.
único, a Unique (üník).
unicornio m Licorne f.
unidad (ou-da) Unité.
unificación Unification.
unificar Unifier* (ünifié).
uniformar Uniformiser.
uniforme Uniforme (orm).
unigénito Fils unique.
unión (ou) Union (ünioⁿ).
unir (ou) Unir (ünir).
unísono (ouní) Unisson.
unitario, ria Unitaire.

universal Universel, elle.
universidad Université.
universitario, ria Universi-
taire (üniversiter).
universo Univers (ü-ver).
uno, na Un, une. Pl. Les
uns: unos entran y otros sa-
len, les uns entrent, les autres sortent. Quelques: unos
hombres, quelques hommes.
Adv Environ: unos veinte
niños, une vingtaine d'enfants. Cada uno, una, chacun, chacune. La una, une
heure. A una, ensemble.
Pron. indét. Quelqu'un,
quelqu'une. On: no sabe uno
qué hacer, on ne sait que
faire". OBSERV. Uno devant
un subst. devient un : un
libro, un livre.
untar vt Graisser (gresé).
unto m Graisse (gres) f.
untuoso, sa Onctueux, euse.
untura (toura) Friction.
uña (gna) f Ongle (oⁿgl) m.
Griffe (grif) [garra].
uñero (gnéro) Panaris (rí).
uranio Uranium (üraniom).
urbanidad (our) Urbanité.
urbanizar Urbaniser (ür).
urbano, na (our) Urbain, e.
urdimbre (dinbré) Chaîne.
urdir (our) Ourdir (urdir).
urea (ouréa) Urée (üré).
uremia Urémie.
urente (ourènté) Brûlant, e.
uretra Urèthre.
urgencia (ourjèn) Urgence.
urgente Urgent (ürjaⁿ), e.
urgir* (ourjír) Être* urgent.

úrico, ca (ourík) Urique (ürík).

urinario, ria (ouri) Urinaire (ner). M. Urinoir (ürinuar).

urna (ourna) Urne (ürn).

urraca (ourra) Pie (pi).

ursulina (oursou) Ursuline.

urticaria Urticaire (ker).

uruguayo, a Uruguayen, enne.

usado, da (oussado) Usé, ée. Usité, ée [empleado].

usar (oussar) User (üsé).

usía Vχ Votre Seigneurie.

uso (ousso) Usage (üsaj).

usted (ousté) Vous (vu). En abrégé : V., Ud., VV., Uds.

usual (oual) Usuel, elle.

usufructo Usufruit.

usura (oussoura) Usure (üsür).

usurario, ria Usuraire.

usurero Usurier (üsürié).

usurpación Usurpation.

usurpador Usurpateur.

usurpar (oussour) Usurper.

utensilio Ustensile (üstaⁿ).

uterino, na Utérin (n).

útero Utérus (üterüs).

útil (ou) Utile (ütil). Mpl Outils, ustensiles.

utilidad (da) Utilité (üti).

utilizar Utiliser.

utopía Utopie (ütopi).

utópico, ca Utopique.

utopista Utopiste.

uva (ouva) f Raisin m.

úvula (ouvou) Uvule (üvül).

V

vaca f Vache (vach). Bœuf (bœf) m [carne].

vacación (ziòn) Vacance.

vacante (ànté) Vacant, e.

vaciado Moulage (mulaj).

vaciante Marée descendante.

vaciar Vider. Mouler (mulé) [metal, etc.]. Aiguiser (éguisé) [navajas, etc.].

vacilación Hésitation.

vacilante Hésitant, ante.

vacilar Vaciller (sié) [temblar]. Hésiter (espíritu) : vacilar en, hésiter à.

vacío, a (zio) Vide (vid).

vacuidad (kouida) Vacuité.

vacuna (kou) f Vaccin (iⁿ) m.

vacunación Vaccination.

vacunar (kou) Vacciner (né).

vacuno, na Bovin, ine.

vacuo, a (kouo) Vide (vid).

vade (dé) Cartable.

vadear (déar) Passer à gué.

vado Gué.

vagabundo, da Vagabond, e.

vagancia f Vagabondage m.

vagante (gàn) Vagabond, e.

vagar Vaguer. M Loisir.

vagido (ji) Vagissement.

vago, ga Vague (vag). Errant, ante. Paresseux, euse.

vagón Wagon (vagoⁿ).

vagoneta f Wagonnet (nè) m.

vaguada (goua) f Thalweg m.

vaguedad f Vague (vag) m.

vaina (vaï) Gaine (guèn). Gousse (gus) [legumbres]. Fourreau (furo) m [armas].

vainilla (vaïnilha) Vanille.

vaivén (vaïvèn) Va-et-vient.

vajilla (jilha) Vaisselle.

valedero, ra Valable.

valedor, a Protecteur, trice.

valentía (èn) Vaillance.

valentón, a Fanfaron, onne.
valer* Valoir*. Servir*.
valeriana Valériane.
valeroso, sa Vaillant, ante.
valetudinario Valétudinaire.
valía Valeur. Faveur (vœr).
validar Valider.
validez (dez) Validité.
válido, da Valide (lid).
valiente (ièn) Vaillant, e.
valija (ja) Valise (lis).
valimiento m Faveur f.
valioso, sa Précieux, se.
valor m Valeur (lœr) f.
valorar Estimer (mé).
vals m Valse (vals) f.
valsar Valser (sé).
valuación Évaluation.
valuar Évaluer (ué).
válvula (vou) Valve, soupape
(supap) [mécanica].
valla (valha) Barrière.
vallado (lha) m Clôture f.
valle (lhé) m Vallée f.
vampiro (vàn) Vampire.
vanagloria Vaine gloire.
vanagloriarse Se vanter.
vándalo Vandale (vaⁿdal).
vandalismo Vandalisme.
vanguardia Avant-garde.
vanidad (da) Vanité.
vanidoso, sa Vaniteux, se.
vano, a Vain (viⁿ), ne. M
Vide [hueco]. Ouverture
(uvertúr) [ventana].
vapor m Vapeur (œr) f.
vaporoso, sa Vaporeux, se.
vapulear Fouetter (fue).
vaquería (ría) Vacherie.
vaquero, a Vacher, ère.
vaqueta (kè) Vache (vach).
vara (ra) f Baguette (guèt).
Aune (onᵉ) [medida]. Brancard (braⁿkar) m [de co-
che]. Pique (pik) f [toros].

varal m Perche (perch) f.
varar Échouer (echué).
varear (ré) Gauler (go).
vareta Baguette (guèt).
vargueño Secrétaire.
variable Variable.
variación Variation.
variante Variant, ante.
variar Varier*.
várice Varice (ris).
varicoso, a Variqueux, se.
variedad (da) Variété.
varilla (rilha) Baguette.
vario, a Varié, ée. Divers
(ver), erse [diferente].
varioloso, a Varioleux, e.
varita Baguette (guèt).
varón (ròn) Homme (om).
varonil Viril, ile.
vasallo, a (vassalho) Vassal, e.
vasar Vaisselier (vesᵉ).
vasco, ca Basque (bask).
vascongado, a Basque (bask).
vascuence (ouènzé) Basque.
vaselina Vaseline (inᵉ).
vasija (ja) f Vase (as) m.
vaso (vasso) Vase (vas)
Verre (ver) [para beber].
Vaisseau [anat. y bot.].
vástago m Rejeton (rœjtoⁿ)
[plantas]. Tige f [méc.].
vasto, a Vaste (vast).
vate (té) Poète (poèt).
vaticinar Vaticiner.
vaya Raillerie. V. IR.
vecinal (zi) Vicinal, e.
vecino, a Voisin, ine. Habitant, e [habitante].
veda Défense (faⁿs).
vedado, a Gardé, ée.
vedar Défendre (faⁿdr).
vedija (ija) Touffe (tuf).
Mèche (mech) [pelo].
veedor (véé) Inspecteur.
vega (vé) Plaine (plènᵉ).

vegetación Végétation.

vegetal Végétal, ale.

vegetar Végéter*.

vegetativo Végétatif.

vehemencia Véhémence.

vehemente Véhément, e.

vehículo Véhicule (ül).

veinte (véïnté) Vingt (vi^n).

veintena Vingtaine (tène).

veintitrés Vingt-trois.

vejamen (ja) m. Vexation f.

vejar (véjar) Vexer* (xé).

vejatorio, ria Vexatoire.

vejestorio m Vieillerie f.

vejete (jé) Petit vieux.

vejez (véjéz) Vieillesse.

vejiga (ji) Vessie (vesi).

vejigatorio Vésicatoire.

vela (véla) Voile (vual) [barcos]. Bougie (bují) [de luz]. Veille, veillée [vigilia].

velaciones pl Bénédiction nuptiale.

velada Veillée (veié).

velador, ra Veilleur, euse. M Guéridon (guerido^n).

velamen m Voilure (ür) f.

velar Veiller (veié). Voiler (vualé) [cubrir con velo].

veleidad (da) Velléité.

veleidoso, a Capricieux, se.

velero (véléro). Voilier.

veleta Girouette (jiruet).

velillo (lho) m Voilette f.

velo (vélo) Voile (vual).

velocidad Vitesse (tes).

velocípedo Vélocipède.

velódromo Vélodrome (om).

velomotor Vélomoteur.

velón (lòn) Crasset m (sè).

veloz (oz) Rapide (pid).

vello (vélho) Duvet (düvè). Poils (pual) pl [pelos].

vellón (lhòn) m Toison (tua-

son^n) f. Billon (bïo^n) m [moneda].

velloso, sa Velu, ue (vœl).

velludo (lhou) Velu, ue.

vena (vé) Veine (vène).

venablo Javelot (javlo).

venal (vé) Vénal, ale.

venalidad Vénalité.

venatorio, a De la chasse.

vencedor, ra Vainqueur (vinkœr) ; victorieux, euse.

vencejo (vènzéjo) Lien (lié^n). Martinet (né) [ave].

vencer* (zer) Vaincre* (i^{n}kr). Échoir* (echuar).

vencido, da Vaincu, ue. Échu, ue [plazo].

vencimiento m Défaite (fèt) f. Echéance f [plazo].

venda f Bandeau (ba^{n}do) m. Bandage m [heridos].

vendaje m Bandage (ba^{n}daj).

vendar Bander (ba^{n}dé).

vendaval Ouragan (uraga^n).

vendedor, a Vendeur, euse.

vender (vèn) Vendre (va^{n}dr).

vendimia (vèn) Vendange.

vendimiador Vendangeur.

vendimiar Vendanger* (veié).

veneciano, a Vénitien, enne.

veneno Poison (puaso^n). Venin (vœni^n) [animales].

venenoso, a Vénéneux, euse. Venimeux, se [animales].

venera (néra) Coquille Saint-Jacques.

venerable Vénérable.

veneración Vénération.

venerar Vénérer* (ré).

venéreo, a Vénérien, enne.

venero m Source (surce) f [aguas]. Gisement.

vengador, a Vengeur, eresse.

venganza (ànza) Vengeance.

vengar Venger* (va^{n}jé).

vengativo Vindicatíf.

venia f Pardon m. Autorisation f [licencia].

venial Véniel, elle.

venida Venue (vœnü).

venidero, ra Futur, e (ü).

venir* (vé) Venir* (vœ). Aller* (alé) [sentar].

venoso, sa Veineux, euse.

venta (vèn) Vente (vᵃⁿt). Auberge [posada].

ventaja (aja) f Avantage m.

ventajoso, a Avantageux, se.

ventana Fenêtre (fœnètr). Narine (narin) [nariz].

ventanero, a Curieux, se.

ventanilla (ílha) Guichet m.

ventar* Venter (vᵃⁿté).

ventarrón Vent très fort.

ventear Venter (vᵃⁿ). Quêter [perros]. Ventiler.

ventero, ra Aubergiste.

ventilación Ventilation.

ventilador Ventilateur.

ventilar (vèn) Ventiler.

ventisquero Glacier (sié).

ventolera f Coup [m] de vent.

ventolina Brise (bris).

ventorrillo Petite auberge.

ventosa Ventouse (tus).

ventosidad Ventosité.

ventoso, sa Venteux, euse.

ventrículo Ventricule.

ventrílocuo Ventriloque.

ventrudo, a Ventru, ue.

ventura (vèntoura) f Bonheur m. Hasard m (asar). Aventure f [riesgo].

venturoso, a Heureux, se.

ver* Voir* (vuar). A ver, voyons. A más ver, au revoir. Vr Se trouver : verse apurado, se trouver gêné. Es de ver, c'est curieux. Ya se

ve, naturellement. M Vue (vü) f. Avis m [parecer].

vera f Bord (bor) m.

veracidad (da) Véracité.

veranear Passer l'été. Villégiaturer (vilejiatüré).

veraneo m Villégiature f.

veraniego, a Estival, e.

verano (vérano) Été.

veras (de) Vraiment (mᵃⁿ).

veraz (raz) Véridique.

verbal Verbal, ale.

verbena Verveine (vènᵉ). Kermesse, fête [fiesta].

verbigracia Par exemple. (On écrit en abrégé v. gr.).

verbo Verbe (verb).

verbosidad f Verbiage m.

verdad (da) Vérité. A la verdad, en vérité. De verdad, en verdad, vraiment. Es verdad, c'est vrai. ¿Verdad? N'est-ce-pas?

verde Vert, erte.

verdear et **verdecer*** (verdézèr) Verdir.

verdin (in) Vert-de-gris.

verdor m Verdeur f.

verdoso, as Verdâtre.

verdugo Bourreau (burro).

verdulera (doulera) Marchande de légumes. Fam. Poissarde (puasard).

verdura Verdure. Légume m.

verdusco, a Verdâtre (atr).

veredicto Verdict.

verga Verge (verj). Vergue (verg) [barcos].

vergajo (ajo) Nerf de bœuf.

vergel (jel) Verger (jé).

vergonzante, zoso, a Honteux, euse ('oⁿtœ, œs).

vergüenza (güenza) Honte ('oⁿt) : dar vergüenza, faire* honte. Honneur m [honra].

Sin vergüenza, dévergondé, ée.

vericueto (kouéto) Sentier.

verídico, ca Véridique.

verificación Vérification.

verificar Vérifier*. Effectuer (tüé) [realizar].

verosímil Vraisemblable.

verraco Verrat (verá).

verruga (rrou) Verrue (rü).

versado, da Versé, ée.

versal Majuscule (juskül).

versalita Petite capitale.

versátil Versatile.

versículo Verset (sé).

versificación Versification.

versificar Versifier*.

versión Version.

verso Vers (ver).

vértebra Vertèbre (tebr).

verter* Verser (sé).

vertical Vertical.

vértice Sommet (somè).

vertiente (tièn) Versant.

vertiginoso Vertigineux.

vértigo Vertige (tij).

vesícula Vésicule (sikül).

vespertino, a Vespéral, e.

vestal Vestale (tal).

vestíbulo (bou) Vestibule.

vestido, da Vêtu, ue (tü). M Vêtement (vetmaⁿ).

vestigio (jio) Vestige (ij).

vestiglo Monstre (moⁿstr).

vestimenta (mènta) f Vêtement (vetmaⁿ) m.

vestir* Vêtir*, habiller. Vi S'habiller (sabié).

vestuario Vestiaire (tièr). Vêtement [vestido]. Garderobe (gardᵉ rob) [teatro].

veta (vè) Veine (venᵉ).

veteado, da Veiné, ée.

veterano Vétéran.

veterinario Vétérinaire.

veto Veto.

vetustez (tez) Vétusté.

vez (vez) Fois (fuá). Tour (tur) [turno]. *A la vez*, à la fois. *A veces*, parfois. *De una vez*, d'un coup. *De vez en cuando*, de temps en temps. *Tal vez*, peut-être.

vía Voie (vuá).

viable Viable (viabl).

vía crucis Chemin de croix.

viaducto Viaduc (dük).

viajante (jànte) Voyageur de commerce [comercio].

viajar (jar) Voyager* (jé).

viaje (je) Voyage (vuaïaj).

viajero, a Voyageur, se.

vianda (viàn) f Aliment m.

viático Viatique (tik).

víbora Vipère (viper).

vibración Vibration.

vibrante Vibrant, ante.

vibrar Vibrer (bré).

vicario Vicaire (ker).

vicealmirante Vice-amiral.

viceversa Vice-versa.

viciar Vicier (sié).

vicio Vice (vis).

vicioso, sa Vicieux, se (siœ). Touffu, ue (tufü) [árbol].

víctima Victime.

victoria Victoire (tuar).

victorioso, a Victorieux, euse.

vicuña (kougna) Vigogne.

vid Vigne (viñ).

vida Vie (vi).

vidente (ènte) Voyant, e.

vidriado, a Vitreux, euse. Glacé, ée [loza].

vidriar Glacer* (sé). Vr Devenir* vitreux.

vidriera Vitrine (trinᵉ).

vidriero Vitrier (ié).

vidrioso, sa Vitreux, euse. *Fig.* Susceptible.

vidueño (douegno) Vignoble.

viejo, ja Vieux, vieille.

viento (vièn) Vent (va^n).

vientre Ventre (va^{n}tr).

viernes (es) Vendredi. Maigre (megr) [comida].

viga Poutre (putr).

vigente (jèn) En vigueur.

vigésimo, ma Vingtième.

vigía Vigie (ji).

vigilancia Vigilance (la^{n}s).

vigilante Vigilant, e. M Surveillant (sürveia^n). Am. Agent de police.

vigilar Surveiller (veie).

vigilia (ji) Veille (veie). Vigile (jil) [de fiesta]. Abstinence (na^{n}s) [comida].

vigor m Vigueur (gœr).

vigoroso, a Vigoureux, se.

vihuela (ouè) Guitare (ar).

vil Vil, vile.

vilano Voyageur.

vileza (za) Bassesse (ses).

vilipendiar Vilipender.

vilo (en) En l'air.

villa (lha) Ville (vil) [población]. Villa (quinta].

villadiego (las de) La poudre d'escampette.

villancico Noël [canto].

villanía Vilenie (vil^{e}ní).

villano, a Vilain (li^n).

villorrio m Bourgade f.

vinagre Vinaigre (negr).

vinagrera f Vinaigrier m.

vinagreta Vinaigrette.

vinajera Burette (büret).

vinatero Marchand de vins.

vincular (vìnkou) Appuyer* (apuie), corder (fo^{n}dé).

vínculo Lien (li^n).

vindicar Venger* (va^{n}je). Défendre [defender].

vinícola Vinicole.

vinificación Vinification.

vino Vin (vi^n).

viña (gna) Vigne (viñ).

viñador (viñ^{e}ro^n) Vigneron.

viñedo Vignoble (ñobl).

viñeta Vignette (viñet).

viola Viole (viol).

violáceo, a Violacé, ée.

violación Violation.

violar Violer.

violencia (lèn) Violence.

violento, a Violent (a^n), e. Désagréable. Fig. Injuste.

violeta Violette (let).

violetera (téra) Marchande de violettes.

violín (i) Violon (o^n).

violinista Violoniste.

violoncelista Violoncelliste.

violoncelo Violoncelle.

viraje (j) Virage (aj).

virgen (jèn) Vierge (erj).

virginal Virginal, e.

virginidad Virginité (ji).

viril Viril, ile.

virilidad Virilité.

virote Javelot (javlo).

virreinato Vice-royauté.

virrey Vice-roi (visruá).

virtual Virtuel, elle.

virtuoso, a Vertueux, se.

viruela (roue) Variole (riol). petite vérole.

virulencia Virulence.

virulento, a Virulent, e.

virus (üs) Virus (rüs).

viruta (rou) f Copeau (po) m.

visaje (saje) m Grimace f.

visar Viser (vise).

víscera (vìsce (ser) m. ✦

visco m Glu (glü) f.

viscosidad Viscosité.

viscoso, a Visqueux (kœ), e.

visera Visière (sièr).

visibilidad Visibilité.

visible Visible (síbl).

visigodo Visigoth (go).

visigótico, a Visigothique.

visillo Rideau (rido).

visión Vision (sión).

visionario Visionnaire.

visir Vizir (sír).

visita Visite.

visitación Visitation.

visitante Visiteur, euse.

visitar Visiter.

vislumbrar Soupçonner.

vislumbre Reflet (rœflè).
Fig. Indice (iⁿdis).

viso (visso) Reflet (rœflè).
Fond (foⁿ) [telas].

víspera Veille (vei). Pl. Vêpres (vepr) [religión].

vista f Vue (vü). A la vista,
à vue. A vista de pájaro, à
vol d'oiseau. En vista de,
eu égard à. Hasta la vista,
au revoir.

vistazo Coup d'œil.

visto, ta Vu, vue (vü). Visto
bueno, visa.

vistoso, sa Voyant, ante.

visual (ssoual) Visuel, elle.
F Visée.

vital Vital, ale.

vitalicio, cia Viager, ère.

vitalidad Vitalité.

vitando, da (tàn) A éviter.
Fig. Odieux, euse.

vitela (tè) f Vélin (liⁿ) m.

viticola Viticole.

viticultura f Viticulture.

vitola f Gabarit (rí) m [me-
dida]. Marque f [cigarro].

¡vítor! Vivat.

vitorear Applaudir (aplo).

vítreo, a Vitré, ée.

vitrificar Vitrifier*.

vitrina Vitrine (trinè).

vitriolo Vitriol.

vitualla Victuaille (üai).

vituperar Blâmer.

vituperio Blâme (blam).

viudez f Veuvage (aj) m.

viudo, a Veuf (vœf), euve.

vivacidad Vivacité.

vivaque Bivouac (vuak).

vivaquear Bivouaquer.

vivar m Garenne f.

vivaracho, a Éveillé, ée.

vivaz Vivace (vas)

víveres Vivres (vivr).

vivero m Pépinière f [plan-
tas]. Vivier m [peces].

viveza Vivacité.

vividero, ra Habitable.

vivienda (vièn) Demeure.

viviente (vièn) Vivant. e.

vivificar Vivifier*.

viviparo, a Vivipare.

vivir Vivre* (vivr) Demeurer (dœmœre) [habitar]. M
Vie (vi) f. ¡Viva! Vivat!
(va). Vive [con un nombre].

vivo, va Vivant, ante. Vif,
ive [activo, fuerte] Fam.
Malín [listo].

vizcacha Viscache (kach).

vizcaíno, a Biscaïen, enne.

vizconde, sa Vicomte, esse.

vocablo Mot (mo).

vocabulario Vocabulaire.

vocación Vocation.

vocal Vocal, ale. F Voyelle.
M Membre d'un conseil.

vocear Crier.

vocerío Cris m pl.

vociferación Vocifération.

vociferar Vociférer*.

vocinglero, a Criard, e.

voladizo m Saillie f.

volador, ra Volant, ante.

voladura Explosion.

volandas (en) Très vite.

volante Volant, e.

volapié (a) Mise à mort du taureau arrêté en passant à côté de lui.

volar Voler. S'envoler [emprender el vuelo]. *Fig.* Fuir* (füir) [huir]. *Vt* Faire* sauter [explosion].

volátil Volatile [aves]. Volatil [álcali].

volatilizar Volatiliser.

volatín, volatinero Danseur de corde.

volcán Volcan (ka^n).

volcánico, ca Volcanique.

volcar* Renverser.

voleo (voléo) m Volée f.

volquete Tombereau.

voltaje (je) Voltage (aj).

voltear Faire* tourner. *Vi* Tournoyer* (turnuaie).

voltereta f Tour (tur) m.

voltio Volt.

volubilidad Volubilité.

voluble Volubile (lübl).

volumen (ou) Volume (üm).

voluminoso Volumineux.

voluntad (lounta) Volonté.

voluntario, a Volontaire.

voluntarioso, a Volontaire.

voluptuosidad Volupuosité.

voluptuoso Voluptueux.

voluta Volute (lüt).

volver* *vt* Tourner (tur). Rendre (ra^ndr) [devolver]. Rendre [poner] : *volver loco*, rendre fou. *Vi* Revenir* [venir de nuevo]. *Vr* Se tourner. Devenir [ponerse] : *volverse triste*, *volverse triste*. Seguido de un verbo se traduce por *de nouveau* o por un verbo prece-

dido del prefijo *re* : *volver a leer*, relire.

vomitar Vomir.

vomitivo Vomitif.

vómito Vomissement.

voracidad Voracité.

voraz Vorace (ras).

vos, vosotros Vous (vu).

votación Vote (vot).

votante Votant, e.

votar Voter (te).

voto Vœu, Vote (vot) [sufragio]. Juron [blasfemia].

voz (voz) f Voix (vuá) : *en voz alta*, à haute voix. Cri m: *dar voces*, pousser des cris. Mot (mo) m [palabra].

vozarrón m Grosse voix f.

vuecencia Votre Excellence.

vuelco Renversement.

vuelo (vouê) m Vol. Saillie (saí) f [saledizo].

vuelta (vouel) f Tour (tur) m. Detour (detur) [recodo]. Revers (rœver) [prendas]. Verso m [página]. Monnaie (monê) [cambio de moneda]. *Dar* una vuelta, faire un tour. *Dar vueltas*, tourner. *Media vuelta*, demi-tour.

vuelto, ta V. VOLVER.

vuestro, tra Votre. *Pron* Le vôtre, la vôtre, les vôtres.

vulcanizar Vulcaniser.

vulgar Vulgaire (vülguer).

vulgaridad Vulgarité (vül).

vulgarizar Vulgariser.

vulgo Vulgaire (vül).

vulnerable Vulnérable.

vulnerario Vulnéraire.

vulpeja (eja) f Renard m.

Y

y *conj.* Et (è).

ya *adv* Déjà. Maintenant (miⁿtenaⁿ). *Conj* Soit: *ya uno, ya otro,* soit l'un, soit l'autre. *Ya está,* ça y est. *Ya que,* puisque. *¡Ya!* En effet!

yacer* (yazèr) Gésir*: *aquí yace,* ci-gît.

yacimiento Gisement (jis).

yate (yaté) Yacht (iat).

yedra *f* Lierre (lier) *m.*

yegua Jument (jümaⁿ).

yelmo (yel) Heaume ('om).

yema *f* Bourgeon (burjoⁿ) *m.*

yerba (yer) Herbe (erb).

yermo (yer) Désert, erte.

yerno (yèr) Gendre (jaⁿdr).

yerro (yerro) *m* Erreur *f.*

yerto, ta (yer) Raide (red).

yesca *f* Amadou (du) *m.*

yeso (yesso) Plâtre (atr). *Yeso mate,* blanc d'Espagne.

yo *pron.* Je [sujeto] Moi (muá) [complemento].

yodo (yo) Iode (iod).

yoduro (yoduro) Iodure.

yuca (you) *f* Manioc *m.*

yugo (you) Joug (ju).

yugular (yougou) Jugulaire.

yugular Juguler (jü).

yungla Jungle (jiⁿgl).

yunque (youn) *m* Enclume *f.*

yunta (youn) *f* Attelage *m.*

yute (youte) Jute (jüt).

yuxtaponer Juxtaposer.

Z

zabullir* Plonger*.

zacate *Am.* Chiendent.

zafar (za) Lâcher (laché).

zafarrancho Branle-bas.

zafio, fia Grossier, ère.

zafiro (za) Saphir (fir).

zaga (za) *f* Derrière *m. Ir* en zaga, rester en arrière.

zagal (za) Garçon (soⁿ) [mozo]. Berger (je) [pastor]. Postillon (iioⁿ).

zagala (za) Bergère (jer). Jeune fille (muchacha).

zagalejo (lejo) Cotillon.

zaguán Vestibule (bül).

zaherir (za) Critiquer.

zahína *f* Sorgho (go) *m.*

zahorí (za) Devin (dœviⁿ).

zahurda Niche à porcs.

zaino, na (zaïn) Zain (ziⁿ).

zalamería Flatterie.

zalamero, a Flatteur, se.

zalea (za) Peau de mouton.

zamarra Peau de mouton.

zamarrear (rré) Secouer.

zamarro Rustre (rüstr).

zambo, ba Cagneux, euse. *M* Babouin (buiⁿ) [mono].

zambomba *f* Instrument sonore constitué par un tambour dont la peau est traversée par une baguette.

zambra *f* Vacarme *m.*

zambucar *vt* Fourrer.

zambullir* Plonger*.

zampar *vt* Avaler (lé).

zampatortas Glouton (glu).

zampeado Pilotis (tí).

zampoña f Flûte de Pan. Chalumeau m [flauta].

zampuzar Plonger.

zanahoria Carotte (rot).

zanca (zàn) Échasse (chas).

zancada Enjambée (anjanbé).

zancadilla (lha) f Croc-en-jambe (krokanjanb) m.

zancajo (zànkajo) Talon.

zancajoso, a Déguenillé, ée.

zancarrón (zànkarròn) Os.

zanco (zàn) m Échasse f.

zancudo, da À longues jambes. Échassier (sié) [ave].

zángano (zàn) Bourdon.

zangarrear (zàn) Secouer.

zangolotear Secouer secoué, remuer (rœmüé).

zanja (zànja) f Fossé m.

zanjar (zànjar) Aplanir [dificultad].

zapa (za) Sape (sap). Chagrin (chagrin) [piel].

zapador Sapeur (pœr).

zapallo (zapalho) m Am. Courge (kurj) f.

zapapico (za) m Pioche f.

zapar (za) Saper.

zapatazo (za-zo) Coup de soulier (ku de sulié).

zapateado m Danse [f] espagnole.

zapatear vt Frapper du pied. Ennuyer (annüié) [molestar].

zapatera Cordonnerie.

zapatero Cordonnier.

zapatilla (lha) f Pantoufle.

zapato Soulier (sulié).

zape (zapé) Interj. servant à chasser les chats.

zapote (zapoté) Sapotier.

zaque m Outre (utr) f.

zaquizamí Taudis (todi).

zar (zar) Tsar.

zarabanda (zarabànda) f Sarabande (bande).

zaragüelles (zaragouelhès) mpl Culotte bouffante f.

zaranda (zaràn) f Crible m.

zarandar Cribler. Fig. Secouer (sœkué).

zarandillo Crible.

zarapito (zara) Courlis.

zaraza Cotonnade rayée.

zarcero (zarzéro) Basset.

zarcillo (zarzilho) m Boucle d'oreille f.

zarco, ca (zar) Bleu, eue.

zarigüeya (zarigoueya) Sarigue (sarig).

zarpa (zar) Patte (pat).

zarpanel En anse de panier (ans dœ panié) f [arco].

zarpar Lever l'ancre.

zarpazo Coup de patte.

zarza (zarza) Ronce (rons).

zarzal m Ronceraie (rè) f.

zarzamora Mûre (mür).

zarzaparrilla Salsepareille.

zarzarrosa Églantine.

zarzo m Claie (klè) f.

zarzuela (f) Vaudeville m.

¡zas! Pan! (pan).

zascandil Intrigant.

zeda Zède.

zedilla Cédille (sedíé).

zeta Zède.

zigzag Zigzag.

zinc (zink) Zinc (zink).

ziszas Zigzag.

zócalo Socle (sokl).

zodíaco Zodiaque (zodíak) m.

zona Zone (zon).

zonzo, za (zon) Sot, sotte.

zoófito Zoophyte.

zoología Zoologie.

zopenco m Gourde (gurd) f.

zopilote m Am. Vautour.

zopo, pa Gauche (goch).
zoquete (zokété) Bout de bois. *Fam.* Gourde *f*; moule *f*.
zorra (zorra) *f* Renard (nar) *m. Fam.* Cuite (küit).
zorro, rra (zorro) Renard *m* [un solo género en francés]. *Fam.* Malin, igne (astuto). *Pl.* Martinet.
zorzal *m* Litorne *f*.
zozobra *f* Naufrage *m. Fig.* Inquiétude (iⁿkietüd) *f*.
zozobrar *vi* Naufrager.
zueco (zoué) Sabot (bo)

zumba (zoum) Raillerie.
zumbar (zoum) Bourdonner.
zumbido Bourdonnement.
zumbón, na Moqueur, euse.
zumo (zou) Jus (jü).
zuncho (zoun) *m* Frette *f*.
zurcido *m* Reprise *f*.
zurcir (zour) Repriser.
zurdo, da Gauche, ère.
zurrar Drayer (dreié) [pieles]. *Fam.* Rosser.
zurriago (ou) Fouet (fue).
zurrón *m* Panetière *f*.
zutano, na Un tel, une telle.

VERBES IRRÉGULIERS ESPAGNOLS

Les verbes espagnols peuvent être irréguliers aux trois temps fondamentaux : présent, passé simple et futur de l'indicatif, ainsi qu'à l'imparfait de l'indicatif, aux deux participes et aux temps dérivés des temps fondamentaux, qui sont :

Pour le présent de l'indicatif : l'impératif (2e pers. du pr. de l'ind., sans *s* : *oír*, *oyes* : impér. : *oye*), le pr. du subj. (formé tout entier sur la 1ʳᵉ pers. du pr. de l'ind. : *oír*, *oigo* ; pr. subj. : *oiga*, *oigas*, etc.).

Pour le passé simple, l'imparfait et le fut. du subj. (formés sur la 3e pers. du p. simple : *pedir*, *pidió* ; imparf. subj. : *pidiera*, *pidiese*, etc. ; fut. du subj. : *pidiere*, *pidieres*, etc.) et, dans certains cas, le p. présent (*pedir*, *pidió* ; p. pr. : *pidiendo*).

Pour le futur simple, le conditionnel (*venir*, *vendré* ; condit. *vendría*, etc.).

VERBES A CHANGEMENT VOCALIQUE

Certains verbes en e...ar transforment l'*e* du radical en *ie* sous l'influence de l'accent tonique. Ex. : *Acertar* : pr. ind. : acierto, aciertas, acierta, acertamos, acertáis, aciertan ; impér. : acierta ; pr. subj. : acierte, aciertes, acierte, acertemos, acertéis, acierten. Ce groupe comprend les verbes en **ebrar** : *quebrar* ; **edrar** : *empedrar* ; **egar** : *cegar, estregar,*

fregar, negar, plegar, regar, segar, sosegar, trasegar; **elar :**
helar, melar; **emblar : temblar; endar : arrendar, enco-**
mendar, enmendar, merendar, recomendar, remendar; **engar :**
derrengar; **ensar : incensar, pensar; entar : acrecentar,**
alentar, apacentar, calentar, cimentar, dentar, emparentar,
ensangrentar, escarmentar, mentar, recentar, regimentar, sen-
tar, tentar, ventar; **enzar : comenzar; erbar : desherbar;**
ernar : gobernar, invernar; errar : aferrar, aterrar, cerrar,
desterrar, enterrar, errar, herrar, serrar; **ertar : acertar,**
concertar, despertar; **esar : confesar, atravesar, atestar, mani-**
festar; **estrar : adestrar; etar : apretar; evar : nevar; ezar :**
empezar, tropezar.

D'autres verbes en **o...ar** transforment, dans les mêmes
conditions, l'*o* du radical en **ue**. Ex. : *Probar :* pr. ind. :
pruebo, pruebas, prueba, probamos, probáis, prueban. Ce
groupe comprend les verbes en **obar :** *probar;* **oblar :** *poblar,*
amoblar; **ocar :** *trocar;* **odar :** *rodar;* **ogar :** *rogar;* **olar :**
amolar, colar, consolar, desolar, solar, volar; **olcar :** *volcar*
oldar : *regoldar, soldar;* **olgar :** tous; **oltar :** *soltar;* **ollar :**
acollar, degollar, descollar, desollar, hollar, resollar; **onar :**
sonar, tronar; **ontar :** *contar;* **ontrar :** *encontrar;* **onzar :**
avergonzar; **oñar :** *soñar;* **orar :** *aforar, ayorar;* **orcar :**
aporcar; **ordar :** *acordar, concordar, discordar, encordar,*
recordar; **ornar :** *acornar, descornar;* **ortar :** *entortar,*
orzar : *almorzar, forzar;* **osar :** *desosar, engrosar;* **ostar :**
acostar, apostar, costar, denostar, recostar, tostar; **ostrar :**
mostrar; **ovar :** *renovar.*

Des verbes en **e...er** changent dans les mêmes conditions
l'*e* du radical en **ie**. Ex. : *Perder :* pr. ind : *pierdo, pierdes,*
pierde, perdemos, perdéis, pierden. Ce groupe comprend des
verbes en **eder :** *heder;* **ender :** *ascender, defender, descender,*
encender, hender; **erder:** *perder;* **erner:** *cerner,* **erter:** *verter.*

Des verbes en **o...er** changent de leur côté l'*o* en **ue**,
comme *Moler :* pr. ind. : *muelo, mueles, muele, molemos,*
moléis, muelen. A ce groupe appartiennent les verbes en
oler : tous; **olver :** tous; **orcer :** tous; **order :** *morder;*
over : tous.

Les verbes en **ebir :** *concebir;* **edir :** tous; **eguir :** *seguir;*
egir : tous; **emir :** *gemir;* **enchir :** *henchir;* **endir :** tous;
ervir : *servir;* **estir :** tous; **etir :** tous, changent l'*e* du
radical en *i* sous l'influence de l'accent au pr. de l'ind. :
pido, pides, pide, pedimos, pedís, piden, et pour d'autres
raisons à la 3e pers. du passé simple : *pidió, pidieron,* et
au participe présent : *pidiendo.*

Tous les verbes en **eir** et **eñir** changent également l'*e* en *i.*

au pr. de l'ind. et au passé simple. Ils suppriment en outre l'*i* de la terminaison aux troisièmes personnes du passé simple. Ex. : *Réir* : pr. ind. : río, ríes, ríe, reímos, reís, ríen ; rió, rieron ; riendo.

Les verbes en **entir** : tous ; **erir** : tous ; **ervir** : *hervir*, changent l'*e* du radical en *ie* sous l'influence de l'accent. Ils changent cet *e* en *i* a la 3ᵉ pers. du passé simple ; aux deux premières pers. du pr. du subj. et au p. présent. Ex. : *Sentir* : p. ind. : siento, sientes, siente, sentimos, sentís, sienten ; p. s. : sintió, sintieron ; pr. subj. : sintamos, sintáis ; p. pr. : sintiendo.

Les verbes en **ernir** : *concernir, discernir*, changent l'*e* du radical en *ie* sous l'influence de l'accent, au pr. de l'ind. Ex. : *Concernir* : concierno, conciernes, concierne, concernimos, concernís, conciernen.

Ceux en **irir** changent de même l'*i* en *ie*. Ex. : *Adquirir* : adquiero, adquieres, adquiere, adquirimos, adquirís, adquieren.

Les verbes en **iñir, uñir, añir, ullir** perdent l'*i* de la terminaison aux troisièmes pers. du passé simple et au gérondif. Ex. : *Mullir* : mullo, mulleron, mullendo.

Les verbes en **uir**, sauf *Inmiscuir*, prennent un *y* au pr. de l'indicatif, sauf aux deux premières pers. du pl., ainsi qu'aux troisièmes pers. du passé simple et au gérondif. Ex. : *Huir* : huyo, huyes, huye, huímos, huís, huyen ; huyó, huyeron ; huyendo.

VERBES A CHANGEMENT CONSONANTIQUE

Les verbes en **ecer**, sauf *Mecer*, régulier, prennent un *z* avant le *c* à la 1ʳᵉ pers. du pr. de l'indic. Ex. : *Merecer* : merezco.

Les verbes en **ucir** font de même que ceux en **ecer**. Ex. : *Lucir* : luzco.

VERBES NON GROUPÉS

Andar. Pr. ind. Anduve, anduviste. **Asir.** Pr. ind. Asgo. **Caber.** Pr. ind. Quepo. P. s. Cupe, cupiste, etc. ; Fut. : Cabré. **Caer.** Pr. ind. Caigo. P. s. : Cayó, cayeron. P. pr. Cayendo. **Conocer.** Pr. ind. Conozco. **Dar.** Pr. ind. Doy. P. s. Di, diste dió, dimos, disteis, dieron. **Dormir.** Pr. ind. Duermo, duermes, duerme, dormimos, dormís, duermen. P. s. Durmió, durmieron. P. pr. : Durmiendo. Pr. subj. Durmamos, durmais. **Erguir.** Pr. ind. Irgo, irgues, irgue, irguen, ou yergo, yergues, yergue, yerguen. P. s. Irguió, irguieron.

Impér. Irgue ou yergue. Pr. subj. : irga, irgas, irga, irgan ou yerga, yergas, yerga, yergan, irgamos, irgáis, yergan. P. pr. Irguiendo. **Estar.** Pr. ind. : Estoy, estás, está, están. P. s. : Estuve, estuviste, etc. Pr. subj. Está, estés, esté, estén. **Haber.** Pr. ind. He, has, ha. hemos, habéis, han. P. s. Hube, hubiste, etc. Fut. Habré, habrás, etc. Pr. subj. : Haya, hayas, etc. **Hacer.** Pr. ind. Hago. P. s. Hice, hiciste, hizo, etc. Fut. Haré, harás, etc. P. p. Hecho. **Ir.** Pr. ind. : Voy, vas, va, vamos, vais, van. Imperf. : Iba, etc. P. s. : Fuí, fuiste, etc. Pr. subj. : Vaya, vayas, etc. P. pr. Yendo. **Morir.** V. *Dormir.* **Nacer.** Pr. ind. Nazco. Oir. Pr. ind. : Oigo oyes, oímos, oís, oyen. P. pr. Oyendo. **Pacer.** Pr. ind. Pazco. **Placer.** Pr. ind. : Plazco. P. s. Plugo ou plació. Pr. subj. Plega, etc. ; plegue, etc., plazca, etc. Les dér. de *Placer* se conjuguent sur *Nacer.* **Poder.** Pr. ind. : Puedo, puedes, puede, pueden. P. s. : Pude, pudiste, etc. Fut. Podré, podrás, etc. P. pr. : Pudiendo. **Poner.** Pr. ind. : Pongo, pones, etc. P. s. : Puse, pusiste, etc. Fut. Pondré, etc. **Pudrir.** Régulier sauf à l'infinitif, qui a les deux formes podrir et pudrir et au p. p., qui est toujours podrido. **Querer.** Pr. ind. : Quiero, quieres, quiere, quieren. P. s. : Quise, quisiste, etc. Fut. : Querré, querrás, etc. **Raer.** Pr. ind. : Raigo ou rayo. P. s. : Rayo, rayeron. P. pr. Rayendo. **Roer.** Pr. ind. : Roo, roigo ou royo. P. s. : Royo, royeron. P. pr. : Royendo. **Saber.** Pr. ind. Sé, sabes, etc. P. s. : Supe, supiste, etc. Fut. Sabré, sabrás, etc. Pr. subj. : Sepa, sepas, etc. **Salir.** Pr. ind. : Salgo, sales, etc. Fut. : Saldré, etc. **Satisfacer.** Se conj. comme *Hacer.* Impér. : Satisfaz ou satisface. **Ser.** Pr. ind. : Soy, eres, es, somos, sois, son. P. s. Fuí, fuiste, etc. Imperf. : Era, eras, etc. Pr. subj. : Sea, seas, etc. **Tañer.** P. s. : Taño, tañeron. P. pr. : Tañendo. **Tener.** Pr. ind. : Tengo, tienes, tiene, tenemos, tenéis, tienen. P. s. : Tuve, tuviste, etc. Fut. : Tendré, tendrás, etc. **Traer.** Pr. ind. : Traigo, traes, etc. P. s. : Traje, trajiste, trajo, trajeron. P. pr. : Trayendo. **Valer.** Pr. ind. Valgo, vales, etc. Fut. : Valdré, etc. **Venir.** Pr. ind. : Vengo, vienes, viene, venimos, venís, vienen. P. s. : Vine, viniste, etc. Fut. : Vendré, vendrás, etc. P. pr. Viniendo. **Ver.** Pr. ind. : Veo, ves, ve, vemos, veis, ven. P. s. : Vi, viste, vió, etc. Imperf. Veía, veías, etc.

Imp. BREPOLS

Dépôt légal : juin 1953. Nº de série Éditeur : 17878

IMPRIMÉ EN BELGIQUE (Printed in Belgium)

402051 R Janvier 1994.